韓国服飾文化事典

韓国服飾文化事典

金英淑 編著
中村克哉 訳

東方出版

補助執筆者

金明淑（キム・ミョンスク）忠清（チュンチョン）大学ファッションデザイン科教授
金美子（キム・ミジャ）ソウル女子大学衣類学科教授
金栄子（キム・ヨンジャ）崇義（スンイ）女子大学ファッションデザイン専攻教授
金用淑（キム・ヨンスク）前淑明（スンミョン）女子大学国文科教授
金在浩（キム・チェホ）前温陽（オニャン）民俗博物館学芸研究官
金芝希（キム・チヒ）前大邱（テグ）カトリック大学工芸デザイン専攻教授
朴京子（パク・キョンジャ）前誠信（ソンシン）女子大学衣類学科教授
柳喜卿（ユ・ヒギョン）前梨花（イファ）女子大学衣類織物学科教授、柳喜卿（ユヒギョン）服飾文化研究院院長
李康七（イ・カンチル）前陸軍博物館館長
李善宰（イ・ソンジェ）前淑明（スンミョン）女子大学衣類学科教授
李良燮（イ・ヤンソプ）前建国（コングク）大学産業デザイン学科教授
李恩珠（イ・ウンジュ）安東（アンドン）大学衣類学科教授
張仁又（チャン・イヌ）前仁川（インチョン）大学衣生活学科専任講師

資料提供

江陵（カンヌン）市立博物館	世宗（セジョン）大学博物館
慶熙（キョンヒ）大学博物館	淑明（スンミョン）女子大学博物館
高麗（コリョ）大学博物館	崇実（スンシル）大学博物館
国立慶州（キョンジュ）博物館	安東（アンドン）大学博物館
国立公州（コンジュ）博物館	安東民俗博物館
国立光州（クァンジュ）博物館	栄州（ヨンジュ）市役所文化財課
国立民俗博物館	温陽（オニャン）民俗博物館
国立扶余（ブヨ）博物館	陸軍博物館
国立中央博物館	梨花（イファ）女子大学博物館
国立古宮博物館	全南（チョンナム）大学博物館
檀国（タングク）大学石宙善（ソクチュソン）紀念民俗博物館	全州（チョンジュ）市立博物館
東国（トングク）大学博物館	済州島（チェジュド）民俗自然史博物館
東亜（トンア）大学博物館	忠北（チュンブク）大学博物館
釜山（ブサン）大学博物館	太平洋（テピョンヤン）博物館
釜山五倫台（ブサンオリュンデ）殉教者記念館	湖巌（ホアム）美術館
糸田（サジョン）刺繍博物館	

出版にあたって

「君子もって自強してやまず」（君子以自強不息）『易経』

世の中全体が不況の寒波にさらされ新刊の便りもまれな近年、相変わらずの自強不息の朗報に触れた。文化財専門委員でもあり服飾学者でもある金英淑先生の『韓国服飾文化事典』刊行の知らせである。

まだ上梓前で、完成本を手にしたわけではないが、まずは出版をお祝いするとともに、ねぎらいと励ましの言葉を述べたい。

金英淑先生は1988年に『韓国服飾史事典』を出版されたことがある。その脈を引き継ぐ今回の『韓国服飾文化事典』は、その後10年という歳月を経て、亭々とした巨木に成長した感がある。四六倍判の紙面に約3,500項目を収め、2,000枚の図版が視覚的理解を高めてくれている。これらの図版は、歴史的な壁画・遺物・復元絵画・彫刻などであり、いずれも史実に確かな根拠を置いたものである。また、甲冑、宮中の風習、織物、伝統染色等の分野は各界の専門家に筆を委ね、専門性を高めている。

金英淑先生は、ソウル大学師範学部及び淑明女子大学大学院を御卒業後、1960年代初めに志すところあって服飾学に転向し、30代の晩学ながら日本のお茶の水女子大学大学院に留学された。当時まだ公にはなっていなかったが、東京の国公立機関には大韓帝国末期の王室の服飾が少なからず所蔵されているという事実を知っておられたからだった。その核心は、100点あまりの英親王（李垠）家の服飾だったが、一介の留学生の身分では閲覧もままならず、これについての論文が発表されたのもしばらく後のことであった。1988年になりやっと全遺品を撮影する機会を得て、日本の出版社から豪華版写真集を上梓されたのだが、その間30年という歳月が流れていた。1990年前後に政治的な合意が得られ、英親王家の服飾がすべて韓国に返還された際に、この写真集が決定的な役割を果たしたことは言うまでもない。

金英淑先生の学究的執念は並外れている。帰国後、淑明女子大学・誠心女子大学等

で教鞭を取られるも志あって自ら職を辞され、服飾研究のための専門機関である東洋服飾学院を設立されて、かつて我が国で実現したことのない服飾関連資料集の編纂に心血を注がれた。この分野の資料に関して我が国は勿論中国の文献まで渉猟し、上古・高麗・朝鮮編の資料集を刊行され、出版文化賞を受賞された。

　韓国の服飾学の歴史はわずか半世紀に過ぎない。そんな中で『韓国服飾文化事典』が上梓になることは、それだけでも大きな意味がある。事典はいかなる分野のものであろうとも、専門家は勿論、一般人が疑問を解くための身近な教師である。したがって、事典の命はその正確さにあり、定説を踏まえた立場で執筆されねばならない。先生はこの点に心血を注ぎ、孤軍奮闘されてきた。

　このところ先生は、『韓国服飾文化事典』のために自宅と出版社の間をせわしく行き来しておられるようだ。古希を目前にされた先生を私は密かに「万年青年」と呼んでいるが、先生は溢れる情熱と熱い信念でこの夏を消盡されているようである。

　　　　　　　　　　　　　　　　　　　　　　　　金用淑（前淑明(スンミョン)女子大学教授）

はじめに

　服飾とは我々にいったい何を与えてくれるのだろうか。私はこの禅の公案のような問いを自らに投げかけながら生きてきた。問いかけても問いかけても、その答えは広がるばかりで、明確な形にはなってくれない。

　伝統服飾について語るとき、民族固有の情緒というものをないがしろにするわけにはいかない。すべての文化が生まれ成熟してゆく過程がそうであるように、服飾文化の変化・発展も民族情緒の発現だと言わざるを得ない。なぜなら、服飾は着る者の主体的な意識を継承しながら環境的要素を取り入れつつ、人間にもっとも近いところで変遷してきたからである。

　植民地からの解放以降、伝統服飾に関する研究は活発に行われてきた。時代別・身分別・種類別の流れが整理され、また外国との関係や織り・染めなどの技術的な問題、さらには服飾研究史までが研究の対象となり、伝統服飾の実体が明らかにされつつあることは頼もしい限りである。

　数千年の歴史を誇る我が国の服飾文化の変遷を振り返ると、我々の祖先は自然との一体感を維持しようとしてきたことが一目瞭然である。そこには自然と人間、人間と人間との調和を追求する融和と順応の精神があり、華麗さと素朴さ、強さと柔らかさ、威厳と包容、理想と現実が共存している。

　しかし、現在は科学技術の発達により、生活パターンだけでなく民族固有の情緒までもが崩壊しつつある。日々の生活において強烈な文化的刺激を受ける中で、我々固有のものを見いだすことは容易ではない。しかし大切なことは、我々の精神までもが揺らいではならないということである。過去に我々を支えてきた精神までも投げ捨てて、そこにいったい何が残るというのだろうか。古人の服飾文化に光を当てる素朴な意義が、ここにあるのである。

　私の人生における切なる課題は、韓国の服飾文化の中に溶け込んだ民族の正体を明

らかにすることである。このたび新たに刊行する『韓国服飾文化事典』も、このような作業の一貫に他ならない。10年前に著した『韓国服飾史事典』を基礎としながら内容を大幅に補い、視覚的編集にも注意を払った。特に多くの先生方が各専門分野の執筆に積極的に参加してくださり、充実した内容となった。記して感謝の意を表する次第である。

　上梓を前に、様々な思いが頭をよぎる。学問は一生のものであるということ、そして服飾の研究は私の生涯をかけた道であるということを、今回再認識することができた。何よりも、余念なく研究に打ち込める健康な体を与えてくれた両親に感謝する。また、家事をおろそかにした私にかえって勇気を与えてくれた夫と家族にも感謝したい。これまで心に暖めていた事典を刊行に導いてくださった美術文化の池美妊社長の力もまことに甚大であった。

　21世紀は文化が支配する時代である。この事典が、燦然たる我が国の服飾文化を世界に伝える契機になれば、これに勝る喜びはない。

　　1998年7月　　　　　　　　　　　　　　　　　　　　　　　　金英淑

凡 例

編集主旨
- 本書は、上古から近代に至るまでの韓国の伝統服飾と生活文化に関連する主要語彙を選定し、これに解説を加えている。各項目の説明は、主要文献・研究資料ならびに現物を参考にしながらも通説に従い、可能な限り図版を用いて視覚的理解を助けるようにした。

項目選定基準および記述方針
- 項目選定範囲は、韓国の服飾、すなわち衣服をはじめとする織物・装身具・冠帽・履き物・髪型・化粧などに加え、これらの材質・色彩・文様・製作器具・関連遺物・服飾政策・工芸までに及び、韓国の服飾に影響を与えた中国の服飾についても一部扱った。
- 説明の内容は、原則として時代・定義・特徴・使用階層・形態などとするが、項目の性格により例外もある。
- 説明文に現れる重要語彙には、（ ）内に理解の助けになる程度の簡略な注を施した。
- 年代表記については、王暦や年号はその西暦年を（ ）内に記した。
  例）仁祖6年（1628）、崇禎元年（1628）

項目配列および表示
- 名称が二つ以上あるものはいずれも見出項目とするものの、説明は普遍的に用いられる標準語名の項目に付し、「→⑩」で他の項目に導くようにした。
  例）平涼子 →⑩ペレンイ
- 同音で漢字表記の同じ項目は、①②のように分けて説明した。また、同音で漢字表記が異なる場合は、漢字の画数が少ないものから配列した。
- 内容上、主見出に付属するものは、該当見出の説明文中に小見出として立てた。

資料の引用
- 編者以外の執筆者による説明には、末尾に氏名を記した。また、参考とした文献の著者・書名も記した。
- 図版は、現存するものについては現物の写真やイラストを用い、必要によって実測図を載せた。また、可能な限り所蔵場所を記した。

付録
- 伝統染色・主要文献解題・服飾関連社会用語・服飾史年表を付録として載せた。

記号の使い方
- 《 》　：文献名・論文名など
- 「 」　：引用文・強調語句
- 〔 〕　：漢字表記
- ▽　：現代語音と一致しない漢字表記、および当て字と思われる漢字表記
- ＜　：〜の一つ
- ≒　：〜に似たもの
- →　：本文見出項目を参照せよ（本文末に付す）
- ▶　：本文見出項目を参照せよ（本文中に付す）
- ▷　：付録見出項目を参照せよ
- ⑩　：同意語・類意語
- ㊗　：縮約語

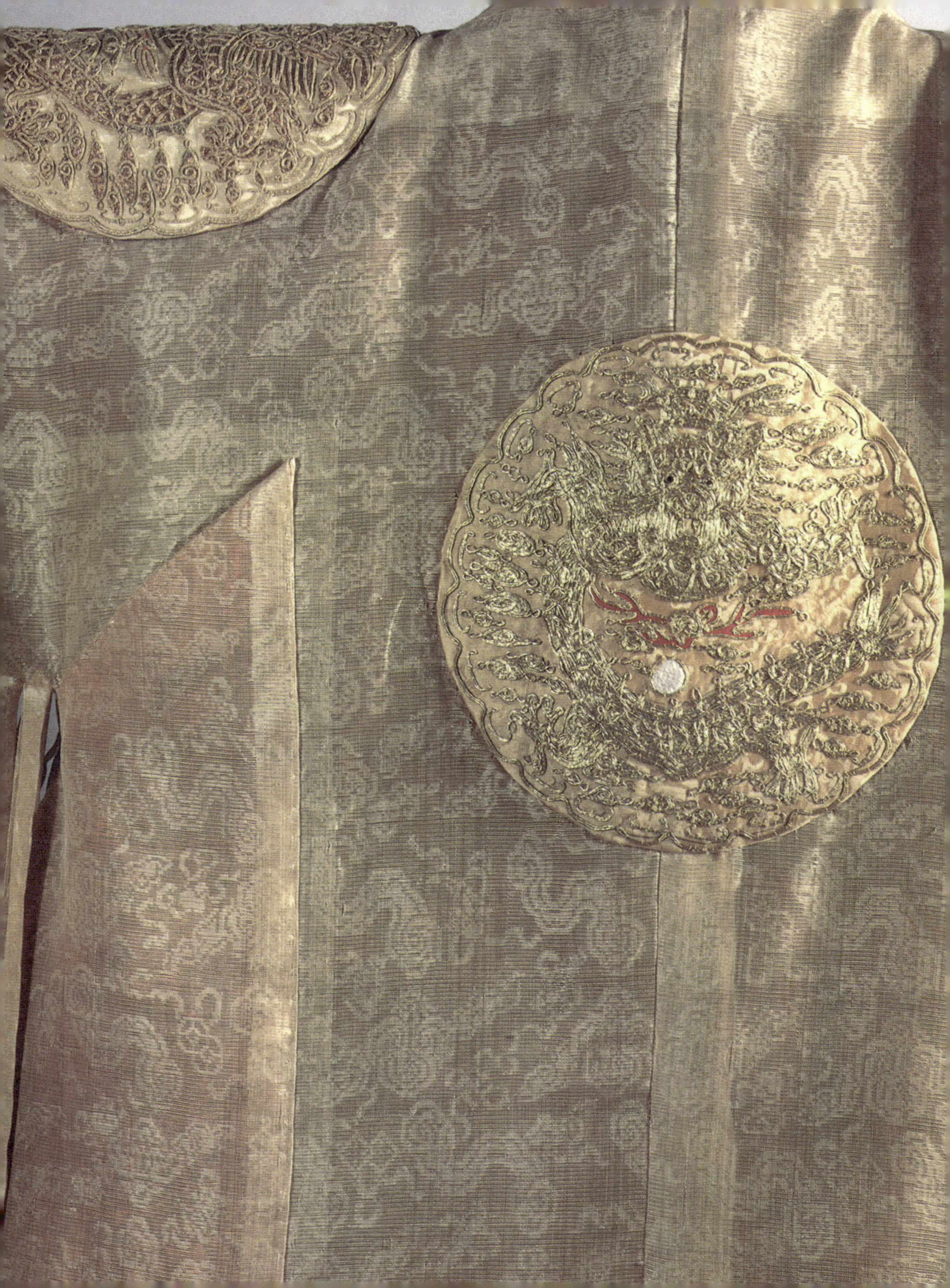

目次

出版にあたって　5
はじめに　7
凡例　9

ㄱ	カ	13
ㄴ	ナ	101
ㄷ	タ	118
ㅁ	マ	149
ㅂ	パ	182
ㅅ	サ	229
ㅇ	ア	279
ㅈ	チャ	319
ㅊ	チャ	359
ㅋ	カ	382
ㅌ	タ	382
ㅍ	パ	390
ㅎ	ハ	406

付録

　伝統染色　443
　主要文献解題　466
　服飾関連社会用語　474
　服飾史年表　481
　項目索引（五十音順）　485

ㄱ
カ

カゲ〔加笄〕 가계
朝鮮時代に、成人を迎えた男子が髷を結い、女子が簪を挿した行為。→冠礼・笄礼

加笄

カゲ〔加髢〕 가계
朝鮮時代の女性の髪型の一つ。髪を結い簪を挿すときに、髪が豊かに見えるよう入れ髪をして結った髪型。（《▷秋官志》第4篇掌禁部申章奢侈）→タリ

カグヮン〔加冠〕 가관
冠礼の際に、髷を結った上に▶カッ（笠）を被る行為。朝鮮時代には成人の証しとして冠礼を行ったが、男子は髷を結ってカッ（笠）を被った。中宗13年（1518）には冠礼の定式がなく、10歳を過ぎると加冠を行うこととされていたが、20歳を過ぎても行えない例も多く、冠礼の定式を設けることも建議された。（《▷朝鮮王朝実録》中宗13年7月庚戌）→冠礼・笄礼

カギョ〔駕轎〕 가교
朝鮮時代に王や王世子（皇太子）が陵幸や閱武参観等の長距離移動に利用した▶カマ（御輿）の一つ。前後に馬を1頭ずつ付け、鞍の中央に横木を掛けて長柄を固定し、前後から挟むようにして揺らさないように進む。国王が自ら乗る正駕轎と、その前を行く空駕轎とがある。→カマ

駕轎

カドクータンゴン〔加徳宕巾〕
가덕탕건
釜山広域市江西区加徳で作られる▶宕巾。済州島で生産される済州宕巾とともに、全国的に有名である。加徳宕巾の材料には済州島産の馬の尾等の毛が使われ、一本毛で編むホッ宕巾と二本毛で編むキョプ宕巾とがある。編む過程により5種類に分けられるが、最低60筋のものから200筋・300筋・400筋までがあり、筋数が多いものほど高級品である。300筋・400筋の宕巾は毛の細さが求められるため、馬毛で編むことは難しく人毛が使われたが、これを人毛宕と称した。→宕巾

カラ〔加羅〕 가라
上古の三韓時代に被られた帽子。先端が鋭く、弁ともいう。《▷雅言覚非》（巻2）は、尖幘を鉄加羅と表現している。

カラク 가락（つむ〔紡錘〕）
▶ムルレ（糸車）で糸を紡ぐときに、綿繭から引き出した糸を巻くための鉄串。両端が鋭く、長さは約30cmである。カラク（紡錘）には早糸を掛ける溝があり、空転を防ぐため早糸には蜜蝋を塗る。ムルレの輪とカラクは大小のギアのような原理で動き、カラクは非常に早い速度で回転するが、もしカラクが少しでも反っていると回転にブレが生じる。支柱に装着されたカラクは、ベルトの役割を果たす早糸によって高速回転し、引き出された糸はカラクに巻かれて巻き糸となる。カラクには糸を巻く前に黍の茎などを挿し、後で嵩を増した巻き糸が抜きやすいようにする。→ムルレ・カラクトリ

カラク-コドン 가락고동（つむわ〔紡錘輪〕）
▶ムルレ（糸車）の紡錘の支柱に▶カラク（紡錘）を挿すために付けた二つの輪。同カラクコリ→ムルレ

カラク-コリ 가락고리（つむわ〔紡錘輪〕）同→カラクコドン

カラク-パクィ 가락바퀴（ぼうすいしゃ〔紡錘車〕）
数本の糸を撚る道具。主に新石器時代から三国時代にかけて使われた。新石器時代には中心に穴を開けた円盤状のもの、ソロバンの玉状のもの、球状の土製品が使われたが、青銅器時代には土製品以外に円盤状の石製品も多く使われた。三国時代には、再び円盤状の土製品のみが作られるようになった。カラクパクィ（紡錘車）は墳墓からも出土するが、大部

カラクチ〔▽加▽絡▽指〕 가락지

カラクパクィ 紀元前3～2世紀の原三国時代のカラクパクィ。石製・土製。国立光州博物館、国立扶余博物館所蔵。カラクパクィの孔に円柱形の棒を挿して軸とし、これに繊維を巻いて撚り、糸を紡ぐ。

分は住居跡から出土する。新石器時代にカラクパクィが作られたのは、当時すでに原始的ながらも紡績が行われていたことを示している。㊂紡錘車（パンチュチャ）

カラクチ〔▽加▽絡▽指〕 가락지
指にはめる装身具。輪形で2個1組になっており、単独のものは半指（パンジ）という。指環はカラクチと半指（チパン）の総称であるが、カラクチのみを指す場合もある。カラクチは元来装飾品というよりは身分確認のための標（しる）しであったが、後に男女の愛情に対する信用と貞節の不変を約束する証しとして使われた。カラクチは朝鮮（チョソン）時代には既婚女性のみはめることができ、未婚女性は半指をはめた。これは、カラクチが男女和合と夫婦一身を象徴する標しであったことを推測させる。
カラクチは身分に関係なく広く用いられたが、その材料には違いがあり、上流層では翡翠・七宝・玉・瑪瑙・蜜花（琥珀）・珊瑚等を使って豪華に飾り、庶民層では銀や白銅のものを多用した。朝鮮時代後期には、宮中や上流層の女性は季節ごとにカラクチを使い分けた。憲宗（ホンジョン）の後宮である慶嬪金氏（キョンビンキム）の《▷四節服色自蔵要覧（サジョルボクセクチャジャンヨラム）》には、「カラクチは10月から正月まで金をはめ、2月と4月に銀七宝をはめた後、5月の端午に絹紗唐衣を着るときには玉か瑪瑙をはめ、8月の暑中には光紗唐衣を着るときに七宝をはめ、9月に貢緞唐衣を着るときまで続ける。このような決まりなので、夏に金をはめることはできず、冬に玉をはめることはできないが、春秋には服に合わせて好きなものをはめる」とある。㊂指環（チファン）・戒指（ケジ）・戒環（ケファン）

カラクチ 翡翠カラクチ。国立古宮博物館所蔵。

カラクチ-メドゥプ〔▽加▽絡▽指メドゥプ〕 가락지매듭
▶メドゥプ（飾り結び）の一つ。伝統メドゥプにおいて、作品に最後に趣を加えたり、隙間を埋める際によく使われる基礎的な技法である。ソクシメドゥプ（サセクパン）や四色板メドゥプに欄干（ナンガン）メドゥプで縁をとり、その隙間に様々な色のカラクチメドゥプをはめた作品が多い。房を垂らす前にカラクチメドゥプで空間を飾ることもある。→メドゥプ

カラクチッ-ポル〔▽加▽絡▽指ポル〕 가락짓벌
䯻を結うときに髪が解けないようにはめる、一握りの髪の毛を小さな輪のようにしたもの。→コ②

カラク-トリ 가락토리
ムルレカラク（糸車の紡錘）にはめる竹筒。二つの紡錘輪の間の部分に固定されており、早糸からの動力を受けカラクを回転させる。→ムルレ・カラク

カランジャム〔加蘭簪〕 가란잠
簪の頭の部分に、蘭の葉脈と花びらの細かな彫り物を飾りつけたもの。宮中において礼装時に使われた。㊂加蘭花簪（カランファジャム）→ピニョ（簪）

加蘭簪 国立古宮博物館所蔵。

カラン-ファジャム〔加蘭花簪〕 가란화잠→㊂加蘭簪（カランジャム）

カレ-タンソクコッ 가래단속곳〔가래單束곳〕
二股の▶ソクチマ。幅広の▶筒チマを縫って二股にし、ズボンのように両

足を通して履く。→同単ソッコッ

カレ-パデ　가래바대
一重の服のやぶれやすい部分に、継ぎ当てや縫い代処理用に当てた布。▶単ソッコッや▶ソッコッのような下着の裾を処理する際に両側に当てて補強し、縫い代が見えないようにする。

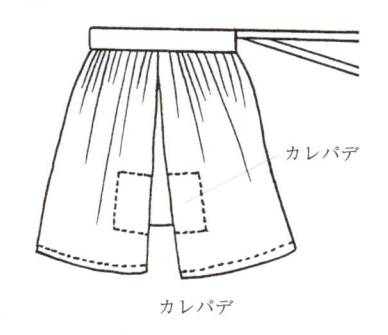

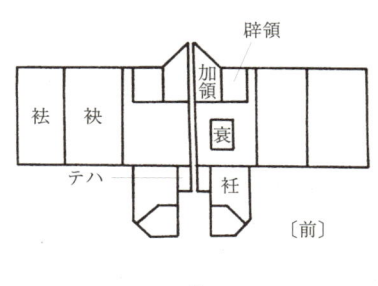

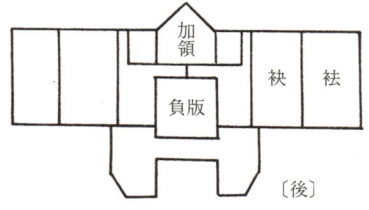

カレパデ

カリョン〔加領〕　가령
喪服の上衣である衰服の掛け襟。一般服の▶トンジョン（掛け襟）に当たる。→喪服・屈巾祭服

加領　喪服の部分名。

カレ〔家礼〕　가례
四礼（冠婚葬祭）に関する礼法。我が国に伝来したのは高麗時代末で、朱子学とほぼ同時期であった。朱子学を国家統治の根本理念として確立した朝鮮時代に入ると、この実践が強要された。当初は士大夫（文武官僚一族をはじめとする支配階級）の間で盛んだったが、徐々に儒教的な観念が一般化し、社会全般に広まった。我が国においては、家礼について朝鮮時代の学者兪棨が《家礼源流》を、金長生が《家礼輯覧》を著した。他にも、第16代国王仁祖の曾孫である李㴭が編纂した《四礼纂説》、18世紀半ばの英祖の代に李縡が編纂した《四礼便覧》を大韓帝国の高宗の代に黄泌秀・池松旭が増補した《増補四礼便覧》、17世紀初頭、宣祖の代に李恒福が編集した《四礼訓夢》等がある。これらの書物は、主に《礼記》あるいは《朱子家礼》を基準として各家庭における冠婚葬祭等を規定したものだが、中でも《四礼便覧》が最も広く愛読された。

カレ〔嘉礼〕　가례
五礼の一つ。国王の成婚や即位、あるいは王世子・王世孫・皇太子・皇太孫の成婚および冊封の儀式などをいう。朝鮮時代の世宗の代（15世紀前半）から五礼の制定が始まり、世祖の代に完成させてこれを《▷国朝五礼儀》とした。このうち嘉礼は、

嘉礼　哲宗哲仁后嘉礼班次図　ソウル大学奎章閣所蔵。哲宗2年（1851）に挙行された哲宗哲仁后の嘉礼の行列を描いた儀軌班次図。絵は国王が輦に乗ったところで、先頭には承伝宣伝官が緑の袍に黒角帯を締め、紗帽を被った姿で進み、両脇には半臂衣を着て皂巾を被った羅将、紅・黒の袍にカッ（笠）を被った武芸別監、鎧に兜を被り弓と矢を背にして馬に乗った武官、その他戦服を着た姿などが見られる。カマ（輿）を担いでいる轎軍たちの服装は、紅の戦服に紅の巾を被っている。

カレーヒュンベ〔嘉礼胸背〕 가례흉배

冊太后儀・冊王妃儀・元子誕生賀儀・冊王太子儀・王太子称名立府儀・王太子加元服儀・王太子納妃儀・冊王子王姫儀・公主下嫁儀・進大明表箋儀・正冬至上国聖寿節望闕賀儀・元正冬至節日朝賀儀・元会儀・王太子元正冬至受群官賀儀・王太子節日受宮官賀併会儀の他、宮中で行われた賀礼と暦の上の良い日に行う礼、あるいは君臣たちに下賜する礼などを規定している。

カレーヒュンベ〔嘉礼胸背〕
가례흉배
朝鮮時代に宮中で嘉礼を行う際に、国王・王妃・王世子（皇太子）らの礼服に縫い付けた▶胸背（官服の胸と背の標章）。同金繡鳳凰胸背→胸背

カルムソル 가름솔（わりぬい〔割り縫い〕）
裁縫で、縫い代の処理法の一つ。2枚の生地をしっかり合わせて真っ直ぐに縫い、縫い代を両側に割る。縫い代の縁はさらに折って縫ったり、かがり縫いをする。また、鋏で切ったり、折って表地とともに割り伏せ縫いにすることもある。アイロン掛けした上に、糊を少し塗って再度アイロンを当て、さらに表にも当てるときれいに仕上がる。→パヌジル

カルムス〔カルム繡〕 가름수（わりぬい〔割り繡い〕）
刺繡技法の一つ。中央の線の両側に斜めに平繡いし、左右対称になるよう表現する技法。中央の線を真っ直ぐに仕上げる。木の葉を表現する際に最も多用される技法である。（金恵卿）→刺繡

カリ 가리
麻の皮をはがして干す際に、一握り強ほどの分量にまとめた束。麻布を織るための最初の作業段階で行われる。同サムホルキ

カリマ〔加里▽尓〕 가리마
①朝鮮時代の女性の被り物の一種。幅65cmほどの黒や紫の絹を二つ折りにした中に、重ね貼りした厚紙を入れたもので、平らな書籍箱の形をしている。正祖12年（1788）の加髢申禁節目には、各宮房のムスリ（雑役婦）・医女・針線婢（裁縫士）、各営邑（兵営のある村）の女妓には、他の者と区別するため頭頂の髻の上にカリマを被らせたが、内医女は冒緞（絹）を、他の者は黒の▶三升布（粗い麻）を用いた。17世紀初頭の光海君中期以降、結い上げの禁止とともに▶チョクトゥリ（黒絹冠）を被るようになったことから使用が減り（《▶燃藜室記述》別集巻13政教典故）、以後は中央に綿を入れて前部を▶チョクトゥリのように突出させたものも現れた。申潤福の風俗画に描かれていることから、18世紀末の正祖の代までは用いられたものと思われる。同遮額

②額から頭頂まで髪を両側に分けてできる分け目。

カマ 가마（みこし〔御輿〕・かご〔駕籠〕）
乗り物の一つ。朝鮮時代には、官吏たちがその品階によりスレ（車）やカマ（駕籠）を乗り分ける轎輿制があった。これにより、平轎子には1品官吏と耆老（老官吏）、四人轎には判書（≒長官）またはこれに相当する官吏、軺軒には正2品以上、四人藍輿には参判（≒次官）以上、藍輿には3品の承旨（王命下達官）と各曹（≒省庁）の参議（≒局長）以上、帳歩轎には下級官吏が乗った。

■カマの種類
①輦：昔、国王が乗ったカマ（御輿）。前面と左右に朱簾（玉すだれ）を張り、天幕に鱗状の布を垂らし、長柄が2本付いている。②トン：王女が乗ったカマで、輦に似る。③駕轎：国王の乗るカマで、前後に馬を1頭ずつ付け、鞍の中央に横木を掛けて長柄を固定し、前後から挟むようにして揺らさないように進む。④四人轎：4人で担ぐカマで、民間では主に婚礼時に新郎・新婦が乗る。⑤軺軒：椅子に似た座の下の長い支柱に車輪が付いた一輪車で、上部には飾りがない。⑥藍輿：椅子のような座の下に長めの柄を2本取り付けたカマで、覆いや屋根のない小さなもの。⑦サッカッカマ（草轎）：喪中の親族が乗ったカマで、縁に白い幕を張り巡らし、大きな笠を被った形をしている。⑧竜亭子：国王の尊号などを記した玉冊・金宝など宝物の運搬に用いられたカマ。⑨彩輿：王室儀式の際に貴重品の移動に用いら

カリマ①　申潤福の《蓮堂野遊図》に描かれたカリマ。

れたカマで、花柄が施され、柄を前後から担ぐようになっている。⑩キャジャ：食べ物などの運搬に用いられた担架で、二人で担ぐ。墓を造る際に土を運んだり、収穫期に穀物を運ぶなど、多用途に用いられた。⑪歩輿(ポギョ)：東屋の屋根のような方形造(ほうぎょうづく)りのカマ。床は牛の生皮を縦横に編んで作り、柱・屋根とともに組み立て式になっている。⑫帳独轎(チャンドッキョ)：後面は壁で、両側面に窓があり、前面に跳ね上げ式の戸が付いている。屋根は丸く盛り上がっており、床は骨組みで、全体が一体構造になっている。人手がないときには牛の背に載せて固定し、一人が後ろで柄を持ち、バランスをとりながら進む。⑬神輿(シニョ)：朝鮮王朝の祠堂である宗廟(チョンミョ)で、位牌の奉安時に用いられたカマ。

カマを担いで進む際には、勧馬声(クォンマソン)を上げる。勧馬声とは国王が馬や駕轎(カギョ)に乗って行幸するときや、奉命官(ポンミョングァン)(王命伝達官)・守令(スリョン)(地方長官)やその婦人が双轎(サンギョ)に乗って出かけるときに、威厳を示すために前を行く従者が発した細く長いかけ声である。国王の行幸時にはカマ・馬などを司(サボク)る司僕や下人たちが、その他の場合には官吏の使いが発声した。

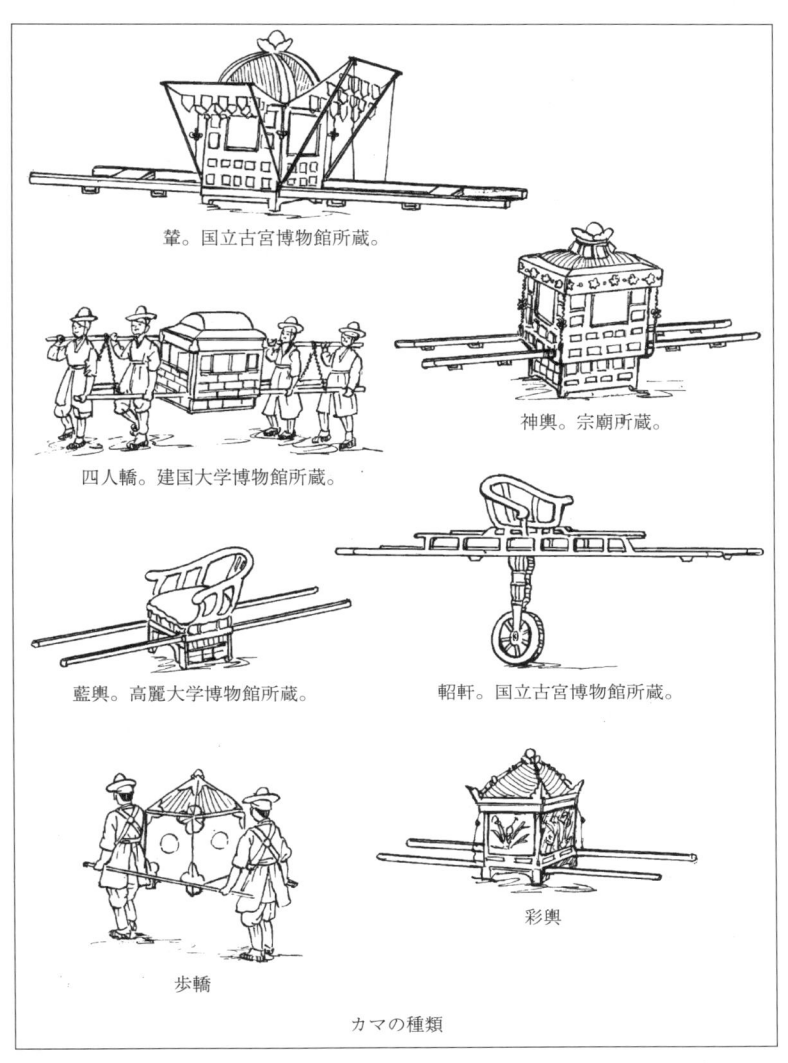

カマ〔加麻〕가마
小殮(ソリョム)(遺体に服を着せる葬礼儀式)の際に、親族が▶首経を頭巾の上に巻くこと。首経とは喪服を着る際頭に巻く、藁に麻の皮を混ぜて撚った縄である。

カマーメドゥプ 가마매듭
▶カマ(御輿)を豪華に飾るための各種▶メドゥプ(飾り結び)。王室で

輦。国立古宮博物館所蔵。

四人轎。建国大学博物館所蔵。

神輿。宗廟所蔵。

藍輿。高麗大学博物館所蔵。

軺軒。国立古宮博物館所蔵。

歩轎

彩輿

カマの種類

使われたカマの屋根の四隅には、それぞれ一羽の鳳の彫刻を付け、▶童多絵(トンダフェ)(丸組み紐)にメドゥプを施した▶流蘇(ユソ)(房飾り)を下げた。主に黄と紅の糸で各種メドゥプを施したが、長さはカマの大きさにより70〜130cmであった。これ以外に、カマの前後に五色の房を垂らした網紗(マンサ)メドゥプを飾ることもあった。

カバン〔▽柯▽半〕가반
新羅時代に履かれた袴(ズボン)。《梁書》《南史》の新羅の条は▶チョゴリ(上衣)を「慰解」、袴を「柯半(カバン)」と

カマメドゥプ

しているが、「柯半」はズボンを表

カバル〔仮髪〕 가발

す固有語の漢字表記である。《鶏林類事》には「柯背」とある。《梁書》巻54諸夷伝新羅）→パジ

カバル〔仮髪〕 가발（かつら〔鬘〕）
地髪ではない髪で気に入った髪型を作って被るものの総称。▶タリや▶加髢などの入れ髪とは異なり、土台に髪を植えたものである。我が国で仮髪が実用化されたのは近来のことで、髪量の少ない女性たちが入れ髪を挿して髻を結ったのが始まりである。→加髢・タリ

カサ〔袈裟〕 가사（けさ〔袈裟〕）
仏教の法衣で、僧服の一つ。インドの初期仏教教団の出家僧が着た三衣（大衣・上衣・中衣）が変化したもの。大衣は正装で托鉢時や王宮に招かれた際に、上衣は修行の際に、中衣は通常時や就寝時に着用した。この三衣は、元々ブッダが亜熱帯地方にあるインドの僧侶たちのために作ったもので、身を隠すものという意味で「衣」と呼ばれた。袈裟は108の布切れを碁盤の目状に並べて縫ったもので、布切れの間の通路のような部分には切れ目がない。貪・瞋・痴の煩悩を棄てた印として、▶長衫の上に左肩から右脇に掛けて纏う。赤・青・黄・白・黒の五正色を避けた雑色の▶壊色（濃い赤茶色）を用い、大きさにより五条・七条・九条から二十五条までに分けられる。五条（1長1短）に仕立てたものを安陀会、七条（1長2短）に仕立てたものを鬱多羅僧、九・十一・十三（2長1短）、十五・十七・十九（3長1短）、二十一・二十三・二十五条（4長1短）を僧伽梨と呼ぶ。袈裟とは、混濁色（壊色）を意味する梵語の「カサヤ（Kasaya）」に由来する言葉である。4～7世紀半ばまでの三国時代に仏教とともに伝来し、新羅の法興王が方袍、すなわち四角い袈裟を纏い（《▷三国遺事》巻3原宗興法）、高麗時代には

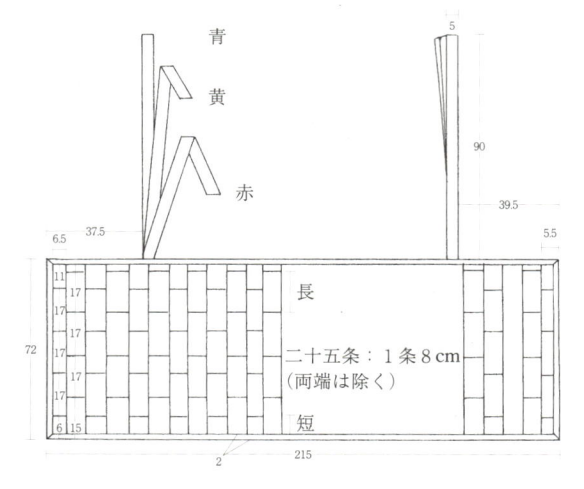

袈裟　紅色七宝雲紋緞袈裟。朝鮮時代後期。丈208cm、幅49.5cm。高麗大学博物館所蔵。七宝雲紋緞125片で仕立てた4長1短の二十五条袈裟。四隅には文字が刺繍されていたが、現存するのは二つのみである。十一条に四角の繍板を当てて、太陽と月を象徴する鳥と兎をはじめ、蓮の花などを刺繍してある。

国師は山水納袈裟、律師は福田袈裟を《宣和奉使高麗図経》18)、また朝鮮時代の世宗の代（15世紀半ば）には大紅羅袈裟が日本に伝えられた。同染衣・染色衣・壊色衣・不正色衣・濁赤衣・三衣・僧衣・比丘衣・法服・梵服・離塵服・消痩衣・間色衣・無垢衣・功徳衣・忍鎧・蓮華服・福田衣→僧服

カソン〔加襈〕 가선

衣服の袖先・衽・襟などに異なる色の布でアクセントを付けること。この布を▷襈という。加襈の風習は三国時代から盛んで、高麗・朝鮮時代まで続いた。襈は主に襟・衽・裾周り・袖先に紅や黒の布を巻くが、青や白も見られる。加襈は、布製の衣服の縁に、裏に打った毛皮が少しずつ顔を出したことに由来するもので、当初は必然的なものだったのが徐々に装飾に変わった。朝鮮時代の士大夫（文武官吏の一族をはじめとする支配階級）の代表的な普段着である▷深衣にも、襟・裾周り・袖先に加襈が見られ、▷鶴氅衣・▷中単・▷翟衣には加襈を施した上に各種の文様を入れることもあった。▷回装チョゴリにも加襈の名残が見られるが、この技法は上代社会から朝鮮時代末期まで礼服などに盛んに用いられた。

加襈　中国吉林省集安県の高句麗遺跡、舞踊塚主室東壁。

カス〔加首〕 가수

女性の頭に色々な飾りを付けること。朝鮮時代の正祖12年（1788）には女性の頭飾りが奢侈を極め、加首と見なされる飾り付けがすべて禁止された。（《朝鮮王朝実録》正祖12年10月辛卯）→加髢申禁節目

カシ〔加翅〕 가시

冠帽の装飾として鳥の羽を挿すこと。高句麗・百済・新羅では、朝賀や祭祀の際に鳥の羽を挿した冠帽を被った。これは狩猟時代の遺物といえるが、我が国のみならず北アジアの諸民族にも見られた風習である。

加翅　中国吉林省集安県の高句麗遺跡、舞踊塚主室西壁。

かやのふくしょく〔伽耶の服飾〕 가야의 복식

伽耶（伽羅・駕洛国）の服飾に関する記録は文献には見られないが、慶尚道の高霊・昌寧などから出土した遺物や壁画から、当時の服飾の一面を窺うことができる。服飾に関連する出土遺物としては、釜山市福泉洞11号墳出土の金銅冠と首飾り、昌寧市校洞12号墳および慶尚北道達城郡玄風出土の腕輪、昌寧市校洞11・12号墳出土の耳飾り、昌寧市校洞7・12号墳出土の指輪、昌寧市校洞7号墳出土の▷短甲、高霊郡池山洞2号墳及び慶尚南道咸陽郡上柏里古墳出土の▷曲玉、慶尚北道善山出土の銀製▷銙帯などがある。

カウィ 가위 （はさみ〔鋏〕）

二枚の刃を交差させて生地・紙・皮・毛などを切る道具で、その形態と用途は多様である。「交刀」「剪刀」「鋏刀」ともいう。遺物としては楽浪期の鋏と1～2世紀のものと推定される全羅北道南原の鋏、慶州市芬皇寺舎利具および雁鴨池から出土した7～8世紀のものがある。高麗時代には遺物が多いが、鉄製と銅製とがある。朝鮮時代の鋏は高麗時代のものと似たものが多いが、高麗時代に比べ取っ手が左右に大きくなっているのが特徴で、形も多様である。素材は大部分が銑鉄だが、鋼鉄や白銅を使ったものもある。朝鮮時代末期には左右の取っ手が異なるものが現れ、一方には親指を、他方には残りの4本の指を入れるようになっている。

カジュク 가죽 （かわ〔皮・革〕）

獣の皮をなめしたもの。主に牛・馬・豚・羊・山羊の皮が衣服の素材として利用された。朝鮮民族は北方騎馬民族に属し、狩猟時代には寒さを防ぐために皮で服を仕立て着用した。しかし、農耕生活が始まり植物繊維・絹・毛などの織物が発達するとともに皮の衣服は衰退し、皮は衣服の主材料ではなく部分材料として用いられるようになった。→カドッ

カジュク-カムテ 가죽감태

済州島で使われた被り物の一種。主に、冬の狩猟期に猟師たちが被った。獣の皮で作るが、穴熊の皮のものが最高とされる。

カジュク-ポソン 가죽버선

牛革で作った▷ポソン（足袋）。済州

カジュクーシン 가죽신 〔かわぐつ〔革靴〕〕

新羅金銅鋏。長さ25.5 cm。慶州雁鴨池出土。国立慶州博物館所蔵。刃の部分が短いが、半円形の縁が付いており、閉じるとこの縁が円形になる。柄は唐草文様の対象形だが、表面にも流麗な線で唐草紋が彫られており、その間には細かい魚子紋をぎっしりと施して、唐草紋を一層立体的に見せている。短い刃と円形盤の意匠から見て、蝋燭の芯を切断するために用いられたものと思われる。

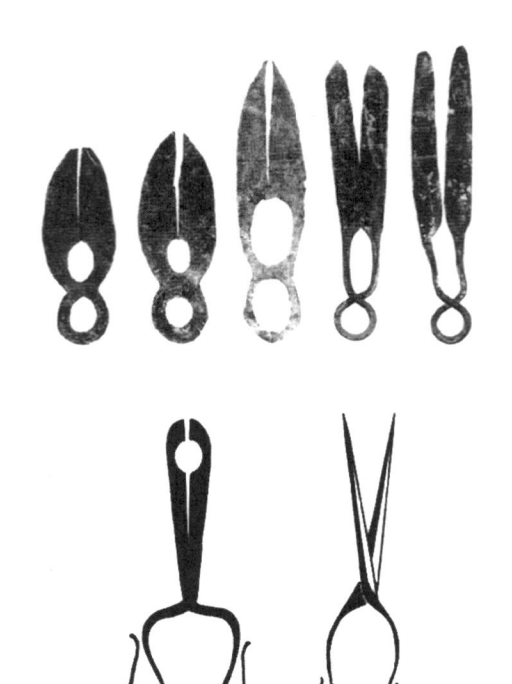

新羅鉛製鋏。長さ7〜14cm。慶州雁鴨池出土。国立慶州博物館所蔵。鉛製で、左右の刃を別個に作ったものではなく、柄の部分をひねった一体型の鋏である。形態は糸切り鋏に類似し、刃の部分が直線のものと曲線のものとがある。

高麗時代の鋏。貴族が用いたものである。高麗の人々が用いた日用品には洗練されたものが多いが、その代表が鋏である。①は蝋燭を切るための鋏で、美しい曲線が特徴。②は非常に鋭利な印象を与える。

① ②

カウィ

カジュクカムテを被った崔益鉉(1833〜1906)の肖像。

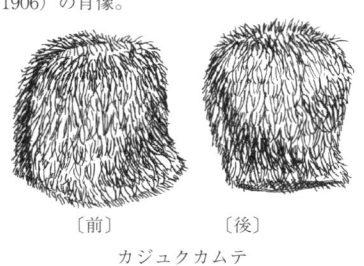

〔前〕 〔後〕
カジュクカムテ

島の焼畑農耕民たちが冬の狩りの際に履いた。牛革は厚く丈夫だが、固くて馴染みにくいため履きにくく、脱いだ後も足に痛みが残るが、事前に豚の脂を塗り込むと柔らかくなり艶もでて、足を暖かく保護してくれる。これを履いた上に、チプシン（草鞋）を履く。冬の狩りのときにのみ履き、普段は家の竈の焚き口の壁に吊して、煙で燻して虫が食うのを防いだ。

カジュクポソン

カジュクーシン 가죽신 〔かわぐつ〔革靴〕〕

獣の皮で作った靴。カジュクシンには▶ポソン（足袋）のように足首の長いものと足首のないものとがある。一般にカジュクシンはすべて「靴（フェ）」と称されるが、中には草鞋のように平たいものや、女性物には足首のないものもあった。ポソンの上に履くため形はポソンに似ており、靴先もポソンのように反っている。官吏たちは、官服着用時に必ず黒のカジュクシンを履くよう定められていた。《▷宣和奉使高麗図経（ソンファボンサコリョドギョン）》には、学生は革履を履き、吏人や民長たちは前が低く踵の高い烏革勾履を履くと記されている。カジュクシンは、朝鮮（チョソン）時代を経て近世まで命脈を保っ

ていた。→シン

カジ-パンソク-メドゥプ〔カジ方席メドゥプ〕 가지방석매듭
▶メドゥプ（飾り結び）の一種。メドゥプの各技法の名称は一般にその形に由来するが、カジパンソクメドゥプは方席（座布団）の左右にカジ（枝）が付いた形のメドゥプである。結び方は、伝統メドゥプの基礎技法といえるセンチョクメドゥプ（中央に「井」の字型のあるメドゥプ）を五つ繋いで方席の形にし、その左右に輪を張り出させたりセンチョンメドゥプを一つずつ繋ぐと、バランスのよい形になる。簪や▶扇錘（扇の房飾り）に多用されたメドゥプである。→メドゥプ

カジク〔仮織〕 가직
織物組織の一種。緯糸を特に粗く織る製織法で、これにより経糸を捺染する際に糸がほぐれにくくなって扱いやすく、形や縁がほぐれにくくなる。

カチェ〔加髢〕 가체
女性が盛装する際に、髪が豊かに見えるように足す入れ髪。「タレ」「月子」「髢」とも言うが、標準語は「▶タリ」である。加髢の風習は統一新羅時代にはすでに存在したが、朝鮮時代中期以降は奢侈を極め、英祖32年（1756）1月には「士大夫家中の加髢様式が日ごとに奢侈を極め、婦人がひとたび加髢を挿すのに巨額を浪費するに至れり」（《朝鮮王朝実録》英祖32年1月）とある。また、正祖12年（1788）には「当初は頭髪を纏めたに過ぎなかったものが重い飾り物となり、大きさを競

加髢 作者不詳。《美人図》部分。

うに至って価格が上がり、奢侈を極める者はその家が傾き、貧しく窮する者は人倫を省みざるに至るに、その弊害極まれり」（同、正祖12年4月辛卯）とあり、▶加髢申禁節目を定めるに至った。髪型により入れ髪を頭に挿したり、鬘のように被る場合もあった。チョジムモリ・▶オンジュンモリ・▶セアンモリ・▶オヨモリ・大首・クンモリなどは、長い入れ髪で作った型を頭に載せるもので、▶チョプチモリ・チョクチンモリなどは自分の髪に入れ髪を挿し、まとめて結った。→加髢申禁節目⑥タリ

カチェ-シングム-チョルモク〔加髢申禁節目〕 가체신금절목
朝鮮時代の正祖12年（1788）に、女性の▶加髢（入れ髪）を禁止するために備辺司が発布した定め。加髢を禁止するに至った理由と法令の遵守を強調した序および8か条の実践条目から成る。内容は次のとおりである。①すべからく士族の妻・妾や巷の婦女たちが編髢を被ることと髪を結い上げることを禁ず。②双髻・糸陽髻は婚前の様式と決められ

たものであるため、これらを髢髻に代えて用いてはならず、▶チョクを結ってこれに代え、被り物は従前どおり▶チョクトゥリ（黒絹冠）とし、綿・竹など素材の如何を問わずすべて黒で覆うようにせよ。③この度の禁制は、他ならぬ奢侈をなくさんとする聖意によるものであり、チョクトゥリに代えたとしても七宝の類を以前のように飾り付けるようであれば制度の改革は名ばかりとなり、倹約を促す実を失うことになる。よって、すべからく髪を金玉珠貝・真珠唐紵・真珠套心などで飾ることを禁ず。④▶於由味及び▶巨頭味は命婦（王族の女性や女官）らの髪型であるが、常時着用するものであるから、民家での祝宴や婚礼での使用を禁じてはならない。⑤チョクトゥリの飾りはすでに禁止条目に上がっており、男女の婚姻時に用いられる七宝チョクトゥリは賃貸借をまず禁止し、今後これを犯すものは▶首母・女僧（仲人）を問わず法司に移送し、法に照らして流罪とすべし。ところで、女僧が雑佩物の名のもとに各種物品を売買する悪習があるが、状況によっては従前より捕盗庁にて徹底して取り締まるように定められている。よって、今後も万が一このような類の行いがあった場合には、旧典に照らして捕盗庁に送り、罪を暴き厳断すべし。⑥常民と賤人の女で巷に顔を出して歩く者どもと公賤（官公庁の下女）・私賤（民間の下女）にはいずれも地髪を結い上げることを許すものの、入れ髪を特別に禁じ、各宮房のムスリ（雑役婦）・医女・針

カチュエ-ピョンニョン〔加衰辟領〕 가최벽령

線婢(ソンビ)(裁縫士)、さらに各営邑の女妓は自らの髪を結い上げた上に加里亇(カリマ)を被って地位を区別するものとし、内医女(ネウィニョ)は従前どおり帽緞(モダン)(絹)を用いるものとし、他は黒い▶三升布(サムスンポ)(粗麻)を被るべし。⑦都においては冬至を、地方においては冬至に送付した公文の到達20日後を期して一斉に遵守すべし。⑧一定期間が過ぎても令に従わぬ者は、状況に合わせてそれぞれその家長を摘発し、厳しく処するべし。(《▷朝鮮王朝実録(チョソンワンジョシルロク)》正祖12年10月辛卯)

カチュエ-ピョンニョン〔加衰辟領〕 가최벽령

▶喪服(サンボク)の一種である衰衣(チュエイ)に▶辟領(ピョンニョン)を付けたもの。辟領とは、哀悼の意を表すために衰衣の両襟脇に付ける布片である。→辟領・喪服・屈巾祭服(クルゴンチェボク)

カポ〔価布〕 가포

朝鮮(チョソン)時代に兵役・労役を免除された者が、軍布(クンポ)(▶軍保布(クンポポ))同様、その代わりに納めた布。

カファ〔仮花〕 가화

紙や布で作った花。朝鮮時代に広大(芸人)・巫女(ムニョ)・舞童(ムドン)らが帽子の飾りに用いた。

カク〔格〕 각

上衣(上半身に着る服)の袖と身頃が脇の下で重なった部分。(《▷五洲衍文長箋散稿(オジュヨンムンチャンジョンサンゴ)》巻37衣服裁縫弁証説)

カッコン〔角巾〕 각건

朝鮮時代に呈才(チョンジェ)(宮中舞踊)の際に舞童(ムドン)らが被った幞頭(ボクトゥ)の一種。帝寿昌(チェスチャン)・響鈸(ヒャンバル)・四仙舞(サソンム)・長生宝宴之舞(チャンセンボヨンジム)などを舞う際に被った。本体は布製で角張り、頂部が前に傾斜してい

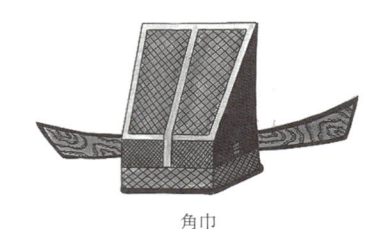

角巾

る。朝鮮時代の純祖29年(1829)の《進饌儀軌(チンチャンウィゲ)》に「舞童が角巾を被り、黒の▶襈(チュンダン)をあしらった白い▶中単(チュンダン)を纏い、その上に▶紅袍(ホンポ)を重ね着し、藍也帯を締めて黒靴を履いた」とある。

カンナン〔角囊〕 각낭 →⑮クィジュモニ

カクテ〔角帯〕 각대

官吏たちが冠服着用時に締めた帯の総称。身分と階級によって差別化されていた。角帯は新羅(シルラ)時代にすでに制度化され、初めは布帛を締めたが、羅帯(ナデ)(絹帯)・革帯(ウンデ)と発展し、冶金術の発達により金帯(クムデ)・銀帯(ウンデ)・銅帯(トンデ)・玉帯(オクテ)などを締めるようになった。高麗(コリョ)時代には階級による区別が制度化

角帯 梨花女子大学博物館所蔵。朝服に犀角帯を締めた姿。

されたが、おおむね3・4品の近侍以上は金帯、5・6品の朝臣は黒革の角帯を締めた。朝鮮時代には階級ごとの装飾が多様化し、▶ティドン(装飾板)の素材により角帯が使い分けられた。玉帯は王・王世子(皇太子)・王妃のみが締め、中国で生産されるサイの角を飾り付けた犀角帯(ソガクデ)(犀帯)は、王世子が▶公服(コンボク)を着用するときに1品の官吏が冠服を着用するときに締めた。翡翠帯(ピチュイデ)は王世子が、水晶帯(スジョンデ)はその長男が締めた。金帯は犀角帯に次ぐ扱いで、銅に金泥を塗って作った。花鳥紋(ファジョムン)などを彫った鈒金帯(サブクムデ)と紋様のない素金帯(ソグムデ)とがあるが、鈒金帯は正2品に、素金帯は従2品に着用させた。▶荔枝金帯(ヨジゲムデ)は黄色の角に真紅の点を打って荔枝皮(ジピ)(ライチの樹皮)の黄実紅のように仕立てたもので、従2品と正3品の公服着用時にのみ締めさせた。銀帯はティドンに紋様を彫った鈒銀帯(サブウンデ)と紋様のない素銀帯(ソウンデ)とがあるが、前者は正3品に、後者は従3品に締めさせた。黒角帯は3品以下の官吏の公服着用時と5品以下の官吏の▶朝服(チョボク)着用時に締めた。

帯の長さは、個人差が多少あるが胸囲より長く、ふつう120cm程度、幅は5cm程度である。角帯は官服(クァンボク)の脇の下にある輪に通して胸元で締め、後ろは腰に垂れるようにしたもので、実用性よりも装飾性の強いものであった。→ティ(ブムデ)・品帯

カクトゥゴン〔角頭巾〕 각두건

両側に角のある▶頭巾(トゥゴン)。高麗(コリョ)時代から朝鮮(チョソン)時代初期まで用いられたもの

で、朝鮮時代には議政府（ウイジョンブ）（≒内閣）の録事（ノクサ）（文書官）たちが被った。世宗（セジョン）30年（1448）1月には、議政府の録事たちが角頭巾（カクトゥゴン）は高麗時代の悪習であるから▶紗帽を被らせてほしいと国王に訴えたが、許されなかった。（《▷朝鮮王朝実録（チョソンワンジョシルロク）》世宗30年1月辛卯）

カクパン〔脚絆〕 각반（きゃはん〔脚絆〕）
足首から膝下までを包む巻き布。歩行時の便を図るため▶パジ（ズボン）の裾を締めるもので、布・革などで作り、外側を紐で結ぶものと巻き付けるものとがある。→⑬行纏

カクチャ〔角尺〕 각자（かねじゃく〔曲尺〕）
くの字型の曲尺（かねじゃく）。服の型をとるときに使うもので、一方に目盛りがある。

カクチャム〔角簪〕 각잠
角（つの）で作った▶ピニョ（簪）。朝鮮時代（テジョン）の太宗16年（1416）に制定した朝廷の官吏たちの冠服制度において、1品官の▶梁冠（ヤングァン）に角簪（カクチャム）を使用したことがあり（《▷朝鮮王朝実録（チョソンワンジョシルロク）》太宗16年3月壬戌）、朝鮮時代後期には女性たちが▶チョクチンモリ（後頭部で髻を結う髪型）に挿すこともあった。→ピニョ

カクペ〔角牌〕 각패
朝鮮時代（チョソン）に、正3品以下の文武官たちが使った角製の▶号牌（ホペ）（身分証）。普段は黒の角を、国喪の際には白の角を使用した。（《▷大東野乗（テドンヤスン）》巻31続雑録、丙寅年5月）

カンセク〔間色〕 간색
赤・黄・青・白・黒の五正色（オジョンセク）のうち二つ以上を混ぜ合わせた色。緑・紅・碧・紫・硫黄を五間色と呼んだ。色を二重・三重に染め重ねて得られる複合色（カンセク）も間色といえる。成宗（ソンジョン）19年（1488）3月に「王世子（皇太子）の服飾に緑を使っているが、緑は間色であり正色ではないので、黒を用いるべきである」とある。（《▷朝鮮王朝実録（チョソンワンジョシルロク）》成宗19年3月乙酉）

カンテク－ポクシク〔揀択服飾〕 간택복식
揀択（カンテク）に参加するために宮中に入る少女たちの服飾。揀択とは「直に見て選ぶ」という意味で、国婚に先立ち配偶者を選ぶ宮中儀式である。王妃や王世子（皇太子）妃をはじめ国王の子供や孫の配偶者までが含まれるが、王妃の揀択や王位を継承する王世子やその長男の場合に限って、国家的次元で大々的に執り行われる。候補者たちは高齢の国王の再婚のような特殊な場合を除いて未成年者であるので（民間では15歳で冠礼）、その服装は子供のものである。この服飾も初揀択・再揀択・三揀択と進むほど豪華になる。

揀択に参加する人数は、どの時代でも30人前後で、初揀択で5〜7人を選び、再揀択で3人、最終審査の三揀択で1人を選ぶのが慣例である。

■初揀択
成赤（ソンジョク）（前髪を上げて臙脂・コンジと呼ばれる紅を頰・額に付けること）はしない。国産の絹織物を染色した黄色の▶チョゴリにタホンチマ（真紅の▶チマ〈スカート〉）をまとった普段着姿である。履き物に定めはないが、一般に▶マルンシン（革の靴）を履き、髪は▶センモリとした。

■再揀択
成赤をし、服の色は初揀択と同じだが、生地に定めはないので緞（タン）（中国産絹織物）でもかまわない。チョゴリの上に、草色の▶キョンマギを着る。

■三揀択
再揀択のときのキョンマギよりも1段上の▶小礼服姿（ソレボク）で臨む。草色の▶唐衣（タンイ）に中間くらいの大きさの3本のノリゲ（房飾り）（中三作（チュンサムジャク）ノリゲ）を下げ、▶チョクトゥリ（黒絹冠）を被る。再揀択のときと同様に成赤は勿論、▶クィゴリ（耳飾り）もした。最初から内定した少女がいるのがほとんど慣例となっており、特別な待遇を受けた。すなわち、初揀択の終わった後で1人宮中に残され、別棟に移されて針房（チムバン）（裁縫室）の女性が服の丈を測った。この服は三揀択にこの少女が着て出るもので、他の少女たちには着られない宮中仕立ての特製品である。三揀択の前に保姆尚宮（ポモサングン）と女官が直々に家に届ける。（金用淑（キムヨンスク））

カル〔褐〕 갈
粗織りの毛織物。殷の時代にはすでに養蚕と絹織物が行われていたが、衣服素材としては皮革・麻・褐（カル）・羊毛などが用いられたことが甲骨文字の解読により明らかになっている。《説文》に「褐は杉の木の皮で編んだ粗い服（褐編枲革一曰粗衣）」と記されているが、《史略諺解（サリャクオンヘ）》巻1に「殷湯帝大旱七年…衣短褐而舎茅茨之下側錦衣九重…」との記述があ

カルゴン〔褐巾〕갈건

り、その注に「褐は葛と発音され、毛織物である（褐音葛毛布也）」とある。また、古代資料の詩歌の中には「毛褐」「短褐」「被褐」などが見られるが、これは下等人の衣服を表すもので、古くは貧しい人々は褐衣(カリ)を着用したことがわかる。褐は粗い麻と獣毛を混紡製織したもので、生地は固く重くてあまり暖かくなく、毛羽立っており見てくれが悪い。《▷三国史記(サムグクサギ)》巻33雑志色服の条には《新唐書》の記録を引用して、高句麗(コグリョ)と百済(ペクチェ)の庶民が褐衣を着用したことが記されている。(朴京子(パクキョンジャ))

カルゴン〔褐巾〕갈건
麻と獣毛の混紡である褐布(カルポ)で作った頭巾(トゥゴン)。官職に就かない在野の学者である処士(チョサ)や隠士(ウンサ)が被った。

カルゴ〔褐袴〕갈고
新羅(シルラ)時代に男たちが着た粗い布地の▶パジ（ズボン）。《新唐書》（巻220列伝第150東夷新羅）に、男は褐袴を着ていると記されている。

カルゴリ-タンチュ 갈고리단추
鉤形の▶タンチュ（ボタン）。本体とはめ穴とに別れ、それぞれ服の左右の衽に付けて、衽を揃える役割を果たす。ふつう銀や白銅を素材とし、各種の花紋や蝶紋・蝙蝠紋を彫った。→タンチュ

カルギッ-モリ 갈깃머리
髪を結ったり▶サントゥ（髻）を結うとき、あるいは▶娘子(ナンジャ)モリをこしらえたときに、下に垂れる残り髪。

カルモ〔葛帽〕갈모
雨天時に▶カッ（笠）の上に重ねて被った雨具の一種。元来「カッ帽(モ)」「雨帽(ウモ)」などと呼ばれたもので、広げるとてっぺんが尖った▶コッカル（山形頭巾）の形になり、たたむと扇子のようになる。作り方は、油を含ませた障子紙に細い竹ひごの骨を貼り付け、てっぺんに鶏冠のような紙を貼り付ける。雨天時にはこの葛(カル)帽をカッの上から被り、両脇に付いている紐であごにくくりつけるのだが、直に被るときには▶葛帽テ（型枠）を被った上に着用した。いつから用いられるようになったかは不詳だが、朝鮮時代の宣祖(ソンジョ)の代に李済臣(イチェシン)が著した《清江先生鯢鯖瑣語(チョンガンソンセンフチョンスェオ)》に、宣祖の先王である明宗(ミョンジョン)の代のころの笠制度の説明に雨帽についての記録があることから、朝鮮時代中期から一般化したものと推測される。

葛帽

カルモ-テ〔葛帽テ〕갈모테
葛(カル)帽を頭に直に被るときに、内側に当てる型枠。竹ひごを円弧状に曲げたもの四つを金具で繋いで円を作り、それぞれの金具に四本の竹ひごの骨を挿して円錐状にし、内側には▶ミサリ（布を巻いた頭受け）を付ける。竹ひごのつなぎ目にはすべて金具がはめられているので、折り畳むことができる。㊁カッ帽テ・帽テ

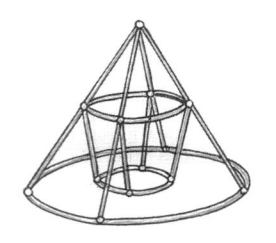

葛帽テ

→葛帽

カルサッカッ 갈삿갓
切って乾燥させた蘆の茎を編んで作った▶サッカッ。漏斗を逆さにした形だが、縁は六角形で、あご紐でとめる。㊁蘆笠→カッ

カルサッカッ

カロッ 갈옷 →㊁カム-オッ

カリ〔褐衣〕갈의
粗い麻の服。庶民の衣服で、弁(ピョン)とともに着用した。（《新唐書》巻220列伝150東夷高麗）

カルジル〔葛経〕갈질
葛布で作った▶首経(スジル)と腰経(ヨジル)。喪に服すときに女性たちが頭・腰に巻く。麻経(マジル)の5分の1の太さで、腰経は首経の5分の1の太さにする。《▷五洲衍文長箋散稿(ジュヨンムンチャンジョンサンゴ)》巻30経帯弁証説）㊁葛環(カルファン)

葛経

カルポ〔葛布〕갈포

雑織物の一種。経糸に綿または麻、緯糸に葛の繊維を用いた平織の織物である。古くは庶民の服地として用いられたこともあったが、多くは高貴な人の喪服に使われた。(《星湖僿説》巻18経史門)

カルファン〔葛環〕 갈환→⊜葛経

カルヒル〔葛纈〕 갈힐
文様染色技法の一種。絞纈・夾纈とともに三纈と呼ばれる。三国時代の高句麗ですでに用いられていた染色法で、新羅時代に禁止令が出された記録があることから、新羅の服飾に多用されたものと思われる。織物の一部に蜜蝋・パラフィンなどで防染加工し、染色した後に防染材を落として文様を出す技法である。防染材の配合のしかたにより防染部にひびが入り、これを染めたときに染料がひびに染み込んで趣のある柄を作り出す。奈良の正倉院所蔵の三国時代当時の遺物は、大部分我が国から直接伝わったものか、染色工が日本に渡って染めたものを献上したもので、三国時代に優れた染色技術と多様な染色法があったことがわかる。⊜蝋纈・蝋防染

カムゲス〔カムゲ繡〕 감개수
▶刺繡技法の一種。線を厚くはっきりと表現する手法である。→刺繡

カムゲ〔減髻〕 감계
女性の▶チョクチンモリの一種。後頭部で束ねた髪に▶ピニョ(簪)を挿した婦人の髪型で、ピニョ以外の装飾を控えたもの。朝鮮時代に入って過度な装飾が流行し、▶髻は禁止された。

カムダガルセク〔紺茶褐色〕 감다갈색
濁って不透明な黒緑褐色。朝鮮時代の成宗16年(1485)11月の条に「鴨頭緑色・紺茶褐色・鴉青草緑色など雑色の▶袍(<外衣)を一般人に着用させてはどうか」という記述があることからして、これ以前から紺茶褐色が官吏の外衣として使われていたことがわかる。

カムダハル-ミョンポ-ユサン〔紺茶割綿布襦裳〕 감다할면포유상
青みと赤みを同時に帯びた紺茶色の▶綿布で仕立てられた、▶チョゴリ(上衣)と▶チマ(スカート)に分かれた衣服。朝鮮時代の成宗の代に、中国の婦人に紺茶割綿布襦裳一着を下賜した記録がある。(《▷朝鮮王朝実録》成宗10年12月辛未)

カムナム-ヌクコン〔橄欖勒巾〕 감람늑건
高麗時代に女性が締めた橄欖色(オリーブ色)の帯。彼女たちは橄欖色の幅広い帯を締め、色とりどりの紐に金の鈴を付けて、絹の▶香嚢を身につけた。(《▷宣和奉使高麗図経》巻20婦人貴婦)→高麗の服飾

カム-オッ 감옷
熟す前の柿の渋汁で染色した衣服。済州島などで簡便な作業服・普段着として用いられた。柿を挽いて採った渋汁に生地を浸けてから天日干しをする。初めはごわごわし色も赤みが強いが、着続けるうちに糊気がとれ柔らかくなって着やすくなり、色も褐色になる。この服は特に紫外線に強く、農民たちが太陽のもとで長時間作業をしても日射病にかかる心配がない。カムオッの特長は次のとおりである。①作業中に雨に濡れても体に張り付かず、仕事がしやすい。②柿には一種の防腐剤成分が入っており、水は勿論、汗を吸ったまま放置しておいても腐食しない。③汗臭くならない。④洗濯にも石鹸が不要で、水切りがよい。⑤埃や大麦の芒なども、はたけばすぐに落ちる。⑥柿汁で染色すると生地がこわばるので、糊なしで丈夫な生地ができる。露の降りた畑で草取りをするときなどにも、水滴を弾くので服が濡れない。飼い葉を刈る際にも、棘や草が皮膚に刺さらない。このような長所があるため、済州島の家庭では染色用に柿の木を1・2本植える風習がある。

カミサントゥ 감이상투
髪型の一種。髪を下から上に巻き上げて輪のようにし、髪束の先をこの輪に通してから垂らした髪型。

カムチギ 감치기(まつりぬい〔纏り縫い〕)
生地に別の布を当てて縫いつけるときに用いる縫い方の一種。縫い代を内に折って縫いつける。▶ポソン(足袋)に当て布をして繕うときのように外側から縫うときは、折った縫い代は2・3回ずつくくり、地のポソン側は内側に糸を抜き、縫い目を0.2cm程にする。→パヌジル

カムトゥ 감투
▶巾の一種。▶宕巾に似るが、段になった部分がなく、革や布、馬のたてがみや尾の毛で作った。宋の韻書《広韻》には「頭を覆うもの」とあり、

カプサ〔甲紗〕 갑사

《揚子方言》には「箱子類」とあるが、▶紗帽（サモ）の変形と見ることができる。「坎頭」「甘頭」とも表記される。高麗（コウリョウ）時代の禑王（ウ）13年（1387）の官服改定では、下級官吏の礼帽としてカムトゥが見られ、この時代から着用されていたことがわかる。朝鮮時代には綿を入れて防寒用としたこともあり、済州島（チェジュド）では毛で編み冬に被った。チョンカムトゥ（馬毛カムトゥ）・チュクカムトゥ・ノカムトゥ（紐カムトゥ）・ポクチュカムトゥ（獣毛カムトゥ）・オソリカムトゥ（穴熊の毛のカムトゥ）などがある。→巾

甲紗　円形寿福字紋甲紗。

カムトゥ　朝鮮時代後期。直径18cm、高さ21.5cm。安東中央高等学校所蔵。帽頂部と上・中・下段部の編み方を変えた馬毛製。

カプサ〔甲紗〕 갑사

絹織物の一種で、良質の▶紗（捩織の絹）のこと。紗の組織に平織・斜紋織で様々な文様を入れた趣のある織物で、夏用の服地とする。柄のある紋甲紗（ムンガプサ）と、柄のない無紋甲紗（ムムンガプサ）とがある。正祖（チョンジョ）20年（1796）3月には、軍門の将校たちが軍服に大緞（中国産の絹）や甲紗（カプサ）を乱用したため、軍服を▶苧布（カラムシ）3升で作らせた（《増補文献備考（チュンボムンホンビゴ）》礼考27章服2）。甲紗は国王の▶冕服（ミョンボク）（祭礼服）から▶朝服（チョボク）（朝賀服）、王妃・王世子（皇太子）妃の▶ス襴チマ（ランチマ）・大襴チマ（テランチマ）、王世子の▶トンダリ（＜軍服）に至るまで、広く用いられた。

カプサムパル〔甲三八〕 갑삼팔

上質の絹織物。春物・秋物の▶パジ（ズボン）・▶チョゴリ（上衣）・▶トゥルマギ（＜外衣）などの生地として使われる。

カプセンチョ〔甲生絹〕 갑생초

▶生糸（センサ）で織った絹織物の一種。主に春物・夏物のチマチョゴリ・パジチョゴリや▶トゥルマギ（＜外衣）の生地として使われる。同曲生絹（コクセンチョ）

カプシン-ウイボク-ケヒョンニョン〔甲申衣服改革令〕 갑신의복개혁령

朝鮮時代の高宗（コジョン）21年（1884）閏5月に下された▶官服（クァンボク）及び▶私服（サボク）改革令。内容は「官服を▶黒団領（フクタルリョン）のみとするのは即ち古制であり、極めて簡便なものである。堂上官（タンサングァン）（正三品以上）の▶時服（シボク）である黒団領は、《▶大典通編（テジョントンピョン）》およびその原典である《▶経国大典（ケイクテジョン）》の例に従うのをやめ、今後朝廷のすべての官吏は大小の朝儀に進見するときや宮廷の内外での公務の際には黒団領に▶胸背（ヒュンベ）を付け、文武階品を区別せよ。▶団領（タルリョン）の様式を▶盤領（パルリョン）・▶窄袖（チャクス）とするのもまた、国初の様式に従うべし」というものであった。また、私服は▶ソメ（サ）（袖）を狭め、広袖の▶直領（チンニョン）・▶道袍（トボ）・▶氅衣（チャニ）・中衣を廃止し、その他の▶戦服（チョンボク）・▶ティ（帯）・縕・カックン（笠紐）・▶儒生服（ユセンボク）などについて詳細な指示が下された。

以上の内容を分析してみると、時服を廃止して官吏の官服の数を減らし、団領（タルリョン）の色を黒に統一し、また朝服を着るべき各種行事には黒団領に胸背のみを付けるようにし、着替えの煩わしさを減らした。また、袖の狭い服は賤民のものであるが、私服は勿論官服である団領までも細袖としたのは官民平等思想が服飾に反映したものであり、朝鮮時代において初めての出来事であった。これに対し、根深い因習と伝統にこだわる保守勢力らは強く反発し、服飾の紋章・威厳・旧様式の独占に執着したが、高宗（コジョン）の服飾改革に対する意思は相当固かったものと見られる。また、時代の流れからしても、服飾の威厳や旧様式にこだわることには無理があった。こうして同年6月3日、礼曹（イェジョ）（儀典担当省）において私服変制節目（サボクピョンジェチョルモク）を起草し、これを施行させた。

カプサムジ 갑쌈지

▶サムジ（たばこ入れ）の素材となる厚い油紙。→サムジ

カピョプ〔甲葉〕 갑엽→同カボッミヌル

カボ-キョンジャン〔甲午更張〕 갑오경장

朝鮮（チョソン）時代、高宗（コジョン）31年（1894）の開化

党政権の成立以降、従来の文物制度を近代的国家形態に改めた改革。最も重要な内容は、両班（文武官一族）を中心とした身分制度の打破、門閥を越えた人材登用、罪人への拷問と罪人の身内にも刑罰が及ぶ縁坐制の廃止、早婚の禁止、寡婦の再婚許可、衣服制度の簡素化などの社会的改革であった。このような社会変動にともない、従来の考え方から脱皮した服飾の変化がもたらされた。すなわち、実用に重点をおいた衣服制度の変化が起きたのである。朝鮮開国以来500年続いてきた旧制度を一新する近代的改革としての性格を帯びているが、日本の侵略的意図により強行された改革であり、抗日勢力の反発も買った。

カボッ〔甲オッ〕갑옷（よろい〔鎧〕）

戦場で敵の槍・刀・矢などから体を守るために着た服。初めは革などを利用したが、使用範囲が広がるにつれ素材も多様化した。▶三国時代以降着用された鎧は、高句麗古墳壁画や出土遺物にその形を見ることができる。唐の太宗が百済に使いを送り、五色深く金色燦爛とした金漆塗鉄甲を手に入れて着たという記録があることから、中国よりも製造技術の進んでいたことがわかる。鎧と兜を合わせて▶甲冑というが、両者が別個のものと一体になっているものとがある。高句麗古墳壁画に見られる三国時代の甲冑は、兜が大部分頂蓋部・鉢部・錏の三つの部分からなり、頂蓋部には鳥の羽や象毛が挿され、幹柱に蓋鉄が付いており、鉢部は5世紀半ば以降は左右に角が出ており（双楹塚武士図、三室塚北壁と西壁の武士図）、錏は顎で結ぶ現在の防寒帽に似た形をしているなどの特徴が見られる。

鎧は上下に分かれるが、上衣は顎まで立ち上がった襟があり、袖は手首までのもの、肘までのもの、袖なしのチョッキ型のものの3種類がある。また、製法により▶短甲と▶札甲とに分けられる。短甲は歩兵用で、板状で形の定まったものだが、札甲は騎馬用で、小片を革紐でつなげてあるため体の動きに合わせて伸縮が自由で短甲よりも動きやすく、馬上でも楽な進歩した鎧である。一方、新羅や伽耶地域から出土する鉄製の兜や鎧は、その製法が驚くほど精巧である。1972年に慶尚南道咸陽郡上柏里から出土した鉄製短甲や、1978年に慶尚北道高霊郡池山洞から出土した短甲、そして1964〜1974年に釜山市東萊福泉洞から出土した短甲などは、いずれも鉄製だが製法が異なっている。上柏里のものは三角板を7段に繋いだもの、池山洞のものは長方形の鉄板をやはり横7段に繋いだもの、そして福泉洞のものは縦長の鉄板を鋲で繋いだものである。

高麗時代の鎧は、仁宗1年（1123）に高麗を訪れた徐兢の《宣和奉使高麗図経》巻11・12によると、崇武卑文思想により品階の高い武官は▶公服姿に幞頭を被っており、生活の安定を反映して鎧の発達はほとんど見られないようである。着用時でも兜は肩にかけ、代わりに▶巾（頭巾）を被っている。鎧の素材には黒革や鉄が用いられ、将軍のものは絹を縫い合わせて隙間を繋いでいるが、腰には五色の花柄を刺繍した▶ティ（帯）を締めるなど、この時代の鎧の華麗さを垣間見ることもできる。

朝鮮時代には鹿皮・鉄などで作った▶札甲が主流だが、《▶万機要覧》（軍政編3御営庁軍器）によると真紅の大緞（中国産の絹）、色とりどりの▶彩緞、▶三升布（粗い麻）などで作ることもあった。太宗の代には革で繋いだ鎧は切れやすいので鉄の使用が定められ（《▶朝鮮王朝実録》太宗14年11月癸卯）、世宗の代には歩牌甲士の甲冑を整備するにあたって、兜に詹を付け、黄丹を塗り鎖児甲の下の▶襈と袖は紅染皮で飾るようにした（同、世宗13年3月辛未）。訓錬都監（軍事訓練所）・禁衛営（首都警備軍）・御営庁・摠戎庁などに各種鎧があった。素材は大部分が絹・鉄・真鍮・革・木綿・毛氈・紙で、鉄・皮革・布に多様な文様を入れ、各種▶緋緞（朱子織の絹）で飾り立てた。

■種類と製作法

《世宗実録》五礼の兵器の条に記された鎧の種類と製作法は次のとおりである。①水銀甲：札に水銀をかけて赤い革紐で繋いだもの。②柳葉甲：真四角の札を黒く塗り、鹿皮で繋いだもの。③皮甲：イノシシの生皮を札とし、燻した鹿皮で繋いだもの。④鎖子甲：針金の小さな輪を繋いだもの。⑤鏡幡甲：札と鉄輪を互い違いに繋いだもの。⑥紙甲：厚紙を折って4・5回塩水に浸けたも

カボッ〔甲オッ〕갑옷

鉄製短甲　新羅、3世紀前半。慶州市九黄洞古墳出土。国立慶州博物館所蔵。縦型の鉄板を繋いで円筒型にしたもので、胸の正面で突き合わせにし、首を保護するための錏を付けた。

皮甲冑　　　　頭釘甲冑　　　　豆錫鱗甲冑

頭釘鎧と兜　竜鳳紋頭釘甲冑。19世紀。温陽民俗博物館。兜には鉢部の前面左右に蠣竜が、後面左右に飛鳳が施されている。額隠しの中央の丸い玉板の中には、飛鳳と李花が透かし彫りになっている。鎧は、表地は紅絨、裏地は青の雲紋緞である。頭釘を外側から打ち付け、襟周りには擇蛇、肩には牽竜、前身頃には雲竜、後ろ身頃には飛虎を施してある。

豆錫鱗甲冑　赤い絹の地に両肩から腹部まで赤・黄・黒3色の真鍮小札を重ね合わせ、襟の豆錫（真鍮）板には竜を陰刻してある。襟元から裾・脇・袖底・袖口に至る縁の線に黄色の毛皮を当て、両袖先に3列、下腹・腰部に7列の黄頭釘を打ってある。小札を打った部分の縁の丸い銅板には、雲鶴と波に乗って遊ぶ神仙を浮き彫りにし、下部には象宝紋と輪宝紋を施してある。

カボッ

のを黒く塗り、鹿皮で繋いだもので、背中側の丈が短く細袖である。⑦頭釘甲(トゥジョンガプ)：青や赤の服に札と飾りをまばらにはめ込んだもので、袖は紐で胴に結びつけてある。袖にも装飾をはめ込み、袖口に鹿皮を当てたものもある。⑧頭錫鱗甲(トゥソンニンガプ)：真鍮片を繋いで作る。《▷戎垣必備(ユンウォンピルビ)》(甲冑)に「歩兵の鎧は長く、騎兵の鎧は短くあるべし」とある。(李康七)

カボッーミヌル〔甲オッミヌル〕 갑옷미늘（さね〔札〕）
兜表面の鱗形の切れ端。革・鉄・骨・紙などで作られる。位置により大きさが異なり、穴を開けて革紐で繋ぐ。(李康七) ㊂甲葉(カプヨプ)・札(チャル)

カプチョゴリ〔甲チョゴリ〕 갑저고리〔甲▽赤▽古▽里〕
軍人の上衣の一種。厚紙を塩水に4・5回浸けて仕立てる。

カプチュ〔甲冑〕 갑주（かっちゅう〔甲冑〕）
鎧と兜を合わせて「甲冑」というが、鎧と兜が別個になったものと、一体になったものとがある。我が国の甲冑は中国から伝わったもので、《梁書》によれば三国時代にはすでに▶鎧甲(ケガプ)を護身具として用いていたとの記録がある。甲冑の製法上、兜の鉢と首・背中を隠す錏(しころ)が最も重要である。鉢は鉄板製が普通で、錏は兜の周りに札(さね)や革を垂らして、敵の矢を防ぐ。朝鮮時代の睿宗(イェジョン)１年(1469)７月に宗親(チョンチン)（国王の親族）・宰枢・朝臣・軍人・坊里雑色軍(パンニジャプセックン)などに甲冑を自前で準備させた記録がある。また、一般的に訓鍊都監(軍事訓練所)・禁衛営(クムウィヨン)(首都防衛軍)・御営庁(オヨンチョン)・摠戎庁(チョンユンチョン)などに甲冑があったが、その種類は多様で、鉄・革・毛氈(フルリョンドガム)などを素材にして、各種の文様を入れて作った。(李康七) →カボッ

カプチュン〔甲繒〕 갑증
絹織物の一種で、柄のない薄いもの。品質が極めて優れ、幅は▶明紬(ミョンジュ)と同じである。

カッ 갓
朝鮮時代の士大夫（文武官吏の一族をはじめとする支配階級）の代表的な▶冠帽(クァンモ)の一種。頭を覆う▶帽子(モジャ)とつばにあたる涼太(ヤンテ)とからなる。形の上で、帽子と涼太が一体化した方笠(パンニプ)型と、両者が独立した平涼太(ピョンヤンテ)型とに大別されるが、前者には▶サッカッ・▶方笠・▶氈帽(チョンモ)などが、後者には▶ペレンイ・▶草笠(チョリプ)・▶黒笠(フンニプ)・▶戦笠(チョルリプ)・▶朱笠(チュリプ)・▶白笠(ペンニプ)などがある。広義のカッはこれらすべてを指すが、一般的には黒笠を指す。朝鮮時代になって形の完成した黒笠は、韓国の典型的なカッとして定着し、士大夫・庶民の区別なく広く用いられた。カッは黒漆が本来の色だが、用途によっては別の色が使われた。赤漆の朱笠は武官の堂上官(タンサングヮン)（正３品以上）が▶戎服(ユンボク)(＜軍服)を着るときに被り、白笠は喪服着用時に被ったが、一般には死後２年後の大祥(テサン)の後、その３か月後の禫祭(タムジェ)までの間と、国喪の際に被った。

■歴史

カッの由来については、文献上は《▷三国遺事(サムグクユサ)》に新羅の元聖王(ウォンソン)が夢の中で▶幞頭(ポクトゥ)を脱ぎ▶素笠(ソリプ)を被ったとの記録が見られるが、素笠は庶民の▶冠帽で、その形は▶冕旒冠(ミョルリュグァン)に似るとしている。しかし、素笠を一般人が被り始めたのは、これよりも遡るものと思われる。高句麗(コグリョ)壁画においても、カッと思われる帽子の一種が龕神塚(カムシン)壁画に見られることから、三国時代からカッが着用されていたことがわかる。また、宋の徐兢による《▷宣和奉使高麗図経(ソンファボンサコリョギョン)》にも一般人たちが▶竹笠(チュンニプ)を被っており、四角いものや丸いものがあると記録している。《▷高麗史》に「▶馬尾笠(マミリプ)」とあるが、これは馬の尾の毛で作ったカッと考えられる。「カッ」という名称は高麗(コリョ)時代末の恭愍王(コンミン)の代に冠

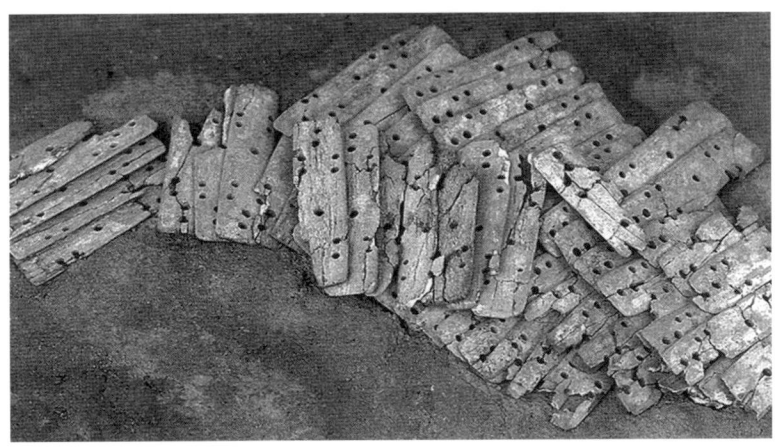

カボッミヌル　百済初期。ソウル大学博物館所蔵。ソウル市松坡区の夢村土城から出土したもので、牛骨を長方形に成形し、鎧の札にしたもの。

カッ 갓

方ガッ型のカッ

サッカッ　　　　　方ガッ　　　　　氈帽

ペレンイ型のカッ

ペレンイ　　　　　　戰笠

黒笠　　　　白笠

朱笠

高宗のカッ。重要民俗資料45号。世宗大学博物館所蔵。帽頂に蝙蝠紋と雲紋のあるカッで、極細の竹ひごで編んだもの。蜜花（黄色の琥珀）を加工したカックン（笠紐）の真ん中に大きな玉が付いている。

ウンギ
ポロン
チョンコット
チョン帽子（帽部）
テウ
涼太（つば）
アンッタムテ
チョルテ

カッの部分名

各種のカッ

帽制度を定めたときからのもので、当時のカッの形は朝鮮時代の黒笠に似ていた。カッは高麗時代末から朝鮮時代にかけて、ペレンイ・草笠の段階を経て黒笠へと発展したのである。1894年の▶断髪令以降もカッは引き続き被られ、1895年には賎人層でもカッを被ることが許されるとともにペレンイの着用が禁止され、衣冠制度による貴賎の差がなくなった。

■種類

カッは▶カッサゲ（包布）の種類により、真糸笠（▶竹糸笠）・陰陽糸笠・▶陰陽笠・▶布笠・馬尾笠などに分けられ、身分によって着用が差別化されていた。カッの装飾品としては▶カックン（笠紐）と▶頂子とがあるが、カックン（笠紐）はカッを頭に固定する以外に装飾的な役割も兼ねており、素材が多様であった。頂子（鑰子）はカッの頂の飾りで、階級により素材が異なった。

■黒笠の形の変化

朝鮮時代初期のカッは帽子部分が高く、凉太（つば）が狭かったが、9代目の成宗の代になって帽子部分が丸みを帯び直径が長くなって、あたかも▶僧侶帽のようになった。燕山君の時代には帽子部分が尖るようになり、問題視された。16世紀初めの中宗の代には帽子部分と凉太が巨大化し、国王の教旨により新旧の笠の様式を参考に標準カッを定めた。13代目の明宗の代には帽子部分が低くなって器を伏せた形になり、凉太が広がって雨傘のようであったという。これを見て明宗は新たなカッを制定したが、帽子部分が異常に高く凉太が狭すぎて、失笑を買ったという。朝鮮時代中期にカッの形がこのように変貌したことにより値段が上がり、1個が白米1石もした。その後、17世紀半ばの孝宗の代まで国王や士大夫たちが相変わらず大きなカッを被り、戸口の出入りに支障をきたすほどであった。粛宗の代以降は、再び帽子部分が低く、凉太が狭くなった。英祖・正祖の代には当時の風俗図にも見られるように凉太が比較的広く、蜜花（黄琥珀）や琥珀、鼈甲で作ったカックン（笠紐）を胸の前に長く垂らして装った。高宗の代に大院君が執権して以降、凉太の広いクンガッ（大笠）をソガッ（小笠）に改良し、全体が小ぶりになって現在に至っている。

■製作法

カッは良質の竹から割り出した極細のひごで、凉太（つば）と帽子部分を編んで組み合わせた後、布を被せて漆を塗り完成させる。その工程は、細ひごや馬の尾の毛で帽子部分を作る工程、極細ひごで凉太を編む工程、工房で帽子部分と凉太を組み合わせる工程の3段階で、この3工程が別個に行われるのが普通だった。帽子部分と凉太を組み合わせる工程では、凉太が下向きに曲線を描くように形作ること（この作業を「ポロンチャプタ」という）が最も熟練を要した。済州島の帽子部分と巨済島の凉太が有名であった。

（参考）姜淳弟《韓国民族文化大百科事典》1、韓国精神文化研究院、1991→冠帽・黒笠

カッコル 갓골

▶カッを作る際に、形や大きさを合わせるために使う型。木をカッの凉太（つば）や帽子部分の形に削ったもの。

カッコル

カックン 갓끈

▶カッを頭に固定するための紐。布を折ったり、木・竹・鼈甲・玉・瑪瑙・蜜花（黄色の琥珀）・珊瑚・象牙・水晶・瑠璃・琥珀などを繋げて作った。特に絹のものは汗で滑りやすいため、琥珀・瑪瑙・水晶・錦貝・蓮の実などで作った▶珠纓を付けた。朝鮮時代には、職位により素材が異なった。議政府（内閣）と中枢部（名誉官僚府）以外では玉纓子（玉のカックン）は使えず（《▶朝鮮王朝実録》太祖3年6月）、職人・商人・賎民・奴婢には水晶や珊瑚のカックン着用が禁じられた。世宗24年（1442）9月に郷吏（地方官吏）たちに玉・瑪瑙・珊瑚のカックン使用が禁止され、《▶経国大典》（巻3礼典儀章）では1品から3品までの文武官たちが▶常服（執務服）を着る際にカックンは金玉を使用し、《▶続大典》（巻3礼典儀章）には堂上官（正3品以上）は▶紫笠に▶貝纓を、堂下官は黒笠に晶纓を垂らすとある。燕山君8年（1502）6月には、カックンに珊瑚・瑠璃・明珀（赤い琥珀）の使用を禁じた。中宗3年

カッ—モジャ〔カッ帽子〕 갓모자

カックン《蓮堂野遊図》部分。申潤福画。1800年代。

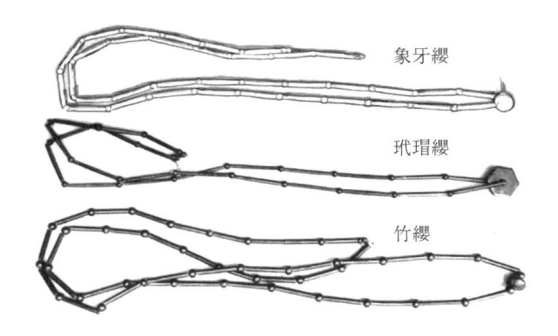

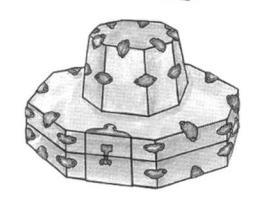

象牙纓
玳瑁纓
竹纓

（上）半球形カッチプ。温陽民俗博物館所蔵。朝鮮松を鋸で薄く挽いて型を作り、とりどりに彩色を施した紙を貼って、油を含ませたもの。外側の縁には「亞」の字型の唐草紋を紅色と藍色で施してある。底面が二等分され開けるようになっており、太極紋と牡丹の花が描いてある。

カッチプ

(1508) 1月には、カックンの制度は中国のものではないので廃止すべきだとの上疏が出されたが、国王は中国の制度に倣わぬものも多いのですべてを直す必要はないとし、中宗17年 (1522) 8月には、瑪瑙・琥珀・珊瑚・▶青金石（ラピスラズリ）のカックンは堂上官以外は一切禁止した。同纓子(ヨンジャ)

カッ—モジャ〔カッ帽子〕 갓모자
カッの涼太(ヤンテ)(つば)の上に突き出した鉢の部分。「チョン帽子(モジャ)」ともいう。主に済州島(チェジュド)の馬のたてがみや尾の毛を使うが、チョリムジュルカム（横筋）は細い馬毛を、ナルチュルカム（縦筋）は太い毛を使う。カンモジャの工程は、編む工程と、編んだものを仲買人が買い付けて黒く塗る工程とに分かれる。チンゲリャン・チュンゲリャン・チャンテギの3種類があり、縦筋の数、チョンバク（頂の円形面）の旋回数、モムチュル（側面の筋）の数によって、その品質の優劣が決まる。チョンバクを編む際にサイッチュル（間筋）を入れる回数が減るほど下等品である。同チョン帽子(モジャ)

カンモ—テ 갓모테→葛帽テ(カルモ)

カッ—サゲ 갓싸개
▶カッの外側を包む非常に薄い布。朝鮮(チョソン)時代には身分の貴賤・上下により麻・▶紗(サ)（捩り織絹）・毛などが使い分けられた。

カッ—ヤンテ〔カッ涼太〕 갓양태→同涼太(ヤンテ)

カン—ニル 갓일
▶カッを作る作業。涼太(ヤンテ)(つば)製作・チョン帽子(モジャ)（▶カン帽子）製作・組み立ての3工程からなる。涼太を作る技能工を涼太匠(ヤンテジャン)、チョン帽子を作る技能工をチョン帽子匠(モジャジャン)、両者を集めて組み立てる技能工を笠子匠(イプチャジャン)と呼ぶ。→カッ

カッ—チプ 갓집
カッを入れておくための保管箱。朝鮮(チョソン)時代には衣冠を重視したため、カッは八角形のカッチプに入れ、壁にかけたり天井から下げておくのが普通だった。カッの保管箱は、素材によりカッチプとカッ箱子(サンジャ)とに分かれる。カッチプは普通竹ひごで骨格を作り、紙を貼って油を含ませる。下部は円筒形、上部は円錐形である。下部は上下に二等分され、片側から開け閉めできるようになっており、上部の頂きに紐を付けて掛けるようになっている。骨格はなく、厚い紙を何重にも貼り付け卍字紋などを描いたものもあった。一方、カッ箱子は本体に蓋を被せるようになっている赤塗りの木製箱で、蝶番や装飾金具を施したものもある。形は8角形から12角形と多様で、涼太(ヤンテ)部分とチョン帽子(モジャ)部分はカッと相似形に作られた。箪笥の上に置かれ、部屋の

絳紗袍を着た高宗 　　　　　絳紗袍 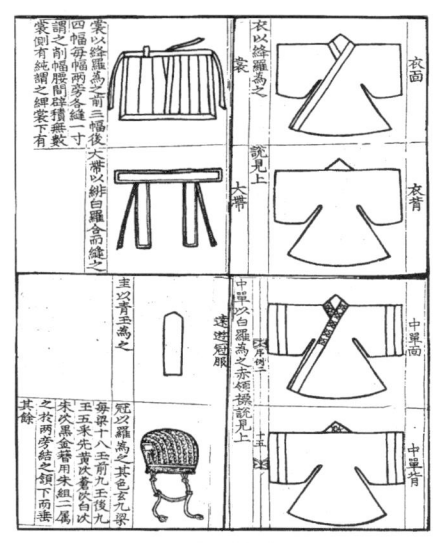　　　　　　　　　　　　　　　　　《▷国朝五礼儀》掲載の図版

装飾品としての役割も果たした。

カンゴンボク〔絳公服〕 강공복
赤い▷公服。朝鮮時代に掌楽院(音楽担当省)の副典楽が着用した。世宗14年(1432)に定められた副典楽の▷官服制度では、絳公服に▷幞頭を被り▷緋白大帯と金銅で飾った帯を締め、黒い革靴(烏皮履)を履いた。(《▷朝鮮王朝実録》世宗14年12月甲辰)

カンナ〔絳羅〕 강라
深い赤・緋色などの色絹。高句麗では、すでに臣下たちが絳羅で冠を作って被り(《新唐書》巻220列伝第145東夷高句麗)、高句麗の武人たちも髪を結うのに用いた。(《▷増補文献備考》巻79礼考26章服1)

カンボク〔降服〕 강복
▷五服の服制に定められた服より等級の低い服を着るようになること。また、その服。朝鮮時代に養子や庶子が喪に服すときや、嫁いだ女性が実父母の喪に服すときに降服した。成宗5年(1474)4月の大行王妃の葬儀の際に仁粋王妃は白装束に▷白皮鞋に降服し、20日間着続けた。(《▷朝鮮王朝実録》成宗5年4月庚午)

カンサ〔絳紗〕 강사
絹織物の一種で、▷赤い紗(捩り織絹)のこと。

カンサポ〔絳紗袍〕 강사포
国王の▷朝服(朝賀服)。高麗時代から朝鮮時代にかけて、朔望・朝降・詔降・進表・朝観などの朝賀を受ける際に国王が着用した。絳紗袍を着るときには▷遠遊冠を被ったが、朝鮮時代末期の高宗の時代には▷通天冠を被った。絳紗袍着用時には、まず▷裙(スカート)と▷襦(上衣)を着て、裙の上に▷裳、襦の上に中単を重ね着する。その上に▷袍(外衣)を着るが、▷袍の上から大帯を締めて▷綬を垂らし、前には▷蔽膝を、両脇には▷佩玉を下げて、手には▷圭を持った。袍は絳紗か紅緞で仕立て、襟・▷トリヨン(裾周り)・袖先には赤の▷襈を施した。裳は赤の▷紗か緞で仕立てるが、▷章紋のない点が▷冕服とは異なる。中単は、白絹・白羅・白紗などの絹織物で仕立て、赤い襟に黻紋11個を施した。蔽膝は袍と同色の赤の紗で仕立て、赤の襈を施して、上に二つの▷玉鉤を付ける。大帯は外側が白、内側が赤で、一本帯である。佩玉・綬・圭・▷方心曲領などは冕服を着るときと同じで、襪(足袋の一種)と▷舄(靴)がそれぞれ白襪・黒舄である点が異なる。高麗の恭愍王19年(1370)5月に明の太祖高皇帝が下賜したものの構成は、絳紗袍・▷紅裳・黒領に青縁袖を施した白紗中単・白裙襦・絳紗蔽膝・白仮帯・方心曲領・金鉤紅革帯・白襪・黒舄となっている(《▷高麗史》志巻26輿服)。

33

また、朝鮮時代には定宗元年（1399）6月に、絳紗袍と遠遊冠を身に付けて諸々の臣下の賀礼を受け、世宗元年（1418）9月に遠遊冠と絳紗袍は臣下たちが朝参の際に着る服とあり、また世宗8年（1426）1月には恭愍王の代に賜与された絳紗袍に方心曲領が見られるので、高麗時代の制度と同様に方心曲領を首にかけていたことがわかる。同遠遊冠服

カンセク〔絳色〕 강색
深い赤。「繰色」ともいう。《本草綱目》では蘇芳で染めたものを「絳色」とし、《古史》注に「繰紅」とある（《高麗史節要》巻5文宗仁孝大王12年）。高句麗の絳羅冠、朝鮮時代の▶絳紗袍・▶絳公服などの色が代表的なものである。

カンヨンサ〔強撚糸〕 강연사
（きょうねんし〔強撚糸〕）
強く撚りをかけた糸。多少の差はあるが大部分の糸には撚りがかけてあるが、原料と糸の太さにより撚りの効果が異なる。強撚糸を使う最大の目的は織物の表面に皺（しぼ）を出すことで、撚りが強いほど含気量が減って保温性が落ちるので、夏物の服地に使われる。これ以外にも、繊維の光沢を抑え、重みを出すなどの効果がある。

カンポ〔江布〕 강포
朝鮮時代に江原道で生産された麻織物。咸鏡北道産の▶北布、慶尚北道産の嶺布と並び称された。北布はきめが細かいが、江布は葬儀の際の▶寿衣や喪服にする粗い布で、「常布」ともいった。

カットゥルマギ 갓두루마기
▶毛皮で裏打ちをした▶トゥルマギ（<外衣）。寒い地方で冬季によく使われる防寒用のトゥルマギである。

カットゥンゴリ 갓등거리
毛を中に入れて仕立てた袖なしの上着。防寒用に着る。

カドッ 갓옷
動物の毛皮で仕立てた上衣で、「裘衣」ともいう。上古に防寒用衣服として着用したもので、形は▶トゥルマギ（<外衣）に似る。扶余の大人たちは狐・狸・狖（黒猿）など様々な動物の白・黒の毛皮を利用して裘を仕立てて身に纏い（《三国志》巻13東夷伝扶余）、中国でも冬になるとみな毛皮の服を着たが、鼠・羊・狐・豹・貂など各種毛皮を利用した。丈は膝までで、毛が表になるように仕立てた。豹の皮はよく黒染めにされたが柄に趣があり、また、▶キョプカドッ（袷）を着る者もいた（《燕行録選集》燕轅直指巻6）。《朝鮮王朝実録》には「貂裘」「貂服」という名称がしばしば登場する。中宗9年（1514）5月に「三殿外に貂服を認めないのは、奢侈を禁じ国民の労苦を減らさんがためであるが、貂服はすべての女性が着ており、閨中の習いを敢えて禁ぜられようか」とあり、同王13年（1518）6月には「貂皮で仕立てた上着を持たぬ者は、門族会に入れぬことさえあった。幸い国王がこれを抑えたため、この弊習は一時ほどではない」とあることからして、一時は男女の区別無く、特に女性たちが愛用したことがわかる。この貂裘は貂の皮で▶袍

カドッ 南以興将軍（1540〜1627）遺品。重要民俗資料21号。忠清南道唐津郡宜寧南氏忠将公派大宗中所蔵。

（<外衣）全体を裏打ちするやり方から、次第に▶チョゴリ（上衣）や▶背子（チョッキ）を裏打ちするようになったが、このようなチョゴリを「▶カッチョゴリ」または「貂裘」といった。咸鏡道地方には朝鮮時代末期まで牛皮のトゥルマギがあり、済州島には漢拏山の猟師たちが着た犬皮のトゥルマギがあった。済州島のものは「皮裘」「皮衣」「▶カットゥルマギ」と呼ばれたが、現在済州島民俗博物館にその実物が残っている。カドッは後に布で仕立て、鎧の内衣として着られるようになった。これにより伝統的なカドッの形は鎧のものに近づき、▶戦袍として着用されるようになった。同裘衣→同裘

カッチョゴリ 갓저고리
朝鮮時代に、貂・羊・兎などの毛皮をなめして裏を打った防寒用の▶チョゴリ（上衣）。チョゴリの上に重ね着し、チョゴリよりも桁・身幅にゆとりがある。裾周り・袖先・首周りにも毛皮を当てる。士大夫の夫人たちも好んで着用した。
→同貂裘・カドッ

ケジュ〔介冑〕 개주

カッチョゴリ

ケ〔蓋〕 개
朝鮮時代に、各種の儀式で使われた儀仗の一種。▶紗(捩り織絹)で飾りつけるが、色により▶青蓋・紅蓋・黄蓋・黒蓋などに分けられる。形は日傘に似て、大きさもほぼ同じである。

ケガプ〔鎧甲〕 개갑
高麗時代の軍服の一種。牛革を繋いだ鎧で、竜虎中猛軍が着用した。
→竜虎中猛軍服

ケグリ-チョプチ 개구리첩지
朝鮮時代に内命婦(女官)・外命婦(王族の女性など)や上流階層の女性たちが礼装する際に、髪の分け目の上に載せた飾り。銀・金メッキの蛙の形に▶タリ(入れ髪)が付いているが、頭の中央の分け目に載せて、両耳の後ろにタリを回して▶トヤモリ(髪型の一種)の下から上に巻いて固定する。▶銀ゲグリチョプチは尚宮(正5品女官)たちが普段居所にいるときに使用し、鍍金ゲグリチョプチは蛙型の頭と尾にメッキを施したもので、やはり尚宮たちが主に使った。

ケグモン-パジ 개구멍바지
用便を足すのに便利なように、股に裂け目のある▶パジ(ズボン)。5歳前後の男児が履く。

ケドゥ〔蓋頭〕 개두
①女性が外出するときに被った▶スゲ(被り布)の一種。高麗時代の▶蒙首が、朝鮮時代に入って名称が蓋頭に変わった。蒙首は顔以外を覆うように被るもので、3幅の黒絹で作る。丈が8尺あるので、裾は地面を引きずる。朝鮮時代に入って丈が詰まり、蓋頭と呼ばれるようになった。
→モンス(蒙首)・ノウル

②朝鮮〔チョソン〕時代に、王妃以下の女官たちが国喪の際に▶喪服を着た上から被った▶スゲ(被り布)の一種。竹で上が狭く下の広い丸い型を作り、白の明紬(平織絹)を内側に張り、2尺の細長い布を一方は狭く一方は広く巻いて1か所でとめ、型の上に被せる。てっぺんには1尺ほどの布切れを小さな花形にして重ねたものを取り付ける。喪服と喪の長さにより服地が少しずつ異なった。大概は稍細生布(生糸で織った薄い生布)を使い、喪の経過に従い白から黒へと色を変えた。世宗28年(1446)3月「蓋頭は我が国の女笠であり、生布を被る」とあり、睿宗即位の年(1468)9月に「王妃以下▶内命婦(側室・女官)は卒哭(死後約3か月の儀式)の後は白衣喪・黒蓋頭・黒帯・▶白皮鞋」を着用させ、中宗10年(1515)閏4月には《▶国朝五礼儀》に基づき「嬪(正1品の女官)以下の女官は、卒哭の後の蓋頭は白布を用いるべし」としている。

ケミッ-タンチュ 개밀단추
▶タンチュ(ボタン)の一種。▶朝服(朝賀服)・▶戦服の袖や▶タンソッコッ(スカート型の下着)などの切れ込み部分を補強して裂けないようにするため付ける。主に紅の布を使い、横3mm、縦5mmほどの楕円形である。

ケス〔蓋首〕 개수
髪型の一種。髪を長く結って、頭頂に載せた髪型。檀君元年(B.C.2333)に庶民たちが伸ばした髪を結い頭頂に載せたという記事がある。(《▶増補文献備考》巻79礼考26章服1)

蓋首

ケアマ〔ケ亜麻〕 개아마(まつばにんじん〔松葉人参〕)
アマ科に属する2年草。高さ30〜60cm。葉は線形で、互生する。夏に枝先に薄紫色の花が総状に咲くが、皮は重要な繊維の原料である。

ケジュ〔介冑〕 개주
鎧と兜。「介」は鎧を、「冑」は兜を意味する。高麗時代には上六軍左右衛将軍が、朝鮮時代には武官た

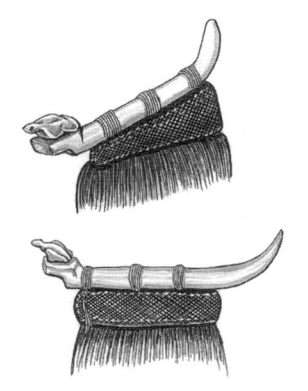

ケグリチョプチ

35

ケチェックァン〔介幘冠〕개책관

ちが身に付けた。黒革と鉄で札を作り、柄のある絹で繋いだ。(《▷宣和奉使高麗図経》巻11)

ケチェックァン〔介幘冠〕개책관
①中国で戦国時代に被った冠。布製で、前が低く後ろが高い2段になっており、両脇の紐を顎で締めるようになっている。《隋書》〈礼儀志〉には武官たちの被る冠と記してある。
②朝鮮時代に雅楽と俗楽の差備工人(日雇いの楽士)たちが被った冠の一種。紙を張り合わせて作り、中に目の細かい麻布を張り、内外を黒く塗る。▷赭黄色(山吹色)の細い縛で縁を取り、青の絹紐を付ける。《▷朝鮮王朝実録》世宗15年(1433)3月の条には、「堂上・堂下の楽工たちの冠は、唐・宋においては朝会・祭享のいずれも介幘冠を被っていたにも関わらず、我が国において黒布頭巾を被っているのは見苦しく根拠がないので、唐・宋の制度に従い介幘冠を被らしめる」とある。

介幘冠②

ケチェーピョンバル〔開剃弁髪〕개체변발
頭の下部の髪を剃り頭頂の髪を結って垂らした、モンゴル式の髪型。高麗時代に元の影響で髪型を開剃弁髪にしたことがあったが、忠烈王が王世子(皇太子)のころに元に渡り、開剃弁髪に胡服姿で帰ってきたのがその起源である。忠烈王4年(1278)2月には国内に命を下し、モンゴル式の開剃弁髪を制度化したが(《▷高麗史》世家巻28忠烈王)、恭愍王の代に以前の髪型に戻った。

ケファ-チプシン〔開化チプシン〕개화짚신
文様入りの▷チプシン(草鞋)。藁と莞草(カヤツリグサ)との混織で、朝鮮時代末期の▷甲午更張(1894)以降流行し、上等品とされた。

開化チプシン

ケンサ〔更紗〕갱사
捺染物の一種。動物・草花・人物・線などの幾何学的な柄を布の全面に染め出すもので、普通片面のみに施す。発祥はインドネシアのジャワで、絹織物に捺染したものもある。布団・ブックカバー・▷角帯(官服の帯)などに使われる。

キャク〔屩〕갹
藁や麻で作った靴。

キャクタプ〔蹻踏〕갹답
足首の短い▷チプシン(草鞋)。

コ〔袪〕거
袖口のこと。「袂」ともいう。柳馨遠は袪は袖の口だとし、「詩には『山羊の革の服にヒョウの革の袖を付ける』とあるが、その疏に『袂は袖の大きなもので、袪は袖の端が小さなもの』とある(《▷磻溪随録》巻25続篇上)」と記している。→ソメ

コ〔鉅〕거(しころ〔錏〕)
兜に付いている錏。鉄板や布で作り、外側に小片を付けることもある。首筋を覆う部分、両耳を覆う部分など三つに分けられる。

コドゥミ〔巨頭味〕거두미
朝鮮時代に、上流階層の女性が▷トグジ(木枠)を使って結った髪型。宮中で正室・側室が儀式や婚礼の際にこの髪型にした。正祖12年(1788)10月の▷加髢申禁節目では、▷オヨモリと巨頭味は女官たちが常時しているものなので、一般の家で宴や婚礼の際に用いるのは禁じないとしている。(《▷朝鮮王朝実録》正祖12年10月辛卯) 同 クンモリ

巨頭味 《宮女》。金殷鎬画。1952年。

コドゥルジ 거들지
服の袖口に当てた白い布。朝鮮時代に良家の婦人が着た▷唐衣や▷三回装チョゴリの袖口に礼服の印として当てたもの。白の絹や木綿に窓戸紙(障子紙)を詰め、▷クットンのようにして袖口に当てた。→ハンサム(汗衫)①

コドゥル-チマ 거들치마

朝鮮時代の良家の娘たちは、普通より30cmほど長く幅のある歩きにくい▶チマ（スカート）を履いていた。そこで、チマを腰の上まで上げて帯で締めたのだが、これをコドゥルチマという。チマを左手で吊り上げ腰のあたりで折り、この上から帯で締めて丈を調節した。このとき、髪型は普通▶クィミッモリにし、後ろで結って垂らした髪に真紅の▶テンギ（垂れ帯）を結んだ。

コベ 거베

目の非常に粗い布。大型の袋などにする。

コブ〔車柎〕 거부

糸を巻くための道具。糸を巻く道具には、これ以外にも蟠車・撥車・撥柎などがある。（《▶五洲衍文長箋散稿》巻19織具弁証説）

コブク-ヒュンベ〔コブク胸背〕 거북흉배

亀の紋様を刺繍した胸背（官服の胸と背の標章）。胸背の紋様に亀を使ったのは、興宣大院君（1820～1898）のものが唯一である。

コウル 거울（かがみ〔鏡〕）

光の反射を利用して物体の姿を映す道具。最初の鏡は石で作った石鏡と思われるが、この音が訛って「セッキョン」と発音されるようになったのは、鏡が長い歳月に渡って使われ続けたためであろう。最も古い鏡は、B.C.6世紀頃に製作されたとされる銅鏡である。我が国の青銅器時代には、中国とは別形式の多鈕細文鏡が発達したものと推定される。突起が二つあるので多鈕といい、細い鋸歯紋が多いので多鈕細鋸歯紋ともいう。高麗時代までは中国から良質な鏡が大量に流入したため、この模造品が急増したが、中には我が国特有の形式もないわけではなかった。高麗でよく使われた銅鏡は▶高麗鏡と呼ばれるが、これには中国で作られ流入したものと、高麗で独自に作られたものとの2種類がある。また製作法から、高麗や中国で作られたものの図案や意匠をまねて作る倣製鏡と、既存の鏡から型をとって鋳造した再鋳鏡とがある。現在残っている遺物を見ると、円形・方形・八稜形・六稜形・四稜形・八花形・五花形など、唐の様式に従ったものや紋様を真似たものが多いが、まれには船舶・殿堂・女真文字などを彫ったり、鐘形・ハート形・花形に柄の付いたものなど、特色のあるものも見られる。朝鮮時代のものは遺物が少なく、特徴などは不明である。高麗時代・朝鮮時代ともに官庁に鏡匠を置いて鏡を作らせ、朝鮮時代には市場で鏡を売っていた記録がある。

コジェーポクシク〔居斉服飾〕 거재복식

儒学者たちが家で普段着とする服。英祖の代に大司成趙明翼が儒学者の衣服制度について上疏し、▶粉袍・▶青衿団領・▶幞頭を居斉服飾

コドゥルチマ

帯部分

コドゥルチマ

コブク胸背　興宣大院君のコブク胸背。温陽民俗博物館所蔵。高宗32年（1895）、興宣大院君を尊奉する儀節を定めた際に、胸背の文様を亀とした。火炎を吐く亀と雲紋、下段には波・三神山・不老草の文様が刺繍されている。火炎以外は金糸を用い、全体的に高雅な印象である。

興宣大院君（1820～1898）像。

コヘク〔去核〕거핵（くりわた〔繰り綿〕）

鉄製銀象嵌鏡台　国立全州博物館所蔵。高麗時代に貴族たちが用いた鏡台。前面には精密な彫刻が施されており、最上部にはメッキを施した蓮の花の装飾があるが、これは鏡を掛けるための突起である。

高麗青銅鏡　国立中央博物館所蔵。①四閣四団人物鹿樹鏡。四つの楼閣と人の群れを円形に配置し、内側には樹木と鹿をデザインしてある。楼閣の左右には雲を置き、悠然たる雰囲気を出している。高麗時代初期の気品がよく表現されている。②桂子月中落鏡。月桂樹の中心に月を立体的に配置し、縁には唐草文様を施した美しい形の鏡である。高麗時代に貴族階級や官吏たちが用いたものである。

コウル

と定めた。（《▷朝鮮王朝実録(チョソンワンジョシルロク)》英祖9年5月戌申）

コヘク〔去核〕거핵（くりわた〔繰り綿〕）

綿花から種を除いて製品としたもの。種を取る前の綿花は「木花」という。

去核の様子。

コン〔巾〕건

布でできた被り物の総称。三国時代からすでに被られ、▷冠帽(クァンモ)の中では最も歴史が長い。我が国最初の冠帽と推定される幘(チェク)も、巾の一種である。三国時代には幘・巾幗(コンイク)・黒巾(フッコン)などがあり、高麗時代になると巾が一般化して、身分により坎頭(カムトゥ)・平頂頭巾(ビョンジョントゥゴン)・緑羅頭巾(ノンナトゥゴン)・烏巾(オゴン)などが用いられた。《▷宣和奉使高麗図経(ソンファボンサコリョトギョン)》には「民庶は▷皂巾(チョゴン)、進士は四帯文羅巾(サデムラゴン)、農商は烏巾四帯、丁吏は文羅頭巾(ムンラトゥゴン)、工技は皂巾、房子は文羅頭巾、民長(ミンジャン)は文羅巾(ムルラゴン)、駆使は烏巾を被った」とあり、また「国官・貴人も私邸では両帯の▷頭巾(トゥゴン)を着用した」とあるので、国の官僚や貴人から地方官吏・庶民に至るまでみな巾を被り、ただ顎紐のみに差があったことがわかる。朝鮮時代には巾が多様化し、▷網巾(マンゴン)・宕巾(タンゴン)・儒巾(ユゴン)・▷平頂巾(ビョンジョンゴン)・緇布巾(チポゴン)・▷頭巾・カムトゥ・▷屈巾(クルゴン)といったものがあった。また、色により青巾(チョンゴン)・紅巾(ホンゴン)・黄巾(ファンゴン)などに分けられた。《▷経国大典(キョングクテジョン)》には「別監(ビョルガム)は▷紫巾(チャゴン)、世子宮（皇太子の宮殿）の別監は▷青巾、引路は紫巾、羅将(ナジャン)・皂隷(チョレ)は▷皂巾を被る」とあり、《▷続大典(ソクテジョン)》には「別監は▷紫巾、世子宮・嬪宮では皂巾、守僕(スボク)（祭官）は皂巾を被る」と記録されており、《▷大典会通(テジョンフェトン)》にも同じ記述がある。

コングイク〔巾幗〕건귁

高句麗における女性の被りもの。頭を覆う巾の一種で、上部は円錐形になっている。風に髪が乱れるのを防ぎ、防寒の役割も果たした。現在各地に残っている▷モリッスゴン（頭に被る手ぬぐい）は巾幗(コングイク)に由来するものと思われる。《旧唐書》東夷伝高句麗の条に、高句麗の女性は巾幗を被っているとの記録がある。角骶塚(カクチョチョ)・三室塚(サムシルチョ)女人図には婦人が巾幗を被っている姿が見られるが、頭全体に被っているものと、鉢巻状に被っているものとがあり、被りかたに違いが見られる。《五洲衍文(オジュヨンムンチャン)長箋散稿(ジョンサンゴ)》（東国婦女首飾弁証説）には「《史記》によれば諸葛孔明が司馬懿に巾幗と夫人の衣裳を贈った」とあり、また幗(クィク)は手ぬぐいで作ったため「巾」偏を付け「幗」の字を作ったとの記録がある。

巾幗　角骶塚主室北壁。

キョクチャス〔格子繡〕격자수

宕巾　　カムトゥ　　頭巾

屈巾　　　　儒巾

四帯文羅巾。刑曹（法務担当省）参判（次官）を勤めた柳致明（1777～1861）の遺品。慶尚北道安東市、個人所蔵。

高麗時代の巾

巾

コンデ〔巾帯〕건대
▶喪服とともに身につける▶頭巾とティ(帯)。頭巾は粗い麻織物で作り、その上に▶屈巾を被せる。ティは麻と稲藁を混ぜて撚った縄を腰に巻くが、これを「腰絰」という。→喪服

コンヘ〔乾鞋〕건혜
▶マルンシン（晴天用の靴）の一種。靴底は犬革、靴先の覆いは鹿革、側面と踵は牛革で作り、彩色を施すこともあった。主に良家の女性たちが冬季に履いたものである。

コムギ-チョルリプ〔剣器戦笠〕검기전립
朝鮮時代の冠帽で、▶剣舞を舞うときに被った。漏斗のように尖った帽子のてっぺんに金属の▶頂子を付け、クジャクの羽根と▶象帽を挿し、鉢周りに猩猩氈を巻いて青の▶明紬（平織絹）の紐を付けたもの。

コムム〔剣舞〕검무
新羅時代から伝わる踊り。宮殿での宴で踊られた。黄倡郎（新羅の伝説的な剣術家）の踊りという意味で黄倡舞とも呼ばれる。2人または4人の妓生が▶戦笠・▶戦服姿で向

剣器戦笠

かい合い、表正万方曲に合わせて両手に握った剣を振りながら踊る。非常になめらかで柔らかな動きの武舞で、近年ではムダン（巫女）がクッ（巫儀）の中で踊ることがある。

コップルソム　깁풀솜（けば〔毛羽〕・まゆわた〔繭綿〕）
カイコが繭を作り始める際に、繭を足場に固定するために吐き出す物質。絹糸紡績の原料として使われ、綿の代用にしたり、木綿を織るときに切れた経糸を繋ぐのに使うこともある。同 繭綿

ケアル-タンゴン〔ケアル宕巾〕계알탕건
非常に精巧に作られた▶宕巾

キョクチャ〔格子〕격자
竹製の▶カックン（笠紐）の竹片どうしを繋ぐ玉。

キョクチャムン〔格子紋〕격자문（こうしもん〔格子紋〕）
縦線と横線とが均等間隔で障子の桟のように交差する文様。「井字ムニ」（井の字紋様）ともいう。

キョクチャス〔格子繡〕격자수
刺繡技法の一種。水平・垂直・斜めに糸を置いて長方形や菱形といった

キョクチ 격지

幾何学的な文様を作り、その交点をとじる技法。花や葉の面を埋めるのに使う。→刺繡

キョクチ 격지→⑩ナマクシン

キョン〔絹〕 견（きぬ〔絹〕）

絹糸で織った布。カイコが作った繭から得られる繊維を撚った糸で製織したものをすべて含み、広義には天蚕糸で織ったものも含む。糸がすべすべして柔らかく、優雅な光沢のある高級織物である。他の繊維に比べ細くて長く、薄くて粗い布から厚くて稠密な布までをこなす組織力を持ち、精巧な文様から大きな文様まで描き出すことができる。我が国においては三国時代にはすでに製織が始まり、養蚕・製糸・製織技術が普及・発達し、染色や刺繡を施した美しい絹織物が生産された。最も古い遺物としては、楽浪(ナンナン)地方の墳墓や、忠清南道公州市(チュンチョンナムドコンジュ)の百済武寧王稜(ペクチェムリョン)から発掘された多数の絹織物がある。《日本書紀》には百済王が五色彩絹などを日本に下賜したという記述や（巻9神功皇后摂政46年）、新羅からも錦絹などを日本に伝えたという記述があり（巻29天武天皇10年）、三国時代の絹織り技術が日本に伝えられたことがわかる。高句麗(コグリョ)の文献記録にも紫羅(チャラ)・白羅(ペンナ)・絳羅(カンナ)などが見られ、百済では青錦・烏羅、新羅では錦(クム)・羅などを生産し、冠・▶袍(ポ)・袴などを仕立てて身に付けた。統一新羅時代になって、絹織物は国家の保護・育成の元で自給できるほどになり、染色技術の発達もあって、その文様を含めた染織美術は奢侈を極めた。高麗(コリョ)時代には国家保護制度がなくなったのみならず、王族や貴族たちだけに絹の服が許される厳しい服飾制度により絹織物の生産が抑えられる結果となり、明から▶綾・▶錦(クム)・▶羅(ナ)・▶紗(サ)・▶緞(タン)などを輸入せざるを得なくなるほど絹織物は衰えた。高麗時代に用いられた絹としては、絹(テギョン)・大絹・中絹・小絹(ソギョン)・色絹(セッキョン)・紅絹(ホンギョン)・青絹・チョ絹(チョンギョン)・白絹(ペッキョン)・金線絹(クムソンギョン)・緋絹(ビギョン)・黄絹(ファンギョン)・匹絹(ビルギョン)・生絹(センギョン)・細絹(セギョン)・東絹(トンギョン)などがある。中国では絹織物の織り目が粗くごわごわしていたが、我が国ではきめの細かいものから粗いものまで揃っており、きめの細かいものは交易品として大量に中国に輸出された。朝鮮(チョソン)時代になってからは歴代の国王が養蚕と絹織物を奨励したが、低級な絹織物が農家の副業で少しずつ生産される程度で、庶民たちがやっと自給できる水準であった。華麗な柄の高級絹織物は清から輸入し、王室や両班(ヤンバン)（文武官吏とその一族）たちの需要を満たした。「絹」「絹布(キョンボ)」は、朝鮮時代から絹繊維の織物一般を指す言葉として使われている。

キョンガプサ〔絹甲紗〕 견갑사→⑩甲紗(カプサ)

キョンダンファ〔絹緞靴〕 견단화

絹で作った靴。朝鮮(チョソン)時代末期に興宣大院君(テウォングン)が、絹緞靴(キョンダンファ)・▶錦緞靴(クムダンファ)や白いカッ（笠）・靴などは贅沢品だとして、使用禁止令を下した。同時に、葛以外の繊維を混ぜた▶チプシン（草鞋）も身分秩序を乱すとして使用を禁じた。

キョンデミ 견대미

糸を巻くときに、糸巻き軸をかける小さな枠。

キョンマ〔絹麻〕 견마

麻織物の一種で、経糸や緯糸に▶苧麻(チョマ)（カラムシ）の紡績糸を使用して織った平織物。緯糸には一般に強撚糸を使う。織った後で光沢が出るように加工し、生地のまま服地にする。

キョンマジ〔▽肩▽亇▽只〕 견마지

▶チョゴリ（上衣）には両脇下に切れ込みのあるものとないものとがあるが、《恵人王后殯殿都監儀軌(ヘインワンフビンジョントガムウイゲ)》は後者を肩亇只(キョンマジ)とし、色は白・紫・鴉青(アチョン)（深い藍色）・草緑(チョロク)（草色）と記録している。《仁穆王后殯殿都監儀軌(インモクワンフビンジョントガムウイゲ)》には「脇亇只(ヒョムマジ)」とあるが、これは同一のものと思われる。(柳喜卿(ユヒギョン))

キョンミョン〔繭綿〕 견면→⑩コップルソム

キョンバンサ〔絹紡糸〕 견방사（けんぼうし〔絹紡糸〕）

絹糸の一種。繰糸に適さない屑繭や屑糸などの副蚕を原料に紡ぎ出した糸。

キョンボン〔絹本〕 견본（けんぽん〔絹本〕）

書画に使うために裁断した絹織物。

キョンサ〔絹糸〕 견사（きぬいと〔絹糸〕）

絹織物を織るための糸の総称。▶生糸(センサ)・双ゴチ糸(シル)（2匹のカイコが作った繭から紡いだ糸）・副蚕糸とこれを撚った絹撚糸、精練した練り糸があるが、「絹糸(キョンサ)」は狭義では練り糸のみを指す。また、家蚕糸と野蚕糸とに分けられるが、普通は前者を指

す。強度・弾力性・柔軟性・光沢・染色性は卓越しているが、日光の紫外線により褪色しやすい欠点がある。織物糸・裁縫糸・編み糸・刺繍糸などに広く使われる。㊀緋緞糸（ビダンサ）・明紬シル（ミョンジュ）

キョンサジュ〔絹糸紬〕견사주→㊀繭紬（キョンジュ）

キョンサンポ〔絹上布〕견상포
絹織物の一種で、元来は上等品の絹織物という意味。経糸は生糸2〜3本を撚って精練せずに染色し、緯糸は同時に染色したものを強く撚り、平織りにしたもの。以前は経糸に絹、緯糸に苧麻（カラムシ）を用い、絹縮（キョンチュク）と呼ばれたが、現在は経糸・緯糸ともに絹を使う。

キョンジュ〔繭紬〕견주
野蚕糸で織った薄い絹織物。「ポンジ」「山東紬（サンドンジュ）」ともいう。一般的に経糸に野蚕糸、緯糸に家蚕糸を使ったものが多い。中国の山東省が原産地で、中国東北部一帯で広く生産される。野蚕糸特有の黄色味を帯びており、堅固で布団・日傘や夏用の服地として用いられる。㊀絹紬（キョンジュ）・絹糸紬（キョンサジュ）

キョンジク〔絹織〕견직→絹（キョン）

キョンヒュジク〔絹畦織〕견휴직
経糸に生糸3〜4本、緯糸に生糸6〜8本を撚ったものを平織にした絹織物で、表面は緯糸が盛り上がってでこぼこしている。製織後に精練して、そのままあるいは染色して用いる。

キョルグァサム〔缺骻衫〕결과삼→四袴衫（サギュサム）

キョルチェ〔結綵〕결채
色糸・色布・色紙などで、橋や屋根・門を五色に飾り付けること。朝鮮時代に国王の行幸の際や、中国の勅使を歓迎する際に施された。

キョムポ〔縑布〕겸포
三韓時代に用いられた絹と麻の交織布。水も漏れないほど稠密に織られた。《後漢書》（巻85東夷列伝第75辰韓）に「土地肥え、五穀豊かに実れり。蚕を飼う法を知り縑布を織れり」（土地肥美宜五穀知蚕桑作縑布）とある。

キョプ〔▽袷〕겹
左右の襟が合わさる部分。《五洲衍文長箋散稿（オジュヨンムンチャンジャンサンゴ）》（巻56深衣弁証説）には「袷（キョプ）は襟が重なる部分」とあり、《▷青荘館全書（チョンジャングァンチョンソ）》（巻8礼記）には「袷は襟に▶襈（ソン）を巻いたものだが、両襟の顎に付く部分を▶喪服の前闊中（サンボクエ パル チュン）の形に合わせて尖らせてくり抜き、首の動きを楽にし、2寸ほどの黒い▶明紬（ミョンジュ）（平織絹）で縁をとってあるため曲袷（コッキョプ）という」とある。

キョプ-カドッ〔▽袷カドッ〕겹갖옷
袷の皮服。冬に着用したもので、鼠・羊・狐・貂・豹など各種の皮を材料にして仕立てた。→カドッ

キョプコ〔▽袷袴〕겹고→キョプパジ

キョプ-コッカル〔▽袷コッカル〕겹고깔
庶民芸能の農楽（ノンアク）の際に、服の色に合わせて被る袷の▶コッカル（三角頭巾）。一辺が40cmほどの長方形の窓戸紙（チャンホジ）（障子紙）を二重に貼り合わせて作る。花をてっぺん・左右中央の三つ、または前・後面中央も加えた五つ付ける。

キョプ-パジ〔▽袷パジ〕겹바지
袷の▶パジ（ズボン）。一般に白の▶玉洋木（オギャンモク）（高級綿布）・木綿布・▶明紬（ミョンジュ）（平織絹）・▶繭紬（キョンジュ）（天蚕糸の絹織物）・▶富士絹・▶紗（サ）（捩り織絹）などで仕立てる。女性は▶チマ（スカート）の下に着、男は帯を締め▶テニム（裾紐）を結ぶ。→パジ

キョプ-ポソン〔▽袷ポソン〕겹버선
袷の▶ポソン（足袋）。ソムポソン（綿入れ足袋）よりほころびやすく、見栄えも悪い。→ポソン

キョプ-オッ〔▽袷オッ〕겹옷（あわせ〔袷〕）
綿を入れず、表地と裏地とを合わせて仕立てた服の総称。

キョプ-チャンサム〔▽袷長衫〕겹장삼
袷の▶長衫（チャンサム）（<礼服）。朝鮮時代に宮中の女性が着た。→長衫②

キョプ-チョゴリ〔▽袷チョゴリ〕겹저고리
袷の▶チョゴリ（上衣）。

キョプ-チュイ〔▽袷周衣〕겹주의
袷の▶トゥルマギ（<外衣）。《純宗実録（スンジョンシルロク）》（1922年4月13日）に表地を▶玉色（オクセク）（水色）、裏地を白の▶貢緞（コンダン）（朱子織絹）で仕立てたキョプ周衣の例が見られる。

キョプチョ-ホアーイッキ 겹쳐호아잇기
布地を繋ぐ縫い方の一種。結び玉を

キョプ-ファリ〔袷ファリ〕겹활의

作り、縫い終わりから3cmほど戻ったところから縫い繋いでゆく技法。

キョプ-ファリ〔▽袷ファリ〕겹활의

朝鮮時代に、大君(国王の正室の息子)の夫人が着た嘉礼服。紅色の絹織物に刺繍を施した▶ファロッ(婚礼服)で、王家の婚礼服としても用いられた。

キョンガムボク〔卿監服〕경감복

高麗時代に5品の官吏であった卿監の官服。赤い文様の入った絹の紫文羅袍と赤革にサイの角を飾り付けた紅鞓犀帯を締め、さらに銀魚帯を締めた。省部の承郞、六寺の卿弐、国子監の儒官、秘書省の典職以上が着用した。(《宣和奉使高麗図経》巻7) →高麗の服飾

キョンガプ〔脛甲〕경갑

▶カボッ(鎧)の小具足で、脛と足首を保護する鉄板。大邱市の達西34号墳から1923年に初めて出土し、天馬塚や慶州98号墳、釜山市東萊区福泉洞古墳などから出土している。(李康七)

キョンガプ〔頸甲〕경갑

▶カボッ(鎧)の小具足の一種。敵の攻撃から首と胸を保護するために着用するもので、首を護る襟甲と胸を護る鎖骨甲とから成る。頸甲は半円形で、襟のように左右に立てて首との接触を避け、肩の線に合わせて反るようになっている。また、両側には肩甲を付けるための孔が開いている。伽耶古墳群の一つ、慶尚北道高霊郡池山洞32号墳で鎧1領とともに完全な形を保った頸甲が出土している。

キョングァンジュ〔瓊光紬〕경광주

絹織物の一種。▶三八紬より粗く織り、▶曲生絹と柄が似る。幅は苧麻の1幅半ほどである。

キョンデ〔鏡台〕경대(きょうだい〔鏡台〕)

化粧品や化粧道具を入れておく箱。一般的には3～4段の引き出しが付いている六面体で、天板の内側には鏡が付いており、蓋を開けて斜めに立てかけて使う。大部分が木製で、生漆を塗って木目を生かしたもの、赤漆を塗ったもの、螺鈿を施したもの、▶華角(牛角工芸)や▶鼈甲の装飾を施したものなどがある。文様としては、▶鴛鴦紋・▶十長生紋・双鶴・▶吉祥紋が多い。金具装飾としては、不老草、燕尾蝶番の真鍮、月形の座金、コウモリ形の取っ手が、五福を象徴するものとしてよく用いられた。高麗時代には鏡かけに吊した鏡に顔を映して、化粧箱に入った化粧品・櫛などを使って化粧をした。朝鮮時代に入って大衆化したようで、女性のみならず男性たちも▶サントゥ(髻)を結うために鏡台を使った。男性用のものは女性用と構造は同じだが、小ぶりで引き出しは一つのみで、飾りがなく素朴である。(参考)全完吉《韓国民族文化大百科事典1》、韓国精神文化研究院、1991

キョンムグァン-ポクチャン〔警務官服装〕경무관복장(警務官の服装)

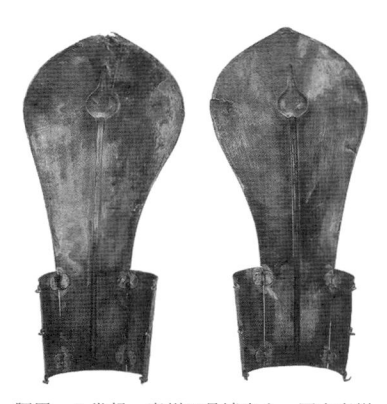

脛甲 5世紀。慶州98号墳出土。国立慶州博物館所蔵。上部は宝珠形で、下に向かって細くなっている。下部には蝶番で開閉する長方形の曲面板を付け、脛の後ろで閉じるようになっている。

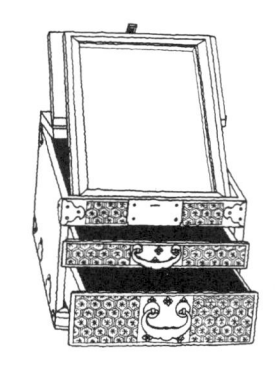

鏡台 (右)英王妃遺品。国立古宮博物館所蔵。赤・黒の漆器鏡台。上部や前面の取っ手、四隅に白銅板を貼り、蓋と側面の中央には円寿紋、前面上部には金色の唐草紋、各引き出しの左右には寿福紋、側面と後面の四隅には蝙蝠紋が施されている。引き出しの中には髪油や白粉入れが収められていた。

キョンジル-ソミュ〔硬質繊維〕 경질섬유（こうしつせんい〔硬質繊維〕）

朝鮮時代の高宗32年（1895）に、初めて定められた警務官の服装。警務官は、朝鮮時代末期の高宗の代に左右捕盗庁を廃止して設置した警務庁の官職である。帽子・服ともに濃い紺色の▶絨で仕立てるが、夏服は白である。帽子には頂蓋・前庇・頤紐・正面表章・横線章があり、服には胸章・袖章がある。頂蓋は白地に金の李の花で、前庇は黒革で裏は黄色である。正面表章は金色の李の花だが、巡検は白銅色であった。横線章は白絨の線で等級を区別した。近衛警官は黄色の絨を用い、胸章には当初は隠釦を用いたが、すぐに李花釦五つに変わった。袖章は黒毛大線・蛇服組・小線組で階級を区別した。飾帯も赤・玉色（空色）といった色で階級を表した。その他には、手套・外套・刀・靴がある。後に若干改正されたものの、服飾制度に大きな変化はなかった。（《▷増補文献備考》巻79礼考26章服）

キョンボンガプ〔鏡幡甲〕 경번갑

▶鎧の一種。《世宗実録》（五礼儀軍礼序例兵器）に図と「鉄の札と鉄環を互い違いに繋げたものを鏡幡甲という」との説明がある。（李康七）

キョンボク〔経服〕 경복

▶喪服の一種。小功服・緦麻服のように比較的短い期間着用する喪服である。

キョンサ〔更紗〕 경사（さらさ〔更紗〕）

染織物の一種。インド原産で、世界各地に多大な影響を与えた。小紋・中形や、暗色主体の色で幾何学的な文様を施した捺染織物である。普通は綿布に機械捺染するが、絹布に捺染したものもある。

キョンサ〔経糸〕 경사（たていと〔経糸・縦糸〕）

織機で布を織る際に、縦の方向に通す糸。▶緯糸（横糸）よりも摩擦に耐える強さが必要で、撚りが強いほどよい布が織れる。㊧ナルシル

キョンシク〔頸飾〕 경식→㊧モッコリ

キョンユウイ〔経帷衣〕 경유의（きょうかたびら〔経帷子〕）

死者に着せる経文を書いた服。これを着せることにより、死者の罪が消え、地獄の苦痛から逃れられると信じられた。㊧経衣

キョンジル〔経帙〕 경질（きょうちつ〔経帙〕）

経巻が傷まないよう保管するための入れ物。全羅南道順天市松広寺所蔵のものは宝物第134号。この経帙は、糸のように細く割いた竹ひごを絹を織るように文様を入れながら長方形に編んだものである。紙と絹でできた右端の三角形の部分に付いた紐でくくるようになっている。縦32.5cm・横59cmのものと、縦32.5cm・横71cmのものとがあるが、後者は太い経巻を保管したものであろう。全体的に損傷がひどいが、色とりどりの糸で施した精巧な文様が残っており、縁の絹で繕った部分には金剛杵紋が施してある。

キョンジル-ソミュ〔硬質繊維〕 경질섬유（こうしつせんい〔硬質繊維〕）

警務官服装　警視部監具然寿像。

鏡幡甲　鄭地（1347〜1391）将軍の鏡幡甲。高麗時代。国立全州博物館所蔵。

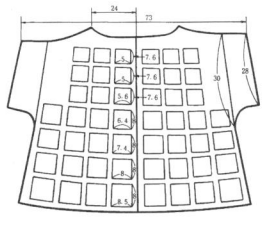

《▷国朝五礼儀》掲載の鏡幡甲。

キョンポ〔茎布〕경포

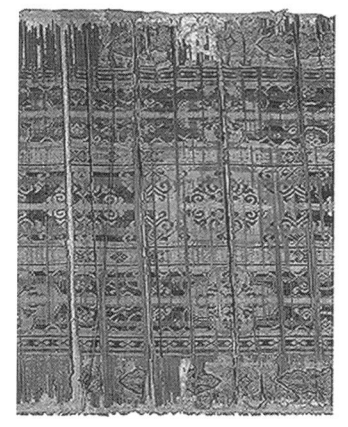

経帙　32.5cm×71cm。宝物134号。全羅南道順天市、松広寺所蔵。

粗く固い繊維。主に麻の繊維について用いられる言葉で、亜麻・黄麻などの比較的柔らかい軟質繊維に対して、マニラ麻・サイザル麻など特に硬いものを指す。

キョンポ〔茎布〕경포

日本で生産される織物の一種。《三才図会》には、茎麻で布を織ると絹のように目が細かく丈夫なものができ、煮て干すと真っ白になるので曬布と名付けられたとある。(《▷五洲衍文長箋散稿》巻45布帛錦緞弁証説)㊀曬布

キョンマギ　곁마기

脇の下を封じた服という意味。朝鮮時代の女性たちの外出着で、▶チョゴリ(上衣)よりも丈・身幅があった。▶小礼服の唐衣より下等で、▶草緑色(黄緑)・紫朱色(赤紫)・古銅色(赤褐色)などの色を自由に使ったが、年齢層による色分けがあった。

袖には唐衣と同様に白い▶コドゥルジ(当て布)を当てた。(金用淑)

キョッパデ　곁-바대

単衣を仕立てるときに、最もほころびやすい脇の内側を補強するために当てる「く」の字型の布。

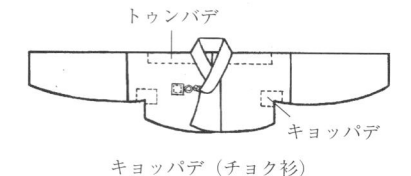

キョッパデ(チョク衫)

ケ〔笄〕계

▶冠に挿す▶ピニョ(簪)の一種。頭部は丸く、先は尖っている。《▷家礼》本注には、歯骨や白い素材を使うとある。

ケ〔髻〕계

髪型の一つ。三国時代から男性よりも女性に多様な髪型が認められるが、三国時代の古墳壁画や文献に▶オンジュンモリ(髺髻)・▶チョクチンモリ(北髻)・▶チェモリ(垂髻)・▶ムックンチュンバルモリ(束髻)・双紒などの髪型が見られる。また、中国の影響を受けた▶高髻・半翻髻・双髻・椎髻・驚鵠髻・▶加髻などの髪型もある。朝鮮時代には装飾用となり、女性たちの高髻・加髻が奢侈を極めたため、英祖32年(1756)1月には士族の女性にこれらの髪型を禁じ、▶チョクトゥリ(黒絹冠)に取って代わらせた。(《▷朝鮮王朝実録》英祖32年1月甲申)

ケ〔罽〕계

毛織物の一種。《漢書》漢高祖8年の記録に、「富豪の商人であっても、錦・繡・綺・縠・絺・紵と罽の衣服は禁ずる」という内容とともに、そ

の注に「毛で織ったもので、今の褐・罽の類(織毛若今褐及罽愈之類)」とある。このことから、罽は▶褐と同様の毛織物であるか、西湖のチュィポのように細く柔らかい毛で織ったもので、漢の時代には舶来品だったことがわかる。《三国志》魏志東夷伝扶余の条に、我が国でも扶余人たちが罽を着ていたとの記録がある。また《三国史記》新羅興徳王9年(834)の服飾禁制の内容に、真骨(聖骨に次ぐ2番目の階級)以下の服地に罽を禁じた部分があり、三国時代にはすでに使われていたことがわかる。高麗時代に至って、罽が華麗な工芸品として大量に作られ、交易品とされた。《▷才物譜》には、罽は毛織とある。また、《三国志》巻30東夷伝倭人の景初2年の記録には、魏の明帝が倭の女王に賜与した物品の中に絳地縐粟罽10張、細班華罽5張が含まれている。張と記されていることからして、これは絨毯になったもので、縐粟とはパイルのあ

罽　敷物。156cm×86.5cm。朝鮮時代。淑明女子大学博物館所蔵。

コゴリ〔古古里〕 고고리

る赤地の添毛織物であろう（角山幸洋《服装文化》No.150、文化服装学院出版部）。すなわち、罽はきめの細かい毛織物で、服地のみならず高級敷物としても用いられたことがわかる。（朴京子（パクキョンジャ））

ケグ〔罽毬〕 계구
花柄の毛織物。成宗（ソンジョン）の代に刊行された《▷経国大典（キョングクテジョン）》に「堂下官以下の者の婚礼時には紗羅・綾緞・罽毬の使用を禁ずるも、士族の婦女子や児童・京妓（宮中の芸妓）には禁ぜず」とある。（《朝鮮女俗考（チョソンヨソッコ）》第18章朝鮮女性服装制度6李朝女装）

ケレ〔笄礼〕 계례
婚礼の際に、女子が結っていた髪を解いてチョクチンモリにし、▷ピニョ（簪）を挿す儀礼。男子の冠礼のようなもので、▷冠礼同様にその起源は高麗（コリョ）時代と思われる。普通は婚姻が決まった際に笄礼（ケレ）を行うが、15歳になったときに行うこともある。笄礼は冠礼とは異なり、親戚中から礼に詳しい女性を主礼と定め、母親が中心になって執り行う。また、加冠（カグァン）笄の儀式は男子の冠礼と同じだが、加礼は1度で終わる。このとき、▷笄礼の当事者は髪を結ったまま▷衫子（サムジャ）（▷唐衣（タンイ））を着て待機した後、手順に従って髪を解き、櫛を入れてから髪を束ねて▷笄（ケ）を結う。古礼では、さらにチョクチンモリを▷テンギ（垂れ帯）で包み、▷花冠（ファグァン）を被せた後にピニョ（簪）を挿した。この加冠笄が終わっても、式の日取りが決まらず家にとどまる場合には、もとの結い髪に戻す。→冠礼

ケバダ 계바다

頭のてっぺんに載せる、毛髪で作った芯。開化期に登場した女性の髪型の一つである▷トゥレモリを結うときに、髪が大きく見えるようこの芯を入れてから髪を巻き上げて結った。

ケジ〔戒指〕 계지→㊁カラクチ

ケチュリ 계추리→㊁黄麻布（ファンマポ）

ケチクートンファンス〔鸂鶒銅環綬〕계칙동환수
朝鮮時代に7・8・9品の官吏の▷朝服（チョボク）（朝賀服）と制服に付けた▷後綬（フスゥ）。川秋沙（鸂鶒、ガンカモ科の鳥）の姿を刺繍して、銅環二つを付けたもの。→綬・後綬

ケチンムン〔鸂鶒紋〕 계칙문
川秋沙（かわあいさ）（ガンカモ科の鳥）の文様。川秋沙は鴛鴦（オシドリ）のような姿をしているが、5色の翼が紫色に見えるので、紫鴛鴦（チャウォナン）とも呼ばれる。朝鮮時代には黄・緑の2色の糸で刺繍し、7・8・9品の後綬（フス）に施した。→鸂鶒銅環綬（ケチクトンファンス）

コ ユ（わなむすび〔罠結び〕）
①服の紐などを結ぶときに、1本を結び目から環のように引き出して結んだもの。
②▷サントゥ（髻）を結う際に、髪が解けないように毛髪を集めて丸い環を作って結ったもの。→カラクチッポル

コ〔袴〕 고
上代社会における▷パジ（ズボン）の総称。▷襦（ユ）（上衣）とともに、韓国の基本的な服飾の一つ。幅の広いものや狭いもの、股下の短いものなどがあり、男女ともに着用したが、女性はこの上に▷裳（サン）を履くことも

あった。諸文献に現れた袴の種類としては、高句麗（コグリョ）の▷窮袴（クンゴ）・太口袴（テグゴ）・大口袴（テグゴ）・▷赤黄袴（チョクファンゴ）、百済の▷青錦袴（チョングムゴ）・褌（コン）、新羅の▷赤袴（チョッコ）・褐袴（カルゴ）、伽耶の綾袴（ヌンゴ）などがある。高句麗古墳である鎧馬塚（マ）・双楹塚（サンヨン）・龕神塚（カムシン）の壁画には、侍者クラスの人物が大口袴（テグゴ）（幅広のズボン）を履いた姿が描かれている。→パジ

コゲ〔高䯻〕 고계
髪を結い上げる際に、▷タリ（入れ髪）を多めに入れて䯻を上げた髪型。高句麗（コグリョ）の古墳壁画にも見られることから、三国時代から行われていたことがわかる。朝鮮時代になってからは、成宗（ソンジョン）13年（1482）6月の条に、高䯻が四方一尺にもなって奢侈の風習が甚だしく、また燕山君（ヨンサングン）9年（1503）2月の条にも、高䯻の高さがやはり四方一尺になったとの記録がある（《燕山君日記（ヨンサングンイルギ）》9年2月）。このように奢侈の傾向が強まったため、英祖（ヨン）・正祖（ジョ）の時代には加䯻・高䯻（カチェ）禁止令が数度にわたって下されたが、あまり守られなかった。

コゲ〔袴係〕 고계
▷テニム（裾紐）の一種。《▷青荘館全書（チョンジャングァンソ）》（巻27〜29士小節第1士典1服飾）には、紐で脛を縛るもので、俗にテニム（単袵）と称するとある。㊁袴管（コグァン）

コゴ〔姑姑・顧姑〕 고고→㊁古古里（コゴリ）

コゴリ〔▽古▽古▽里〕 고고리
位の高いモンゴル族の貴婦人が被った特殊な▷冠帽（クァンモ）。高麗の王妃が被ったこともあり、「罟罟」「姑姑」「顧姑」などの名称がある。宋の武将孟珙（もうきょう）

45

コグ〔羔裘〕 고구

コゴリ 元の世祖后徹伯爾像。中国故宮博物館所蔵。

は「酋長の妻が顧姑冠を被ったが、針金を編んだもので、形は竹夫人に似、丈は3尺ほどである。紅色・青色の絹や金珠で飾る」としている。現存する元の世祖妃徹伯爾の肖像を見ると顧姑冠を被っているが、その形は胴が非常に高く、てっぺんには彩色の羽根を、前後には花を飾り付けてある。髻からは左右に大珠を長く垂らし、額には赤い鉢巻をしている。《▶五洲衍文長箋散稿》(巻15東国婦女首飾弁証説)は「《▶高麗史》には元が王妃に古古里というものを贈ったとあるが、これは冠の名称として世に伝えられた。現在の▶チョクトゥリは古古里と音が似ているので、古古里が転訛してチョクトゥリになったのではあるまいか」と記している。回姑姑・顧姑

コグ〔羔裘〕 고구
上古に北方民族の庶民が着た防寒服。子ヒツジの皮で仕立て、中国では周代以降に士大夫が大礼に際して▶袍(外衣)として着用した。

こうくりのふくしょく〔高句麗の服飾〕 고구려의 복식
中国の記録によれば、高句麗初期の服飾は刺繍や錦で飾り、大加主簿は後面のない▶幘を被り、小加は折風を被ったという。貴人の冠は骨蘇多といって紫羅で作り金銀で装飾したもので、衣服は大袖の▶衫と▶大口袴を身に付け、革帯を締め革の靴を履いていた。また、婦人の▶チマ(スカート)と▶チョゴリ(上衣)の裾には▶襈を当てていたという。①冠帽：高句麗古墳壁画に描かれた冠帽類を文献記録を元に整理すると、基本形は幘・折風・笠の三つになる。まず、幘は、手ぬぐいを頭に巻いた▶巾が発展した形態で、当初は上下貴賎なく皆が被ったが、後に大加主簿のような高官たちのみが被るようになった。古墳壁画を見ると少しずつ形の異なる幘を被っているが、▶パジ(ズボン)▶チョゴリ(上衣)を着た武人たちが被っているもの、文官たちが▶袍や儀礼用衣裳を着て被っているもの、蓮華文様のものなどがある。次に、折風は簡便で活動しやすい▶コッカル(山形頭巾)形の男性用冠帽で、我が国固有のものである。これはさらに、▶折風帽・▶鳥羽冠・鳥羽蘇骨冠・皮弁冠に分類できる。このうち、折風帽は飾りのない平凡な帽子である。鳥羽冠は素材と装飾により、さらに鳥羽帽・鳥尾帽・氈毛帽・金属鳥羽帽・立華飾宝冠・翼状冠・金花折風冠帽などに分けられる。鳥羽蘇骨冠には、白羅冠・青羅冠・緋羅冠・絳羅冠などがある。皮弁冠は武人の被る皮の冠で、鎧馬塚の壁画で従者5人が被っている。最後に笠は、一般に日差しと雨を避けるために被られたが、高句麗では狩猟帽として使われた。花山里塚・竈神塚の狩猟人物図に見られる(これらの形、出土古墳については図・表を参照のこと)。②衣服：男女ともに▶袴(ズボン)を履き、その上に丈が尻まである▶襦(上衣)を着ていた。袴は、貴人であるほど裾幅の広い▶大口袴を履いた。また、襦の上から袍(外衣)を纏ったが、衽・裾・袖口には襈を当てていた。これは漢族の衣服から影響を受けたものと推測される。衣服の中には合衽袍があるが、これは漢族やアルタイ族の裘(皮衣)を布製にしたものである。打ち合わせは初期には左前だったと思われ、平壌・南浦の古墳壁画のものはほとんどが左前だが、中国集安市通溝の古墳壁画には右前のものが多く、服飾の地域性が現れている。高句麗の服飾は垂直型であったため、打ち合わせの向きが自由だったものと思われる。▶ティ(帯)は庶民たちのものは布製だったが、官員や貴人のものは▶銀帯・▶金釦革帯・白韋帯・白皮小帯・素皮帯・紫羅帯など多様だった。③狩猟服：壁画に見られる高句麗人の狩猟服は、朝鮮民族の伝統的な服飾である▶窄袖(細袖)長襦細袴(長い上衣に細ズボン)を原則とし、活動しやすいものであった。舞踊塚の壁画に描かれた狩人の服装を見ると、鳥羽冠を被り、幅の広い大口袴を履き、袖が細くて長い▶長襦の上から帯を前結びに締めている。革の靴を履いて足首から

こうくりのふくしょく〔高句麗の服飾〕 고구려의 복식

上を紐で縛り、高句麗人の勇猛な気質がよく表現されている。④武将の服飾：三国時代の鎧は▶短甲(タンガブ)・▶札甲(チャルガブ)などに分けられる。また兜は衝角付冑(ガクブジュ)・眉庇付冑(ミビブジュ)などに分けられるが、いずれも角が付いている。高句麗の武将たちの戦闘服である札甲(チャルガブ)は、小札(こざね)を革紐で繋いであるため、短甲よりも活動的で、乗馬にも適する。中国集安市通溝の三室塚(サムシル)第2室西壁の武士図に描かれた札甲は、上下が分かれた革綴式で、襟が頸を隠していて威厳がある。袖は鎧とは別物で、下着にもなる半袖である。三室塚北壁にはつるっとした兜を被った武士と、双角兜を被り札甲を着た武士が描かれている。⑤僧服：高句麗には仏教の伝来とともに僧衣が伝わったものと思われる。双楹塚壁画に見られる僧侶は、▶袈裟(カサ)を左肩から右脇下に垂らして纏い、左脇はたくり上げている。⑥履き物：▶靴(足を覆う履き物)・▶履(フア)(足の甲が露出する履き物)ともに用いられた。記録には黄革履(ファンヒョクニ)・赤皮履(チョクピリ)・烏皮履(オビリ)などが見られる。庶民は▶チプシン(草鞋)を履いたものと思われるが、腰(側面)の高いものもあれば低いものもあり、多様なものが履かれた

高句麗古墳壁画に描かれた冠帽

番号	冠帽名	古墳名
1	鳥羽冠	舞踊塚
2	鳥尾冠	舞踊塚
3	飛天冠	四神塚
4	翼状冠	鎧馬塚
5	立華翼状冠	鎧馬塚
6	鳥羽冠	雙楹塚
7	鳥羽冠	雙楹塚
8	氈帽冠	龕神塚
9	氈帽冠	龕神塚
10	絳羅冠	鎧馬塚
11	絳羅冠	鎧馬塚
12	幘	龕神塚
13	無後幘	龕神塚
14	四角帩	舞踊塚
15	巾帩	花山里塚
16	網状方笠	花山里塚
17	笠子帽	龕神塚
18	巾帩	四神塚
19	笠子帽	龕神塚
20	翼状冠	鎧馬塚
21	帩	舞踊塚
22	巾帩	三室塚
23	鳥尾武冠	三室塚
24	網状冠	雙楹塚

高句麗古墳壁画に描かれた冠帽

こうくりのふくしょく〔高句麗の服飾〕 고구려의 복식

貴族と僧侶。舞踊塚主室奥壁。

貴婦人。双楹塚主室東壁。

武人夫婦。角觝塚主室奥壁。

僧衣。双楹塚主室東壁。

狩猟の服飾。舞踊塚主室右壁。

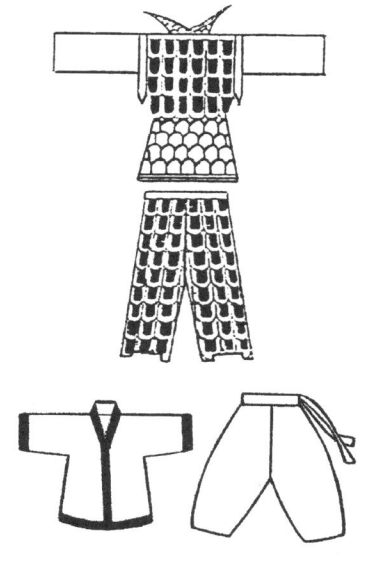

高句麗古墳壁画に描かれた高句麗人の服飾

武将の服飾。三室塚第2室西壁武士図。

コドゥルモクーポソン　고들목버선

と推定される。

コグィジク〔高貴織〕고귀직
綾紗織の一種。経糸は数本の糸を撚ったもの、緯糸は1本の糸を撚ったものを使う。

コッカル　고깔
僧侶が被る▶巾の一種。布や紙を貼り合わせて作り、てっぺんが尖っている。もともとの語形は「곳갈」で、「곳」は尖った部分、「갈」は冠帽の意味である。貼り合わせた直角二等辺三角形の布を、等辺どうしを合わせるように二つ折りにし、できた二等辺三角形の短辺を縫い合わせるが、被るときは後頭部を少し折り上げるようにする。一般に上座の僧が被るが、巫女や農楽の演奏者たちをはじめ、羅将・及唱などの下級官吏が被ることもあった。歴史的には中国の周の冠であった弁に由来するものだが、新羅の女人冠と似通っており、高麗末期の黒巾大冠と同形だとの説もある。また、弁様の古形から松ナク（地衣類のサルオガセを編んだ女僧の帽子）が生まれ、これが苧麻布製の曲葛になったという説もある。→冠帽

コッカル

コニュ〔扣紐〕고뉴
▶タンチュ（ボタン）の一種。衣服の服地どうし、部分どうしを一時的に繋ぐのに▶オッコルムなどの紐の代わりに使った。(《▶五洲衍文長箋散稿》巻37衣服裁縫弁証説)

コダン〔庫緞〕고단
絹織物の一種。細い糸で織り、厚手だがきめが細かく艶がある。柄ありと柄なしとがある。

コデ　고대
左右の肩山（肩の縫い目）の間、すなわち襟の後ろ部分。同キッコデ

こだいにほんのふくしょくとのかんけい〔古代日本の服飾との関係〕고대 일본복식과의 관계
韓国・朝鮮と日本は東アジア文化圏に属しており、互いに多大な影響を与えながら発展してきた。特に古代文化における影響は極めて大きく、服飾においても北方系遊牧民族のものが伝えられた。《日本書紀》巻3応神天皇14年（283）には、百済王が真毛津という服職人を日本に送り、この女性が裁縫の始祖になったと記されている。このとき単に裁縫技術のみならず服飾様式も伝えられたはずで、百済の服飾が日本に伝わったことが確認できる。このように、三国時代の我が国の服飾は、日本の古墳時代の服飾様式に影響を与えている。埴輪に見られるように、▶窄袖▶盤領▶左衽の▶長襦・▶袴・裳を着ているのは、北方遊牧民族のスキタイ系の騎馬衣装に起源を持つもので、これが我が国を通じて伝わったものと言えるだろう。これ以外に、織物・装身具などにも朝鮮半島の要素があちこちに見られる。

コド-チョルリク〔固道▽帖▽裏〕고도철릭
▶チョルリク（＜外衣）の別称。朝鮮時代の文禄・慶長の役（1592～1598）や丙子胡乱（1636）の戦乱中に、士大夫たちは着にくく煩わしい官服を脱ぎ捨てチョルリクを着たが、丙子胡乱の際に急を伝える太鼓や鐘が鳴ると、彼らはチョルリクを着て持ち場を守ったということから、「固道チョルリク」と呼ばれるようになった。

コドゥスェ　고두쇠
子供の▶チュモニ（巾着）の紐に付けた銀の飾り物。長寿を願う気持ちが込められており、一種の▶ノリゲ（女性韓服用の房飾り）と見ることができる。

コドゥスェ　温陽民俗博物館所蔵。

コドゥチョゴリ　고두저고리
祭祀の際に女子が着る袷の▶チョゴリ（上衣）。▶回装チョゴリに似るが、回装は付けない。

コドゥルモク-ポソン　고들목버선
▶甲午更張（1894）以降に女性たちが行った、▶ポソン（足袋）の履き方の一種。▶キョプポソン（袷の足袋）の上から▶ソムポソン（綿入れの足袋）を重ねて履くもので、足を締め付けて中国の纏足のように足の形が美しく出るが、歩きにくいものであった。

49

コリョギョン〔高麗鏡〕고려경

高麗時代に流行した銅鏡。中国で製作され朝鮮半島に持ち込まれたものと、高麗で独自に製作・使用されたものとに大別される。銅鏡は製作法により2種類に分けられるが、その一つは中国製あるいは高麗製の銅鏡の図案や意匠を真似て作った倣製鏡(バンジェギョン)で、もう一つは既存の銅鏡から型を取って鋳造した再鋳鏡(チェジュギョン)である。前者は元の鏡の文様を足し合わせたり少しずつ変形して作るのが普通である。一方、後者は同じ型を使うために同じ文様の銅鏡が大量に作られるが、文様が不鮮明になったり少しずつ小さく軽くなることもあり、場合によっては文様がほとんど識別できないものもある。高麗鏡(コリョギョン)によく使われる文様は、花鳥紋・瑞獣紋・竜魚紋・人物故事画像紋・鳳凰鸚鵡紋・宝華唐草紋・文字素紋などに分類される。また、その形はおおむね円形・花形・稜形・方形などに分けられるが、特異な形もあり、花形・稜形には5辺・6辺・8辺のものなどがある。この高麗鏡は、北は遼・金から南は対馬、さらには日本の一部にも分布しており、広い流通範囲を示している。金・宋などではいわゆる銅禁法により験記官の検印の入った刻銘銅鏡があったが、これもまた広く分布している。このような事実は大量生産が可能であったことを示しているが、粗造の傾向も見られる。典型的な高麗鏡は厚く文様が大きく鮮明だが、倣製鏡の大量生産も高麗鏡の一つの流れと見ることができる。(参考)イナニョン《韓国美術事典》、芸術院、1985→コウル

コリョグム〔高麗錦〕고려금 (こまにしき〔高麗錦〕)

絹織物の一種。高句麗(コグリョ)で製織したもので、日本の飛鳥時代に高句麗から伝えられたものと推定され、これに関する記録は日本の文献にのみ見られる。

こうらいのふくしょく〔高麗の服飾〕고려의 복식

高麗時代には一般民衆の服飾に変化が少なかった一方で、官吏たちの服飾は状況により多くの変化を見せた。初期の数十年間は新羅(シルラ)の服飾をそのまま踏襲し、以後300年間は宋の服飾の影響を受けた。また、モンゴルの影響下にあった1世紀間は▶開剃(ケチェビョン)弁髪(パルチルソン)に質孫を纏い、末期には明の服飾を導入した。一般民衆は白衣を着たが、女性たちは紅・黄色など色物を着ることもあった。新羅の伝統を引き継いで頭には文羅頭巾(ムルラドゥゴン)を被り、長い▶襦(ユ)(上衣)に新羅時代の▶袴(コ)を身に付け、上着として▶白紵袍(ペクチョポ)を着るなど、諸様式に変化はなかったと言える。モンゴルの服飾は全体的に大きな影響を及ぼしたが、衣服の根本的な様式は高麗の服飾と大差がなかったため、大きな変化は髪型と▶冠帽(クァンモ)に現れた。中でも目に付くのはモンゴルの鈸笠(パルリプ)で、これから▶竹笠(チュンニプ)が生まれ、またこれにつばを付けて▶ペレニイ型の▶カッが作り出された。髪型は当初は▶被髪(ピバル)(解き髪)だったが、モンゴルの影響で弁髪が取り入れられた。これにともない▶テンギ(垂れ帯)も結ばれるようになったが、未婚の女子は赤いテンギ、未婚の男子は黒いテンギを垂らした。履き物は、貴族は▶カジュクシン(革の靴)、庶民は▶チプシン(草鞋)を履いた。高麗時代の服飾は、表のように《▷高麗史(コリョサ)》や《▷宣和奉使高麗図経(ソンファボンサコリョトギョン)》などの文献以外に遺物や絵画などの資料が乏しく、正確なことはわかっていない。①▶官服(クァンボク):高麗光宗(クァンジョン)7年(956)に官吏の衣冠を中国の制度に合わせ(《高麗史》巻26)、光宗11年(960)3月には公服制施行を宣布した。これが▶四色公服制(サセクコンボクチェ)で、品階により衣服の色を使い分けた。これは社会的・経済的に大きな変革をもたらしたが、その一例として5代景宗(キョンジョン)の代には品田制度が確立され、四大服色をもとに耕作田と柴地の支給面積が決められた。これは四色公服制が実施されて17年目のことで、高麗初期の服飾制度はそれほど厳格なものであった。四色公服制の実施後、契丹・遼が冠冕衣帯を相次いで贈って来たにもかかわらず、高麗の服飾は少しも変化がなかったということになる。忠烈王(チュンニョル)4年(1277)3月に、モンゴルの服飾が王室を中心とした貴族社会で施行されて以降、約90年間モンゴルの服飾が庶民社会にまで広がっていった。その後、恭愍王(コンミン)19年(1370)7月には明の年号を取り入れ、8月に官服色を明のものに変更した。これに先立つ5月には、明の太祖が▶冕服(ミョンボク)(国王の大礼服)と▶遠遊冠(ウォニュグァン)を贈ってきている。以後、明式の服飾制度が恭譲王4年(1392)までの22年間上流社会に施行され、

こうらいのふくしょく〔高麗の服飾〕 고려의 복식

高麗時代の王服および官服制度

身分別	用途	冠帽	衣服	帯	圭・笏
王	常服	烏紗帽	窄袖紬袍	紫羅勒巾	
	朝服	幞頭		束帯	
	祭服	冕旒冠			玉圭
	公服		紫羅衣服	玉帯	象牙笏
	燕居服	烏巾	白紵袍		
令官			紫文羅袍	玉帯（金魚袋を佩用）	
国相			紫文羅袍	毬仙金帯（金魚袋を佩用）	
近侍			紫文羅袍	御仙金帯（金魚袋を佩用）	
従官			紫文羅袍	御仙金帯	
卿監			紫文羅袍	紅鞓犀帯（銀魚袋を佩用）	
朝官			緋文羅袍	黒鞓角帯（銀魚袋を佩用）	
庶官		幞頭	緑衣	烏鞓	木笏

高麗時代における庶民の服飾制度

身分	帽子	衣服	帯	靴	その他
進士	四帯文羅巾	皂紬裘	黒帯	革履	貢人になると帽子も被る。
農商	四帯烏巾	白紵袍			民家では頭巾の紐は2本とする。
工技	皂巾	白紵袍			官から仕事をもらうと紫袍を官から授かり着用。
民長	文羅巾	皂紬裘	黒角束帯	烏革句履	貢人とならない進士の服飾に似る。
舟人	竹冠	短褐			パジ・チョゴリは着用せず。

高麗時代における女性の服飾制度

身分	頭飾り	衣服	帯	その他
貴婦	皂羅蒙首	白紵袍	橄欖勒巾	彩色紐に金の鈴をかけ絹の香嚢を携帯。秋冬のチマは時に黄絹を使用。
婢妾	蒙首			扇を手にしつつ、爪が人目に触れないよう赤い汗衫で隠す。
賤使	絳羅で髪を結い、小さい簪を挿す。	施裙を8幅で仕立て、脇の下で締める。		襞の多いチマがよいものとされ、裕福な家では7～8疋を繋いで仕立てた。
貴女		小児は黄衣を着用。		
女子	出家前の庶民の娘は紅羅で髪を結う。			男性は黒い紐で髪を結う。

51

コルム 고름

高麗時代の朝礼における服飾制度

身分	帽子	衣服	靴	その他
吏職		緑衣		青の服は書吏職を世襲する者のみが着用。
散員	幞頭	紫羅窄衣	革履	
人吏	幞頭	皂衣	烏革句履	官府に出向く際は、時に色衣を着用。
丁吏	文羅頭巾			中国の使臣来朝時には、頭巾の上に幘を被る。
房子	文羅頭巾	紫衣	皂履	角帯を着用。
小親侍	頭巾	紫衣		
駆使	烏巾	皂衣		縫袖を付ける。

朝鮮王朝に引き継がれてゆくことになる。②貴婦人服：高麗時代の婦人たちは、頭に黒絹の▶蒙首を被り、白紵袍を着て柄入りの▶寛袴を履いた。橄欖色（オリーブ色）の幅広の勒帯を締め、彩色紐に金鐸（金の鈴）を垂らし、絹の香囊を下げた。この格好は、高級官吏から庶民の夫人、妓女に至るまで同じであった。

コルム 고름→オッコルム

コリジャム〔コリ簪〕 고리잠
朝鮮時代に女子が▶チョクチンモリを飾るために挿した▶ピニョ（簪）以外の飾り物。爪楊枝と耳かきが付いており、銀・七宝などで作られる。

コムレ 고무래
織物の整経作業に使われる道具。しっかりした台の上に固定された高さ1mほどのT型の木製器具である。横軸に穴が10か所1列に開いており、麻・カラムシの糸はこの穴に通され、綿糸の整経と同じ作業を整経場で行う。→同ナルサンイ

コサ〔庫紗〕 고사
高級絹織物の一種。精練しない絹糸で織った▶生庫紗と、精練した絹糸で織った▶熟庫紗とがある。主に夏用の服地とする。

コヤンサ〔古洋紗〕 고양사
織り目の細かい綿織物。布紵の一種。

コヨン〔庫英〕 고영
品質の非常によい絹織物である▶英綃の上等品。柄があり、▶毛綃や▶羅緞に似る。同庫英綃

コヨンチョ〔庫英綃〕 고영초
→庫英

コウンゲ〔高雲髻〕 고운계
朝鮮時代の▶舞童服の一種。舞童が公莫舞の際に被る黒塗りの冠で、周囲には金色の線が巻いてある。→公莫舞服

コウン－チプシン 고운 짚신
細く撚った莞草（カヤツリグサ）やガマで編んだ▶チプシン（草鞋）。目

高麗の服飾（左）李兆年（1269～1343）像。全羅南道高興郡星山祠所蔵。高麗時代末期の文臣服の一面を窺うことができる。帽子は鉢部が球形でつばが狭く、黒笠の初期の段階と見られる。紅の袍は直領で袖が狭く、朝鮮時代の広袖衣とは対照を成している。
（右）安東太師廟三功臣遺物。太師廟は、高麗太祖（在位918～943）が後百済の討伐で功のあった金宣平・権幸・張貞弼の3人に太匡太師の位を授けたのに由来する。冠は高さ20cmで、馬の鬣や尾の毛で編んだ角が左右に突き出ている。革袴帯は、計4本出土している。傷みがひどいが、残存する装飾は黄銅製で、花紋が立体的に陽刻されている。履き物は皮製で足首の長いものだが、底に厚い皮を数枚重ね、内には麻が当ててある。足首には青の折り返しがあり、サイズは29cmである。

高雲髻

が非常に細かい上等品である。

コウイ〔袴衣〕 고의
夏に着る男子の一重▶パジ(ズボン)。カラムシ・▶生モシ(セン)(精練していないカラムシ)・麻・▶玉洋木(オギャンモク)(高級綿織物)で仕立てる。㊀コイ・単袴(タンゴ)・単衣(タニ)・中衣(チュンイ)

コウイ-チョクサム〔袴衣▽赤衫〕 고의적삼
夏に着る一重の▶中衣(チュンイ)(ズボン)と▶赤衫(チョクサム)(上衣)。カラムシ・▶生モシ(セン)(精練していないカラムシ)・麻などで仕立てる。

コイ 고이 →袴衣

コイテンギ 고이댕기
婚礼の際に新婦が髪に垂らす絹地の▶テンギ(垂れ帯)。2本に分かれて

コイテンギ

おり、右の生地には牡丹3輪、左の生地には▶十長生紋(シプチャンセンムン)、先端を円錐状に巻いた部分には菱形文様が刺繍され、さらに真珠を縫いつけてある。西北部地方(平安道(ピョンアンド)・黄海道(ファンヘド))では、頭に挿した大きな▶ピニョ(簪)の右側に2本とも1・2回巻き付けてから前に垂らした。色は紅と赤とがあり、他のテンギに比べて非常に長い。

コジェンイ 고쟁이
女性の下着の一種。▶ソッコッの外、▶タンソッコッの内に着る。男性の▶パジ(ズボン)に形が似るが、股下に切れ目があり、幅が広い。主に夏用で、木綿・麻・カラムシなどで作る単衣物である。着るときは右側に脇口がくるようにし、脇口に付いた前紐は一旦後ろに回して左から前に出し、右から前に持ってきた後紐と結ぶ。→㊀ソクパジ

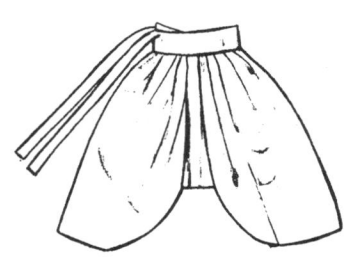

コジェンイ

コジョンニプ〔高頂笠〕 고정립
高麗時代末期から朝鮮時代にかけて被られたカッ(笠)の一種。雨粒が流れ落ちやすいようになっており▶サッカッに近いが、まだ▶黒笠(フンニプ)になる前の形態である。降雨・降雪時には防水のためにてっぺんに頂玉(チョンオク)を付けた。高麗時代末期の禑王12年(1386)2月に、鄭夢周(チョンモンジュ)が明から授

高頂笠　金堉像。朝鮮時代初期

かった官服とともに被り始めたのを契機に、世宗(セジョン)15年(1433)10月には、国王みずから中国の高頂笠(コジョンニプ)を被って庶民にも中笠(チュンニプ)の代わりに着用するようし、普及するようになった。同年11月には、唐体高頂笠(タンチェコジョンニプ)に代えて、明の太祖のカッである洪武笠を被ることもあった。→カッ

コチ 고치
① (まゆ〔繭(カイコ)〕) 蚕が蛹になる際に、吐いた糸で自らの周りに作った楕円形の覆い。蚕が孵化してから繭を作るまでに約1か月かかる。糸を吐くようになった蚕を熟蚕(スクチャム)(じゅくさん)と呼ぶが、熟蚕は足場糸を身の周りに張ってから、胸から上を8の字状に振りながら繭を作る。この繭から繰り出した糸が絹糸である。㊀ヌエコチ

コチ①

コチ-マルギ 고치말기

②糸を繰り出すために作った棒状の綿束。

コチ② 1338年。京畿道華城郡、鳳林寺仏像内納入遺物。石宙善紀念民俗博物館所蔵。

コチ-マルギ 고치말기

綿糸を作るための中間過程の一つ。綿打ちの済んだ綿をマルテに巻き付け▶コチ（済州島方言は「チョン」）を作る。マルテは黍の茎や竹で太さ1cm内外、長さ30～40cmに作ったものである。コチを作るときの土台になるマルパンは表面が平らで滑らかであればよいので、瓢箪を半割にした柄杓や木箱を伏せて使う。綿を幅5～6cm、長さ20～23cmの大きさにちぎり、右手に持ったマルテをその中央に当て、左手で3～4回擦ると綿がマルテに巻き付く。その後マルテを抜くと、長さ30cmほどの管状のコチができる。これは、今日のスライバー（sliver）のようなもので、一日の作業量は950本ほどである。（参考）高麗大学校民族文化研究所《韓国民俗大観》2、1980

コファヤン〔苽花様〕 고화양

▶網巾の圏子に彫る真桑瓜の花の文様。品階を区別するためのもので、朝鮮時代に正2品・従2品の官吏たちの▶網巾にこの文様を彫った。

コク〔縠〕 곡

シボのたった絹織物で、今日のクレープ（crape）に当たる。董越は《朝鮮賦》で「朝鮮の布は麻織物だが、よく紵と呼ばれるのは誤って伝えられたもので、その精巧さ、精密さは縠に等しい」（《朝鮮女俗考》第22章朝鮮女子労力動作4李朝時代女工品）と褒め称えている。

コッカル〔曲葛〕 곡갈→同コッカル（고깔）

コクトゥソン〔曲頭扇〕 곡두선→同コプチャンブチェ

コンニョン〔曲領〕 곡령→キッ

コクセンチョ〔曲生綃〕 곡생초

生糸で織った良質の絹織物の一種。緯糸に色合いの異なる2本の白糸を半分ずつ混ぜて使うので文様がある。夏用の服地にする。同甲生綃

コゴク〔曲玉〕 곡옥（まがたま〔曲玉・勾玉〕）

装飾用の玉の一種。カンマを大きくしたような形で、頭に孔が一つ開いている。魚のようにも見えるが、元々は動物の牙に由来する形とされる。曲玉は当初儀式用だったものが後に装飾品となり、新羅時代の古墳や日本などで大量に出土する。原初の曲玉は頭部と尾部が同じ太さだったが、4世紀ごろには頭部が太くなる一方、尾が細くなった。大きさは様々だが、時には8cmを超すものもある。ほとんどが翡翠製だが、瑪瑙・水晶・瑠璃・碧玉などのものもある。頭の孔の上に数本の線が彫られたものや、金銀の装飾を施したものもある。この曲玉はほとんどが首飾りの中心石として使われたが、耳飾りや金冠に付けたものもあり、慶州金冠塚からは130個以上も出土している。我が国の曲玉は色が独特で、白みの強い白緑斑色が主流を占めている。古墳出土の曲玉としては、忠清南道公州市錦城洞の公州宋山里古墳群7号墳と8号墳から1個ずつ、牛禁里1号墳から3個が出土している。また武寧王陵からは、炭化した木を楕円に切り抜き、その周囲にはめた金の枠に孔を開けた特殊なものがいくつか出土している。特に百済の曲玉で興味を引かれるのは、曲玉の表面に小さな曲玉をいくつか付けた母子曲玉である。

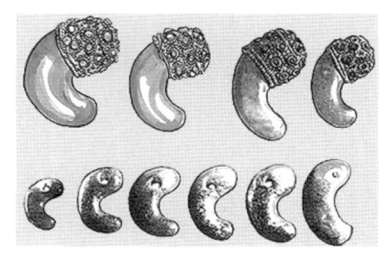

曲玉　忠清南道公州市、武寧王陵出土。国立公州博物館所蔵。主に金冠・腰佩・頭飾り・首飾り・腕輪などに付けられたものである。頭部に被せものをした金帽曲玉はいずれも鏤金技法によるもので、突出した枠の中には赤・緑などの顔料が埋め込まれ、枠の表面には幾何学的な菱形・円形文様などが施されている。帽子型・円筒型・管型などがある。

コンドゥ〔髡頭〕 곤두

髪を剃り落とした頭。朝鮮時代の東胡族の習俗であった。

コルリョン-アムファーコルタウンポ〔袞竜暗花骨朶雲袍〕 곤룡암화골타운포

朝鮮時代の世宗26年（1444）3月に、明から授かった▶袞竜袍の中の一つである。

コルリョンポ〔袞竜袍〕 곤룡포

朝鮮時代の国王の執務服。夏は▶紗（捩織の絹）、冬は▶緞（朱子織の絹）で仕立てる。国王は、紺色の裏を打っ

た深紅の袞竜袍の胸・背・両肩の4か所に金の糸で刺繍した四爪竜補(コルリョンボ)(サジョリョンボ)を付け、皇帝は赤い裏を打った黄色の袞竜袍の同じ位置に五爪竜補(オジョリョンボ)を付けた。襟は▶曲領(コンニョン)とし、右肩で▶タンチュ(ボタン)をはめて固定する。両脇のあて布の部分は後ろ側の半分ほどを二つ折りにして、上部を縫いつける。▶翼善冠(イクソングァン)を被って▶玉帯(オクテ)を締め、黒の鹿皮靴を履く。世祖2年(1456)3月には《大明集礼》を詳しく調べた結果、「中国皇帝の▶十二章服(シビジャンボク)の左肩には太陽紋、右肩には月紋が施され、皇太子・親王・郡王は袞竜袍に爪が五つの五爪竜(オジョリョン)を付けているのに対し、朝鮮の王世子(皇太子)は袞竜袍に四爪竜(サジョリョン)を付け謙譲の意を表すべし」との意見が出され、これに従ったとの記録がある。
同竜袍(ヨンボ)・蟒袍(マンボ)・御袞(オゴン)・袞服(コンボク)

コンミョン〔袞冕〕곤면
袞衣(コニ)(▶十二章服(シビジャンボク))と▶冕旒冠(ミョルリュガン)のこと。

コンミョンボク〔袞冕服〕곤면복
国王が祭礼の際に身に付けた▶冕旒冠(ミョルリュガン)と袞服。袞服は上半身に纏う衣、下半身に履く▶裳(ウイ)、▶中単(チュンダン)・▶佩玉(ペオク)・▶蔽膝(ペスル)・▶大帯(テデ)・▶後繡(フス)・圭(キュ)・襪(▶ポソン)・▶鳥(チョソン)から成る。(《▶朝鮮王朝実録(ワンジョシルロク)》仁祖10年12月乙丑)

コニ〔袞衣〕곤의→十二章服

コニ〔褌衣〕곤의
幅が狭く股下の短い▶パジ(ズボン)。「褌(コン)」ともいう。我が国では、上古の固有服飾の基本形のうちパジに当たるものとして、▶袴(コ)と褌とがあった。当時の袴には▶大口袴(テグゴ)と窮袴(クンゴ)とがあったが、その形はおおむね今日の▶韓服(ハンボク)のパジに似るもので、褌は今日の▶チャムバンイ(半ズボン)のようなものであった。褌に関する記録は、《梁書》と《南史》の百済の条に見られ、高句麗(コグリョ)古墳の角觝塚(カクチョ)壁画に描かれた力士の履いているものもこれに似ており、当時すでに朝鮮民族の間で広く用いられていたことがわかる。高麗(コリョ)の記録としては、李奎(イキュ)報(ビゴン)の詩の中に「犢鼻褌(トクビゴン)」(牛の鼻の半ズボン)という言葉が見られ、当時でも夏の間の下衣として身分の上下に関わらず着用されていたことがわかる。→同チャムバンイ

褌衣 スェッコチャムバンイ

コドゥン-ポソン 곧은버선
▶ポソン(足袋)の一種。本来そり上がるスヌク線(足の甲の線)がつま先に近い部分まで真っ直ぐで、足首が締め付けられずに楽である。ソウルを中心とした中部地方でおもに履かれた。

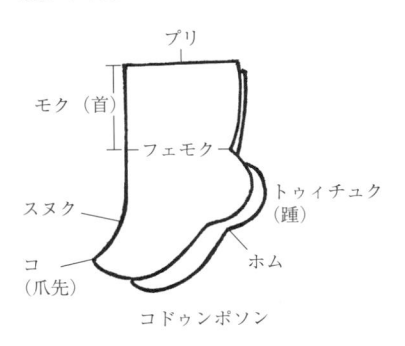

コドゥンポソン

コルム 골무(ゆびぬき〔指貫〕)
手縫いをするときに、針を押す人差し指の先にはめるもの。素材は、柄

袞竜袍 (左)英王の袞竜袍。国立古宮博物館所蔵。(右)袞竜袍を着た高宗と純宗。

入りの布、色絹、革などである。女性たちが自ら作ったために色々な形があるが、基本は半月形である。指の第一関節までが隠れるほどの大きさに爪側と腹側の半月板を作り、この２枚を弧にそって絹糸でかがり合わせる。革の切れ端や何枚も貼り合わせた綿布を芯に入れ、外側は絹地に梅の花・牡丹・蓮華・蝙蝠・蝶・天桃・石榴・太極・十長生などの吉祥文様を刺繍したり、針の頭の当たる部分に撚った木綿糸を固定して、補強したものもある。

コルム

コプソル　곱솔

縫い合わせ技法の一種。夏用の単衣物を仕立てる際に用いる。夏用の服地は薄くて解れやすく、縫い目が透けて見えるので、合わせ目の強度を保ちながら縫い目を細くして、涼しそうで見栄えのよいものにする。まず２枚の布を合わせ、0.4cm縫い代を残して縫い合わせてから縫い代を割り、次に最初の縫い目から0.2cmの線、すなわち縫い代の中央を縫い、さらに残った縫い代を鋏で整えてから折り返して最初の縫い目と２回目との中間の線で縫い、最後に火のしを当てる。▶ケッキオッやカラムシの▶袴衣赤衫などを仕立てるときに用いる。㊀コプサムソル→パヌジル

コッカル　곳갈→㊀コッカル（고깔）

コングルギ　공그르기

単衣物の折り返しの縫い目が目立たないようにする縫い方。生地の端を三つ折りにし、その織り目の部分を生地に２〜３回まつりながら飛び飛びに縫ってゆく。▶チマ（スカート）・▶戦服・▶幅巾などの折り返しに用いるが、作業が手早く、縫い目に線ができて見栄えもよい。㊀コングムジル→パヌジル

コンギボク〔工技服〕　공기복

高麗時代に官庁所属の技術者であった工技の衣服。▶白紵袍を纏い▶皀巾を被ったが、中央官庁に配属されると紫色袍が支給された。《《▷宣和奉使高麗図経》巻19）→高麗の服飾

コンダン〔貢緞〕　공단

絹織物の一種。厚手で艶があるが柄はない。三原組織のうちの▶朱子織で、経糸・緯糸ともに５本以上で組織単位を作り、一つの単位の中では経糸・緯糸が１回のみ交差するので、生地の表面が経糸あるいは緯糸のみでできているように見える。主に冬用の服地や布団地として使われる。朝鮮時代の《宮中撥記》には、イルラム貢緞・真紅貢緞・草緑貢緞・雅青貢緞・紅貢緞などの名称が見られ、様々な色の多様な貢緞が用いられたことがわかる。

コンドギ〔功徳衣〕　공덕의→㊀袈裟

コンマンムボク〔公莫舞服〕　공막무복

▶舞服の一種。朝鮮時代の純祖28・29年（1828・1829）年に王世子（皇太子）翼宗によって創製された宮中舞踊公莫舞を舞うときの服装である。公莫舞は、踊員２人がそれぞれ刀２本ずつを手にし向かい合って踊るもので、剣器舞の後に内宴でのみ披露された。▶高雲髻または▶珠翠金冠を被り、細袖で草色の地に石竹花（撫子）模様のある草緑石竹花戦服を着用し、腰には▶戦帯を前で締めて長く垂らした上から銀束帯を巻き、靴は胡靴を履いた。

コンボク〔公服〕　공복

冠服の一種。臣下が国王に謁見する際、謝恩または赴任前の拝謝の際、王世子（皇太子）に賀礼を奉る際、宮中と王世子に謝恩する際に、冠・帯・▶笏・▶佩玉とともに着用したもので、品階により色を分けた。我が国で公服制度を初めて施行したのは百済で、古爾王27年（260）に冠飾と帯色により品冠服色を定め、位の上下を区別した。新羅では法興王７年（520）に六部の人たちの衣服制度を定めたとされるがその内容は伝わっておらず、523年に改めたとされる公服制度が《▷三国史記》色服の条に記されている。公服の制式ともいうべき▶幞頭・▶袍・帯・▶笏が揃ったのは、真徳女王３年（649）のことであった。高麗光宗11年（960）に官吏の公服を定め、位により服色を様々に規定して施行したという記録が《▷高麗史》に見られる。朝鮮時代には《経国大典》に、官服を▶祭服・▶朝服・▶常服・公服と

分け、礼典儀章の条の公服に関する事項には1・2及び正3品は▶紅袍・従3品以下6品までは▶青袍、7～9品及び地方官吏は▶緑袍を着るとある。世宗8年（1426）に制定した公服制度を見ると、1品は紅袍に▶犀帯・象笏を、正2～正3品は紅袍に荔枝金帯を、従3品以下は青袍に▶黒角帯・木笏を、7～9品は緑袍に黒角帯・木笏を着用し、黒靴と幞頭はすべての位に共通となっている。《経国大典》では、常服である▶団領についても色分けは公服と同じであるが、公服の▶冠帽が幞頭であるのに対して、常服の冠帽は▶紗帽であり、また胸背が常服にのみ付けられる点が異なる。しかし、後の代に公服の幞頭が紗帽に取って代わられ、公服と常服はさらに似通ったものになった。以後、《▶大典会通》《▶続大典》においても公服の様式は守られたが、高宗21年（1884）に公服が簡素化されて黒団領のみが着用されるようになり、1894年の▶甲午更張では黒団領を▶大礼服とし、黒盤領と窄袖袍を兼用させたことにより公服制度は消滅した。

コンボク〔功服〕 공복
朝鮮時代に、喪中の遺族が着た▶喪服のうち大功服と小功服を合わせて指す。大功服は▶大功親の喪中に着る粗い麻の喪服で9か月着続け、小功服は▶小功親の喪中に着る細かい麻の喪服で5か月着続けるものであった。

コンシンポ〔貢身布〕 공신포
→貢布

コンジャンムン〔孔雀紋〕 공작문（くじゃくもん〔孔雀紋〕）
孔雀の文様。孔雀はキジ科の鳥で、頭に赤青の冠毛があり、頸から胸にかけて金色を帯びる。雄は長く美しい尾を持ち、色々な文様と装飾に使われた。服飾においても、一時文官1・2品の▶胸背の文様に用いられた。

コンジャクソク〔孔雀石〕 공작석（くじゃくいし〔孔雀石〕）
▶ノリゲ（女性韓服用の房飾り）や粧刀に利用する鉱物の一種。塊状のもの、葡萄状のもの、腎臓状のものがある。すっきりとした草色で光沢があり、孔雀の羽根のように美しい。装飾以外に顔料としても用いられる。

コンジャクソン〔孔雀扇〕 공작선
円形の▶プチェ（扇）の一種。我が国の文献においてプチェに関する最古の記録としては《▶三国史記》の甄萱の条に、「我らが太祖を推戴し即位した。甄萱はこれを聞き、その年8月に一吉湌関郵を派遣しこれを祝い、孔雀扇と智異山の竹箭を贈った」との記述がある。南方諸国の孔雀扇は孔雀の羽根で作った円形のもので、甄萱が賀礼品として贈った孔雀扇も丸い形をしていたものと思われる。朝鮮時代には、宮中で儀仗の一つとして用いられた。

孔雀扇　朝鮮時代に宮中で用いられた儀仗の一つ。孔雀は赤で華麗に描き、柄全体の長さは180cmほどある。

コンジャグ〔孔雀羽〕 공작우
孔雀の羽根。孔雀の尾の羽根と藍色の鳥の羽根を束ねたものを扇形に広げ、▶戦笠のてっぺんに挿す飾りとして用いた。方位によって、青・白・赤・黒・黄の五色の羽根を使い分けることもある。▶朱笠には▶虎鬚とともに両側に挿し、▶草笠に挿すこともあった。⑯領羽・転羽・傍羽・秀羽・雀羽

孔雀羽

コンジャクチェク〔孔雀幘〕 공작책
国王の子孫が幼い頃に被った冠。外形は金冠に似るが▶梁はなく、赤紫色の▶貢緞で外側を覆った。

コンジャク-ヒュンベ〔孔雀胸背〕 공작흉배
孔雀を刺繍した▶胸背（官服の胸・背の標章）。朝鮮時代に1品の文官が付けることがあった。孔雀は熱帯に生息する鳥で、羽の色が五色のため五行説に関連付けられて、現世の鳥類の中では最高の吉鳥と考えられた。そのため、聖君を奉る忠臣になるという意味を込めてこの鳥を胸背

コンジョンチェク〔空頂幘〕 공작책

に刺繡した。実物は発見されていないが、肖像画にいくつかの形態が見られる。白の単色のものもあれば、様々な配色をしたものもある。孔雀の姿勢も一定ではなく、右向きもあれば左向きもあり、頭を下にして飛んでいるものもある。背景の牡丹文様も、形と色が多様である。

孔雀胸背 張末孫（1431〜1486）像。団領に孔雀文様が金糸で直に刺繡されている。

コンジョンチェク〔空頂幘〕
공작책 →同 空頂黒介幘

コンジョン-フッケチェク〔空頂黒介幘〕 공적흑개책
てっぺんの抜けた黒の▶介幘冠。唐では皇太子が冠礼前に被った。形は幘と同じだがてっぺんのないものが空頂黒介幘で、これを真似て顕宗8年（1667）1月に冠礼前に王世子（皇太子）が被る冠と定めた。㊁空頂幘

コンジェボク〔公除服〕 공제복
官吏たちが、国王や王妃の崩御後に一般公務を中止し、26日間弔意を表わすために着た喪服。

コンテ 공태
▶トゥルマギ（＜外衣）のような上衣の袖から垂れた袋のような部分。身の回りの小物を入れる。

コンポ〔功布〕 공포
埋葬する前に棺を拭くために使う麻布。発靷（出棺）の際に喪輿の前に銘旌（弔旗）とともに立て、埋葬する際に使用する。

コンポ〔貢布〕 공포
朝鮮時代に、外居公奴婢が労役の代わりに国家に税として納めた布。奴（男子）は1疋半（約28m）、婢（女子）は1疋（約18m）と定められていた。戸曹（財務所管庁）では閏月のある年には奴婢から身布を追加徴収したが、奴は4尺（約1.8m）、婢は2尺6寸6分（約1.2m）であった。→身貢

コンハックンボク〔控鶴軍服〕 공학군복
高麗時代の仗衛服（儀仗兵の軍服）のうち、宿直の近衛兵が着た軍服。紫文羅袍を纏い、頭には五色の大団花を刺繡した折角▶幞頭を被った。控鶴軍は、詔輿（詔書を載せた御輿）を担ぎ、国王や使臣が私的に行き来するときには箱篚（箱と竹の器）を運んだ。

クァデ〔銙帯〕 과대
表面に▶銙板（装飾板）を付けた布帯または革帯。銙板の種類によって、玉帯・犀帯・金帯・銀帯・石帯・角帯などと呼び分けられる。伽耶では3世紀ごろから使用され始め、典型的な銙帯は▶腰佩（銙帯に垂らす装飾）とともに4世紀ごろが最盛期であった。当初は革帯・布帯・錦帯などに金属製の鐶付心葉形銙板を飾り付け、その環に金属製の▶腰佩を垂らす形であったが、徐々に様式化しながら銀・金銅・金などの素材を使うようになり、また玉を利用して金属中心の銙帯が作られ、これが典型的な様式となった。すなわち、透彫唐草文四角板に透彫唐草文心葉形装飾を施したいくつかの銙板を錦帯または革帯に並べて打ち止めし、両端に付けた鉸具（バックル）と帯先金具で腰に締める。

銙帯についての文献記録は《▶三国遺事》と《▶三国史記》に見られる。《三国遺事》天賜玉帯の条に記された腰帯は、丈が10圍（約18m）、金の鏤銙（彫られた装飾）が62個あり、玉で飾られていたという。《三国史記》雑志楽の条に、舞人はメッキした銙板の付いた赤い革帯を締めていたとあり、また新羅色服の条に、6頭品は真鍮、5頭品は鉄製の帯を着用していたとある。この二つの記録から、品階によって銙帯の材料が異なっていたことがわかる。

クァドゥ〔科頭〕 과두
▶サントゥ（髻）を結うこと。（《▶星湖僿説》巻8人事門）㊁魁頭

空頂黒介幘

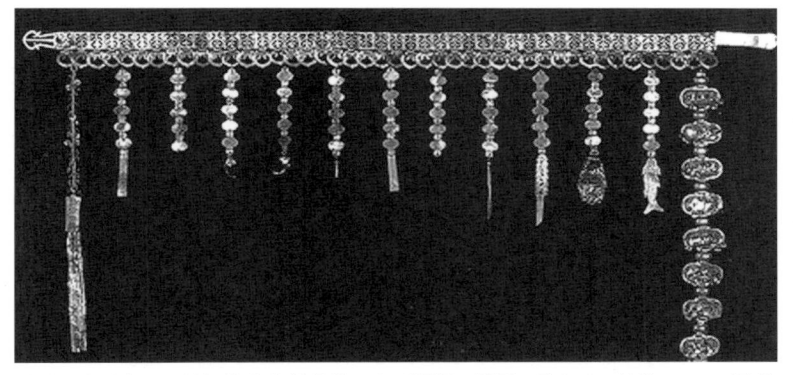

銙帯　慶州市、天馬塚出土金製銙帯および腰佩。新羅。長さは、銙帯125cm、腰佩73.5cm。国宝190号。国立慶州博物館所蔵。

クァドゥ〔裏肚〕 과두

①朝鮮時代に官吏たちが着た下着。袖のない戦闘服型で、白の明紬（平絹）や綃（生絹）で作る。裏肚の上にチョルリク・褡穫を着て、さらに▶団領を纏う。世祖2年（1456）7月に左議政韓確の下男に賜与した物の中に白紬袷裏肚があり、成宗5年（1474）8月には犀の皮で作った裏肚を奏聞使（中国に送る使者）に下賜した例がある。

②遺体の腹・腰を包むための寿衣の一種。明紬（平絹）や綿布で作り、男性用は黒地に藍色の裏を、女性用は紫朱色（赤紫）に藍色の裏を打つ。生地の幅そのままで長さは体を巻くほどに切り、四隅に紐を垂らす。（《▶四礼便覧》巻3喪礼陳襲衣）

クァシルムン〔果実紋〕 과실문

（かじつもん〔果実紋〕）
果実を素材にした文様。桃・石榴・仏手柑などがよく用いられる。桃は西王母の天桃を象徴するもので、三千甲子東方朔が千年に一度実る桃を食べて3千年も生きたという説話に基づき、長寿を祈る気持ちから愛用された。石榴は、仏が殺生と肉食を避けたが、石榴の味が牛肉に似ているためにこれを仏前に供えたという話に由来する。仏手柑は仏教で三千世界を意味するものとされている。

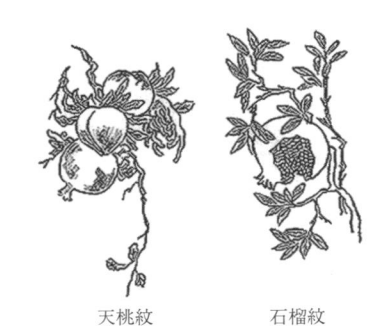

天桃紋　石榴紋
果実紋

クァパン〔銙板〕 과판

▶品帯に施す装飾品。金・銀・金銅を素材として作った一定の形のものを、布帯・革帯の表面に30個以上並べて付ける。古墳から出土した遺物を見ると素材・文様などに差があるものの、典型的な様式は方形部と、この下につながった心葉形垂飾とから成っている。宋山里古墳から出土した百済時代の銀製銙板を見ると、忍冬文様を対称的に浮彫した方形装飾板の周囲に帯に固定するための九つの釘がある。心葉形垂飾の周囲は内側に曲がっているが、上部には唐草の突起がある。内部には植物の枝が捻れた形を左右対称に浮彫している。この銙板は慶州金冠塚から出土した金製銙帯の銙板と同一の形態で、三国時代の文化交流を示唆するものである。㊌ティドン→銙帯

クァンゴン〔冠巾〕 관건→㊌冠帽

クァンゴ〔寛袴〕 관고

幅の広い▶パジ（ズボン）。高麗時代の貴族階級は、生綃（生絹）で裏打ちをした柄入りの絹織物で寛袴を仕立て、白苧布の内側に着た。寛袴は、高句麗古墳である鎧馬塚・双楹塚・龕神塚の壁画にも見ることができる。（《▶宣和奉使高麗図経》巻20）→パジ

寛袴　鎧馬塚主室。

クァング〔管屨〕 관구

▶莞草（カヤツリグサ）を編んで作った▶チプシン（草鞋）。▶喪服を着るときや貧しい庶民が履いた。《▶牧民心書》（奉公六条宣化）には「五哭に際しては斬衰裳・中衣・喪冠・絰帯・管屨を身に付ける」と

クァンギボク〔官妓服〕 관기복

あるが、《▷星湖僿説》(巻6万物門草蹻)には「管履や芒蹻は貧しい者どもが常用するものであったが、古人はこれを恥とせず……今のソンビ(在野の学識者)たちは細麻で編んだ▷ミトゥリを履くことさえ恥とするようになった」とあり、風俗が奢侈に流れていることを記している。
同オムジプシン・菅菲

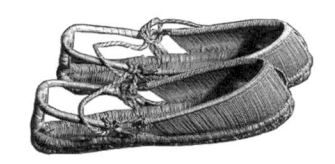

管履

官妓服 円衫を着て花冠を被り、肩と腰にそれぞれ金箔を施した帯を用いた。

クァンギボク〔官妓服〕 관기복

朝鮮時代に、官庁に所属する妓女たちが踊るときに着た衣服。普通▷緑衫を纏うが、袖先に紅・黄色の▷色トン(色縞)を華やかに飾り付け、頭には花冠を被った。官妓のうち童妓は、髪型を▷センモリにして紅色の▷チマと▷窄袖(細袖)の緑▷チョゴリを纏い、成人の妓女はトゥレモリにした髪の上に黒い▷加里亇を被り、軟豆色(黄緑)や粉紅色(桃色)の▷チョゴリに藍▷甲紗の単衣▷チマを纏った。▷粧刀ノリゲ(携帯小刀に房の付いた飾り)を携え、チマは裾を右側から前に回す。両班の女性と区別するために黄色のチョゴリ、▷三回装チョゴリ、袷のチマは禁じられたが、▷半回装チョゴリは許された。▷汗衫を手首にはめて舞に優雅さを加え、左胸に孔雀の羽根で作った▷プチェ(扇)を挿したり、緑衫の両肩・胸・背中に刺繡を入れる布地を付けることもあった。

クァンデ〔冠帯〕 관대

冠と帯の総称。同クァンディ

クァンディ-ポッキム 관디벗김

醮礼(結婚式)を終えた後、新郎が冠帯を脱ぎ、新婦の家で仕立てた▷道袍(<外衣)に着替えること。

クァルレ〔冠礼〕 관례(かんれい〔冠礼〕)

四礼の一つとされる成人式で、男子は15歳を過ぎると冠礼を行い、女子は髪を結って▷ピニョ(簪)を挿す笄礼を行った。普通婚礼前の15〜20歳で行ったが、父母が1年以内に喪に服したことがないのが条件であった。また、冠礼を行う者は、《孝経》《論語》に通じて礼をよくわきまえる程度に成熟してから行うのが普通であった。昔の人々はこの冠礼を婚礼よりも重んじ、未婚でも冠礼を済ませれば一人前の大人として扱われた。陰暦正月中の吉日を選んで行うが、当事者である冠礼者は三日前に祀堂に酒と果物を供えて告知し、その友人の中から徳望があり礼をわきまえた者を賓として招き、冠礼の前日に家に泊まらせる。当日は、冠礼者・賓・贊(賓の補助役)をはじめとした来客が集まり、三種類の冠巾を順に被せる初加・再加・三加を執り行った後、醮礼(飲酒儀式)を行ってから冠礼者に字を与えた。礼式が終わると、主人(冠礼の主宰者)が冠礼者を連れて祀堂に報告し、父母と尊長(年輩者)に挨拶をしてから、賓に礼をする。伝統社会では、男子は冠礼、女子は笄礼をして初めて社会的地位が保証されたので、カッを被らない者はいかに年輩でも言葉遣いの上で低い待遇を受けた。

クァルレボク〔冠礼服〕 관례복(かんれいふく〔冠礼服〕)

▷冠礼の際に着用する服。冠礼は男子が成人した証として行う通過儀礼で、普通15〜20歳で行うが、早婚の場合や喪に服した場合は多少前後することがあった。冠礼では、初加・再加・三加の三加礼があり、それぞれ服装が異なった。冠礼3日前に主人(冠礼の主宰者)が祠堂に告示し、戒賓と呼ばれる客を招く。当日空が白むと、部屋の中央の台に▷襴衫・帶・靴・皂衫・革帶・鞋・深衣・大帶・履・櫛・掠(▷網巾)などを陳列し、西側の階段下の台には▷幞頭・帽子・冠・笄・巾を盤(お盆)に並べ布を被せて陳列する。まず、当事者である冠礼者が未婚であることを示す▷双紛を結い、未成年者の身なりをする。すなわち、藍色の▷緋緞や▷明紬(平織絹)で仕立て襟・▷トリヨン(裾)・袖口に錦

冠礼　冠礼の様子。

冠礼服

で縁取りをした▶四襈衫姿に▶行纏を巻き、彩履を履いて現れ、盛装の主人以下とともに並ぶ。次に、執礼者である賓が到着すると、主人は部屋に通して冠礼を始める。初加では、双紒をひとまとめにして結い直し、掠（▶網巾）を頭に締め、黒の麻か紗に漆を塗った五梁の儒生用▶緇布冠に笄を挿した上から▶幅巾を被る。続いて帯が結ばれると、冠礼者は部屋に入り、四襈衫を脱いで白細布で仕立てた▶深衣に着替える。腰には白の▶繒で仕立てた大帯を、五色糸で作った▶条または青条で結んで締め、履を履く。履は黒い明紬や麻を紙に貼り付けて作ったもので、靴先は色糸で飾り付けられており、踵の両脇には2本の白帯と長さ2尺ほどの紐が付いており、この紐を足に巻いて履く。再加では、▶草笠や▶カッを被り、皁衫（▶黒団領）に革帯を締め、鞋を履く。三加では、幞頭に被り替え、藍色の緋緞や玉色（水色）の普通の絹で仕立て、襟・▶トリョン（裾）・袖口を濃い青の緋緞で飾った襴衫を纏って▶細条帯を締め、靴を履く。三加礼の後には祝賀宴が開かれるが、これを醮礼と呼ぶ。

冠礼の儀式は複雑であるのみばかりか、三加礼のために服飾を三通り用意せねばならないため経済的に負担が大きく、現実的には文献に明示されたとおりの典型的な儀式を執り行うのは困難であった。そこで、朝鮮時代末期には三加の手順を踏まずに、網巾・幅巾・草笠を順に被ることで三加に替え、服は▶団領や▶道袍・▶中到莫・▶トゥルマギ（周衣）など日常のもので間に合わせるようになった。このように、冠礼を済ませて▶黒笠を被るようになるまで、男子は草笠を被ったので、ここから「草笠童」という呼び名が生まれた。冠礼の風習は開化の波とともに姿を消したが、直接のきっかけは光武2年（1898）に下された断髪令であった。断髪令により▶サントゥ（髻）が姿を消すとともにカッ（笠）の代わりに帽子を被るようになり、男子は17歳以下、女子は16歳以下の婚姻が禁じられた。また、教育が普及し外来思想が受け入れられるとともに、徐々に早婚の風習が姿を消し、冠礼は婚礼に吸収されていった。

クァルレウイ〔冠礼衣〕관례의

プルボギの日に新婦が着る服。プルボギとは、新婦が婚姻の数日後に実家を出て、嫁ぎ先の舅・姑を訪れて行う儀式で、婚礼の際の盛装を解き、簡単な礼装で対面するとの意味である。「見舅姑礼」または「解見礼」ともいう。▶ファロオッ（▶裲衣）のような盛装ではなく、縁のない▶肯衣や純衣を着る。（柳喜卿）

クァンモ〔冠帽〕관모

頭を保護し飾るため、あるいは儀礼に基づき身分ごとの格式を整えるために頭に被るものの総称。冠帽は時代ごとに名称と種類が多様であるが、形の上からは大きく冠・帽・▶カッ（笠）・▶巾に分類できる。冠は額に巻く部分の上に前後に走る梁があり、帽は頭全体を覆うもの、カッはつばのあるもの、巾は一枚の布で頭を包む最も単純な形のものである。しかしこれらの特徴ですべての冠帽が区別されるわけではなく、いくつかの特徴を併せ持つものも多い。

冠帽の部分名称としては、頭のサイズに合わせて額から後頭部に巻く「武」、前後を繋げるように頭を包む「屋」、側面を覆う「収」がある。我が国の冠帽の基本形は巾で、これに武や他の飾りが付いて多様な形が生み出された。

■歴史

我が国の冠帽として記録に現れる最初のものは、▶幘と▶折風帽である。《三国志》《後漢書》などによると、高句麗では大加主簿は幘を、小加は折風を被り、その形は▶コッカル（山形頭巾）状であったという。

クァンモ〔冠帽〕관모

幘は中国で発達したものだが、我が国のものは中国のものとは形が異なっていたようである。折風は我が国の冠帽の基本形といえるもので、これに鳥の羽根を挿した▶鳥羽冠や、薄い緋緞で作り身分により色を使い分けた白羅冠・青羅冠・緋羅冠・絳羅冠、金銅で作った金銅冠、シラカバの樹皮を利用した白樺帽、金冠の内冠などはみな折風を起源とするものと言える。統一新羅時代以降は幞頭が一般的に被られたようで、現在残っている土偶に多くの例が見られる。高麗時代には、文羅で作り階級によって色を使い分けた文羅頭巾があり、国王も燕服着用時には▶皂巾を被った。高麗の人々は▶サントゥ(髻)を見せるのを嫌い、巾を被らないのは罪人のみであった。13世紀のモンゴルの侵略以降どのような冠帽が用いられたかは明らかでないが、安珦が▶平頂巾を被った姿で肖像画に描かれているのは、開剃弁髪を隠すためと推測される。朝鮮時代には、我が国の代表的な冠帽であるカッの原型が形作られた。モンゴルの影響から脱しようとした高麗末期の恭愍王・禑王・昌王の時代には明の冠帽制度を導入し、国王は▶冕旒冠と▶紗帽を被り、臣下は紗帽と高麗固有の▶ペレンイ型(麦藁帽子型)のカッを被った。朝鮮時代に入ってからも、国王と官吏の冠帽は中国からの賜与の形を取って導入・着用されたのであり、国王は冕旒冠・▶翼善冠などを、臣下は▶梁冠・烏紗帽・幞頭などを被り、この制度は20世紀初頭の大韓帝国末まで続いた。女性の場合、王妃が明から七翟冠を授かっているが、これを被ったかどうかは定かでない。▶内命婦(女官)は▶花冠、一部では▶チョクトゥリ(黒絹冠)を被り、一般の女性は高麗時代以来の伝統である青箱笠の上から▶ノウル(被り布)を被って上半身を隠した。

■種類

①巾:冠帽のうち最も簡単なもので、一般に布製である。高句麗古墳壁画に描かれた女性の被っている巾幗もこの巾の一種である。高麗時代にも、皂巾・文羅頭巾など、国王から庶民に至るまで巾を被った。朝鮮時代初期に、▶頭巾の一種ともいえる▶網巾が生み出され、《▶経国大典》にも身分ごとに多様な巾が見られる。この礼典儀章の条では、録事は▶有角平頂巾、書吏は▶無角平頂巾、別監は▶紫巾、世子宮別監は青巾、羅将は皂巾、引路は紫巾、学生は緇布巾を被るよう定めている。一般のソンビ(在野の儒学者)は網巾の上から▶宕巾を被り、さらにカッを被った。普段家にいるときも宕斤・四方巾(▶四方冠)・東坡巾(東坡冠)・冲正巾(▶冲正冠)・▶儒巾などを被った。喪中には麻布巾を被り、服装においても吉凶の区別をした。②冠:冠の代表的なものは、三国時代の金冠である。高句麗の古墳壁画には、頭が透けて見える文羅冠が描かれている。統一新羅時代の興徳王の服飾禁制には、女冠の中に花冠の一種である瑟瑟鈿冠が見られる。これはエメラルドの一種である瑟瑟を飾りとしたものと思われるが、詳細は不明である。朝鮮時代には、国王の冠帽として冕旒冠・翼善冠・▶遠遊冠があり、臣下のものとして梁冠、一般のソンビのものとして▶程子冠・冲正冠・東坡冠・四方冠(いずれも巾として扱われることもある)などがあった。③帽:帽屋(頭の全面を包む部分)から成る冠帽。代表的なものとして幞頭・紗帽がある。幞頭は統一新羅時代に制度化され、高麗時代に普及した。国王は▶常服着用時に▶烏紗高帽を被ったが、これは緋緞(朱子織絹)で作ったもので、紗帽の起源と推測される。朝鮮時代になると幞頭の代わりに紗帽が広く被られるようになり、官吏は勿論、一般庶民も婚礼の際にはこの着用が許された。④カッ:カッは名称からして固有語であり、その歴史は非常に長い。高句麗壁画にもカッを被った騎馬人物図があり、《▶三国遺事》元聖大王の条に「着素笠」という言葉が見られる。カッは三国時代に生み出され、統一新羅時代・高麗時代を経て朝鮮時代に至り、我が国の代表的な冠帽として定着した。カッには▶黒笠・▶草笠・ペレンイ・▶方笠・▶サッカッなどがあり、形の上から大きく方笠型とペレンイ型に分類される。当初は▶竹糸笠などが被られたが、後には馬のたてがみや尾の毛で作った馬鬃笠が主流となり、その様式は各時代の風習とともに大きな変貌を見せている。(金東旭)

クァンボク〔官服〕관복

文武百官の正装。朝鮮時代の官服制度は、太宗16年(1416)儀礼詳

文羅頭巾　安岳3号墳南主人像。

平頂頭巾　安珦（1243～1306）像。

幞頭　姜民瞻（963～1021）像。

幞頭　黃喜（1363～1452）像。

幞巾　宋時烈（1607～1689）像。

紗帽　姜世晃（1713～1791）像。

金冠　李昰應（1820～1898）像。

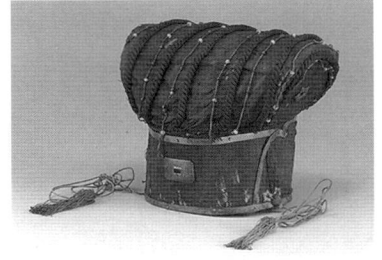

遠遊冠　五倫台韓国殉教者記念館所蔵。

翼善冠　重要民俗資料44号。世宗大学博物館所蔵。

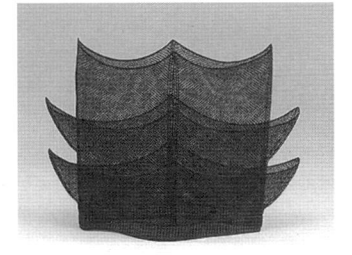

程子冠　国立民俗博物館所蔵。

紗帽　国立民俗博物館所蔵。

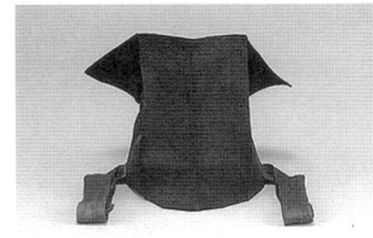

儒巾　温陽民俗博物館所蔵。

宕巾　国立民俗博物館所蔵。

黒笠　国立民俗博物館所蔵。

戰笠　国立民俗博物館所蔵。

ペレンイ　国立民俗博物館所蔵。

冠帽

クァンボク〔官服〕 관복

《経国大典》の官服制度

階級と衣服		冠	服	帯	笏	佩玉	襪（足袋）	靴鞋	鞍具
1品	朝服	5梁木簪	赤綃衣・赤綃裳に蔽膝を垂らし、白綃中単を下に着、雲鶴金環綬を下げる。	犀帯	象牙笏	燔青玉	白布襪	黒皮鞋	大浪皮辺鞍（鮫皮製の馬の鞍）、緑色秥、段韀甫老（泥よけ）、飾骨鞦（馬の腹を締める紐）、勒（おもがい）は3条垂児を用いる。
	祭服	5梁木簪	青綃衣・赤綃裳に蔽膝を垂らし、白綃中単を下に着、雲鶴金環綬に白絹方心曲領を着用。	犀帯	象牙笏	燔青玉	白布襪	黒皮鞋	
	公服	幞頭	紅袍	犀帯	象牙笏			黒皮靴	
	常服	紗帽を被り、貫子・笠纓は金の玉を使用。笠飾には銀使用（大君は金）。耳掩は緞・貂皮使用。	紗羅綾緞を使用し、胸背は大君は麒麟、王子君は白澤、文官は孔雀、武官は虎豹を刺繍。	犀帯				挾金靴	
	私服			紅ドア					
2品	朝服	4梁（大司憲は獬豸を付ける。執義以下同）・木簪	1品の朝服に同じ。	正2品は鈒金帯。従2品は素金帯	象牙笏	燔青玉	白布襪	黒皮鞋	1品に同じ。
	祭服	朝服同様	1品の祭服に同じ。	正1品は鈒金帯。従2品は素金帯	象牙笏	燔青玉	白布襪	黒皮鞋	
	公服	幞頭	紅袍	荔枝金帯	象牙笏			黒皮靴	
	常服	紗帽を被り貫子・笠纓は金の玉使用。笠飾には銀使用。耳掩は緞と貂皮使用。	紗羅綾緞を使用し、胸背は文官は雲雁、大司憲は獬豸、武官は虎豹を刺繍。	朝服に同じ。私服には紅ドア。				挾金靴	
3品	朝服	3梁木簪	赤綃衣・赤綃裳に蔽膝を垂らし、白綃中単を下に着、盤鵰銀環綬を垂らす。	正3品は鈒銀帯。従3品は素銀帯	象牙笏	燔青玉	白布襪	黒皮鞋	堂上官は大浪皮辺鞍、緑色秥（宗親の彰善大夫以下は柳青色秥）、飾骨鞦、勒は3条垂児。その他の3品官は白鹿角辺鞍に2条垂児。
	祭服	3梁木簪	青綃衣・赤綃裳に蔽膝を垂らし、白綃中単を下に着、盤鵰銀環綬に白綃方心曲領。	正3品は鈒銀帯。従3品は素銀帯	象牙笏	燔青玉	白布襪	黒皮鞋	
	公服	幞頭	正3品は紅袍、従3品は青袍。	正3品には荔枝金帯、従3品は黒角帯	象牙笏			黒皮靴	
	常服	紗帽を被り、堂上官の貫子・笠纓には金の玉、笠飾には銀。耳掩は緞と貂皮。3品以下9品まで綃と鼠皮。宗親は6品まで綃・貂皮使用。士以外の者、伴倘・水軍・漕卒・歩正兵・破敵衛・壯勇衛・吹螺笛・大平手・宮人・侍人・管領・仍仕書吏・鷹師・雑役及び雑職4品以上は闕内で衣冠を着用。参上以上は綃と鼠皮使用。	堂上官は紗羅綾緞を使用し、胸背は文官のは白鵰、武官は熊羆を刺繍。	朝服に同じ。私服には紅ドア。				堂上官は挾金靴	

クァンボク〔官服〕관복

4品	朝服	2梁木簪	赤絁衣・赤絁裳に蔽膝を垂らし、白絁中単を下に着、練鵲銀環綬を垂らす。	素銀帯	象牙笏	燔白玉	白布襪	黒皮鞋	白鹿角辺鞍に2条垂児。
	祭服	2梁木簪	青絁衣・赤絁裳に蔽膝を垂らし、白絁中単を下に着、練鵲銀環綬に白絁方心曲領を着用。	素銀帯	象牙笏	燔白玉	白布襪	黒皮鞋	
	公服	幞頭	青袍	黒角帯	象牙笏			黒皮靴	
	常服	紗帽		素銀帯					
5・6品	朝服	2梁木簪	赤絁衣・赤絁裳に蔽膝を垂らし、白絁中単を下に着、練鵲銀環綬を垂らす。	黒角帯	木笏	燔白玉	白布襪	黒皮鞋	白鹿角辺鞍に1条垂児。
	祭服	2梁木簪	青絁衣・赤絁裳に蔽膝を垂らし、白絁中単を下に着、練鵲銀環綬に白絁方心曲領を着用。	黒角帯	木笏	燔白玉	白布襪	黒皮鞋	
	公服	幞頭	青袍	黒角帯	木笏			黒皮靴	
	常服	紗帽		黒角帯					
7・8・9品	朝服	1梁木簪	赤絁衣・赤絁裳に蔽膝を垂らし、白絁中単を下に着、鸂鶒銅環綬を垂らす。	黒角帯	木笏	燔白玉	白布襪	黒皮鞋	白鹿角辺鞍
	祭服	1梁木簪	青絁衣・赤絁裳に蔽膝を垂らし、白絁中単を下に着、鸂鶒銅環綬に白絁方心曲領を着用。	黒角帯	木笏	燔白玉	白布襪	黒皮鞋	
	公服	幞頭	緑袍	黒角帯	木笏			黒皮靴	
	常服	紗帽		黒角帯					
緑事		有角平頂巾	団領	トア					
諸学生徒		緇布巾（学内）	団領（儒学は青衿）	トア					
書吏		無角平頂巾	団領	トア					
郷吏		公服には幞頭、常服には黒竹方笠	公服は緑袍、常服は直領	公服は黒角帯、常服にはトア	公服に木笏			公服に黒皮鞋、常服に皮鞋。	
別監		紫巾（世子宮の別監は青巾）、常服に朱黄草笠	青団領、常服は直領	トア					
闕内各差備		青帽	直領	トア					
引路		紫巾	青団領	紫襴					
羅将		皂巾	青半臂衣（刑曹・司憲府・典獄署の羅将は皂団領、司諫院の羅将は土黄団領）	トア					
皂隷		皂巾	青団領（公主・翁主の付き人は草緑団領）	トア（王子の付き人は紫襴）					

クァンブムヌィギョウィボク〔官府門衛校尉服〕 관부문위교위복

定所の中に別途機構として冠服色を設置し、明の洪武礼制を基本として官吏の▶朝服（朝賀服）・祭服について詳しく定めた。世宗8年（1426）には朝服・祭服・公服・常服の制度が完成し、以後《経国大典》において確立された（64・65頁の表参照）。官服は、狭義には常服としての▶紗帽冠帯を指す。紗帽冠帯は紗帽・団領・胸背・木靴から成るが、時代により色や形の変化が著しかった。紗帽は高麗時代末期（1300年代）から1品から9品までの官吏が被り、その後朝鮮時代の太宗17年（1417）に文武官は朝廷での儀式の際に紗帽を被ることとし、左右の翼を堂上官（正3品以上）は袷に、堂下官（従3品以下）は一重にして両者を区別した。→百官服

クァンブムヌィギョウィボク〔官府門衛校尉服〕 관부문위교위복

高麗時代に、7品の別将に当たる儀仗兵が着た衣服。色とりどりの文様の入った▶緋緞（朱子織絹）で仕立て、袖は狭い。紫文羅窄衣を着て▶展脚幞頭を被り、右腰には長剣を挿した。（《▷宣和奉使高麗図経》巻12）

クァンビ〔菅菲〕 관비→管履

クァンサ〔官紗〕 관사

生糸で織った夏用の絹織物の一種。地組織は平織のものと捩り織のものとがある。官紗は、朝鮮時代末期の《宮中衣襨発記》に、国王の孫の▶色トン（色襠）や▶トゥルマギ（<外衣）の素材として多用されたとの記録がある。

クァンソ〔冠緒〕 관서

冠に取り付ける紐や、古く武官の冠の左右に取り付けた装飾のこと。菊の花を半分に切った形をしている。

クァンニョン〔冠纓〕 관영

冠の紐。高麗献宗18年（1027）8月、僧侶たちに白衫（▶白紵中単）・襪（▶ポソン）・頭袴・▶綾羅・▶皮鞋・彩冒・笠子（▶カッ）などとともに冠纓の使用を禁じた。（《高麗史節要》巻3顕宗元文大王18年丁卯）

クァノク〔冠玉〕 관옥

冠の全面を装飾する玉。同面玉

クァンユ〔冠綏〕 관유

▶冠纓（冠の紐）の▶メドゥプ（飾り結び）以外の部分。

クァンジャ〔貫子〕 관자

▶網巾に▶タンジュル（結び紐）を通すために付ける小さな環。網巾の本体は四つの部分から成っており、上端の細い帯部分を「タン」、下端の細い帯部分を「辺子」、両者の間の幅広い帯のうち中央前面の網状の部分を「アプ（前）」、その両側の部分を「トゥィ（後）」という。タンには「コ」と呼ばれる部分があり、この孔に細いタンジュルを通して後ろに回し、頭に巻いてから▶サントゥ（髻）にくくりつける。辺子の両端にはしっかりしたタンジュルが付いており、また被ったときに耳の後ろにくる位置に貫子がある。網巾を被るときは、左右のタンジュルを反対側の貫子に通してから、後頭部に戻して結んだ後、両端をサントゥにぐるぐる巻き付ける。貫子はタンジュルを通して後ろに回す役割を果たすわけだが、その素材により官吏の階級を表す階級章の役割も兼ねていた。

《▷経国大典》によれば、1〜正3品の堂上官は金・玉の貫子を付け、従3品以下一般庶民までは骨や角・琥珀・鼈甲・瑪瑙などを、喪中の遺族は牛の蹄を使ったという。《▷五洲衍文長箋散稿》（巻34網巾環制弁証説）は、1品は半玉環中、2品は金を使った牽牛花（朝顔）・梅花・瓜花の文様、3品は玉で牽牛

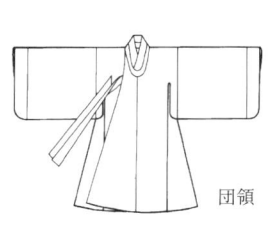

官服 紗帽冠帯の常服姿の文武官。

花などの花紋を彫刻したと記している。同圏子→網巾

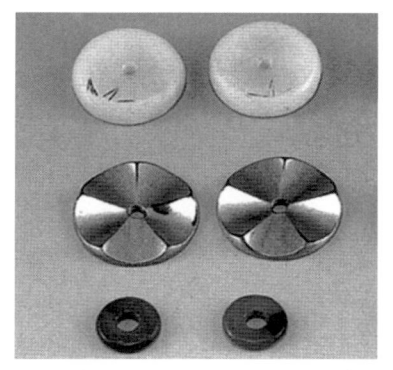

貫子　直径1.3〜2.5cm。国立民俗博物館、チュエ・チョンチャン所蔵。

クァルバル〔括髪〕괄발
喪礼の一つで、喪中の人が4日目の成服前に、解いた髪を結うこと。遺体に寿衣を着せる儀式である小殮の際に行うもので、解いた髪を麻紐で結った後、麻紐の一端を鉢巻にして頭巾を被り、白衣に▶中単を着る。

クァンギョン〔広絹〕광견
絹糸で織った薄く粗い▶緋緞。幅広の絹織物で、丈は4尺6寸（約220cm）、幅は2尺5寸（約120cm）である。

クァンゴ〔広袴〕광고
高句麗で着用された幅広の▶パジ（ズボン）。舞踊塚主室東壁の人物は、上半身には斑点のある▶窄袖（細袖）の服を纏い、下半身には大きな斑点のある幅広の▶大口袴の一種を履いた姿で描かれている。また、慶州の異次頓殉教碑に浮彫になっている異次頓像や、断石山石壁に陰刻されている3人の供養人物像も、やはり広袴を履いている。これは、高句麗の貴族階級のパジ（ズボン）である寛袴に似るが、広袴も寛袴も共に大口袴に属するものである。李裕元の《林下筆記》には、三国時代から我が国の女性のパジ（ズボン）はみな広袴であり、これは朝鮮時代まで続いたと記されており、女性も広袴を履いたものと考えられる。→長襦広袴

広袴　舞踊塚主室東壁。

クァンダフェ〔広多絵〕광다회
幅広の▶多絵（組み紐）。軍人の▶戎服の上から締めた。幅のある平らな紐で、2〜4本の糸を撚り合わせて作った。朝鮮時代には織った紐を多絵と呼び、紐を作ることを「多絵チンダ」と言った。多絵には広多絵と▶童多絵とがある。広多絵は主に服の帯に使われた幅広の平たい平織物を指し、童多絵は▶ノリゲ（女性韓服用の房飾り）、チュモニ（巾着）の紐、流蘇（房飾り）などに使われる断面の丸い紐である。

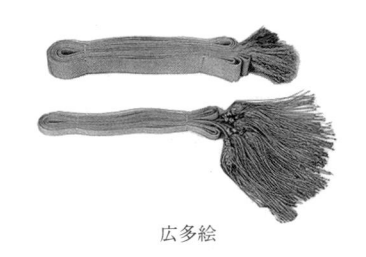

広多絵

クァンダフェデ〔広多絵帯〕광다회대
幅広の▶多絵（組み紐）で作った帯。朝鮮時代に歌童が礼服の上に締めた。紅色の絹糸で織り、端には▶スル（房）を垂らす。▶広多絵は▶戎服の帯として使われたが、▶舞童服としては歌童が歌うときに礼服の上に締めた。

広多絵帯　《楽学軌範》収録の図版。

クァンダンポ〔広唐布〕광당포→同広東布

クァンデ〔広帯〕광대
朝鮮時代に▶具軍服を着用するときに締めた帯。木綿で裏打ちをした▶緋緞（朱子織絹）に芯を入れ、幅14〜15cm、丈は胸囲程度に仕立てた。▶戦服を着た上に広帯を胸の高さに強く締め、さらに▶戦帯を締めて前に長く垂らした。国王の行幸を描いた陵行図や動駕図を見ると、具軍服の上に広帯を締めている者と締めていない者とがいるが、階級によるものか所属によるものかは不明で、色も紅・緑・藍・黒などがある。→ティ

クァンドンポ〔広東布〕광동포
中国広東産の亜麻布の一種。独特な麻織物で、幅も若干広い。

クァンドンホ〔広東縞〕광동호

クァンニプ〔広笠〕 광립

絹織物の一種。中国広東産の縞模様がある明紬（平織絹）で、朝鮮時代末期に主に上流階層で多用された。

クァンニプ〔広笠〕 광립

大型のカッ。朝鮮時代に女性が外出するときに顔を隠したり、日差しや雨を避けるために用いられた。竹ひごで形を作り、油を含ませた窓戸紙（障子紙）を貼り付けた。内側には頭に載せる部分にミサリ（型枠）を取り付け、外側には色紙で花や蝶の紋様を施した。全身を覆って余りあるほど帽部が大きいのが特徴だ。現在でも、慶尚北道の安東地方で用いられている。

広笠

クァンモク〔広木〕 광목

漂白しない木綿糸で、▶西洋木と同様に平織で織った幅広の綿織物。広木は朝鮮時代の《▶宮中撥記》に記録されており、この時代にも用いられていたことがわかる。広木は、朝鮮時代に手織りで織られた幅の狭い綿布に対する名称で、輸入品や我が国で機械製織された幅の広い粗布を指す。幅は90cmほどあり、漂白して一重の布団や下着、▶ポソン（足袋）などに多用された。

クァンセンチョ〔広生綃〕 광생초

絹織物の一種。経糸・緯糸に生糸を使った平織物で、緯糸には強撚糸を使う。織った直後に光沢が出るように加工し、白いものはそのまま上着の生地にする。夏用の服地として使われる。

クァンス〔広袖〕 광수

袂の広い袖。朝鮮時代の▶直領・▶道袍・▶団領などが代表的な広袖袍である。朝鮮時代の初期から中期には官吏たちはみな広袖袍を着用したが、高宗の代に至って衣服が簡素化され、広袖袍は窄袖袍に取って代わられた。同闊袖

クァンス-チュウイ〔広袖周衣〕 광수주의

袂の広い▶トゥルマギ（＜外衣）。朝鮮時代中期以降に一般の士大夫たちが着用したが、純祖30年（1830）に活動的でないという理由で着用が禁止された。しかし、再び広袖周衣が全国に広まるようになったため、高宗25年（1888）10月28日にこれが禁じられ、窄袖周衣（細袖のトゥルマギ）を着るようになった。（《▶朝鮮王朝実録》高宗25年10月）

クェガプ〔挂甲〕 괘갑

鉄・銅・革で小さな札を作り、これを革紐で繋いで作った鎧。中国では漢代に多用され、4世紀ごろ我が国から日本に伝えられた。日本では古墳時代に普及したものと思われ、出土する副葬品や埴輪の着衣に見られる。

クェギョン〔挂絹〕 괘견

繭の外側を覆っている部分（毛羽）から紡ぎ出した低質の絹糸で織った織物。

クェベ〔掛背〕 괘배

背中を覆うための袖無しの服で、「トゥンバジ」ともいう。《▶五洲衍文長箋散稿》（巻45布帛錦緞弁証説）には、「中国では牛の尾、馬のたてがみで繡罽を作り着ているが、これを我が国では掛背という」とある。

クェッカル 괘깔

布地・紙・糸・木などの表面に生じたふわふわの繊毛。同散毛繊維

クェドゥ〔魁頭〕 괴두→同科頭

クェドゥーノゲ〔魁頭露紒〕 괴두노계

▶サントゥ（髻）を結っただけで、帽子を被っていない状態の頭。《三国志》魏志東夷伝馬韓の条では、馬韓の人たちの頭を「魁頭露紒」と表現している。同ナルサントゥ

クェブル 괴불

装身具の一種。子供や女性が服の表に付ける。クェブルとは蓮の老根に生じる実で邪鬼を追い払うとされるので、これを素材にした▶ノリゲ（韓服用房飾り）を子供の誕生日に身に付けさせたという。四角い絹の色布を三角に折って中に綿を詰めて縫い込み、縁に美しい刺繍を施すとともに、角に絹の色紐を房のように垂らし、最後に▶メドゥプ（飾り結び）の紐を通す。ノリゲの一種で、「クェブルチュモニ」または「クェブルチュムチ」ともいう。一般家庭では金銀

宝石を用いることが難しかったため、五色の絹の端切れを使い、刺繍に工夫を凝らした。

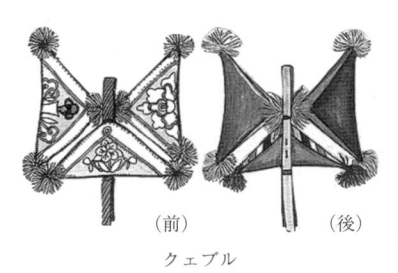

(前)　(後)
クェブル

クェセク〔壊色〕괴색
濃い古胴色（赤茶色）。赤・青・黄・白・黒の五正色からはずれた雑色で、袈裟の色である。

クェク〔幗〕괵
鬘型の頭飾りで、高句麗安岳3号墳の女主人が幗と考えられる鬘を頭に載せている。《後漢書》〈烏桓伝〉には「蔮」と表記され「蔮は吉侮の反切音（『蔮』の発音は『吉』の語頭子音と『侮』の母音の組み合わせ）である。また『幗』とも書くが、一般に女性の頭の飾りを指す。漢代の太皇太后と皇太后のそれはチョルリ幗で、髪を糸で編むような形にした頭巾型の装飾、すなわち巾幗である。昔は『次』『被』『髢髻』とも称した」と記されている。また、《五洲衍文長箋散稿》〈巻15東国婦女首飾弁証説〉は、「幗は我が国の方言では於如摩尼と言うが、『オヨ』とは『巻く』という意味の方言、『マニ』は『頭』の方言である。すなわち、頭に巻くことを意味するが、女性たちが結婚する際に頭の飾りとして用いるものである。これは元来王妃が用いるもので、ただ一時的に乱用されているものである」と記している。(朴京

幗　安岳3号墳前室西壁に描かれた女主人像。

クェン〔紘〕굉
冠に付いている紐のこと。▶ピニョ（簪）の有無により結び方が異なる。ピニョを挿した場合には、紘の一端をピニョの左端に結び、もう一端を顎の下を通してピニョの右端に掛けてから垂らし飾りとしたが、これは紘に重みがかからない場合の結び方である。ピニョを挿さない場合には、冠の両側から1本ずつ垂らした紐を顎で結んだ。

クェンダム〔紘紞〕굉담
▶冕旒冠の両側に付いている紐のこと。

キョガク-ポクトゥ〔交脚幞頭〕교각복두
▶幞頭の一種。朝鮮時代の差備（臨時官吏）たちが被る幞頭で、形は▶

帽羅幞頭と同じだが、角が両側に伸びるのではなく帽子の裏で互いに交差しているのが特徴である。→幞頭

交脚幞頭

キョゴ〔攪車〕교거→同シア
キョグンボク〔轎軍服〕교군복
朝鮮時代末期に▶カマ（御輿）担ぎが着た服。夏には麻、冬には木綿の▶パジ（ズボン）と▶チョゴリ（上衣）を着た上から黒衣を纏った。頭には白い手ぬぐいの上から▶ポンゴジ（毛の帽子）を被り、脛を紐で縛って、▶ポソン（足袋）の上に▶チプシン（草鞋）を履いた。なお、カマ（御輿）の担ぎ方は、乗る人物の品階によって2人担ぎと4人担ぎがあり、担ぐ高さにも差があった。

キョギチョジャ〔交綺綃子〕교기초자
先染めの絹織物。《礼記》玉藻編に「綃は綺と同じ種類の▶緋緞である。綺とは他でもない綃であり緋緞を意味する」と記されている。朝鮮時代の世宗28年（1446）5月には、工商・賤隷・郷吏（地方官吏）に交綺綃子

轎軍服

キョダプ〔踏踏〕 교답

で服を仕立てることを禁じた。

キョダプ〔踏踏〕 교답→同踏
踏

キョデ〔絞帯〕 교대
▶喪服着用時に締める▶ティ（帯）。
絞経ともいい、腰経の下に締める。
遺体に服を着せる殮襲の際に、▶寿
衣の上から締める五色の糸の帯を指
すこともある。→喪服

キョサガク〔絞紗角〕 교사각
絹を2枚重ねにして模様が出るよう
にした▶紗帽の角（翼状の突起）。

キョヨム〔絞染〕 교염→同絞
纈

キョジク〔交織〕 교직（まぜ
おり〔交ぜ織り〕）
織物組織の一種。種類の異なる繊維
を混ぜて織ること。また、このよう
に織られた織物。交織には、経済的
な理由で主繊維に同等品質の代用繊
維を混ぜる場合や、主繊維の欠点を
補うために別の繊維を混ぜる場合な
どがあり、経糸・緯糸の別を問わな
い。交織の織物では、各糸の重量比
や糸数の比率を元にした交織率によ
り織物の品質が異なる。また経糸・
緯糸の一部に別の糸を縞状に混ぜて
織り込み、装飾的効果を出すことも
できる。古くは綿と絹、綿と毛、絹
と麻、麻と毛、絹と毛など、天然繊
維同士を混ぜることが一般的であっ
た。

キョジク-チンムル〔交織織物〕
교직직물
交織（交ぜ織り）で織った布。経糸・
緯糸に異なる糸を用いて織ったもの
で、梳毛織物・紡毛織物のいずれに
も用いられる。異なる繊維を混ぜて

紡いだ糸で織る混紡織物とは区別さ
れる。

キョジクポ〔交織布〕 교직포
絹と木綿を交ぜ織りした布。経糸に
絹糸、緯糸に木綿糸を用いる。

キョチョリプ〔膠草笠〕 교초
립
▶カッ（笠）の一種。朝鮮時代の成
宗4年（1473）に庶民たちの着用
を禁じ、これを犯す者は勿論、製造
者も重罪人として罰せられた。（《▷
五洲衍文長箋散稿》巻45笠制弁証
説）

キョポ〔絞布〕 교포
遺体に服を着せる殮襲の際に、遺体
を縛る布。横に縛るものは、白綃（生
糸で織った絹織物）2幅を六つに裂
いてそのうち5本のみを用い、縦に
縛るものは1幅を3本に裂いて用い
る。（《世宗実録》五礼儀凶礼儀式大
殮）同殮布

キョヒル〔絞纈〕 교힐（しぼ
りぞめ〔絞り染め〕）
文様染色法の一種で、▶葛纈・▶夾纈
とともに三纈と呼ばれる。文様を残
す部分を糸や紐で括って染料に浸か
るのを防ぐ染色法で、三国時代から
用いられた。防染のために糸・紐で
括った部分に、盛り上がったような
美しい立体感が生まれる。高句麗古
墳壁画に描かれた人物の▶襦（上
衣）・▶袴（ズボン）・▶袍（外衣）・▶
襈などに見られる円紋・点紋は、絞
纈によるものと思われる。起源はイ
ンドや中央アジアと見られ、北路・
南路・海路を経由して伝播したと考
えられる。現在でも用いられている
技法である。（朴京子）同絞染・ホ
ルチギ染

ク〔鉤〕 구
革製の帯を締めるための環。

ク〔裘〕 구→同カドッ

ク〔履〕 구
莞草（カヤツリグサ）または生麻で
編んだ粗い履き物。喪中の遺族や貧
しい人たちが履いた（《▷星湖僿説》
巻6万物門草蹻）。喪中の場合、斬
衰服を着たときには菅屨、斉衰服
を着たときには麻屨を履くこととさ
れた。（《▷四礼便覧》）

クガプク〔亀甲裘〕 구갑구
亀の甲羅の文様がある裘（皮服）。
貂の皮で作るが、黒白の模様があり
亀の甲羅のように見えるため亀甲裘
と呼ばれるようになった。（《▷増補
文献備考》巻79礼考26）

クグァン〔筬框〕 구광（おさ
わく〔筬枠〕）
機織りで用いる▶パディ（おさ）を
入れる枠。《▷五洲衍文長箋散稿》
（巻19織具弁証説）に「筬框は筬框
ともいい、パディをその中に入れ糸
を通して経糸とし、緯糸とともに織
る」とある。

クグンボク〔具軍服〕 구군복
朝鮮時代の軍服の一種。捕盗大将・
兵馬節度使・水軍節度使・訓錬都監
の武官たちが着用した。赤い▶トン
ダリの上から▶戦服を纏い、広帯
または藍色の▶戦帯を締めて兵符を
下げ、環刀を挿して手には▶藤策
（鞭）を持つ。頭には孔雀の羽根と▶
貝纓で飾った▶戦笠を被り、▶木靴
を履く。トンダリは▶トゥルマギ（＜
外衣）に似るが、後身頃に切れ目が
あり、朱紅色（赤橙）の身頃に赤の

クベムン〔亀背紋〕 구배문

細袖が付いた服で、動きやすいように仕立てられていた。具軍服(クグンボク)は武官の威厳を感じさせる朝鮮時代の代表的な軍服であったが、高宗32年(1895)4月の勅令第78号により陸軍服装規則が発布され、姿を消した。

クリョン-サボングァン〔九竜四鳳冠〕 구룡사봉관

皇后が礼服時に被る冠(クァン)。朝鮮時代末期に高宗(コジョン)が皇帝になり、皇后の礼服として▶翟衣(チョギ)を着、九竜四鳳冠(クリョンサボングァン)を被るよう定めたが、着用した記録は見あたらない。16世紀初頭の明の《大明会典》には、その形が次のように記されている。冠は漆竹糸で球状に作り翡翠で覆い、その上に翠竜9頭、金鳳4匹を飾った。中央の竜1頭は如意珠をくわえ、冠には珠結を垂らした。この他に、珠翠雲40片、牡丹2輪、花しべ2本翠葉8枚の付いた大珠花12輪、稲花1輪翠葉5枚の付いた小珠花12輪が飾られている。また、冠の左右には3扇の付いた博鬢が一つずつ施されているが、この3扇は珠滴を垂らした金竜翠雲で飾ってある。また、珠宝鈿花と翠鈿花それぞれ12輪が飾られた翠口圏1副と、珠翠面花5輪と珠緋環1組が飾られた金口圏1副がある。黒い羅の額縁には竜を描金し、玉21個で飾ってある(《▷増補文献備考(チュンボムンホンビゴ)》巻79礼考26章服1衣服総論)。九竜四鳳冠に関しては、以上のような記録と図版があるのみで、遺物は現存しない。朝鮮時代末期に高宗が皇帝位に上り、翟衣制度を定めた際に、新たに製作した英王妃(李方子女史)の四鳳冠(サボングァン)のみが現存し、国立古宮博物館に収められている。これは、明の皇后が使用した九竜四鳳冠の影響を受けはしたが、《大韓礼典(テハンイェジョン)》に記録された皇后の九竜四鳳冠に比べると、若干変形された素朴な形態である。すなわち、中国のものを模倣するのではなく、朝鮮の習俗に合わせて格式を尊重しながら新たに作ったものであることがわかる。

クリュグァン〔九旒冠〕 구류관

旒(リュウ)の数が九つの冕旒冠(ミョルリュグァン)。→冕旒冠

クムン-クムデ〔毬文金帯〕 구문금대

丸い文様を施した金帯。高麗(コリョ)時代に官吏の▶公服(コンボク)であった国相服の上に締めた。→国相服

クベムン〔亀背紋〕 구배문 →亀甲紋(クィガムムン)

具軍服

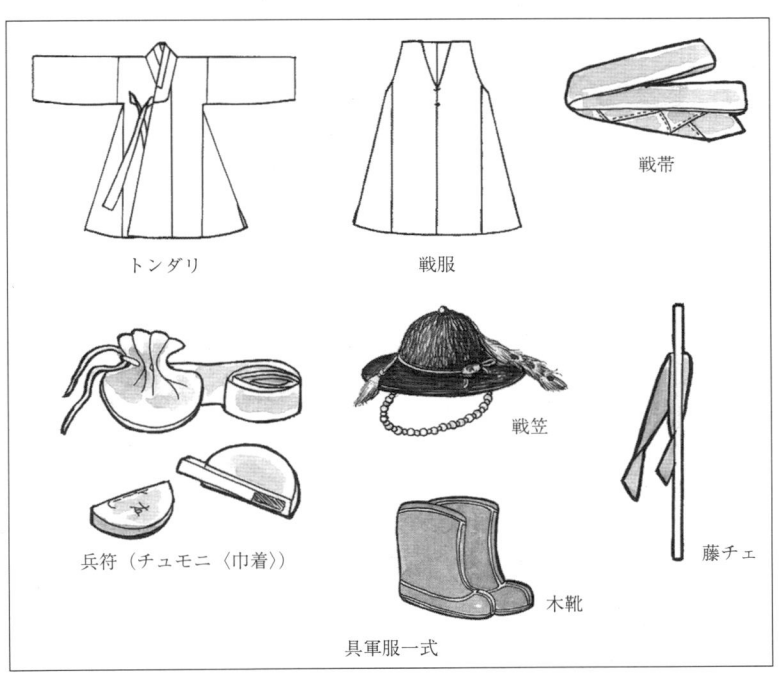

トンダリ / 戦服 / 戦帯 / 兵符(チュモニ〈巾着〉) / 戦笠 / 藤チェ / 木靴

具軍服一式

クビョン〔鉤辺〕 구변

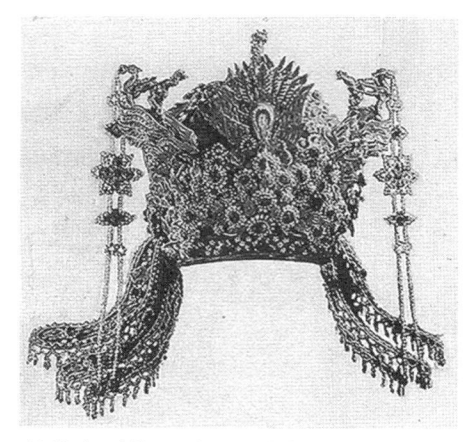

中国北京、定陵から出土した九竜四鳳冠と明の代の皇后像

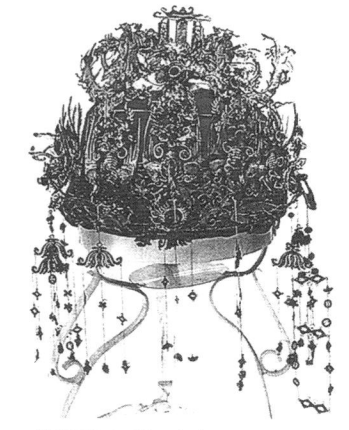

清の王妃用鳳冠。明の九竜四鳳冠に比べ簡素化している。

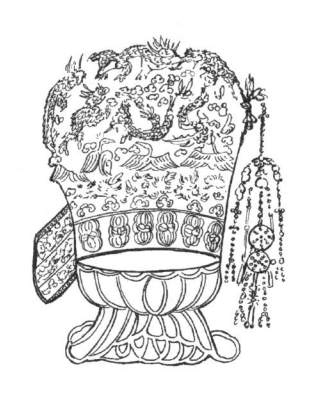

《大韓礼典》収録の九竜四鳳冠図。

九竜四鳳冠

クビョン〔鉤辺〕 구변

▶深衣の衽を打ち合わせて紐で固定するもの。→深衣

クボンムン〔九鳳紋〕 구봉문

九鳳紋

9頭の鳳凰の文様。鳳凰と幼鳥7頭の団欒の姿を文様化したもので、夫婦和合と子孫繁栄の象徴である。▶ペゲンモ(枕の両端の飾り)・箪笥・衣服・寝台・▶パンジッコリ(針箱)・▶鏡台函・画角卓・▶九鳳枕などに用いる。

クボンチム〔九鳳枕〕 구봉침

▶ペゲ(枕)の一種。新婚夫婦が用いたもので、▶ペゲンモ(両端の飾り)に2頭の鳳と7頭の幼鳥を華麗に刺繍してある。鳳の紋は夫婦の百年偕老と愛情を象徴し、富と多男(男児が多く生まれること)を願う気持ちが込められている。

クサボク〔駆使服〕 구사복

高麗時代に、末端官吏の下男である駆使が着た服。縿袖(袖に後から取り付けた袂)の衣服に烏巾(黒の頭巾)を被った。また、良家の未婚男女も駆使と呼ばれたが、彼らは黒い▶紗・▶羅(いずれも捩織の絹)の服を着て、黒い巾を被っていた。→高麗の服飾

クセク〔鳩色〕 구색

青みがかった灰色で、僧衣によく使われた色。チンダルレ(カラムラサキツツジ)の枝や根を焼いたものや、墨や炭を擦ったもので染色した。高麗時代の僧衣は鳩色または灰色であった。朝鮮時代初期には灰・黒色禁令が出されたが、これは灰色が▶玉色(水色)に近く、また黒の染料からも柔らかい玉色を出せるので、これを禁じたものと考えられる。しかし、山中で質素に暮らす僧侶の衣服は、染料が手に入れやすく汚れにくい暗色である必要があったので、袈裟を除いては▶パジ(ズボン)・▶チョゴリ(上衣)・▶チョク衫・▶ポソン(足袋)などは朝鮮時代末まで灰色に染められ続けた。朝鮮時代末期になって、灰色は主に男性の衣服に使われ、高宗・純宗も灰色の▶パジ(ズボン)を履いたという。

クスンポ〔九升布〕 구승포

麻布の一種。経糸が9升(720本)のもの。織り目の細かさは中間程度で、▶練祭祀の際の▶冠や大功親の喪の際に着る衰服に用いる。

クヨンジャ〔鉤纓子〕 구영자

クジョックァン〔九翟冠〕 구적관

朝鮮時代に官吏のカッ（笠）に紐を付けるために用いた環。S字状に捻れた留め具で、上部の鉤はカッに付け、下部の鉤には紐の端の輪を通す。素材は珊瑚・木・銀などで、従2品以上はメッキしたものを用いた。

クユ〔氍毹〕 구유

毛織物のカーペット。我が国では三国時代から朝鮮時代まで特産品として製造されたことが、記録と遺物を通じて確認できる。氍毹は、羊毛をはじめとした各種動物の毛で織られ、鳥獣・人物・雲気紋や鸚鵡の飛ぶ姿をデザインした紋織である。《三国遺事》には、新羅の五色氍毹が特産品として国外に持ち出された記録があり、《大唐西域記》には、「氍毹」とはペルシア語であり、ペルシア・天竺で生産されると記されている。（朴京子）

クジャン〔九章〕 구장→同九章紋

クジャン-ミョンボク〔九章冕服〕 구장면복→同九章服

クジャンムン〔九章紋〕 구장문

国王の▶冕服（大礼服）に刺繡された九つの紋。衣（上衣）には竜・山・火・宗彛（宗廟の祭礼で使われる杯）・華虫（キジ）の五章紋が、裳（前掛け状の布）には藻・粉米・黼（斧）・黻（亞字紋）の四章紋が刺繡された。山は対抗勢力を力で抑え平定するという意味があり、火は輝きを、宗彛は孝を、華虫と藻は華美な文様を表す。また、粉米は民を養うことを、黼は決断を、黻は臣民の向善を象徴している。

衣：竜・山・火・宗彛・華虫の5章紋。　　裳：藻・粉米・黼・黻の4章紋。
九章紋

クジャンボク〔九章服〕 구장복

高麗時代末から朝鮮時代にかけて、国王が着用した九章紋の大礼服。宗廟祭礼、即位、正月の朝賀式、妃を迎えるときに身に付けたもので、衣・裳・▶中単・▶大帯・▶革帯・▶蔽膝・▶佩玉・▶綬・▶方心曲領・▶圭・襪（▶ポソン）・▶舃から成る。衣（上半身の服）は深青色や玄色（黒紫）の▶紗などの絹で仕立てられ、襟・▶トリョン（裾周り）・袖先に服と同色の▶襈を回し、五章紋が施されているが、両肩には竜・背中には山・両袖には火・華虫（キジ）・宗彛（祭器）の文様が刺繡されている。裳（下半身の服）は赤の柄入り▶緋緞で仕立てられ、藻・粉米・黼（斧）・黻（亞字紋）の四章紋が入れられている。中単は白の▶紗で仕立て、襟・トリョン（裾周り）・袖先に青の襈を巻き、襟には11個の黻紋が金箔で施されている。大帯は柄のない紅白の緋緞で仕立てられている。蔽膝は裳と同色で同一の章紋が刺繡されているが、5色の紐帯と二つの玉鉤（環）が付いている。▶綬は地を白とし、白・縹（淡い藍色）・緑の3色で織った。圭は青玉（サファイア）で作り、脚には赤の襪（足袋）と舃（靴）を履いた。また、この九章服着用時には▶冕旒冠を被った。九章服の起源は、高麗時代の毅宗20年（1166）に中国東北部の金王朝がこれを贈って来たことに始まり、この時の様式が朝鮮時代まで継承されたのである。

クジョックァン〔九翟冠〕 구적관

皇后が▶鞠衣着用時に被った▶冠。光武元年（1897）に定められた皇后の冠服制度を見ると、冠は黒の▶緋緞で作り、その前面には翠博山を付け、大珠翟2羽、小珠翟3羽、

クピ〔狗皮〕구피

九章服の衣。重要民俗資料66号。国立中央博物館所蔵。地は黒青紗で、襟・トリヨン（裾）・袖先に黒の紗で襈を巻き、裏は鴉青色（濃い藍色）の紗で、裾が表よりも9cmほど長い。両肩の竜紋には金色の鱗が施されており、紅色で縁をとってある。背中にある山紋は翡翠色で、縁は金色である。袖の裏には紅色の三つの火紋、青・紅・藍の三つの華虫紋、青の三つの宗彝紋が施されている。この遺品は朝鮮時代末期から大韓帝国期のもので、皇帝を称する以前の高宗または皇太子純宗が着たものと思われる。

九章服

翠翟（チュイジョク）4羽で飾ってあるが、いずれも珠滴（チュジョク）をくわえている。（《増補文献備考（チュンボムンホンビゴ）》巻79礼考26章服1衣服総論）

九翟冠　明の皇后の九翟冠。東京、文化学園服飾博物館所蔵。

クピ〔狗皮〕구피
犬の皮。庶民たちは▶耳掩（イオム）（防寒帽）に用い、寒冷地方では犬皮で狗皮衣を作り、身に付けた。《耳渓集（イゲジプ）》(1843)に「赤狗皮を身に纏い、この皮服を夏でも冬でも着た」と記されている。

クフィーサボングァン〔九翟四鳳冠〕구휘사봉관

光武元年（1897）高宗皇帝（コジョン）の即位にあたり、皇太子妃が大礼服である▶翟衣着用時に被るものと定められた▶冠（クァン）。漆竹糸で丸く作った上に翡翠を飾り付け、さらに珠滴をくわえた翠翬（チュイフィ）9羽と金鳳（クムボン）4羽、翠雲（チュイウン）40片、大珠花（テジュファ）・小珠花（ソジュファ）が9樹ずつ載せてある。双博鬢（サンバクビン）は鷺鳳（ナンボン）で飾り、珠滴を垂らしてある。翠口圏（チュイジュグォン）が1副で、上部に玉が縫いつけてある。宝鈿花（ボジョンファ）は9個だが翠鈿（チュイジョン）の数も同じで、托裏金口圏（タンニグムググォン）が1副である。（《増補文献備考（チュンボムンホンビゴ）》巻79礼考26章服1衣服総論）

ククサボク〔国師服〕국사복
高麗（コリョ）時代に、国師の着た僧衣。新羅（シルラ）・高麗時代の最高僧であった国師は、長い袖の偏衫（ピョンサム）の上に山水納袈裟（サンスナプカサ）を纏って、▶金跋遮（クムバルチャ）（金剛杵）を握り、下半身には紫朱色（チャジュセク）（赤紫）の▶裳（サン）と烏革鈴履（オヒョクニョンニ）を履いた。この様式はほぼ中国のものと同じであったという（《宣和奉使高麗図経（ソンファボンサコリョドギョン）》巻18）。金跋遮とは金属製の金剛杵で、僧が煩悩を打ち砕くための象徴として手にする古代インドの武器である。また、烏革鈴履とは、鈴の付いた黒革の靴である。→僧服

国師服　無学大師像。

ククサンボク〔国相服〕국상복
高麗（コリョ）時代の宰相たちが身に付けた▶

公服。紫文羅袍に幞頭を被り、丸い文様のある毯紋金帯を締め、▶金魚袋を腰に垂らした。→高麗の服飾

クギ〔鞠衣〕 국의
王妃の▶常服の一種で、親蚕服である。色は黄色で、桑の葉の芽生えの色を表している。中国では、周代皇后の六服の一つで、黄色の無地であった（《大明会典》巻60礼典）。朝鮮王朝では、成宗の代に初めて着用された。成宗12年（1481）の正月、継妃尹氏の成婚の際に親耕礼に従て蚕に桑の葉を与える親蚕の儀式を後苑で行い、礼曹（祭祀所管庁）に命じて鞠衣を親蚕服と定めさせ、同24年（1493）2月には命婦たちの親蚕服は鴉青色（濃い藍色）とし、王妃の鞠衣に双鳳紋の▶胸背を付けるようにした。→六服

ククァーメドゥプ〔菊花メドゥプ〕 국화매듭
伝統メドゥプ技法の一種。トゥボルカムゲメドゥプともいい、カムゲメドゥプ（方相メドゥプ）の一つである。伝統メドゥプの主要技法で、宮中と全羅北道南原地方で伝承されてきた。菱形で、▶クィジュモニ（角形巾着）・▶ヨム囊（丸形巾着）・▶チョクトゥリ（女性用黒絹製冠）・▶チョバウィ（女性用絹製防寒帽）・ノリゲ・▶スジョッチプ（箸匙袋）・扇錘（扇の要の飾り）・壁コリ（壁掛け）などに広く使われる。この技法を応用し、紐の結び数を調整して大小のカムゲメドゥプを組むことができる。その種類は、ナビ（蝶）メドゥプ・ホウルメドゥプ・ホランナビ（揚羽蝶）メドゥプ・四色板メドゥプ・ピョンアリ（雛）メドゥプなど多様である。

ククァーペゲ〔菊花ベゲ〕 국화베개
ペゲ（枕）の一種。晩秋に菊の花を摘み集め、紅色の布袋に入れる。このペゲ（枕）を敷くと頭と目がすっきりするという。

ククァジャム〔菊花簪〕 국화잠
▶ピニョ（簪）の一種。頭に菊の花の文様がデザインされている。菊は貞節・不老長寿・吉兆の象徴で、18世紀末の開化期に一般の女性たちが使用した。

菊花簪

クン〔裙〕 군
三国時代から女性が履いていた▶チマ（スカート）。裙の原型である▶裳の幅を広げ、美しくしたものである。地面を引きずるほど長く、腰の下に長い襞がある。「高句麗の女性は裙と▶襦を着、襈を施している」（《北史》巻94第83高麗）との記録があり、また水山里古墳の西壁、角觝塚主室北壁錢別図、双楹塚壁画に襞の入った裙を纏う女性たちを見ることができる。新羅の遺物としては、慶州皇南洞出土の夫婦像土偶の夫人が襞の入った裙を着ている。これは中国の衣服制度の影響と見られ、日本にも伝わった。→チマ

クンノボク〔軍奴服〕 군노복
朝鮮時代に官庁の使令（下男）たちが着た衣服。上半身に纏う簡便な服で着脱に手間がかからず、活動しやすく作られている。頭には▶網巾を締めた上に▶ポンゴジ（戦笠）を被った。品階により帯・網巾・ポンゴジの色を区別し、宮中の使令は紅長衣、郡の使令は黒長衣を着た。使令服・トグレとも呼ばれた。

クルルェボク〔軍牢服〕 군뢰복
朝鮮時代に軍隊内で罪人を監督する兵であった軍牢が着用した服。鴉青色（濃い藍色）の麻で仕立てた細袖の軍服の上に夕紅色（真紅）の木綿の▶背子（チョッキ）を引っかけ、腰には藍方紗紬の▶戦帯を締めた。頭には赤い象毛（房）の付いた▶戦笠を被ることもあったが、主に朱戦笠が用いられた。肩には朱紅色（赤橙）の木綿服である大戎を掛け、足には▶ミトゥリ（麻草履）を履いた。（《熱河日記》渡江録6月24日）

クルルェボクータギ〔軍牢服タギ〕 군뢰복다기
朝鮮時代に罪人を監督する兵であっ

鞠衣

クルルェボクータリ〔軍牢服タリ〕 군뢰복다리

た軍牢が軍服を着るときに頭に被った▶カッ(笠)。赤の毛氈を素材とし藍色の布で裏を打つが、形は▶氈笠に似る。帽部には「勇」の字を付け、てっぺんにはクジャクの藍色の羽根を円柱状に束ねた青転羽を挿し、左右に回るようにした。同朱氈笠・軍牢服タリ

クルルェボクータリ〔軍牢服タリ〕 군뢰복다리→同軍牢服タギ

クンボポ〔軍保布〕 군보포
朝鮮時代の税制の一種。朝鮮時代前期の軍役には、兵種によっては実際の軍務に付かない保人(予備役兵)を置いたが、この保人が義務的に納めた布を保布と呼んだ。保布には綿布を納める木保、麻布を納める布保をはじめ、布の代わりに米・粟・大豆を納める場合もあり、それぞれ米保・粟保・太保と呼ばれた。この制度は高宗8年(1871)に廃止され、代わりに世帯単位で金銭・布を徴収する戸布制が実施された。

クンボク〔軍服〕 군복(ぐんぷく〔軍服〕)
軍人が着る制服の総称。広義には戦闘装備も含まれる。高句麗の軍服については、舞踊塚壁画などが資料となるが、騎馬に適した馬上衣としての袴褶を基本として、頭には鳥羽帽(鳥の羽根を飾った帽子)を被っており、強健な高句麗人の武士の姿がよく窺える。これとともに、体を包む甲冑、頭を護る▶頸甲、脛を護る▶脛甲などの装備も発達していたものと推測される。百済・新羅の軍服について別途記録したものは見あたらないが、文官と同様に階級によって服の色を区別し、新羅では紫衿幢・緋衿幢・赤衿幢など幢(部隊)ごとに別色の軍服を着用した。
高麗では、品階の高い武官はほとんどが▶幞頭を被り▶公服を着たが、その他の軍人たちは緑衣と呼ばれる細袖の上衣を着て、▶パジ(ズボン)も幅の狭いものを履いた。また、下級軍人は文羅巾と呼ばれる黒い▶頭巾を被った。朝鮮時代の武官は、▶トゥルマギに似た▶トンダリまたは腰に襞が入り大きな袖の付いた▶チョルリクを着た上に、袖・▶ム(脇の当て布)・衽がなく背縫いが腰の下で明いている▶褡褸を重ね着し、▶駿帽を被った上からさらに▶戦笠(朱笠)を被った。戦笠の四隅には▶虎髭を挿し、トンダリの上には藍色の▶戦帯を締めた。また、甲冑を着るときには▶章服またはトンダリを内側に着た。兵たちは、褡褸に似た黒の快子と細袖の短袖窄甲チョゴリ・紗乙甲(▶紙甲)などを着た。
チョルリクと朱笠とから成る朝鮮時代前期の軍服は戎服と呼ばれ、後期の正祖・純祖以降は具軍服と呼ばれて武官の正装と定められたが、具軍服の構成は戦笠・耳掩・トンダリ・褡褸・木靴・▶戦帯・兵符・環刀であった。高宗32年(1895)勅令第78号により西欧式の軍服を採用した陸軍服装規則が公布され、具軍服は姿を消した。光武10年(1906)に改定された服装制度では、軍服を大礼装・軍装・礼装・半礼装・裳装に区分し、礼装には階級を表示する衣令章・肩章・袖章などや、功勲を表す勲記章、指揮官と参謀を区別する飾緒などが付けられた。(李東熙)

クニョクポ〔軍役布〕 군역포
朝鮮時代の税制で、軍役に就かない代わりに納めた布。→軍保布

クニュ〔裙襦〕 군유
三国時代から女性が身に纏った▶チマと▶チョゴリのこと。双楹塚の壁画を見ると、裙は幅広で地面を引きずるほど丈が長く、腰から裾まで細かい襞があり、襦は袖が広く衿・トリョン(裾周り)・袖先に▶襈を施してある。今日のチマ・チョゴリの原型である。

裙襦 双楹塚羨道東壁。

クルゴン〔屈巾〕 굴건
喪主が▶頭巾の上に重ねる粗い麻布の▶巾。指3本ほどの幅の麻布の裏に紙を貼って補強し、角を立てる。頭巾の上に被り、首経(麻縄)を巻き付ける。屈巾の表面には3本の襞が入れられているが、斬衰・斉衰・大功の際には襞が右に向くようにし、小功・緦の際には左に向くようにする。襞の方向で、葬儀の軽重を表すのである。

クルゴン-チェボク〔屈巾祭服〕 굴건제복
喪主が身に付ける▶巾と▶喪服。▶屈

クンゴ〔窮袴〕궁고

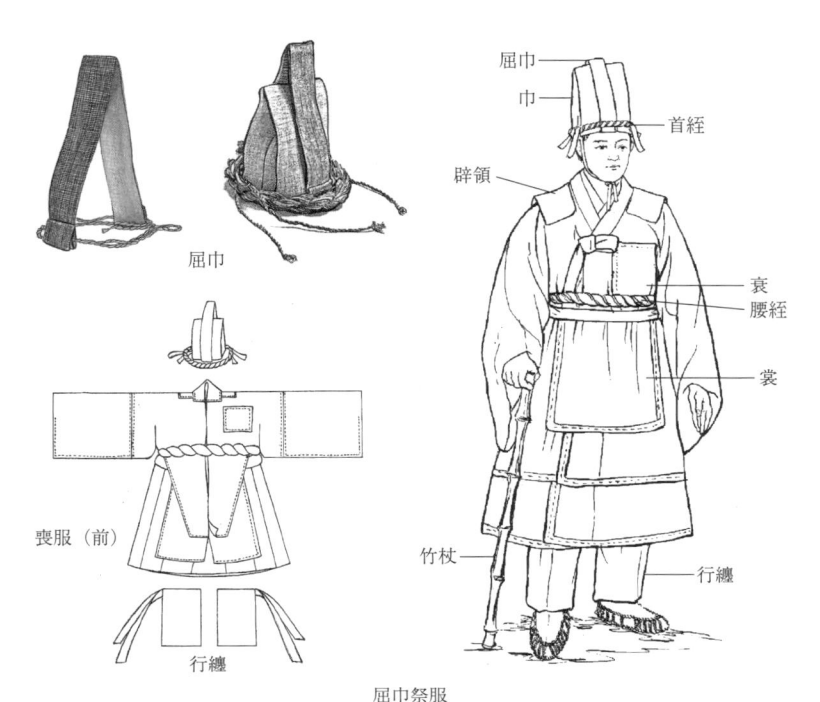

クルリプ〔屈笠〕 굴립
僧笠の一種。黒い竹で編まれた▶方笠系統の円頂広笠である。屈笠は唐の様式に由来するもので、無学・惟正など朝鮮時代の僧侶が▶公服着用時に被った。李裕元の《林下筆記》には「仏笠」が転訛して「クルリプ」になったと記されている。

屈巾

喪服（前）

行纏

屈巾
巾
首経
辟領
衰
腰経
裳
竹杖
行纏

屈巾祭服

屈笠

巾は▶頭巾の上に重ねて被るもので、指3本ほどの幅の麻布を3枚縫い合わせて裏に紙を貼り、被った上から首経（麻縄）を巻き付ける。喪服は粗い麻布で仕立て、袖は広く、左胸に▶衰と呼ばれる布片を付ける。裳は前面3幅、背面4幅とする。腰には腰経を締め、竹杖または木杖を突く。

クルグァン〔屈冠〕 굴관
喪中に被る▶冠の一種。朝鮮時代の太祖8年（1408）5月、太上王（先王）の喪に主上殿（国王）は無屈冠を被り、太宗12年（1402）6月、国王と王世子（皇太子）・親族は斉衰に無屈冠・首経・腰経に桐杖を突いた姿だったという。

クルレ 굴레
子供たちの被る装飾的な帽子。よくトル（満1歳）を迎えた子供に被らせるのでトル帽子ともいうが、4～5歳までの男女に被せる。クルレは春秋用・夏用・冬用に分けられる。春秋・夏用のものは通風をよくするため粗く織った布が用いられ、耳を覆う部分に「聡明」の文字を刺繍してある。冬用のものは黒い絹に綿を入れて顔だけが出るように作り、装飾だけでなく防寒の役割も果たす。色は藍・黒・赤・軟豆色（黄緑）などを用い、中央に吉祥紋を刺繍して金箔で飾る。

クンゴン〔弓鞬〕 궁건→⊙弓袋

クンゴ〔窮袴〕 궁고
高句麗人が履いた幅の狭い▶パジ（ズボン）。今日のチョンデバジに似て、裾にゆくほど幅が狭まり足首で締まるようになっている。龕神塚壁画の人物は、▶冠に鳥の羽根を挿し、上半身には刺し子の甲冑を着て両手に環頭大刀を携えて窮袴を履いている。⊙細袴

（前） （後）
クルレ

クンナン〔宮嚢〕 궁낭

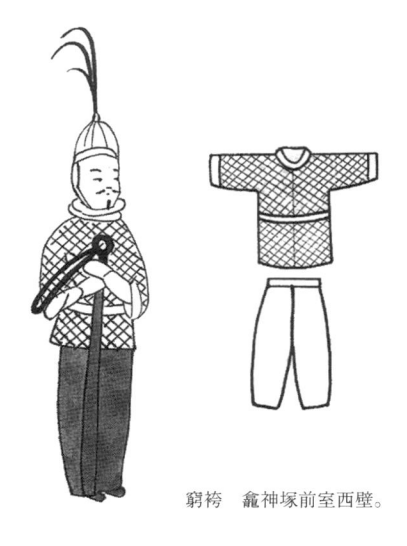

窮袴 龜神塚前室西壁。

クンナン〔宮嚢〕 궁낭
▶チュモニ（巾着）の一種。朝鮮時代に宮中で▷尚宮（正5品の女官）たちが▶緋緞（朱子織絹）で作ったもので、陰暦正月の最初の亥の日に国王が身近な家臣に下賜した。高級緋緞を用い、口に6段の襞を入れ、縁には別色の布（回装）を当て、縫い目が外に出るように縫ってある。結い紐は後ろから前に通し、チャムジャリ（蜻蛉）・ナビ（蝶）・ポル（蜂）などの▶メドゥプ（飾り結び）を施す。崔南善の《朝鮮常識問答》によれば、宮嚢の紐は紅嚢には草緑色（草色）、草緑嚢には紅色、その他の色には藍色のものを用い、宮中の刺繍工房である繍房で刺繍を入れ、さらに国王の居間に仕える至密尚宮の居所で▶多絵（組み紐）を通してこれに五つの房を垂らした。そして、これを下賜する際には中に赤豆を一粒ずつ入れ、一年中鬼神を寄せ付けず幸福であることを祈願したという。

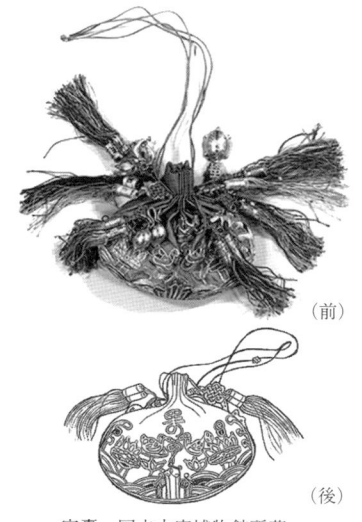

（前）
（後）
宮嚢 国立古宮博物館所蔵。

クンニョーテス〔宮女大袖〕 궁녀대수
朝鮮時代の宮女の礼服。広袖の▶円衫で、袖先には3色の飾りを付けた。金花繍帯を締め、髪は▶オヨモリとした。

クンニョボク〔宮女服〕 궁녀복
朝鮮時代に宮中の大殿（国王の居所）・内殿（王妃の居所）・世子宮（皇太子の居所）や別宮に仕える▷内命婦らの宮女が着た服。詳細は伝わっていないが、18世紀初め、英祖の代の李衡祥《瓶窩文集》には「▷内命婦（女官）の上服として▶コドゥミ・草緑円衫・珠履裙、外命婦およびソンビ（在野の儒学者）の妻の進見上服として▶オヨモリ・草緑唐衣、婚女上服としてコドゥミ・紅長衫・珠履裙がある」（巻5）と記しており、尚宮は礼服としてコドゥミ・草緑円衫・珠履裙を着用したものと思われる。普段は、頭には▶ケグリチョプチを載せ、紫朱色（赤紫）の▶三回装チョゴリを着て、藍色の▶チマ（スカート）を履いたものと伝えられている。

宮女服 全宮女と王妃の居住する内殿の家事を統括した提調尚宮の姿。正室・側室に次ぐ服装をしたが、髪型はトグジを載せたクンモリである。

クンデ〔弓袋〕 궁대
弓を入れておく袋。⬀弓鞬

クンス〔宮繍〕 궁수
刺繍技法の一種。縫い重ねる刺繍を宮繍、そうでないものを民間繍と呼ぶことも多いが、厳密に区別はされているわけではない。糸は甘撚り糸を用い平面的に刺繍するため、きめが細かくすべすべとして、単調だが清楚な印象を与える。→刺繍

クンジュン-コムムボク〔宮中剣舞服〕 궁중검무복
宮中で剣舞を舞う女妓が着た服。▶甲紗の▶チマ（スカート）に軟豆色（黄緑）または粉紅色（桃色）の▶チョゴリを着た上から▶戦服を纏い、藍色の▶戦帯を締めた。髪型は▶トゥレ

モリとし、その上に▶象毛の付いた戦笠を被り、武官の威厳のある姿を演出している。この▶剣舞は新羅時代から伝わる呈才舞（宮殿での宴の舞）の一種で、朝鮮時代には普通2人または4人の女妓が向かい合い、表正万方曲に合わせて両手に握った剣を振りながら踊った。黄倡郎チュム（踊り）とも呼ばれるが、これはこの舞を生み出した新羅の剣術家の名前に由来するものである。今日では、巫堂（巫女）がクッ（巫儀）を行うときに悪霊と雑鬼を追い払うためにしばしば舞われる。中国では武術と相まって盛んに舞われてきた。

宮中剣舞服

クンジュンムボク〔宮中舞服〕
궁중무복

朝鮮時代の純祖28年（1828）、王世子（皇太子）である翼宗により考案され宮殿の宴で披露された宮中男舞服。戊子年（1828）《進爵儀軌》付編に記されている舞童の服飾を舞ごとに整理すると、別表（次頁）のとおりである。

クンジュン-ムヨン〔宮中舞踊〕
궁중무용（きゅうちゅうぶよう〔宮中舞踊〕）

宮中を中心に発展・継承された舞踊。呈才ともいい、民俗舞踊と対比される。宮中舞踊は、三国時代以降宮中の年間行事や各種儀式などに踊りが登場して以来、様式が作られてきた。特に朝鮮時代末期の純祖の代に、国王である父親を楽しませるために進宴（祝宴）の度に新たな舞踊を生み出して奉納した翼宗により黄金時代を迎えた。宮中舞踊は、唐楽舞踊と郷楽舞踊とに分けられる。唐楽舞踊は11世紀の半ば、高麗文宗の代に宋から導入されたもので、踊りの始めと終わりを竹竿子を手にした者が導き、漢文の歌詞を吟ずる。郷楽舞踊は我が国固有の踊りで、朝鮮時代初期の世宗以降体系化され、舞い手たちは竹竿子の導きなしに舞台に上がって朝鮮語の歌詞を吟じ、俛伏興退（跪いて挨拶し、立ち上がって退場する）で舞台を降りる。しかし、朝鮮時代末期に至ると舞い手の動作が同じになり、漢文の歌詞が普遍化するなど、唐楽舞踊と郷楽舞踊との差はなくなった。これはすなわち、朝鮮民族の情緒に合った踊りを生み出し、民俗固有の芸術を形作るのに成功したものと見ることができる。今日宮中舞踊と称される舞踊の特徴は、次のとおりである。①踊りの主題が個人の感情や情緒の表現にあるのではなく、歴代国王の功徳を称賛したり、国王の長寿を祈願する点にある。②穏やかでゆったりしたリズムと優雅な動きを見せ、幽玄美の中に見る者の思いを喚起する。③踊りの途中で、その内容に関する歌詞を吟じる。以上のような特徴をもった舞踊が、剣舞・処容舞・舞鼓・抛毬楽・寿延長・春鶯伝・佳人剪牧丹・鶴舞など50以上伝えられている。（文一枝）

クォンジャ〔圈子〕
권자→同貫子

クォンポウイ〔捲布衣〕
권포의（まきい〔巻衣〕）

原始服飾の一種。古代の文明国であったインド・ギリシャ・ローマなどで着用された服で、縫い合わせることなく胴体のみを隠すようになっている服である。東洋でも、天衣無縫という言葉が太古に捲布衣が存在したことを暗示しており、高句麗古墳壁画の天女図や新羅飛天紋に現れた衣服がその一種である。

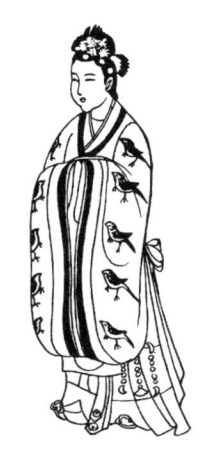

クォルチョク〔闕翟〕
궐적

中国の周の皇后が着た六服の一つ。赤い絹の地に雉の文様を施してあるが、文様には五色すべてを用いずに、紋章を服に縫いつけたものである。髪には簪の一種である副を挿し、足には赤舃を履いた。《家礼輯覧》三

闕翟

クェ〔櫃〕궤

宮中舞服の構成

名称	冠	服	帯	靴鞋	その他
望仙門（奉雀扇舞童）慶豊円 萬寿舞	珠翠金冠	花錦袍、白質黒絁中単衣、藍質黒絁裳	紫紗帯 宝帯	無憂履	白羽護領 白羽掩腰
望仙門（執幢舞童）	珠翠金冠	紫羅袍、白質黒絁中単衣、藍質黒絁裳	藍紗帯 鶴頂帯	飛頭履	白羽護領 白羽掩腰
萬寿舞（奉仙桃盤舞童）（奉籈子舞童）	珠翠金冠	紫羅袍、白質黒絁中単衣、藍質紅絁裳	藍紗帯 宝帯	無憂履	白羽護領 白羽掩腰
献天花 春台玉濁	珠翠金冠	紫羅袍、白質黒絁中単衣、藍質紅絁裳	藍紗帯 鶴頂帯	飛頭履	白羽護領 白羽掩腰
寶相舞 影池	研光帽	碧羅袍、白質黒絁中単衣、紅質藍絁裳	鶴頂帯	無憂履	
響鈴舞	研光帽	緑羅袍、白質黒絁中単衣、紅質藍絁裳	鶴頂帯	無憂履	紅汗衫
撲蝶舞	研光帽	緑羅花蝶袍、白質黒絁中単衣、紅質藍絁裳	珠細帯	無憂履	
沈香春	研光帽	緑羅袍、白質黒絁中単衣、紅質藍絁裳	珠細帯	黒靴	
蓮花台舞	蓮花蛤笠金珠帽	緑羅袍、白質黒絁中単衣、紅質藍絁裳	鶴頂帯	飛頭履	
春鶯転	研絹帽	白質黒絁窄袖衣、玉色質黒絁裳、緑紗掛子	烏紗帯	胡靴	紅汗衫
春光好、催花舞畳勝舞	研光帽	紅羅袍、白質黒絁中単衣、藍質黒絁裳	珠細帯	黒靴	
佳人剪牡丹	研光帽	紅羅袍、白質黒絁中単衣、藍質黒絁裳	珠細帯	無憂履	
舞山香	研光帽	紅羅窄袖衣、白質黒絁裳、緑羅掛子	鶴頂也帯	凌波履	金訶子 緑紗汗衫
高句麗舞	金花漆笠	灰色掛子、藍質翼	紅広帯	烏鞋	
公莫舞	高雲髻	草緑石竹花戦服、挾袖	戦帯 銀束帯	胡靴	
舞鼓、牙拍舞 響鈸舞、拠毬楽	研光帽	紅羅袍、白質藍絁中単衣、藍質黒絁裳	鶴頂帯	黒靴	緑汗衫

代服飾図）→六服(ユクボク)

クェ〔櫃〕궤
物を入れるための四角い箱。先祖代々伝わる文書や貴重品・服などを入れて保管する。また、家族の名前、生年月日、祭祀の日付など忘れてはいけない事柄を内側に書き付けたりもする。素材はケヤキで、一般的な大きさは高さ60cm、長さ80cm、幅40cmほどである。天板と底板は金釘ではなく木釘を用い、側板ははぎ合わせて接合する。表面には黄土(赤土)(ファント)を水に溶いて塗りつけるので色が橙色を帯び、前面にはトゥルスェ(取っ手)・縛鉄(バクチョル)・バダク鉄(チョル)・ソンジャビ(取っ手)・ナビピョ(蝶形の表面保護具)・クィッタリ(角の当て具)・ムクチョム・ヨプタリ(横の当て具)・シルガムジャビ(細縁金具)・ピョンガムジャビ(平縁金具)・ハプチャンなど10種類以上の金具を施す。これらの金具は装飾的役割を果たすとともに、開け閉ての際の衝撃や摩擦から本体を保護するものである。

クェゲ〔簂髻〕궤계
既婚女性の髪飾り。針金で枠を作り、

櫃

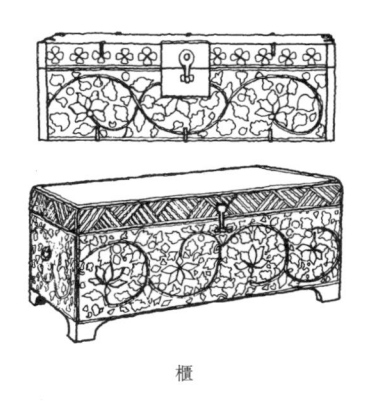

亀甲紋

その外側を髪の毛で包む。《▷青莊館全書》(巻30士小節第6婦儀1)は、「貧しい家の女は嫁いでからも入れ髪を手に入れることままならず、地髪で過ごす者が多いが、いっそ髢髻を用いるのが好ましい」と髢髻の必要性を論じている。

クィ 귀
▶トゥルマギ(<外衣)の脇の下に、手を入れるように開けてある脇口。

クィガプク〔亀甲裘〕 귀갑구
亀甲文様のある皮の服。貂の皮で作るが、黒白のまだらが亀の甲羅のように見えるので亀甲裘の名前が付いた。(《▷燃藜室記述》巻2太祖朝故事本末)

クィガムムン〔亀甲紋〕 귀갑문(きっこうもん〔亀甲紋〕)
亀の甲羅に現れる六角形の幾何文様。亀は古くから鳳凰・竜・麒麟・虎とともに五霊(5種類の神聖な動物)といわれ、十長生の一つにも数えられてめでたい動物と考えられたため、亀甲紋が多用された。双楹塚など高句麗古墳壁画にも亀甲紋は描かれており、百済武寧王陵から出土した頭枕や足座にも線状に切り抜いた金板を並べて亀甲紋が描かれている。新羅時代のものとしては、亀趺に各種亀甲紋の描かれているのが特色である。高麗・朝鮮時代の陶磁器・銅鏡などにも亀甲紋を彫ったものがある。また、幾何文様の単調な反復を嫌って、亀甲紋の中に菊花紋や唐草紋を入れることもある。朝鮮時代末期の高宗の代には、その父である興宣大院君の▶胸背の図案に亀甲紋が用いられた。また、窓や戸の桟にも亀甲サル(亀甲桟)がある。
回亀紋・亀背紋

クィゴリ 귀고리(みみかざり〔耳飾り〕)
耳にかける装身具で、耳に穴を開けて通すものと、耳介にかけるものとがある。クィゴリは古くから男女の区別なく愛用されたが、先史時代には獣の角・歯や美しい石を耳たぶに穴を開けて取り付けた。その後歴史時代に入ってからは、金・銀・銅・ガラスなどを利用して華麗に飾り付けた。クィゴリは、基本的に耳に取り付ける環と中間飾り、垂飾りの3部分からなり、環の太さにより太環式と細環式とに分けられる。三国時代の新羅と百済のクィゴリは、鏤金細工(金粉・金糸を精巧に施す細工)により優れた芸術性を見せているのに対し、高句麗のものは様式が単純である。高麗時代には身分の区別なく使用されたが、新羅や百済のものよりも格が落ちる。朝鮮時代には金波クィゴリや青の瑠璃クィゴリが儀式や婚礼の際に限って用いられた。《五洲衍文長箋散稿》は、古くから男女ともに幼い頃から耳に穴を開けてクィゴリを付けたと記しており、宣祖5年(1572)に国が男性のクィゴリ禁止令を出した後は女性のみに使用が限られ、朝鮮時代末期には女性にもそれほど用いられなかった。

クィミョンムン〔鬼面紋〕 귀면문(きめんもん〔鬼面紋〕)
鬼神・化け物の顔を文様化したもの。昔は疾病・死・災難などは邪悪な鬼神・化け物の仕業と信じられ、より強い鬼神・化け物の力を借りてこれを追い払おうとした。鬼面紋は、眉毛が太くせり上がり、目がぎょろっとして鋭く、鼻と口が大きく、鋭い牙が生えている恐ろしい形相を

クィムン〔亀紋〕 귀문

クィゴリ　1：金製細環耳飾（王の耳飾り）　百済。武寧王陵出土。国宝156号。国立公州博物館所蔵。2：金製太環耳飾　新羅。慶州路西洞古墳出土。国立中央博物館所蔵。3：金製垂飾付耳飾（王妃の耳飾り）　百済。武寧王陵出土。国宝157号。国立公州博物館所蔵。4：金製太環耳飾　新羅。慶州普門洞夫婦塚出土。国宝90号。国立中央博物館所蔵。

している。武寧王陵出土品の銀製腰佩などに、鬼面の装飾が施されている。

クィムン〔亀紋〕 귀문 →同亀甲紋（クィガムムン）

クィミッ−モリ 귀밑머리
両耳の後ろで髪を結った髪型。前頭部の中央で髪を左右に分けて両耳の後ろに下ろし、残りの髪とともに一つにまとめて結って垂らす。朝鮮時代の未婚女子の一般的な髪型で、垂らした髪の先には紫朱色（赤紫）の金箔▶テンギ（リボン）を結んだ。

クゥベムン〔亀背紋〕 귀배문
→同亀甲紋（クィガムムン）

クィイゲ 귀이개
耳あかを取るのに使う道具。片側には耳あかが載るくらいの小さな丸い頭が付き、反対側は尖っていて、本体に各種の装飾が施されている。朝鮮時代には耳あかを取る以外に、女性の髪飾りとして用いられた。金銀などを素材とし、七宝を施したり、唐草紋様・花紋・雲紋・蝙蝠紋などを美しく彫りつけるなどした。

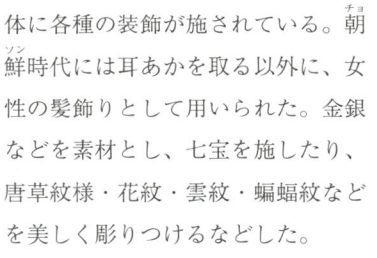

チョクチンモリの髷に飾りとして挿したクィイゲ。

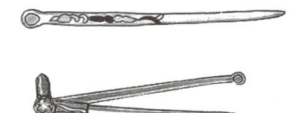

普段後頭部の髪に挿した金製のクィイゲ。クィイゲ

クィーチュモニ 귀주머니
角の尖った▶チュモニ（巾着）で、様式は男女同じである。各種の絹で左右と下側を縫い合わせた正方形の袋を作り、口の部分の右3分の1、左3分の1をそれぞれ内折りにして生地が6枚重なるように畳み込む（六モチュルム）。首の部分に孔を二つ開け、後ろから多絵（組み紐）を通して、前にメドゥプ（飾り結び）を施す。多絵（組み紐）は6糸・8糸の童多絵（丸組み紐）で、男性用は青・濃紫・古銅色（赤茶色）、女

クィチュモニ　（左）温陽民俗博物館所蔵。メドゥプ（飾り結び）・針山・七宝ノリゲを付けた華麗なもの。（右）国立古宮博物館所蔵。三神山・不老草・波・双鶴を五色で刺繍したクィジュモニ。

クム〔錦〕금

性用はタ紅色(真紅)・青・紫朱色(赤紫)などを地の色に合わせて用いた。同角囊・チュムチ

クィク〔幅〕귁→幅

クィン-モリ 귓머리
前髪を耳の後ろに回して結った髪型。

キュ〔圭〕규
国王・王世子(皇太子)・王妃・王世子妃(皇太子妃)らが祭礼のときに冕服(大礼服)を着て胸の前に懐く、縦に細長い将棋の駒形の玉製板である。国王と王世子は青玉(サファイア)、王妃と王世子妃は白玉を用いた。身分によって長さと幅が異なり、国王と王妃は9寸(約27cm)、王世子と王世子妃は7寸(約21cm)で幅は3寸(約9cm)、厚さは5分(約1.5cm)とし、左手を右手の上に重ねて握る。高麗時代の文宗3年(1049)に中国から贈られた冕服(大礼服)に圭が含まれており、朝鮮時代まで引き続き用いられた。《雅言覚非》は「我が国の人々は圭と笏とを同じものと勘違いしているが、その用法は互いに異なる」と記している。光武元年(1897)に高宗が《大明会典》を根拠に整備した翟衣制度には、圭に関して「穀玉圭は長さが周尺で7寸(約16cm)だが、頂部は尖り穀紋を施す。地味な黄色の▶緋緞で底部を包むが、これとは別に金竜紋を施した同色の保管袋(袋韜)がある」と記されている。

クンシボク〔近侍服〕근시복
高麗時代の3品の官吏である近侍が着た公服。紫文羅袍を纏って御仙金帯を締め、金魚袋を下げて頭には樸頭を被った。(《▷宣和奉使高麗図経》巻7)→高麗の服飾

クム〔錦〕금 (にしき〔錦〕)
経糸または緯糸に複数の色糸を用いて織った絹織物。中国後漢の辞書《釈名》に「錦は製織に手間がかかるのでその価値は金のごとくであり、貴人の衣服にのみ用いられるべし」とある。経糸に複数の色糸を用いて柄を出すものを「経錦」、緯糸に複数の色糸を用いて柄を出すものを「緯錦」といい、技巧的には「経錦」の方が古い。平織のものを平地経錦・平地緯錦、綾織のものを綾地経錦・綾地緯錦という。中国では西周時代の初期の墓からすでに経錦が出土されており、東周時代の春秋戦国の墓葬から大量の経二重織物が出土し、この時代にすでに経錦が盛んに作られていたことがわかる。おおむね隋の時代を前後して斜紋経錦が出現するが、これは経錦から緯錦への過渡期のものである。緯錦は、ペルシアで経錦の技術を発展させて生み出されたものである。経錦を凌駕する華麗な錦を織り出すこの新技術は、隋・唐の時代に西方から東方に伝播し、日本の法隆寺所蔵の四騎獅子狩文錦や、宝相花の織られた正倉院の縹地大唐花文錦などにも見られる。この緯錦技術の発明により、特に唐代には華麗で多彩な錦織が生産された。漢代襄邑織錦・魏唐蜀錦・魏錦・南宋雲錦など名称もまた多様だが、これらの名は大部分が産地名と錦の文様に由来する。

朝鮮では《▷三国史記》百済本紀古爾王の条と《旧唐書》および《新唐書》東夷伝百済の条に、百済の王が青錦袴を着用したとの記録がある。《三国史記》職官志によれば、この時期にすでに細分化された官営手工業があり、この中に絹を織る錦典、麻と苧麻を織る麻典、色柄を織る綺典、朝霞紬と朝霞錦を織る朝

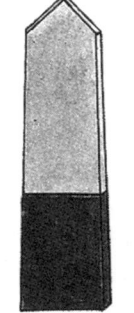

圭・圭函 国立古宮博物館所蔵。(左)角の尖った青玉(サファイア)製の圭。(右)白玉製の圭。右の圭は文献記録のとおり穀物紋が彫られているが、上部が丸みのある「山」の字型で、下部は紅色の紋緞(紋入り絹)に包まれている。2点とも韜(紅絹の袋)に入れられ、上部をボタンで留めて、それぞれ黒・紅色の漆塗りの桐箱に保管されている。このように、おおむね文献記録どおりだが、下部を包む布や韜が紅色の絹であるなど、多少異なる点もある。

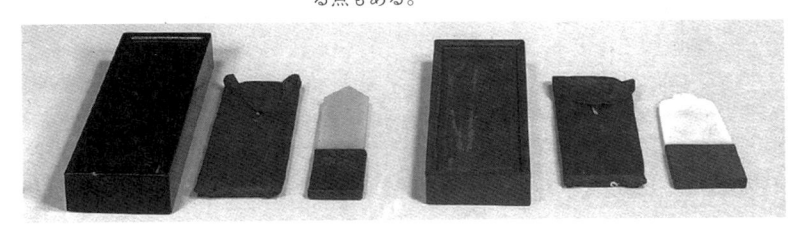

クムガンソク〔金剛石〕 금강석

錦 (左)緯錦 浅緑地鹿唐花文錦。(右)経錦 紫地鳥獣連珠文錦。奈良、正倉院所蔵。

霞房が官庁の独立した手工業機構として組織されていた。また《三国史記》新羅本紀には、新羅の歴代王たちが中国との和親のために錦を朝貢品として贈った例がかなりの数記録されている。特に景文王9年(869)の記録を見ると、7月に王子の蘇判と金胤らを唐に送り朝貢した物品の中に大花魚牙錦・小花魚牙錦・朝霞錦などが含まれている。これ以外にも、三国時代に用いられた錦の種類として、雲布錦・五色錦・紫地纐纈紋錦・高麗錦などがある。興徳王の服飾禁制では、表衣・袴・短衣・内裳・表裳・半臂・裌襦・襪・腰襻・襪・襪袎・履に錦を用いることが禁じられている。また、《日本書紀》の天智天皇紀と天武天皇紀に、新羅から霞錦を贈ってきたと記されている。これらの記録からして、「大花魚牙」「小花魚牙」「朝霞」などはこの時期の錦に施された文様などに由来する名称と考えられる。特に朝霞は、「朝霞布」または単に「朝霞」という名称で、インドや東南アジア地域の白畳や白氎よりも繊細な女性用服地に向く極細織物として多くの文献に現れる。これらの事実からして、朝霞は我が国において特別な織物として製織され、南方文化の流れを受けたものであることがわかる。7世紀ごろの「太子間道」と名付けられた絣錦(東京国立博物館所蔵)がこの朝霞錦の類であると考えられる。一方、《日本書紀》には793年に百済の錦部である定安那錦が韓錦を織り、日本の錦織部の始祖になったと記されている。(朴京子)

クムガンソク〔金剛石〕 금강석(こんごうせき〔金剛石〕・ダイアモンド〕
炭素の結晶体で、等軸晶系に属する鉱物。朝鮮時代に▶ノリゲ(女性韓服用の房飾り)などに多く用いられた。

クムグァン〔金冠〕 금관(きんかん〔金冠〕)
1 金製の▶冠帽。一般的に金属で作られたすべての冠帽を金冠と称する。主に三国時代の古墳から出土されるが、中でも特に新羅古墳の出土品が多い。金冠はその形態と用途により、儀式用と思われる外冠と日常用の内冠とに分けることができ、金製と同じ形の金銅製・銀製・樹皮製のものも相当の数が発見されている。

■高句麗
これまで高句麗の遺跡から出土した冠は、平壌清巌洞土城から出土した金銅冠、平壌付近の古墳から出土した金銅冠、平安南道中和郡真坡里1号墳から出土した浮彫金銅具の3点がある。このうち、平壌土城から出土した金銅浮刻火焔紋冠は、その形態からして外冠と思われるが、流雲紋が浮彫され角孔の開けられた帯部の上に忍草唐草の草花紋の立飾が五つ施され、中央の立飾の両脇には花形の立飾が一つずつ立てられている。帯部の両端にはリボンのような装飾が長く垂れている。

■百済
百済地域で出土した冠としては、全羅南道羅州市潘南面の百済の甕棺から発見された内・外冠帽1組と、公州市武寧王陵から出土した国王と王妃の金製冠帽装飾各1組ずつがある。羅州甕棺から出てきた金銅冠のうち、内冠は半円形の金銅板2枚を合わせ、上部の弧状の接合部に枠を被せて接合してある。冠帽の縁には

クムグァン〔金冠〕 금관

素朴な忍冬紋を巡らしてあり、地には草花紋が突出した点線によって描かれている。外冠は幅3cmの帯部の上に三つの立飾を立ててあるが、これらの立飾は中央の直立した幹を中心に枝が三分かれして伸び樹形を成し、表面にはところどころに丸い瓔珞を施してある。

■新羅

慶州市の金冠塚・金鈴塚・瑞鳳塚・天馬塚・皇南大塚などから金冠をはじめとした各種冠帽類が出土している。これらの古墳から出土した冠帽の最大の特徴は、外冠の帯部に立てられた立飾の様式にある。高句麗や百済の外冠とは異なり、木や草花を図案化したものと思われる「山」の字形を3～4段に重ねた立飾が施されており、後方には鹿の角の立飾が斜めに立てられている。表面には一定の間隔で半球形のこぶを裏から叩き出し、これに曲玉か金製の瓔珞を規則的に垂らすのが普通だが、金鈴塚のように瓔珞のみを付けたものも見られる。立飾のすべての枝の先端は宝珠形に仕上げられている。冠帽に取り付ける装飾は大部分が鳥翼形か蝶形であるが、表面に何の装飾も加えない銀製・金銅製のものが最も多く見つかっている一方で、金冠塚・天馬塚・皇南大塚などからの出土品のように、全面に精巧な透かし彫を施し、表面にたくさんの瓔珞を垂らした純金製の冠飾も見られる。

■伽耶

金冠 1
1：高句麗金銅透彫火炎紋冠　平壌市清巌洞土城出土。
2：百済金銅冠　全羅南道羅州市潘南面9号墳出土。国立中央博物館所蔵。
3：新羅金冠　慶州市金鈴塚出土。宝物338号。国立中央博物館所蔵。
4：伽耶金冠　慶尚北道高霊出土。国宝138号。湖巌美術館所蔵。
5：伽耶金銅冠。慶尚北道高霊池山洞32号墳出土。国立中央博物館所蔵。

クムグァン〔錦冠〕 금관

伽耶古墳から出土する冠帽類は、基本的に新羅古墳の出土品と様式上の大きな差はない。この地域で特殊な形態をしているものは、慶尚北道高霊から出土したものと伝えられる金冠であるが、帯部の上に3段の草花形立飾が4本等間隔で立てられている。両側に張り出した枝の先端は下に向かって反っており、中段の枝は極めて短い。(参考) 池健吉《韓国民族文化大百科事典》、韓国精神文化研究院、1991

② 朝鮮時代に文武百官が朝服着用時に被った冠。15世紀初頭の太宗の代から明の《洪武礼制》により用いられ始めた。冠の全面の帯部と後面全体に唐草文様が施され、その上と後部に挿されたピニョ（簪）には金泥が塗られているため金冠の名が付いた。金冠にはその数により品階を区別した梁があるため、梁冠とも呼ばれる。→同梁冠

《三国史記》巻33雑志第3色服）

クムグァンジャ〔金貫子〕 금관자

朝鮮時代に、正2品および従2品の官吏が網巾に付けた金製の▶貫子。

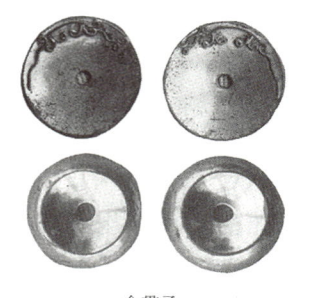

金貫子

クムグァン-チョボク〔金冠朝服〕 금관조복

朝鮮時代に、文武百官が朝賀をはじめとする儀式の際に着用した冠服。▶青絹中単・▶赤絹衣・繡裳を着た上に、▶後綬と両脇には▶佩玉を垂らし、▶冠帯を締め、手には▶笏を持ち、頭には金冠を被った。服地には▶羅または▶絹を用い、青絹中単・赤絹衣・繡裳の衿・袖先・裾周りには黒の▶襈を付けた。細かい襞の入った繡裳は前・後ろに分かれているが、いずれも体の中央にくるように履いた。品階の区別は、金冠の▶梁の数と後綬の文様、笏の材質が象牙か木か、佩玉の材質が青玉（サファイア）か白玉かなどによった。金冠朝服は、太宗16年（1416）に官吏の冠服を制定した際に初めて採用されたが、朝鮮時代中期以降は4品までが着用し、それより下の官吏はあまり着ることがなかったようである。高宗21年（1884）の服制改革ではそのまま存続となり、同31年（1894）の甲午更張の際に黒団領に取って代わられたもののすぐに復活したが、結局光武3年（1899）に服制改編の際に廃止された。→同朝服・百官服

金冠②

クムグァン〔錦冠〕 금관
▶錦で作った冠。新羅法興王7年（520）に官吏の公服を初めて制定した際に、17冠等のうち2冠等の伊飡から3冠等の迊飡までが被った。

金冠朝服　（左）興宣大院君（1820〜1898）の金冠朝服。梨花女子大学博物館所蔵。（右）興宣大院君像。

クムグ-ヒョクテ〔金鉤革帯〕금구혁대

金鉤を取り付けた革帯。金鉤とは、純金製の留め金（バックル）に各種文様を施し珠玉などをはめて美しく飾ったもので、金鉤革帯には縁に金銀の装飾を施すこともあった。

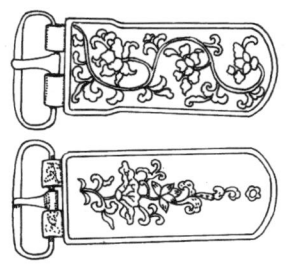

金鉤革帯　金鉤。高麗時代。

クムニ〔金泥〕금니（きんでい・こんでい〔金泥〕）

膠に金粉を溶いたもの。16世紀前半の中宗の代には、堂上官（正3品以上）は中国から輸入した▶梁冠を被り、堂下官（従3品以下）は国産のものを被ったが、その差は金泥の光彩にあった。金泥の光り方で身分の上下が区別でき、朝廷の儀式が乱れることなくてよいとの記述が見られる。（《▶朝鮮王朝実録》中宗30年4月辛亥）

クムダンファ〔金緞靴〕금단화

絹で表面を覆った靴。朝鮮時代末期に、贅沢品だとの理由で興宣大院君が使用禁止令を下した。

クムデ〔金帯〕금대

朝鮮時代に、2品の官吏が▶朝服（朝賀服）に締めた帯の一種。縁を金で飾ってあり、正2品官は文様の入った▶鈒金帯、従2品官は文様のない素金帯を用いた。

クムドングァン〔金銅冠〕금동관→金冠

クムドン-ノクヒョクテ〔金銅緑革帯〕금동녹혁대

朝鮮時代に雅楽の演奏者、公宴舞童、仮面舞童が締めた帯。革帯を緑に塗り、黄銅鉤を飾り付けたもの。《▶朝鮮王朝実録》世宗14年（1432）5月の条に、朱漆を塗ることが禁じられていた文舞演者と楽器奏者の革帯を緑にせよとの王命が下され、以後緑色の革帯に統一されたと記されている。

クムナン〔金襴〕금란（きんらん〔金襴〕）

平織・斜紋織（綾織）・朱子織の地の上に金糸を織り込んで、鳳凰や花柄を施した豪華な織物。

クムニャングァン〔金梁冠〕금량관

朝鮮時代に、文武官が▶朝服（朝賀服）着用時に被った冠。帽部のみ黒で、梁を含めた他の部分はすべて金色で仕上げてある。品階により梁の数が異なり、1品官は5本、2品官は4本、3品官は3本、4～6品官は2本、7～9品官は1本であった。→㊁金冠・梁冠

クムモ〔錦冒〕금모

葬儀で埋葬前に行う大殮の際に、遺体を包むのに用いる絹製の袋。遺体を包む袋は二つあり、上半身のものを冒、下半身のものを殺という。冒は遺体の手がちょうど隠れる丈にし、木箱に入れて大殮床と呼ばれる服を着せる台の東北側に置いた。（《▶国朝五礼儀》凶礼儀式大殮）

クムバク〔金箔〕금박（きんぱく〔金箔〕）

狭義には金を叩いて薄くのばしたものを指すが、広義にはこの金箔や金粉・金紙を用いて衣服や装飾品に文様を施すこと、またその施したものを指す。文様を彫った木の金箔板に接着剤を塗り、これを服地の上に転写した部分に金箔や金粉を載せる。金箔は「付金」ともいうが、これは金糸で文様を織り込む「織金」に対する表現であろう。権威の象徴として上流階層で独占され、▶翟衣・円衫・唐衣などの宮中大礼服や、▶スラン チマ・▶大襴チマの裾周り、▶花冠・▶テンギに施して荘重さと華麗さを加えた。金箔に用いられた文様には、竜・鳳凰などの動物紋や植物紋、吉祥紋、幾何紋などがあるが、これらの文様を彫った金箔板が遺物として残っている。朝鮮時代末期以降は、一般庶民にも用いられるようになった。

クムバク-テンギ〔金箔テンギ〕금박댕기

金箔を施した▶テンギ（垂れ帯）の総称。赤の絹の地に各種文様を施したが、文字としては富貴功名・長寿を願う気持ちから「富」「貴」「寿」「福」「囍」などが用いられた。

クムバクサン〔金博山〕금박산

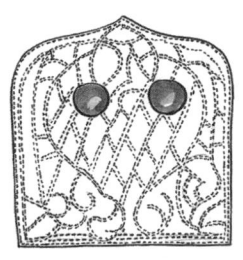

金博山

クムバルチャ〔金跋遮〕 금발차

▶遠遊冠・▶通天冠の前面に付けた装飾。高麗恭愍王19年（1370）5月に明から贈られた遠遊冠に見られ（《高麗史》志巻26輿服1）、朝鮮時代末期の高宗皇帝の通天冠にも施されている。

クムバルチャ〔金跋遮〕 금발차

金属で作った金剛杵。高麗時代に、最高僧であった国師が煩悩を滅する目的で携帯した。→国師服

クムボンチャ〔金鳳釵〕 금봉차

鳳を彫刻した金を飾り付けた▶ピニョ（簪）。朝鮮時代に両班階級（文武官吏一族）の女性が儀式の際に用いた。17世紀前半の仁祖の時代には、女性の頭の装飾が奢侈を極め、金鳳釵の使用が禁じられた。（《▶朝鮮王朝実録》仁祖15年5月）

クム-ピニョ〔金ピニョ〕 금비녀

金製または金メッキの▶ピニョ（簪）。両班（文武官吏階級）・庶民の区別なく女性の間で日常最もよく用いられたもので、重厚な印象を与える。
同 金鈿

クムサ〔金糸〕 금사 →金銀糸

クムサグァン〔金糸冠〕 금사관

金糸で作った冠で、朝鮮時代に幼い王世子（皇太子）が被った。英祖12年（1736）9月に、王世子が▶青袍を着て金糸冠を被った例がある。

クムサ-チュンミョン〔錦紗縮緬〕 금사축면

絹織物の一種。経糸・緯糸ともに生糸を用い、経糸は普通の縮緬より も稠密にし、緯糸には比較的細い糸を用いて、表面にしぼを出したもの。

クムサヒャン〔金糸香〕 금사향

各種の香と薬を混ぜて練り固めた漢沖香の粒に、金糸を通して数珠のように繋げたもの。朝鮮時代に、女性たちが主に▶チュモニ（巾着）に下げて飾りとした。香は黒・白・緑・黄色の4色を揃えた。

金糸香

クムセク〔禁色〕 금색

官吏や庶民などの階級別に服の色を制限したこと。伝統的に黄丹色（おうに≒橙色）・支子（くちなし色≒黄色）・赤・青・紫朱色（赤紫）・濃い赤・濃い蘇芳色（すおう≒臙脂）の7色を制限した。15世紀前半の世宗の時代には、灰色が玉色（水色）に似ているため灰色の使用を禁じ、僧衣に関しては黒を禁じた。朝鮮時代後期には奢侈の風潮が度を超したため、英祖は官吏から庶民に至るまで喪の明けたときに着る▶吉服の色を青に統一し、女性の服や頭の飾りを改め、中国から輸入していたあでやかな▶紋緞の使用を禁じた。また、同14年（1738）には経済的でない白衣を禁じ、国産の青の木綿を着るようにした。

クムソニ〔金線衣〕 금선의

金糸を用いた服地で仕立てた、金線の入った華麗な服。《▶青荘館全書》（巻23編書雑稿3宋史筌金列伝）には衣服の仕立てに金糸の使用を禁じたとの記録がある。また新婦が青・紅色の金線衣を着た場合には着付けを手伝った女性も処罰されたので（《▶大典後続録》巻3論典禁制）、金線衣はあまり普及しなかった。

クムソンヘ〔金線鞋〕 금선혜

底の縁に金線を飾り付けた履き物。朝鮮時代に士大夫階級の婦女たちが履いたものだが、16世紀前半の中宗の時代には奢侈がひどくなり、国王に経書を講義した侍読官金致雲が金糸鞋禁止を上奏した。（《▶朝鮮王朝実録》中宗25年2月甲申）

クムソボクチャム〔金鑷玉簪〕 금섭옥잠

頭を透かし彫にした純金製または金メッキの▶ピニョ（簪）。→鑷玉簪

クムソクサ〔金属糸〕 금속사

細い紐や銅・銀に金を被せたもの。また、ガラス繊維や絹糸に金箔・銀箔を施したもの。金箔・銀箔は薄い紙に接着剤で貼り付けたものを細く裁断し、これを芯になる糸に撚りつけ、絹織物を織るときに交織したり、刺繍糸・装飾用として用いられる。

クムソク-ソミュ〔金属繊維〕

금속섬유（きんぞくせんい〔金属繊維〕）

金属を原料とした繊維。装飾用金糸や銀糸は昔から使われてきたが、現在は鉄・アルミニウム箔など多様な

金属糸が生産されており、鉄・アルミニウムの溶融体から金属繊維を作る方法も開発されている。

クムス〔錦繡〕 금수
刺繡を施した絹。また、美しく華麗な服や織物のこと。

クムスウイ〔錦繡衣〕 금수의
高句麗(コグリョ)で公会の際に着た服で、刺繡を施した絹で仕立て、金・銀で飾り付けた。《魏書》巻100高句麗傳》

クモデ〔金魚袋〕 금어대
▶チュモニ（巾着）の一種。鮒形の装飾が施された金色のチュモニで、高麗(コリョ)時代に文官が▶公服(コンボク)に付けた。4品以上の文官と特賜を受けた者だけが着用を許された。毬文金帯(クムンクムデ)に付けたり、正3品・正4品官が紫文羅(チャムルラ)袍(ポ)を着たときに御仙金帯(オソンクムデ)に付けた。また、紅鞓(ホンジョン)犀帯(サ)などには銀魚袋(ウノデ)を付けた。→魚袋(オデ)

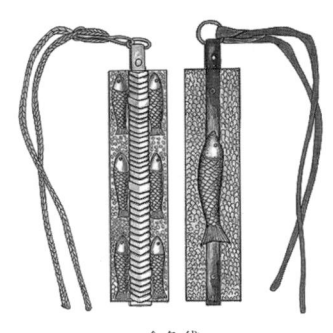

金魚袋

クモジャンウィグンボク〔金吾仗衛軍服〕 금오장위군복
朝鮮(チョソン)時代に宮門の衛兵が着た服。袖幅の広い紫の▶チョク衫(サム)を着て▶幞頭(ポクトウ)を被ったが、門の方位によって幞頭の色を使い分けた。東は青、西は白、南は赤、北は黒、中央は黄色であった。《▷宣和奉使高麗図経》巻12）

クモク〔金玉〕 금옥(きんぎょく〔金玉〕)
金と玉(ぎょく)。各種の装飾に用いられたが、朝鮮(チョソン)時代にはその装飾が奢侈を極め、数次にわたり禁止令が下された。正祖(チョンジョ)12年（1788）に下された奢侈禁制節目にも、女性の装飾に金玉・珠貝・真珠唐珩・真珠套心などを禁ずる内容が含まれている。《▷青荘館全書(チョンジャングァンチョンソ)》（巻30士小節第6婦儀1）にも、子供たちの金玉と金糸刺繡による装飾を禁じた記録がある。

クモクチャ〔金玉釵〕 금옥차
金と玉(ぎょく)で各種の文様を彫った装飾ピニョ（簪）。朝鮮(チョソン)時代に上流階級においてのみ使用された。一般的に、玉のものは夏に、金のものは冬に用いた。

クミョク〔衾褥〕 금욕
イブル（掛け布団）とヨ（敷き布団）。16世紀前半の中宗(チュンジョン)の代には士大夫の婚礼が贅沢を極めるようになり、布団地に紗羅綾緞の使用を禁じたことがあり（《▷朝鮮王朝実録(チョソンワンジョシルロク)》中宗35年8月己卯）、大君(テグン)（国王の嫡出男子）・王子君(ワンジャグン)（国王の庶出男子）・公主(コンジュ)（国王の嫡出女子）・翁主(オンジュ)（国王の庶出女子）の成婚・即位など▶嘉(カ)礼の際の服飾・衾褥(クミョク)・器皿などを《▷国朝五礼儀(ククチョオレウイ)》に基づいて揃えるよう定めている。

クムンニ〔金銀泥〕 금은니（きんぎんでい〔金銀泥〕）
金泥と銀泥のことで、三国時代から用いられていた。統一新羅(シルラ)時代の興徳(フンドク)王による服飾禁制に、貴族階級である6頭品女・5頭品女の▶パジ（ズボン）への金泥の使用や、短衣・表(ピョ)裳・▶褙襠(ペダン)（≒チョッキ）への金銀泥の使用が挙げられており、5頭品女の内裳(ネサン)と6頭品女の▶褾(ピョ)（≒襟巻き）にも金銀泥が禁じられていることから、当時金銀泥は王族である聖骨女・真骨女以外に、貴族階級にも用いられていたことがわかる。我が国では独自に金が産出し、西アジアの影響も受けながら、金泥・織金の技術がいち早く発達していたものと思われる。（朴京子(パクキョンジャ)）

クムンサ〔金銀糸〕 금은사
金や銀で作った糸、または糸に金箔・銀箔を施したもの。薄い紙に漆を接着剤として塗った上に金箔や銀箔を貼り延ばし、これを細く切って絹や綿の芯糸に撚り付けるなどの方法で作る。古墳から出土した織物にも金銀糸を使ったものがあり、▶金織(クムジク)・▶銀織(ウンジク)にも用いられた。

クムンサーチングムス〔金銀糸チングム繡〕 금은사 징금수
刺繡技法の一種。針に通らないような太い金銀糸を刺繡に用いる場合の技法で、金銀糸を置き糸にし別の細い糸でとじてゆく。金銀糸は1本ずつとじる場合もあれば、2本並べてとじることもある。とじ糸は細い撚糸か絹の裁縫糸を用いる。金銀糸はほどけやすく傷みやすいので、▶シルペ（糸巻き）に巻くときには糸の端をシルペの中央に一巻きして結びつけ、糸がほどけたり捻れないように気を付けながら、シルペの山の高さを超えないように巻く。（金惠卿(キムヘギョン)）→刺繡(チャス)

クムジョン〔金鈿〕 금전→同 金ビニョ(クム)

クムジュモ〔クムジュ帽〕 금주모

クムジュモ〔クムジュ帽〕 금주모

朝鮮時代に舞童が被った帽子の一種。花のしべを数本立てた形のもので、鉢が縦に長く、両脇に金花が付いている。

クムジュ帽

クムジク〔金織〕 금직（きんらん〔金襴〕）

絹織物の地組織に、金糸のみを織り込んで文様を表した高級織物。中国では、唐の時代に始まり、宋の時代に大きく発達した。我が国では、新羅の善徳女王の代に地蔵法師が纏った金織袈裟が最も古いもので、高麗時代に大覚国師義天が着た金織袈裟も残されている。朝鮮時代には15世紀の太宗・文宗・世祖の代に織金羅・織金紗などの金織を中国から持ち込んだことがあり（《朝鮮王朝実録》太宗3年10月・文宗即位年8月・世祖2年4月）、《五洲衍文長箋散稿》（巻45布帛錦緞弁証説）にも織金大絨毯・織金花緞・金糸緞・金銀糸緞などの金織物が用いられたと記されている。一方、17世紀前半の仁祖の代の《昭顕世子嘉礼都監儀軌》によれば、宮中で金織を織ったとされている。

金織は、主に王室で妃嬪の▶円衫（大礼服）・▶唐衣（小礼服）・▶チョゴリ（上衣）・▶キョンマギ（外出着）・▶ス襴チマや僧侶の▶袈裟に用いられた。文様は、鳳凰・竜・寿福紋・木丹唐草紋などが多い。朝鮮時代の伝世品としては、16世紀末ごろに宣祖が下賜したものとされる西山大師の金襴袈裟があり（全羅南道海南郡三山面の大興寺所蔵）、またやはり16世紀の中宗・宣祖年間の人物として知られる清州韓氏の墓から出土した▶チョゴリ（上衣）の袖口・衿・紐・脇や▶チマ（スカート）のス襴段に金織が当ててある。同金襴

金織 完山崔氏金織タンコギッチョゴリと鳳凰牡丹紋の部分。梨花女子大学博物館所蔵。

クムジクーカサ〔金織袈裟〕 금직가사

金織（金襴）で仕立てた仏教法衣の一種。新羅善徳女王が地蔵法師に下賜したものと、高麗時代に大覚国師義天が着た金織袈裟が伝わってい

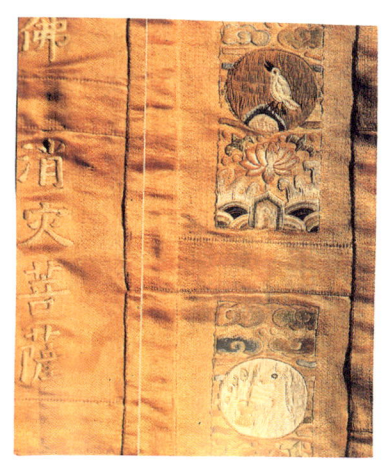

金織袈裟 大覚大師金織袈裟。全羅南道順天市仙巌寺所蔵。

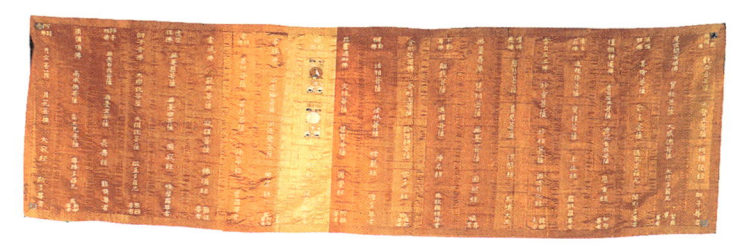

金織袈裟 大覚大師金織袈裟。全羅南道順天市仙巌寺所蔵。

る。大覚国師金織袈裟は横160cm、縦80cmの大紅色(テホンセク)の絹で、黄色の糸で経典の名称が刺繍されている。

クムチェ〔錦采〕 금채
緋緞(ビダン)（朱子織絹）でできた品質のよい采緞(チェダン)（婚姻の際に、新郎側から新婦側に事前に贈られる服地）。

クムチョグァン〔金綃冠〕 금조관
朝鮮(チョソン)時代に、劇団奏者の服飾に用いられた帽子の一種。形は▶花画幞頭(ファファポクトゥ)と同じだが、表面に豹のまだら模様が描かれている。帽子の頂部に挿すピニョを、帽子の縁と平行に挿すのが特徴である。

クムチュジャ〔金墜子〕 금추자
王妃が礼服の▶翟衣(チョギ)を着たときに被る▶翟冠(チョックァン)の一種。太祖3年(1394)、睿宗(イェジョン)元年(1468)閏2月と、成宗(ソンジョン)元年(1469)5月に、翟衣を着たときに被る珠翠七翟冠(チュチュイチルジョックァン)とともに鍍花金墜子(ブクムチュジャ)が中国から贈られた。⇨金朵子(クムテジャ)→翟冠(チョックァン)

クムテジャ〔金朵子〕 금태자
花柄を彫った頭の装飾品の一種。→⇨金墜子(クムチュジャ)

クムペ〔錦貝〕 금패
琥珀の一種で、黄色みを帯びた透明である。朝鮮(チョソン)時代に▶カックン（笠紐）として使われることもあったが、贅沢品であった。《▷星湖僿説(ソンホサソル)》（巻5 万物門）には「絹のカックンは真夏ともなると汗ばんで傷みやすいので、時代が下ると皆が琥珀・鼈甲・水晶・錦貝などを用いるようになり、日々贅沢になっていった」とある。

クムハルリンジョムムンサ〔錦漢鱗蝶紋紗〕 금한린접문사
絹織物の一種で、鱗文様と蝶文様の入った▶紗(サ)。高級な夏用の服地で、朝鮮(チョソン)時代に上流階層で多用された。

クムヒャンナン〔錦香嚢〕 금향낭
香の入った絹製の▶チュモニ(巾着)。高麗(コリョ)時代に貴婦人たちが身に付けた。(《▷宣和奉使高麗図経(ソンファボンサコリョドギョン)》巻20)

クムファ-テモ〔金花大帽〕 금화대모
黄金色の花で飾った帽子。頂が▶コッカル（山形頭巾）のように尖って非常に高く、紐で顎に止める。高麗(コリョ)時代に神虎左右親衛軍(シンホチュアウチヌウイグン)と興威左右親衛軍(フンウィチュアウチス ウイグン)が被った。

クムファ-イプシク〔金花立飾〕 금화입식
▶金冠(クムグァン)の装飾品の一種。三国時代の金冠は内冠と外冠とから成っているが、金花立飾は外冠に挿すものである。枝状のものを数本立て、その先端はつぼみを象徴する宝珠形に仕上げてある。→金冠①

クムファシク-チョラグァン〔金花飾鳥羅冠〕 금화식 조라관
百済(ペクチェ)の国王が被ったとされる▶冠(クァン)。1971年に忠清南道公州市(チュンチョンナムドコンジュムリョン)の武寧王陵から金製の装飾板2組4枚が発掘されたが、《旧唐書》（東夷伝百済）の記述によると、絹の鳥羅冠にこの装飾板(チョラグァン)を取り付けて被ったものと思われる。

クムファ-チョルプンニプ〔金花折風笠〕 금화절풍립
高句麗で被られた▶コッカル型の▶カッ（笠）。《▷星湖僿説(ソンホサソル)》（万物門 折風）には、つばに4枚の葉を挿したものと記されている。折風とは、冷たい風を防ぐという意味である。

クムファ-チルリプ〔金花漆笠〕 금화칠립
高句麗舞(コグリョム)を踊る際に舞童(ムドン)が被る帽子。漆を塗り、鉢に造花を飾り付けてある。舞台服飾に属する冠(クァン)・笠(イブ)・帽(モ)などは華やかな飾り付けが特徴で、その形や名称が多様である。

金花漆笠

クムファン〔金環〕 금환
金製の小さな環。▶朝服(チョボク)（官吏の朝賀服）や▶祭服(チェボク)（官吏の祭祀服）着用時に腰に垂らす▶後綬(フス)に付ける。朝鮮(チョソン)時代には1・2品の官吏は金環(クムファン)、3・4品の官吏は銀環(ウンファン)を用いた。(《▷朝鮮王朝実録(チョソンワンジョシルロク)》純宗1919年1月)

クムファンス〔金環綬〕 금환수
金メッキを施した環が二つ付いた▶綬(ス)。朝鮮(チョソン)時代に1・2品の官吏が▶朝服(チョボク)（朝賀服）・▶祭服(チェボク)（祭祀服）着用時に腰に垂らした。→雲鶴金環綬(ウンハククムファンス)

キ〔綺〕 기
絹織物の一種。中国後漢の字書《説文解字》には「綺は文繪（柄入りの絹）である」とあり、魏の字書《広雅》（釈器）には「綺は彩色緋緞」、宋の《六書故》には「織采爲文曰錦、

キゴン-カングンジチン〔朞功強近之親〕 기공강근지친

織素爲文曰綺」とある。漢代およびそれ以前の綺は平紋綾で、魏・唐代にはこれを「綾」と呼んで、斜紋綾と区別した。つまり、綺は綾織組織で文様を出した薄い高級絹織物であることがわかる。《▷三国史記》職官志の記録によると、御竜省の下に綺典が設置されており、景徳王の代に別錦房と呼ばれた後に綺典となったという記述からして、三国時代にはすでに綺の製織が始まっていたことがわかる。

朝鮮時代には、16世紀半ばの明宗の代に王子や王の婿たちにも綺の使用を禁止すべきだとの上奏があり（《▷朝鮮王朝実録》明宗8年10月丙申）、19世紀末の高宗の代の私服変制節目には、官位のない者には綺羅・綾緞の類の着用を禁じた（同、高宗21年6月3日）。（朴京子）

綺 鴉青色（濃い藍色）の綺。朝鮮時代。1458年。黒石寺阿弥陀仏像内納入織物。

キゴン-カングンジチン〔朞功強近之親〕 기공강근지친
人が死んだときに、▶朞年服（死後1年間着用）や▶功服（最大9か月着用）を着るほどの近い親戚。「朞功」は「朞年服」「功服」を指し、「強近」とは非常に近いことを意味する。（同）朞功親

キゴンチン〔朞年親〕 기공친
→（同）朞功強近之親

キニョンボク〔朞年服〕 기공복
親族の死後1年間着る喪服。杖朞と不杖朞とがある。杖朞とは喪杖をついて生麻の喪服を1年間着る習慣で、祖母が祖父に先立った場合や、父親の死後に再婚した母親や離婚させられた母親が死んだ場合、父との間に息子を作った妾が死んだ場合の服装である。不杖朞とは同様の喪服は着るが杖はつかない服装である。（縮）朞服

キリャンデ〔起梁帯〕 기량대
15世紀の朝鮮王朝世宗の代に、会礼宴で雅楽の武舞の楽団員が締めた帯。黒革製の帯の両縁と中央に2本ずつの梁があり、前面と片端に黄銅の留め金が付いている。（《▷楽学軌範》巻9冠服図説）

起梁帯

キリンムン〔麒麟紋〕 기린문
（きりんもん〔麒麟紋〕）
麒麟の文様。麒麟は想像上の動物で、鳳・亀・竜とともに四霊獣と称される。仁を尊び義を守る明哲な霊獣で、人徳の世に出現すると言われる。古代の基本形態は、体はシカ、頭はオオカミ、尾は牛、足は馬で、一角獣だったが、後に胸・腹などが蛇のようになり、頭や足の関節、尾の先に馬のような毛の生えた姿になった。美しく変形し、様々な文様に用いられた。朝鮮時代には、大君（正室の生んだ男子）の胸背（官服の胸・背の標章）の文様とされた。

麒麟紋 石造浮屠（僧塔）の麒麟紋。高麗時代。

キマボク〔騎馬服〕 기마복
馬に乗るときに着る服。六堂崔南善の《姑事通》（1943）には、「我が国では古代には女性が馬に乗って外出することがよくあり、高麗時代には貴婦人が▶ノウル（被り布）と▶カッ（笠）を被って馬で外出し、朝鮮時代にも女性が馬に乗る習慣が続いたが、宣祖8年（1551）に初めて法でこれが禁じられた」とある。17世紀初頭に記された《紫巌文集》中の建州見聞録には、女真族の女性たちは男に負けずに馬で狩りをし、少年少女までもが上手に馬に乗ると記されている。同じく17世紀の《白沙集》や《▷五洲衍文長箋散稿》には、このような女真族の風習は、我が国の北部にもあったと記されている。朝鮮時代初期まで女性の乗り物といえば驢馬か馬であり、▶カマ（輿）は後に考え出されたものである。カマに乗るためには担ぎ手が数人必要になるので、格式を整える必要がなければ敢えて用いることはなかっ

キヘ〔妓鞋〕기혜

騎馬服 (左)申潤福の風俗画中のスゲチマを被った姿。18世紀末。(中)《嘉礼都監儀軌》。女官がノウルを被った姿。(右)《嘉礼班次図》。医女が氈帽を被った姿。

旗手巾

た。馬は、男性にとっても遠路を移動するための交通手段であった。
(趙琓默)

キボク〔起復〕기복
国に重大事が起きたときに、喪中の官吏を3年喪が明ける前に再任命したこと。

キボク〔碁服〕기복→同碁年服

キセンボク〔妓生服〕기생복
朝鮮時代に妓女が着た服。外出時には、軟粉紅色（薄桃色）のチマ（スカート）に緑の▶半回裝チョゴリ（衿・袖口・結び紐が別色の上衣）を着て、氈帽を被る。低い身分にもかかわらず贅沢が許され、頭の飾りに金銀のメッキを用い、高価な絹織物の服を着ることができた。

キスゴン〔旗手巾〕기수건
朝鮮時代、▶観察使（≒道知事）または官員（官吏）が出かける際に、令旗を手にする旗手が被った頭巾。末広がりの梯子形で、てっぺんに三つの突起がある。

キハムン〔幾何紋〕기하문（기하문양〔幾何文様〕）
文字・点・線などを組み合わせた抽象的な文様。古代から用いられた文様で亞字紋・卍字紋が最も多く、他の文様に添えられ、これを飾る目的で使われてきた。朝鮮時代に主に用いられた亞字紋は雷紋とも呼ばれ、仏教で吉祥の標章でもあった卍字紋は庶民階層によく使われた。これらの幾何紋は吉祥を表す他の文様と組み合わせて様々に変形され、生活用具の装飾に広く用いられた。→紋様

キヘ〔妓鞋〕기혜
朝鮮時代に、歌舞伎生たちが舞台服飾として履いた靴。▶白皮鞋・▶烏革履・▶ムウリ・▶ピドゥリなどの種類があり、踊りに合わせて履き分けた。白皮鞋は白皮の靴に紐が付いたもので処容舞を舞うときに、烏皮履は黒皮の靴に青鼠（蝦夷栗鼠）の皮で底当てをし蓮華舞を舞うときに、ムウ

妓生服 《妓女図》（部分）。ユ・ウンホン（1797〜1859）画。個人所蔵。

キンサ〔緊紗〕긴사

リは側面に赤い毛氈を当てて紐を付け、靴先には雲紋を入れて毛玉を付けて望仙門を舞うときに、ピドゥリは側面に緑の毛氈を当てて刺繍を施し紐を付け、靴先・踵に赤い毛玉や雲紋を入れ、ムウリと同様に望仙門を舞うときに履いた。

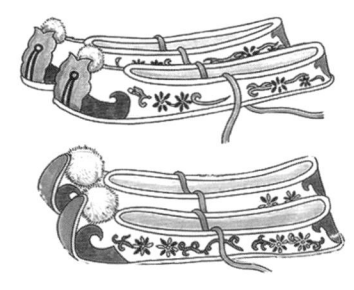

妓鞋

キンサ〔緊紗〕긴사
絹織物の一種。織り目が細かく、薄いのが特徴である。

キン-チョゴリ 긴저고리
丈が腰まである▶チョゴリ（上衣）。チョゴリは時代とともにその形が変化するが、中でも丈が短くなったのが特徴である。朝鮮時代初期には、丈が腰の下までくるほど長く現在の2倍ほどあり、衿幅も現在の3倍ほどあって角張っていた。中期になっても丈に変化はなく、外衿・内衿の長さに意識的に差を付けることはなかったが、▶タンコギッ（尖った衿先）が定着した点が注目される。後期になると後身頃がかなり短くなり、衿幅も半分ほどに減って衿先の突起が目立つようになった。また、現在と同様に内襟が外襟よりも明らかに長くなった。→チョゴリ

キンチョゴリ　1907年。

キン-チマ 긴치마
▶チマ（スカート）の一種。朝鮮時代に、上尚（正5品女官）をはじめとした女官たちが着た下着。上尚以下の女官は紅色、歩行内人は黄色、騎行内人は鴉青色（濃い藍色）など、階級により差別化されていたが、生地はみな▶紬（平織の絹織物）を用いた。

キル 길（みごろ〔身頃〕）
▶チョゴリ（上衣）・▶トゥルマギ（<外衣）など上衣の主体となる、襟・袖以外の大きな部分。洋裁では「モムパン」ともいう。

キルギョン〔吉慶〕길경
朝鮮時代の宮中舞踊であった処容舞の服飾に用いた布。表・裏は絹（生糸の絹織物）で、両端に緑の▶緋緞（朱子織の絹織物）を縫い繋いである。処容舞は踊り手が五方位に広がって舞うが、東・西・北・中央の踊り手の絹は紅色、南の踊り手の絹は黒であった。全体の長さは12尺（約5.6m）、幅は2寸（約9cm）で、両端部の長さは1寸半（約7cm）であった。両端はツバメのくちばし状になっており、黄色の玉が三つ付いている。（《▶楽学軌範》巻9処容冠服図説）→処容舞服

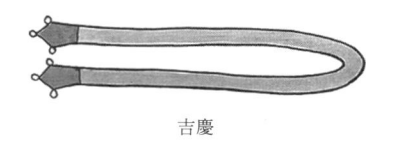

吉慶

キルレ〔吉礼〕길례
五礼の一つ。凶礼、すなわち喪礼と葬礼以外のすべての祭祀儀式を指す。民間の吉礼は、個人生活に沿ったものに限定されるが、王家のそれをはじめとする国家的な吉礼は、その範囲が広い。これについては《国朝五礼儀》《▶春官通考》《▶大典会通》などに規定されており、おもな祭祀の対象は社稷（土地・穀物の神）・宗廟（朝鮮王朝の祠堂）・宮殿・稜・廟などである。

キルボク〔吉服〕길복
喪明けに着る普段着。喪に入って1年目の小祥に大祥服を着、2年目の大祥に禫服を着て、その2か月後に禫服を脱いで吉服を着る。15世紀前半、朝鮮時代の世宗の代には、国喪に際して全国民が足かけ3年白衣を着ることとしたが、結婚式を挙げた家では3日間吉服を着ることが許された。（《▶朝鮮王朝実録》世宗4年10月）

キルサンムン〔吉祥紋〕길상문（きっしょうもん〔吉祥紋〕）
めでたさと幸運を象徴する紋様。めでたいことを望む人間心理は実在しない動物や花を想像の中で考え出し、これを生活の中に表現しようとして各種の紋様を生みだした。めで

キルサム　길쌈

吉祥紋

たく神がかった動物としては、竜・麒麟・鳳凰・迦陵頻伽が、植物としては法相華が好んで用いられた。蓮華紋・宝珠紋や、吉祥寿福が集まるとされる卍字も、仏教的な吉祥紋である。先史時代の土器にも見られる雷紋は雨を呼ぶものと信じられ、今日でも建築をはじめ簾・莫蓙に多用されている。鶴亀が好まれるのも長寿を願う心からで、これは十長生紋にまで発展する。この願いはより具体的で簡潔かつ直截的な表現となり、「寿」「福」「富」「貴」「康」「寧」「囍」などの文字を図案化するようになった。宇宙万物を生み出す源とされる太極も文様となったが、いずれも吉祥紋である。我々の日常生活に用いられる文様をよく見ると、いずれも吉祥を願う気持ちから生み出されたものであることがわかる。
（朴世元） →紋様

キルサンサ〔吉祥紗〕 길상사
絹織物の一種。生糸で織ったもので、夏用の服地にする。縁起がよくめでたい服地との意味から名付けられたもので、朝鮮時代の高宗24年（1887）に李容遬が国王の居所である大殿に奉納した各色佩物・緞（朱子織の絹）・紗（捩織の絹）に吉祥紗10疋と純粉紅（桃色）の吉祥紗10疋が含まれていた。《宝物進上撥記》1887年10月）

キルサンオムン〔吉祥語紋〕 길상어문
吉祥を意味する漢字を用いた文様。朝鮮時代には服・▶チュモニ（巾着）・装飾品などに刺繍や金箔・金織（金襴）で施し、また工芸品にも用いられた。「子孫昌盛」「寿」「福」「貴」「康」「寧」などが多用されたが、書体は楷書よりも篆書が主体であった。→紋様

キルサム　길쌈
我が国の伝統的な紡績・製織法。主に家庭で行われたもので、麻・繭・苧麻・綿花などの繊維原料を麻布・絹織物・苧麻布・綿布などに織り上げるまでのすべての工程を指す。キルサムは大きくシルジャッキ（紡績）とピリュクチャギ（製織）の2工程に分けられ、製織はさらにペナルギ（整経）・ペメギ（糊付け）・クリガムキ（整緯）・チャギ（機織り）の4工程に分けられる。伝統的な技法においては、紡績は絹糸・麻糸・苧麻糸・木綿糸などで方法が異なるが、製織はどのような糸を用いても同じやり方で行われる。

■歴史
我が国における紡績・製織の歴史は、5千年以上になるものと推定される。我が国のキルサムに関する最初の記録は、紀元前3～2世紀のものである。また、麻・絹・苧麻などのキルサムに用いられた紡錘車が出土し、《後漢書》に「馬韓の人々は農業を行って養蚕技術を持っており、綿布を織る」（《後漢書》東夷列伝第25馬韓）とあり、《三国志》にも「養蚕技術があり縑布を織ることができる……衣服は清潔で髪は長く伸ばしている。やはり広幅細布を織る」（《三国志》巻13東夷伝第30弁辰）とあることからして、いち早くキルサムが行われていたことがわかる。三国時代になってからはさらに発展して彩綾羅・罽繡錦羅・繐羅・野草羅などの高級織物を生産し、新羅では朝霞房のような織造所を設けていた。高麗時代にも染織署を設置して麻織匠を置き、専門的に反物を織らせた。特に高麗の▶白紵布は目が細かいうえに花紋まで織り込まれており、中国でも高麗織紋紵布と呼ばれ高く評価された。高麗時代末には文官文益漸が中国からワタの種を持ち帰ったことにより木綿の製織が一般化したが、絹・麻・苧麻よりも手間がかからず丈夫なため、服飾生活に大きな変化をもたらした。朝鮮時代には、忠清道韓山の苧麻、京畿道高陽の木綿、慶尚道安東の麻

95

キルチャン〔吉杖〕 길장

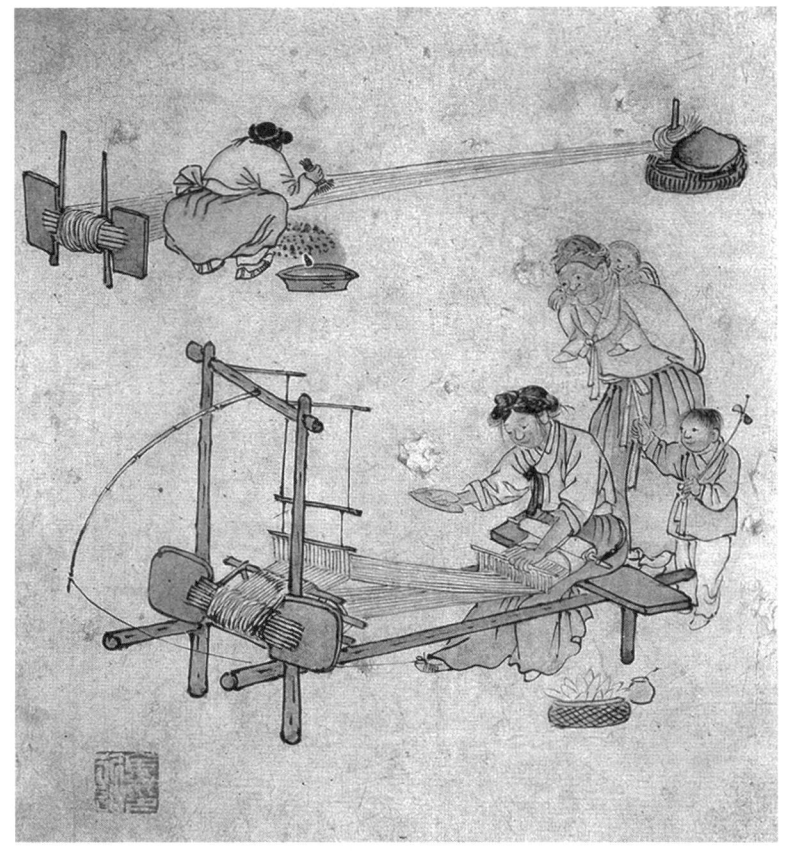

キルサム　金弘道画。国立中央博物館所蔵。

服の大部分がこれである。直領には
▶常服（国王・官吏の執務服）のよう
に▶ム（脇布）の付いたものもある。
同じ直領でも、襟が裾まで直線のも
のと、衽にかかる部分から曲がって
いるものとがある。直領の袍は高麗
禑王13年（1387）の官服改定で初め
て公服に取り入れられた後、朝鮮時
代初期には庶民の外出着となり、末
期の高宗の時代には各種の袍が廃止
されトゥルマギに統一されて、今日
に至っている。

盤領は円形の襟で、同じく曲線か
らなる曲領が胸前で合わせるのに対
し右肩で合わせるようになってお
り、首の露出が少ない。明の《三才
図会》や《大明集礼》に盤領の絵が
見られる。朝鮮時代には団領が制度
化され、盤領は見られない。

団領も丸い襟だが、曲領に比べて
襟ぐりが広く、下に着た服の直領が
現れる。団領の袍は国王の儀礼服の
一つで、官吏の▶公服（国王謁見服）
ともされ、一般庶民にとっては最高
の礼服であった。朝鮮時代初期の団
領は、襟ぐり・襟幅ともに狭く、下
の直領もほとんど見えないが、時代
が下るにつれ襟ぐり・襟幅ともに広
くなり、直領が大きく顔を出すよう
になった。団領の下に着るのは、▶
チョルリク・▶液注音袍・直領など
である。団領は▶紗帽とともに着用
され、朝鮮時代の▶祭服（祭祀服）・
▶公服（国王謁見服）・▶常服（執務服）
の襟はみな団領であったが、団領・
紗帽は朝鮮時代後期になって一般男
子の婚礼服としても着られるように
なった。1894年の制度改革甲午更

が有名であった。

キルチャン〔吉杖〕 길장
朝鮮時代に、▶嘉礼の儀式に用いら
れたすべての儀仗の総称。

キルチョンチュンムン〔吉丁
虫紋〕 길정충문
文様の一種で、三国時代に服や装身
具などに用いられた。玉虫を文様化
したもので、羽は金緑色または金藍
色を帯び、両羽の中央には紫の金属
光沢を持つ緑が用いられる。同玉
虫紋・緑金蟬→玉虫飾

キッ（えり〔襟・衿〕）
上衣の▶袍や▶チョゴリの構成要素の
うち、首を包む部分。襟は形によっ
て曲領・直領・盤領・団領・方

領などに分けられ、また文様を施
したものに襜領などがある。また
チョゴリ（上衣）の襟は、細部の形
によりパンダルギッ（半月襟）・木
板ギッ・半木板ギッ・トングレ
ギッ・タンコギッなどと呼ばれる。
袍類の場合、直領・団領などの襟の
名称がそのまま衣服の名称となるも
のが多い。

曲領は丸みを帯びた襟で、《三国
志》と《後漢書》は、朝鮮半島北部
から満州にかけて居住していた民族
である濊（わい）は、男女皆が曲領
であったと記している。

直領は真っ直ぐな襟で、三国時代
の古墳壁画に見られる▶襈を当てた

直領　　　　　　　　曲領

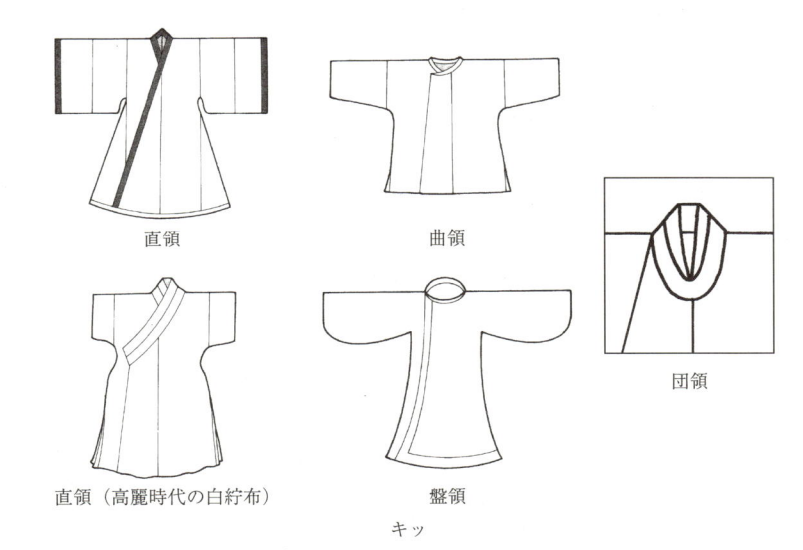

団領

直領（高麗時代の白紵布）　　盤領

キッ

張の際に、服制が簡素化されて公式服が盤領窄袖に変更され、同年12月に朝廷官吏の大礼服も黒団領となった。

　その他、方領は角張った襟で、戲領は国王と王世子（皇太子）の▶章服の▶中単の襟に▶黻紋（亞字紋）を施したものである。

　以上の各種の襟は、時代により長さ・幅・襟先など形態に変化を見せる。（高福男）→袍・チョゴリ

キッコデ　짓고대→同コデ

キックァンモク〔キッ広木〕 짓광목
生の綿織物で、黄色みを帯びているため日に当てたり漂白して用いる。

キッタンモク〔キッ唐木〕 짓당목
漂白していない唐木（輸入木綿布）のこと。

キドッ　짓옷
①漂白していない木綿や▶広木（幅広の綿織物）で仕立てた喪服。遺族が死後約3か月で行う卒哭まで着る。

②→同羽衣

キッ-ウンドゥ　짓운두（えりこし〔襟腰〕）
襟の折り返しの内側部分の高さ。

キッ-チョゴリ　짓저고리→同ペネッチョゴリ

カマク-クァンジャ〔カマク貫子〕 까막관자
▶網巾に▶タンジュル（結び紐）を通すために付ける貫子のうち黒いもので、玉貫子や金貫子に対していう。また、玉貫子や金貫子の付けられない官吏を蔑んで呼ぶことば。

カチ-トゥルマギ　까치두루마기
朝鮮時代末期に、子供が大晦日に着た五色の▶トゥルマギ（＜外衣）。大晦日は幼児語で「カチソルラル」（カササギの元旦）といわれるのでこの名があるが、良い便りをもたらすとされるカササギの名を冠して、元旦の喜びを表そうとした命名といえる。基本的な形は普通のトゥルマギと同じであるが、部分ごとに色分けをしてあるのが特徴である。方位を表す五正色（赤・青・黄・白・黒）のうち中央を表す黄色を前面中央の左衽に配し、身頃は軟豆色（黄緑）、袖は軟豆色または色トン（色縞）とした。裏は粉紅色（桃色）である。男児用・女児用で襟・▶コルム（結び紐）・▶ム（脇布）の色を変え、男児用は襟・コルム（結び紐）・▶トルティ（帯）を藍色、ムを紫に、女児用は襟・コルム・トルティを赤か紫、ムを藍色にした。このように五色に仕立てたトゥルマギは正月の晴

カチトゥルマギ　セクトン（色縞）カチドゥルマギ。国立古宮博物館所蔵。

97

れ着として用いられたが、今日では満1歳の誕生日であるトルに着せる子供服として愛用されている。

カチドゥルマギは▶風遮パジと▶色トンチョゴリを着た上に纏い、その上に▶戦服を着てトルティを締めた。頭には▶幅巾や虎巾を被り、▶タレボソン（綿入れ刺し子足袋）と▶太史鞋を履いた。トルティには12か月を象徴する12個の▶チュモニ（巾着）を垂らし、富貴栄華を願った。
同五方ジャントゥルマギ

カチ-トゥンゴリ 까치등거리
朝鮮時代に、罪人に鞭を打つなどの刑務を担当した羅将が着た服。→羅将服

カチソン〔カチ扇〕 까치선
家庭で女性が用いる八角形または円形の▶プチェ（扇）。地の全体をX状に上下左右に区切り、上下は赤、左は黄色、右は青という具合に塗った布などを貼り付けて色分けし、中央に太極文様を置く。太極扇ともいう。柄は木を削ってはめるが、黒く塗ることもある。

カルテギ-チョンゴン〔カルテギ戦巾〕 깔대기 전건
▶巾の一種。朝鮮時代に、犯罪者の取調機関であった義禁府の羅将や法務機関であった刑曹の牌頭、または軍の罪人を取り扱った牢子たちが儀式の際に被った、先の尖った巾。厚紙を▶コッカル（山形頭巾）のように折って、前面に幅広の厚紙板を縦に貼り、黒く塗った。義禁府の羅将がこれを被るときには、▶カチトゥンゴリを着て、朱杖を手にした。

カルテギ戦巾

ケッキ 깨끼
▶紗（捩織の絹織物）などの素材で、表地・裏地ともに縫い目を▶コプソルにして服を仕立てるやり方。

ケッキ-オッ 깨끼옷
表地・裏地ともに縫い目を▶コプソルにして仕立てた▶紗（捩織の絹織物）の袷。夏服で、銀造紗（銀条紗）・チュンジュ紗・生庫紗・ノバンなどの薄く透けた生地で表・裏を仕立て、縫い目はコプソルとして縫い代はすべて切り落とす。生地が透けて見えるので、表地と裏地が重なって自然に生じるモアレが美しい。縫い代が残らず縫い目が非常に細く目立

ケッキオッ

たないので、清涼感がある。

コクトゥギ 꺽두기
朝鮮時代末期に女性や子供たちが履いた、唐鞋に似た革の靴。荏胡麻油を含ませ、靴底の側面には鉄鋲を打ってある。

コックム-ソル 꺽음솔
裁縫で、縫い目を処理する方法の一種。縫い合わせる生地の表と表を合わせて仮縫いし、並縫いなどで縫い合わせてから、縫い代を片方にまとめて折り、アイロンがけをする。▶チョゴリ（上衣）の背縫いなど、古代から韓服を仕立てる際に多用された技法である。→パヌジル

コリ-チマ 꼬리치마
▶チマ（スカート）を腰に巻いたときに、後ろの裾をつかんで前面に回したスタイル。また、そのようにして身に付けるチマ。チマを右前に合わせたときは左手で、左前に合わせたときは右手で裾を引き上げ、後ろの裾に美しい曲線を出した。

コア-イッキ 꼬아잇기
裁縫で糸を継ぐ方法の一種。新たに継ぎ足す糸の端を二つに割り、割目に今使っている糸の端を挟んで、この3本を撚る方法。→パヌジル

コクトゥソン〔コクトゥ扇〕
꼭두선→同コプチャンプチェ

コンサ〔コン糸〕 꼰사→同撚糸

コプチャン-プチェ 꼽장부채
プチェ（扇）の一種。親骨の要の近くに焼いた骨や黒い木を当てて作る。扇の骨の曲線が油紙の中に美しく透けて見え、表面には太極文様や花草を描いた。同コプチャン扇・コクトゥ扇→プチェ

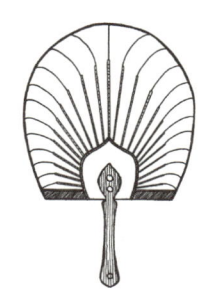

クシンゲ 끄싱개

コプチャンプチェ

コプチャンソン〔コプチャン扇〕꼽장선→コプチャンプチェ

コッタンヘ〔コッ唐鞋〕꽃당혜
色とりどりに飾った子供用の靴。(同)メクシン→唐鞋

コッミョンジュ〔コッ明紬〕꽃명주
絹織物の一種。平織の地に綾織で文様を入れたもの。経糸に諸撚糸、緯糸に片撚糸を用い、色も縦・横で異なるものを用いた。主に▶チマ（スカート）・▶チョゴリ（上衣）・▶マゴジャ（ボタン式の簡易な上着）の服地にする。

コッミトゥリ 꽃미투리
▶ミトゥリ（麻草履）に各種の色柄を施したもの。一般の女性が外出用に用いた。→ミトゥリ

コッチュル-チャンシク〔コッチュル装飾〕꽃줄장식
女性の高級外套や毛の襟巻きで、裏地を付けた縫い目を美しく飾るために付ける線。バイアスの両側に割った縫い代の端どうしを1針かがり、このかがった点を0.7cm離れたところのバイアスの中心にかがり合わせる。これを繰り返すことにより、花が連続したような線が生まれる。

クミン-チョクトゥリ 꾸민족두리

クミンチョクトゥリ　1・2・3：温陽民俗博物館所蔵。4：国立民俗博物館所蔵。5：国立古宮博物館所蔵。

朝鮮時代に宮中や士大夫階級の女性たちが礼式の際に用いた冠帽の一種。黒絹の端切れを数枚つなぎ、中に綿を入れて本体とした▶チョクトゥリで、底辺は円形だが帽頂は六角形である。「クミン」とは「飾った」という意味であるが、その名のとおり玉板に珊瑚・翡翠・真珠などの宝石を縫いつけてある。18世紀半ば、朝鮮王朝の英祖の時代に、加髢禁止令が下り髢が使えなくなったため、代わりにクミンチョクトゥリが流行した。

クシンゲ 끄싱개
機織りで、整経作業に用いられる道具。機織りをするためにはその前段階として▶ペトゥル（織機）に設置する▶トゥマリ（緒巻：経糸を巻きつけるもの）が必要だが、このトゥマリに経糸を巻き付ける際にクシンゲを用いる。この経糸を巻く作業を▶ペメギといい、経糸の本数を合わせてパディ（おさ）に通してからトゥマリに固定し、糊つけをしながら巻いてゆくが、このときクシンゲが糸の張りを保ってくれる。木の板に立てた柱に経糸のかせを巻き付け、重しに石を載せたもので、トゥマリに糸が巻かれてゆくたびに引きずられるために「クシンゲ」（方言で「引っ張られるもの」の意）と

クシンゲ

呼ばれる。

クンモク　끈목（くみひも〔組み紐〕）

▶メドゥプ（飾り結び）などに用いるために数本の糸を組んだ紐。クンモクの起源は、樹皮や獣の皮をそのまま細長く裂いたものや草木の蔦であった。これをより丈夫で切れにくくするために2本を合わせて撚り、次に3〜4本をなうようになり、さらに発展して4本以上を複雑に組むようになったものである。このように繊維を撚り合わせるというクンモクの基本原理は、毛・麻・木綿・絹など繊維の種類や構造の複雑さを問わず共通である。クンモクの種類としては、撚り合わせた糸をさらに2本・3本と撚り合わせるものと、4本以上を互い違いに組むものとに分けられる。朝鮮時代には、組み上げた糸を▶多絵（タフェ）と呼び、これを組むことを「多絵チンダ」といった。多絵には、広多絵（クァンダフェ）（平組み紐）と童多絵（トンダフェ）（丸組み紐）とがある。広多絵は主に服の上に締める帯に用いられるもので、幅のある平織のものを指し、童多絵は▶ノリゲ（女性韓服用の房飾り）、▶チュモニ（巾着）の紐などや▶流蘇（ユソ）（房飾り）などに用いるために組んだもので、断面が円形のものを指す。多絵は、組む紐の数により4糸・8糸・12糸・16糸・24糸・36糸などと呼ばれる。このうち、12糸のみは平らな平織で、16糸以上は2、3人が向かい合って座り、糸を互いに回し合いながら組んだという。(参考) キム・ウニョン《伝統メドゥプ》→⑥多絵

クンースル　끈술

▶メドゥプ（飾り結び）を作る際に、用いる組み紐自体を房にして垂らしたもの。主に▶ノリゲ（女性韓服用の房飾り）に用いられ、王室用の▶カマ（輿）の▶流蘇（ユソ）（房飾り）にも用いられた。

クルシン　끌신→⑥ペトゥルシン

クットン　끝동

女性の▶チョゴリ（上衣）の袖先に当てる別の色の布。藍色や紫朱色（チャジュセク）（赤紫）がよく用いられ、既婚の女性のみが付ける。朝鮮（チョソン）時代には、藍色のクットンが男の子がいることを表したこともあった。

クットン　クットンチョゴリ

クッーメドゥプ　끝매듭（たまどめ〔玉留め〕）

裁縫で、縫い終わった後に糸を結ぶ方法。また、その結び目。左手に持った針に右手で糸を数回巻いてから、針を抜いて結び目を作る。→パヌジル

ㄴ ナ

ナ〔羅〕 나〔라〔羅〕〕
三国時代以降使用された、粗く薄い絹織物。4本の経糸を一組にした複雑な組織である。軽くて柔らかく通気性に富んで▶紗に似ており、織り方により菱形や格子文様が現れる。生羅と熟羅とに区別される。中国では漢の時代にはすでに使用されていたという。高句麗では紫羅・白羅・青羅・絳羅、百済では烏羅などを官吏の制帽に使用した。新羅では野草羅・乗天羅・越羅・布紡羅・錦羅・罽羅・五色羅などを貴族層の衣服に多用した。高麗時代には紫花羅・紅花羅・白羅・絳羅・線羅・毛羅・青羅などを上流階級の衣服に使用していた。それぞれの特徴は不詳だが、色・文様・組織・素材等により命名されたものと思われる。

ナグァリプ〔羅裹笠〕 나과립
表地を羅で作ったカッ〔笠〕。附竹笠・縄笠と同じく、在野の儒学者・庶民・工商人には着用が禁止されていた。(《▶朝鮮王朝実録》中宗17年8月乙酉)

ナダン〔羅緞〕 나단
▶チュラン糸（艶のある綿糸）で織った反物。明の弘治年間（1488～1505）に、富裕層の女性たちが羅緞に金彩を織り込んだ通袖裙を着ていたとの記録がある。(《▶五洲衍文長箋散稿》巻15東國婦女首飾弁証説)

ナーテホン−チックム−コルリョンポ〔羅大紅織金袞竜袍〕 나대홍직금곤룡포
大紅羅（真紅の捩織絹織物）に金糸で華麗な模様を織り込んだ▶袞竜袍（国王の執務服）。朝鮮時代の世宗26年（1444）に明の皇帝が下賜した物品の中に含まれていた。(《▶朝鮮王朝実録》世宗26年3月丙子)

ナレ〔儺礼〕 나례
陰暦の大晦日の夜に、宮中や民家で悪鬼や邪神を追い払うために行われた儀式。高麗時代には既に行われていた記録があるが(《▶高麗史》靖宗6年)、朝鮮時代に入ってからは厄除け以外にも、勅使や監司の出迎えや王の行幸などの際にも執り行われるようになり、広大（芸人）の歌や踊りを添えた娯楽に変わっていった。儺礼の際には処容舞を華々しく舞い、曲芸・雑戯なども行われた。

ナマクシン 나막신（ぽくり〔木履〕）
木を彫って作った履物。木靴の意味の「ナムシン」（または「ナモシン」）の音が「ナマクシン」に転訛したという。前後に高い歯が付いており、朝鮮時代には老若男女を問わずに履かれていた。男性用は前後の歯がはっきりと分離して横から見ると「八」の字型になっているが、女性用は一体型の歯に「人」の字形の溝が掘られており、つま先は尖って表面はすべすべしている。済州島のキリで作られたものが最上品とされ、文禄・慶長の役の後、宣祖33年（1600）ごろから地位の上下にかかわらず用いられはじめた。踵が高く雨天には好都合だが、重くて活動的ではなく、乗馬や遠出には用いられなかった。乾燥によるひび割れを防ぐために表面に溶かした蜜蝋を塗って使用し、つま先に文様を彫ったものもあった。晴天時にもよく履かれたが、特に男児が履いた▶彩屣（彩色靴）は天候にかかわらず履かれた。《▶五洲衍文長箋散稿》には、ナマクシンは歩く姿が傲慢に見えるため賤人や若者は両班（文武官一族）や大人の前で履くことが許されなかったと記されている。㊂脚澀・屐子・木屐・木履・木鞋

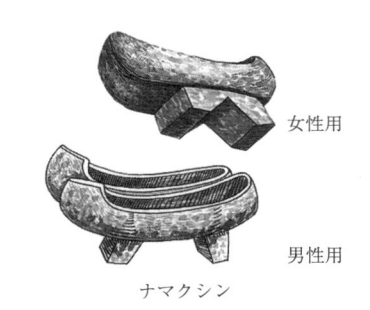

女性用
男性用
ナマクシン

ナブサンデ 나부산대→㊂ヌンソプテ

ナビーメドゥプ 나비매듭
伝統▶メドゥプ（飾り結び）技法の一種で、輪が両側に出ていて蝶の形に作られたもの。▶ノリゲ（女性の韓服用房飾り）の装飾に使われた。

ナビムン 나비문→㊂蝴蝶紋

ナビチュムボク〔ナビチュム服〕 나비춤복
仏教儀式の一種であるナビチュム（蝶の舞）を舞う際の衣装。蝶のよ

ナサム〔羅衫〕나삼

うな服を纏って▶コッカル(山形頭巾)を被り、牡丹の花を手に舞う。ナビチュムは作法(チャクボプ)とも呼ばれる仏教儀式の舞で、仏法を象徴する舞として最も重要なものとされた。梵唄の独唱やチン(銅鑼)のみに合わせて舞うものや、伴奏無しで行われるもの、三絃六角(サムヒョンユッカク)と呼ばれる各種管・弦・打楽器に合わせて舞うものもある。他の韓国舞踊には見られないゆったりとした静かな動作がこの舞の特徴である。この舞は仏法を形にしたものでもあるため、他の舞に比べ衣装も独特である。▶袈裟(カサ)の下に着る▶長衫(チャンサム)は普通白の木綿で仕立てられ、裾丈と袖丈が同じである。胸の中央にはトルティとも呼ばれる幅2cmほどの赤い紐が縫い付けられている。脇口はタンアジといい、前衽をめくると身ごろが八つの仕切りに縫い分けられているが、これを八金剛(パルグムガン)という。また、テリョンと呼ばれる幅20cm程度の華麗な帯状の絹を胸に垂らし、赤い紐で胸に縛る。テリョンの丈は肩から足先まである。

ナサム〔羅衫〕나삼

薄く軽い絹で仕立てられた▶チョクサム(一重の上衣)。女性の夏用礼服で、婚礼の際に新婦が▶ファロッと呼ばれる婚礼服を脱いだ後に着る。軟豆色(ヨンドゥセク)(黄緑)の身頃に紫朱色(チャジュセク)(赤紫)の襟を付け、袖はセクトン(色縞)である。

ナイ 나이→ムミョン

ナジャンボク〔羅将服〕나장복

羅将(ナジャン)の執務服。羅将とは朝鮮時代の下級官吏で、罪人を尋問する際の鞭打ちや、罪人を島流しにする際の護送などを担当していた。《▶経国大典(キョングクテジョン)》に、羅将は皂巾を被り、キッ(襟)・トンジョ(掛け襟)・袖のない青の▶半臂(パンビ)(<上衣)を着るものと定められている。刑曹・典獄署・司憲府の羅将は黒の▶団領(タルリョン)(<外衣)を、司諫院の羅将は土黄団領を着ることでそれぞれ区別され、朱杖(チュジャン)を手にし、▶トアとよばれる帯を締めていた。その後の正祖(チョンジョ)の時代には、孔雀羽が2本挿された戦笠を被り、下半身がスカート形式になっている▶チョルリクを纏い、その上に▶トグレと呼ばれる戦闘服を着て▶戦帯を締め、白い▶行纏(ヘンジョン)(脛当て)を巻き付けて▶ミトゥリ(麻草履)を履いていた。このトグレは《▶経国大典(キョングクテジョン)》に定められた半臂に当たるもので、▶快子(クェジャ)と同様に裾の両脇が割れているものや、さらに背縫いも割れているものがあり、「カチトゥンゴリ」(カササギのチョッキ)とも呼ばれていた。色は所属によって使い分けられていたという。

ナジョン〔螺鈿〕나전(らでん〔螺鈿〕)

漆工芸装飾技法の一種。ヤコウガイ・カラスガイ・シジミガイの貝殻を模様に合わせて切り、木地や漆面に埋め込んだり貼り付ける技法である。中国では唐の時代に螺鈿の技術が著しい発達を見せたが、材料の木や貝殻が南方産であることから、南方から技法が伝わったものと推測される。我が国には三国時代に伝わったものと見られるが、新羅(シルラ)の古墳から出土したと伝えられる宝相華文(ポサンファムン)平脱螺鈿鏡鑑(ピョンタルナジョンキョンガム)が現存する。高麗時代にはこの技法がさらに発展し、宋の使臣であった除競が「その技法は極めて精密で貴重なものと見受けられ、螺鈿の施された馬の鞍も極めて精巧である」と評している。高麗穆宗(モクチョン)の頃には、中尚書に画業・小木匠(ソモクジャン)・韋匠(ウィジャン)・漆匠(チルチャン)・磨匠(マジャン)・螺鈿匠(ナジョンジャン)などを置き、精巧な木漆螺鈿が量産さ

羅将服

ナビチュム服

ナジューセッコル-ナイ〔羅州セッコルナイ〕 나주샛골나이

れた。この様な高麗時代の螺鈿技法は朝鮮時代にも継承され、各種函(木箱)をはじめとした家具類、化粧容器などの装飾品に用いられた。文様は、高麗時代には菊唐草・水禽・牡丹唐草などが主に使われ、朝鮮時代に入ると梅竹・花鳥・十長生・山水など写実的なものが多くなっていった。

ナジョン-チャンチム〔螺鈿長枕〕 나전장침

朝鮮時代に用いられた枕の一種。螺鈿に漆塗りを施したもので、直方体の枕の上部に革を張り、側面には竹・梅・鹿・不老草などが螺鈿により施されている。貝殻の色と黒漆が調和を成しており、中国の螺鈿には見られない独特な文様で優雅な趣を醸し出している。

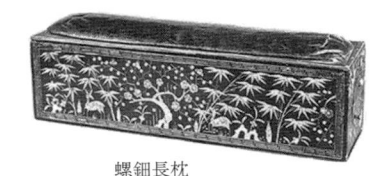

螺鈿長枕

ナジョン-チルキ〔螺鈿漆器〕

나전칠기(らでんしっき〔螺鈿漆器〕)
漆塗りの表面に輝く貝殻片を埋め込み、様々な文様を施した装飾漆器。→螺鈿

ナジェリプ〔羅済笠〕 나제립

三国時代以降着用された▶カッ(笠)の一種。▶折風帽に似たもので、新羅と百済で用いられていたため羅済笠と呼ばれる(《▷芝峰類説》巻19服用部巾冠)。新羅の武烈王以前にはこの地の風俗に従って羅済笠を被り、高麗時代に至るまで公私を問わず常用していた。朝鮮時代に入ると地方官吏のみに限られるようになり、文禄・慶長の役以降は彼らも竹笠を被るようになった。(《▷五洲衍文長箋散稿》巻45笠制弁証説)

ナジョッテ 나좃대

婚礼で使用した照明用具。葦を1尺の長さに切って束ね、赤紙で包んでから油をかけて、蝋燭のように火を点けた。伝統的な婚礼の場合、新郎宅で求婚の儀式を行うと同時に、新婦宅でナジョッテを灯す。

ナジュー-セッコル-ナイ〔羅州セッコルナイ〕 나주샛골나이

全羅南道羅州郡多侍面新豊里のセッコルという集落に伝承される木綿の機織。ここは古くから木綿の機織で有名で、忠清南道韓山のカラムシ、全羅南道谷城のトルシルナイと呼ばれる綿布とともに広く知られ、セッコルナイは綿布の代名詞となっている。

■製織工程

セッコルナイの製織工程は、綿花を摘み天日干しすることから始まる。綿花を摘むときは、ミンムルと呼ばれる最も大きなものから摘み、これを最上級の木綿に仕上げる。その後の花は徐々に質が落ちるが、摘み次第十分に日干しをして種を取り除きやすくする。種分けのことを「シアッキ」というが、シアトゥル(綿繰りロクロ)で種を取り除いた綿は、早朝の露にさらしてから竹を曲げたソムファル(綿打ち弓)で叩く。次に、キビの茎や真竹を軸に綿を細長く巻き付け、コチ(綿筒)を作る。1か所に集めた綿筒は秤にかけて束にし、糸繰により糸を紡ぐ。早糸をムルレ(糸車)の台輪と紡錘の軸にかけて取っ手を回すと紡錘が高速で

羅州セッコルナイ 重要無形文化財第28号。 1綿打ち 種を除いた綿を弓で打つ。弦の振動で綿がほどけるので、これを棒に巻いて綿筒にする。 2筬通し 綿筒から糸車で糸を紡ぎ出し、紡錘に巻く。これをテンイと呼ぶ。整経枠で整経してから、織物の目の細かさに合わせて経糸の本数を決め、1本ずつ筬に通す。 3糊付け 筬通しが終わった経糸を緒巻きに巻き、糊を付ける。

103

ナファリプ〔羅火笠〕나화립

回転する。紡錘にはカラクオッ（またはカルコジャリ）と呼ばれる藁などの被せを当ててから、両手で糸を紡ぎ始める。左手に握った繭から糸を繰り出しながら右手で糸車を右回転させて糸を紡錘に巻きつけてゆくが、両手の動きが合わないと、綿筒から紡ぎ出される糸の太さが均一にならない。紡錘の藁に巻かれた糸をテンイといい1束の綿筒から10個できるが、木綿1正に50テンイの綿糸が必要になる。綿花5斤で20尺物1正が織れる。機織りに用いる筬の40の孔には2本ずつ計80本の糸が通り、これを升という。升数が多いほど糸が細くきめの細かい木綿となるが、セッコルナイは7升から15升までがあり、現在は上等品の12升が一般的である。紡ぎ上がった糸の細さをもとにこれから織る綿布の升数が決まると、整経に入る。整経用の杭を10尺間隔にして固定し、10個の巻き糸から糸を引き出して杭にかけてゆく。長さが出た経糸は、筬に通しながら一方の端をトトゥマリ（緒巻き）に固定し、糸を張ってから粟の糊をまんべんなく塗り、籾殻を炊いた熱で徐々に乾かすが、乾いたときに糸どうしが張り付かないよう棒を挿して隙間を作る。緒巻に巻かれた糸は織機に移され、やっと製織工程となる。〔参考〕無形文化財保護協会、《重要無形文化財》、1986→木綿

ナファリプ〔羅火笠〕나화립
女性の被りものの一つ。高麗時代の▶蒙首に円形の▶カッ（笠）の形が加味されたもので、朝鮮時代に入ると代わりに▶ノウルが用いられるようになった。

らくろうじだいのおりもの
〔楽浪時代の織物〕낙랑시대 직물
楽浪郡の存在した時代（B.C.108〜A.D.313）の織物遺品で、平安南道大同郡石巌里の王旰の墓から出土したもの。この織物は衣服の一部で菱形の地紋があり、赤褐色だが元の色は不明である。また同じ墓から冠の顎紐と思われる薄い黒絹の▶多絵（組み紐）が出土している。多絵の歴史は古代の壁画や土器調査から新石器時代にまで遡ることがわかっているが、この楽浪時代の古い遺物も、我が国の織物の歴史がそれ以前に始まっていたことを窺わせてくれる。精巧に織られており、奈良正倉院にある羅と同一のものと思われる。

ナクチバルースル 낙지발술
ナクチとはテナガダコのことで、そのような形をした房のこと。▶ノリゲや王室用▶カマ（御輿）の流蘇（房飾り）にも用いられた。▶メドゥプ（飾り結び）に用いる▶童多絵（丸組み紐）を数本束ねてそれをタコの足のように垂らしたもので、足に見立てた組み紐束が二つのもの、三つのものがある。⊜クンスル→スル

ナンモ〔暖帽〕난모（ぼうかんぼう〔防寒帽〕）
防寒帽の総称。縁と裏は毛皮で、表は明紬（平織絹）や緞（朱子織絹）などで仕立ててある。種類としては、▶耳掩・▶揮項・▶風遮・満縇頭里・▶アヤム・▶チョバウィ・▶ナムバウィ・▶クルレ・▶ポルッキなどがある。耳掩・揮項・▶マルエクアヤムなどは男性用、風遮・アヤム・チョバウィ・ナムバウィなどは女性用であった。朝鮮時代の文武官・蔭官（名誉職の官吏）の冬季の▶公服（国王謁見服）一式にも暖帽が含まれていたが、陰暦10月1日より翌年の1月晦日までは紗帽の上から被るようにし、堂上官（正3品以上）はテンの皮、堂下官はネズミ皮を使用していた。（《▶五洲衍文長箋散稿》巻45暖耳袘袷護項暖帽弁証説）

暖帽　耳掩の上に梁冠を被った官吏。

ナンサム〔襴衫〕난삼
朝鮮時代の儒学者の衣服。藍絹や玉色（水色）の絹織物で仕立てられ、袖・襟・裾周りに黒い▶襈をあしらった外衣で、科挙の小科に合格した生員や進士などが唱榜（及第発表）の際の礼服として着用した。中国の北魏時代に、学士・大夫が上衣にスカート式の下衣を繋いで着た襴衫が起源である。我が国では、朝鮮時代初期に進士が着用した記録があるが（《▶星湖僿説》巻15人事門）、きちんとした制度があったわけではなく、朝鮮時代中期の宣祖の時代にも襴衫を復活すべしとの上訴があったが、実行はされなかった。（《▶朝鮮王朝実録》宣祖7年11月辛未）

ナニ〔暖耳〕난이
防寒帽の一種。朝鮮の暖耳は公私・

ナニ〔暖耳〕 난이

アヤム

ナムバウィ

チョバウィ

風遮

アヤム　　　　　　ナムバウィ　　　　　チョバウィ　　　　　風遮

婦人用暖帽　温陽民俗博物館所蔵。アヤム・ナムバウィ・チョバウィ・風遮を被った姿。アヤムは頭部のみ覆うもので、幅広いカワウソ皮を用い、後ろにテンギを垂らしている。最上部に珊瑚珠を通した組紐を付け、前後を玉板と小さな房で飾っている。ナムバウィは、頭部と耳を覆うようになっており、縁に毛を付けてある。チョバウィは後頭部を開けて髻が外に出るようになっており、毛は付いていない。風遮は頬まで覆うようになっている。男性が被ることもあるが、女性用よりも大きい。

105

貴賤・文武により各々形が異なり、冬でも王命が下らなければ官吏に着用は許されなかったという。(《▷五洲衍文長箋散稿》巻45暖耳袹袏護項暖帽弁証説)→同耳掩・披肩

ナル　날→同経糸

ナルサンイ　날상이
綿織物の経糸を10本ずつ一束にする機具。全羅南道ではコムレという。土台になる2本の横木に糸車で紡いだ巻糸の軸を通す孔が10個ずつ開いており、上部の横木には引き出した糸を通す10個の鉄環がある。巻糸の軸を2本の横木に通して支え、糸を鉄環に通して、引き出し束ねてゆく。同ナルトゥル

ナルサンイ　国立民俗博物館所蔵。

ナルサントゥ　날상투→同魁頭　露紒

ナルトゥル　날틀→同ナルサンイ

ナムバウィ　남바위
朝鮮時代初期より用いられた防寒帽の一種で、当初は上流層の男女に限られていたが、後に使用範囲が広まり庶民にも被られるようになった。文武官も▶紗帽の上からこれを被った。《▷経国大典》冠の条には、堂上官(正3品以上)は▶緞(朱子織の絹)とテン皮、3品以下9品までのものは▶綃(生糸の絹織物)とネズミ皮で作るものと定めてある。また、民間ではカワウソの皮を用いたが、高価なためイタチの皮を使うようになったという。頭から耳までを保護するが頭頂部は開いており、後部の尾が長く首根っこを覆うようになっている。▶チョバウィとは異なり縁に毛皮を当て、前面上部には房・宝石・メドゥプ(飾り結び)などで装飾が施されている。素材は表地に絹を、裏地は絹か綿布を用い、裏には毛皮や▶絨(毛氈)を打ち、綿入れにもした。男性用は黒の表地に草緑の裏地、女性用は藍と紫の表地に草緑の裏地、子供用は緑の表地に赤の裏地を主に用いた。同プンデニイ→暖帽

ナムセク〔藍色〕　남색(あいいろ〔藍色〕)
青と紫朱色(赤紫)の中間色。五行説では木に当たり、東方・春を意味する。王妃や東宮妃(皇太子妃)のみが藍の▶ス襴段チマ(金襴入りスカート)などを着ることが許され、東宮妃(皇太子妃)の大礼服である▶翟衣も地は藍であった。一般人たちは無地の藍チマを着た。15世紀前半の世宗の時代には、青の染料が高価で、また深紅・黄土・玉色(水色)とともに藍色の服は倭服(日本人の服)に似ているとして禁じられたこともあった(《▷朝鮮王朝実録》世宗22年10月己亥)。《▷四礼便覧》(巻1冠礼)は、▶襴衫・▶四揆衫は藍色の絹で仕立てると定めている。

ナムスラン-チマ〔藍▽膝襴チマ〕　남스란치마
▶ス襴段(金襴)の施された藍色の▶チマ(スカート)。朝鮮時代の燕山君10年(1504)に、尚衣院(衣服所管庁)が「紫と藍のス襴を大内(国王の居所)に搬入せよ」と命じられた記録があり、藍ス襴チマは既に16世紀初めには着られていたものと思われる。(《▷朝鮮王朝実録》燕山君10年8月辛酉)→ス襴チマ

ナムシン　남신
▶ナマクシン(木履)の済州島方言。主に済州島の農村で雨天に履かれたもので、桜の木が用いられた。男性用は大きく厚めで、焼きゴテで太い線の文様が施され、女性用は薄く軽量で、繊細な線を焼き込んで趣を出している。前後の歯はいずれも5cmほどの高さで、二の字型(平行)に付けられている。朝鮮半島本土のナマクシンは歯が横から見て八の字型に広がっているが、済州島のナム

ナムシン　(上)男性用(下)女性用

ナピル〔蝋纈〕 납힐（ろうけつ〔蝋纈〕）

シンの歯は「∏」の字型で歩きやすくしてある。→ナマクシン

ナミョ〔藍輿〕 남여
天蓋のない小型の乗り物。▶軺軒と同じような椅子に長柄が付いただけのもので、天蓋を付けないことで山道など細い道の通行を可能にした。前後2人ずつの4人で長柄を担ぐ。《三才図会》に載っている藍輿は竹を編んで作ったとの説明があり、現存のものとは異なるようである。㊂ 竹輿・竹轎・擔子・兜子→カマ

ナムチョゴリ〔藍チョゴリ〕 남저고리
藍色の▶チョゴリ（スカート）。朝鮮時代に女妓が宴の席で▶黒長衫の下に着たもの。藍色の▶緋緞をはじめとする▶羅・綾・絹などの絹織物で仕立てられ、紅色の▶明紬（平織絹）で裏打ちをした。

ナムチョンデ〔藍纏帯〕 남전대
朝鮮時代に武官が▶具軍服を着る際、▶戦服の上に締めた藍色の纏帯。→戦帯・纏帯

ナムチュウイ〔藍紬衣〕 남주의
藍色の▶明紬（平織絹）で仕立てられた上着。朝鮮時代に楽工（宮中楽士）が着たもので、丸襟で袖が細い。文官服を纏った俗楽の舞手が保太平を舞うとき、楽工38人全てが▶進賢冠を被り、藍袖衣と黒の▶襈をあしらった赤いチマ（スカート）を身に付け、赤の▶抹帯を締め、白い麻の▶ポソン（足袋）と黒の革靴を履いた。定大業を舞う際には、楽工71人全員が▶皮弁を被り、保太平と同じ服装をした。（《▶楽学軌範》巻2俗楽陳設図説）

ナムチョルリク〔藍▽帖▽裏〕 남철릭
藍色の▶チョルリク。朝鮮時代に堂上官（正3品以上の官吏）が着た▶戎服（軍服）である。→チョルリク

ナプカサ〔衲袈裟〕 남가사
端切れを刺し子にして仕立てた袈裟。高麗時代には、国師（国の最高僧）が偏衫の上に山水衲袈裟を纏った。（《▶宣和奉使高麗図経》18）→国師服

ナプグク〔蝋屐〕 납극
溶かした蜜蝋を表面に塗った▶ナマクシン（木履）。蜜蝋が乾燥によるひび割れを防いだ。→ナマクシン

ナプキル〔納吉〕 납길
一家の廟で占いをし吉兆を新婦宅に知らせる儀式で、婚姻の決め手となるもの。伝統婚礼儀式である六礼の一つ。六礼とは納采・問名・納吉・納幣・請期・親迎を指すが、実際には朱子の《家礼》に従い、議婚・納采・納幣・親迎の四礼が一般に行われてきた。

ナビ〔衲衣〕 남의
僧侶が着る上衣。一般に墨で染めた灰色の綿布の端切れを縫い合わせたり、刺し子にして仕立てる。僧侶が自らを謙遜して衲子と呼んだのはこれに由来する。

ナプチャク-ヌビ 납작누비
裁縫技術の一つ。綿を薄めに入れ、大柄の刺し子にすること。2枚の布がずれて縫い目が不均等になったり歪まないよう、注意しながら縫う。

ナプチャク-メドゥプ〔ナプチャク▽毎▽緝〕 납작매듭
「井」の字型の両脇に輪を作った▶メドゥプ（飾り結び）。▶ノリゲ（女性の韓服用房飾り）の上部によく使われる簡単なメドゥプである。

ナプチン〔納徴〕 납진→㊂納幣

ナプチェ〔納采〕 남채
伝統婚礼儀式である六礼の一つで、新郎側が求婚する儀礼。現在は納幣と同義に用いられる。→納幣

ナッペ〔納幣〕 납폐
伝統婚礼儀式である六礼の一つで、新郎側が新婦側に書信と贈り物を届ける儀式。青と赤の絹で丁寧に包んで渡した。㊂納徴

納幣

ナピル〔蝋纈〕 납힐（ろうけつ〔蝋纈〕）
染色技法の一種。三国時代から様々な文様の染色に使われてきた技法で、今日の蝋染と同じものである。木蝋（漆の実から採った蝋）に松脂を混ぜたものをペン・筆・刷毛などで布に塗って文様を描いたり、布全面に塗って固めてから亀裂を入れ、蝋の付いていない部分に染液を浸透させて染める。→㊂葛纈

ナン〔囊〕 は

ナン〔囊〕 낭 →同チュモニ

ナンジャ〔囊子〕 낭자 →同チュモニ

ナンジャモリ〔娘子モリ〕 낭자머리
朝鮮時代に、女性が礼装の際にした髪型の一種。後頭部の低い位置に髷を結い、▶ピニョ（簪）を挿した。→同チョクッチンモリ

ネガビ〔内甲衣〕 내갑의
▶カボッ（鎧）の下に着た服。陸軍博物館所蔵の内甲衣の表地は藍色の木綿、裏地は水色の麻で、綿入れになっている。綿の中には細い針金でできた網が二重に入り、弾丸から体を護ってくれる。（李康七）

ネゴンモク〔内供木〕 내공목
服の裏地にする質の悪い木綿。同ウェナンモク

ネデジャ〔裡襨子〕 내대자
▶ペレンイ（笠）の一種で、夏用の日よけ笠である。竹ひごを編んだ型枠に絹を被せたもので、身分の高い人たちに用いられた。（《星湖僿説》巻4万物門）

ネジュ〔内紬〕 내주
地の粗い質の悪い絹。裏地として使われる。

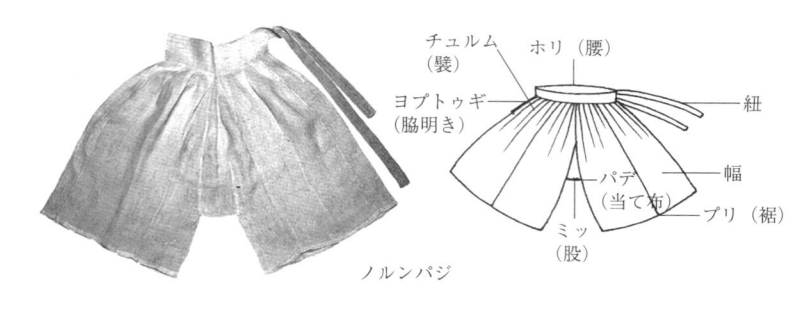

ネヒョンセク〔内玄色〕 내현색
黒に多少紫朱色（赤紫）が混ざった色。朝鮮時代に国王の▶十二章服に使われた。

ノルン-パジ 너른바지
下着の一種。朝鮮時代に、女性が正装の際に下衣を大きく見せるために履いた袷の▶ソクパジ。股下が広く、後方にのみ裂け目がある。上流階層では礼服着用時に▶タンソッコッの上に重ねたが、庶民はこのような幅広のものを履くことはなかった。

ノウル〔羅兀〕 너울
朝鮮時代の女性の▶スゲ（被り布）の一種。上流階層で用いられ、男性と顔を合わせるのを避けるための▶スゲのうちの代表的なものである。高麗時代の▶蒙首の名残とも、中国の羃䍦・帷帽に由来するものともされる。高麗時代以降、女性が外出時に被ったものだが、朝鮮時代の太宗12年（1412）に法令で女性は外出時に顔を隠すよう定められたため、ノウルや▶チャンオッが用いられた。ノウルは黒の絹8幅を袷にして仕立てられるが、顔の部分のみは一重で外が透けて見える。頭からすっぽり被るようになっており、開くと傘状になる。ノウルの下には▶氈笠のような帽子を被るが、これには紫朱色（赤紫）と紅を組にした顎紐が左右に付いていた。丈は肩が十分に隠れるほどで、頭部は3・4個の花柄を施した。

ノルンパジ

チュルム（襞）
ヨプトゥギ（脇明き）
ホリ（腰）
紐
ミッ（股）
パテ（当て布）
幅
プリ（裾）

ノウル

ノクセーペ 넉새베
麻布の一種。幅4升（経糸320本）で織ったもの。3升のソクセベよりは多少品質が良いが、それほど目の細かいものではない。

ノカムトゥ 노감투

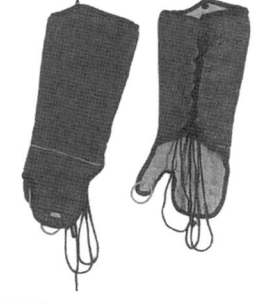

内甲衣と付属品の腕貫き　陸軍博物館所蔵

紐を編んで作った▶カムトゥ（＜頭巾）。カムトゥは普通馬のたてがみや尾の毛で編まれるが、揃わないときには紐を用いた。→カムトゥ

ノリゲ　노리개

女性の▶チョゴリ（上衣）の▶オッコルム（結び紐）や▶チマ（スカート）の腰に下げた装飾具。▶韓服固有の美をひときわ高め、宮中をはじめとした上流社会から庶民まで広く用いられた。《▶宣和奉使高麗図経》には、高麗時代に貴婦人たちが帯に金鐸・金香嚢を下げていたと記されているが、高麗時代後期に入ると徐々にチョゴリの丈が短くなってノリゲをオッコルムにも下げるようになり、その後朝鮮時代にはオッコルムに下げるのが一般化した。主に宮中儀式や家庭の慶事の際に用いられ、簡単なものは普段でも下げた。また、両班階級ではノリゲを子孫代々と伝える家もあった。

ノリゲは繊細できらびやかな装飾品であると同時に、富貴多男・不老長寿・百事如意など時代ごとの幸福観を反映した女性たちの願いが込められていた。同様に婦徳を表す実用品には、▶香匣（香箱）・▶パヌルジプ（針箱）・▶粧刀などがある。

■構成

ノリゲは、▶ティドン・クンモク・主体・▶メドゥプ（飾り結び）・▶スル（房）から成っている。ティドンは主体などが繋がった紐を一つにまとめ、コルムに付ける要の部分である。ティドンと主体を繋げるクンモクには普通童多繪（丸組み紐）を用い、メドゥプの技法で飾り結びをする。主体が一つのものは単作ノリゲ、三つのものは三作ノリゲといい、三作ノリゲは大三作・中三作・小三作に分けられる。最も大きく華麗な大三作ノリゲは主に宮中で、中三作ノリゲは宮中と上流階層で、小三作ノリゲは若い女性や子供達に使われた。単作ノリゲには、三作ノリゲの一つを切り離して用いるものと、最初から単作として作るものとがある。色は3色のものから12色のものまであるが、三作ノリゲには紅・藍・黄を基本に桃・薄緑・紫・赤紫・水色なども使われた。ノリゲの上部にあるクンモクはチョゴリの丈に合わせて短く、垂れた房はチマの丈に合わせて長くし、固有の美しさを表現する。

■種類

ノリゲは主体の種類と大きさによって礼服用と普段着用とに区別され、また主体の種類や形、スルの種類により様々な名称が付けられている。素材には金・銀・銅などの金属類や白玉・翡翠玉・紫瑪瑙・紅玉・青剛石・真玉・金剛石・孔雀石・密花（黄琥珀）・琥珀などの玉石類、珊瑚・真珠・錦貝・玳瑁（鼈甲）や色糸・綢緞（高級絹織り）・金銀糸などが用いられる。主体の形は、童やこうもり・亀・蝶・鴨・鮒・蝉・すっぽん・獬豸（想像上の動物）などの動物をかたどったものや、なす・唐辛子・葡萄・綿花・天桃・蓮花・石榴などの植物をかたどったもの、ひさご・チュモニ（巾着）・鐘・ひょうたん・太鼓・つづみ・錠・眼鏡入れ・斧・かかし・鈴・投壺・粧刀・石燈・硯などの器物をかたどったもの、さらには仏手・念珠などの宗教性を帯びたものもある。この他に水牛の角・蓮燈（仏教儀式に用いる提灯）の上に不老草・唐草・蓮の葉をかたどった文様を刺繍した繍ノリゲ、香や香嚢・香箱を付けたノリゲ、パヌルジプ（針入れ）や粧刀を付けたノリゲなどがあった。これらは装飾性と実用性を兼ね備えた装身具であった。（金喜鎭）

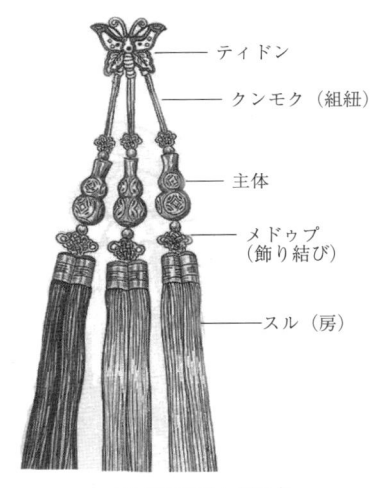

ノリゲの構成と部分名
- ティドン
- クンモク（組紐）
- 主体
- メドゥプ（飾り結び）
- スル（房）

ノリプ〔蘆笠〕　노립　→同カルサッカッ

ノバンジュ〔老紡紬〕　노방주

経糸・緯糸ともに生糸で織った平織の絹織物。夏用の布に使用された。文様入りのものは紋老紡という。

ノビボク〔奴婢服〕　노비복

朝鮮時代に奴婢が着た服。奴婢は官庁や民家の下人のことで、官庁には司贍寺に属するチョル（寺）奴婢、内需司に属する内奴婢、中央官庁・地方官庁一般に属する官奴婢、駅奴婢、さらに、国王が功臣に下賜する丘史がいた。また、民家に属する者

（左）銀パンアタリ大三作ノリゲ　石宙善紀念民俗博物館所蔵。銀製のパンアタリ・粧刀・文字をつなげた大三作ノリゲ。パンアタリは踏み臼の杵で、吉祥を象徴し、寿富の文字は長寿と財物を象徴する。粧刀は装飾と護身を兼ねている。

（右）孔雀石・珊瑚・蜜花三作ノリゲ　世宗大学博物館所蔵。仏手柑を中心の飾りとしている。仏手柑は仏の大慈悲を象徴する。蜜花の黄色、孔雀石の黄緑、珊瑚の紅色は寿・富・貴を象徴する吉三色でもある。朝鮮時代の女性の願いが込められた代表的なノリゲである。

梅竹三作ノリゲ　世宗大学博物館所蔵。翡翠・紫瑪瑙を素材に竹の節を陰刻し、梅の花を透かし彫りにしている。七宝のコウモリをそれぞれの上部の環の下に付けて一体感を出している。梅の花と竹は女性の貞節と美を、コウモリは長寿を象徴する。

虎爪ノリゲ　江陵市立博物館所蔵。七宝の鬼面を彫刻し、虎の爪に貼り付けてある。厄除けの虎の爪は勝利をもたらすものと信じられ、ノリゲに多用され、巾着にも付けられた。

孔雀石・珊瑚・蜜花天桃三作ノリゲ　世宗大学博物館所蔵。それぞれの飾りが対になっているのが特徴で、上部の組紐と飾りの連結部分はメッキの葉が天桃を包んでいる。天桃は長寿の象徴である。

犀角香嚢ノリゲ　石宙善紀念民俗博物館所蔵。中心の飾りをサイの角の形にしたノリゲ。宮中で王妃が夏服に付けたり、幼い女官の笄礼の際に用いられた。小波と葉の文様を細かく刺繍してある。糸は撚糸を9等分して長く垂らしてある。

七宝三作ノリゲ　江陵市立博物館所蔵。ヘテ・天桃・杖鼓を中心の飾りにした三作ノリゲで、菊花メドゥプ・蝶メドゥプ・杖鼓メドゥプを結び、房を垂らしてある。ヘテは善悪を判断するという想像上の動物で、天桃は長寿を象徴し、杖鼓は邪鬼を追い払うといわれる。誕生日や還暦に身に付けた。

投壺三作ノリゲ　1680年代。石宙善紀念民俗博物館所蔵。投壺遊びは青・紅の矢を壺の中に投げ込んでその数を競う遊びで、この壺の形をまねたノリゲは吉日の喜びを象徴する。

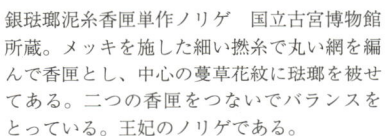

銀琺瑯泥糸香匣単作ノリゲ　国立古宮博物館所蔵。メッキを施した細い撚糸で丸い網を編んで香匣とし、中心の蔓草花紋に琺瑯を被せてある。二つの香匣をつないでバランスをとっている。王妃のノリゲである。

円形香匣ノリゲ　朴允美所蔵。白玉・翡翠に唐草紋・不老草・十長生・吉祥紋を透かし彫りにした円形または四角の香匣を中心にそえ、上下に飾り結びをつなぎ房を垂らしてある。精巧に彫られた香匣の隙間から香がのぞく。

別銭クェブル　朝鮮時代後期。重要民俗資料第47号。世宗大学博物館所蔵。クェブルは子供や女性が身に付けるノリゲで、銅銭や玉、巾着を付けたもの。持参金の銅銭、生活用具の針刺し、愛情を表わす蝶、不滅の象徴である蝉、富貴栄華を表わすコウモリなどを中心の飾りに集めたのは、嫁いでも幸せに暮らすようにとの願いの現われである。

三千珠ノリゲ　江陵市立博物館所蔵。三千珠ノリゲは王妃専用のノリゲで、仏教の三千大千世界を象徴する。このノリゲは、コウモリを彫った紫瑪瑙を中心の飾りとしている。三千珠は長寿の象徴で、装身具やノリゲに多用された。

十長生銀粧刀ノリゲ　江陵市立博物館所蔵。鞘と柄に鹿・鶴・松・唐草紋などの十長生を彫り、メッキしてある。粧刀は女性の護身と装飾を兼ねたもので、大きさ・形に定型はなく、文様も好みにより様々である。

七宝鈴単作ノリゲ　国立古宮博物館所蔵。桃色の組紐で菊花メドゥプ・杖鼓メドゥプを結んで中心にそえ、五色の房を垂らしてある。鈴は吉祥の象徴である。下段の五色の蛸足状の房がバランスをとり、単調になるのを避けている。

童子ノリゲ　江陵市立博物館所蔵。芭蕉扇と霊芝を手にして並んでいる二人の童に七宝を施した単作ノリゲ。童には男児の出産を望む気持ちが込められている。芭蕉扇と霊芝は、山神図などによく用いられ、吉祥の象徴である。

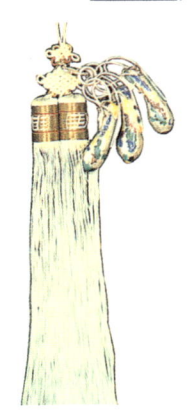

七宝茄子単作ノリゲ　石宙善紀念民俗博物館所蔵。茄子は実がたくさんなり成長が早いので、多男を願う気持ちで中心の飾りとしている。婚礼や誕生日など、めでたい儀式の際に身に付けた。

繍蝶ノリゲ　江陵市立博物館所蔵。蝶を中心の飾りとし、中に香が入れられるようになっている繍香ノリゲである。蝶は仏教では輪廻転生の象徴で、一般には夫婦和合の象徴としてノリゲに多用された。

ノウイ〔露衣〕 노의

を私奴婢(サノビ)と呼んだ。下女の場合は、目の粗い木綿の黒い▶チマ(スカート)に白の▶チョゴリ(上衣)を着て、常にアプチマ(前掛け)をしていた。

ノウイ〔露衣〕 노의
朝鮮(チョソン)時代に、王妃及び正4品以上の官吏の正妻が着た▶袍(ポ)で、王妃の翟(チョ)衣(ギ)に次ぐ礼服である。種類としては金円紋単露衣(クムォンムンタンノウイ)、金円紋袷露衣(クムォンムンキョブウイ)などがある。表地は真紅の匹緞(ピルダン)や郷織(ヒャンジク)を用い、裏地は王妃の場合、大紅紬(デホンジュ)(真紅の平織絹)や藍熟絹(ナムスクチョ)(藍色の捩織絹)、王世子妃(皇太子妃)は黄熟絹(ファンスクチョ)(黄色の捩織絹)を用いた。袖先に藍色の▶汗衫(ハンサム)を付け、胸には円紋を金箔で施した赤紫の絹の露衣帯(ノウイデ)を締めた。朝鮮時代の太宗(テジョン)12年(1412)6月には、「露衣(ノウイ)・襖裙(オグン)・笠帽(イムモ)は元来身分の高い者の服装であるが、賤しい者までが着て区別が付かないため、4品以上の正妻は露衣・襖裙・笠帽を着用し、5品以下の正妻には露衣を禁ずる」とされた。

ノウイデ〔露衣帯〕 노의대
紫朱色(チャジュセク)(赤紫)の絹帯。朝鮮時代、王妃、正1品の女官ならびに正4品以上の官吏の正妻が、礼服である露衣(ノウイ)の上に締めた帯。→露衣

ノイン-ピョンボク〔老人平服〕 노인평복
老人用の普段着。通常、外出の際には▶トゥルマギ(外衣)を纏い、つばが狭めのカッ(笠)を被った。家の中では▶チョゴリ(上衣)に▶パジ(ズボン)の服装で、▶宕巾(タンゴン)を被った。チョゴリ・パジは我が国の服装の基本であり、身分の隔てなく着用された。

ノパリ 노파리
麻・紙・藁などを撚って編み、草履のようにした履物。

ノンナ-トゥゴン〔緑羅頭巾〕 녹라두건
薄い絹で作られた緑色の頭巾。

ノンムン〔鹿紋〕 녹문
鹿の姿をかたどった文様。写実的な動物文様で、山・松・芝草(ムラサキ)・雲などとともに描かれる。長寿を願う意味で、各種工芸品・家具

老人平服　　録事服

露衣　(左)朝鮮王朝五百年服飾展。(右)梨花女子大学家庭科学学部考証復元品。

鹿紋

ノクセク〔緑色〕녹색（みどり〔緑〕）

類などに用いられた。鹿は十長生（十種類の長寿なもの）の一つで、昔から山奥に暮らしながら薬草を食し、長生不死の霊獣とされてきた。

ノクピ〔鹿皮〕녹비（녹피）
鹿の皮。朝鮮時代、上流階層の履物などに用いられた。

ノクサボク〔録事服〕녹사복
朝鮮時代、議政府・中枢府の官吏であった録事が着た服。角張って特徴のある▶平頂巾を被り、▶団領を着て紐状の帯を締めた（《▷経国大典》巻3礼典儀章）。団領は紅色で、大小の朝儀の際には青のものを着た。その後紅団領が廃止され、青団領に統一された。

ノクサウイ〔緑襖衣〕녹사의
→トロニイ

ノクサム〔緑衫〕녹삼
緑色の▶袍。高麗時代の光宗11年（960）に制定された百官の公服制で小主簿以上が緑衫を着用するとされ、顕宗9年（1018）には戸正以下、司獄副正以上にも適用された（《▷高麗史》志巻26興服）。朝鮮時代の成宗19年（1488）には、「王世子（皇太子）が五正色以外の緑衫を着るのは誤りで、鴉青色とせよ」との命が下された。（《朝鮮王朝実録》成宗19年3月乙酉）

ノクセク〔緑色〕녹색（みどり〔緑〕）
青と黄の中間色。朝鮮時代に宮中で

宮中礼服

緑円衫　（左）高麗大学博物館所蔵。朝鮮時代後期。（右）王妃の緑円衫。重要民俗資料第63号。梨花女子大学博物館所蔵。（表地）豆緑色紋紗。（裏地）大紅色紋紗に藍色紋紗で縁取りを入れてある。

113

着た▶唐衣と一般庶民の▶チャンオッ（被り服）などが緑であった。

ノグォンサム〔緑円衫〕 녹원삼

朝鮮時代に、王女・女官や士大夫の婦人たちが着た礼服。庶民の間でも新婦の婚礼服として緑円衫を着たが、金箔を施さず、袖にセクトン（色縞）が多く入っており、宮中の円衫とは区別された。婚礼服着用時は、髪型を▶トヤモリにして竜簪（竜頭を付けた簪）を挿し、▶チョクトゥリ（黒絹の冠）を被って、帯状の▶トリムテンギと▶トトゥラクテンギを垂らした。草緑色の▶紗（生糸で織った絹）や▶緞（朱子織絹）の袖に赤・黄のセクトン（色縞）を施し、袖先には一重の▶汗衫を付けた。上流階層では華麗に金箔の花紋を施し、紅色の帯を締めて、頭にトゥリムテンギとトトゥラクテンギを垂らした。
→円衫・婚礼服

ノギ-ホンサン〔緑衣紅裳〕 녹의홍상

黄緑の▶チョゴリ（上衣）と紅色の▶チマ（スカート）。新婦用婚礼服の一種である。貧富貴賤の区別無く、婚姻の日には緑衣紅裳を着た。黄緑のチョゴリは▶三回装チョゴリ（衿・袖口・結び紐・脇が別色の上衣）で、紅色のチマの下には青のチマを履いた。普通は緑衣紅裳の上に円衫を重ね着したが、チョクトゥリ（冠）を被って済ませることもあった。また、袖には汗衫を付けて、白の▶ポソン（足袋）に革靴を履いた。

ノギ〔鹿耳〕 녹이

三国時代に▶鳥羽冠に挿した飾りで、薄い金銀板を鹿の耳の形にしたもの。唐の事典《翰苑》には「以金銀鹿耳」とある。高句麗古墳の鎧馬塚に描かれている行列図の先頭人物の頭に見られる。

鹿耳　鎧馬塚西壁

ノクチョサム〔緑綃衫〕 녹초삼

朝鮮時代に、俗楽担当の典楽署の右坊楽士が着た上衣。緑色の▶綃（生糸で織った絹）で仕立てられ、丸襟で袖幅が広い。この上から黒の革帯を締め、頭には▶幞頭を被り、黒の革靴を履いた。（《▶楽学軌範》巻2 俗楽陳説図説）

緑綃衫

ノクポ〔緑袍〕 녹포

朝鮮時代、7品から9品までの官吏が着た緑色の▶袍。太祖元年（1392）の職務品階別官服規定で、7品以下は緑袍を着用するとされていたが（《▶朝鮮王朝実録》太祖元年12月壬子）、16世紀末からの文禄・慶長の役と丙子胡乱（清による侵略）以降、官服規定が乱れて堂下官までもが▶紅袍を着るようになったため、英祖33年（1757）に堂下官には軍服と緑袍を着させ、制度をもとに戻した（《▶朝鮮王朝実録》英祖33年12月甲戌）。しかし、翌34年の記録に「堂下官の緑袍とその妻の髢髻（入れ髪）は皆が改めるべきとしたにもかかわらず、未だ正されていない」（《▶秋官志》第4編掌禁部申章奢侈）とあり、直ちに施行されたわけではなかったようである。

ノッシン 矢신→同▶鑞鞋

ノンゴン〔籠巾〕 농건

中国の公・侯・伯が用いた官帽の一種で、貂と蝉の装飾があることから貂蝉冠ともいう。漆塗りをした藤を直方体状に編んだもの。前面に銀花、上部に玳瑁（鼈甲）の蝉、左右に玉鼻の小蝉12個を付け、左側に貂の尾を挿してある。蝉は高所で清らかな露を飲みながら暮らす清潔さを象徴し、貂は勇猛さと従順な態度を象徴するとされる。（《▶五洲衍文長箋散稿》巻4古今冠巾制度弁証説）

籠巾

ノンニプ〔農笠〕 농립

農民が日差し除けに被る帽子。朝鮮時代には▶サッカッ（山笠）を被ったが、最近は軽い麦藁帽が用いられ

る。農民の笠には、この他に葦のカルテサッカッ、竹のテサッカッ、女性が被る細サッカッなどがある。

ノンブボク〔農夫服〕 농부복
(のうみんのふくそう〔農民の服装〕)
▶パジ(ズボン)・▶チョゴリ(上衣)を基本とする農民の衣服。主に木綿・麻・カラムシを用いた白を基調とする細袖の服で、汚れを防ぐため柿渋で染めることもあった。手首に▶トシ(被せ袖)をはめ、動きやすいよう足首を軽く縛って草鞋を履き、日差しの強い日は▶農笠を被った。19世紀末の開化期以後はチョゴリの上にチョッキを着るようになったが、農民の衣服は一般に士大夫や両班(ヤンバン)の服装に比べ変化に乏しく、歴史的にも大きな変動はなかった。

農夫服

ヌェムン〔雷紋〕 뇌문
複雑に折れ曲がった線で雷を表現した文様。単独で用いられるよりも、他の吉祥紋の地にすることが多い。青銅器時代の青銅鏡や土器・漆器・金属工芸・木彫・建築などにも様々に用いられてきた。現在は簾や茣蓙などに見られる。

雷紋

ヌグム-セゴン〔鏤金細工〕 누금세공
金の粒・金糸などで精巧に装飾を施す金属細工技法。吸管を用いて、金の粒や金糸を白蝋と硼砂で定着させる技法である。エジプトで発達し、バビロニア・インド・中国を経て、朝鮮半島には紀元前後の楽浪時代に伝わったものと推測される。我が国では、平安南道大同郡石巌里9号墳(ピョンアンナムドテドングンソガムニ)の楽浪時代の墓で、埋葬者の腹部あたりから鏤金(ヌグム)を施した帯の留め金が初めて発見された。金糸で縁をとった金板に大竜1頭と小竜6頭を浮彫にした上に、鏤金技法で粒と線を施してある。竜と竜との間を埋める花びら文様の縁の中には青い翡翠を削りはめ込んだが、七つのみが脱落せずに残っている。鏤金細工は特に新羅(シルラ)で花開き、特出した装飾品が作られたが、慶州普門洞(キョンジュボムンドン)から出土した金製太環耳飾(クムジェテファンイシク)がその代表的なものである。これは表面に金の粒を並べて亀甲紋と花紋を表したもので、中間装飾と瓔珞の縁にも同様の装飾が施されている。

ヌダン〔累緞〕 누단
絹織物の一種で、無地朱子織の模本緞(モボンダン)(きめの細かい絹)のこと。

ヌビ 누비(さしぬい〔刺し縫い〕)
表地と裏地との間に綿を入れ、何列にも並縫いする裁縫技法。生地の補

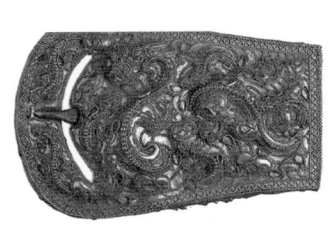

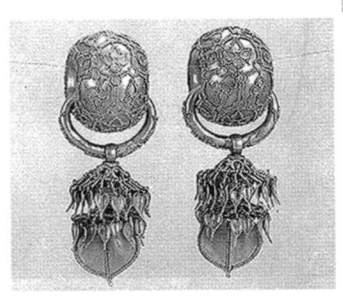

鏤金細工 (上)金製鉸具 楽浪時代。1世紀石巌里9号墳出土。国宝第89号。国立中央博物館所蔵。(下)金製太環耳飾 新羅。慶州市普門洞夫婦塚出土。国宝第90号。国立中央博物館所蔵。

115

強と保温のための技法で、朝鮮時代初期の遺物の中にもヌビによる服が見られる。その後は、▶チマ（スカート）・▶チョゴリ（上衣）・▶袍・▶パジ（ズボン）・▶スゲ（被り布）・履物・ポソン（足袋）・帯など、衣類から寝具、褓（風呂敷類）に至るまで多様に用いられた。何列にも縫うのは綿がずれるのを防ぐためだが、装飾性も重要視された。朝鮮時代以前のものは未だ伝世品が発見されておらず、その技法がどの様なものであったか確認できない。《▷雅言覺非》は、縷緋は衲衣の誤りであると指摘し、僧侶たちの擦り切れた服を繕ったのが始めとしている。朝鮮時代の《▷宮中撥記》は、ヌビをオモンヌビ・チャンヌビ・ナプチャンヌビ・中ヌビ・細ヌビ・細中ヌビに分類しているが、これ以外にも、チュル（筋）ヌビ・マルムモ（菱）ヌビ・コッ（花）ヌビ・幾何学ヌビ・回紋ヌビなどがある。このうち縫い目の細かいチャンヌビは、縫い目の横の間隔が1mmの極めて精巧なものもあり、民芸あるいは手芸として伝承されねばならない技法の一つである。縫う際には補助器具としてミルテと呼ばれる棒を生地の下に当てて生地がずれないようにすると、細かい針運び

が可能となる。ミルテは長さ25cm、直径2cmほどの竹や木の円筒で、貝殻や▶画角などで装飾を施したものもある。

ヌビ-パジ　누비바지
表地と裏地との間に綿を入れて刺し縫いした防寒用の▶パジ（ズボン）。チャンヌビ・オモンヌビ・ナプチャンヌビなどの技法で縫うが、間隔が狭すぎると弾力性が失われ動きにくいので、▶チョゴリ（上衣）より縫い目の横の間隔を広げ、縦方向に縫う。

ヌビパジ　清州順天金氏墓出土。16世紀。忠北大学博物館所蔵。

ヌビ-ポソン　누비버선
表地と裏地との間に綿を入れて刺し縫いした防寒用の▶ポソン（足袋）。洗っても綿ずれがおきず実用的だが、柔らかさに欠け、縫い目がほつれるのが難点である。

ヌビ　ヌビチョゴリ。李端夏（1649～1689）遺品。李種厚所蔵。

ヌビタレポソン　国立古宮博物館所蔵

ヌエ-コチ　누에고치→㊌コチ①

ヌイン-ポソン　누인버선
縫い目が斜めになっている▶ポソン（足袋）。足首が強く締まるようになっている。→コドゥンポソン

ヌン-モシ　눈모시
白いカラムシ織り。→㊌白紵布

ヌンッソプ-ノリ　눈썹노리
織機の部品。ヌンソプテ（掛け糸吊し）の先端で、ヌンソプチュル（掛け糸）を吊る部分。→ペトゥル（織機）

ヌンッソプテ　눈썹대（かけいとつるし〔掛け糸吊し〕）
織機の部品。ヨンドゥモリ（前脚の上の横木）から織り手のほうに伸びる棒で、綜絖を吊る掛け糸（ヌンッソプチュル）を結びつける。㊌ナプサンデ→ペトゥル（織機）

ヌンッソプ-チュル　눈썹줄（かけいと〔掛け糸〕）
織機の部品。綜絖を吊る掛け糸で、ヌンソプテ（掛け糸吊し）の先に結びつける。→ペトゥル（織機）

ヌルリムデ　눌림대
織機の部品。インア（綜絖）の後にある、経糸を押さえる棒。→ペトゥル（織機）

ヌッコン〔勒巾〕　늑건
幅の広い帯。→橄欖勒巾

ヌクペク〔勒帛〕　늑백
▶行纏（スパッツ）の一種。長さ3尺、幅3寸弱の綿布で、▶パジ（ズボン）の股下に余裕を持たせるため、脛に巻き、膝下で縛る。（《▷四礼便覧》巻1冠礼序立）→行纏

ヌルサッカッ　늘삿갓

ガマ（蒲）で編んだカッ（笠）。雨除け、日除けとして用いられた。

ヌン〔綾〕능
薄くきめの細かい綾織の絹。新羅(シルラ)では、貴族男女の上着・下着・▶半臂(パンビ)・ポソン（足袋）などに用いられた。

綾　薄黄緑の地に梅花紋の綾。国立古宮博物館所蔵の豆緑チョゴリと腕貫きの文様。

ヌンナグムス〔綾羅錦繍〕능라금수
絹織物の総称。絹織物は三国時代以降、主に上流階層や富裕階層で愛用された。

ヌンサ〔綾紗〕능사
薄くきめの粗い綾織の絹。高麗(コリョ)時代、モンゴルに賜与した物品にも含まれていた。（《▷高麗史(コリョサ)》世家巻23高宗28年2月）

ヌンジク〔綾織〕능직（あやおり〔綾織〕）
織物組織の一種で、織り目が斜めに並ぶように織る技法。経糸・緯糸を連続2本以上浮かせて織る方法で、平織より交点が少ないため、柔らかくて皺が入りにくく、光沢がある。種類が多く、色糸の配合によって美しい文様を出す。同斜紋織(サムンジク)

ヌンパリ 능파리
朝鮮(チョソン)時代に舞童が履いた靴。黒革の地に青・紫の花模様を施してある。

ヌンパリ

タガルセク〔茶褐色〕 다갈색

タ

タガルセク〔茶褐色〕 다갈색
（ちゃかっしょく〔茶褐色〕）
黒みを帯びた橙色。赤味よりも黒みの強い褐色である。

タドゥミジル 다듬이질
洗濯した服を棒で叩きならすこと。洗濯後に糊付けし、軽く乾かして整え、タドゥムイットル（砧）の上に載せて棒で叩く。何度も裏返しつつ艶が出るようならすと、生地特有の光沢と肌触りを甦らせることができる。絹だけでなく木綿などにも施す。→㊧タドゥムジル㊂擣衣・擣砧）

タドゥミジル

タドゥミットル 다듬잇돌
砧で生地をならすとき、下に敷く石。固くすべすべした石やオノオレカンバの木で作る。中央部分が多少盛り上がってゆるやかな曲線を描く直方体で、表面は磨かれている。両端下部には手を入れて持ち上げられるように、丸く溝が彫られている。→㊂砧石・パンドク・パンチュットル

タドゥミットル

タロギ（▽月▽吾▽其） 다로기
革製の長いポソン（足袋）の一種。裏地を毛皮にしたものは、靴の代わりに履くこともあった。《燕行録選集》の漢人の服飾に、「男女貴賤を問わずみな鞋や靴を履く。たとえ御者でもみな鞋を履くが、その鞋は麻布や絹を縫ったもので、革製のものや麻・藁を編んだものは見られない。鳳城や瀋陽の人々は時に皮足袋を履くが、これは我が国で月吾其と呼ぶものである」とある。（《老稼斉燕行日記》巻1 山川風俗総録）

タリ〔▽月▽子〕 다리
髪の量の少ない女性が、髪を豊かに見せるために足した毛髪。《三国史記》には、新羅聖徳王の時代、唐への使臣がタリを贈った記録があり、景文王の時代には、使臣が長さ4尺5寸（約135cm）のタリ150両（約5.6kg）と5尺3寸（約160cm）のタリ300両を持参したという記録がある。また、高句麗古墳壁画の女人図の髪型が、タリを利用した▶オンジュンモリとされる。一時はタリを用いる風習が奢侈を極め、婚姻時にタリを求めて家産を蕩尽することもあった。庶民の女性は廉価で短いタリをいくつも繋いで使用し、中には七つも使われた例がある。入れ髪が問題になるのは朝鮮時代の成宗の代からで、21代英祖の代に到っては朝廷でも入れ髪をし髪型が論議されるようになり、英祖32年（1756）1月、ついに加髢禁止令が下された。正祖の時代に再び禁止令が下ってようやく効果を示すようになり、19世紀初頭の純組の代の中頃からは地毛で髻を結った後、小さなピニョ（簪）を挿すようになった。→㊂加髢・首髢・月子・タレ

タリ

タリミ 다리미（ひのし〔火熨斗〕）
生地や服に寄った皺を伸ばすために使われる器具。伝統的なタリミは底が平らな鉄鉢に木の柄がついており、中に炭を入れてのした。新羅古墳の天馬塚や、百済古墳の武寧王陵からこのようなタリミが出土している。武寧王陵で発掘された青銅製のタリミは蓮の葉の形をしており、麦藁帽子をひっくり返したような縁があり、その一端に長い柄が付いている。高麗時代の遺物も三国時代のものと大差はないが、朝鮮時代後期には形態が変化した。縁が消えて側面に傾斜がつき、内底の中央から8本あるいは12本の放射状の装飾線が

118

施された。主に鉄で鋳造したが、鍛造したものもあった。→㊥火斗・熨斗

タリミ

タハルセク〔茶割色〕다할색

黄色みの強い茶褐色。チョウジ・柿の木・クヌギの黍殻や葉を利用して染めた。朝鮮時代、太祖の頃に黄色禁制が下され、茶割色も類似色として禁じられたが、その後世宗22年（1440）10月になって草緑、柳青色とともに使用が認められた。世宗25年（1443）11月には、染め方を誤ると黄色や僧衣の色に近くなるとして、品階のある文武官に茶割色の着用を禁じた。翌年10月には純粋な黄色のみ使用が許可された。

タフェ〔多絵〕다회（くみひも〔組み紐〕）

何重にも撚り合わせた絹糸を組んだ紐。▶チュモニ（巾着）・▶メドゥプ（飾り結び）・帯・▶ノリゲ（女性韓服用の房飾り）・▶流蘇（房飾り）などに用いられる。《▷大典会通》は紐を多絵と称し、多絵には幅広の広多絵と円形の童多絵とがあるとしている。広多絵は平織で▶道袍帯・腰帯・▶テニム（ズボンの裾紐）などに使われ、童多絵は丸紐でノリゲ・流蘇・チュモニの紐などに用いられた。多絵は2・3本またはそれ以上の糸を組むものと、4本以上の糸を織るように組むものとに分けられ、使う糸の本数によって4糸・8糸・12糸・16糸・24糸・36糸などと呼び分けられる。→㊥クンモク

多絵　国立古宮博物館所蔵。広多絵の両面。

タン〔段・端〕단

織物の長さの単位。古代中国では1疋の絹布を半分に切り、その単位を1段とした。従って、本来の1段の長さは布帛尺で20尺（約9.35m）に当たるが、唐では唐大尺で20尺であった。しかし、中国においては1段の長さが時代により大きく変動した。この単位が韓国に伝わったのは、新羅真平王の代と見られる。韓国ではこの単位を「段」と称することもあったが、一般的には「クッ」という言葉を使用し、「布地1クッ」「2クッ」のように数えた。朝鮮時代の1クッは布帛尺20尺で、約9.35mとなる。〔参考〕朴興秀、《韓国民族文化大百科事典6》、韓国精神文化研究院、1991。

タン〔緞〕단

朱子織または朱子紋織の織物。絹織物の総称としても用いられる。我が国と中国では朱子紋織を緞（段）と呼び、文様と色によって様々な名称がある。緞はその基本組織である朱子織が開発されて以降の織物である。従って錦よりもかなり遅く出現したが、その後、錦の需要を凌駕するまでになった。高麗時代には華麗な緞を後晋に納めたことがあり、元・明から様々な緞が輸入されたという記録も多い。朝鮮時代に用いられた緞は、文様と色により多様な名称が付けられ、数えられないほどの種類があった。

タンガル〔短褐〕단갈

緞　（左）雲紋緞舎利裓。朝鮮時代。1458年。黒石寺阿弥陀仏像内納入織物。（右）桃榴仏手紋緞。朝鮮時代末期。国立古宮博物館所蔵の紫的竜袍の文様。

タンガプ〔短甲〕단갑

高麗時代に船乗りが着用した粗織りの布で仕立てた短い衣服。▶パジ（ズボン）・▶チョゴリ（上衣）の代わりに着たもので、チョゴリより丈が長く、帯を締めた。現在の僧衣の一種である▶東方に似ている。

タンガプ〔短甲〕단갑

武士が上半身を保護するために着用した▶カボッ（鎧）の一種。鉄板を裁断して作った板甲で、小札を縫い合わせて作った▶札甲に比べ、多少身動きがとりづらい。札甲が騎兵用の鎧であるのに対し、短甲は歩兵用の鎧である。後胴部は大きく、肩を覆うほどの高さがあるが、前胴部は小さく肩が露出する。下端は腰の上部までの短さである。新羅・伽耶地域の古墳から出土した短甲とよく似た鎧が、ほぼ同時期の日本の古墳からも大量に出土している。我が国で発見された短甲はすべて鉄製だが、鉄板部材の形により三角板式・縦板式・横板式・方形板式などに分類され、板の結合に革紐を使用した革綴式と釘を使用した頭釘式とに分けられる。実際には、三角板革綴板甲、縦長板革綴板甲、方形板革綴板甲、長方板革綴板甲、三角板頭釘板甲、縦長板頭釘板甲、横長板頭釘板甲の7種類が存在する。短甲の副葬のされ方を見ると、登場期・隆盛期・退潮期の3段階に大別される（表参照）。第Ⅰ期は登場期で、4世紀前後に鉄製短甲が製作され始めた時期である。第Ⅱ期とⅢ期は4世紀半ばから4世紀末の隆盛期で、札甲の登場した時期である。第Ⅲ期にはこの札甲が普及したため、短甲は上位支

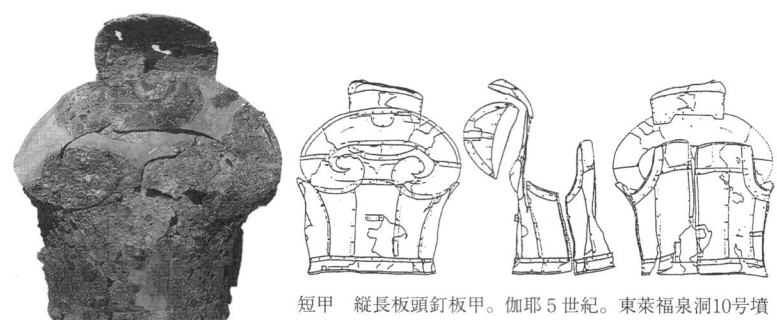

短甲　縦長板頭釘板甲。伽耶5世紀。東萊福泉洞10号墳出土。釜山大学博物館所蔵。

三角板頭釘板甲。伽耶5世紀後半。咸陽上柏里出土。東亜大学博物館所蔵。

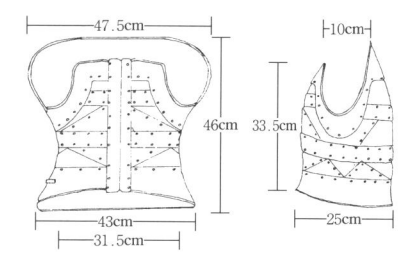

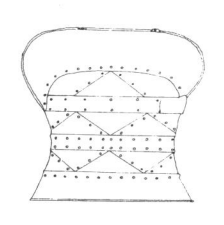

横長板頭釘板甲。伽耶5世紀後半。高霊池山洞32号墳出土。啓明大学博物館所蔵。

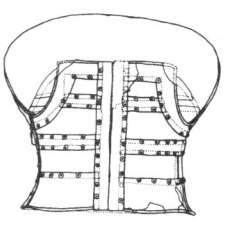

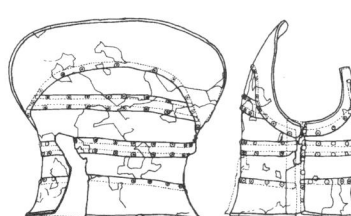

タルリョン〔団領〕 단령

広袖で、裾はかかとが隠れるほど長い。冬は主に▶明紬（ミョンジュ）（平織絹）、夏は麻布を用いたが、堂上官（タンサングァン）は高級絹織りを使うこともあった。新羅（シルラ）の真徳女王2年（648）、金春秋（キムチュンチュ）が唐から持ち帰ったのが最初で、以後高麗時代末の禑王13年（1387）に偰長寿（ソルチャンス）が使臣として明に赴いた際に洪武帝から▶沙帽（サモ）とともに授かって持ち帰り、鄭夢周（チョンモンジュ）などの推挙により▶官服（クァンボク）に指定された（《▷増補文献備考（チュンボムンホンビゴ）》巻79礼考26章服1）。朝鮮時代には品階を授かった官吏の官服を▶袍（ポ）と呼び、録事（ノクサ）以下の団領（タルリョン）と区別したが、後に官吏の各色袍は黒団領（フクタルリョン）に統一された。朝鮮時代初期には、堂上官（正3品以上）は絹で仕立てた淡紅色の団領を、堂下官（タンハグァン）は木綿の深紅色の団領を着た。《▷経国大典（キョングクテジョン）》礼典儀章の条には、官服として▶朝服（チョボク）（朝賀服）・▶祭服（チェボク）（祭祀服）・▶公服（コンボク）（国王謁見服）・▶常服（サンボク）（執務服）を規定しているが、これによると1品から正3品までは▶紅袍（ホンポ）、従3品から6品までは▶青袍（チョンポ）、7品から9品までと郷吏（ヒャンニ）（地方官吏）は▶緑袍（ノクポ）、録事（ノクサ）・諸学生徒は団領を着用するとされる（儒学者は▶青衿団領（チョングムタルリョン）を着る）。書吏・別監・引路などは青団領（チョンダルリョン）、刑曹（ヒョンジョ）・司憲府（サホンブ）・署典獄（ソジョノクソ）の羅将は皂団領（ナジャン）（チョダルリョン）、司官園の羅将は土黄団領（トファンタルリョン）を着用し平素は青半臂衣（チョンバンビウイ）を着た。しかし朝廷の官吏などの服色はあまり守られず、文禄・慶長の役の後には皆が▶戎服（ユンボク）（軍服）を着るようになり、上下の区別がなくなった。これに対し宣祖32年（1599）（ソンジョ）8月に文武堂上官および侍従・台

短甲の時期別副葬形式

段階	小期	遺構		墓制	時期	形式
登場期	I	蔚山	中山里25号墳	石囲木郭	3世紀後半	縦長板頭釘
		慶州	九政洞3郭	木郭墓	4世紀前葉	縦長板頭釘2
		東萊	福泉洞64号墳	木郭墓	4世紀中葉	方形板革綴
盛行期	II	東萊	福泉洞38号墳	木郭の主郭	4世紀中葉	縦長板頭釘1
		東萊	福泉洞60号墳	木郭の副郭	4世紀中葉	縦長板頭釘3-4
		東萊	福泉洞69号墳	木郭の副郭	4世紀中葉	縦長板頭釘2
		東萊	福泉洞71号墳	木郭の副郭	4世紀後葉	縦長板頭釘2
		東萊	福泉洞46号墳	木郭の副郭	4世紀後葉	縦長板頭釘2
	III	東萊	福泉洞42号墳	木郭の主郭	4世紀後葉	縦長板頭釘
		東萊	福泉洞43号墳	木郭の主郭	4世紀後葉	
		金海	大成洞39号墳	木郭の主郭	4世紀後葉	縦長板頭釘
		東萊	福泉洞57号墳	木郭の主郭	4世紀末	縦長板頭釘2
退潮期	IV	金海	大成洞2号墳	木郭の主郭	5世紀初頭	縦長板頭釘
		金海	良洞78号墳	木郭墓	5世紀初頭	縦長板頭釘
		金海	良洞167号墳	木郭墓	5世紀初頭	縦長板頭釘
		陝川	玉田68号墳	木郭墓	5世紀初頭	三角板革綴
	V	金海	大成洞7号墳	木郭の副郭	5世紀前葉	縦長板頭釘
		東萊	福泉洞10号墳	石郭の副郭	5世紀中葉	縦長板頭釘
		高霊	池山洞32号墳	竪穴式の石郭	5世紀中葉	横長板頭釘
		昌寧	校洞3号墳	横穴式石室	5世紀中葉	三角板頭釘
		東萊	福泉洞4号墳	竪穴式石郭	5世紀後葉	三角板革綴
		東萊	福泉洞112号墳	竪穴式石郭	5世紀後葉	横長板頭釘
		生谷洞	加達4号墳	竪穴式石郭	5世紀後葉	三角板頭釘
		陝川	玉田8号墳	竪穴式石郭	5世紀後葉	横長板頭釘
		清州	新鳳洞1号墳	木郭墓	5世紀後葉	三角板頭釘
		東萊	蓮山洞8号墳	石郭の副郭	5世紀末	長方板革綴

（金榮珉〈嶺南地域の板甲に関する一考察〉《古文化》第46集、1995）

配階層の副葬品としての価値が下落し、中間支配層の副葬品として用いられた。退潮期は全盛期より量が多いが、短甲の所有階層は低くなっている。（李康七（イカンチル））同板甲→カボッ（鎧）

タンゴ〔短袴〕 단고
▶パジ（ズボン）の一種。膝が見える丈の、股引に似た男性用の夏用半ズボン。百済の褌（ペクチェ）（コン）、新羅（シルラ）の柯半（カバン）に似た袴の様式である。高句麗（コグリョ）の三室塚（サムシルチョン）壮士図に見られる。→褌衣・パジ

タンデ〔単帯〕 단대
帯の一種。麤布（チュポ）（綿布）の一重帯で、朝鮮時代に堂上工人（タンサンゴンイン）（楽士）が用いた。（《▷朝鮮王朝実録（チョソンワンジョシルロク）》世宗15年3月）

タルリョン〔団領〕 단령
上下が繋がった▶袍（ポ）で、朝鮮時代に文武百官（チョソン）が▶常服（サンボク）（執務服）として着用した。襟が直線的な▶直領（チンニョン）に対し、襟が丸いためにこう呼ばれる。

タンムンボク〔袒免服〕단문복

団領　　　　　　　　青衿団領

諫・観察・六曹朗官・地方官吏などに黒団領を着用させこれを制度化したが、あまり厳格に守られなかった。朝鮮時代末期の高宗21年(1884)閏5月の官服改定時においては、全ての朝廷官吏は黒団領を着用しつつ、各種朝廷儀式に進見するときと宮廷内外の行事の際には▶胸背を付けて文武や品階を区別し、団領自体も丸襟細袖の盤領窄袖として、衣服の簡素化を図った。さらに、高宗32年(1895)8月には大礼服として黒団領を、小礼服として黒盤領・窄手袍を着用するよう定めた。このように団領は朝鮮時代初期から19世紀末の開化期まで、色や形に変化を見せながら文武官吏の常服として用いられた。→官服

タンムンボク〔袒免服〕단문복

略式の喪服。▶五服と呼ばれる正式な喪服の中で最も簡易な▶緦麻服などを纏い、上着の右袖をたくり上げて、頭に四角巾を被った。世宗22年(1440)9月には国王が、各官庁の文書で親族をその親等にかかわらず「懿親」とすることは妥当ではないため、喪に当たって朞年服や功服を着るべき親族は「朞功親」、緦麻服と袒免服を着るべき親族は「緦麻袒免親」とし、五服をもとにした親族の等級をさらに分けるよう命じている。→喪服制

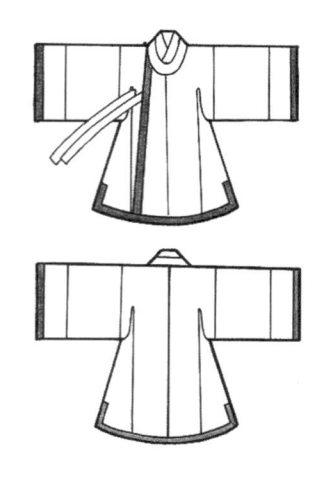

タンムンチン〔袒免親〕단문친

喪に服す際に▶袒免服を着る親族。即ち、従高祖父(祖父のさらに祖父の兄弟)・高大姑(夫の祖父のさらに祖父の妻)などの総称。同無服親

タンバル〔断髪〕단발

短く切ったまま結わない髪型。もともと我が国では男女ともに断髪の風習はなかったが、植民地時代に日本政府により断髪が強制された。これ以前にも朝鮮時代末期にヨーロッパや外国人の風習にならい断髪が行われたが、普及したのは日韓併合(1910)以後のことである。後に、女学生のおかっぱ頭を指す言葉として定着した。→断髪令

タンバルリョン〔断髪令〕단발령(だんぱつれい〔断髪令〕)

高宗32年(1985)に、庶民に髪を短く切るよう命じた法令。金弘集内閣は、乙未事変(1895)以後内政改革に力を注ぐ中、朝鮮開国504年(1896)11月17日を建陽元年1月1日として陽暦を採用すると同時に、全国に断髪令を下した。高宗も模範を示すために断髪し、内府大臣兪吉濬は官吏に庶民の頭髪を強制的に切らせるよう告示を下した。我が国では伝統的に頭髪を大事にするが、これは、両親から授かった身体髪膚をみだりに傷つけないことが親孝行の第一歩であるとする儒教の教えに基づくものである。儒学者の多くは「手足を切ろうとも頭髪を切ることはならぬ」と憤慨し、政府の断髪令強行に対し頑強に反対した。

タンベジャ〔短褙子〕단배자

丈の短い▶褙子(チョッキ)。襟や衽がなく、脇が開いている。胸回りはゆったりとしており、▶チョゴリ(上衣)の上に重ね着する。→背子・褙子

タンサ〔単糸〕단사(たんし〔単糸〕)

撚り合わせる前の1本の糸。主に紡績糸について用いられる用語で、精紡機で牽伸・加撚した糸を意味する。長い繊維は撚らない場合もあるが、一般的に毛糸は右撚りに、木綿糸などは左撚りにする。

タンサガク〔単紗角〕단사각

無地の紗(捩織の絹)で作り、▶紗帽の左右につける角(突起)。朝鮮時代には3品以上は文様の入った紋

紗角を、3品以下は単紗角の烏紗帽を着用した。《▷続大典》巻3礼典儀章）→紗帽

タンサーポヨグァン〔襌纚歩搖冠〕단사보요관
一重の纚（絹織物の一種）で作る▶冠。歩くたびに揺れるのでこの名が付いた。

タンサム〔丹衫〕단삼
赤色の上衣。高麗時代の光宗11年（960）3月に文武百官の公服が制定され、元尹以上は紫衫、中壇卿以上は丹衫、都航卿以上は緋衫、小主簿以上は緑衫を着用して、階位を表した。《▷高麗史》志巻26興服1公服）

タンサム〔団衫〕단삼
成人女性の外衣の一種。朝鮮時代の王妃の常服として用いられた。文宗元年（1450）、端宗3年（1455）、世祖2年（1456）に明の皇帝から襖・裙等とともに授けられた。紺紫朱色（濃い赤紫）、鴉青色（濃い藍色）、黒色の絹を使用し、襟はまっすぐで打ち合わせは左前である。両脇には2本の襞を入れる。前裾は地面に付くほどで、後裾は引き摺るほど長い。《続文献通考》五体考）

タンサン〔短裳〕단상→同トランチマ

タンソン〔団扇〕단선
絹や紙で作った丸い扇。形によって梧葉扇・蓮葉扇・蓮花扇・芭蕉扇などがあり、太極文様を描いたものを太極扇という。同トゥングルプチェ・パングプチェ→プチェ（扇）

タンソッコッ〔単ソッコッ〕단속곳
下着の一種。女性が▶チマ（スカート）の下に着た、股にゆとりのある単衣。前後の左右に襞を4本ずつ、計16本入れてから腰の帯部を付けてある。右側に小さな脇口があり、やはり右脇に付いている前紐を後ろから前に回し、右から前に回した後紐と結ぶ。冬には▶明紬（平織絹）・▶三八紬、夏にはカラムシや生明紬・▶亢羅・▶紗など目の粗い絹で、春・秋には▶玉洋木（平織綿布）・亢羅・明紬で仕立て、主に白・玉色（水色）、灰色などを用いた。

単ソッコッ

タンスーピョンサム〔短袖偏衫〕단수편삼
単衣仕立ての半袖の夏服。主に僧侶の普段着として用いられた。

タノ〔端午〕단오（たんご〔端午〕）
我が国・中国・日本での名節の一つ。端午とは月の第5日を意味し、陰暦5月5日を指す。昔はこの日に薬草を摘み、菖蒲を門に挿して菖蒲湯で髪を洗い、菖蒲酒や雄黄酒など薬酒を飲んで厄除けとした。また、ヨモギで人形や虎を作り、門にかけておく風習もあった。我が国の固有語では「スリンナル」といい、中国風に端陽・重五節・天中節とも呼ばれる。スリンナルは「神の日」「上日」という意味で、今日でも先祖に対し祭祀を行い、車輪餅と呼ばれるヤマボクチ（キク科の植物）を入れた丸い餅を食べる。端午の日の遊びとしては、クネトゥイギ（ブランコ）・シルム（相撲）・タルチュム（仮面劇）・サジャチュム（獅子舞）などがあった。

タノーピウム〔端午ピウム〕단오비음
端午に女性たちが厄除けに行った身支度。菖蒲湯で髪を洗い、緑色の新しいチョゴリ（▶上衣）と赤いチマ（スカート）を着た。また、菖蒲の根を削って作ったピニョ（簪）にめでたい漢字を刻み、端に臙脂（紅）を塗って頭に挿した。同端午粧

タノジャン〔端午粧〕단오장
同タノピウム

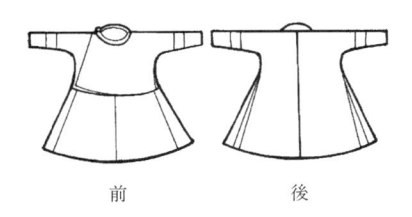

タニ〔丹衣〕단의
朝鮮時代の舞台服飾の一つで、舞童女が着た外衣。紅色の▶紗または▶羅などの目の粗い絹で表地を仕立て、紅色のカラムシで裏を打つが、前裾より後裾が長い。襟は丸く、袖と両脇には藍色の▶緋緞や緑羅・白綃などの絹を当てる。帯を後ろで結び、頭には▶蛤笠を被る。《▷楽学軌範》巻9女妓冠服図説）

前　　後
丹衣《楽学軌範》掲載の図。

タニ〔褖衣〕단의
中国で、周の時代に皇后が着た六服の一つ。黒地で、袖周りと襟周りに

タニ〔襢衣・単衣〕단의

赤い▶襈を当て（《▶家礼集覧》第1図説三代服飾之図）、黒屨を履いた。皇后が王に謁見するときに着た。《新定三礼》后服図→六服

褖衣

タニ〔襢衣・単衣〕단의（ひとえ〔単衣〕）

一重の服。裏地のある服を「袍」、裏地のない服を単衣と呼ぶ。

タンジャク-ノリゲ〔単作ノリゲ〕단작노리개

主体と呼ばれる中心になる飾りが一つの▶ノリゲ（女性韓服用の房飾り）。⑰ウェジュルノリゲ→ノリゲ

タンチョルリク〔単▽帖▽裏〕단철릭

単衣に仕立てた▶チョルリク（<外衣）。朝鮮時代に歌童が宮中の宴で▶戎服（<軍服）として着用した。赤土色の木綿で、腰の部分に襞を入れ、袖は狭く仕立てられた。（《▶楽学軌範》巻9冠服図説）→チョルリク

タンチョムボロ〔段䩞甫老〕단첨보로

馬に乗るときの泥よけ。絹や牛革で作り、鞍装の両脇に垂らした。⑰マルタレ

タンチェ〔単髻〕단체

朝鮮時代、加髢（入れ髪）が禁じられた時期に行われた髪型で、地髪のみを高く盛ったもの。

タンチュ 단추（ぽたん〔釦〕）

衣服をとめるのに使う服飾部品の一つ。紐を結ぶのが普通だった上代に使われ始めたタンチュは、徐々に発展し装飾品となった。伝統衣服の中でタンチュが用いられた衣服は▶マゴジャ（チョッキ）などで、素材としては主に宝石類が使われた。下着などでは布をくくってタンチュとして用いることもあった。用途によりメジュンタンチュ・円衫タンチュ・マゴジャタンチュ・チョッキタンチュなどと呼ばれることもあり、オスタンチュをメスタンチュにはめるか、片側にオスタンチュを付けて反対側の穴にはめる。タンチュの形には蝶・蝙蝠・花紋などが文様化され使われた。

タンチューメドゥプ 단추매듭
→メジュンタンチュ

タム〔紞〕담

国王が宮中の祝い事の際に被った▶冕旒冠に付けた紐。瑱を結んで冠の両側に垂らす玄色（黒紫）の紐である。

単チョルリク 《楽学軌範》掲載の図。

タンチュ ①～④実物に近い蝶の形に七宝を被せてあり、写実性に優れている。中央の孔がメスになっている。⑤花形の板の上に花紋を彫刻したもの。⑥⑦花形に七宝を被せたもの。⑧蝙蝠紋タンチュ⑨水晶タンチュ⑩四角形の板に七宝を被せて蝙蝠紋を表したもの。

タム〔毯〕담

水洗いした動物の皮をこすって毛を採り、平たく分厚い布状にしたもの。毛布等の材料に使われる。

タムボク〔禫服〕담복

▶喪服の一つで、人の死後2年目の大祥からその約3か月後の禫祭まで着る。構成は、▶烏紗帽・白衣・黒帯である。《朝鮮王朝実録》世宗元年（1418）9月初には、「国王においては斬衰をお召しになる3年の間、月数を日数に読み替えて、13日の練祭と25日の祥祭の後、禫服に着替えて27日に禫祭を執り行った後、吉服に着替えられるべし」とある。

タムビ 담비（てん〔貂〕）

食肉目属イタチ科の動物。「タムブ」ともいい、漢語の名称には「山獺」「貂」「貉・貘・狢」「狟」などがある。我が国に棲息するテンには、山獺（キテン）とコムンタンビ（クロテン）の2種がある。朝鮮時代にはテンの毛皮を「貂皮」と称し、堂上官（正3品以上）の官吏のみが着用を許された。色が非常に美しくて艶があり、毛並みが柔らかい。また軽く保温性に優れ、毛皮の中では最高級品とされた。

タムジェ〔禫祭〕담제

大祥後3か月目、即ち死後27か月経った月の丁の日や亥の日に行う祭祀。父に先だった母や妻の喪では、死後15か月目に行う。大祥から禫祭までは▶禫服を纏い、その後▶吉服に着替える。

タムホンポ〔淡紅袍〕담홍포

淡い紅色の▶袍（＜外衣）。朝鮮時代に堂上官（正3品以上）が着たもの。（《▶続大典》巻3礼典儀章）

タムファンセク〔淡黄色〕담황색

（たんおうしょく〔淡黄色〕）淡い黄色。朝鮮時代の成宗の代に朝廷の官吏の服色が鴉青色（濃い藍色）・緑・木紅色（赤茶）と定められ、玉色（水色）・黒・灰色・淡黄色は禁じられた。（《▶燃藜室記述》別集巻13政教典故）

タポ〔褡護〕담호

朝鮮時代、国王と文武官吏が▶チョルリクの上に着た上衣。袖なしの▶袍で丈が長く、▶ム（脇の下に当てる布）と衽が無く、背縫いは腰の下で割れている。国王はチョルリクの上に褡護を着た上に、さらに▶袞竜袍を纏い、文官はやはりチョルリクの上に褡護を着てから▶袍を着た。朝鮮時代中期以降は戦闘服や下級軍属、下人の上衣として着用された。世宗26年（1444）3月に明の皇帝から下賜を受けた物品の中に、袞竜袍とともに青暗花褡護があった。また、世祖2年（1456）7月に左議政韓確の家童に灰色綿布袷褡護を、燕山君5年（1510）7月警辺使李克均に草緑苧紗袷褡護と大紅紬袷褡護を、氈笠などとともに下賜したことがある。高宗21年（1884）6月20日に「戦服は昔の▶半臂衣で、綽子または褡護ともいう」（《▶朝鮮王朝実録》高宗21年6月20日）とあり、戦闘服とみなしている。高宗31年（1894）6月28日には、文武官吏の私服は褡護に糸帯を締め、漆笠を被るよう定めた。→戦服

褡護

タン 당

▶網巾の上部に付いている環。上下1本ずつある網巾の紐のうち上の紐をここに通し、後ろで頭に締め付けてから䯻に縛り付ける。→網巾

タン〔襠〕 당→同ム

タンモク〔唐木〕 당목→同西洋木

タンモンミョン〔唐木綿〕 당목면→同西洋木

タンイ〔唐衣〕 당의

朝鮮時代の女性の礼装の一つ。簡易礼服または小礼服として平服の上に着たが、宮中では平服として用いられた。色によって、軟豆唐衣（黄緑）・紫朱唐衣（赤紫）・南松唐衣（黄色）・白色唐衣などに分類されるが、最も多く着られたのは軟豆唐衣である。冬には主に袷の唐衣、夏には一重の唐衣を着たが、後者は唐チョク衫・唐汗衫とも呼ばれた。宮中では5月の端午の前日に王妃が白い唐チョク衫に衣替えすると端午当日には皆が唐チョク衫に着替え、秋夕（仲秋節）前日に王妃が袷の唐衣に替えると、

タンイ〔唐衣〕 당의

秋夕当日からは宮中の女性が一斉にこれに倣ったという。《四節服色自蔵要覧》にも、冬至前後には緑色織金寿福字唐衣、正月15日前後には貢緞唐衣、3月15日には緑色亢羅唐衣、5月の端午には草緑光紗ケッキ唐衣、5月10日には白光紗唐衣、6月10日から15日の暑い日には紵布唐衣、8月10日には草緑ケッキ唐衣、8月以降は草緑光紗唐衣、9月1日からは亢羅唐衣、9月15日には貢緞唐衣、10月1日には袷の唐衣を着るとある。

唐衣の形態は、丈が▶チョゴリ（上衣）の約3倍（80cm程度）で脇の下が割れ、裾が美しい曲線を描く。黄緑の絹の表地に紅の裏地を当て、赤紫色の▶コルム（結び紐）2本を左の▶タンコ襟の先に付け、右身頃には短い内コルムを付ける。妃や最高位の女官の場合、金箔で金襴を施し、両肩・胸に▶補を付けるが、▶尚宮（正5品の女官）や士大夫の婦人はこれらを付けなかった。また、階級に関係なく袖の端に白い▶コドゥルジ（付け袖）を付けた。皇后は▶三回裝チョゴリ（衿・袖口・結び紐・脇が別色の上衣）と藍色のスランチマ（金襴の入ったスカート）の上に纏い、髪型は▶トヤモリで、七宝花冠を被り黄唐鞋を履いた。

光海君の時代には、王族の婦女子や女官の集まりに参加するときの服飾は普段なら当然▶長衫を着て頭髪を飾らねばならないが、日が迫り準備が整わないため、壬寅年嘉礼の時のとおり涼耳掩を被って唐衣を着るよう命じており、宮中の女性が▶嘉礼において着用した事実が確認でき

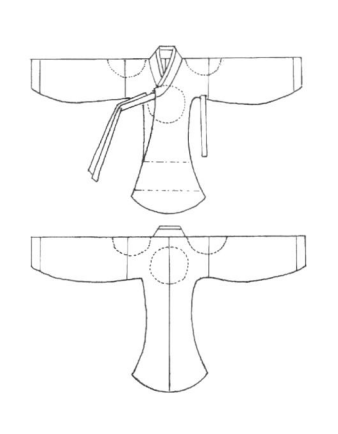

英王妃の唐衣と補　国立古宮博物館所蔵。

徳恵翁主の唐衣と補（3歳時のもの）　国立古宮博物館所蔵。

唐衣　朝鮮時代の高宗の第3翁主であった徳恵翁主の織金寿福字唐衣（左）。黄緑の織金緞の裏に桃色の平絹を当てた袷で、タンコ襟で細袖の先には白い付け袖が付けられている。10歳未満の翁主は、黄・桃色・藍色・深紅の衣服に桃色・深紅のチョク衫、黄・桃色・色縞のチョゴリ、桃色のチマ、白の単ソッコッ、白の裁陽パジと白い足袋を履き、小礼服としてはチョゴリの上に唐衣をまとい、牡丹色貢緞に木蘭・真珠・珊瑚を飾ったチョクトゥリを被った。

唐衣を着た幼稚園時代の徳恵翁主。

る（《▷朝鮮王朝実録》光海君2年5月辛亥）。《四礼便覧》（巻1冠礼序立）には「衫子は俗に「唐衣」といい、丈は膝まであり、袖の細い女性の上衣である」とあり、《林下筆記》には、両班（文武官一族）の婦人と尚宮が着る礼服であると記されている。同唐チョゴリ・唐チョク衫・唐汗衫

タンジュル　당줄
▷網巾に付いている、髷に縛りつける紐。上タンジュルと下タンジュルとがある。上タンジュルはタンと呼ばれる孔に通して後ろで頭を締めつける。下タンジュルはピョンジャの両端に付いており、両者を後ろで交差させてから前に回して、耳付近の▷貫子に通し、再び後に回して交差させた後、髷にぐるぐる巻きにする。→網巾

タンジ〔唐只〕　당지
「テンギ」に漢字を当てた表現。→テンギ（唐只）

タンチェリョン　당채련
長く着たために垢が染み、てかりの出た服を指す隠語。

タンチョムン〔唐草紋〕　당초문
（からくさもん〔唐草紋〕）
蔓の文様。様々な蔓がからまり伸びてゆく様を文様化したもので、一緒に用いられる文様の種類によって、忍冬唐草・菊花唐草・牡丹唐草・葡萄唐草、蓮花唐草・宝相唐草とも呼ばれる。細長い地に装飾を施すのに用いられ、共生の意味が込められている。新羅の金冠の内冠には唐草紋が刻まれており、朝鮮時代には▷梁冠の周囲に唐草紋をメッキで施す

こともあった。→紋様

タンチュクミョン〔唐縮緬〕
당축면（モスリン・とうちりめん〔唐縮緬〕）
経糸・緯糸に梳毛糸の単糸を使用し、織った後に精練漂白した薄い平織の梳毛織物。白いまま使うこともあるが、染色して春夏用の▷チマ（スカート）・パジ（ズボン）・▷チョゴリ（上衣）などに広く使われた。幅は普通76.2cmで、長さは128cmを1疋とする。現在ではモスリンと呼ばれる。

タンコ　당코
女性の▷チョゴリ（上衣）の襟で、▷コルム（結び紐）やタンチュ（ボタン）をつける位置の上の突き出した部分。→タンコギッチョゴリ

タンコギッ－チョゴリ　당코깃저고리
▷タンコギッ（先端の突出した襟）の▷チョゴリ（上衣）。朝鮮中期以降女性の間で流行した。襟先がツバメのくちばしのように尖っているのみならず、袖が非常に細く、丈も短くて▷チマ（スカート）の帯部分が露出するのが特徴である。このようなチョゴリの短小化現象は多くの非難を浴びた。李瀷は《星湖僿説》（巻16人事門）で「婦女の短いチョゴリと袖が生まれた経緯はよく知らないが、貴賎の区別がつかず大変嘆かわしいことだ。しかも夏には一重の▷赤衫を上にたくり上げてチマの腰が丸出しとはさらに見苦しい」と嘆いている。丈の短いチョゴリに幅のある長いチマをふくらませて履く上薄下浮の服装は、朝鮮中期の女性服

18世紀のタンコギッチョゴリ。梨花女子大学博物館所蔵。

タンコギッ

タンコギッチョゴリ

飾の典型であった。

タンハンナ〔唐亢羅〕　당항라
夏の服地として使われる絹織物の一種。経糸は生糸で、緯糸3本か5本おきに経糸を絡めて織る。同生亢羅

タンヘ〔唐鞋〕　당혜
朝鮮時代に女性が履いた革靴の一種。本体は革や絹製で、表に絹をかぶせ、爪先と踵に唐草紋を刻んである。▷両班（文武官一族）の女性や、庶民の婚礼時に新婦が履いた。→シ

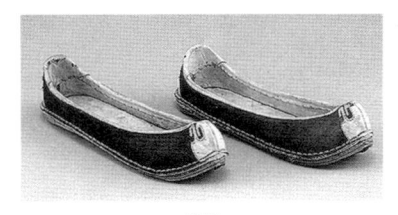

唐鞋

テ〔帯〕 대

テ〔帯〕 대 →同品帯・ティ〔帯〕

テガクジウイ〔大袼之衣〕대각지의
袖の大きい服との意味で、脇明きがある広袖の道袍など、在野の儒学者が着る衣服の通称。

テゴン-クウォルボク〔大功九月服〕대공구월복→同大功服

テゴンボク〔大功服〕대공복
喪服の五服のうちの一つ。従兄妹・姉妹・衆子婦（次男以下の嫁）・衆孫（長男の長男以外の孫）・衆孫女（孫娘）・姪婦（従兄弟の嫁）と、夫の祖父母、夫の伯叔父母、夫の姪婦の喪中に9か月間着る。大功服は▶斉衰服より多少目の細かい熟布（漂白した麻布）で仕立てる。この大功服に用いる布を大功布という。朝鮮時代の粛宗44年（1718）2月の記録には、国王の大功服は多少目の細かい熟布を用い、▶冠の縁と紐は麻で、▶首経（頭に巻く縄）・腰経（腰に締める縄）を締め、腰経の下に布製の絞帯を結び、白皮靴を履くとある。また、王妃の大功服は、▶大袖長裙・▶蓋頭・▶頭帽に多少目の細かい熟布の布帯を締め、白皮鞋を履いたとある。同大功九月服縮大功

テゴンチン〔大功親〕대공친
喪礼の服制によって、当人が死んだ場合に大功服を着ると定められた範囲の親族。従兄弟・姉妹・衆子婦（次男以下の嫁）・衆孫（長男の長男以外の孫）・衆孫女（孫娘）、姪婦（従兄弟の嫁）と、夫の祖父母、夫の伯叔父母、夫の姪婦を指す。喪に服する期間は9か月である。

テグゴ〔大口袴〕대구고
三国時代に主に貴族階層が着た広幅の▶パジ（ズボン）。高句麗の貴族は、紫羅に金銀で装飾した▶蘇骨を被り、大袖衫（＜上衣）と大口袴を着用し《北史》巻94列伝高麗）、楽士や芸人もこれに倣った（《▶三国史記》巻32楽高句麗）。双楹塚の羨道東壁の男性像は無紋、主室東壁の3人の男性は点紋の入った大口袴を着ている。この他にも、三国時代に履かれたパジの名称を文献を元に整理すると、表のようになる。

大口袴 双楹塚主室東壁。

三国時代のパジの名称

文献	名称
三国史記　色服新羅	袴
三国史記　百済本紀古爾王	青錦袴
三国史記　新羅本紀眞聖王	赤袴
三国遺事　駕洛国記	綾袴
中国諸史書	窮袴
北史　列伝　高麗	赤黄袴
梁書　諸夷百済	褌
南史　東夷百済	

テグム〔帯金〕대금→ティドン①

テグム〔対襟〕대금
左右が重ならずぴったり合わさる、突き合わせの襟。

テニム〔▽単▽袵〕대님
男性用▶パジ（ズボン）の裾を縛るための紐。藍・玉色（水色）・古銅色（赤茶色）、白の▶明紬（平織絹）や紗（撚り織絹）など薄い生地を幅2.5cm、長さ65～70cm程度に切って作る。パジ後ろの中心を合わせ、裾を外から内へ巻きつけてから、テニムを2巻きして縛る。朝鮮時代の初・中期までは女性の▶ソクパジ（中着のズボン）もテニムで縛ったが、後期には男性専用となった。

テダリ 대다리
靴底と側面とを繋ぐ皮の枠。

テデ〔大帯〕대대
高麗時代末から朝鮮時代にかけて、国王と文武官吏、王妃が礼服の上に締めた太い帯。本来中国の漢・六朝時代に始まったものだが、我が国には三国時代に伝わり、高麗時代を経て帯として広く用いられるようになった。素材は各種の絹で、帯の部分と下に垂れる部分、結び紐から成っている。光武元年（1897）に《大明会典》を基に定められた官服制度では、「▶冕服（国王の祭礼服）の大帯は、表地は白、裏地は赤で、加襈（縁取り）を当てるが、帯部分の表地は褐色で、垂れた部分には緑の加襈を当て、青い紐をつける。王妃の大礼服である▶翟衣の大帯は、帯部分の表地は青、裏地は紅、両端は真紅で、朱色の加襈を当て、垂れた部分は金織雲竜紋に緑の加襈を当て、青綺（＜絹織物）の紐を付ける」とされた。（《▶増補文献備考》巻79礼考26章服1）→ティ

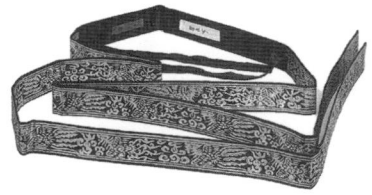

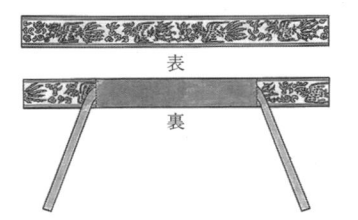

大帯　円衫用の大帯。国立古宮博物館所蔵。円衫には深紅の大帯を締めるが、皇后の黄円衫には竜紋、王妃の円衫には鳳紋、王女の円衫には花紋を金箔で施した大帯を締め、王妃の紅円衫には藍色の大帯を締めた。図の大帯は、表裏ともに紅色緞に雲鳳紋を箔押しした長さ354cm、幅5.5cmのものである。裏の両端から25cmのところに紐を付け、体に締めた。

円衫に大帯を締めた姿。世宗大学博物館所蔵。

《国朝五礼儀》の大帯の図。

花紋大襴チマ（王女用）

鳳凰紋大襴チマ（王妃用）

竜紋大襴緞（皇后用）

大襴チマ

テレボク〔大礼服〕 대례복

テラン-チマ〔大襴チマ〕 대란치마

朝鮮時代に、宮中で国王の正室や側室が大礼服として着た▶チマ（スカート）。深紅や藍色の紗や緞などの絹で仕立て、別途準備した金箔の帯布を2段に縫いつける。このうち一つは15～17cm幅でチマの裾に付け、同じ間隔を空けて上の方に別の22～25cm幅のものを付ける。丈は、1尺（約47cm）ほど引きずるようにし、幅は通常より1幅広くとってある。皇后は竜紋、王妃は鳳凰紋、公主（王女）、翁主（側室の娘）は花紋を施して位を表した。▶円衫（礼服）の下に履くときは、藍色の大襴チマを履いた上に、さらに紅色の大襴チマを履くが、このとき藍色のチマの裾の金箔の上に紅色のチマの裾がくるよう、着丈を調節した。

テリョムグム〔大殮衾〕 대렴금

葬儀の大殮にあたり、遺体を包むのに用いる布団。長さは220cm程度で幅は5幅とする。藍色の地に赤紫色の襟をつけることもあり、白い▶トンジョン（掛け襟）を17cmほど巻きつける。

テレボク〔大礼服〕 대례복

国王や王妃、臣下が重要な儀式で着る礼服。朝鮮初期の《▶経国大典》では文武官の官服が▶祭服（祭祀服）・朝服（朝賀服）・常服（執務服）・公服（国王謁見服）に区分されているが、朝鮮時代末期の高宗の代には大礼服・小礼服・常服に簡素化され、▶黒団領を大礼服として着用した。朝鮮時代の伝統的な大礼服

129

テロリプ〔大蘆笠〕 大로립

としては、国王・王世子（皇太子）には▶冕服があり、朝廷の官吏には朝服・祭服があった。また王妃・王世子妃（皇太子妃）には法服と呼ばれる▶翟衣があり、内命婦（女官）・外命婦（王族・文武官の妻・娘）には儀式ごとの礼服があった。朝鮮時代末期には、数度の衣制改革ごとに朝廷の官吏の大礼服が定められた。高宗32年（1895）8月には、大礼服として黒団領・▶紗帽・▶品帯・▶靴子を着用するものと定められた。

テロリプ〔大蘆笠〕 대로립
アシで作った大きな笠。朝鮮時代に平壌・海州などの妓生（芸妓）は外出時に大蘆笠で顔を隠し、咸興・北青などの妓生はチョネ（被り布）を使用した。《▶朝鮮女俗考》第20章禁閉婦女儒教之制5）

テリュンソン〔大輪扇〕 대륜선
朝鮮時代に宮中で王妃・公主（王女）・翁主（側室の娘）が用いた大きな団扇。竹ひごで作った骨組に紙を貼り、長い柄を付けた。保管する時は折りたたみ、使用する時は360度に丸く開いて日よけとしたり、扇として使用した。同日傘

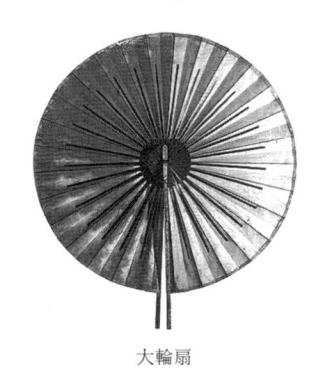

大輪扇

テマ〔大麻〕 대마（たいま〔大麻〕）
麻布の原料となる一年生の草。ワタが栽培され始める前に服地の素材として多用され、特に夏服用の麻布を織るのに用いられた。水に強く、天幕・漁網・蚊帳・縄・紐などの素材ともされた。同サム

テマサ〔大麻糸〕 대마사（たいまし〔大麻糸〕）
大麻繊維を原料にした紡績糸。麻の服を織るのに用いられる。同ペシル

テモ〔玳帽〕 대모（たいまい〔玳帽〕）
ウミガメ科に属する亀の一種。またはその甲羅。色によって白甲・黒甲・斑甲に分けられ、白いものほど高級品とされる。甲羅片を水と熱を加えながら繋いで鼈甲を作る。新羅時代から装身具に多用され、朝鮮時代には冠・帯の装飾や▶カッ（笠）の紐、▶貫子（網巾の孔の飾り）、▶ピッ（櫛）、▶ピニョ（簪）の素材として用いられた。

テサッカッ 대삿갓→同竹笠

テサム〔大衫〕 대삼
王妃の衣服の一つ。明から伝来した無地の服で、真紅の素紵紗で仕立てる。明では永楽3年（1405）の礼制で大衫と▶霞帔が皇后の普段着と君王妃の官服とされていたが、我が国の王妃も二等遞降の原則に従い大衫・▶褙子（チョッキ）・霞帔（垂れ帯）・ヨフルなどを▶朝服（朝賀服）として着たものと思われる。（参考）金東旭、《韓国民族文化大百科事典》6、韓国精神文化研究院、1991。

テソファオアグム〔大小花漁牙錦〕 대소화어아금
美しく精巧な文様を織り込んだ絹織物。景文王9年（869）に、新羅で織った大小花漁牙錦を唐に贈ったことがある。《▶東史綱目》巻5上）

テス〔大首〕 대수
朝鮮時代に、宮中の大礼の際に王妃が付けた▶加髢（入れ髪）の一種。末広がりの三角形をしている。髪を肩まで梳き下ろし、鳳が彫られた▶ピニョ（簪）を両側に挿し、後頭部は髪を2本に分けて結って赤紫色の▶テンギ（垂らし帯）を付け、頭頂部は▶トル簪と▶鳳簪などで豪華に飾り立てる。現存する伝世品としては、英王妃の大首がある。木箱に保管されていたが、紅で装飾品の名称を書いたものが各該当位置に貼られていた。これは装飾品が多く複雑なため、被るときの混同を避けるためのものと考えられる。→モリモヤン（髪型）

テス－チャングン〔大袖長裙〕 대수장군
喪服の一種。朝鮮時代に王妃や女官たちが喪中に着た、袖の大きな上衣と長い▶チマ（スカート）。父親・祖父の喪には非常に粗い生麻を、死後約3か月目の卒哭の後には白布（晒した麻）を、死後2年目の大祥の後

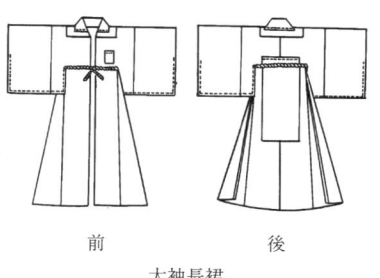

前　　後
大袖長裙

テジャンボク〔大将服〕 대장복

英王妃の大首　　義王妃金氏の大首　　翟衣着用時の大首

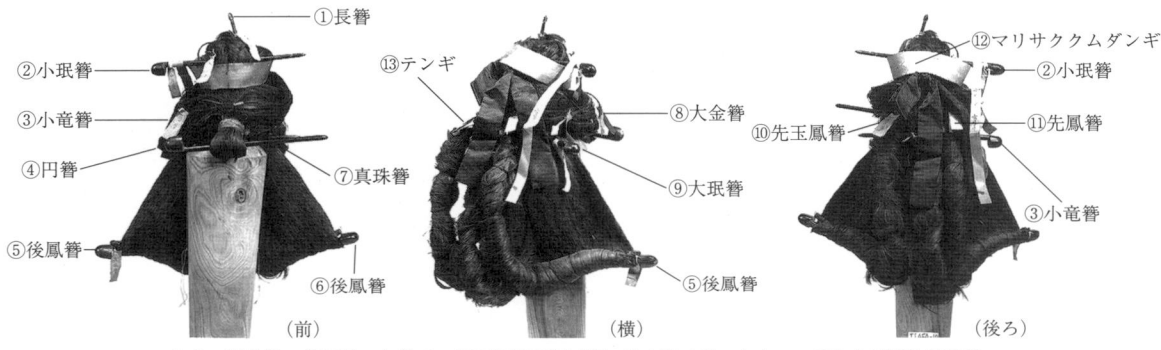

① 長簪
② 小珉簪
③ 小竜簪
④ 円簪
⑤ 後鳳簪
⑥ 後鳳簪
⑦ 真珠簪
⑬ テンギ
⑧ 大金簪
⑨ 大珉簪
⑤ 後鳳簪
⑫ マリサククムダンギ
② 小珉簪
⑪ 先鳳簪
⑩ 先玉鳳簪
③ 小竜簪

（前）　　　　（横）　　　　（後ろ）

大首の簪位置　英王妃の大首で、1922年純宗謁見時に翟衣姿で被ったもの。国立古宮博物館所蔵。

には濃く染めた玉色(オクセク)（水色）の大袖長裙(テス)を纏い、▶蓋頭(ケドゥ)・頭帛(トゥスク)を被った。景宗(キョンジョン)元年(1721) 6月の粛宗(スクジョン)の喪に際し、《服制節目(ポクチェチョルモク)》には王妃・王世子妃（皇太子妃）、文武官の妻の喪服に定め、大袖は▶長衫(チャンサム)を、長裙(チャングン)はチマを指すとしている。胸にはヌンムルバジ（涙受け）と呼ばれる袋を付けるが、母親の喪には右側に、父親の喪には左側に付けた。チマは7幅として襞を入れ、紐は▶コルムのように折って両脇に垂らした。→喪服(サンボク)

テシュムチマ 대슘치마
▶ソクチマ（女性の下着）の一種。朝鮮(チョソン)時代、宮中における正装時に履いた。カラムシに糊付けして12幅に仕立て、4cm程度の障子紙や厚紙をカラムシ織りで包んで裾に付け、上に履いた▶チマ（スカート）の下部が自然に広がるようにした。

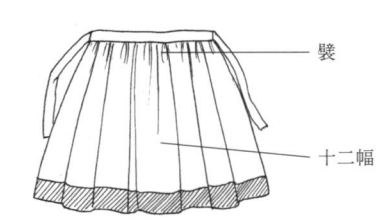

襞
十二幅

カラムシ織で包んだ布などを裾に当てる

テシュムチマ（二合）

テヨ〔台腰〕 대요
朝鮮(チョソン)時代の女妓の頭飾り。髪を解き下ろした幼い女妓が頭に巻く帯で、テンギと同様に▶ピニョ（簪）の代わりに使用する。金または金メッキ製の花7〜9個を真珠と各色の玉で飾り、黒絹で仕立てた帯に付けたもの。(《▶楽学軌範(アカククェボム)》巻9 女妓服飾図説)

台腰

テウイ〔大衣〕 대의 同 袈裟(カサ)

テジャッティ〔帯子ッティ〕 대자띠
平織の平らな帯。軟豆色(ヨンドゥセク)（黄緑）・粉紅色(プンホンセク)（桃色）・藍色などの撚糸で細く厚く織る。両端にはメドゥプ（飾り結び）を施し、そのまま垂らした。

テジャンボク〔大将服〕 대장복
朝鮮(チョソン)末期から大韓帝国(テハン)時代に陸軍服

131

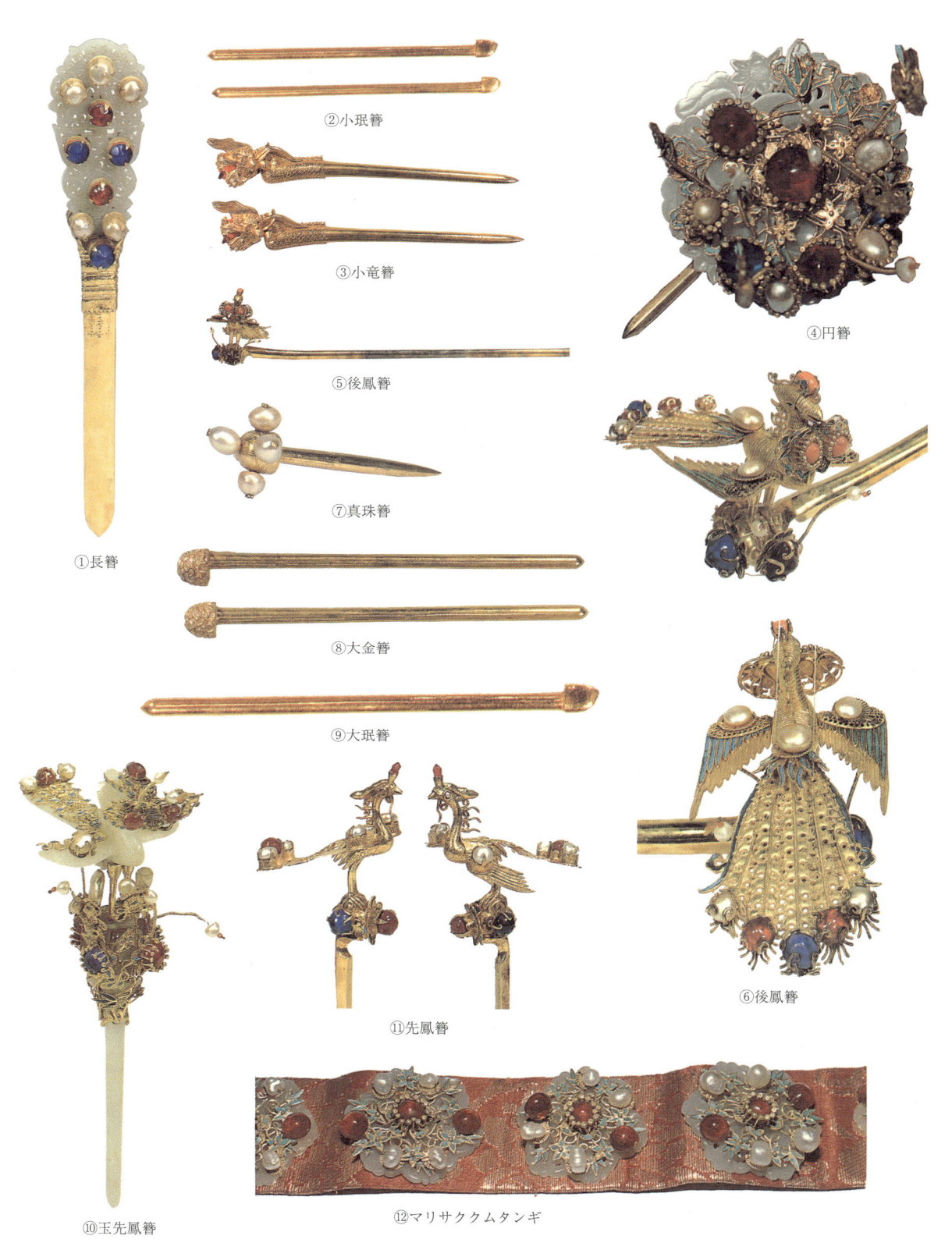

①長簪
②小珉簪
③小竜簪
④円簪
⑤後鳳簪
⑥後鳳簪
⑦真珠簪
⑧大金簪
⑨大珉簪
⑩玉先鳳簪
⑪先鳳簪
⑫マリサククムタンギ

英王妃の大首に用いられた簪　国立古宮博物館所蔵。

装制に基づき大将が着た礼服。上衣とズボン・帽子・短靴などから成り、階級により各々衣領・肩章・袖章などの標章を区別した。(李康七)

大将服 大将服で正装した純宗の姿。1900年7月1日(官報第1624号、光武4年7月12日)に制定された諸式に従ったもので、上衣には官等と階級を表わす衣領章・肩章・袖章や功勲を表わす勲章・記章などを付けている。袖には紅色の絨を付けて金糸線辺織で正倒己字型を施し、その上に人字型の9本の線で階級を表わし、先端をスモモの花形で飾っている。

テジョムムン〔テジョム紋〕 대접문

テジョプ(平鉢)を図案化した文様。主に織物や家具の文様として用いられる。一般的にテジョプの平面図形である円の中に寿・福・卍などの文字を組み合わせ、その周囲に蝙蝠や花紋を施してある。

テチャンイ〔大氅衣〕 대창의

朝鮮時代に士大夫が着た▶氅衣の一種。氅衣には小氅衣・大氅衣・中到莫の3種類があった。大氅衣は白の生地で仕立てられ、袖が幅広く、衽があり、ム(脇の当て布)を当ててある。背縫いが割れており、脇も裾から20～30cmほど割れている。丈は若干長めで、▶細条帯(紐状の帯)を締め、▶幞巾や▶程子冠、▶東坡冠を被った。《正祖実録》(巻37、17年10月庚辰)に「氅衣は隠居の際に着るものとはいっても、朝官の服装であり、公服の下に着るときは青を用い、普段着としては必ず白を用いた」とある。出土遺物は、大半が刺し子の大氅衣や小氅衣である。このうち1670年代のものと推定される安東大学博物館所蔵の大氅衣を見ると、脇当てのムの裾幅は15cmで、脇は60cm割れていて袖が太めだ。これは出土当時▶道袍の下に着ていたものである。この他に出土した大氅衣は袖とムが幅広く、後身頃が割れている。大氅衣は、高宗21年(1884)5月の服制改革によって袖の細い小氅衣に取って代わられ、後に廃止された。→氅衣

テペレンイ 대패랭이

竹を編んだ帽子。竹を裂き、帽子の形に編んで作る。竹の外皮で作るものは丈夫で弾力があり、形も美しくて上級品とされるが、内皮で作られたものはもろく痛みやすいので下級品とされる。庶民階層で老若男女問わず被られた帽子で、軽く通気性がよいため夏季に用いられる。→ペレンイ

テハチョクポグン〔帯下尺布裙〕 대하척포군

目の非常に粗い生麻で仕立てた▶チ

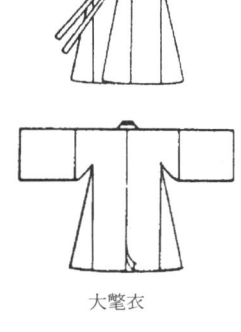

テジョム紋

(左)徐直修像。金弘道・李命基画。1796年。

大氅衣

マ（スカート）。

テホン-ポサンファ-サ〔大紅宝相華紗〕 대홍보상화사
紅の生地に宝相華の文様を施した絹織物。大紅は真紅で、宝相華とは一種の唐草模様で、仏教美術によく用いられる想像上の花のこと。

テホン-チックムギョン-ヘダン-サゲファ-タンサム〔大紅織金肩海棠四季花団衫〕 대홍직금견해당사계화단삼
紅の地に金襴で海棠や四季花の文様を施した絹の▶団衫。四季花は四季を代表する花で、春の桃・杏、夏の蓮、秋の菊、冬の梅を指す。朝鮮時代の端宗の頃、中国から持ち込まれた。(《▶朝鮮王朝実録》端宗3年4月丁酉)

テファダン〔大花緞〕 대화단
▶洋緞（朱子織の厚絹）の一種で、経糸・緯糸に撚糸を用い、表面は朱子織、裏面は綾織の朱子二重織絹織物。緯糸は地用と文様用との2種類だが、色は同じものを使う。厚く光沢があり、▶マゴジャ（チョッキ）・男性用▶チョゴリ（上衣）などに適する。

テンギ〔▽唐▽只〕 댕기
結った髪の端に結ぶ装飾用の帯状布。《北史》列伝に「百済の娘は髪を後ろに結って垂らし、婦人は二つに分け頭の上で結う」とあり、新羅では「婦人たちは髪を結って頭上に巻き、絹や真珠で飾る」とある。高句麗古墳壁画でも紐で飾った姿が見られ、高句麗・百済・新羅の三国がすべてテンギを使用していたことがわかる。《▶宣和奉使高麗図経》には、未婚の女性が髪をまとめ、紅羅・絳羅など赤い絹のテンギを結び、男性は黒絹の短いテンギを垂らしていたとの記録がある。高麗後期には弁髪が一般化し、テンギが必需品となった。朝鮮時代にも重要な頭飾りとして用いられたが、1895年に断髪令が下された後、徐々に姿を消していった。

テンギの種類は礼装用としてトクジテンギ、▶メゲテンギ・▶トトゥラクテンギ・▶トゥリムテンギなどが

1

2

3　　4　　5

テンギ　1 マルットゥクテンギ　高麗大学博物館所蔵。　2 トトゥラクテンギ（クンテンギ）温陽民俗博物館・高麗大学博物館所蔵。　3 トゥリムテンギ（アプチュルテンギ）梨花女子大学博物館所蔵。　4 チェビブリテンギ　高麗大学博物館所蔵。　5 コイテンギ　高麗大学博物館所蔵。

テンギの種類

名称	様式および用途	名称	様式および用途
マルットゥクテンギ	児童用のテンギ。まだ髪が短い時期に垂らす。これ以外にも児童用のテンギには、チョンジョンモリに飾る、梨の種の装飾付きのものがあった。	チェビブリテンギ	未婚者が結い髪に下げたテンギ。女性は赤、男性は黒を使用したが、大きさは年齢により異なる。
トトゥラクテンギ（クンテンギ）	宮中や両班家で用いられた新婦の礼装用テンギ。濃い紫の緋緞や紗で作られ、後ろで大きく垂らすためトゥイッテンギあるいは朱簾ともいわれる。幅は10cm程度で、二つに分かれており、上部は三角形で、長さはチマの丈より若干短い。全体に金で箔押しされ華麗に仕立てられており、上には石黄と玉板を付け、下には玉板や琥珀製の蝉5匹ほどを付けて、2本に分かれているテンギをつなぐ。	メゲテンギ	紫の平絹に綿を入れて、長く丸い紐状に仕立てて使用する。
		チョクテンギ	後頭部の髷に飾ったテンギ。若い女性は赤、中年は紫朱、老婦人は濃い紫朱、寡婦は黒、服喪中は白を使用した。オジュンモリの紫的テンギや宮中で髪型をクンモリ・オヨモリにするときに髪を束ねるテンギである。
トゥリムテンギ（アプチュルテンギ）	婚礼の際、クンテンギと対をなして両肩から前に垂らすテンギ。髪に挿した簪の両端に適当に巻いて両肩に垂らす。幅は5cm内外でクンテンギと同様、金の箔押しがされ、両端には真珠または珊瑚珠の装飾が施された。	コイテンギ	西北地方で婚礼の際に用いられたテンギ。他のテンギに比べ非常に長い。右側には牡丹の花3本、左側には十長生紋を刺繍し、テンギの端の部分を丸く巻き、菱形文様を華麗に刺繍し、後ろは大きな真珠で飾った特色のあるテンギである。

あり、一般用として▶チェビブリテンギ・子供用トトゥラクテンギ・▶マルットゥクテンギ・チョクテンギなどがある。また宮中女官用にはネカダクテンギ、▶パンニプテンギなどがあった。用途と素材によるテンギの種類をまとめると、表のとおりである。

トグレ 더그레

朝鮮時代に各兵営の衛兵と馬上才軍（馬芸隊）、司諫院のアル道（行列の先頭で発声する先供）、義禁府（検察）の羅将（尋問・刑務官）など、下級官吏たちが着用した上着。両脇の割れた、上下つなぎの袍（外衣）である。高宗15年（1878）南寧尉（純祖の3女徳温公主の夫尹宜善の還暦の際に趙大妃が下賜した衣服の中に含まれている。→軍奴服・号衣

トッタン 덧단

裾・袖先の折り返しの上に別の布を当てたもの。→ス襴チマ

トッチョゴリ 덧저고리

▶チョゴリ（上衣）の上に重ね着する大きなチョゴリ。

トッチュゴリ 덧주거리

▶チョゴリ（上衣）の一種。防寒のために農民が着た長いチョゴリ。平安北道地方の方言。

トゲンイ 도갱이

▶チプシン（草鞋）や▶ミトゥリ（麻草履）の踵からトルギチョン（両脇中央の要）までの縄。これを覆う縄をトゥイッケンギという。→ミトゥリ

トダイク〔都多益〕 도다익→トトゥラクテンギ

トラン-チマ 도란치마

ふくらはぎが出るほどの短い▶チマ（スカート）。同短裳

トレーメドゥプ 도래매듭

伝統メドゥプ（飾り結び）の一種。メドゥプの始めや終わりの部分や、メドゥプとメドゥプの間に施したり、他のメドゥプが解けないように固定するのに用いられるメドゥプのもっとも基本的な形態である。→メドゥプ

トリョン 도련

▶チョゴリ（上衣）やトゥルマギ（外衣）の裾。褄先（衽の先）から褄先までを指し、コッ（外）トリョン・トゥイッ（後）トリョン・アン（内）トリョンなどに分けられる。

トロンイ 도롱이（みの〔蓑・簑〕）

トロンイ

トリュムンダン〔桃榴紋緞〕 도류문단

朝鮮時代に、農民たちが着た雨具の一種。藁や茅を編んで作るもので、茎を段状に重ねて雨水が流れ落ちるようにしてある。㊂緑蓑衣(ノクサウイ)・蓑衣(サウイ)・ヌヨク・トゥエロン

トリュムンダン〔桃榴紋緞〕 도류문단

石榴紋と桃花紋を織り込んだ、厚く艶のある高級絹織物。宮中で主に妃(ヒ)嬪(ピン)の▶チマ(スカート)・▶チョゴリ(上衣)・唐衣などの服地に用いた。《宮中衣襨発記(クンジュンウイデパルギ)》に、朝鮮時代の英祖(ヨンジョ)の代に、王世子(皇太子)の嘉礼にトリュムンダン(タン)桃榴紋緞の唐チョゴリを着た記録があり、また高宗(コジョン)8年(1882)壬午年の王世子の嘉礼で、三揀択(サムガンテク)(3次選抜)の際に王世子妃の候補たちに桃榴紋緞のチマ・チョゴリが一着ずつ渡された。また、宮中での王族婦人や女官に下賜されたこともあるが、英王(李垠(イウン))が14歳で日本に発つ際の婦人たちへの下賜品の記録である《衣次発記(ウイチャルギ)》に、緑色の桃榴紋緞が含まれている。

桃榴紋緞

トリクム〔トリ金〕 도리금

彫刻を施さない円盤状の金。朝鮮(チョソン)時代に正2品官吏用の▶金貫子(クムグヮンジャ)を作る際に使用した。→貫子(クヮンジャ)㊂環金(ファングム)

トリサ〔トリ紗〕 도리사

夏用絹織物の一種。経糸は絹糸、緯糸はカラムシ糸で織るもので、地がきめ細かい。

トリオク〔トリ玉〕 도리옥

▶網巾(マンゴン)の▶貫子(クヮンジャ)の素材とする品質のよい円盤状の玉(ギョク)。朝鮮(チョソン)時代に1品の官吏の網巾貫子に用いられた。従1品以上の官吏は彫刻を施さないもの、正3品堂上官(タンサンヴァン)は彫刻を施したものを使った。㊂環玉・還玉(ファノク)

トサ〔絢糸〕 도사

数本を撚り合わせた糸。

トサボク〔道士服〕 도사복

高麗(コリョ)時代に、道教の修行者が着た服。白いカドッ(皮衣)を着て紐帯を締め、頭には▶皂巾(チョゴン)を被った。庶民の衣服と大きな差はないが、袖幅が広めである。(《宣和奉使高麗図経(ソンファボンサコリョトギョン)》巻18)

トア〔條▽児〕 도아

端に房を垂らした糸状の帯。《▶経国大典(ググクテジョン)》(巻3礼典儀章)には、「録事(ノクサ)(文書官)・諸学生徒・胥吏(チェハクセンド)(ソリ)・別監・皂隷(ビョル)(ガム)(チョレ)(下人)などは▶団領(タルリョン)の上に、宮中の各差備(チャビ)(臨時官)は▶直領(チンニョン)の上に、▶羅将(ナジャン)(尋問・刑務官)は▶半臂衣(バンビウイ)の上に締める」とあり、太宗(テジョン)18年(1418)5月には、婚姻する者は銀帯の代わりにトアを締めるよう定めた。また、英祖(ヨンジョ)19年(1743)に定められた服制によれば、▶道袍(トポ)の上に締めるトアは堂上官(タンサンクヮン)(正3品以上)は▶繻色(フンセク)(薄赤)または紫色を、堂下官(タンハクヮン)は青または緑を用いるとあり、高宗の時代には文武堂上官のトアは紅紫色、堂下官は青緑色を用いるよう定めていた。(《朝鮮王朝実録(チョソンワンジョシルロク)》高宗21年6月)→細条帯(セジョデ)

トウイ〔擣衣〕 도의→㊂タドゥミジル(砧打ち)

トウイジョ〔擣衣杵〕 도의저

砧打ちに用いる棒。→タドゥミジル(砧打ち)

トジャ〔刀子〕 도자

護身用または携帯用小刀として用いられた30cm未満の小さな刀。三柄刀子(サムビョンコトジャ)・狐刀子(コトジャ)・単刀子(タントジャ)・小刀子(ソトジャ)などの種類がある。木・竹・角(つの)・金・銀・銅・玉・鼈甲・琥珀などを用い、緻密に細工された。忠清南道(チュンチョンナムド)公州市(コンジュ)の武寧王陵(ムリョン)から出土したものを見ると、長さが25.5cm、23.7cm、16.5cmなどと一定ではなく、柄と鞘の表面は金と銀または銀のみで飾られている。

トチャ〔陶車〕 도차→㊂ムルレ

トチョプ〔度牒〕 도첩

朝鮮(チョソン)時代、僧侶に発給された身分証明書。抑仏政策によるもので、僧侶になることを望む場合、両班(ヤンバン)(文武官一族)は布100疋、平民は150疋、賤民は200疋相当の金銭を納めねばならなかった。

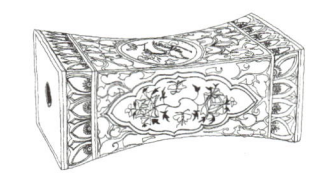

トチム〔陶枕〕 도침

陶器の枕。磁器製のものは磁枕(チャチム)という。青磁枕と白磁枕とがあり、感触が冷たく、昔から夏季に愛用された。

陶枕 青磁象嵌牡丹雲鶴紋陶枕

トトゥラク-テンギ〔▽道▽吐▽楽▽唐▽只〕 도투락댕기

①礼装用テンギ(帯状の頭飾り)の

トポ〔道袍〕도포

一種。朝鮮時代以降に用いられた。▶円衫や▶ファロッなどの婚礼服を着て▶チョクトゥリ（黒絹冠）や▶花冠を被った上で、後頭部に長く垂らした。深紅・黒などの紗（捩り織絹）や緞（朱子織絹）で、丈180cm、幅10〜12cm ほどの大きさに仕立てられる。1本の帯の中央部が直角二等辺三角形になるように折り曲げて、2本の帯が並んだように見せる。外側は、上の頂点から二等辺三角形の底辺まで中央をくけ縫いし、内側はやはり三角形底辺の中央に2本の紐をかけ、この紐を頭の髷に巻き付けて固定する。外側には金箔を施し、上部に石黄や玉板を付け、琥珀・七宝などの装飾を中央の線に沿って付けて左右を繋ぐ。丈はチマより若干短い。同都多益・クンテンギ・朱簾

2 子供用のテンギ（帯状の頭飾り）。礼装用のトトゥラクテンギと同じものを、子供用に仕立てたもの。子供は後髪が短いため、テンギ上部に小さな突起を付け、耳の後ろの髪に付けるようになっている。→テンギ

トトゥマリ 도투마리（오마키〔緒巻き・男巻き〕）

織機の部品。H型の大きな糸巻きで、経糸を巻いて、織機の前脚の上に乗せておく。→ペメギ・ペトゥル

トポ〔道袍〕도포

朝鮮時代中期以降、ソンビ（在野の儒学者）が普段着とした外衣。文献資料では、朝鮮時代の明宗19年（1564）に道袍を着たとの記録が最初のもので、《孝宗実録》には文禄・慶長の役以降に服制化されたとあることから、道袍は朝鮮時代中期以降に着られるようになったことがわかる。李圭景の《五洲衍文長箋散稿》には、「我が国の朝官士庶が着た道袍には青と白とがあり、慶事には青を、普段は白を纏った。賤民や奴婢には着用が禁じられた」とあり、丁若鏞が著した《▶牧民心書》には「下賤な者も道袍をよく着ている」と記されている。この様に幅広い身分の間で着られていたが、後期には賤民は着られないようになった。襟は真っ直ぐで、脇には▶ム（当て布）が当てられており、袖幅は広い。後身頃は腰の部分まで背中心で割れており、その上に▶展衫と呼ばれる裾が被せてあって、馬に乗ったり座るときに便利であるとともに、後姿の品位を保っている。この展衫が道袍の特徴である。道袍の上には細条帯（細紐の帯）を締めたが、堂上官（正3品以上）は薄赤か紫、堂下官は青か緑を用いることが多かった。朝鮮時代末の高宗の甲申衣制改革の際、広袖の他の服とともに廃止されたが、1889年の礼式果の《礼服》で官職のない人々の礼服として道袍が採用された後、広袖の服装の中で道袍だけは引き続き着られ続けた。江原道では1980年代まで、新婦が新郎のために道袍を揃え、結婚後は祭祀服として用いた後に、本人の寿衣（死に装束）にしたという。現在でも祭祀を執り行う際の祭礼服にもなり、

トトゥラクテンギ 1

道袍

前

後

137

また寿衣にもされる。(金美子)→袍

トホン-ティ〔桃紅ティ〕도홍띠
桃色の房帯。同紅トア・紅糸帯→同紅ジョ帯

トホンセク〔桃紅色〕도홍색
薄い桃色。紅花の花弁で染められる薄い4色の一種である。16世紀半ば、洪曇が大司憲（官吏監察官）になると白い服の着用は厳しく禁じられ、在野の儒学者の上衣は全て桃紅色になったが、施行5、6年足らずで中止された。《▷燃藜室記述》別集巻13政教典故）

トクピゴン〔犢鼻褌〕독비곤
幅が細く、股下が短い▶パジ（ズボン）。朝鮮時代、農民が夏季に着たもので、現在のスエコチャムバンイに似ている。高麗時代の李奎報の詩に犢鼻褌が登場する。→褌衣

トンピ〔瀕皮〕돈피
貂類の毛皮。朝鮮時代に上流階層に愛用された。貂の毛皮には、黒貂のチャル、黄貂の瀕皮、白貂の白貂皮の3等級があった。同貂皮

トルーッティ 돌띠
トル（満一歳）を迎えた子供の腰に締める帯。長寿を祈願する意味で、一巻きして締められる長さになっている。男児は藍色、女児は紅色の平帯に十長生（鶴・亀など十種の長寿なもの）の刺繍を施し、▶チョゴリ（上衣）の上に締めた。帯の下端に可愛い刺繍を施した五方色の▶チュモニ（巾着）を垂らして、チャムジャリメドゥプ（トンボ形の飾り結び）を飾った。チュモニの中には大豆・小豆・米などの穀物を紅色の▶韓紙に包んで入れ、無病長寿を願う。トルティに付いたチュモニが後ろにくるように締める。国王の孫の場合、長寿を祈願する円寿紋や吉祥紋を刺繍した。また、帯の縁に卍字紋を繋げて施し、その上に3色の可愛いチュモニを垂らしたが、中には厄除けの意味で黄色の豆を紅色の紙に包んで入れた。

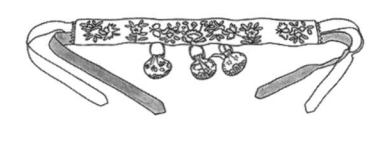

トルッティ

トルモ〔トル帽〕돌모
農楽舞を舞う際に、農楽軍が被る▶戦笠に似た▶カッ（笠）。戦笠より象毛（房）を長くするのが特徴で、舞うときに象毛を回すことからトル（回る）帽とも呼ばれる。

トル帽　直径33.5cm、高さ17.2cm、象毛60cm。藁で麦藁帽子のように形作り、頂部に円錐形の木を付け、ハトムギ珠を通した針金に韓紙の房を垂らしてある。

トルーペゲ 돌베개
トル（満一歳）を迎えた子供に与えられる枕。陶磁器が最もよく、この枕を敷けば年老いても目が悪くならないと言われる。

トルボク〔トル服〕돌복
満1歳の誕生日であるトルラルに子供に着せる服。男児は薄紫色の▶風遮バジに玉色（水色）や桃色の▶チョゴリ（上衣）を着て、藍色のトルティ（帯）を締めた。19世紀末の開化期以降は、この上に藍色のチョッキと薄緑色の身material にセクトン（色縞）袖の▶マゴジャを重ね着した。また家によっては五方色の▶カチトゥルマギ（色縞外衣）を着て、その上に▶戦服を着ることもあった。頭には黒の紗（捩り織絹）で作った▶幞巾を被ったが、成人用と同じものに金箔を施して可愛さを強調した。戦服は▶褡複または▶快子ともいうが、背縫いが長く割れた袖のない服で、襟や衽などに寿福康寧の文字や花紋を金箔で施し、その上に赤地に十長生を刺繍した藍色のトルティ（帯）を締めた。このトルティの後ろには12か月を象徴する12個の小さな▶チュモニ（巾着）に様々な穀物を入れて、富貴栄華を願った。前には刺繍したチュモニを下げ、片側には萬寿無疆・寿福康寧など吉祥字文を刺繍した。

女児は桃色の風遮バジの上に黄色の▶ソクチマを履き、さらに真紅の▶チマ（スカート）を履いた。チョゴリはセクトン（五縞）袖を付けた黄色や黄緑のものを着た。場合によっては、さらに子供用の▶唐衣（外衣）を着て頭には▶クルレを被り、吉祥紋様の施された▶ノリゲ（房飾り）を垂らした。クルレは冬には▶緋緞（朱子織絹）で、春・秋には甲紗（交

トンダフェ〔童多絵〕 동다회

カチトゥルマギ
幅巾
風遮パジ
戦服
クルレ

トル服　(上)男児のトル服 (下)女児のトル服

織絹)で作り、これに刺繍を施して翡翠などで飾った。足には長生紋を刺繍した▶ヌビ(刺し子)のポソン(足袋)を履き、パジの裾には男児は藍色、女児は紅色の▶テニム(結び紐)を巻いた。靴は、男児は▶太史鞋、女児はコッシンまたは緋緞シンを履いた。

トルシルーナイ　돌실나이
全羅南道谷城郡トルシル産の麻布。麻の名産地として有名なトルシルでは、現在でも昔ながらの方法で麻布が織られている。作業工程は、まず育った大麻を刈り取り蒸気で蒸した後、茎の皮を剥がし、丈を揃えて乾燥させる。干しあがった麻を品質により上(▶道袍(外衣)用)・中(一般衣服用)・下(喪服用)に仕分ける。麻は干しすぎると繊維が採りにくくなるので、腐るのを防ぐ程度に適度にとどめる。干した皮を裂いて細い繊維とし、膝の上でこすって糸状にしながら、次々に撚り合わせて糸を績んでゆく。繋がった麻糸がばらばらにならないよう籠に積み、これを糸車にかけ巻き糸にする。このような作業を経て、ようやく織りに入る。谷城のトルシルナイは、糸が細くきめの細かい細布のため高価だが、慣れた織り手は早朝から夜までに1疋(20尺)を織るという。→サムベ(麻布)

トルーチュモニ　돌주머니
トルナル(満1歳の誕生日)に子供の腰に付ける▶チュモニ(巾着)。福禄を祈願するもので、絹を縫い合わせて袋にし、口を襞にしてたたみ、色糸の紐を付ける。前面には牡丹・菊などの花、背面には寿・福の文字を刺繍する。紐には小型の▶タレポソン(綿入れ足袋)・銀斧・銀蝶・銀鼓・銀魚・▶銀粧刀・銀錠などを飾り付ける。いずれも子供の長寿と幸せを祈願し、また厄や不浄を遠ざけようというものである。〔参考〕高麗大学校民族文化研究所、《韓国民俗大観1》、1980。

トンゲ〔筒箇〕 통개
矢と弓を入れる筒を一つにまとめて肩に掛けられるようにした道具。矢籠は矢腹ともいい猪の皮製で、弓袋は形がポソン(≒足袋)に似ており、布もしくは皮製であった。背負う際には左肩にかけ、脇の下で縛る。高句麗安岳3号墳の行列図にもこのような形の筒箇が見られることから、上古から用いられたものと思われる。朝鮮時代末期まで、▶戎服や▶具軍服姿に筒箇を担ぐ姿が見られた。
回筒児・弓矢袋・櫜鞬

トングレーチョゴリ　동그래저고리
丈が短く、衽幅が狭く、褄先が丸い女性用の▶チョゴリ(上衣)。

トンダフェ〔童多絵〕 동다회
主に伝統▶メドゥプ(飾り結び)に用いられた組み紐の一種。円多絵ともいい、▶ノリゲ(女性の韓服用房飾り)・チュモニ(巾着)紐、各種▶流蘇(御輿などに垂らす房飾り)の素材とするよう組まれた丸い紐である。基本組織は4糸と8糸で、八

トンダリ 동달이

麻裂き　　麻紡ぎ　　糸車での撚りかけ

整経　　筬通し　　麻布織り

谷城トルシルナイ　重要無形文化財第32号保有者金点順。

糸トゥルと呼ばれる道具で組む。→クンモク・多絵

トンダリ　동달이

朝鮮時代、▶戦服の下に着た軍服の一種。「同多里」と漢字を当てることもある。形は現在の▶トゥルマギに似るが、背中心と両脇が割れたものと割れていないものとがある。袖の色が身頃と異なるのが特徴だが、普通朱紅色(赤橙)の身頃に赤の細袖が付いている。トンダリという名称も、別色の袖を付けた服というのが語源らしい。「狭袖」とも呼ばれたが、狭袖とはもともと細袖の軍服袍(軍人用の外衣)の総称で、様々な種類の狭袖のうち最後まで残ったのがトンダリだったため、これがトンダリの代名詞となった。トンダリの最も古い資料は、粛宗の時代に描かれた《崇政殿進宴図》である。この陵行図を見ると、トンダリには橙・緑・藍・赤紫・黒・桃色などが

トンダリ　重要民俗資料第13号。国立民俗博物館所蔵。鄭元容(1783〜1873)の具軍服一式のうちのトンダリ。身頃は赤橙で袖は紅色である。

トンダリの上に戦服を着た姿。重要民俗資料第6号。高麗大学博物館所蔵。

あり、袖先のみ紅色のもの、袖口から肘まで紅色のもの、袖口から袖付けまでが紅色のものの3種があった。囲狭袖・キョプス・袖衣→具軍服

トンニョンファグァン〔銅蓮花冠〕동련화관

処容舞を舞う際に、無童が被る蓮花形の冠。銅を圧延し、上部は伏せた蓮花、下部は緑の蓮の葉の形に作ってある。処容舞に用いられる仮面は漆塗りの布地で型を作り、その上に肌色を塗った。《▷楽学軌範》巻9舞童冠服図説)

銅蓮花冠 《楽学軌範》掲載の図。

トンバン〔東方〕동방

東国の方袍(袈裟)という意味で、僧侶が普段着にする上衣である。形は▷トゥルマギに似た直領だが、トゥルマギより丈が短い。16世紀の遺物が出現しており、これ以前より着られていたものと思われる。現在も僧侶たちが普段着としているが、下半身には▷パジ(ズボン)を履いて▷テニム(裾紐)を結ぶ。

トンア〔筒児〕동아→囲筒箇
トンイ〔胴衣〕동의→囲襦衣
トンイデ〔胴衣襨〕동의대

▷チョゴリ(上衣)と▷パジ(ズボン)の上に羽織る外衣。形はトゥルマギと同じで細袖だが、動きやすいように丈を短くしてある。遺物では忠北大学博物館所蔵の伝朴将軍墓出土の胴衣襨があるが、丈は90〜100cmである。この胴衣襨は高句麗古墳壁画に描かれた短い▷袍とほぼ同じ丈であり、現在僧侶の着ている▷東方にも似ているので、互いに関連があるものと思われる。(参考)金東旭《韓国民族文化大百科事典7》、韓国精神文化研究院、1991

胴衣襨 1500年代。伝朴将軍墓出土。忠北大学博物館所蔵。

トンジャン〔桐杖〕동장

母親の喪に用いる桐製の杖。上は丸く、下は角ばっている。→喪杖

トンジョン 동정(かけえり〔掛け襟〕)

▷チョゴリ(上衣)や▷トゥルマギ(外衣)の襟の上に重ね合わせた白襟。トンジョンをいつから掛けるようになったかは不明だが、温陽民俗博物館所蔵の高麗末期の紫衣には、1cmほどのトンジョンが掛けてある。遺物や絵画を見ると、朝鮮時代初期にはなかったことが確実であるが、15世紀半ば以降は再び見受けられるようになる。トンジョンの幅は襟幅の3〜2分の1ほどだったが、後に流行により変化した。朝鮮戦争以降は材質が固くなるとともに製品化して販売されるようになったが、1996年以後は再び障子紙を用いるようになった。(柳喜卿)

トンジョ〔童条〕동조

袈裟に用いられる108枚の布切れ。→袈裟

トンジサボク〔冬至使服〕동지사복

朝鮮時代、冬至の前後に明や清に派遣された使臣が着た服。正使には三公または六曹(六省庁)の判書(長官)が選ばれ、副使と書状官(記録官)が随行した。

冬至使服 洪大容(1731〜1781)と李基誠が冬至使として赴いた際の姿を厳誠が描いたもの。左の洪大容は円領袍を着て儒巾を被っており、李基誠は戦服に戦笠を被っている。戦服は脇の腰から下が明いており、戦笠は頂部が尖り、孔雀の羽根が付けられている。

トンパグァン〔東坡冠〕동파관

朝鮮時代に、士大夫が日常被った▷冠。馬のたてがみや尾の毛で作られるもので、真ん中に立つ立方体の冠の前後左右に小さめの装飾冠が付いている。宋の文人蘇軾が被ったとされ、彼の号をとって東坡冠と名付けられた。▷網巾・宕巾を被った上に外冠として被る。18世紀半ばに日本を訪れた朝鮮通信使の記録である《▷海行摠載》(東槎録3月29日)に

トンファンス〔銅環綬〕 동환수

は、使臣たちの中で「堂上訳官(タンサンヨクックァン)(高位の通訳官)は東坡冠(トンパグァン)に▶道袍(トポ)を着用した」とある。

東坡冠 李采(1745〜1820)像。

トンファンス〔銅環綬〕 동환수

銅製の環を飾り付けた▶後綬(フス)(腰に垂らす装飾帯)。朝鮮(チョソン)時代に、5品から9品までの官吏が▶朝服(チョボク)(朝賀服)・▶祭服(チェボク)(祭祀服)の上に締めた。(《▶経国大典(キョングクテジョン)》巻3礼典儀章) →綬(ス)・後綬(フス)

トゥゴン〔頭巾〕 두건

布製の被り物の一種。高句麗(コグリョ)古墳壁画に描かれているが、▶幞頭(ポクトゥ)一色だった統一新羅(シルラ)時代を経て高麗(コリョ)時代になると、《▶宣和奉使高麗図経(ソンファボンサコリョトギョン)》《▶高麗史(コリョサ)》など多くの文献に見られるようになる。記録に現れるもののうち四帯文羅巾(デムルラゴン)・烏巾四帯(オゴンサデ)・▶文羅頭巾(ムルラトゥゴン)・文羅巾(ムルラゴン)・烏巾(オゴン)などが▶頭巾(トゥゴン)に属するもので、朝鮮(チョソン)時代の▶儒巾(ユゴン)・▶幅巾(ポッコン)・▶平頂巾(ピョンジョンゴン)などもこれに属するものといえる。朝鮮時代の太宗(テジョン)16年(1416)1月に「郷吏(ヒャンリ)(地方官吏)が官門を進退する際と大小使客を送迎する際には頭巾を被るが、各司(カクサ)(漢城内の諸官庁)の吏典(イジョン)(下級官吏)や平民も被っている」とあり、朝鮮時代初期に地方官吏の普段着着用時に被られていたのみならず、一般庶民にも普及していたことがわかる。頭巾のみで外出することもあれば、その上にさらに▶冠(クァン)や▶帽(モ)を被ることもあった。しかし頭巾という言葉は、次第に喪に服する遺族が被る簡単な三角形のものを指すようになっていった。

男性遺族や服人(ポギン)(1年以内の喪に服す者)が喪中に被る頭巾は孝巾(ヒョゴン)と呼ばれ、上部を縫いつけ下部を四角くした典型的な▶巾(コン)の形をしている。素材は麻布で、頭巾の上に屈巾(クルゴン)を被り、首経(スジル)(麻縄)を巻きつける。《▶朝鮮王朝実録(チョソンワンジョシルロク)》睿宗(イェジョン)元年(1469)9月に「喪中の別監(ピョルカム)(儀礼担当官)・小親侍(チャビシ)(小間使い)・各差備人(ナジャン)(臨時官吏)は粗い生麻の頭巾を、皀隷(チョレ)(下人)と羅将(ナジャン)(尋問・刑務官)は晒した麻の頭巾(トゥゴン)を被り、死後約3か月後の卒哭(チョルゴク)以後は黒頭巾を被る。」とあることから、末端の官吏も国葬に白い頭巾を被っていたことがわかる。→巾(コン)

トゥドゥミガプ〔豆豆味甲〕 두두미갑

朝鮮時代のカボッ(鎧)の一種。青や赤の絹織物の表地に煙鹿皮で裏を打ち、白銀色と黄銅色の頭頂(ヨンノクビ)(鋲)を交差させて打ち、5色の糸で交織した帯と赤い平帯を締める。(李康七(イガンチル))

トゥロンイ 두렁이

幼い子供の腹部から下半身を保護する▶チマ(スカート)のような服。各種繊維が発達・普及しておらず下着もなかった時代に、きちんと服を着せるにはまだ早い乳幼児の保温用に用いられた。袷にしたり綿を入れて刺し子にしたものが多かった。朝鮮(チョソン)時代の高宗(コジョン)の代の《▶宮中撥記(クンジュンパルギ)》に、王子の三七日(サムチリル)(生後21日目)の衣服としてヌビ(刺し子)のトゥロンイが記されている。同 トゥロンチマ・トゥリョンイ・ペトゥロンイ

トゥロンイ 石宙善紀念民俗博物館所蔵。丈40cm、幅148cm。濃い紺色の綿布に綿を入れて刺し子にしたもの。

トゥロンチマ 두렁치마 →同 トゥロンイ

トゥルマギ 두루마기

朝鮮(チョソン)時代、男女が着用した▶袍(ポ)(外衣)の一種。襟は真っ直ぐで、「周りが(トゥル)塞がっているもの(マギ)」に由来する名称である。三国時代の基本的な袍が朝鮮時代まで着続けられながら他の袍の影響を受け、トゥルマギとなった。統一新羅(シルラ)時代に基本的な袍の形に▶ム(襠)(マチ)が加わり、木板キッ(板状の広襟)が生まれ、高麗(コリョ)時代末期には衽(オクミ)の打ち合わせが深くなり、オッコルムが生まれ、現代のトゥルマギの形になった。20世紀前半に活躍した文人崔南善(チェナムソン)は、「トゥルマギは両脇が割れた小氅衣(ソチャンイ)

1900年代のトゥルマギ

トゥルマギ

に対して、周りが全て塞がっているものを指す」と記している。「フリメ」とも呼ばれるが、「一巻きして結ぶ」程度の意味である。トゥルマギは上流階層では防寒用あるいは中着として用いられ、▶道袍や広袖の袍を着られなかった庶民階級には上衣とされた。高宗21年（1884）5月の甲申衣服改革令で、私服は貴賤を問わず細袖（窄袖）とし、広袖の道袍や▶直領・氅衣・中衣を廃止しトゥルマギを着るものと定められ、10年後の高宗31年には進宮通常礼服に黒のトゥルマギと搭複が採用された。1895年3月には国王・官民ともに黒のトゥルマギを着用するようにしたが、これは服制上の区別をつけず、同時に便宜を図るためであると内部告示で明らかにされている。（金美子）㊀周衣・周遮衣・周莫衣

トゥル－チュモニ　두루주머니
▶チュモニ（巾着）の一種。丸形で、口の部分が角ばっている。口に襞を入れてたたんで紐を通し、紐にはト レメドゥプ・菊花メドゥプ・ナビメドゥプなどの飾り結びを施して垂らす。㊀ヨムナン→チュモニ（巾着）

トゥルチ　두루치
▶チマ（スカート）の一種。朝鮮時代に下女たちが着た、幅狭の短いチマ。

トゥソンニンガプ〔豆錫鱗甲〕두석린갑
豆錫（真鍮）の札を繋げたカボッ（鎧）。袖が肘近くまであり、両脇と背中心が割れている割開式で、動きやすい。我が国に残っているのは元帥用2点だけで、高麗大学と国立慶州博物館に所蔵されている。（李康七）→カボッ（鎧）

トゥソクペ〔豆錫牌〕두석패
豆錫（真鍮）で作った札。王子の随行員たちが身に付けた。《広才物譜》には、「呉都督朱錫」とあるが、これは宣和年間（1119～1126）に皇室の倉庫が災難に遭い、皇帝が呉都督に様々な器物を作らせたところ、その中の真鍮製の優れたものが外に 流出し、「呉都督朱錫（呉都督の真鍮）」と呼ぶようになったという。このことからしても、豆錫牌は亜鉛と銅との合金である真鍮と見るべきであろう。

トゥス〔頭湏〕두수
喪服を着る際に頭に被る布。きめ細かい生麻で作られた。頭に締めて、後ろにたらす。

トゥジョンガプ〔頭釘甲〕두정갑
朝鮮時代に用いられたカボッ（鎧）の一種。表地は青い綿布で、鉄の札を繋いだもので裏を打ち、鉄広頭釘を表から打ったものと、表地に赤い絹、裏地に煙鹿皮を用い、黄銅広頭釘を表から打ったものとがあった。伝世品としては、李鳳祥の元帥・副元帥用の2着が陸軍士官学校陸軍博物館に所蔵されており、他には将軍鄭忠信・鄭公清・趙必達の遺品が各1着ずつ伝わっている。また釜山市東萊区の忠烈祠に3着、国立民俗博物館・国立古宮博物館・温陽民俗博物館にそれぞれ所蔵されており、現存遺物中で最も数が多い。李康七→カボッ（鎧）

トゥク〔纛〕둑
国王や軍隊の行列の最前列に掲げた大将旗。大槍に牛の尾などを付けたり、戟（槍）に氂毛を施した。

トゥルレ－モリ　둘레머리
女性の髪型の一種。後ろ髪を太く結って前に一回しし、残りを頭の頂部で捻り固定した髪型。19世紀末の開化期に女性たちが一般的に用いた髪型で、▶オンジュンモリに似る。

トゥングループチェ　둥글부채

143

トゥィッコジ 뒤꽂이

豆錫鱗甲 (左)竜鳳円寿紋竜鱗鎧。18世紀。国立慶州博物館所蔵。(右)鳳凰円寿紋竜鱗兜。高麗大学博物館所蔵。鉢の前後面に鳳凰が、半球形の頂蓋には唐草紋が彫られている。頂に幹柱を立てて紅毛を垂らし、花文様の大きな宝珠が付けられた先には鋭い三枝槍が立っている。

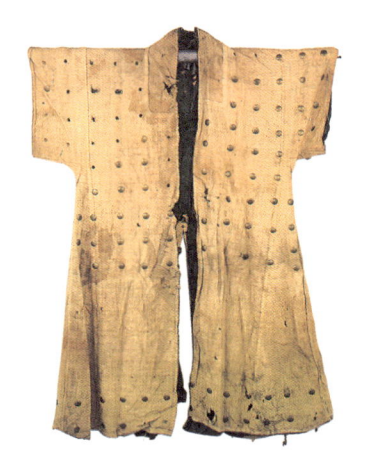

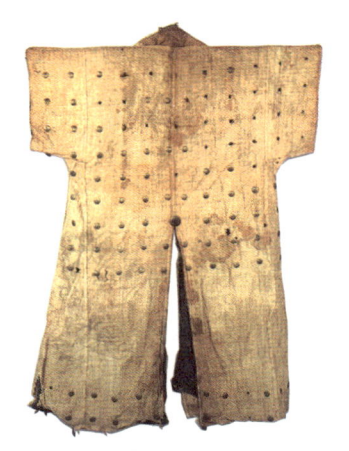

頭釘甲 (左)趙筆達将軍(1600〜1664)の頭釘甲。全羅北道金堤郡月村面福竹里、金亨坤所蔵。表地は山吹色、裏地は青の綿で、鋲が打ってあり、前合わせは突合せの袍型であるが、身丈・袖ともに短い。脇裾と後身頃に明きあって活動的に仕立てられており、保存状態もよいほうである。(右)李鳳祥将軍の竜鳳円寿紋頭釘兜。陸軍博物館所蔵。頂部がすぼまった形で、前後左右に竜鳳紋が浮き彫りにされている。眉庇には、左右から中央の寿の字に向かって跳びかかる飛竜が彫られている。副元帥用の兜は四方に竜鳳がなく、眉庇に富の字と左右に雲竜が彫られている。

→⃝同団扇(タンソン)

トゥィッコジ 뒤꽂이
朝鮮時代に女性の▶チョクチンモリ(チョソン)(後頭部で髷を結った髪型)の髷に挿した装飾品。純粋な装飾品と、耳かきや毛筋たてを兼ねたものもあった。トゥィッコジの代表的なものとしては、菊の花の装飾が施されたクァパン、蓮のつぼみの装飾が施された蓮ボン、梅花・花蝶・蝶・天桃・鳳を施したものなどあった。素材は金・銀・銅・珊瑚・翡翠・七宝・エナメル・真珠などの宝貝類だ。朝鮮時代の儀式の際に、王室や上流階級で▶巨頭味(コドゥミ)・▶オヨモリなどの髪型に挿した▶トルヂャムも、トゥィッコジの一種と考えられる。王家・両班(ヤンバン)(文武官一族)・庶民などの身分により、材料と作りが異なっていた。

トゥィートゥギ 뒤트기
広袖で背縫いが割れた▶袍(ポ)(外衣)。▶氅衣(チャンイ)を指すこともある。

トゥィーキル 뒷길(うしろみごろ〔後身頃〕)
上衣の背をなす生地。→キル

トゥリムーテンギ 드림댕기

トゥン-ペジャ〔藤褙子〕 등배자

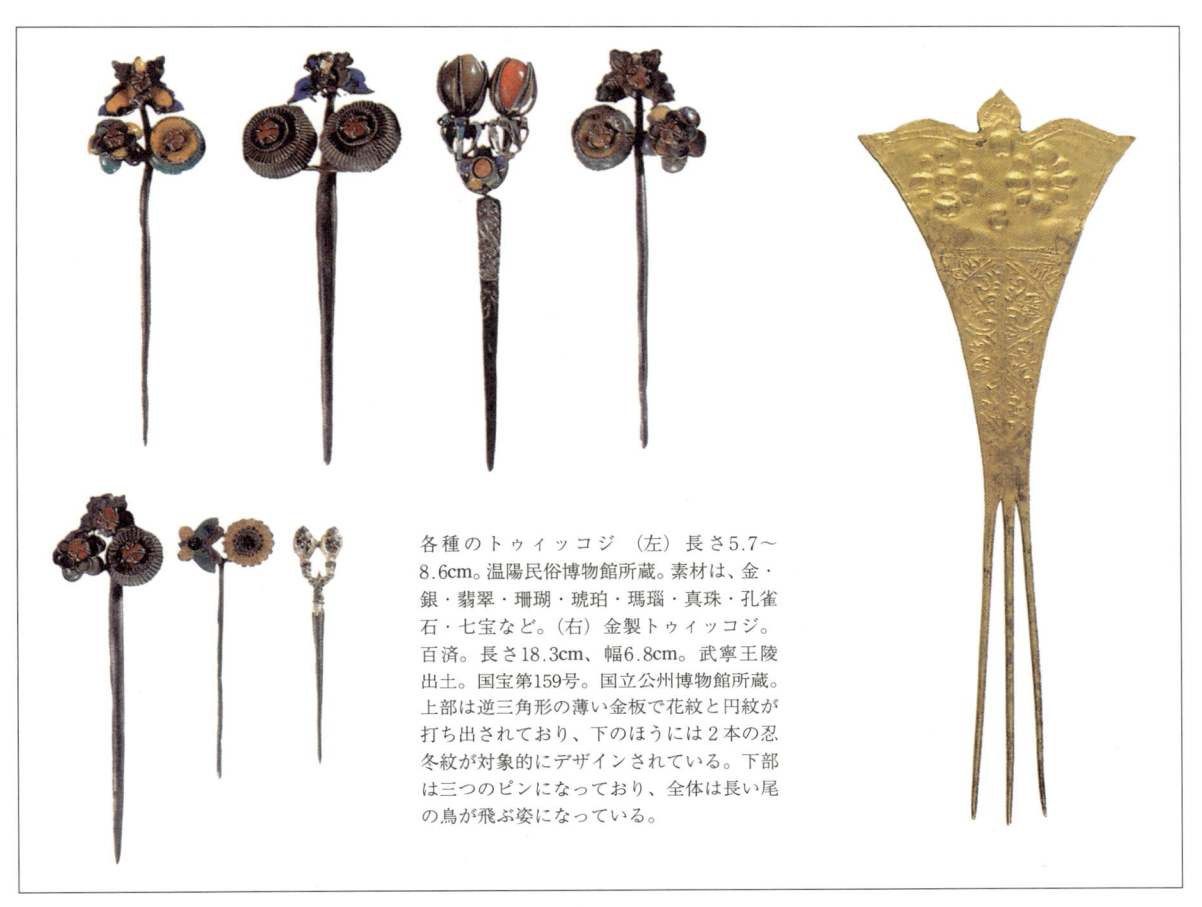

各種のトゥイッコジ（左）長さ5.7～8.6cm。温陽民俗博物館所蔵。素材は、金・銀・翡翠・珊瑚・琥珀・瑪瑙・真珠・孔雀石・七宝など。（右）金製トゥイッコジ。百済。長さ18.3cm、幅6.8cm。武寧王陵出土。国宝第159号。国立公州博物館所蔵。上部は逆三角形の薄い金板で花紋と円紋が打ち出されており、下のほうには2本の忍冬紋が対象的にデザインされている。下部は三つのピンになっており、全体は長い尾の鳥が飛ぶ姿になっている。

トゥリムテンギ 幅5cm、長さ148cm。国立古宮博物館所蔵。紫色の有文の絹に37の花紋を金箔で施し、両端には100余りの真珠を三角形につないで飾ってある。

礼装用▶テンギ（垂れ帯）の一つ。婚礼服着用時には後テンギの▶トゥラクテンギと対になる前テンギとして、他の礼服着用時にはトゥリムテンギのみを前に垂らした。横幅5cm内外の濃い赤紫の布に金箔を施し、両端には真珠・珊瑚珠を飾り付けた。クンピニョ（大型の簪）の両側に適宜巻いて、両肩の上に垂らす。㊂アプチュルテンギ・パルテンギ→テンギ

トゥンボル 듯별
家庭内で着る服や履物。

トゥルメーックン 들매끈
▶チプシン（草鞋）や▶ミトゥリ（麻草履）などで、履物の踵を締める部分とつま先を締める部分とを結ぶ紐。

トゥンゴリ 등거리
夏に背に羽織る単衣。チョッキに似た形で襟がなく、半袖か袖無しである。麻布で仕立てたものは素肌に着用し、木綿のものは春・秋に下着の上に重ね着をする。

トゥン-パデ 등바대
単衣を作る際、襟元の内側から両肩にかけて当てる布切れ。→キョッパデ

トゥン-ペジャ〔藤褙子〕 등배자
細く裂いた藤の蔓で編んだ▶褙子（ペジャ）。袖なしのチョッキ型で、夏に服に汗が染みないよう上衣と下着の間、または下着の下に着る。

145

トゥンサ〔籐糸〕 등사

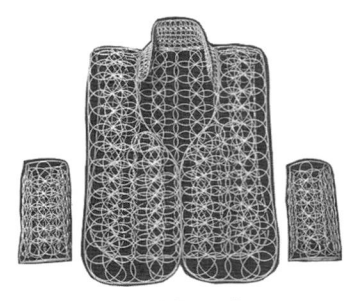

藤褙子　藤褙子と藤トシ

トゥンサ〔籐糸〕 등사
絹糸の一種。糸笠（絹糸で包む笠）を作る際に、表面を覆うのに用いられる絹糸。

トゥン-ソルギ 등솔기（せぬい〔背縫い〕）
服の後身頃を背中心で縫い合わせた縫い目。㊥トゥンソル

トゥン-チェ〔籐チェ〕 등채
朝鮮時代に、武官が▶戎服や具軍服などの軍服を着用する際に右手に持つ馬用の鞭。太い籐で作った弓形の長い棒に、普段は染めた鹿皮や絹の色紐を付け、国家の喪の際には白衣を着て白紐を付けた。㊥籐鞭

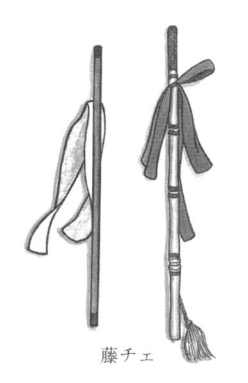

籐チェ

トゥン-トシ〔籐▽吐▽手〕 등토시
籐の蔓を細く裂いて作った被せ袖。夏服に汗が染みないよう、手首に巻いた。→籐褙子

トゥンピョン〔籐鞭〕 등편
→㊥籐策

タルギ-スル 딸기술
タルギメドゥプ（飾り結びの一つ）を施した房。快子ッティ・▶ノリゲ（女性韓服用の房飾り）・▶扇錘（扇の柄の飾り）などとともに、特に豪華な装飾を施すのに用いられる。房の数によってホッタルギスル（1本）・キョプタルギスル（2本）・セクトンタルギスル（各色）などがある。→スル（房）

タルギスル

タム 땀
裁縫で、糸を通した針で縫った一つ一つの縫い目。

タム-トゥンゴリ 땀등거리
→㊥タムパジ

タム-パジ 땀받이
服が汗で濡れないように、内側に着る夏用下着。または、チョク衫の後身頃の裏に当ててある汗を吸うための布。㊥汗衣・タムトゥンゴリ

タウン-モリ 땋은머리
冠礼前の青年男女の伝統的な髪型。百済や新羅では、未婚の女性が髪を結って後ろに垂らしていたとの記録がある。髪を額の真ん中で左右に分けたのち、耳元でもみあげとともにまとめ、三つ編みにして後ろに垂らす。朝鮮時代には、タウンモリの先に女性は紅、男性は黒の▶テンギ（≒リボン）を付けた。

テッテオッ 때때옷
色とりどりの美しい晴れ着を指す幼児語。「おべべ」。

トグジ 떠구지
朝鮮時代、宮中で正室・側室がクンモリ（仰々しい髪型の一つ）を結う際に、頭に載せた木枠。表面を髪のきめのように彫り、黒く塗った。下部に簪を挿すための孔が二つ開いており、簪には赤紫の▶テンギ（帯状の頭飾り）を結んだ。クンモリにはもともと入れ髪を挿したが、18世紀末の正祖の時代に入れ髪が禁止され、木製のトグジが登場した。→巨頭味

トグジ-テンギ 떠구지댕기
礼装用▶テンギ（帯状の頭飾り）の一種。宮中儀式で正室・側室がクンモリ（仰々しい髪型の一つ）に垂らした赤紫のもの。

トグジ　(左)トグジの前・後面。(右)トグジで飾った頭。

トルセ 떨새

女性の髪飾りの一種。クァパン（菊花飾りの簪）やチョクトゥリ（黒絹の冠）に付ける飾りの一種で、銀糸の細いバネの先に金・銀で作った飛ぶ鳥の姿を飾り付けたもの。動くと細かく揺れる。〔同〕歩揺→トル簪

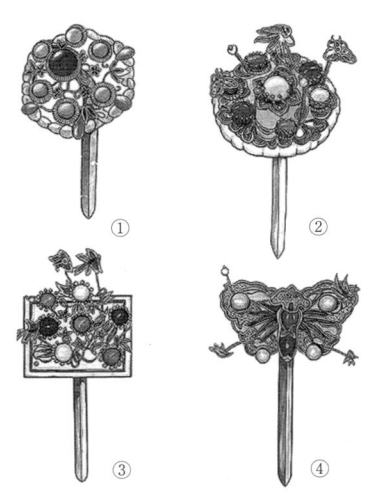

トルジャム〔トル簪〕 떨잠

髪に挿す装飾品の一種。朝鮮時代に、王妃や尚宮（正5品女官）が礼服を着てクンモリ・オヨモリといった仰々しい髪型にしたとき、その髪の左右に挿した簪。前頭部の中央には先鳳簪を挿した。トル簪は、簪の頭に付いた円形・角形・蝶形の玉板に七宝・真珠・珊瑚・青の玉などを飾り付け、さらに金銀糸の細いバネの先に金・銀製の花や鳥、各種宝石を付けたものだが、動くと揺れて装飾効果を高めた。

トヤーモリ 또야머리

朝鮮時代に、宮中で王族の女性や女官などが礼装をする際に、髪型をオヨモリにするために首筋の上で結った髷。髪を後ろで結い、先にテンギ（帯状の頭飾り）を付け、左手で髪をつかんで大きな輪を作り、右手で髪の先を持ち、両者を巻き付けながら後頭部でまとめて、簪を挿して固定する。大型の入れ髪であるオヨモリの土台をこの髷に引っかけ、オヨモリの前部を前頭部中央に固定したオヨムチョクトゥリと呼ばれる冠の上に載せて固定する。→オヨモリ

ティ 띠（おび〔帯〕）

衣服の腰に巻く紐。漢語は「帯」である。もともと獣の皮や布で作られたが、後に金属装飾のクァパンを付けて身分・階級を表すようになった。

■歴史

帯に関する最も古い記録・遺物は三国時代のものである。百済では古爾王27年（260）に身分により帯の色を使い分け、7品は紫帯、8品は皂帯（黒）、9品は赤帯、10品は青帯、11・12品は黄帯、13品〜16品は白帯を用いたという。高句麗古墳壁画にも、襦（上衣）や袍（外衣）の上に布帯を締めた姿が多く見受けられる。新羅では、真平王即位の年に上皇が王に玉帯を授けたとの記録や、真徳女王3年1月に中国の衣服を着始めたとの記録があり、銙帯（装飾板の付いた帯）の遺物もまた多く残っている。銙帯は三国で共通に用いられたもので、銙板（装飾板）の形と付け方で区別される。銙の下部に付いた小さな葉形の部品に各種の腰佩を垂らすが、腰佩は階級によって修飾が異なった。

統一新羅時代の興徳王の服飾禁制では、国務大臣に当たる真骨大等から平民まで、階級により研文白玉・烏犀（水牛の角）・鍮・鉄・銅・銀帯を使い分けるようにした。高麗時代に関しては、《高麗史》《宣和奉使高麗図経》などに帯にまつわる記述があり、革帯・束帯・鞓帯・糸帯・縦帯（戦帯）などが見られるが、これらはそのまま朝鮮時代に引き継がれた。朝鮮時代の帯は、官服に締める品帯と、普段着に締める糸帯・広多絵（平組み紐）・縦帯・大帯・広帯などの布帯に分けられる。階級ごとの帯の制度は、官服とともに15世紀末の《経国大典》で完成し、19世紀半ばの《大典会通》で部分修正と補完がなされた。

■種類

素材により分類すると、織物を用いた大帯・広帯・縦帯・抹帯、糸を組んだ糸帯・広多絵、皮や絹に金属製の銙板を付けた角帯（束帯）・鞓帯（也子帯）、金属製の腰牌を垂らした銙帯がある。①大帯：国王や文武百官の祭服（祭祀服）と朝服（朝賀服）、王妃の大礼服である翟衣の上に締めた。各種の絹で仕立てられ、腰に締める部分と垂らす部分とがあり、これとは別に丸組み紐の組を垂らす。《晋書》輿服志によると、もともと大帯は「紳」と呼ばれ、笏を挿したものだったが、徐々に変形したという。朝鮮では、

トルジャム ①丸い玉板に蝶紋・花紋を七宝で施し、孔雀石・珊瑚・真珠などで飾ったうえに、蝶・真珠・孔雀の揺れ飾りを付けてある。左右一組で挿す簪である。②花びらの形に彫った玉板に真珠・珊瑚・青玉を花の形に付け、七宝で飾っている。③四角い玉板に珊瑚・真珠などをはめ、七宝の竹の葉が飾りつけられている。④蝶の形の玉板に真珠をはめ、体の部分に珊瑚・翡翠をはめてある。揺れ飾りは蝶・真珠などで、非常に豪華である。

明の制度に倣い▶綬を垂らし、腰に巻いていた。国王が大礼服である冕服の上に締める大帯は、《▶国朝五礼儀》諸礼によれば、紅白の繒（無地の薄絹）を縫い合わせたものという。文武百官の大帯に関する詳しい記録はないが、朝鮮時代末期の遺物を見ると表地は白、裏地は赤の絹織物で、両面に黒の▶襈を施してある。また、紫の襈を施したものや、丸組み紐の組がなく、赤と青の絹織物を腰に巻く部分と同じ幅の袷に仕立て、両側に垂らしたものもある。②広帯：▶具軍服の上に締める帯で、表地は絹、裏地は綿で、芯を入れ、幅14～15cm、長さは胸囲ほどであった。胸に近い高さで強く締めた。③纏帯（戦帯）：長い布を斜めに巻いて縫った帯で、戦時には兵士が中に米を蓄えたともいわれる。高麗時代末期に巡軍・羅将・領正・尉正などの帯として定められていたもので、朝鮮時代には戦闘服の上に締めた。具軍服を着た高級武官も、戦服の上に着用した。④抹帯：目を詰めた白の▶明紬（平織絹）で仕立てた帯で、三国時代に▶襦（上衣）や▶袍（外衣）の上に締めた布帯に由来するものである。《▶楽学軌範》によると、雅楽の堂上・登歌・工人（楽士）と堂下・衆工の帯とされていた。現在の▶パジ（ズボン）・▶チマ（スカート）の帯と同じものである。⑤糸帯・広多絵：糸を編んで作った帯で、糸帯は円筒形、広多絵は平帯である。これらは朝鮮時代に両班（文武官一族）が普段着の胸に締めたもので、階級により色が異なった。⑥鞓帯（▶也子帯）：高麗・朝鮮時代に官吏が▶公服（国王謁見服）の上に締めた帯である。布で帯の型を作り、革を当てた上に、長方形または正方形の銙板（装飾板）を並べ立てたものである。▶角帯より長く、締めて余った部分は後ろや横に長く垂らしたが、身分・階級によって銙板の素材が異なった。⑦角帯：朝鮮時代に官吏が常服（執務服）・朝服（朝賀服）・祭服（祭祀服）に着用したもので、束帯とも呼ばれる。小さな葉形の銙板が付き、両端の留め金で止める。胸部に締めたが、長さは着用者により109～141cmと胸囲に対して余裕があったため、脇の下の紐で縛って固定した。やはり、銙板の素材によって身分・階級を区別した。（金美子）

ティーコリ 띠고리

帯の位置を固定するために服に付けた輪。同帯鉤

ティドン 띠돈

① ▶ノリゲ（女性韓服用の房飾り）の最上部を成す部品で、ノリゲをオッコルム（上衣の衽の結び紐）に付ける部分。三作ノリゲ（3本もの）など複数の▶多絵（丸組み紐）でできているノリゲの場合は、それらを一つにまとめる役目を果たし、この裏に付いている環をオッコルムに掛けるようになっている。金・銀・白玉・翡翠・珊瑚などで正方形・円形・花形・蝶形に仕上げ、花紋・竜紋・不老草紋などを彫る。同帯金→ノリゲ

② 帯に付ける装飾板。金・銀・金銅などを特定の形にし、▶銙帯や▶角帯に貼り付けた。ティドンは帯を飾るだけでなく、その素材や文様で品階を区別した。同銙板・銙→銙帯・角帯・ティ

ティドン① （左）緑石天桃三作ノリゲと楕円形の珊瑚のティドン。江陵市立博物館所蔵。（右）ノリゲの各種ティドン。

ティドン② 江陵市立博物館所蔵。鈹金帯のティドン。十長生・花紋・七宝紋などを彫ってある。（右）部分（亀紋）。

マドゥーナプチェ〔馬頭納采〕마두납채

マ

マゴジャ〔▽麻▽古▽子〕마고자
▶チョゴリの上に重ね着する上衣。襟・コルム（結び紐）はなく、男性用のみ衽をつける。丈は男性用が女性用より長く、両脇の下は割れている。絹で仕立て、琥珀等で作った▶タンチュ（ボタン）を1・2個つける。男性用は右衽にタンチュを付け、左側のタンチュコリ（環）にかけるようになっているが、女性用はその反対となる。女性のマゴジャは19世紀末の開化期以後、外出用として着られたが、チマチョゴリに合わせた上品な中間色とし、男性用の春物・夏物には玉色（水色）・緑・灰色・スバク色（青竹色）の生地を用いた。もともとは満州人の衣服であったが、1887年に興宣大院君（フンソンテウォングン）が満州保定府での幽居生活から解放されたときに満州人の馬掛を着て帰国し、これが変形して広く着られるようになったものである。

マゴジャ タンチュ〔▽麻▽古▽子タンチュ〕마고자 단추
▶マゴジャの打ち合わせを留めるのに用いられる▶タンチュ（ボタン）。オスのタンチュは水晶・蜜花（ミルファ）（黄色の琥珀）などを材料に桃の実の形に作り、へたの部分に穴が開いている。メスのタンチュは糸の輪になっており、左身頃に縫いつける。

マギョジク〔麻交織〕마교직
経糸には綿糸、緯糸には紡績麻糸を用いた平織の交織物。麻糸には亜麻糸・苧麻糸等を使用する。

マグ〔麻履〕마구 ㊀ミトゥリ

マゴジャ（左）男性用。（中）女性用。（右）1800年代。

マノ〔瑪瑙〕마노（めのう〔瑪瑙〕）
宝石の一種。石英・蛋白石・玉髄の混合物。松脂と同じく珪酸成分を含み、光沢がある。時に他の鉱物質が浸透し、美しい赤褐色や白色の模様を現す。瑪瑙は玉（ぎょく）に分類され、赤いものは紅玉、黄色いものは黄玉と呼ぶこともあるが、一般的には白瑪瑙・紅瑪瑙・紫瑪瑙と呼ばれる。美しいものは装飾品や宝石として用いられ、それ以外は細工品・彫刻・▶カックン（笠紐）の素材とされる。朝鮮（チョソン）時代、世宗（セジョン）24年（1442）に「瑪瑙で▶環子（クァンジャ）、カックン、雲葉児を作り笠の飾りとするが、郷吏も無断で用いている」として、地方官吏による瑪瑙の使用を一切禁止し（《▷朝鮮（チョソン）王朝実録（ワンジョシルロク）》世宗24年9月壬午）、睿宗（イェジョン）元年（1469）7月には庶民が使用することも禁じた（同、睿宗元年庚寅）。

マノーチファン〔瑪瑙指環〕마노지환
瑪瑙で作った▶カラクチ（双指輪）。朝鮮（チョソン）時代、王妃をはじめとする宮中や上流社会で使用され、特に5月の端午（タンオ）に▶唐衣を着るときにはめた。

瑪瑙指環

マニーカサ〔マニ袈裟〕마니가사
袈裟の一種。細かい布切れを繋ぐ一般の袈裟とは異なり、1枚の布で仕立てる。㊀筒袈裟（トンガサ）

マドゥーナプチェ〔馬頭納采〕

마두납채

婚姻の日に、新郎側が新婦の家に贈る納采（結納）、またはその采緞（絹織物）。一般に納采は婚姻前に贈るが、婚姻の日に贈るものを馬頭納采と呼んだ。→納采

マドゥルガリ　마들가리

ほころびた服に残った縫い目。

マレギ　마래기

中国で清の時代に官吏が被った帽子の一種。貂皮で縁を飾り、赤い糸紐をその上に被せる。狐皮・獺皮などを混ぜて用いることもあった。（▷燕轅直指巻6留館別録服飾）同太平巾

マレギ〔▽抹▽額〕　마래기

楽工（楽士）の冠を飾る紅色の紐。朝鮮時代、世宗14年（1432）3月の記事に「中国の工人の冠は楹をひっくり返したような形で、赤い抹額を巻き、糊を含ませた紙で作った牡丹の花1輪を、額の抹額の上に挿してある」とある。→烏冠

マルポク　마루쪽

▶パジや袴衣など、ズボンの邪幅（内股に用いる布）の横に当てる長い布。→パジ

マルン-シン　마른신

乾いた地面の上で履く靴。身分によって鹿皮・猪皮・牛皮・兎皮などで作り、底は比較的低い。▶太史鞋・雲鞋・唐鞋・繡鞋・木靴などがある。→シン（履き物）

マリサギ　마리사기

女性の服や帯などを飾る房→同流蘇②

マミダン〔馬尾緞〕　마미단

綿織物の一種。綿でありながら、貢緞（朱子織・無文の絹織物）のような光沢のある、冬用の服地である。

マミリプ〔馬尾笠〕　마미립

馬のたてがみや尾の毛で作ったカッ（笠）。普通は▶黒笠と称した。朝鮮時代初期には堂上官（正3品以上）のみが被ったが、後には一般に普及した。《▷経国大典》（巻3礼典、雑令）には「士族の草笠は50竹（編む竹ひごの本数）とし、馬尾笠とする」とある。→カッ・黒笠

マサン-ユサム〔馬上油衫〕　마상유삼

雨の日の乗馬時に着る▶油衫。油を浸み込ませて作る。服の上に着る雨合羽の一種である。→油衫

マジョン　마전

反物を洗ったり、煮てさらすこと。同漂白

マジェークプートシ〔馬蹄クプトシ〕　마제굽토시

手の甲まで覆う▶トシ（腕貫き）で、手の甲の部分を馬蹄のように丸く作ったもの。→トシ

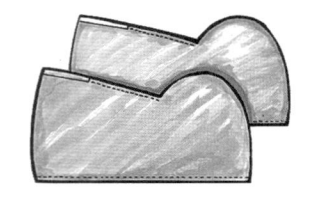

馬蹄クプトシ　温陽民俗博物館所蔵。高宗27年（1890）翼宗妃逝去時に尹用求夫人が白絹に綿を入れて作ったもの。

マジョンニプ〔麻鬃笠〕　마종립→同鬃笠

マジク〔麻織〕　마직

麻で織った反物の総称。麻は種類が多く、衣類に用いられる麻は靭皮繊維である大麻・苧麻・亜麻などである。大麻は「ペ」「サムベ」とも呼ばれ、糸目が太いものが多い。苧麻織物は「モシ」とも呼ばれ、きめが細かい。亜麻はさらに細く、薄くきめ細かい生地となる。大麻織物と苧麻織物をひとくくりにして「布」とも呼ぶが、「布」は後に絹・毛・綿を含むすべての織物の通称となった。我が国ではかつて朝鮮半島北部にあった濊で麻布が作られ、弁

麻織　麻（左）とカラムシ（右）。高麗時代。1338年。京畿道華城郡鳳林寺無量寿如来仏像内納入織物。石宙善紀念民俗博物館所蔵。

韓・辰韓で広幅細布を作った事実が《三国志》魏志に記録されている。

麻織の特性は種類によって違うものの、綿よりも約２倍以上の強度があり、いずれも水に濡れると強度が増す。強度は製織過程によって左右されるが、繊維がつまっており、色が薄く光沢のあるものがよいとされる。きめ細かく織った麻織は絹と似た光沢があるが、ごわついて重い。麻織は吸収性に優れ夏の服地に適しているが、弾力性に欠け皺が寄りやすいという欠点があり、アルカリに強いが酸には弱い。麻織は生織で、薄紅色・薄緑・褐色など天然の色がついているが、織った後で精練・漂白して着ることもある。

マジルテ〔麻絰帯〕 마질대
麻で作った▶首絰と腰絰。▶喪服着用時それぞれ頭と腰に巻く。→喪服

マチュク〔麻縮〕 마축
経糸には大麻やカラムシの手紡ぎ糸や機械紡績糸を用い、緯糸には同じ糸の強撚糸を用いた平織の織物。夏用外衣の生地とする。

マポ－テスウイ〔麻布大袖衣〕 마포대수의
袖の大きい麻服。明の太祖の喪中に朝鮮の官吏が着た。(《▶朝鮮王朝実録》太祖７年12月戊辰)

マピ－ヒョプクム－ユファ〔馬皮狭金油靴〕 마피협금유화
馬皮に鉄をはめた油靴(雨靴)。水が浸み込まないよう椿油を塗ってある。

マヘ〔麻鞋〕 마혜 同 ミトゥリ(麻鞋)

マンソンドゥリ〔▽滿𩯧▽頭里〕 만선두리
朝鮮時代に、武官が▶公服(国王謁見服)着用時に被った防寒帽の一つ。▶ポルキ(頬当て)が付いており、後部は燕の尾のように長く、縁には毛で縇(縁取り)が施されている。ふつう▶戦笠の上に被った。テンの毛の縇があるので、「満𩯧頭里」と名付けられた。(《▶五洲衍文長箋散稿》巻45暖耳袹䙅護項暖帽弁証説)→暖帽

マンソンドゥリ ソウル大学博物館所蔵。

マンジャムン〔卍字紋〕 만자문(まんじもん〔卍紋〕)
仏教で吉祥の象徴とされる卍字の文様。卍字はもともと梵字で、仏の積んだ聖徳と吉祥万福の統合という意味で用いられた。卍字紋は単独で用いられることもあれば、不断長久を意味する連続文様として用いられることもある。卍字紋に似たものに雨雷を象徴する▶雷紋(回紋)があるが、雨雷は万物を育み、途切れのない長い形をしているので、最高の吉祥を表すとされる。同卍字紋→紋様

マル〔襪〕 말 同ポソン

マルグン〔襪裙〕 말군
朝鮮時代に両班階層(文武官吏一族)の女性が履いた太い▶パジ(ズボン)。世宗３年(1421)６月に「襪裙を履かずに馬に乗った良家の婦女が、妓女と誤解された」との記録があり、

卍字紋

回紋

両班家の女性が馬に乗るときは襪裙を履かねばならなかったようである。世宗11年(1429)２月の「大小婦女に従う下女には襪裙の着用を禁ずべき」とする司憲部(社会風俗所管庁)の上奏(《▶朝鮮王朝実録》世宗11年２月辛巳)から、身分により着用が制限されたこともわかる。襪裙の形態については、《楽学軌範》(巻９)に楽工服のものが載ってい

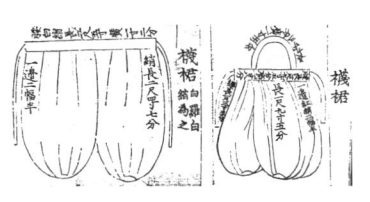

襪裙 (上)《嘉例都監儀軌》掲載の馬に乗った宮中女官。(下)《楽学軌範》掲載の襪裙。

る。後ろが割れた太いパジで、肩に吊る紐がついている。これは、朝鮮時代の宮中宴会で、女妓や蓮花台舞を舞う童女が履いたものである。→㊤襖裙

マルギ 말기
チマ（スカート）やパジ（ズボン）の腰周りの部分。

マルッテ〔抹帯〕 말대
朝鮮時代の帯の一つ。楽人衣装として白や紅の平絹で作ったもので、雅楽の差備工人（臨時楽人）や、俗楽の文舞・武舞の際に締めた。15世紀末の成宗の代に、雅楽の登歌（歌・弦楽演奏）の楽人が白い平絹の抹帯を締め、宗廟霊寧殿では軒架（管楽・打楽器演奏）の楽人が保太平と定大業の舞いの際に赤い抹帯を締めたとある（《▶楽学軌範》）。世宗15年（1433）3月の記録には、「堂上の登歌工人及び堂下の工人たちの帯は、唐では革帯を、宋では抹帯を用いたが、今後は宋の制度に従うものとす」とある（《▶朝鮮王朝実録》世宗15年3月乙亥）。

マルットゥク-テンギ 말뚝댕기
朝鮮時代後期に用いられた子供用▶テンギ（帯状の頭飾り）。赤い絹の長い帯を半分に折って二重にし、折り目をさらに正方形に折り返し、その折り目の中央に短い紐を付けて後頭部に結びとめた。表には蝶・花・双童子・不老草・双花紋や「福」の字などを金箔であしらってある。長さ60〜330cm、幅5〜9cmのものが一般的である。マルットゥクテンギは年齢的に▶トトゥラクテンギの後に用いられ、成長すると▶チェビブリテンギを垂らすようになった。この他、子供用テンギとして▶チョンジョンモリの前頭部を飾るペッシテンギがある。㊤トマクテンギ→テンギ

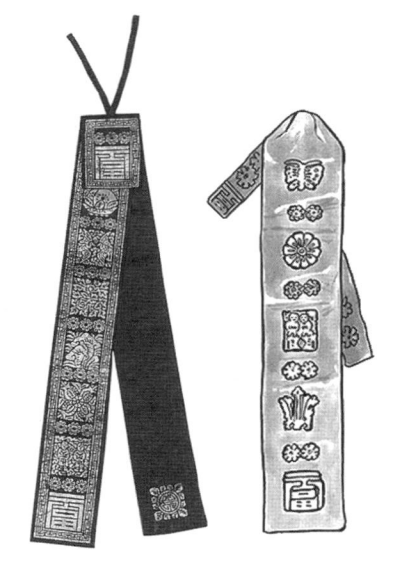

マルットゥクテンギ（左）朝鮮時代。19〜20世紀初め。梨花女子大学博物館所蔵。

マルットゥク-ポンゴジ 말뚝벙거지
帽部が高く尖り鍔の広い▶カッ（笠）。朝鮮時代に下人や▶カマ（御輿）の担ぎ手が被った。

マルットゥクポンゴジ

マルットゥクチャム〔マルットゥク簪〕 말뚝잠
杭形の▶ピニョ（簪）。朝鮮時代に一般女性が▶チョクチンモリに挿した。銀・珊瑚・玉・石英などで作り、頂部は丸く少し曲がっている。→ピニョ（簪）

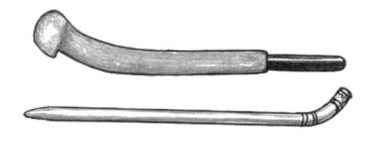

マルットゥク簪

マレク-アヤム〔抹額兒掩〕 말액아얌
防寒帽の一つ。毛皮の裏に平絹を当てた丸い帽子で、後部に黒絹の紐が2本付いている。（《▶五洲衍文長箋散稿》巻45暖耳袹袷護項暖帽弁証説）

マリョ〔襪袎〕 말요
▶ポソン（足袋）の足首部分。上代社会では品階により生地を使い分け、ポソンの本体と足首を別途作って縫い合わせた。足首は紐で結び、男性用ポソンには足首がない。統一新羅時代の興徳王9年（834）の服飾禁制を見ると、当時ポソンに紐をつけ、高級絹の▶錦・▶羅・▶明紬・絁・小紋綾や毛織物の罽などが用いられていたことがわかる。品階ごとの生地の使用は、表のとおりであった。

統一新羅時代のポソン生地の規制

品階	禁制
六頭品	罽羅、錦羅　禁止
五頭品	罽羅、錦羅、繐羅　禁止
四頭品	小紋綾使用
平人女	無紋使用

（《三国史記》巻33雑志2色服新羅）

マルヘ〔襪鞋〕 말혜

靴と▶ポソン（足袋）の総称。→ポソン（足袋）・鞋

マンギャク〔芒蹻〕 망갹
▶チプシン（草鞋）のこと。《星湖僿説》（巻6萬物門）に、「芒蹻は貧しい人々が常用するが、昔の人々はこれを恥としなかった」とある。

マンゴン〔網巾〕 망건
朝鮮時代に、髷を結った成人男性の髪がずり落ちないよう、額に巻く帯状のもの。世宗2年（1420）に馬尾網巾を明の使臣に下賜した記録がある。成宗19年（1488）に朝鮮を訪れた明の使臣董越の《朝鮮賦》に「朝鮮の網巾は馬毛で作る」とあるとおり、馬のたてがみや尾の毛を編んで作るが、帯の上端をタン、下端を辺子、髷に縛り付ける紐をタンジュルという。網巾を被るときは、上のタンジュルは後ろで締めて髷に結び付け、下のタンジュルは後ろで交差させた後、耳のあたりにある貫子に通して再び後ろに回し、一旦縛ってから髷に縛り付ける。マンゴンを被った上に▶カッ（笠）や▶冠を被り、貫子の素材で品階を区別した。後に、網巾の前面上部に▶風簪と呼ばれる飾りを付けることもあった。

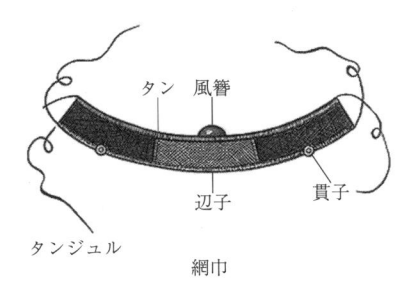

（網巾の図：タン、風簪、辺子、貫子、タンジュル、網巾）

マンゴントン〔網巾筒〕 망건통
▶網巾をしまう入れ物。ふつう桐で作り、円筒形・四角形・六角形・八角形などのものがある。表面に幾何学文様などを刻み、蓋は蝶番で開け閉てし、鉤で止める。文箱や棚に載せ、飾りにもした。同 網巾匣・マンゴンジプ

マンニョンイ〔蟒竜衣〕 망룡의
王の執務服である▶袞竜袍の別称。文禄・慶長の役中の宣祖29年（1596）に▶冕服が失われ、戦乱後には蟒竜衣のみが残されたという。《増補文献備考》巻79礼考26章服1）同 蟒衣

マンス〔網綬〕 망수
▶後綬の下部に垂らす、青糸で編んだ縄暖簾状の房。→後綬 同 青糸網

マンイ〔蟒衣〕 망의
竜紋の入った明・清代の官服。《燕行録選集》に「蟒衣は腰から下の襞が深衣に似る」とある。色は青や紫であった。同 蟒竜衣

マッテ-パッキ 맞대박기（つきあわせはぎ〔突き合わせ接ぎ〕）
2枚の服地を突き合せ行き来しながら縫う、縫い代のない縫い方。厚い布の場合は縫い目が表に出ないように、生地の中をすくう。薄い布は、裏に別の布を当てて縫う。

マッパグムジル 맞박음질
裁縫技法の一つ。厚い布を接ぎ合わせるとき、一針ずつすくいながら縫う方法。→パヌジル

マッチュルム-ソルギ 맞주름솔기
生地の接ぎ方の一つ。また、その接ぎ目。2枚の布を中表に重ね、縫い代を割り、4cm幅の布を縫い代の上に置いてしつけ縫いする。次に、接ぎ目の左右1cmのところを縫ってしつけ糸を外すと、箱襞になる。装飾を兼ねた縫い方。→パヌジル

メゲ-テンギ 매개댕기
①礼装用▶テンギ（帯状の頭飾り）の一つ。宮中儀式において、髪型を▶オヨモリにして▶トグジ（木枠）を載せるときに、連結部分に用いる幅の狭い黒テンギ。

②髪をうなじで結う▶チョクチンモリに用いる▶テンギ。一般のテンギのように装飾用に垂らすのではなく、髪を固定するのに用いた。幅2〜3cm、長さ20〜30cmで、結った髪に巻き付けるようにする。若年層は紅色、中高年は紫朱色（赤紫）、寡婦は黒、喪中には白を用いた。また、朝鮮時代の宮中では、女性が礼服を着るときに髪型を▶オンジュンモリにし、この上に紫朱色のメゲテンギを結んだ。同 チョクテンギ

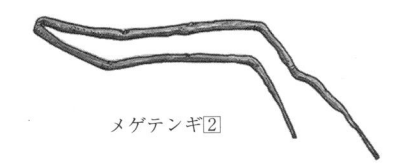

メゲテンギ②

メドゥプ〔每緝〕 매듭（かざりむすび〔飾り結び〕）
▶クンモク（組紐）を様々な形に結ぶ装飾技法。また、そのように結ばれた組紐。1本の組紐の中心を持って半分に折り、垂れた2本の紐を上から下へ手順に従い結んでゆく。紐を結び締めるのにはソンゴッ（目打ち）を用い、上下左右のバランスを取りながら作業を進め、中心の下端を結んで仕上げる。出来上がったメドゥプは表裏が同じ模様で、基本的

メドゥプス〔▽毎▽緝繡〕 매듭수

に左右対称である。組紐は、絹の練り糸を染めて合糸したものをさらに組んだもので、紅・藍・黄の三色を基本に、軟豆色（薄い黄緑）・粉紅色（薄い桃色）・紫・紫朱色（赤紫）・玉色（水色）なども用いる。

様々な型があるが、図にあるチャムジャリ（トンボ）メドゥプ・梅花メドゥプ・センチョクメドゥプ（≒几帳面結び）・蓮ッポンメドゥプ（釈迦結び）・トレメドゥプ・コンディギメドゥプ・四色版メドゥプ・菊花メドゥプ（玉房結び）・メミ（蝉）メドゥプ・クィドレメドゥプ・ソクッシメドゥプ・タンチュ（ボタン）メドゥプ・カジ方席メドゥプ・ナビ（蝶）メドゥプ（唐蝶結び）・カラクチ（双指輪）メドゥプ・眼鏡メドゥプ（国結び）などの他に、ウェグィメドゥプ・イグィメドゥプ・ポル（蜂）メドゥプ・欄干メドゥプ・ソチャメドゥプ・テチャメドゥプ・タルギ（苺）メドゥプなどがある。伝世品としては、国楽器・引路王幡（昇り旗の一種）、輦や轝（御輿）、旗・房帳（垂れ絹）・影幀（肖像画）・体鏡（姿見）・喪輿などを飾る大型の▶流蘇（房）や、宮中衣装などに付ける小型の▶ノリゲ（女性韓服用房飾り）・腰帯・チュモニクン（巾着の紐）などがあり、いずれも芸術的価値の高い伝統工芸品である。朝鮮時代、宮中にはメドゥプ職人がいたが、《大典会通》によれば工曹（産業所管庁）に2名、尚衣院（宮中衣服所管院）に4名の計6名が置かれていた。王宮に出入りする尚宮（高位女官）も片手間にメドゥプを作ったといい、一般の需要も少なくなかった。

ノリゲのメドゥプ

チャムジャリメドゥプ　梅花メドゥプ　センチョクメドゥプ
蓮ッポンメドゥプ　トレメドゥプ
コンディギメドゥプ　菊花メドゥプ
四色版メドゥプ
メミメドゥプ　クィドレメドゥプ　タンチュメドゥプ
ソクッシメドゥプ　カジ方席メドゥプ
ナビメドゥプ　カラクチメドゥプ　眼鏡メドゥプ
メドゥプ

メドゥプス〔▽毎▽緝繡〕 매듭수（さがらぬい〔相良繍い〕）

刺繡技法の一つ。▶点繡（芥子繍い）と似た使い方をするが、より大きな点を表すのに適し、鳥の目や花芯などに多用される。糸の撚り具合や針を刺す位置、糸の引き具合によって出来不出来が左右される。（金惠卿）→刺繡

メドゥプヒョン ヨンスシク〔▽毎▽緝型輦垂飾〕 매듭형 연수식

▶メドゥプ（飾り結び）を利用した▶カマ（御輿）の飾り。長く垂らした

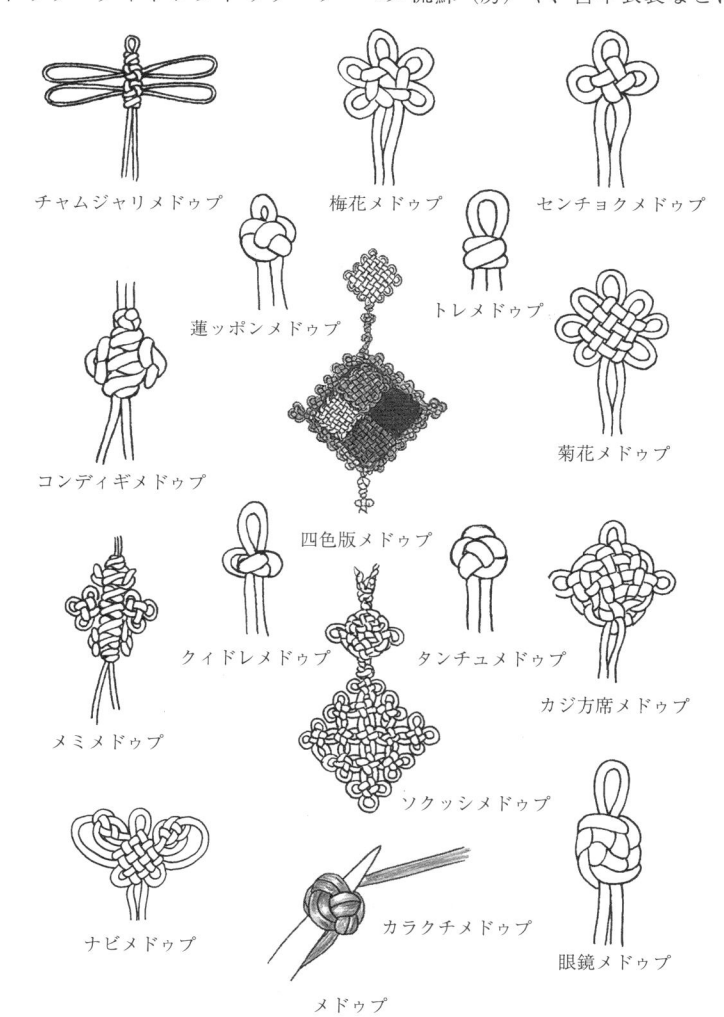

▶クンモク(組紐)に▶トレメドゥプ・ピョンアリメドゥプ・チャンゴメドゥプなどの飾り結びを施し、▶ポンスル(房)2本を垂らした。

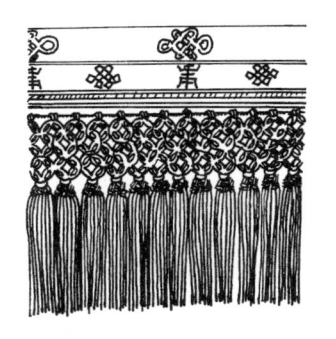

メドゥプ型輦垂飾

メジョジャム〔梅鳥簪〕 매조잠

頂部に梅の花と鳥が彫られた▶ピニョ(簪)。玉(ぎょく)製の一体型で、夏期に用いられる。→ピニョ(簪)

梅鳥簪

メジュクチャム〔梅竹簪〕 매죽잠

頂部に梅の花と竹の葉が彫られた▶ピニョ(簪)。貞節を象徴するもので、宮中や上流階級の女性が3月から9月まで用いたほか、一般女性にも愛用された。貞節を堅く守った女性を記念して烈女門(ヨルリョムン)を建てたときに、記念品として配られることもあった。→ピニョ(簪)

梅竹簪

メッコモ〔麦藁帽〕 맥고모 →㊀麦藁帽子(メッコ モジャ)

メッコーモジャ〔麦藁帽子〕 맥고모자(むぎわらぼうし〔麦藁帽子〕)

麦わらを編んだ夏用の帽子。19世紀末の開化期以降、農夫や労働者が多用した。㊀ミルッチプモジャ・麦藁子(メッコ ジャ)・麦藁帽(メッコ モジャ)

麦藁帽子

メッコジャ〔麦藁子〕 맥고자 ㊀麦藁帽子

メクス〔麦穂〕 맥수

麦の穂形の羽根。朝鮮時代中期以降、▶戒服(チョソン)(戦闘服)を着るときに被る▶朱笠(ユンボク)の装飾に用いられた。麦穂を挿す習慣は、17世紀後半に第18代国王の顕宗(ヒョンジョン)が温泉への道すがらよく実った麦を見て大層喜び、臣下たちに麦の穂を挿して豊年を祝うよう指示したことに始まる。その後▶虎鬚(ホス)に替わったが、虎鬚が手に入らないときは麦穂で代用することもあった。(《▷燃藜室記述(ヨルリョシル キスル)》巻13政教典故)

麦穂

メクシン 맥신

色とりどりに美しく作った子供靴。㊀コッ唐鞋(タン ヘ)

メジュン-タンチュ 맺은단추

▶メドゥプ(結び飾り)を利用した▶タンチュ(ボタン)。▶蓮ッポンメドゥプ(ヨン)(釈迦結び)の技法で豆粒より大き目のメドゥプを結んでオスボタンとし、別の組紐を輪にしたメスボタンにはめる。統一新羅(シルラ)時代に▶団領(タルリョン)(＜外衣)と共に伝わったものと見られるが、団領の襟と袵に2～3個が付けられていた。朝鮮(チョソン)時代中期には、団領の袵のボタンはオッコルム(結び紐)に取って代わられ、メジュンタンチュは襟のみに残った。団領以外には、▶チョルリク・▶戦服(チョンボク)・▶赤衫(チョクサム)・▶マゴジャ・▶チャンオッな

双鶴蓮華紋マゴジャタンチュ

蓮ッポンメドゥプを利用したメジュンタンチュ

メジュンタンチュ

モリ-モヤン　머리모양

どの上衣に用いられた。㊂ホンゴプタンチュ・タンチュメドゥプ→タンチュ

モリ-モヤン　머리모양（かみがた〔髪型〕）
我が国では、三韓(サムハン)時代には一般人は髻を結い、奴隷にした隣国の捕虜は逃走を防ぐため頭を刈った。高句麗(コグリョ)古墳壁画には、▶オンジュンモリ・▶チョクチンモリ（北髻）・▶ムックンチュンバルモリ・▶サントゥ（堅髻）・▶双紒(サンゲ)・プンギミョンモリなどの髪型が見える。《周書》列伝異域百済の条には、「未婚女性は髪を1本に結って後ろに垂らし、既婚女性は2本に結って頭頂に載せている」とある。その後の三国時代を経て、高麗(コリョ)末期には元の支配下に入り、男性の間でモンゴル式の弁髪が流行したこともあったが、他の髪型はそのまま踏襲された。

朝鮮(チョソン)時代には、既婚女性の髪型にはオンジュンモリ・チョクチンモリ・▶コドゥミ・▶オヨモリ・▶プルモリ・▶チョプチモリ・▶チョジムモリなどが、未婚女性のものには▶タウンモリ・▶チョンジョンモリ・▶クィミンモリ・▶センモリ・ムックンチュンバルモリなどがあり、身分により使い分けられた。特に、オンジュンモリの流行とともに▶加髢(カチェ)（入れ髪）が用いられるようになり、18世紀半ばの英祖(ヨンジョ)の代には加髢禁止令が下されるほど贅沢になった。一方男性の髪型は、青年期までは髪を後ろに結い、成人するとサントゥ（髻）を結うという単純なものであり、身分の違いは被り物により表した。19世紀末からの開化期に入っても社会制度や宮中儀礼はほとんど変わらず、女性の礼装としてオヨモリやクンモリが残ったが、次第に一般女性はチョクチンモリやオンジュンモリ、未婚女性はテンギモリが主流になった。この他にも、▶トゥルレモリ・▶トゥレモリや、長く結った髪にテンギ（帯状の頭飾り）を付けたり、編んだ髪を2〜3回折ってリボンを結ぶこともあった。高宗(コジョン)32年(1895)に断髪令が下されたことにより、男性の髻とタウンモリは衰退

テスモリ

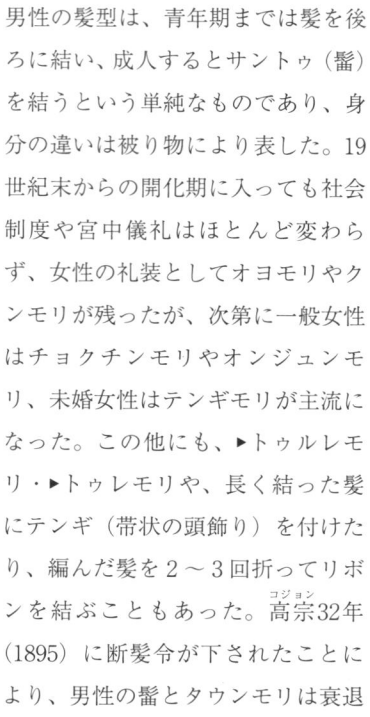

オヨモリ

トグジモリ（コドゥミ）

妓女のオンジュンモリ（トゥレモリ）

オンジュンモリ

チョプチモリ

チョンジョンモリ（パドゥク板モリ）

モリモヤン

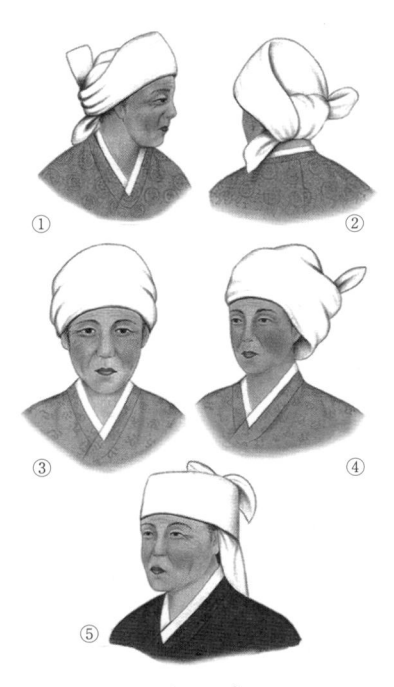

ミョルリュグァン〔冕旒冠〕면류관

モリッスゴン 머릿수건
頭に被る手ぬぐい。主に民間の女性が多用するモリッスゴンは、木綿や平絹を袷にしたり刺し子縫いにして作るが、被り方は地方により少しずつ異なる。慶尚道(キョンサンド)では細長い平絹の手ぬぐいで頭から両頬・顎までを包み、頭のてっぺんで結ぶ。済州島(チェジュド)では強い風から髪を守るために、細長い一重の木綿手ぬぐいで額に若干掛かるように頭を包み、端を軽く結ぶ。朝鮮時代の規範法典である《経国大典(キョングクテジョン)》(1485年)では手ぬぐいを被ることは禁止されなかったが、燕山君(ヨンサングン)11年(1505)4月には、都の女性の手ぬぐい着用が禁止されたことがある。

モリッチャン〔モリッ欌〕머릿장
枕元に置く、実用と装飾を兼ねた欌(チャン)(箪笥)。引出しには鋏・糸巻き・指貫・糸など裁縫用具を入れ、上に布団や枕などを積む。

モクチャンサム〔モク長衫〕먹장삼
僧衣の一つで、墨で染めた▶長衫(チャンサム)。

ミョンニ〔冪䍦〕멱리
中国の唐で、宮人が乗馬時に用いた被り物の一つ。高麗(コリョ)の▶蒙首(モンス)に似たものとも考えられる。全身を覆う薄絹だったが、次第に首までの短さになり、帷帽(ユモ)と呼ばれるようになった。《▶五洲衍文長箋散稿(オジュヨンムンチャンジョンサンゴ)》(巻45帷帽弁証説)には、「昔、女性の外出時には必ず顔を隠したが、後世には宮人たちが馬に乗るとき冪䍦(ミョンニ)を被り顔を覆った。頭には席帽(ソクモ)と呼ばれる丸い帽子(囲帽(ウィモ))を被り、糸網(サマン)を垂らして珠翠で飾った」とある。

ミョンモ〔幎冒〕멱모→回幎目
幎冒

ミョンモク〔幎目〕멱목
葬儀で、遺体に寿衣を着せる▶小殮(ソリョム)のときに、遺体の顔を包むのに用いる布。30cm四方の布の四隅に紐が付いている。黒地で、男性の場合は茶色の裏地を、女性は紅色の裏地を当てて袷とする。国王の殮襲(ヨムスプ)では、1尺2寸四方の青絹の幎目(ミョンモク)に赤い生絹で裏を当て、四方に赤紫の生絹の帯を掛け、後ろで結ぶ。(《▶国朝五礼儀(ククチョオレイ)》五礼凶礼儀式襲)回面帽・

ミョクサル 멱살
首元で合わせた襟。

ミョングァン〔冕冠〕면관→回冕旒冠(ミョルリュグァン)

ミョンギュ〔冕圭〕면규
国王の大礼服である▶冕服(ミョンボク)と▶圭(キュ)のこと。一般的に冕服を冕圭(ミョンギュ)ともいう。

ミョルリュグァン〔冕旒冠〕면류관
高麗(コリョ)時代から朝鮮(チョソン)時代まで、国家の大きな祭祀や国王即位時に、国王や王世子(皇太子)が▶冕服(ミョンボク)を着て被った冠。表は黒、裏は赤で、帽部に長方形の天板が若干前傾に載せられ、その前後に珠すだれ状の冕旒(ミョルリュ)が垂らされている。大韓帝国皇帝は十二旒(テハン)冕に7色の玉を、国王は九旒(シビ)冕に5色の玉(青・紅・黄・黒・白)を、王世子は七旒(チルリュミョン)冕または八旒(パルリュミョン)冕に3色の玉を通したものを用いた。朝鮮時代、太祖(テジョ)4年(1395)の神廟での祭祀や、世宗(セジョン)即位年(1419)に王大妃(先王の妃)に尊号を贈った際に国王が冕旒冠(ミョルリュグァン)を被った記録がある(《▶朝鮮王朝実録(チョソンワンジョシルロク)》太祖4年7

モリッスゴン
①②平安道・黄海道の一部地方。長方形の手ぬぐいを四つ折りにして頭から額まで覆い、後頭部で結ぶ。③④江原道・咸鏡道地方。正方形の手ぬぐいを三角に折って頭全体を覆い、後ろは結ばず折り込む。⑤開城地方。正方形の絹を半分に折って頭を覆い後ろで結び、一端が右側に少し出るようにする。

冕旒冠 十二旒冠

ミョンモ〔面帽〕면모

月庚子・世宗即位年11月甲寅)。高宗が皇帝に即位した光武元年(1897)には、十二旒冠が制定された。これは7色(黄・赤・青・白・黒・紅・緑)の玉を互い違いに12個通した旒を前後に12本ずつ垂らしたもので、計288個の玉が用いられた。(《増補文献備考》巻79章服1)同冕冠・平天冠→冕服

ミョンモ〔面帽〕면모 同帩目

ミョンボク〔冕服〕면복

高麗時代から朝鮮時代まで国王が祭礼に着た大礼服で、▶冕旒冠と袞服を指す。袞服は、▶中単(中衣)の上に衣を着て▶裳と▶大帯を締め、▶蔽膝・▶革帯・▶佩玉・▶方心曲領・▶綬・▶襪・▶舃・▶圭を用いたが、その特徴は随所に施された章紋である。

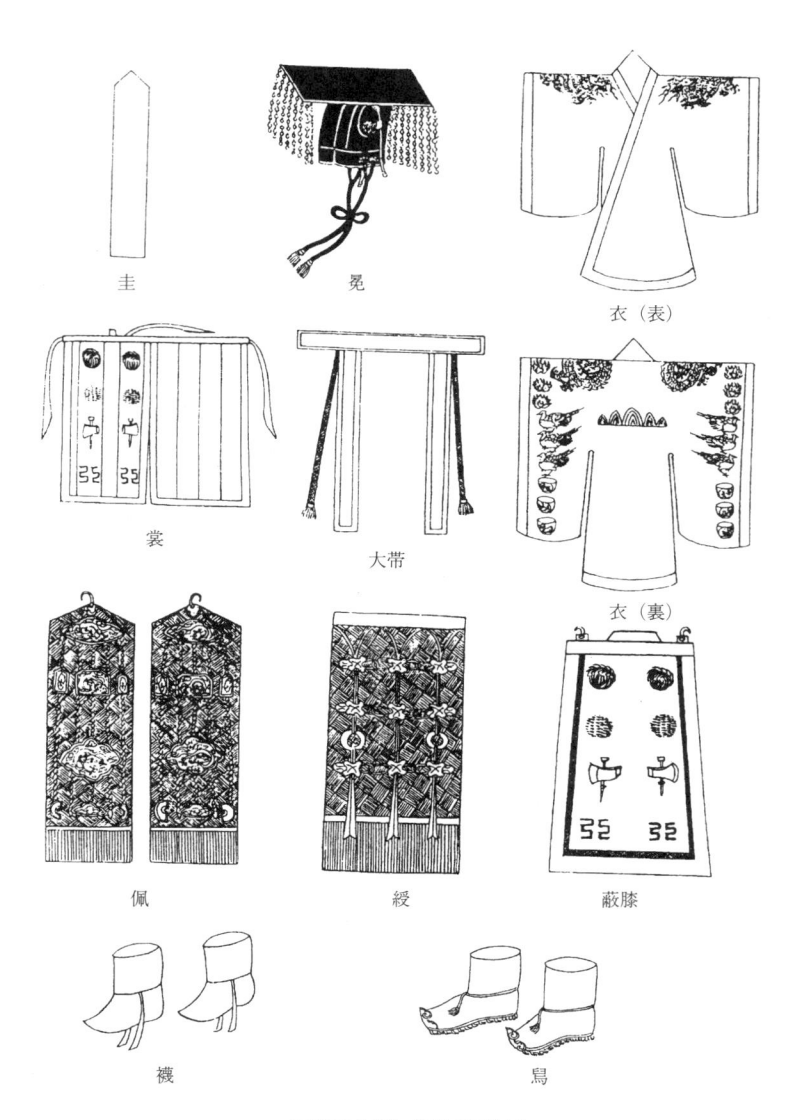

《増補文献備考》に記された冕

圭　冕　衣(表)

裳　大帯　衣(裏)

佩　綬　蔽膝

襪　舃

《国朝五礼儀》掲載の冠冕図

冕服　宗廟祭礼での李玖の姿

服九章の構成は次のとおりである。中単は▶繪(無文絹)で仕立て、領(襟)・裾・褾(袖先)に青の▶襈(縁取り)を巻き、襟に11個の▶黻紋が施されている。衣(外衣)は玄色(黒紫)の絹で仕立てられ、両肩に竜、背中に山が各一つ、袖には火・火虫(キジ)・宗彝(祭器)が三つずつ描かれている。裳は膝の前後を覆う赤い絹で、3幅の前布と4幅の後布が帯状の削幅に垂れ下がっており、前面には藻・粉米・黼(斧)・黻(亞字紋)の四章紋が刺繍されている。大帯は、表は白繪(白の無文絹)、裏は赤い絹を用いる。革帯には金の留め金が付き、佩玉は両脇に垂らす。蔽膝は赤で、上には紕、下には純と呼ばれる縁取りがあり、裳と同じく藻・粉米・黼・黻が刺繍されている。腰に垂らす▶綬には一対の金環が付いている。首に掛ける方心曲領は白の羅で作り、両横に紐

が付いている。冕旒冠は天板の幅が8寸、奥行きが1尺6寸で、前は丸く後ろは角ばり、表は黒、裏には赤の絹が当ててある。その前後に垂れた9本の旒は9寸で、それぞれ朱・白・蒼・黄・黒の5色の玉が順番に九つ通してある。両脇には玄紞が付き、耳栓にする綿が垂れており、両脇に付いた2本の赤紫の紐を顎の下で結び、残りを垂らす。帽部には金の簪が挿してあり、左に突き出した簪に1本の赤い紐を結び、これを顎の下を回して右の簪に結び、残った部分は垂らす。襪は表は絹、裏は赤い生絹であり、舃は表は絹、裏は白繒である。圭は青玉で作られ、長さは9寸である。(《増補文献備考》巻79礼考26章服1)

我が国の冕服は、高麗時代の定宗9年(1043)に契丹から取り入れられたものだが、当時のものは九旒冕・九章服であった。12世紀前半の仁宗の代には九旒冕・七章服が制定され、次の毅宗の代に《詳定古今礼》で再び九旒冕・九章服としたが、高麗時代末期に恭愍王が中国の皇帝と同格の十二旒冕・十二章服を採用した。朝鮮時代は、太祖以降九旒冕・九章服が用いられたが、19世紀末に高宗が国号を大韓帝国と改称し、再び中国の皇帝と同格の十二旒冕・十二章服を着用した。→九章服・十二章服

ミョンボク〔緬服〕 면복

喪服の一つで、父母の墳墓を移転した後に着る▶緦麻服。緦麻服は百日間着るので、俗にソクタル服(三月服)とも呼ばれる。

ミョン-ピッ〔面ピッ〕 면빗

歯の細かい小櫛。頬や耳の下の産毛をとくのに用いられた。

ミョンサ〔面紗〕 면사

女性が顔を隠すための被り物の一つで、上半身を覆う風呂敷状の紗。朝鮮時代の成宗2年(1471)には、両班階層(文武官一族)の女性が路上で面紗をたくり上げることが禁じられた。朝鮮時代初期には▶ノウルと面紗とが混同されていたようだが、後期に入って両者ははっきり区別されるようになり、ノウルは乗馬時に使用されたのに対し、面紗は礼装用であった。面紗には宮中用と民間用とがあり、宮中用のものには一重と袷があった。(参考)洪那英《韓国民族文化大百科事典》7、韓国精神文化研究院、1991

ミョンサ〔綿糸〕 면사(めんし〔綿糸〕)

綿を主原料にした糸の総称。原料によって、純綿糸・混紡糸・落綿糸に分けられる。ふつう紡績綿糸の単糸を指し、撚る方向によって左撚単糸と右撚単糸がある。

ミョン-スジャ〔綿繻子〕 면수자

朱子織(繻子織)の綿布。組織はふつう五枚朱子で、経糸の多く浮いた経朱子と緯糸の多く浮いた緯朱子とがある。ふつう染色して用いる。質のよいものは、シルケット加工などで仕上げて作る。裏地に適し、▶チョゴリ(上衣)用の生地としても使われる。

ミョン-スジン〔綿繻珍〕 면수진

朱子織の地に絵緯で文様を織り込んだ綿布。経糸に絹糸、緯糸には綿糸

面紗 朝鮮時代。19世紀。長さ218cm、幅140cm。梨花女子大学博物館所蔵。

ミョノク〔面玉〕 면옥→⦅同⦆冠玉

ミョニュン〔綿絨〕 면융
織物の片面、または両面を起毛させて作った柔らかい感触の綿織物。白無地・色無地・捺染物などがあり、冬用の生地として用いられる。

ミョニ〔面衣〕 면의
朝鮮時代に女性が顔を隠すために被った▶面紗の一つ。女性が乗馬時に用いた。もともと唐の女性が被ったもので、《三才図会》には「面衣は紫羅で作り、女性が馬に乗って遠出するときに被る」とある。《▷五洲衍文長箋散稿》(巻45帷帽弁証説)は、高麗時代の▶蓋頭は面衣に由来するものとしている。

ミョンジュ〔綿紬〕 면주
平絹の一つ。《世宗実録》地理誌には、慶尚道の貢物と記されている。進献用に染色した紫綿紬・黄綿紬・茶褐綿紬などがあった。《▷朝鮮王朝実録》成宗15年12月丙辰)

ミョンチョナ-ユン〔綿天鵞絨〕 면천아융 (めんびろーど〔綿ビロード〕)
表面全体に毛羽を織り出したパイル織りの綿布。「羽緞」「ベルベティーン」「綿ビロード」ともいう。経糸に80番手の2本合糸、緯糸に20〜30番手の単糸を使って布地分と毛羽分とが重なった綿布を織り、その毛羽を特殊な刃物で切って均一に密生するようにする。染色・加工して冬服・子供服・寝巻きなどに用いる。

ミョンチュク〔綿縮〕 면축
綿織物の一つ。緯糸に強撚糸を用い、右撚糸・左撚糸各2本を互い違いに織り込んだ平織のしぼ織物である。

ミョンパン〔冕板〕 면판→⦅同⦆平天板

ミョンポ〔綿布〕 면포 (めんぷ〔綿布〕)
綿花から紡いだ糸で織った布。高麗時代末の宰相文益漸が中国から綿の種を持ち帰り綿花を生産したことで、朝鮮民族の衣生活は大きく変貌した。綿花の栽培は全羅道・慶尚道をはじめとする全国八道に及び、全国民がその恩恵にあずかり、国の財政も豊かになった《大東野乗》巻6青波劇団)。世宗5年 (1423) 1月には新婦の服飾にも上等な絹の代わりに国内産の絹・カラムシ・綿を用いるようにし、また世宗16年 (1434) 1月に堂上楽工 (昇殿を許された正3品以上の楽士) の服には絹を、堂下楽工 (従3品以下の楽士) には綿布を用いさせた。さらに、世宗20年 (1438) 9月には、各道の官吏が使者をもてなす際に寝所の帳・座布団・枕に競って上等な絹を用いるなど贅沢を極めたため、国内産の絹と綿布以外の使用を禁じた。英祖45年 (1769) 2月の国婚では綿布のみを使用し、倹約の範を垂れた。《大典後続録》に「良家の下人の衣服にはすべからく綿布を用いるべし」とあるのも贅沢禁制と関連したもので、《▷秋官志》(第4編掌禁部申章奢侈) には仁祖8年 (1603) に堂上官 (正3品以上の官吏) のみが上等な絹の服を着て、堂下官は国内産の絹・綿布の服を着用させた記録があるが、これも綿布が質素で日常的な生地の代表として用いられたことを示している。朝鮮時代には京畿道の高楊など各地に綿布の名産地があったが、最近では全羅南道羅州のセッコルナイが忠清南道韓山のカラムシとともに全国的に有名である。⦅同⦆白木→ムミョン

ミョンバク〔明珀〕 명박
琥珀の一つで、明貝とも呼ばれる。松脂に似て、蜜のような黄金色を帯びる。朝鮮時代の睿宗元年 (1469) 7月に、庶民がカッ (笠) の紐や装飾に用いるのを禁止した。《朝鮮王朝実録》睿宗元年7月戻寅)

ミョンボク〔命服〕 명복
士大夫の正式な服。古代中国で士大夫の身分を「命」で表し、「一命」から「九命」までに分けたことによる。

ミョンサ〔命糸〕 명사
正月の初卯の日に紡いだ綿糸。この糸で仕立てた服を着ると糸のように命が延び、この糸をチュモニ (巾着) の先に垂らすと厄除けになるとされ、女性たちの間で贈り物として取り交わされた。⦅同⦆兎糸・上元糸・トッシル

ミョンソン〔銘仙〕 명선
織物の一つ。平織りで柄物が多いが、文様は大部分捺染または抜染したものである。糸は諸撚糸か片撚糸だが、紡績絹糸を用いたものもある。

ミョンイ〔明衣〕 명의
殯襲 (遺体に寿衣を着せて殮布で縛ること) の際に、遺体を清めた後にまず着せる服。《▷増補文献備考》巻66礼23国恤2)

ミョンイ〔冥衣〕 명의

葬式の際に死者とともに埋葬したり、祭祀の際に燃やす祭器の一つ。紙に衣服の絵を描いたもの。

ミョンジョン〔銘旌〕 명정

紅の絹に死者の品階・官職・姓名を白粉(おしろい)で書いた旗。棺とともに埋める。
⓾銘旗(ミョンギ)

ミョンジュ〔明紬〕 명주（ひらぎぬ〔平絹〕）

平織の絹織物のことで、感触が柔らかく丈夫である。古文献には、「帛」「絹」「繒」「紬」などの名称で登場する。《三国志》東夷伝に「（朝鮮半島でも）桑で蚕を飼うことを知っており、繒布を織っている」とあり、三韓時代以前から養蚕が普及していたことがわかる。三国時代には、高句麗(コグリョ)の始祖東明王(トンミョン)（B.C.37～B.C.20）が農業と養蚕に力を入れたという記録があり、25代平原王(ピョンウォン)（559～589）の代にも王命により農業・養蚕が奨励された。最古の遺物として、百済(ペクチェ)の武寧王陵(ムリョン)と新羅(シルラ)の天馬塚(チョンマ)で発見された多数の織物片がある。高麗時代から朝鮮(チョソン)時代にかけての仏像内納入織物も多数出現しており、明紬(ミョンジュ)は最も代表的な織物であったと言える。

繭は蚕が作った天然繊維の塊で、これを沸騰する湯に入れ、糸を数本束ねながら引き出す。繭30個から引き出して抱合した糸は太いため並の織物とするが、20個になると多少目の細かい織物になり、10個では蜘蛛の糸のように細く、上等な織物になる。糸を取ったら整経して織機に掛け、織り始める。明紬は経糸20本を1升(スン)と数えるが、15升だと経糸300本の粗い織物、16～18升は320～360本で並のもの、20升になると400本で最も目の細かい上等品となる。

■星州トゥリシルの機織り

慶尚北道(キョンサンプクト)星州(ソンジュ)は、古代部族国家であった六伽耶の一つ星山伽耶(ソンサンカヤ)の地で、《東国輿地勝覧(トングクヨジスンナム)》には、「民は勤勉で、女性たちは美しい絹織物を君主に献上したいとの願いを謡っている」と記されている。このトゥリシル明紬(ミョンジュ)は重要無形文化財87号に指定され、曺玉伊氏(チョオギ)により継承されている。ここの明紬は15升が普通だが、16～20升のものも織られていたようだ。このように目の細かいものを織るためには、16～20個ほどの繭から採った細い糸を用いる。

■養蚕

蚕が孵化してから、糸を吐き繭を作る熟蚕(スクチャム)になるまで1か月ほどかかる。熟蚕は足場糸を身の周りに張ってから、首を8の字状に振りまわしながら繭を作ってゆく。蚕を繭作りのためのまぶしに移してから繭が完成するまでの日数は品種と室温によって異なるが、普通22～23℃で4日半ほどかかる。春蚕・夏蚕・秋蚕があるが、トゥリシルでは陰暦4月末から5月初めにまぶしに移す春蚕と、陰暦8月17日ごろの秋蚕を用いてきた。繭は編みかごを沈めた釜の中に入れ、火を焚いて湯気が出たらすくい上げる。一つの繭に2匹の蚕が入っていることもあるが、これを「ムリゴチ（群れの繭）」（玉繭）という。

■繰糸(くりいと)

繭から絹糸を引き、かせ糸を作るまでの過程。絹糸は天然繊維としては唯一の長繊維で、糸を取り出す過程が比較的簡単で、時間もかからない。まず小さな土かまどに釜を載せて湯を沸かし、望む糸の太さに合わせて20～25個または35～40個の繭を入れて箸で混ぜ、箸に引っ掛かって解けた数本の糸を指先ですくい上げ、ひとまずカゴに入れる。この緒糸(ちょ)のことをムクチというが、必要な本数のムクチが準備できたらその先を切り、繭糸をまとめて釜の脇に置いたチャセ（集緒装置(しゅうちょ)）の金輪に通してから、上下2本のテロン（竹筒の滑車）に掛けてからめ、ここで仮撚りを掛ける。抱合された糸は、チャセの脇に置いたワンチェンイ（繰り枠）に巻き取る。明紬1疋に繭1貫（3.75kg）を要するが、糸はこの10分の1ほどを1束とし、これを「1チョッ」という。

■整経・シルネリギ・ナルギ

整経とは、繰糸の工程を経て作られたかせ糸を乾かしてから解き、経糸として必要な本数を並べて伸ばし、糊を付けてから乾かして緒巻きに巻く作業である。シルネリギは、かせ糸をワンチェンイにかけて錘に巻く(つむ)作業のことであり、ナルギとは糸を巻いた10本の錘から糸を引き出してコムレ（整経枠）の10個の穴に通し、この10本を束ねて経糸とする作業のことである。さらに、経糸の本数を織物の幅に合わせ、長さを織物の丈に合わせて準備する。その後、綾棒を整経枠の一番目と二番目の柱の位置に立てて固定し、経糸をかごに入

れて、筬通しを行う。次に、経糸の束を重石の乗ったクシンゲに載せてから、経糸の先端を数メートル離れたところの2本の杭で支えられた緒巻きに結び、経糸をぴんと張ったうえで、塩を少し入れた米糊か小麦粉糊を塗り、下から火を焚いて乾燥させる。乾いた経糸は緒巻きに巻いてゆくが、このとき糸どうしがくっつかないよう板棒などの織草(はたくさ)を挟み込む。また、経糸を奇数・偶数に分けてあや棒を差す。糊付け作業を始めるときには緒巻き側にチャムトプテを挟み込み、経糸が織物の幅に合わせて広がるようにし、糊付けが終わるときには千巻き側にケトプテを挟み、やはり幅が縮まらないようにする。経糸の糊付けが終わり、緒巻きに全部巻けたら、緒巻きを織機に載せる。

■機織り

糊付けが終わった緒巻きを織機の前足に載せたら、経糸を綜糸にかけ、さらに経糸の先を千巻きに結ぶ。この千巻きを木製の腰当てに結んで織り手の腰に固定し、経糸をぴんと張る。織り手が足引き紐のつながった靴を履き、足を前後に動かすと経糸が交互に開口するので、杼を左右の手で交互に通し、筬で緯糸を打ち込みながら織り進めてゆく。織り終わったら織機から下ろし、これを1疋とする。トゥリシル明紬(ミョンジュ)1疋は40尺(約21.6 m)で(1尺は約54cm)、升数によって使用される筬が異なる。10升のものには「X」印、14升には「‖X‖」印、15升には「十三二」印が記される。(李順洪(イスンホン))

メ〔袂〕메→袪

モグァン〔毛冠〕 모관(けぼうし〔毛帽子〕)

毛皮の防寒帽。朝鮮(チョソン)時代の世宗(セジョン)12年(1430)8月に、女性の毛冠(モグァン)着用を禁止したことがあり、明宗(ミョンジョン)の代には、身分の低い女性は毛冠の皮に山羊・犬・猫・カワウソ・狸・兎などの皮を用いるよう定められた(《▷朝鮮王朝実録(チョソンワンジョシルロク)》明宗8年9月辛酉)。毛の衣服同様、国王が臣下に下賜することが多かった。

モグ〔毛裘〕 모구

毛皮の衣服。我が国ではかならず毛が内側になるよう仕立てたが、中国では毛が表に出るようにした。(《▷

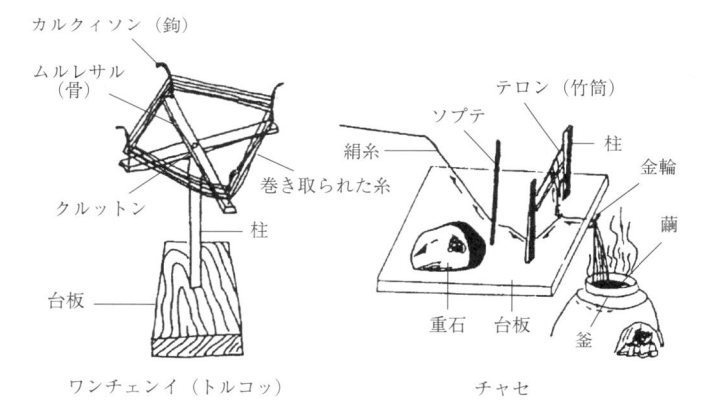

カルクィソン(鉤)
ムルレサル(骨)
クルットン
台板
ワンチェンイ(トルコッ)

ソプテ
絹糸
柱
巻き取られた糸
テロン(竹筒)
金輪
繭
重石 台板 釜
チャセ

焚き口と繰糸の道具　星州地方では、絹糸を巻き取る繰り枠を「ワンチェンイ」と呼ぶ。ワンチェンイは木の台板に立てた丈夫な柱の先にクルットン(軸)が固定されており、これに十字に交差した長さ50センチほどの骨が挿してある。4本の骨の先には鉤が付いていて糸を掛けるようになっているが、その内の一つは紐で結ばれており、巻いた糸を外すときに解除できる。また、骨の一つには回転させるための取っ手が付いている。チャセは糸を抱合する道具で、木の台板に2本の小さな柱を立て、この柱にテロン(竹筒)を被せた2本の金棒が平行に固定されている。チャセの中心部にはソプテと呼ばれる棒が垂直に挿さっており、台板の釜側には鉄輪が付いている。作業をするときは、右から釜・チャセ・ワンチェンイの順に並べ、左手でワンチャンイを回して糸を繰る。

繰糸　　　　　整糸　　　　　機織

明紬　星州トゥリシルの製織過程と、重要無形文化財第87号保有者曺玉伊。

モリプ〔毛笠〕 모립

五洲衍文長箋散稿》巻25裘毛向外弁證説）

モグン〔帽裙〕 모군
帽子の後部に垂らした布。朝鮮時代に▶草笠のような帽子の後ろに当てて、日除けや風除けとした。帽子に付いたスカート（裙）のように見えることから命名された。

モダン〔帽緞〕 모단
帽子の表を包む絹。

モドゥーモリ 모두머리
髪を一つに結って丸髷にした女性の髪型。

モラ〔毛羅・冒羅〕 모라
薄絹の一つ。▶翼善冠・▶紗帽・▶カッ（笠）などの冠帽類に用いられた。

モラリプ〔毛羅笠・冒羅笠〕 모라립
▶毛羅（薄絹）の▶カッ（笠）。成宗4年（1473）には、庶民の毛羅笠着用が禁じられた。

モラーポクトゥ〔毛羅幞頭・冒羅幞頭〕 모라복두
▶毛羅（薄絹）で作った▶幞頭。朝鮮時代に典楽が被ったもので、左右に張り出した翼状の角（カク）が丸みを帯び華奢なのが特徴である。典楽は青衫を着て冒羅幞頭を被り、▶烏犀帯を締め▶黒皮靴を履いた。

毛羅幞頭

モラーイクソングァン〔毛羅翼善冠・冒羅翼善冠〕 모라익선관
▶毛羅（薄絹）で表を包んだ▶翼善冠。朝鮮時代後期に国王の執務服の冠として被られた。「殿下の視事服において翼善冠は薄絹で包む」（《▶国朝続五礼儀補》）とあり、純祖8年（1808）に編纂された《万機要覧》（財用編1供上大殿）に「国王の誕生日に献上した贈り物の中に冒羅翼善冠1頭があるが、その装飾費は1両2銭4分である」とある。

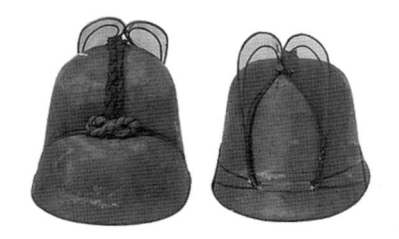

毛羅翼善冠

モランムン〔牡丹紋〕 모란문
牡丹の花の文様。《▶三国遺事》（善徳女王）に、唐の太宗が紅・紫・白の牡丹の絵と種3升を贈ってきたとある。牡丹は花弁豊かで富貴と和睦を象徴する花とされ、朝鮮時代に宮中・士大夫から一般家庭まで、広く愛用された。朝鮮中期以降には、▶ファロッ（王女の大礼服）や陶磁器などの文様にも多用された。→紋様

牡丹紋

モルン〔帽綾〕 모릉
▶紗帽の表を包むのに用いられた薄絹の一つ。

モリプ〔毛笠〕 모립
朝鮮時代に武官が被った毛の▶戦笠。明宗8年（1553）に「儒士は冠巾を被り、武人は毛笠を被るべし」との建議があり、英祖26年（1750）にも「軍兵は鬃子（馬毛）で作った戦笠を用いず毛笠を被るべし」とあり、毛氈が厚く弾丸や矢を通さない毛笠が注目された（《燃藜室記述》別集巻13・《▶林下筆記》巻17）。このように、毛笠は戦場で戦う兵士を

帽裙 《路上調見図》（部分）金得臣画。

モボンダン〔模本緞〕 모본단

守るために作られ、また武人が公服・私服に兼用したという。(《五洲衍文長箋散稿》巻45笠制弁證説)

モボンダン〔模本緞〕 모본단

朱子文織の絹織物の一つ。▶洋緞(地組織を経朱子、文様組織を緯朱子で織った厚絹)より若干薄く、美しい艶がある。経糸は本撚糸、緯糸は卒撚糸で、地は8枚朱子で大型の花鳥文を琥珀織で表す。ふつう単色で、華やかな各種紋緞に比べ素朴である。《宮中衣襨撥記》には、藍模本緞・藍松模本緞・紫赤模本緞・ヤンナム模本緞・夕紅模本緞・五色模本緞・紅模本緞・夕紅別紋模本緞・ナモボクス模本緞・粉紅模本緞などの名前が見られる。女性のチョゴリ(上衣)やトゥルマギ(<外衣)の生地として多く用いられた。

模本緞

モサ〔毛糸〕 모사(けいと〔毛糸〕)

綿羊・山羊・駱駝などの毛を紡いで作った糸。長めの毛を用いる梳毛糸と短めの毛を用いる紡毛糸とがある。

モソン〔毛扇〕 모선

朝鮮時代に用いられた顔を覆う防寒具の一つ。正方形の絹の両側にテンの毛やカワウソ皮で包んだ取っ手を付けたもので、手を温め、顔を保護した。(《京都雑誌》巻1風俗)

モシ 모시(からむしおり〔カラムシ織〕)

カラムシの皮繊維を紡いだ糸で織った布。カラムシは「苧麻」「苧」「紵」ともいい、その布は「苧布」「紵布」「苧麻布」とも呼ばれる。麻布より目が細かく涼しさを感じさせる風合いで、湿気の吸収・発散が早く、夏物の生地として用いられる。カラムシ織は、《三国史記》に新羅景文王の代の輸出品として記録されており、歴史が古い。《高麗史》に拠れば、細苧・紋苧布・紗苧布を織って元に送ったこともあり、忠烈王の代には国民から税として徴収された。これら目の細かいカラムシ織は当時の特産品であり、紅苧布・黄苧麻などの染織も作られた。特に白いカラムシで織られた白苧布は、玉のごとき美しさと称えられて高麗時代の貿易品の中でも重要な位置を占め、《宣和奉使高麗図経》にも貴賤上下の別なく愛用されたとある。国王は閑居する時には白苧布に▶皂巾を被り、農夫や商人は白苧布に四帯を締めて烏巾を被り、貴婦人は白苧麻に橄欖勒巾を締めた。朝鮮時代の記録には、苧麻・九升白苧布・十二升白苧布・別升白苧布・極上細苧布・極細苧布・上苧布・礼緞白苧布・進献白苧布・生苧・白中苧・白細苧・長城苧・長苧・青陽苧・韓山苧・鳴山苧などの名称が見られる。朝鮮時代になって紋苧布は消滅したが、細苧麻は主に忠清道と全羅道の海岸地方で引き続き生産され、後期には韓山・舒川・鴻山・庇仁・林川・定山・藍

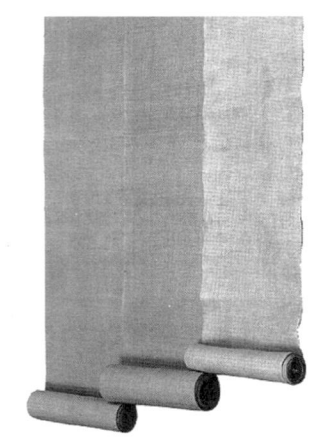

韓山カラムシ 幅35～36cm。国立民俗博物館所蔵。7升・9升・10升

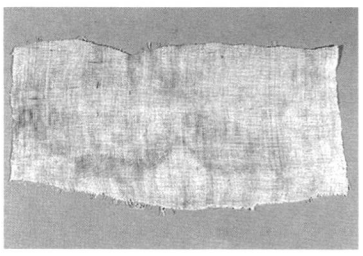

白苧 9升。高麗時代。1338年。京畿道華城郡鳳林寺、無量寿如来仏像内納入織物。石宙善紀念民俗博物館所蔵。

浦の紵布七処が名産地として名を馳せた。中でも韓山は、今日でもカラムシの代名詞として名高い。

■カラムシの製織過程

①栽培と収穫:多年草であるカラムシの根を移植し、2m位に育ち根元の茎が黄褐色に変わったら収穫する。収穫は1年に3回行う。

②皮の剥離:収穫したカラムシの皮を剥ぎ、専用の刃物で外皮と「テモシ」と呼ばれる内皮とに分ける。

③皮裂き(モシッチェギ):内皮を裂いて一定の太さの繊維を得る工程で、ここで上・中・下に分類されるが、韓山ではこのうち上等品を韓山細苧とする。カラムシ自体と苧麻裂きの熟練度が、織物の品質を左右する。

モシ-プル　모시풀

④糸撚り・かせ作り：皮裂きで得られた約2mの繊維束を2本の軸棒に掛け渡し、1本ずつ手で撚って糸にする工程。ここで糸の均一度が左右されるが、韓山の撚りは優秀で太さにむらがない。糸の長さは布1疋の長さの正倍数とするが、その倍数は経糸に用いる糸の本数により異なる。撚りつないだ糸は、巻いて紐で十字に縛る。このかせを「モシクッ」というが、10個が織物1疋になる。
⑤整経：10個のかせから糸を引き出し、チョスルテ（経糸を集める道具）の孔に通してから1束にして整経台に掛け、1疋の長さ・幅に合わせて経糸の長さと本数を調整する。整経の終わった経糸は整経台から外して束にし、汚れが付かないよう保管する。
⑥糊付け：整経の終わった経糸を筬に通してから、一端は緒巻きに、別の端はクルゲと呼ばれる重石の付いた道具に巻き、しっかりと張る。大豆の粉と吸収剤としての塩を水に溶かして糊を作り、経糸に刷毛で均等に塗る。緒巻きに近い側の経糸の下で糠を燃やし、この火で糊をゆっくり乾燥させながら、経糸を緒巻きに巻きとってゆく。
⑦機織り：経糸の巻かれた緒巻きを織機の桁の上に載せ、筬に通した経糸を一旦抜いてから2組の綜糸に交互に通し、再び筬に通して千巻きに結ぶ。織機のセッコリチェ（綜糸を吊り上げるためのまね木）に綱でつながったを靴を片足に履き、これを足で引いて経糸を開口させ、緯糸の束が入った杼を左右に投げ入れながら織ってゆく。カラムシ糸は乾くと開口運動や杼入運動時に切れやすくなるため、10升（経糸800本）以上の細かいカラムシを織るときは、モシウムジプと呼ばれる穴倉で作業をする。
⑧漂白：織り終わった反物を何度か水に浸し日に晒すと、白いカラムシ織が完成する。

モシ-ポ〔モシ布〕　모시포→モシ・白苧布（ペクチョポ）

モシ-プル　모시풀（からむし〔カラムシ〕）

イラクサ科の多年草。「モシ」「苧麻（チョマ）」とも呼ばれる。茎は高さ約1.5m。

モシプル　夏期に高温多湿となる場所が栽培適地。生育には20～24℃が適温で、降雨量は1000mm以上必要である。

皮剥ぎ 　　テモシ作り 　　皮裂き

筬通し 　　管巻き 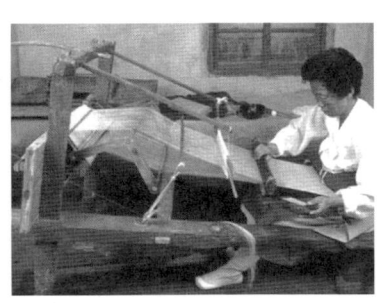　　機織り

モシ　韓山カラムシ織り。重要無形文化財第14号保有者、文貞玉。

モウイ-トットシ〔毛衣トットシ〕 모의 덧토시

雌雄同株で、夏から秋に淡黄色の小さな単性花が穂のように咲く。茎の皮から繊維を採って夏服の生地、船舶用ロープ、漁網などを作る。原産地は熱帯アジア。

モウイ-トットシ〔毛衣トットシ〕 모의 덧토시
毛皮製の防寒用腕カバー。

モジャ-ハプ〔母子盒〕 모자합
小さな器が数個入っている蓋付きの器。化粧品などを入れた。

母子盒　青磁象嵌母子盒。高麗時代。

モジョン〔毛氈〕 모전（もうせん〔毛氈〕）
獣毛をからめて作った、色文様入りの厚く柔らかい布。

モジョンニプ〔毛氈笠〕 모전립
猪の毛を被せて威厳を持たせた高級な▶戦笠。朝鮮時代に武官が被った。憲宗7年（1841）に、武官は竹戦笠を止め古くからの慣例に従い毛氈笠を被るようにとの命が下り（《▷朝鮮王朝実録》憲宗7年3月己亥）、高宗元年（1864）には文官も竹戦笠を脱ぎ毛氈笠を被った（《増補文献備考》巻79礼26）。→戦笠

モチョム〔帽簷〕 모첨
帽子の鍔。

モチョ〔毛綃〕 모초
絹織物の一つ。細い経糸と太い緯糸で織り、有文と無文がある。▶英綃・熟綃より少し厚い。→同毛綃緞

モチョダン〔毛綃緞〕 모초단
→同毛綃

モテ 모테→同カルモテ

モピ〔毛皮〕 모피（けがわ〔毛皮〕）
毛ごと剥がして加工した動物の皮。広義には原料毛皮も含めるが、一般的には衣服などに利用できるよう柔軟加工した毛の付いた皮を指す。防寒に用いるものを実用毛皮、装飾に用いるものを装飾毛皮という。

モホリプ〔毛胡笠〕 모호립
毛の生えた▶カッ（笠）の一つ。朝鮮時代初期に、判通礼門事金九徳の娘を嬪として迎え入れる婚礼で、「幼い侍女に男装させ毛胡笠を被らせたが、これは中国・元の王女の姿であるので、帽部の無い小形の青綃女笠を被るようにさせ給え」との礼曹（宮内・文部所管庁）の上奏があった。（《▷朝鮮王朝実録》太宗11年10月）

モク-コリ 목걸이（くびかざり〔首飾り〕）
首に掛ける装身具。美的効果を生み出す以外にも、呪術的意味合いや首の保護、性別・身分の表示など様々な目的で用いられる。我が国では、青銅期時代から首飾りが用いられた痕跡が見られる。忠清南道扶余の蓮花里、大田市の槐亭洞などから出土した飾玉は、首飾りとして用いられた可能性が高い。首飾りが普及したのは三国時代以降で、金・玉・瑠璃など各種素材を用いた首飾りが出土している。この時代の首飾りの一般的な形式は、瑠璃製の扁球形青玉に孔を開けて長くつなぎ、その先端に曲玉を一個付けるものである。

新羅・百済・高句麗三国の特徴は次のとおりである。

①新羅：形態面で注目されるのは、先端に翡翠・水晶・瑪瑙などで作った曲玉が1個ずつ付いている点で、新羅ではこれが一般的であった。青玉以外に紫瑪瑙・水晶・琥珀・碧玉などの素材が使われ、扁球形以外に管形・棗形・双円錐形など、様々な形に加工された。

②百済：忠清南道公州市の武寧王陵からは、王妃の首の部分から7節と9節の金製首飾りが一対ずつ発見された。また、曲玉・管玉・棗玉などをはじめ、黄・紺・緑・青の玉と金箔を施した玉が散逸状態で発見されたが、胸の付近からも見つかっており、これらの一部が首飾りに使用された可能性がある。

③高句麗：新羅・百済とは異なりこれといった出土例が無く、詳細は不明である。

統一新羅時代の古墳からも、首飾りの出土例は無い。高麗時代のものも、球形・管形・扁球形・棗形などの玉製・瑠璃製の装身具が発見されたことはあるが、いずれもばらばらな状態で発見されており、三国時代以降に首飾りが用いられたかどうかは定かでない。高麗時代以降の絵画にも首飾りが見られないため、首飾りはほとんど用いられなかったものと推測される。我が国で再び首飾りが用いられるようになるのは、近代に西洋式服飾が入った以降のことである。（参考）秦弘燮《韓国民族文化大百科事典》8）、韓国精神文

モク-キロギ〔木キロギ〕 목기러기

モッコンダン〔木貢緞〕 목공단

木綿糸で織った▶貢緞。経糸・緯糸ともに木綿糸を用い、組織は5枚または8枚朱子である。先染もあるが大抵は後染で、精練して光沢が出るようにしてから染色し、さらに樹脂加工すると絹のような艶が出る。

モックク〔木屐〕 목극 →同ナマクシン（木履）

モク-キロギ〔木キロギ〕 목기러기

彩色を施した木彫りの雁。昔から雁は夫婦和合の象徴とされ、婚礼に生きている雁を用いた。伝統婚姻儀式には、新郎が妻を娶る日に風呂敷に包んだ雁を抱えた男が先頭に立って新婦の家に行き、これを卓上に載せて新郎がお辞儀をする奠雁之礼というものがあった。当初は生きている

金製頸飾　百済。国宝第158号。武寧王陵出土。国立公州博物館所蔵。王妃の首飾りで、7節・9節の二対が重なって出土したうちの前者。中央の膨らんだ節の両端に針金で輪を作って互いにつなげ、余った針金を本体に巻いて固定してある。いずれの節も弓のようにしなり、首にかけても円形を保ち、現代的で洗練されたデザインである。

曲玉付琉璃頸飾　新羅。皇南大塚出土。国立慶州博物館所蔵。2列の青色瑠璃環玉をつなげ、下部中央に大きな水晶の曲玉が付いている。上下68cmにもなる大型で、首飾りというよりは胸飾りと見るべきだろう。

玉製頸飾　新羅。雁鴨池。国立中央博物館所蔵。黄・青などの小さな玉をつないだもので、古墳出土品ではなく、実際に使用したものと思われる。長さはそれぞれ55cm、25cm、19.3cmである。

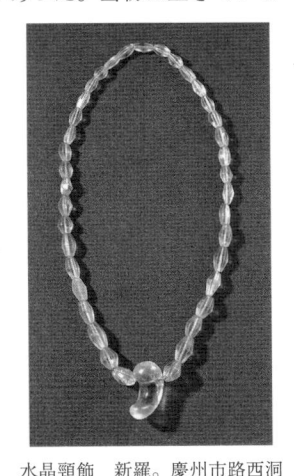

水晶頸飾　新羅。慶州市路西洞金鈴塚出土。国立中央博物館所蔵。水晶の大型曲玉を中心に、そろばんの珠を引き伸ばしたような六角形の水晶をつないである。金鈴塚から出土した他の華やかな首飾りに比べ、透明な水晶が高貴な品格を感じさせる。

金製頸飾　新羅。国宝第194号。全長33.2cm。金製の曲玉の長さ2.5cm。皇南大塚南墳出土。国立慶州博物館所蔵。金製の曲玉と円形金球3個を金糸でつなげてある。

金製頸飾　新羅。宝物第456号。長さ30.3cm。慶州市路西洞出土。国立中央博物館所蔵。小さい金環をつなげて空洞のある球形を作り、周囲に1組5枚の心葉形環珞を金糸でつないである。環珞の周りにも鏤金装飾が施され、下部の翡翠の曲玉と明るい金色が華やかな調和を成している。

瑠璃製環玉部分

象嵌瑠璃玉付頸飾　新羅。宝物第634号。味鄒王陵出土。国立慶州博物館所蔵。青色の瑠璃環玉29個と紅色の瑪瑙環玉10個、切子玉6個、青色の管玉1個がつなげられており、その下部にはさらに瑠璃の環玉と水晶の棗玉、紅色の瑪瑙の曲玉が1個ずつ付いている。瑪瑙の曲玉も珍しいが、瑠璃の環玉は大変注目を引くもので、深い青の瑠璃に人物像・花鳥・雲・鳥などが比較的精巧かつ自由な位置に嵌めこまれており、あたかも無重力の宇宙空間に浮いているような錯覚をおこさせる。

モッコリ

雁を用いたが、後に木彫りで代用するようになった。㊂木雁

木キロギ

モクートリ 목도리（えりまき〔襟巻き〕）
防寒やお洒落のために首に巻くもの。動物の毛や絹などで作り、冬は防寒用に、春・秋は装いとして巻く。

モクトリ（右）《京平美人》（部分）金殷鎬画、1958年。

モンニョンジャム〔木蓮簪〕
목련잠
頂部に木蓮の花を立体的に彫った▶ピニョ（簪）。水牛の角などで作り、本体は木蓮の花を支える枝のように自然につながっている。→ピニョ（簪）

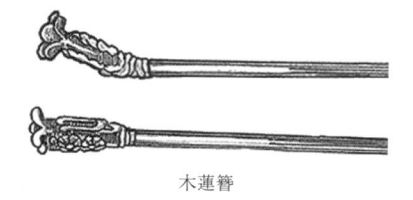

木蓮簪

モンニ〔木履〕 목리㊂ナマクシン（木履）

モンミョン〔木綿〕 목면→㊂ムミョン（木綿）

モンミョンゴン〔木綿公〕 목면공
綿花の種を中国から初めて持ち帰った文益漸（1329〜1398）のこと。従6品左正言時代の1363年に書状官として元に派遣され、帰路綿の種を持ち帰り、衣料の発展に大きく寄与した。

モンミョニ〔木綿衣〕 목면의（めんい〔綿衣〕）
綿布で仕立てた服。木綿は庶民の衣料に多用されたが、朝鮮王朝第4代国王の世宗は宮中で木綿の衣服を常用していたという。21代英祖も質素を尊んで木綿の衣服を着たといい、24代憲宗も木綿の▶氅衣を着て質素倹約の範を垂れた。（《朝鮮王朝実録》憲宗14年4月申午・11年11月戌申・12年1月庚午）

モンミョン-チンムル〔木綿織物〕 목면직물→㊂綿布

モガン〔木雁〕 목안→㊂モッキロギ

モギョン〔木纓〕 목영
木製の▶カックン（笠紐）。堅めの木を様々な形に彫りだし、孔を開け漆塗りして紐を通したもの。→カックン（笠紐）

木纓

モクチャム〔木簪〕 목잠
①木製の素朴な簪。庶民層の女性が用いたもので、大小の差はあるが、頂部が若干角ばっているだけで何の彫刻もない棒状の簪である。→ピニョ（簪）
②梁冠を被るときに用いる木製の簪。朝鮮時代に、第4代世宗の代までは文武官全員が角製の簪を用いたが（《朝鮮王朝実録》世宗8年2月2日甲申）、その後は金泥を施した木簪を用いるようになった（《▷経国大典》礼典儀章）。

モクチム〔木枕〕 목침
木製の枕で、主に男性が用いた。木の幹から切り出した何の装飾も無いものが基本形だが、中には板を組み立てたもの、中央に孔を開けたもの、携帯用に折りたたみ式にしたもの、頭の当たる部分をくり抜いたものや羊・兎皮を当てた長い箱型のものなどがある。変わったものとしては、引き出し付きの▶退枕や、天板と底板を支柱で支えた2段式のものなどがある。主に柿・エンジュ・松・桐を用い、木目を最大限生かして自然美を表現した。李徳懋の《▷青荘館全書》には、雷の落ちた棗の木で作った枕はあらゆる厄を除くと記されている。→ペゲ（枕）

モケ〔木鞋〕 목혜
木製の履き物。朝鮮時代の宣祖33年（1600）に南部地方で作られるようになり、その後全国に普及した。（《▷燃藜室記述》別集巻13政教典故）→㊂ナマクシン（木履）

モコル〔木笏〕 목홀
木製の笏。朝鮮時代に、5〜9品の官吏が▶朝服（朝賀服）・▶祭服（祭祀服）・▶公服（国王謁見服）着用時

に、地方官吏が公服着用時に手にした。(《経国大典》巻3礼典儀章)
→笏

モコンセク〔木紅色〕목홍색
茶色みを帯びた赤。《林園経済志》には、蘇芳・明礬・五培子を用いて染めるとあるが、実際に蘇芳の赤い芯材の煮汁で、ムリ（ふやかした米の沈殿物）を充分染ませて砧打ちした白い平絹を染めると木紅色になる。濃く染めると黒みのある赤紫に、薄く染めると金茶色になる。木綿は色が鮮明に出ないので適さない。世宗9年（1427）2月には、蘇芳が日本人によって売買され高価だったため、紅染めの裏地は文武官吏と士大夫階級以外には禁じられた。また、15世紀末の成宗の代には、鴉青色（濃い藍色）・草緑色（黄緑）とともに木紅色を朝廷官吏の服色に定めた。(《燃藜室記述》別集巻13政教典故)

モクァ〔木靴〕목화
① 朝鮮時代に、国王と文武官吏が官服着用時に履いた革製の長靴。表は黒の鹿皮や鴉青色（濃い藍色）の▶貢緞（朱子織の絹）・絨（毛羽織物）で、裏は白の貢緞で作り、紅色の縁取りを付けた。その形態や装飾は時代により少しずつ異なるが、朝鮮時代末期に高宗が履いた木靴は、足の甲から踵にかけて赤い線を入れ、足首には白皮を当ててある。朝鮮時代初期の太祖元年（1392）に、内閣に当たる都評議使司が官服制度を上奏し、品階により▶袍の色、帯や笏などの種類を使い分けることとなったが、靴についてはただ黒とのみ定め

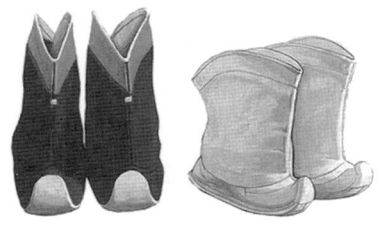

木靴①

木靴②《楽学軌範》掲載の図

られた（《太祖実録》巻26太祖元年12月戊午）。数々の変遷を経た後に《経国大典》（1485年）で官吏は黒皮靴（長靴）・黒皮鞋（短靴）を履くものと定められ、これが朝鮮時代末期に木靴に変更され使用された。
② 朝鮮時代に、宮中の宴で歌舞を披露する舞童が履いた長靴。黒い熊皮で作り、青・赤紫のテン皮を用いて下部に花文を入れ、縁取りには青のテン皮を用いた。(《楽学軌範》巻9舞童冠服図説)

モクァーソム〔木花舎〕목화舎
（きわた〔木綿〕）
綿花から種を取り除き、弓や機械で打った天然木綿。上質な木綿は弾力があり、濁りがなく繊維が長い。布団の中綿にしたり、冬用の▶パジ（ズ

ボン）・▶チョゴリ（上衣）などの衣服に入れる。

モクィハン〔木揮項〕목휘항
木綿で作った▶揮項（<防寒帽）。→揮項

モンゴプン〔蒙古風〕몽고풍
高麗時代に流行した弁髪・胡服をはじめとするモンゴルの風俗。元宗即位（1259年）以降恭愍王までの百年間にわたり元との友好関係が続き、上・中流階層でモンゴルの風俗がかなり流行した。恭愍王の反元政策で弁髪・胡服が禁止されるとともに他の風俗も禁止されたと思われるが、今でも▶チョクトゥリ（女性用黒絹冠）・▶粧刀（携帯小刀）・▶臙脂（伝統的な結婚式で新婦が両頬に付ける紅）などにその名残が見られる。

モンドゥリ〔蒙頭里〕몽두리
朝鮮時代に、宮中での宴会舞踊で舞妓や巫女が着た衣装。「蒙頭衣」ともいう。▶トゥルマギに似た外衣で、肩と襟周りに刺繍が施されている。袖先には五色の▶汗衫（付け袖）を

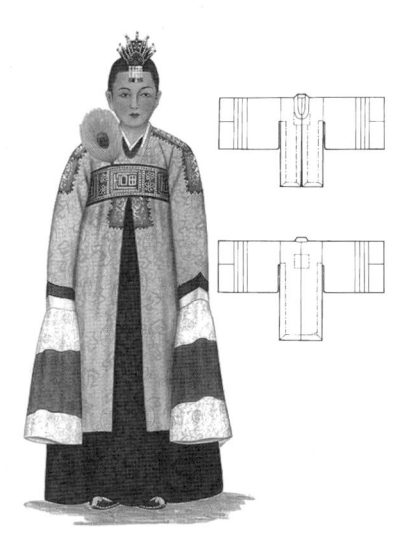

蒙頭里

垂らし、胸には▶繡帯を締め、▶花
冠を被った。太宗12年（1412）6
月に司憲府（社会風俗所管庁）が、
「宮女と上妓を除き、庶民の婦女子
と下女・賤民の服は綿紬・苧布
衣・蒙頭衣とすべし」と上奏したが、
施行には至らなかった。

モンス〔蒙首〕 몽수

高麗時代、女性が外出時に顔を隠す
ために被ったもの。「蒙頭」ともいう。
皂羅（黒絹）3幅で作り、丈は8尺
もあった。頭にすっぽり被って目の
あたりだけ出し、地面を引きずって
歩いた。朝鮮時代に入り丈が短く
なって「蓋頭」と呼ばれるようにな
り、さらに▶ノウルに発展した。

ミョピ〔猫皮〕 묘피

猫の皮。朝鮮時代に商人・職人・賤
民などの▶耳掩（防寒帽）の素材に
した。（《▷朝鮮王朝実録》明宗8年
9月辛酉）

ム 무（まち〔襠〕）

平面の布を組み合わせて仕立てられ
る一般の衣服において、着用時に伸
縮の多い部分に使って身動きをしや
すくする布。▶袍・▶チョゴリなどの
上衣ばかりでなく、女性の下着など
にも多用される。その形から、四角
ム・曲線ム・台形ム・三角ム・菱形
ムなどに分けられる。四角ムは▶団

四角ム
曲線ム
台形ム
三角ム　菱形ム
ム

領や▶直領の脇、台形ムは▶氅衣
や一部の広襟チョゴリの脇、三角ム
は下着類の脇、曲線ムは一部の広襟
チョゴリ、菱形ムは下着の股に用い
られる。三角ムと菱形ムは形が似て
いるが、三角ムはバイアスで伸縮す
るのに対し、菱形ムは伸びを防ぐ役
割を果たす。（張仁又）同襠

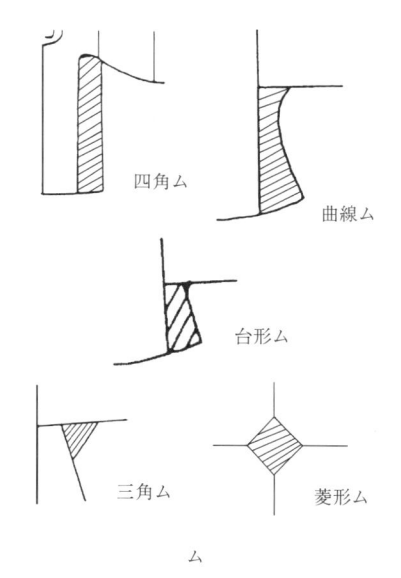

ムガクーピョンジョンゴン〔無角平頂巾〕 무각평정건

左右に翼状の角がない▶巾。朝鮮時
代に司憲府・司諫院・弘文館の書
吏（文書担当官）が被った。帽頂部
は前低後高の2段で、▶宕巾に似る。
（《▷経国大典》巻3礼典儀章）→
平頂巾

ムグァンボク〔武官服〕 무관복

武官の官服。朝鮮時代の武官は、礼
服には▶具軍服一式、平服には▶戦
服と▶戦笠、有事の際には▶戎服を
用いた。高宗32年（1895）4月の勅

武官服　（左）官服姿　（中央）具軍服姿　（右）戎服

命第78号で陸軍服装規則が頒布され、武官服(ムグァンボク)は姿を消した。→具軍服(グクンボク)・戦服(チョンボク)

ムグ〔巫具〕 무구

巫女がクッ（巫儀）で用いる道具。チャング（鼓）・チン（銅鑼）・チェグム（シンバル）などの楽器、神カル・鉈などの刀剣、銅銭・算筒（笠竹入れ）などの占具、鈴・紙幣・扇子・五色旗などの小道具がある。

ムグウイ〔無垢衣〕 무구의 → 同袈裟(カサ)

ムニョボク〔巫女服〕 무녀복

巫女がクッ（巫儀）を行うときに着る服。クッには12種類あり、服装も少しずつ異なる。府君神(ブグンシン)（男性霊）の服としては藍・紅の▶チョルリク(チュリプ)（<外衣）と▶朱笠(テガム)、大監クッでの大監神の服装は▶戦服(チョンボク)と▶戦笠(チョルリプ)、帝釈クッでの帝釈神(チェソクシン)の服装は▶白長衫(ベクチャンサム)と▶コッカル（山形頭巾）を用い、別星コリでは▶トンダリを着て槍と刀を両手に持つ。大コリでは青のチョルリクを着て朱笠を被り、五色旗指揮ノリではトンダリを着て両手に五色旗を持つ。航路の厄除けのために城隍堂(ソンファンダン)（村の守護神）に奉納するクルムノリ（雲の舞）では、紅のチョルリクを着て朱笠を被った。同巫堂オッ

ムダン-プチェ〔巫堂プチェ〕 무당부채

巫女がクッ（巫儀）を行うときに用いる扇。▶合竹(ハプチュクソン)扇に花や神仙などを原色で描いてある。

ムドンボク〔舞童服〕 무동복

巫女服 （上）巫女冠と巫女装飾簪 （下）巫堂帽。温陽民俗博物館所蔵

巫堂プチェ　温陽民俗博物館所蔵

①朝鮮時代に舞童(ムドン)が着た衣服。主に宮中の内宴で歌舞を披露した舞童は、朝鮮時代初期には慣習都監(クァンスプトガム)に所属し、▶銅蓮花冠(トンニョンファグァン)を被り、▶中単(チュンダン)に五色の▶トゥルマギをまとい、▶黒皮靴(フクピファ)を履いて舞った。朝鮮時代中期の文禄(ビョンジャ)・慶長の役や丙子胡乱(ホラン)といった戦乱以降にも舞童の伝統は継続され、純祖28年（1828）の《▶進饌儀軌(チャンウイグェ)》には、舞童たちが佳人剪(カインジョン)牧丹(モクタン)・宝相舞(ボサンム)・長生宝宴之舞(チャンセンボヨンジム)・帝寿昌(チェスチャン)など中国伝来の舞を披露したとある。

②流浪の楽団であるサダン牌(ペ)や農楽隊(ノンアクテ)などに属し、踊りや芸を披露した幼い舞童(ムドン)の着た衣服。舞童は4名から8名で構成され、赤いチマ（スカート）や黄色のチョゴリ（上衣）とリボンで女装し、大人の肩の上に立って踊りと妙技を披露した。

③仮面劇の一つである北青獅子舞(プクチョンサジャ)に登場する舞童が着る衣服。舞童は2番目の演目である獅子舞の第一幕に素顔で登場し、男子は赤いチョゴリ（上衣）と緑のパジ（ズボン）に藍色の▶戦服(チョンボク)を着て、女子は黄色い▶セクトンチョゴリ（色縞上衣）と赤いチマをまとった。

ムドンイ〔舞童衣〕 무동의

朝鮮時代(チョソン)に舞童(ムドン)が着た上衣。黄・緑・赤紫・藍・桃色の五色の絹で仕立て、裏に紅色の▶絹(チョ)（生絹）を当てた。丸襟・細袖で、胸と背中に藍色で蔦や雲紋を織って藍色の糸で縁をとった▶胸背(ヒュンベ)（標章）が付いている（《▶楽学軌範(アカクェボム)》巻9 舞童冠服図説）。世宗21年（1439）の礼曹(イェジョ)（宮内・文部所管庁）の上奏に、「舞童たちが公演時に着る春・秋・冬の衣装は絹で仕立てるのが良いが、夏の衣装は雨や土埃で汚れて色褪せやすく、染め直しが難しいうえに沙羅は国内調達が難しいため、願わくは夏の衣装は白のカラムシを五色に染めて用い

ソウル本郷堂カマンゴリ	上山マヌラゴリ	チャクトゥゴリ
別星ゴリ	大監ゴリ	チュンバンゴリ
帝釈コリ	胡鬼ゴリ	成造軍雄ゴリ
倡夫ゴリ	祖上ゴリ	チョンジョンマジゴリ

巫女服　国師堂12巫儀に見られる巫女服。温陽民俗博物館所蔵。

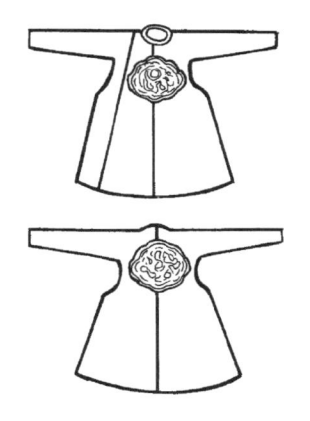

舞童衣 《楽学軌範》掲載の図

ムルプーチギ 무릎치기
身丈が膝までの短い外衣。袖も短く、下級官吏が着た。

ムミョン 무명（めんぷ〔綿布〕）
在来式織機で織った平織の綿。近代になって取り入れられた西洋式の綿布に比べ幅が狭く、庶民の衣料として多用された。朝鮮時代の各種文献には「綿布」「木」などと記されている。1疋の標準は40尺（1布帛尺は約47cmなので約18.8m）で、4つ折にして16枚重ねにする。また50疋を1同という。上等品の上木、古綿で織ったス木など種類が多い。高麗恭愍王12年（1363）に文益漸が元から持ち帰り栽培したのが始まりで、現在細布（目の細かい綿布）としては全羅南道の▶羅州セッコルナイが有名である。

綿布の製織工程はカラムシと同じだが、木綿は季節を選ばない。紡ぎ終わった糸から錘を抜き、糸口から引き出した糸を水に浸した後、杼に入れて緯糸とする。織機のまね木には縄が結んであり、この縄先につながった草履を片足に履いて引くと、綜糸が経糸を交互に引き上げるので、この開口に杼に入れた緯糸を投げ込み、筬枠で緯糸を手前に打ち込みながら織り進める。織りながら幅を調整するために伸子で両脇を張り、経糸が切れたときには綿を補ってつなぐ。綿布を織るときは一定の湿度が必要なため、随時チョジュルケ（先端に湿った布を付けた棒）で経糸を湿らせる。

農家での機織りはすべて女性の役割で、衣料生産はすべて彼女たちに任されていた。朝鮮時代を通じた綿布の生産量は膨大なもので、麻布・カラムシ・絹とは比較にならないほどであった。木綿は経糸の本数が増えるほど織り目が詰まって硬くなるが、「ナイ」と呼ばれる綿布はごわごわせず、下着に適したという。国王もこれを愛用し、《農家月令歌》にも「春ナイ綿布、適期に揃え」と詠われている。「表裏白綿布」とは、このナイであろうと思われる。

我が国への綿花の伝来は前述のとおり14世紀半ばであり、絹・カラムシ・麻に比べ綿布の普及も遅れたが、後には貴賤上下や四季を問わず広く愛用されるようになった。朝鮮時代には、漢城（ソウル）鐘路の六矣塵の一角に「綿布塵」あるいは「白木塵」と呼ばれる綿布の専門店があった。ここは綿布の専売権を持つと同時に多額の国税を負担する、大変有力な商店であった。(参考)キム・ヨンスク《文化財大観・無形文化財編》文化財管理局 同綿布・木綿・木綿布→羅州セッコルナイ

ムミョン-シル 무명실（もめんいと〔木綿糸〕）→綿糸

ムビョン〔武弁〕무변
もともと中国・周の代に武官が被った冠。朝鮮時代には、雅楽の武舞で錞・鐲・鐃・鐸・応・雅・相・牘などの楽器を演奏する楽人が被った。紙を貼り合わせて黒く塗り、裏には麻の上布を当てた。帽頂は前低後高の2段で、青い絹の顎紐を付け、紅色のマレギ（リボン）で飾った。(《▷楽学軌範》巻9冠服図説)

武弁

ムボク〔巫服〕 무복 →巫女服

ムボク〔舞服〕 무복
宮中の宴などで舞い手が着る服。新羅では、大琴舞で舞尺（舞い手）が赤衣、琴尺（伽倻琴奏者）が青衣を着たとされるが、詳細は不明である。統一新羅時代には相当な発展が見られ、《▷三国史記》には、放角幞頭（官帽）・紫大袖（赤紫の広袖上衣）・公襴（装飾公服）・紅鞓（紅色の革帯）・鍍金銙腰帯（メッキの装飾帯）・烏皮靴（黒の革靴）などの名称が見られる。9世紀末に新羅で始まったとされる処容舞については、《▷楽学軌範》(1493年)に詳しく記録されており、→紗帽、青・黄・赤・白・黒の五方色の衣、天衣・▶

ムソン〔巫扇〕무선

吉慶(キルギョン)・▶裳(サン)・▶裙(クン)・▶汗衫(ハンサム)・帯(テ)・▶鞋(ヘ)などが用いられたことがわかる。舞童冠服には銅蓮花冠(トンニョンファグァン)・芙蓉冠(ブヨングァン)・靴(ファ)・衣(ウィ)・中単(チュンダン)・裳などがあり、蠹制服(チェボクシ)には防衣(バンイ)・纏帯(チョンデ)・回斂(フェリョム)・雲鞋(ウネ)などがあった。

高麗(コリョ)時代には、宮中歌舞が中国伝来の唐楽呈才(タンアクチョンジェ)と高麗独自の郷楽(ヒャンアク)呈才(チョンジェ)とに分けられた。《▷高麗史(コリョサ)》(楽志唐楽)には、献仙桃(ホンソンド)・寿延長(スヨンジャン)・五羊仙(オヤンソン)・抛毯楽(ポグラク)・蓮花台(ヨンファデ)などの唐楽(タンアク)呈才(チョンジェ)の舞いの手順が紹介されているが、服飾に関する記録はない。

朝鮮(チョソン)時代の舞踊服(ムヨンボク)は、呈才女伶(チョンジェヨリョン)服飾・舞童服飾(ムドンボクシ)・童妓服飾(トンギボクシ)に分類される。(参考)高福男(コボンナム)《韓国民族文(ハングクミンジョクムン)化大百科事典8(ファテベッカサジョン)》、韓国精神文化研(ハングクチョンシンムンファヨン)究院(グウォン)、1991→宮中舞服(クンジュンムボク)

ムソン〔巫扇〕무선→㊂巫堂プチェ

ムスリ−モリ 무수리 머리
センモリのこと。朝鮮(チョソン)時代の宮中侍女であったムスリの髪型だったために、この名前が付いた。→センモリ

ムヤン−チョクセク−フギ〔無揚赤色黒衣〕무양적색흑의
赤を一切用いない黒い服。朝鮮時代に、王世子(皇太子)が喪中の禫祭(タムジェ)(死後27か月目の祭祀)から再期(死後3年目の祭祀)までの間にまとい、▶黒角帯(フッカクデ)を締めて烏紗帽(オサモ)を被った(《▷国朝五礼儀(ククチョオレイ)》凶禮儀式服制)。

ムウリ 무우리
朝鮮(チョソン)時代の舞台衣装の一つで、望仙門(マンソンムン)を舞うときに舞妓が履いた。側面は紅色の毛氈で作って花文様を刺繡し、つま先には雲紋(ウンムン)を刺繡して赤い房を付け、美しく飾った。両脇に結び紐が付いている。

ムウリ

ムジギ 무지기
朝鮮(チョソン)時代に、上流階層の女性たちが▶チマ(スカート)が豊かに見えるようにその内側に履いた中着の一つ。丈の異なるチマ数枚を腰で合わせ多層状にしたもので、層の数によって三合(サムハプ)・五合(オハプ)・七合(チルハプ)などに分けられる。季節の儀式や宴会などの礼服着用時に履かれたが、年配者は単色で、若者は虹のように層ごとにいろいろな色を用いた。記録によれば三韓時代に富豪の妻・妾たちのチマには7~8疋の生地を使ったという(《▷宣和奉使高麗図経(ソンファボンサコリョトギョン)》巻20賤使)、これがムジギの原型とも考えられる。《▷朝鮮女俗考(チョソンヨソクコ)》(18章朝鮮女服装制6李朝女性)には「五合、七合とは丈の異なるチマの層を表わす名称で、5~6層に重ね、丈は膝にかかるくらいにして上のチマを支える」とある。㊂無足裳(ムジョクサン)・無足裙(ムジョクグン)

ムジニ〔無塵衣〕무진의→㊂袈裟(カサ)

ムチンシンドゥンイ〔務襯身等衣〕무친신등의
僧が日常生活で着た五条袈裟(カサ)の一つ。㊂→安陀会(アンタフェ)→袈裟(カサ)

ムポ〔巫布〕무포
巫女から租税として徴収した麻布や綿布。

ムクテ〔墨帯〕묵대
墨で染めた麻帯。喪中の大祥(テサン)(三回忌)から禫祭(死後27か月目の祭祀)まで、遺族が墨衰(ムクチュェ)と呼ばれる喪服を着るときに締める帯。

ムンニプ〔墨笠〕묵립
墨で黒く塗った▶カッ(笠)。父親に先立った母親の禫祭(タムジェ)(死後27か月目の祭祀)以後と、生家の父母の小祥(一回忌)以後に、遺族が墨衰(ムクチュェ)と呼ばれる喪服を着るときに被る。

ムンモン〔墨幪〕묵몽
▶巾(コン)の一つ。受刑者にはカッ(笠)を被らせず、墨幪(ムンモン)を被らせた。(《▷星湖僿説(ソンホサソル)》巻15人事門)

ムックン−チュンバル−モリ 묶은중발머리
髪を肩の高さで切り、後ろで結った髪型。中国吉林省集安県の高句麗古(コグリョコ)墳舞踊塚主室東壁の厨房図に描かれ

ムジギ 7合ムジギ

ムックンチュンバルモリ 舞踊塚主室東壁

た食膳を運ぶ女性と侍従の少女、北朝鮮南浦特級市の双楹塚羨道東壁の男児の髪型がこれである。

ムングァン-ポクチャン-キュチク〔文官服装規則〕문관복장규칙

朝鮮時代末期の文官の服装規定。光武4年（1900）勅令第14号として発布され、これをもって新羅真徳女王以来の文官服が欧米式の洋服に替わり、大韓帝国期の10年間用いられた。文官の服装は、大礼服・小礼服・常服の3種類である。大礼服は、親任官・勅任官・奏任官・判任官が皇帝に謁見するときや重要行事、宮中宴会の際に着用したもので、帽・衣・胴衣・袴（ズボン）・鞋（靴）・剣・勲章などで構成されていた。小礼服は判任官以上が皇帝に謁見するときや国の祝賀儀式、私的な表敬訪問の際などに着用したもので、燕尾服あるいはフロックコートに真糸高帽・下衣・袴・鞋という構成であった。常服は執務時などに着るもので、現在の洋服のようなものに平帽（中折れ帽）・短後衣・下衣・袴・鞋という構成であった。

ムングァンサ〔紋官紗〕문관사

絹織物の一つ。経糸は生糸、緯糸は半練糸で平織または綾織にし、文様は不規則な綾織で出す。春秋用の生地である。

ムングム〔紋禁〕문금→同紋段禁止

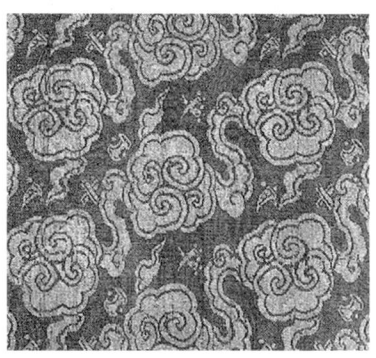

ムンダン〔紋緞〕문단

有文の高級絹。文様により、有紋線綢緞・無紋線綢緞・別紋五綵緞・七宝紋緞・七宝チョロン紋緞・雲紋緞・雲鶴紋緞・寿福紋緞・雲鶴竜鳳紋緞・百福紋緞・百蝶紋緞・白鳥鳳采金緞・雅青五壺金緞・張紙紋庫緞などがある。18世紀半ば、朝鮮時代の英祖の代には、使節の外衣、輦輿（御輿）、▶翟衣（王妃用孔雀紋外衣）、朝廷官吏・命婦（宮中女官など）の官服、軍隊の旗以外は、凝った文様のあるものを禁じて贅沢を控えさせたが、守られなかった（《▶秋官志》第4編掌禁部申章奢侈）。また、次の正祖の代にも北京からの紋緞の輸入を禁じたことがある（《▶朝鮮王朝実録》正祖15年11月）。

紋緞　雲宝紋緞。朝鮮時代。1458年、黒石寺阿弥陀仏像内納入織物。

ムンダン-クムジ〔紋緞禁止〕문단금지

▶紋緞の使用を禁じること。朝鮮時代には、贅沢禁止などの理由で度々紋緞の使用が禁じられた。英祖22年（1746）の王命《禁紋事目》を抜粋すると次のとおりである。①袞衣は雲紋、▶チョルリク（武官の官服）は竜紋、▶翟衣（王妃用孔雀紋外衣）は金色の▶襈（縁取り）を当てるか郷織（朝鮮固有の有文絹）とする。輦輿（御輿）は雲紋とし、用いる絹の種類は先例にならう。②命婦（宮中女官など）の官服は、先例にならい郷織を用いる。③朝廷官吏の官服・▶戎服はいずれも雲紋を用いる。④将軍以下の軍服には一定の制度が無く、緞・紗を問わず様々な文様のものが用いられているが、今後は雲紋と下賜された緞・紗の大蝶紋以外は禁ずる。⑤有文の緋緞（絹）の禁止令が下った後に、注雨紗・抗羅・改尺紬・小綾など文様のあるものを婚礼用品や宴会服などに用いる例がむしろ多くなったが、このような便法を一切禁ずる。⑥使臣の帰国時の禁制品検査が疎かにされているが、紋緞禁止に当たり厳重に実施し、重罪を犯す者がないようにせよ。（《▶秋官志》第3編考律部続条商買）⑳紋禁

ムルラグァン〔文羅冠〕문라관

有文の絹で作った冠。

ムルラ-トゥゴン〔文羅頭巾〕문라두건

文様のある絹で作った▶頭巾。高麗時代に竜虎上超軍・領軍郎将騎兵などの一般軍人と丁吏（下級官吏）・房子（使用人）・民長（村長）などが被った（《▶宣和奉使高麗図経》）。特に領軍郎将騎兵は、文羅頭巾に珠貝を飾ることもあった。⑳文羅巾

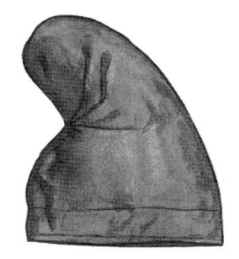

文羅頭巾

ムルロバン〔紋老紡〕문로방

ムルルン〔紋綾〕 문릉

文様のある平織の絹。→老紡紬

ムルルン〔紋綾〕 문릉
絹織物の一つ。経・緯糸ともに生糸を用い綾織で文様を表すもので、地は経綾、文様は緯綾である。精練・染色して仕上げる。

ムンサ〔紋紗〕 문사
絹織物の一つ。経・緯糸ともに生糸を用い、平織の地に紗織、または紗織の地に平織や綾織で文様を出す。製織後、精練加工して用いる。

ムンサガク〔紋紗角〕 문사각
▶紗帽の左右に突出した翼状の角で、有文の紗で作ったもの。朝鮮時代に、堂上官（正3品以上）が紋紗角の付いた黒い紗帽を被った。（《▷続大典》巻3礼典儀章）

ムニャン〔紋様〕 문양（もんよう〔文様〕）
装飾のための図柄。「文彩」「ムニ」ともいう。昔から自然物・動物・文字・仮想物など様々な形が日用品や衣服に描かれ、美的要素を加味したり、思想や祈願などが込められた。服飾にもっとも多く用いられた文様は花鳥類と長寿の象徴である十長生で、時代が下るほど題材が多様化した。文様は大きく自然文様・植物文様・動物文様・幾何文様などに分けられるが、自然文様には雲紋・水波紋・山岳紋、植物文様には牡丹紋・蓮花紋・四君子紋・葡萄紋・石榴紋・忍冬唐草紋・宝相華紋・天桃紋、動物文様には鶴紋・サスム紋（鹿）・パクチュィ紋（コウモリ）・虎紋・鴛鴦紋があり、空想的なものとしては竜・鳳凰紋・麒麟紋・獬豸紋・鬼面紋などがある。

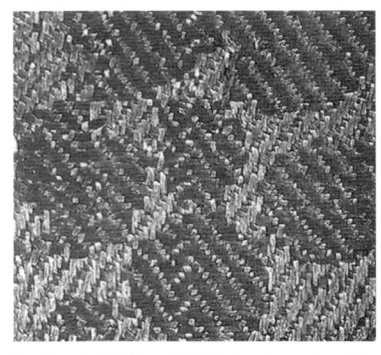

紋綾　小花紋綾。朝鮮時代。1458年。黒石寺阿弥陀仏像内納入織物。

紋紗　朝鮮時代末期。国立古宮博物館所蔵の王孫のチョッキ。円形寿福字・不老草紋・瓢箪紋が織られた薄い黄緑の紗である。

ムン-イクチョム-ミョンファ-シベジ〔文益漸綿花始培地〕 문익점 면화시배지
慶尚南道山清郡丹城面沙月里にある史跡。高麗の文臣文益漸が、恭愍王12年（1363）に元から綿の種を持ち帰り、我が国で初めて栽培した。

ムンジャムン〔文字紋〕 문자문
文字の文様。人の長寿や福徳を願う吉祥語を文様にしたもので、日用品・装身具・衣服などに彫られたり刺繍されたりする。「寿福」の二文字が多用されるが、文字を単独で用いるものより、文字をデフォルメしたり花などの文様と合わせてデザインしたものが多い。→紋様

ムンジンムル〔紋織物〕 문직물
2種類以上の組織を組み合わせ、いろいろな文様を入れて織った織物。平織・綾織・朱子織・捩り織とこれらの変化組織や、ビロードのような添毛組織など浮糸の少ない丈夫な組織を地組織とし、これと異なる組織や色糸により花草鳥獣など様々な文様を織りなす。

ムンハンナ〔紋亢羅〕 문항라
文様のある▶亢羅。捩り織の織物である亢羅は捩りの配置や織り目の疎密により様々な文様ができるが、菱形・花鳥などの文様があるものを紋亢羅という。

紋亢羅

ムルギョプ-チョゴリ 물겹저고리
並縫いで縫った袷チョゴリ（<上衣）。

ムルレ 물레（いとぐるま〔糸車〕）
綿から糸を紡ぎ出すときに用いる器具。数本の木骨を組んだ六角状のトゥルレ（車）に付いた取っ手を手で回し、回転を早糸で錘に伝え、こ

双鳳紋　李端夏夫人緑円衫胸背。重要民俗資料4号。

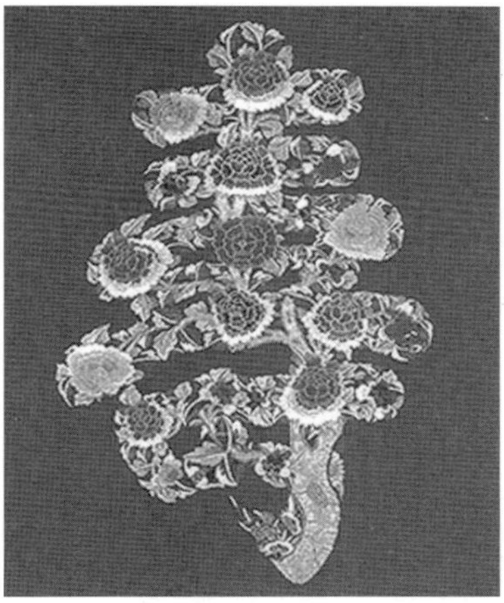

十長生紋　十長生繡二層筆筒。淑明女子大学博物館所蔵。

鐘鼎図　十幅屛風。19世紀。糸田刺繡博物館所蔵。国家祭祀・宴会で用いられた儀式具である鐘と鼎の文様。

牡丹唐草紋　チョゴリの文様。国立民俗博物館所蔵。

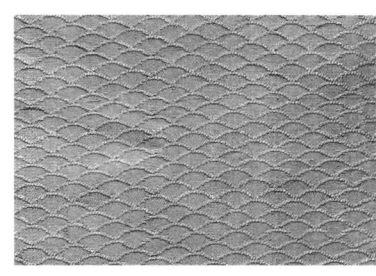

寿字紋　宮中刺繡針匠。糸田刺繡博物館所蔵。

松虎紋　刺繡松虎紋枕側。朝鮮後期。糸田刺繡博物館所蔵。

魚鱗紋　チョルリクの文様。1450年代。石宙善紀念民俗博物館。

太極紋　団扇。糸田刺繡博物館所蔵。

寿福紋　チョバウイ。温陽民俗博物館所蔵。

八卦紋　家具装飾。天地万物の現象・形態の基本になる八卦を表した幾何学紋。

紋様

①

幾何紋　①亀甲紋　②菱形幾何紋　③回紋

②

自然紋　①雲紋　②火焔紋　③十長生紋

植物紋　①蓮花・牡丹紋　②牡丹紋　③宝相華紋　④梅鳥紋　⑤草花紋　⑥蓮花紋　⑦唐草紋

各種紋様

瑞獣紋　①鶴紋　②竜紋　③鳳凰紋　④虎
豹紋　⑤蝙蝠紋

文字紋　①②百寿百福図屏風の文字図案
③喜字紋　④菱花板の吉祥文字　⑤テンギ
の文字図案紋様

各種紋様

ムルレ-パクィ　물레바퀴

れを高速回転させることで糸を撚りながら巻き取る。高麗恭愍王12年(1363)に文益漸（ムンイクチョム）が元から綿の種を持ち帰った後に発明され普及した、我が国独自の綿糸紡車である。⦿繅車（ソゴ）・紡車（パンチャ）・取子車（チュジャゴ）・陶車（トチャ）・旋輪車

ムルレ-パクィ　물레바퀴
糸車に付いている輪。この回転が錘（つむ）に伝わり、錘に糸が巻き取られる。
→ムルレ（糸車）

ムルレジル　물레질
糸車を回して、綿や繭から糸を紡ぐこと。

ムルレ-チュル　물레줄（はやいと〔早糸〕）
糸車と錘（つむ）とを繋ぐ糸。糸車の回転を錘に伝える。→ムルレ

ムル-オッ　물옷
済州島（チェジュド）の海女が着る潜水服。済州島固有の女性下着ソジュンイに似た形態で、黒く染めて用いる。綿布や麻布を4幅に裁断して仕立てるが、右脇は完全に明けて数か所の組紐ボタンで留めるようにし、腰には帯を締める。水圧を受ける部分は当て布で補強し、布端には当て布をしたり色糸でかがるなどして、美しく仕上げる。四季を通して用いられる。

ムル-チョクサム〔ムルチョク衫〕　물적삼
済州島の海女が冬に▶ムルオッの上に着る防寒潜水服。袖は袂が無く、袖先にはゴムを入れて水中の作業がしやくすなっている。襟ぐりは丸く、裾にはゴムを入れるか襞を入れて、腰にぴったり合うようになっている。白い綿布で仕立て、水に濡れると体に密着する。

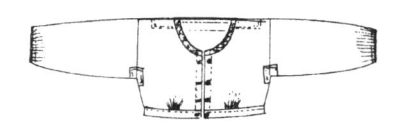

ムルオッ

ムルチョク衫

ミリョダン〔美麗緞〕　미려단
朱子織または綾織の変化組織で、▶琥珀緞に似た絹。経糸には白糸と色糸を1本おきに入れ、白糸で花草紋を出す。

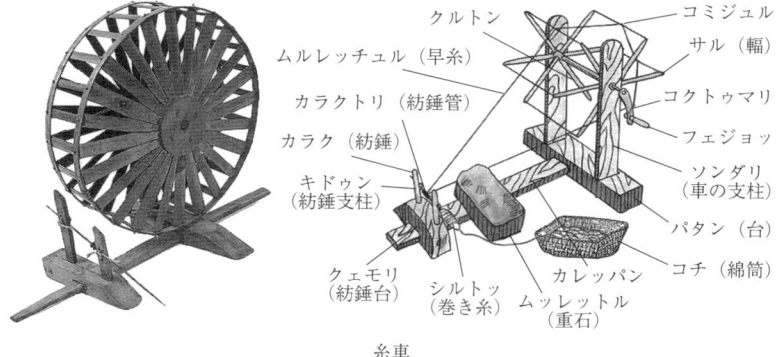

糸車
- クルトン
- ムルレッチュル（早糸）
- カラクトリ（紡錘管）
- カラク（紡錘）
- キドゥン（紡錘支柱）
- クェモリ（紡錘台）
- シルトッ（巻き糸）
- コミジュル
- サル（輻）
- コクトゥマリ
- フェジョッ
- ソンダリ（車の支柱）
- パタン（台）
- カレッパン
- ムッレットル（重石）
- コチ（綿筒）

ミサリ　미사리
▶氈帽（チョンモ）（女性の外出用笠）・▶サッカッ・▶パンガッなど菅笠状の笠を頭に固定するために、内側に取り付けた枠。

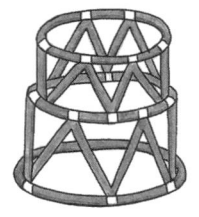

ミサリ

ミソン〔尾扇〕　미선
▶団扇（タンソン）（円型うちわ）の一つ。竹ひごの片端を細く割り、丸く広げ糸で編んだ上に紙を貼り、長い柄を付ける。宮中歌舞で儀仗として用いられた。→プチェ（扇）

ミチェ〔美髢〕　미체
長くて豊かな良質の入れ髪を入れて、美しく結った髪型。

ミトゥリ　미투리
塩水に漬けた生麻（きあさ）や楮（こうぞ）などで編んだ草履。種類は多く、生麻で編んだサムシン、湿地に生えるカヤツリグサで編んだワンゴルシン、葛の内皮で編んだチョンオルチシン、寺（チョル）で編まれた粗い麻草履のチョルチ、漢城（ソウル）の塔コルで編まれた上等品の塔コルチ、底に糊を塗ったムリパダク、紙縒りで縁取った紙チョンミトゥリなどがあった。ミトゥリは目が細かく底や縁が丈夫で、チプシン（藁草履）よりも高級感があり、両班（ヤンバン）（文武官吏一族）や商人たちの間で広く愛用された。もともとは麻を用いたが、次第に楮・葛繊維・紙・綿糸なども使うようになり、経縄も6～8本のものが出て

くるようになって、八経絟塗(パルギョンスド)のような贅沢品も現れた。特に多様な文様を染色したものはコンミトゥリ（花麻鞋）と呼ばれ、農村女性が外出時に用いた。しかし、《▶星湖僿説(ソンホサソル)》、《世宗実録(セジョンシルロク)》(世宗10年(1428)9月)、《芝峰類説(チボンユソル)》などを見ると、ミトゥリが士大夫階級ではそれほど履かれなかったことがわかる。成宗(ソンジョン)3年(1472)の禁奢侈節目(クムサチチョルモク)でミトゥリの使用を勧めていることからしても、当時儒学者たちは奢侈にふけり、ミトゥリには手を出さなかったようである。㊂縄鞋(スンヘ)・麻鞋(マヘ)・麻履(マグ)・サムシン

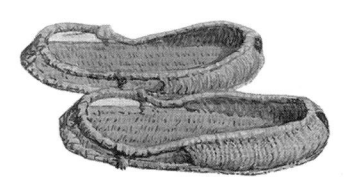

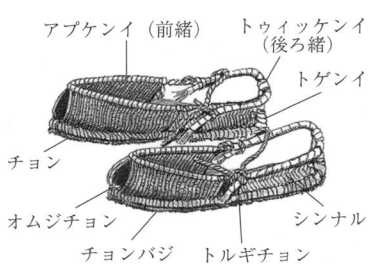

ミトゥリ

ミンガンス〔民間繡〕 민간수
朝鮮(チョソン)時代に一般家庭で行われた刺繡のことで、宮中で行われた▶宮繡(クンス)に対する概念。女性が家で額縁や屏風、枕の側面などに趣味で刺したもので、熟練した尚宮(サングン)（正5位の女官）が刺した宮繡に比べ洗練美はないが、純朴で素朴な感じを受ける。技法的に、部分部分重ねながら厚く刺していくキョプスを宮繡、重ねずに刺していくホッスを民間繡(ミンガンス)と呼び分

けることもあるが、明確に区別されているわけではない。→刺繡(チャス)

ミンモリ 민머리→㊂チョクチンモリ

ミンジャゴン〔民字巾〕 민자건→㊂儒巾(ユゴン)

ミンジャム〔ミン簪〕 민잠
頂部に飾りを付けず、若干角ばらせただけの簪。白銅・木・水牛角などを彫ったもので、朝鮮(チョソン)時代に主に庶民階層が用いた。→ピニョ（簪）

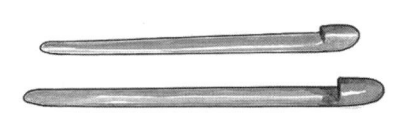

ミン簪

ミンジャンボク〔民長服〕 민장복
高麗(コリョ)時代に民長(ミンジャン)（村長）が着た服。▶文羅頭巾(ムルラトゥゴン)を被り、黒の平絹で仕立てた上衣を着て▶黒角帯(フッカクテ)を締め、黒皮の句履(クリ)を履いた。《宣和奉使高麗図経(ソンファボンサコリョトギョン)》(巻19)には、科挙の1次試験に及第する前の儒学生の服飾に似るとある。→高麗(コリョ)の服飾

ミン-チョクトリ 민족두리
飾りの付いていない▶チョクトゥリ（女性用黒絹冠）。黒絹6幅に綿を入れて縫い合わせ、六角形にしたもの。

ミンチョクトゥリ

→チョクトゥリ

ミルテ 밀대
衣服・布団などを刺し縫いするときに使う道具の一つ。真竹などを加工した長さ25cm、直径2cmほどの棒で、これを用いると裏表の生地がずれないで綺麗に仕上がる。→ヌビ

ミルチプ-モジャ 밀짚모자→㊂麦藁帽子(メッコモジャ)

ミルファヨン〔蜜花纓〕 밀화영
蜜花(ミルファ)（黄色の琥珀）をつないだ▶カックン（笠紐）。朝鮮(チョソン)時代に▶戦笠(チョルリプ)や▶黒笠(フンニプ)などに用いられた。戦笠には大きい蜜花玉と珊瑚を交互に通したものが、黒笠などには大小の蜜花玉それぞれ36～40個を交互につないだものが付けられた。→カックン（笠紐）

ミッ 밑
▶ソッコッ（女性用下着）の股に当てる4幅の三角布。→ミッパデ

ミッ-パデ 밑바대
▶ソッコッ（女性用下着）などの股を丈夫にするため内側に当てる布。

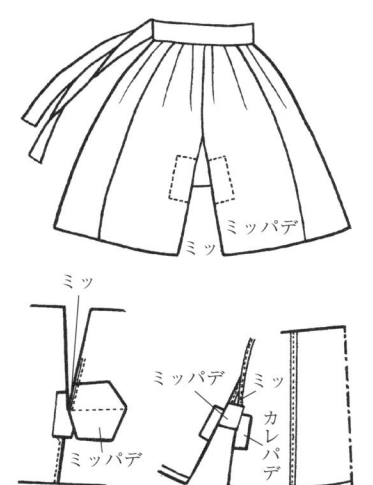

ミッ・ミッパデ

ㅂ

パ

パヌジル 바느질〔さいほう〔裁縫〕〕

裁縫は、旧石器時代に針と糸で皮を縫い合わせたのがその始まりとされ、先史時代の遺跡から骨で作った針が出土している。我が国の衣服はゆったりとした形態なので、裁縫技術もこのような特性に合わせて発達してきた。伝統的な技法としては、▶ホムジル（並縫い）・▶サバッキ・▶パグムジル（返し縫い）・▶カムチギ（纏り縫い）・▶コングルギ（くけ縫い）・▶シチムジル（仕付け縫い）・▶フィガムチギ（かがり縫い）・▶サットゥギ（<かがり縫い）・▶サンチム（<飾り縫い）がある。また、途中で糸が足りなくなって縫いつなぐ技法にも名前があり、オンメオイッキ（糸の終端と次の糸の先端とを結びつなげる）・▶コアイッキ（糸の終端に次の糸の先端を撚りこむ）・メドゥプチオイッキ（一旦縫い終えた場所から次の糸で縫い始める）・▶キョプチョホアイッキ（一旦縫い終えた位置から少し戻って、次の糸で縫い始める）などがあり、最後はクンメドゥプ（玉止め）で処理する。また、生地を縫い合わせた後の縫い代の処理技法には▶カルムソル（割り縫い）・サムソル（包み縫い・折伏せ縫い）・トンソル（袋縫い）・▶コックムソル（縫い代を片側にまとめて折る）・▶ホッソル（縫い代を片側にまとめて折り、さらに縫い押さえる）・▶コプソル（縫い代を2度縫い押さえる）・ウェジュルムソルなどがある。裁縫道具は、▶糸・▶コルム（指貫き）・▶鋏などであるが、これらは▶パンジッコリ（裁縫箱）にしまう。

パヌジル-コリ 바느질고리 → 同パンジッコリ

パヌル-チプ 바늘집〔はりいれ〔針入れ〕〕

針を保管するための入れ物。普通二つの二枚貝状のものを上下に重ねた形をしており、下の部分に髪の毛を入れてこれに針を刺し、紐でつながった上の部分は蓋になっている。刺繍をして房飾りを垂らし、▶ノリゲ（女性の韓服用飾り）として身に付けることもあった。同針嚢（チムナン）

パヌルチプ

パデ 바대

単衣のほころびやすい部分（ひとえ）に裏からあてる布切れ。▶赤衫（チョクサム<上衣）や▶道袍（トポ<外衣）の背中に当てる▶トゥンバデ、▶パジ（＝ズボン）の股に当てる▶ミッパデ、内股に当てる▶カレパデなどがある。

パドゥクパン-モリ〔パドゥク板モリ〕 바둑판머리

まだ頭髪量の少ない3～4歳の児童が結う髪型。中分けにして、左右の髪を3本に束ねて後で結いまとめ、テンギ（帯状の頭飾り）を垂らす。分け目の部分に碁盤（パドゥクパン）状の七宝装飾をはめる。

パドゥク板モリ

パドゥクパン-ムニ〔パドゥク板ムニ〕 바둑판무늬

織物の文様の一種。縦横に綾織または朱子織で四角の文様が一定の間隔で現われ、碁盤に碁石が置かれたような文様に織ったもの。

パディ 바디〔おさ〔筬〕〕

織機の部品。薄く細い竹ひごを櫛のように並べ、上下を縁で挟んで糸で縛りつけたもの。パディサル（羽）の隙間に経糸を通し、経糸を整える役割を果たすもので、木製のパディチプ（筬枠）に入れて用いる。パディサル（羽）の数により織物の升数（スン）が決まるが、綿は普通5升から9升、

パディ

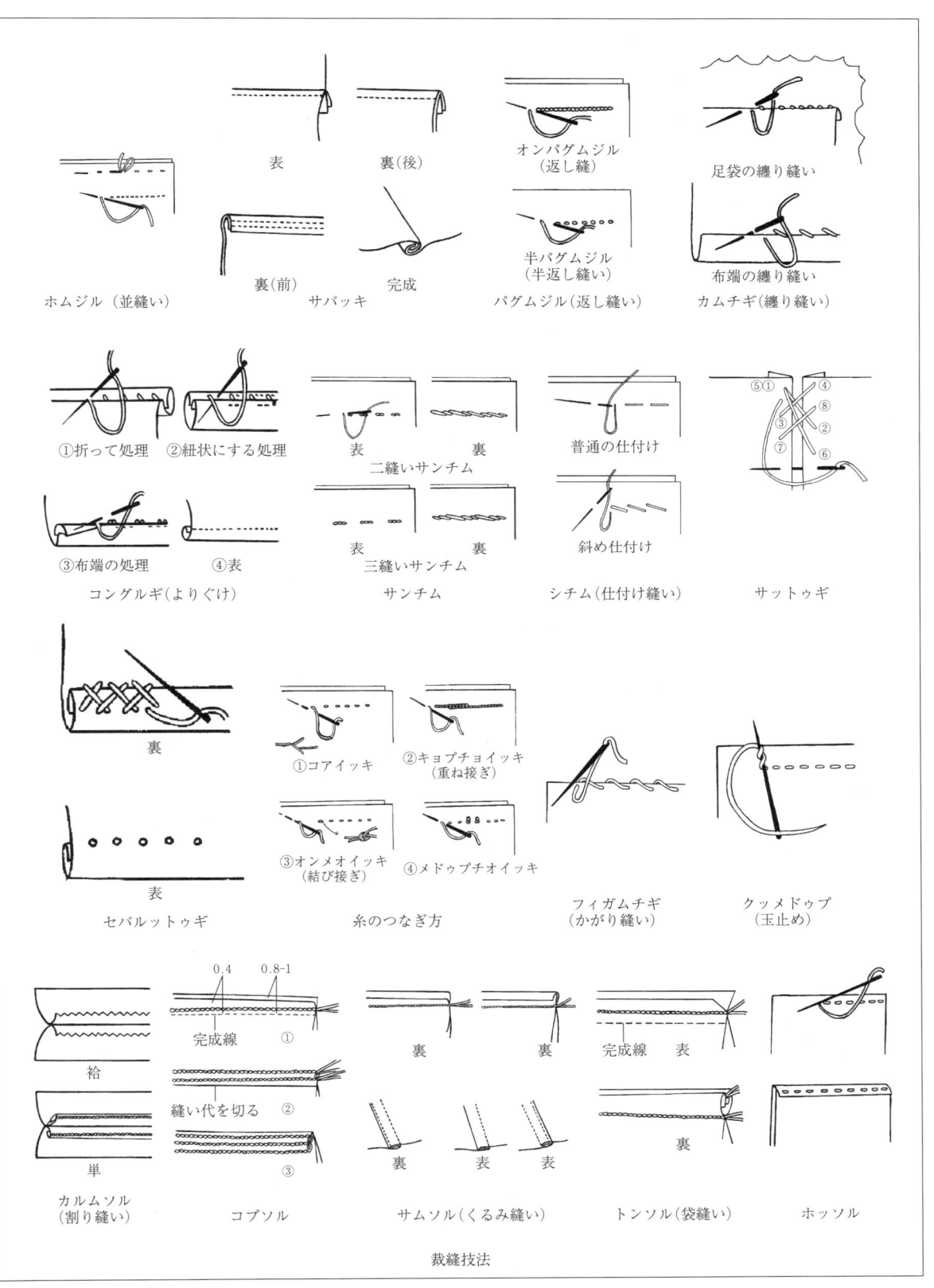

ホムジル（並縫い）　サバッキ　表／裏(後)／裏(前)／完成　オンパグムジル（返し縫）／半パグムジル（半返し縫い）　パグムジル（返し縫い）　足袋の纏り縫い／布端の纏り縫い　カムチギ（纏り縫い）

①折って処理　②紐状にする処理　③布端の処理　④表　コングルギ（よりぐけ）　二縫いサンチム／三縫いサンチム　表／裏　サンチム　普通の仕付け／斜め仕付け　シチム（仕付け縫い）　サットゥギ

裏／表　セバルットギ　①コアイッキ　②キョプチョイッキ（重ね接ぎ）　③オンメオイッキ（結び接ぎ）　④メドゥプチオイッキ　糸のつなぎ方　フィガムチギ（かがり縫い）　クッメドゥプ（玉止め）

袷／単　カルムソル（割り縫い）　0.4　0.8-1　完成線　①　縫い代を切る　②　③　コプソル　裏　裏　サムソル（くるみ縫い）　完成線　表　裏　トンソル（袋縫い）　ホッソル

裁縫技法

絹は10升から14升で、この数が多いほど織物の目が細かい。→ペトゥル（織機）

パディーサル　바디살（〈おさの〉は〔筬の〕羽］）

パディ（筬）の主要部の竹片。この数が多いほど升数が高く、織物の目が細かくなる。

パディーチプ　바디집（おさわく〔筬枠〕）

織機の部品。溝の入った２片の木で、この溝にパディ（筬）を挟み、パディチプピニョで固定して使用する。⑥筬框→ペトゥル

パディーチプーピニョ　바디집비녀

パディチプ（筬枠）の両側の木枠をつなぎとめる鉄または木の細棒。→ペトゥル

パリーアンーペ　바리안 베→⑥鉢内布

パジ　바지（ズボン）

ズボン形態の衣服。特に、朝鮮民族固有のものを指す。「パジ（바지）」という言葉は15世紀の学者 鄭麟趾（チョンインジ）が「把持（과지）」と記したものが初出で、18世紀の英祖（ヨンジョ）の代に刊行された《▷国婚定例（クゴンチョンネ）》や《▷尚方定例（サンバンチョンネ）》にも「パジ（과지）」とあるが、《宮中衣襨発記（クンジュンウイデバルギ）》に初めて今日と同形の「パジ（바지）」という形が見られる。国王と王妃のパジは、特別に「ポンディ」と呼ばれた。我が国のパジは、古代から現代に至るまで基本的服飾であり、形態にほどんど変化が見られない。男性用のパジは、朝鮮時代に▶斜幅（チョソク）（内股の生地）の幅に若干変化があった程度で、女性のパジは下着化して朝鮮時代には股が裂けている形になったが、近年はまた元のような股がつながった形に戻った。

■古代

中国の史料によると、高句麗（コグリョ）では▶窮袴（クンゴ）・▶赤黄袴（チョクファンゴ）・▶長袴（チャンゴ）・▶大口袴（テグゴ）を履き、百済（ペクチェ）では▶青綿袴（チョングムゴ）・褌（コン）を、新羅（シルラ）では▶柯半（カバン）・▶褐袴（カルゴ）を履いたとある。《▷三国遺事（サムグクユサ）》や《▷三国史記（サムグクサギ）》にも三国時代のパジに関して綾袴・▶青綿袴・▶赤袴などの言葉が見られ、《三国史記》色服の条の婦人服に▶袴（コ）が見られることから、三国の男女は皆パジを履いていたことがわかる。パジの名称はその形態や服地・色に基づくもので、幅の広いものには大口袴・袴大口（コデグ）・太口袴（テグゴ）、丈の長いものには長袴、服地やその色により褐袴・赤黄袴・青綿袴・綾袴などの名称がついた。６世紀の高句麗古墳壁画にも各種のパジを履いた人物が描かれている。パジの幅が階級により異なっており、貴人は▶寛袴（クァンゴ）を、付添人は細袴を履いている。ほとんどの絵で寛袴は裾を結んでいるが、細袴は裾まわりに別色の▶襈（ソン）を当ててある。褌（コン）は将軍や門兵・力士などが履いているが、これは現在の夏用▶チャムバンイ（半ズボン）と同じものである。

■高麗（コリョ）

高麗時代のパジに関する記録はほとんど残っていないが、《宣和奉使高麗図経（ソンファボンサコリョトギョン）》杖衛の条に窮袴・白紵窮袴の記事があり、李奎報（イキュボ）の詩に▶犢鼻褌（トクビコン）（半ズボン）を履いていたことが詠まれている。

■朝鮮（チョソン）

朝鮮時代には、《度支定例（タクチチョンネ）》《▷国婚定例（クゴンチョンネ）》《▷尚方定例（サンバンチョンネ）》《嘉礼都監儀軌（カレトガムウイゲ）》《宮中衣襨撥記（クンジュンウイデバルギ）》にパジや裏衣（ウイ）・襪裙（マルグン）（女性用の広幅パジ）・▶ポンディ（国王・王妃のパジ）・▶ノルンパジ（女性下着用の広幅パジ）・▶ヌビパジ（綿入れ刺し子パジ）など多様なパジ類が記録されている。男性のパジは「パジ」「袴衣」「チャンバンイ」など多様な名称で呼ばれたものの、古代から基本的な形態の変化がなく、下着・上衣の区別なく用いられた。幅の広いものが多く、▶マル幅・▶斜幅・ホリなどから構成される。一方、女性のパジは下着化してチマ（スカート）の下に履かれるようになった。女性の下着用パジとしてはパジ・ノルンパジ・▶コジェンイ・▶単ソッコッなどがある。冬物は明紬（ミョンジュ）・▶三八紬（サムパルジュ）・紫薇紗（チャミサ）・琥珀緞（ホバクダン）などの平織りの絹を用い、中に綿を入れた。春・秋物は▶熟庫紗（スッコサ）・

①マル幅
②クン邪幅
③チャグン邪幅
④ベレ
⑤ホリ（腰）
⑥プリ（裾）

パジ

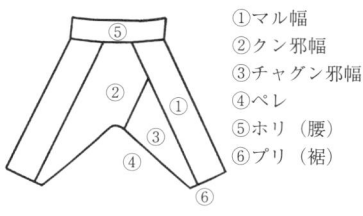

真珠紗など文様入りの絹を袷にし、夏物は玉洋木のような目の細かい綿織物やカラムシ織りなどで作った単衣のコジェンイを用いた。また、上流階級の女性が馬や籠に乗る際に履いた襪裙というパジがあるが、これは古く女性が外衣としてパジを履いていた名残であろう。子供用のパジには▶風遮パジがある。（朴京子）

パグムジル　박음질（かえしぬい〔返し縫い〕）

裁縫技法の一つ。一針ごとに戻りながら縫い進める技法で、オンパグムジル（本返し縫い）と半パグムジルとの2種類がある。前者は表から見たときにミシンの縫い目と同様に見え、美しく丈夫に仕上がる。半パグムジルは見かけは▶ホムジル（並縫い）のように見えるが、ホムジルよりも丈夫に縫いあがる。→パヌジル

パギ-キョプチョゴリ〔パギ▽袷チョゴリ〕　박이 겹저고리

返し縫いで仕立てた袷のチョゴリ（＜上衣）。前後の身頃は一体になるよう裁断するので肩山は縫わず、縫い代は1cmほどに裁断し、仕立てあがった後に7mmを残して切り落とす。すべての縫い目は▶カルムソル（割り縫い）とし、裾の曲線部分が伸びないよう布の織り目方向に引きながら縫い、衽の先端は縫い代を切り落として厚みがでないようにする。

パングムグォン〔蟠金圏〕　반금권→同双蟠圏

パンナン〔頒囊〕　반낭

チュモニ（巾着）の一つ。朝鮮時代の陰暦正月初子・初亥の日に、国王が宮中で宰相や身近な臣下に分け与えた絹のチュモニ。子の日の長いチュモニを「子囊」、亥の日の丸いチュモニを「亥囊」と称し、いずれも華麗な刺繍を施した。この風習は一時なくなったが、18世紀末の正祖の代に復活したとされる。チュモニの中には豊作への願いを込めて、焼いた穀物の実を入れた。同子囊・亥囊

パンダジ〔半ダジ〕　반닫이

箱型の収納家具。前面上半分が扉になっており、下部の蝶番を支点にして下に開く。家具のうちで最も歴史の長いもので、書籍・巻物・衣服・服地・祭器などを入れた。ケヤキやブナ類の厚い板で作り、金具類で重厚な装飾を施したが、地方により形や装飾が異なる。特に平安北道博川のものは装飾が多いことで有名

である。

パルリョン〔半練〕　반련

生糸を精練する際に、不純物の一部のみを除去すること。

パルリョン〔盤領〕　반령（ばんりょう〔盤領〕・えんりょう〔円領〕）

襟ぐりの狭い丸襟。右肩で合わせて、ボタンで止める。高宗31年（1894）に朝廷官吏の衣服制度を改編した際、▶公服（国王謁見服）を紗帽・盤領・窄袖と定めた。《▷梅泉野録》巻2）《▷朝鮮王朝実録》高宗31年6月28日）→キッ

パルリョン-チャクス〔盤領窄袖〕　반령착수

襟が▶盤領で袖が細袖の▶袍。高宗21年（1884）の甲申衣服改革令で官服を▶黒団領とし、団領自体も盤領窄袖とした（《▷朝鮮王朝実録》高宗21年5月24日）。高宗31年（1894）には朝廷官吏が国王・王妃に謁見する際の服を▶紗帽に盤領窄袖と定めた（同、高宗31年6月28日）。

パルリョンムン〔蟠竜紋〕　반령문

身をうねらせた昇天前の竜の姿を象った文様。国王・王世子・王妃の▶補に用いられたもので、礼服と同一色の生地に金糸で刺繍された。

パンベ　반베

パンムル色（濃い藍色）の糸と白い糸を混ぜて織った幅狭の綿織物。帯や手ぬぐいにする。→斑布

パンビ〔半臂〕　반비

袖なし、または袖が非常に短い丸首の上衣。普通は▶チョゴリ（＜上衣）の上に重ね着する。統一新羅時代の

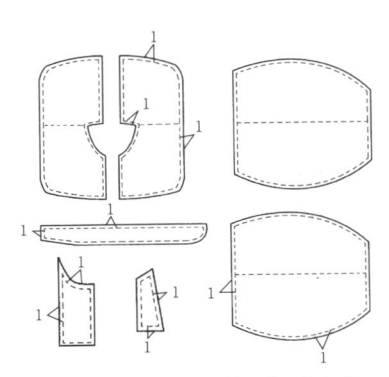

パギキョプチョゴリ　縫い代の入れ方

パンダジ　温陽民俗博物館所蔵。

パンビウイ〔半臂衣〕반비의

興徳王の服飾禁制（834年）に半臂が見られる。真骨（父系・母系の一方が王族の者）と6〜4頭品の貴族の男女ともに規制されたことからして、男女共用だったことがわかる。隋・唐代に流行した服で、中国の文献・遺物や奈良正倉院の遺物を通して具体的な形態を推測できる。隋・唐代の半臂の類型は、大きく分けて対襟式半臂、套頭式半臂、それに半袖の袖口に襞の装飾を入れた漢代の繡裾式半臂の三つだが、このうち対襟式半臂が最も多く見られる。奈良朝の遺物である正倉院の半臂は、直領の襟に前合わせは打ち合わせだったが、短い袖のあるものと袖なしとがあり、襴があるのが特徴である。朝鮮時代には刑務官であった羅将の制服として青半臂を用いた（《▶経国大典》）。後世の▶褙子・▶戦服・絎子・▶褡穫・快子・背心などは、半臂を起源とするものと思われる。高宗21年（1884）6月の条に「今の戦服制度は昔の半臂衣であり、絎子・褡穫とも呼ぶ」とあり、高宗死去の際に遺体に着せる小殮の衣装のうち紵紗褡穫は半臂であった（《▶朝鮮王朝実録》純宗 4月27日）。
（朴京子）同半臂衣

パンビウイ〔半臂衣〕반비의
→同半臂

パノクァンジュン〔反玉環中〕반옥환중

▶網巾に付ける漫玉製の▶貫子で、朝鮮時代に1品の文武官吏が用いた。（《▶五洲衍文長箋散稿》巻34網巾環制弁証説）→貫子

パンジョーウンファンス〔盤鵰銀環綬〕반조은환수

朝鮮時代に3品の官吏が▶朝服（朝賀服）・祭服（祭祀服）の腰に垂らした▶後綬（装飾帯）。黄・緑・赤・紫の糸で身を丸めた鷹（盤鵰）の姿を刺繡し、下段には青糸で網状の房（▶網綬）を施した。（《▶経国大典》巻3礼典儀章）

パンジュ〔斑紬〕반주

経糸は絹、緯糸は絹と木綿を2本ずつ互い違いに織り込んだ織物。同アラン紬

パンジ〔斑指・半指〕반지（ゆびわ〔指輪〕）

指にはめる装身具。単独のものを指し、対になったものは「カラクチ」という。主な素材は金・銀・銅で、三国時代に特に新羅で盛んに用いられた。三国時代の出土遺物は次のとおりである。①高句麗：あまり指輪は用いられなかったようで、遺物は多くない。平壌市の安鶴宮跡2号墳から青銅器のパンジが出土し、南浦市の薬水里壁画古墳からは金製の指輪が出土しているが、厚さ・幅ともに均一ではなく、鋏で切断した跡も仕上げ処理が施されていない。南浦市江西郡普林里の12号墳の銀製パンジは上面が菱刻り状で、平壌の二室墳のものは銀製の針金状のものを曲げて作ったものである。②百済：忠清南道公州市牛禁里古墳から金・銀製のパンジが出土した。この一帯からは、断面が円形の銅製パンジが出土している。③新羅：三国のうちで最もパンジが多く用いられた

唐代の半臂　古墳出土の女性俑と敦煌出土《樹下説法図》の供養者。

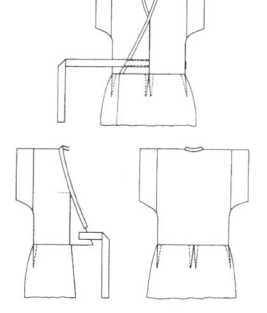

奈良時代の半臂　正倉院所蔵。

18世紀末の半臂　大田恩津宋氏墓出土。国立民俗博物館所蔵。襟がなく襟ぐりはU字型である。4〜5cmの袖が付いており、衽には短い結び紐が付いている。綿を入れずに刺し子縫いにしてある。

半臂

パンフェジャン-チョゴリ〔半回装▽赤▽古▽里〕 반회장저고리

国で、古墳出土物から見て男女ともにパンジをはめていたものと思われる。また、左手のみならず、右手の指にもはめていたようである。形態も多様で、全体が同じ幅で何の飾りもないもの、菱形状に尖った上面の中央に縄で囲んだような菱形文様のあるもの、上面中央がふっくらと盛り上がっているもの、菱形状に尖った上面の中央に鏤金細工により四弁花文を施したもの、中央に花型の座金を載せ瑠璃玉をはめたもの、螺旋状のものなどがある。新羅でも金・銀が用いられたが、特に金製が多く、慶州市の瑞鳳塚では16個も出土している。④伽耶：伽耶古墳では、他の遺物に比べパンジの出土は極めて少ない。慶尚南道梁山郡の夫婦塚からは銀製品10個が出土したが、上面中央が菱形のものである。

高麗時代にはかなり流行したものと思われるが、現存のものは多くない。遺物としては、瑪瑙のはまった直径1.8cm内外の金製品、唐草文をレリーフした金製品、鋸歯文様を施した銀製品がある。朝鮮時代には、パンジよりも▶カラクチ（双指輪）が愛用された。→カラクチ

パンジッコリ 반짇고리（さいほうばこ〔裁縫箱〕）
針・糸・▶コルム（指貫）・鋏・物差し・布切れなどをしまう箱。形は正方形・長方形や多角形で、ふつう内部の隅に小さな仕切りが設けられ、針・ボタンなどを納めるようになっている。朝鮮時代に上流階層で用いられたパンジッコリは、▶螺鈿・▶画角（牛角の彩色工芸）などを施し豪奢に仕上げられたが、庶民の間ではふつう韓紙で作った紙函や、小型の柳行李や竹行李などが使われた。紙函には、色紙で花や鳥、「寿福康寧」などの文字を切り抜いて張った紙粧貼花や、内外に赤・黄・草緑色（黄緑）の三色の紙を張ったものがある。木製のものには、花鳥や▶十長生紋を彫って漆を塗ったものや螺鈿を施したもの、また画角を張った上から赤漆を塗り、光沢を出したものなどがある。→同パヌジルコリ

パンジッコリ（上）国立民俗博物館所蔵。紙函。（下）画角パンジッコリ。朝鮮時代。19世紀。横28.3cm、縦27.2cm、高さ6.2cm。国立中央博物館所蔵。桐製の箱に画角を施し、側面は四等分して白い牛骨で境目を表わし、前面と後面には蓮池の中の鯉と瑞獣、両側面には牡丹の花がデザインされている。

パンポ〔斑布〕 반포→同パンベ

パンプンサ〔半分糸〕 반푼사
刺繍糸の一つ。若干緩めに撚った絹糸で、東洋刺繍によく用いられる。

パンフェジャン-チョゴリ〔半回装▽赤▽古▽里〕 반회장저고리
▶チョゴリ（上衣）の一つ。脇当てはなく、襟と▶オッコルム（結び紐）、袖口にだけ本体とは別色の布を当てたチョゴリ。半回装チョゴリには、襟・オッコルム・袖口のすべてに紫朱色（赤紫）の布を当てたものと、オッコルムと袖口、袖口と襟、襟とオッコルムにだけ紫朱色の布を当てたものの計4種類があり、チョゴリとチマの色の調和、年齢や好みにより使い分けられる。▶三回装チョゴリは、両班（文武官一族）階級の女性のみが着られたのに対し、半回装チョゴリは一般女性の間で用いられた。礼服としては、未婚女性は黄色の半回装チョゴリに真紅のチマを、既婚女性は黄色の半回装チョゴリに藍色のチマを取り合わせた。→チョゴリ

斑指 新羅。5～6世紀。国立中央博物館所蔵。①瑞鳳塚（7個）②路西洞（2個）③金鈴塚（5個）出土。

187

パルレポ〔鉢内布〕 발내포

半回装チョゴリ 襟・結び紐・袖口に紫朱色の布が当ててある。

パルレポ〔鉢内布〕 발내포
朝鮮(チョソン)時代に、咸鏡北道六鎮(ハムギョンブクトユクチン)で生産された上質の麻布。1疋が鉢に収まってしまうほどしなやかで薄く織りあがった布という意味で命名された。㊅パリアンベ

パル-テンギ 발댕기
髪に飾り付ける帯のような▶テンギの一つ。おもに前に垂らす。黒の▶緋緞(ビダン)(絹織物)で袷仕立てにし、表に花鳥や「富・貴・寿・福・囍」などの文字が刺繍される。㊅アプチュルテンギ→㊅トゥリムテンギ

パルマク 발막→㊅パルマクシン

パルマクシン 발막신
晴天時に用いる履き物の一つ。おもに上流階層の老人が履いたもので、踵とつま先に縫い目がなく、つま先が扁平である。側面に灰色や黒のノロジカ革を用い、白馬皮を周囲に当(ペンマピ)て、水銀粉を塗った。㊅パルマク

パルマクシン

パルシク〔髪飾〕 발식
女性用の髪に飾る装飾品の総称。▶ピッ(櫛)・▶ピニョ(簪)・▶トゥイッコジなどがある。→首飾(スシク)1

ぼっかいのふくしょく〔渤海の服飾〕 발해의 복식
渤海の文化は、高句麗の後裔の伝えた文化や、靺鞨族などその周辺文化を土台とし、これに盛唐の文化が取り入れられて生み出されたものである。高度な発展を見た時期もあったが、唐や日本と活発に交流しながらも、新羅(シルラ)とは文化的・政治的交流が少なかった。
渤海の史書としては、柳得恭(ユドゥッコン)の《渤海考(パルヘゴ)》(1784)や金毓黻(キムユクブル)の《渤海国志長編(グクチチャンピョン)》(1937)、唐晏《渤海国志》(1919)などがあり、これらの文献から渤海の官吏の服飾がわかる。これによると、3品以上は▶紫衣(チャウイ)に▶牙笏(アホル)を持ち、▶金魚袋(クモデ)(巾着)を腰に吊るし、4・5品は▶緋衣(ビウイ)に牙笏を持ち、▶銀魚袋(ウノデ)を下げ、6・7品は浅緋衣に▶木笏(モコル)、8・9品は緑衣に木笏を持った。これは、唐の紫・朱・緑・青の四色公服制に似ており、▶笏(ホル)や▶魚袋(オデ)もまた然りである。この他、▶幞頭(ボクトゥ)を被り▶革帯(ヒョクテ)・▶烏皮(オビ)靴(フェ)を用いたものと推測される。文献には官吏の服飾以外の記録はないが、渤海の支配階層は高句麗の遺民であったことからして、高句麗文化をそのまま踏襲したものと考えられる。《族俗考(チョクソクコ)》(食貨)には、渤海は布や皮革を大量に産出したとあるが、特にアザラシ皮・テン皮など毛皮類の生産が豊富で、これを唐や日本に輸出する一方、唐の綿・糸・絹や、日本の織物類を輸入した。これらの高級織物が、地元の布・皮革とともに、渤海の服飾生活を高句麗に劣らぬ豊かなものにしたと考えられる。(柳喜卿(ユヒギョン))

パルヒャン〔パル香〕 발향
香を簾のように垂らした▶ノリゲ(女性韓服用の装飾房)の一つ。香を巾着などには入れず、そのまま円筒形にして数個ずつ糸に通し、ノリゲとして用いた。香にはコウモリ形・四角形・八角形・円形などがあり、コウモリ形のものに糸を通したものはパクチュイ香(ヒャン)といい、金糸に通したものは金糸香(クムサヒャン)という。また宮中女官(サングン)の▶尚宮は、黒・白・緑・黄の四色の香を数珠のようにつないだチュルヒャンを用いたという。簾状の香の中央には刺繍を施した絹布をつないでデザインの単調さを避け、本体の左右と下部には▶スル(房)を垂らして飾った。

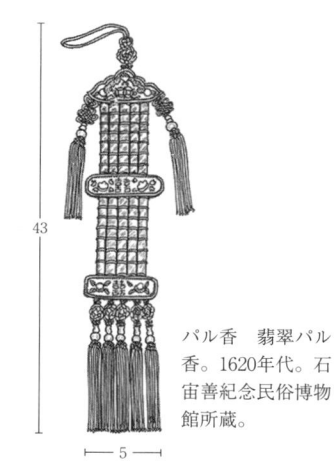

パル香 翡翠パル香。1620年代。石宙善紀念民俗博物館所蔵。

パンガッ 방갓→㊅方笠(バンニプ)

パンゴン〔方巾〕 방건
朝鮮(チョソン)時代に士大夫が日常被った▶巾(コン)。四角い箱状で、四面は扁平で頂部が開いている。角巾(カクコン)とも呼ばれ、馬のたてがみや尾の毛を編んで作られた。朝鮮王朝開祖の太祖(テジョ)の代から被られた代表的な巾である。(《▶五(オ)

パンニプ〔方笠〕 방립

渤海の服飾
1 渤海文王（在位737～793）の四女貞孝公主の墓室西壁に描かれた楽人の姿。箜篌・琵琶・拍板などの楽器を手にしている。この墓室には12人の渤海人が描かれているが、帽子や服、服の色などが異なり、身分の違いを表わしている。
2 渤海貴族の姿。
3 墓室内部。

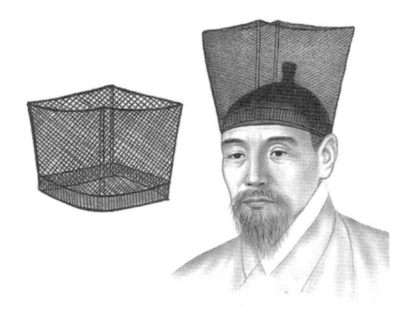

1

2 3

洲衍文長　箋散稿》巻4）㊂四方冠・四方巾→巾・冠帽

方巾

パンドク　방독→タドゥミットル

パンニョンムン〔旁竜紋〕 방룡문
横から見た竜の姿の文様。18世紀末の北京への旅行記である《燕行記》（巻2 起熱河至円明園）には、親王の補服には丸い竜紋が四つ付いたものを用いるが、前後は正竜紋、左右は旁竜紋とある。

パンニプ〔方笠〕 방립
日除けや雨具として用いられた大きな笠。表は細い竹ひごを、裏はカヤツリグサを編んで作られた。内側には頭に固定するための型が付いており、左右に付いた紐を顎で結ぶ。形は▶サッカッに似るが、丸みを帯びた四角錘で、四隅が欠けたようにくぼんでいる。新羅や百済で庶民が被っていたことから羅済笠とも呼ばれ、高麗時代には一部の官吏の間でも用いられ、一般官吏は黒、末端官吏の骨吏は白を被った。高麗時代の恭愍王21年（1372）には、代言（王命下達官）・班主（軍帥）以上はすべて黒草方笠を被るようになった。朝鮮時代には、郷里（地方下級官吏）が黒竹方笠を被り《▷経国大典》、

189

パンマンイ-スル　방망이술

方笠　喪中の遺族が外出時に被った姿。

文禄・慶長の役以後は着用が義務化されるも履行が徹底せず、喪中の遺族が外出時に被るのが一般化して喪笠（サンニプ）と呼ばれるようになった。㊂パンガッ・喪笠

パンマンイ-スル　방망이술
▶スル（房飾り）の一つ。木・紙製の丸い頭部を金色に塗って色糸の網袋を被せ、その下に房糸を巻いたものと、サイの角や象牙を削った丸い頭部に房糸を巻いたものとの2種類がある。国楽器・掛け軸・凧・引路王幡（イルロワンボン）（死者を引導する旗）・喪輿（サンヨ）・駕篭などに垂らす大型の▶流蘇の端に垂らしたり、▶号牌（ホペ）（身分札）の房として用いられた。

パンマンイスル

パンモサ〔紡毛糸〕　방모사（ぼうもうし〔紡毛糸〕）

毛糸の一つ。羊などの短い毛や再製毛などを紡いだ糸。糸の表面が産毛で覆われ触感が柔らかいが、光沢は少なく縮みやすい。この縮絨性を利用して毛布などの紡毛織物に用いられる

パンムル　방물
女性に必要な化粧品・裁縫道具・佩物（ペムル）（装身具）などの物品。

パンサジュ〔紡紗紬〕　방사주
高級絹織物の一つで、朝鮮時代に堂下官（タンハグァン）（正3品以下）には紡紗紬（パンサジュ）の表衣着用が許されなかった。（《▶朝鮮王朝実録（チョソンワンジョシルロク）》仁祖15年5月己卯）

パンシム-コンニョン〔方心曲領〕　방심곡령
朝鮮時代に、国王の▶冕服（ミョンボク）や官吏の▶青（チョン）綃衣（チョイ）・▶黒綃衣（フクチョイ）など、祭祀に着る服の襟の上に当てた輪形の白い布。白羅（ペンナ）の本体の襟元に四角い方心（パンシム）が付き、両脇には2本の紐が垂らされている。唐・宋代には朝賀服にも方心曲領（パンシムコンニョン）が含まれていたが、明代には祭祀服にのみ用いられた。我が国では、世宗8年（1426）1月に初めて▶絳紗袍（カンサポ）に方心曲領を着用するようになった（《▶朝鮮王朝実録》世宗8年1月丙申）。高麗時代の恭愍（コンミン）王の代に、明の太祖高皇帝から贈られた冕服にも方心曲領が含まれており、また絳紗袍にも含まれていたが、朝鮮時代の太宗（テジョン）の官服制度（1416年）からは脱落している（《朝鮮王朝実録》太宗16年3月壬戌）。その後、1485年刊行の《▶経国大典（キョングクテジョン）》（巻2

《国朝五礼儀》　《孝宗寧陵遷陵都監儀軌》《顕宗国葬都監都庁儀軌》

《国朝喪礼補編》　《正祖国葬都監儀軌》《英祖国葬都監都庁儀軌》

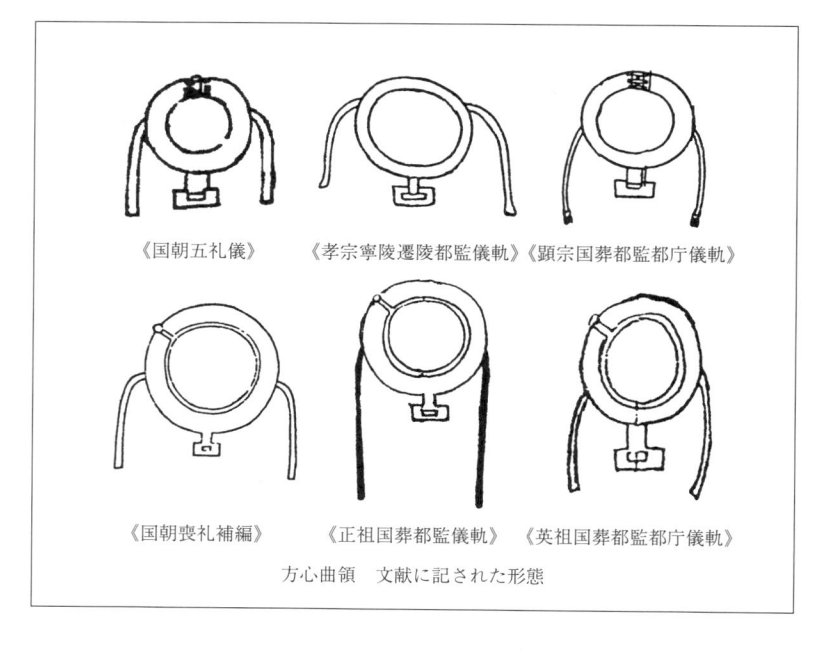

方心曲領　文献に記された形態

ペネッチョゴリ　배냇저고리

礼典儀章）では、1品から9品までの文武官が祭服を着るとき、白い生絹の方心曲領を用いるよう定められた。《▷国朝五礼儀》（1474年）（序例巻1祭服図説）には、矩形の方心を下端に付け、左側には緑、右側には紅色の紐を付けるとある。

パンウ〔傍羽〕방우
▶戦笠の頂部に挿す孔雀の羽。朝鮮時代の純祖34年（1834）、左議政（副首相）沈象奎の上奏により、傍羽は廃止された。（《朝鮮王朝実録》純祖34年4月甲子）→孔雀羽

パンウルースル　방울술
男性用の▶扇錘（扇の房飾り）や子供用▶ノリゲ（韓服用房飾り）の紐に下げる房。十二糸で組んだ▶童多絵（丸組紐）で▶蓮ボンメドゥプを結び、2本の紐の端をきっちり揃えて金糸などで巻く。→スル

パンウルスル

パンウィセギ〔方位色衣〕방위색의
東・西・南・北・中央の五方位を象徴する五色（青・白・赤・黒・黄）で仕立てられた衣服。

パンイ〔防衣〕방의
軍旗の纛に対する祭祀である纛祭で、弓矢舞・干戚舞の舞い手が着る衣装。表地は赤や青の木綿、裏地は黄色の麻を用いて作られる。《▷楽学軌範》（巻2纛祭）に、「干戚4人は兜を被って青の防衣を着、弓矢4人は兜を被り赤の防衣を着る」とある。

防衣　《楽学軌範》掲載の図。

パンジャボク〔房子服〕방자복
外国使節の留まる使館で雑役を受け持った房子の服装。高麗時代には、▶文羅頭巾を被り、紫衣に角帯を締め、黒い靴を履いた。（《▷宣和奉使高麗図経》巻21房子）→高麗服飾

パンジョク〔紡績〕방적（ぼうせき〔紡績〕）
短い繊維を適当な太さの長い糸にすること。絹糸と人造繊維などはその製造過程で直接糸が得られるが、木綿・麻・羊毛などの短繊維は紡がないと糸にならない。初期には紡錘車を使って糸を紡いだが、これが進化して、糸車が登場した。18世紀ごろから、イギリスで紡績機械が相次いで考案され、産業革命の契機ともなった。

パンジュク－カックン　방죽갓끈
蓮の実を数珠つなぎにした笠の紐。→カックン（笠紐）・蓮子纓

パンジク〔紡織〕방직（ぼうしょく〔紡織〕）
植物・動物・鉱物から糸を紡ぎだし、その糸で布地を織ること。中国の漢字字典《説文解字》（100年）に、紡とは「糸を紡ぐこと（紡糸也）」とあり、織とは「布地を織るすべてのこと（職作布帛之総名也）」とある。生産技法により伝統的な機織りと近代的な紡織に分けられる。→キルサム

パンチャ〔紡車〕방차→同ムルレ

パンチュ〔紡錘〕방추→同プク

パンチュチャ〔紡錘車〕방추차→同カラクパクィ

パンチュギョン〔防築纓〕방축영→同蓮子纓

パンチュットル〔紡錘ットル〕방춧돌→同タドゥミットル

パンチム〔方枕〕방침
横になったときに肘を突くための四角い枕。布や花ござで作られ、一辺が1尺内外である。中央に花鳥や「囍」などの文字を織り込んだり、刺繍を施したりした。

パンハンモ〔防寒帽〕방한모→同暖帽

ペネッチョゴリ　배냇저고리
新生児に初めて着せる服で、襟なしの▶チョゴリ（上衣）。2尺程度の布で、丈はチョゴリよりも長く仕立て、袖も顔を引っ掻かないよう、手が隠れる長さにする。乳児の長寿を願い、帯には糸を用いる。白の柔らかい木

綿か絹で仕立て、背縫いはない。同キッチョゴリ・ペネオッ・産衣(サニ)・サモッ

ペネッチョゴリ　温陽民俗博物館所蔵。

ペダプ〔背褡〕배답→同背心

ペダン〔褙襠〕배당
▶背子(チョッキ)の一つ。興徳王9年(834)に下された服飾禁制に見られる。4・5・6頭品の女性にのみ禁止されたところをみると、上流階層の女性の衣服と考えられる。具体的な形については二つの説があり、一つは袖なしの衣服とみる説で、もう一つは袖付きの背子の原型とみる説である。(朴京子(パクキョンジャ))(参考)イ・ジンヨン《背子の考察を通じた韓・中・日服飾文化の比較》→背子

ペドゥロンイ　배두렁이→同トゥロンイ

ペレ　배래→同ペレギ

ペレギ　배래기(たもと〔袂〕)
上衣の部分名称。袖口から袖付けまでの袖下の線を指す。同ペレ→チョゴリ

ペシム〔背心〕배심
上衣の上に着るチョッキ。同背褡(ペダプ)

ペッシ-テンギ　배씨댕기
銀を梨の種の形にし、七宝で装飾した子ども用の▶テンギ(頭飾り)。束ねた髪がまだ一握りにもならない3～4歳の女児の頭に付けた。前頭部の中央に載せ、両脇に付いた細い紐を両側に分けた髪とともに結って固定する。

ペッシテンギ

ペジャ〔背子・褙子〕배자
▶チョゴリ(<上衣)の上に重ねて着るチョッキ状の衣服。袖・衽・オッコルム(結び紐)がなく、襟は左右同形で、前合わせは突き合わせである。両脇の下に長い紐が付いており、前で結ぶようになっている。丈の長さにより、長褙子(チャンベジャ)と短褙子(タンベジャ)とに分けられる。朝鮮時代後期の儀礼書《▶四礼便覧(サレビョルラム)》(巻1冠礼陳服)には、「褙子(ベジャ)は染めた絹で仕立てられ、襟は突き合わせ、脇は明き、袖はないか、あっても丸い半袖である」とある。

■歴史
褙子(ベジャ)は、我が国・中国・日本の服飾史に登場するが、時代により名称と形態が多様である。高句麗(コグリョ)壁画では、中国吉林省集安県の三室塚(サムシル)壁画の貴族の男性や、黄海南道の安岳(アナク)3号墳の墓主夫人などに褙子型の衣服が見られ、文献上には統一新羅(シルラ)時代の興徳王(フンドク)の服飾禁制に、褙子の前身と見られる▶半臂(バンビ)や褙子の一種と見られる褙襠(ペダン)が登場する。高麗時代には、《▶高麗史(コリョサ)》(輿服志軍人服装)に褙子の名称がみられる。また、高麗仏画に描かれた女性の服装の中に半袖の褙子型のものがあり、高麗末期、朝鮮(チョソン)初期の人物である趙伴(チョバン)夫人と河演(ハヨン)夫人の肖像画に、宋・明代の長袖の褙子に似た服飾が見られる。朝鮮時代初期には、明の王妃から賜与された冠服に褙子が含まれており(《文宗実録(ムンジョンシルロク)》《世宗実録(セジョンシルロク)》《成宗実録(ソンジョンシルロク)》)、女性の▶喪服(サンボク)にも▶蒙頭里(モンドゥリ)同様の帯付きの褙子が用いられたという(《太宗実録(テジョンシルロク)》《世宗実録》)。朝鮮時

男性用背子。石宙善紀念民俗博物館所蔵。

具軍服として着た背子。高麗大学博物館所蔵。

女性用背子

背子

代後期には、国王から庶民に至るまで広く用いられ、現存するものも多数ある。この時期の褙子は丈の短い袖なしになり、女性用の褙子は▶チョゴリ（＜上衣）の丈が短くなるとともにさらに短くなり、脇明きがない。褙子は、朝鮮時代末期には洋服の影響を受け、現在の形のチョッキへと変貌した。（林京子）

■女性用褙子

褙子は、朝鮮時代末期の1900年ごろまでは男女共通だったが、今日では女性の衣服となっている。李睟光は1614年刊行の《芝峰類説》（巻19服用部）の中で、「唐の高祖が袖を短くした服を作り▶半臂と呼んだが、これが今日の褙子である」と述べており、褙子の原型を半臂と見ている。18世紀末の学者宋文欽の《閑静堂集》（巻7雑著）も「半臂は今日の▶快子に似るが、身丈が異なる。半臂の短いものが、今日の褙子である」と、半臂との類似性を指摘している。今日女性が着る褙子は、袖・衽・結び紐がなく、左右の襟の形は同じで、突合せである。表地には▶模本緞・▶洋緞などの絹を用い、袖付け・衽・裾周りにカワウソの皮で▶襈（縁取り）を巡らせ、裏には羊・狸・兎などの毛を当て、防寒着やおしゃれ着とする。囲褙子衣

ペジャウイ〔褙子衣〕배자의
→囲背子

ペク〔帛〕백
絹織物の総称。古くは染色していない白い絹織物を指した。

ペッカクテ〔白角帯〕백각대
朝鮮時代、国喪の際に文武官が官服に締めた白い角帯。

ペッカクテ

ペッカルゴン〔白葛布〕백갈건
白い葛布の▶頭巾。中国の晋代に用いられたという。《五洲衍文長箋散稿》（巻4古今冠巾制度弁証説）に、「晋の代になって人々が軽率になり、接䍦・白葛・緑酒などの巾が出現したが、その起源は郭林宗の折角巾である」と記されている。

ペックァンボク〔百官服〕백관복
朝廷官吏が着た衣服。朝鮮時代の百官の▶朝服（朝賀服）・▶祭服（祭祀服）・▶公服（国王謁見服）・▶常服（執務服）制度は、睿宗の代の1469年に《▶経国大典》で完成を見た。その後、これに教旨・条例を補完し、英祖の代の《▶続大典》（1746年）、正祖の代の《▶大典通編》（1785年）、高宗の代の《▶大典会通》（1865年）で若干の修正・補完がされたものの、その基本体系は朝鮮時代を通して変わらなかった。この他に、制服ではないが公務に着る▶時服、有事の際に着る▶戎服、武官が着る▶戦

百官服
1 祭服
2 金冠朝服
3 文官の常服

ペクタルリョン〔白団領〕백단령

服・▶具軍服といった服装があった。《▶大典会通》(礼典意匠條)では、朝賀などに参列する臣下の衣服とその色はおおむね国王のものに従うとされたため、国王が大礼服の▶冕服や小礼服の▶絳紗袍を着れば臣下は朝服を着、国王が祭祀に方心曲領を付ければ祭官は▶祭服を、国王が執務服の袞竜袍や無揚黒円領袍を着れば臣下は▶黒団領を、国王が喪服の▶黲袍を着れば臣下は浅淡服を、国王が有事に▶チョルリクを着れば臣下は▶戎服を着た。→官服

百官服

国王	朝臣	祭官
冕服	朝服	
絳紗袍	朝服	
冕服に方心曲領	朝服	祭服
袞竜袍	黒団領	
黒円領袍	黒団領	
黲袍	浅淡服	
チョルリク	戎服	

ペクタルリョン〔白団領〕백단령
朝鮮時代に官吏が▶喪服として着た白の▶団領(<外衣)。明宗17年(1562)の靖陵の移葬の際には白団領・烏紗帽・黒角帯が用いられ(《朝鮮王朝実録》明宗17年8月壬申)、粛宗の代の1674年には、3品以下の官吏が喪が明けて復職した後に、白帽・白団領・熟麻帯を着て公務に付くよう定められた(同、粛宗即位年8月戊午)。

ペクテ〔白帯〕백대

祭祀や葬儀の際に締める白い帯。

ペンナ-チュンダン〔白羅中単〕백라중단
白の羅で仕立てられた▶中単。国王が▶袞竜袍の中に着る中衣で、襟には黻紋(亞字紋)を左右に四つずつ、後ろに一つの計九つ入れた。高麗時代の毅宗の代の《詳定礼》に記されている(《高羅史》志巻26輿服1冠服)。→中単①

ペンノクピ〔白鹿皮〕백록피
白鹿の革。朝鮮時代に履き物に用いられた。

ペンニ〔白履〕백리
白い布で作られた▶喪服用の履物。国喪の際に、儒学生が約1か月の公休期間の後に、▶黒笠・白衣・白帯とともに着用した。(《▶朝鮮王朝実録》英祖4年11月甲子)

ペンニプ〔白笠〕백립
喪中に被る白い笠。細い竹ひごで編んだ黒笠と同様の型の上に麻布が張られている。《▶国朝五礼儀》で、国喪の際、逝去後約3か月後の卒哭を終えてから、官吏が平常時に被るよう定められた。民間では、笠に白紙や白い布切れを巻いて被った。(同)白布笠→カッ(笠)

白笠

ペンマル〔白襪〕백말
白いポソン(足袋)。朝鮮時代に、国王や官吏が▶朝服(朝賀服)・▶祭服(祭祀服)に履いた。履き物は階級による区別があったが、ポソンはみな白襪であった。→ポソン

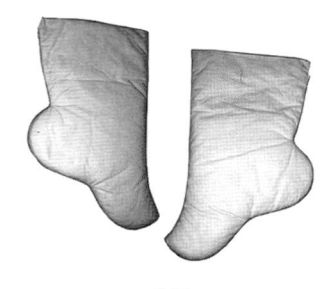

白襪

ペンマンゴン〔白網巾〕백망건
白の▶網巾。網巾は男性が髪の乱れを防ぐために鉢回りに締めたもので、普通は毛髪と同じ黒に仕上げられたが、喪中に白笠を被るときには白網巾が用いられた。

ペンミョンポ〔白綿布〕백면포
白い綿布。主に庶民の衣服に用いられたが、喪服用の▶団領や▶チョルリクなど官吏の外衣を仕立てるのにも用いられた。

ペンモグァン〔白毛冠〕백모관
白い毛皮で作られた冠。朝鮮時代の仁祖の代には士大夫が好んで白毛冠を被ったが、白い衣服に白い冠を被るのは喪服と変わるところがなく縁起が悪いとの理由で、同26年(1648)に着用や輸入が禁じられた。(《▶朝鮮王朝実録》仁祖26年10月甲午)

ペンモク〔白木〕백목→㊌綿布

ペンモクァ〔白木靴〕백목화

→㊒白靴

ペクパンニプ〔白方笠〕 백방립

白の▶方笠。高麗時代末期の禑王元年（1374）12月に、末端官吏の胥吏が被るよう定められた。→方笠

ペクポクームンダン〔百福紋緞〕 백복문단

百福文様が織り込まれた高級な▶絹布。古代から冬物の生地として上流階層で用いられた。

ペクサモ〔白紗帽〕 백사모

白の▶紗で作られた帽子。朝鮮時代に文武官が喪服として被った。朝鮮時代の15世紀半ば、世宗の代の《▷国朝五礼儀》に、朝廷官吏は国喪に当たり、逝去約3か月後の卒哭を過ぎれば黒い烏紗帽を被るものとある。

白紗帽

ペクサーチュンダン〔白紗中単〕 백사중단

白の▶紗で仕立てられた▶直領。朝鮮時代に国王や官吏が礼服の中に着た。広袖で、襟・裾周り・袖口に▶襈（縁取り）を巡らしてある。国王は青の襈を用い、襟には黻紋（亞字紋）を左右四つずつ、後ろに一つの計九つ入れた。王世子（皇太子）と9品までの官吏は黒の襈を用いた《▷国朝五礼儀》吉礼序例）。光武元年（1897）に制定された皇帝の▶冕服制度では黻紋は13個で、皇太子は青襟に黻紋11個を織り込んだ。《▷増補文献備考》巻79）→中単①

ペクサム〔白衫〕 백삼→㊒白絹中単

ペクセク〔白色〕 백색（しろ〔白〕）

明の薫越による《朝鮮賦》に「朝鮮民族は白い服を好む」とあるように、白は上古から我が国の生活において重要な意味を持つ色であった。五行説によれば方位は西、季節は秋に該当する。白は純潔や真実、死に対する生、夜に対する昼などの象徴である。また自然そのままの素の色として、自然との調和、自然への回帰をイメージさせる。朝鮮民族は生まれた直後から白い衣服を着せられ、1歳の誕生日になって初めて色物を着る。生涯を白い服で通し、死んでなお白の▶寿衣に包まれて自然に帰っていく。このように白衣を好んで着ることにより、正直さや潔白さを訴えているかのようにも思える。喪中に用いる白衣は死別を意味するが、世俗を離れて新たな世界に生まれ変わることへの願いが込められているものと考えられる。

ペクスンヘ〔白縄鞋〕 백승혜

白い麻の履き物。国喪の際、別監（護衛官）や差備人（臨時官）が白縄鞋を履き、黒頭巾に麻帯を締めた。

ペギャンモク〔白洋木〕 백양목

綿織物の一つ。糸が細く、色は白く変色しない。㊒唐木

ペギョンポリ〔白練布履〕 백연포리

漂白した麻を編んだ白い履き物。朝鮮時代の国喪の際に、王族や文武官とその妻、元官吏が履いた。《▷増補文献備考》巻66）

ペゴッキュ〔白玉圭〕 백옥규

白い玉製の▶圭。朝鮮時代末期に、皇帝が大礼服の▶十二章服を着たときや、▶皇后が翟衣を着たときに手に持った。丈は1尺2寸で、尖った上部に山形を四つ彫り、下段は黄色の絹で包み、黄色の袋に納められた。→圭

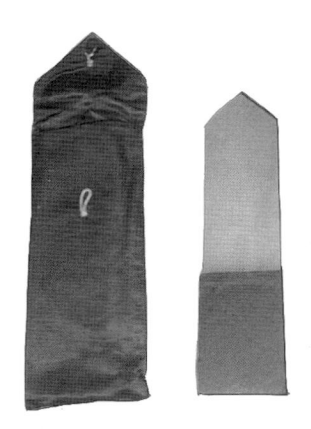

白玉圭　国立古宮博物館所蔵。

ペゴクチャム〔白玉簪〕 백옥잠

白い玉製の簪。朝鮮時代に両班（文武官一族）階層の女性が夏に用いた、爽やかな印象の簪である。特に飾りを付けずに用いることもあったが、頂部に梅の花などを彫ったり、各種の文様を透かし彫りしてより涼しげに仕上げたものもある。宮中では、鳳凰の飾りを付けた豪華なものも用いられた。→ピニョ（簪）

ペグンヘ〔白雲鞋〕 백운혜

喪中に履かれた白の▶雲鞋。朝鮮時

ペグィデ〔白緯帯〕 백위대

白玉簪

白玉鳳簪　国立古宮博物館所蔵。

代の世宗28年(1446)に、王妃の喪に当たっての細かな服装の取り決めがなされたが、牽馬陪(馬夫)・正闕達陪・宝馬陪・衣帯陪といった雑職官は、逝去約3か月後の卒哭の後は、白布直領衣・白雲鞋・白行纏・白笠・熟麻帯を用いるものと定められた。(《▶朝鮮王朝実録》世宗28年3月甲午)

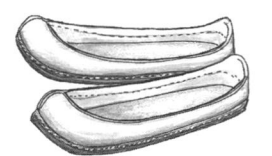

白雲鞋

ペグィデ〔白緯帯〕 백위대
柔らかい革で作られた白帯。高句麗の大臣は、青羅鳥羽冠、一般官吏は金銀で飾った絳羅鳥羽冠を被り、筒袖衫と大口袴を着用し、白緯帯を締めていた。(《新唐書》東夷伝)

ペギ〔白衣〕 백의(しろきぬ〔白衣〕)

朝鮮民族が、古くから好んで用いた白い衣服。紀元前の部族国家扶余から新羅・高麗・朝鮮に至るまで、白衣の歴史は非常に長い。朝鮮民族は古代から太陽崇拝思想を持ち、太陽と光明を象徴する白が神聖視されて、衣生活にも大きな影響を与えた。白は純色で、清浄・純潔・光明・道義の象徴であり、神聖さを持つ素の色である。13世紀後半の高麗忠烈王の代以降、朝鮮時代まで白衣禁止令が度々下されながらも徹底しなかったのは、白衣の習俗がわが国の衣生活において支配的であったことを物語っている。朝鮮時代には、喪服としても用いられたが、近代以降は意識の変化により、日常生活とは疎遠になりつつある。

ペギークムジリョン〔白衣禁止令〕 백의금지령
白い衣服の着用を禁じる法令。白衣は朝鮮民族が好んで着た民族衣装ともいえるものだが、白は陰陽五行思想では西に当たるなどの理由で、度々着用禁止令が下された。白い衣服が制限されはじめたのは高麗時代の忠烈王の代からで、同王元年(1274)6月に、東方に位置する我が国では衣服においても五行説の方位色に基き青を崇拝すべきとされ、白衣が禁じられた(《高麗史》志巻39刑法2)。続いて、高麗末期の恭愍王6年(1357)にも于必興が五行説を引き合いにして、「東方は木に当たり色は青、西は金で白であり、白苧衣を着ることは金が木を滅ぼす形」で不吉な相剋に当たると述べ、白衣が禁じられた(《星湖僿説類選》)。朝鮮時代には、開祖の太祖7年(1398)に男女ともに白衣着用が禁じられ、太宗元年(1401)にも禁令が出されている。世宗7年(1425)には、宮中で働く者の白衣が禁じられ、燕山君11年(1505)には都の女性の▶首帕と白いチマ(スカート)の着用が禁じられた。16世紀半ばの明宗の代には、学者の曺植が白衣は喪服であると訴え(《▶林下筆記》)、17世紀初めに李睟光も、白衣は度々の国喪を経験する中で着るように

白衣　(左)白衣を着た庶民。(右)白衣を着た婦人。

196

くだらのふくしょく〔百済の服飾〕 백제의 복식

なったものだが、これは喪服であり禁ずべきだと述べている（《芝峰類説》巻3 法禁）。宣祖39年（1606）には堂下官（従3品以下）の白い絹の表衣を禁じ、英祖14年（1738）にも白衣着用が厳しく禁じられている。

ペクチャンサム〔白長衫〕 백장삼
白の麻で仕立てられた▶長衫。朝鮮時代の15世紀半ば、世宗王妃の喪に当たり、両班（文武官一族）の女性が黒帽笠とともに死後約3か月の卒哭まで喪服として用いた。（《朝鮮王朝実録》世宗28年3月甲午）

ペクチョ〔白紵〕 백저→白紵布

ペクチョーチャギ〔白紵窄衣〕 백저착의
細袖の白紵袍（白いカラムシの外衣）。高麗時代に、在家僧が白紵窄衣に黒い絹帯を締めた。（《宣和奉使高麗図経》巻18）

ペクチョポ〔白紵布〕 백저포
白のカラムシ織。夏服の生地として用いられる。わが国の特産品の一つであるカラムシは、高麗時代の貿易品の中で重要な位置を占めていた。《宣和奉使高麗図経》には、白紵が玉のように美しいと記されている。《世宗実録》（地理志）には、忠清道林川の特産品、京畿道・忠清道・慶尚道の献上品として記されており、献上用のカラムシ織としては、初期には黄細紵布・紅細紵布などもあった（《朝鮮王朝実録》世宗29年2月戊子）。農地税として取り立てられた白紵布は、当初11・12升（経糸880・960本の反物）とされたが、世宗5年（1423）には10・9・8升など目の粗いものも許された（同、世宗5年3月甲申）。15世紀前半の中宗の代には奢侈が過ぎたため、文武官以外には白紵布で搭襞を仕立てることを禁じた（同、中宗17年8月乙酉）。17世紀末の粛宗の代にも、庶民に斜笠・平絹・白紵布・毛衣の着用を禁じている（《受教輯録》巻5 刑典禁制）。同ヒンモシ・ヌンモシ

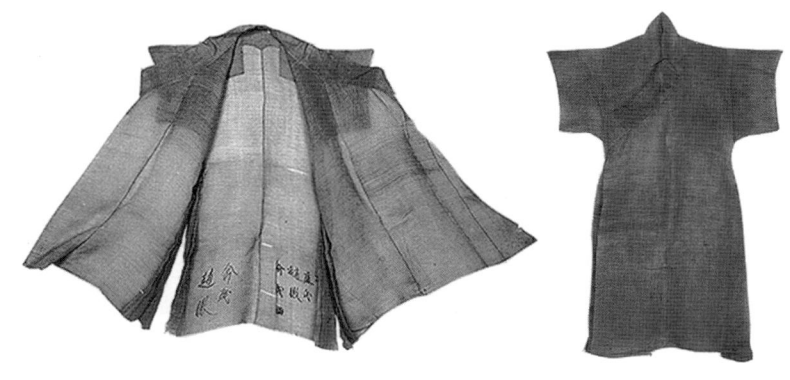

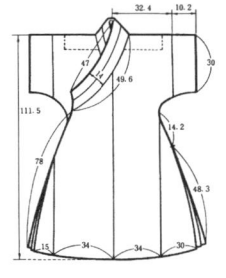

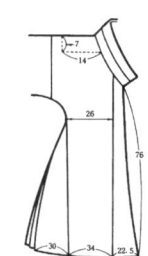

ペクチョーポ〔白紵袍〕 백저포
白いカラムシ織で仕立てられた▶袍（＜外衣）。高麗時代に、国王以下平民に至るまで、男女の区別なく広く用いられた。高麗時代の国王は、閑居時には一般庶民と同じく白紵袍に四帯を締めて烏巾を被り、貴婦人は白紵袍を着て▶橄欖勒巾を締めた。（《宣和奉使高麗図経》巻20）

ペクチョルリプ〔白氈笠〕 백

白紵袍 高麗時代。東国大学博物館所蔵。

전립
白い氈笠。朝鮮時代、国喪の際に武官が被った。→戦笠・氈笠

白氈笠

くだらのふくしょく〔百済の服飾〕 백제의 복식
百済では、第8代の古爾王の代から十六品官制が設けられ、冠飾と衣帯の色で階級が区別された。国王は広袖の▶紫袍を着たというが（《旧唐書》百済伝）（《唐書》百済伝）、この記事は平壌の高句麗古墳壁画に見られる墓主の衣服を想起させる。当時すでに大陸の影響が濃厚で、もともと窄袖（細袖）であったものが、漢の影響で上流社会の衣服が変化したものと推測される。官吏はすべて緋

197

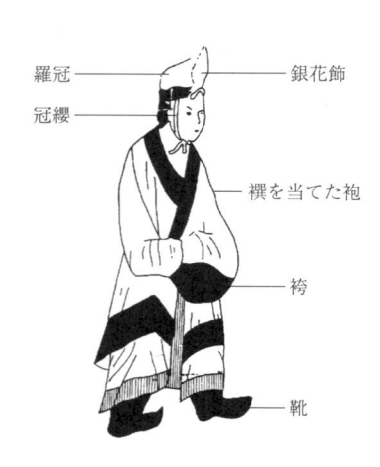

ペクチョボンチェグムダン〔白鳥鳳采金緞〕 백조봉채금단

百済の服飾　梁の元帝時代（552〜554）の〈職貢図〉に描かれた百済人の姿。北京歴史博物館所蔵。この絵は、唐の代に新たに描かれたものという。百済の使臣は広袖で、広い縁取りの付いた袍を着て幅広のパジを履いているが、パジの裾にも縁取りがしてあり、つま先の反った靴を履いている。冠には飾りを付けているが、武寧王陵出土の金製冠飾に似ており、注目される。

色の衣服を用い、庶民には紫と緋色の着用を禁じて階級秩序を確立したが、これが禁色制度の始まりと考えられる。冠帽としては金花を飾り付けた烏羅帽（オラモ）を被り、青錦袴（チョングムゴ）・▶素皮帯（ソビデ）・烏革履（オヒョンニ）を着用し、君臣の区別を明確にした。梁の国の《職貢図》を見ると、帽子には高句麗と同様に鳥の羽根を挿し、衣服には広い▶襈（ソン）（縁取り）を巡らしていたことがわかるが、パジ（ズボン）は気候上の理由からか裾を縛らなかったようである。武寧王陵（ムリョン）からの出土品には、耳飾り・首飾り・腕輪・指輪などの装身具があり、新羅（シルラ）との文化交流を垣間見ることができる。百済の服飾に関しては断片的な資料しかなく、詳しいことはわかっていない。

百済の階級別服飾

官名	品級	冠飾	帯色	衣色
佐平	一品官	銀花	○	緋衣
達率	二品官	銀花	○	緋衣
恩率	三品官	銀花	○	緋衣
徳率	四品官	銀花	○	緋衣
扞率	五品官	銀花	○	緋衣
奈率	六品官	銀花	○	緋衣
将徳	七品官	無	紫帯	緋衣
施徳	八品官	無	皂帯	緋衣
固徳	九品官	無	赤帯	緋衣
季徳	十品官	無	青帯	緋衣
対徳	十一品官	無	黄帯	緋衣
文督	十二品官	無	黄帯	緋衣
武督	十三品官	無	白帯	緋衣
佐軍	十四品官	無	白帯	緋衣
振武	十五品官	無	白帯	緋衣
克虞	十六品官	無	白帯	緋衣
平人	無	無	○	禁緋紫

ペクチョボンチェグムダン〔白鳥鳳采金緞〕 백조봉채금단
白い鳥と鳳凰の文様の入った高級絹織物。

ペクチュゴ〔白紬袴〕 백주고
白い平絹で仕立てられたパジ（ズボン）。朝鮮時代（チョソン）に、雅楽のうち弦楽中心の登歌（トゥンガ）の道唱楽師（トチャンアクサ）や、文舞（ムンム）・武舞（ムム）の舞い手、錞（スン）・鐲（タク）・鐃（ヨ）・鐸（タク）・応（ウン）・雅（ア）・相（サン）などの楽器や纛（トク）・旌（チョン）・翿（トク）などの儀仗を手にする楽人が白紬袴を着たが、目を整えた白い平絹で仕立てられ、両足にはポソン（足袋）を

縫いつなげてあった。15世紀前半の世宗（セジョン）の代の会礼宴軒歌（フェレヨンホンガ）の楽人58人と、15世紀後半の成宗（ソンジョン）の代の登歌の楽人62人は、白紬袴を着て白い麻のポソンを履いた。（《▶楽学軌範（アカクウェボム）》巻2雅楽陳設図説）

白紬袴　《楽学軌範》掲載の図。

ペクチューチュンダン〔白紬中単〕 백주중단

白い平絹で仕立てられた▶中単（チュンダン）（中衣）。朝鮮時代の舞台服飾の一つで、雅楽の登歌の道唱楽師や楽人、文舞・武舞の舞い手、俗楽（ソガク）の楽人、錞・鐲・鐃・鐸・応・雅・相などの楽器や纛旌（トクチョン）・翿などの儀仗を持つ楽人が着た。目を整えた白の平絹で仕立てられ、襟・裾周り・袖口には黒の平絹で▶襈（ソン）（縁取り）があしらわれた。→中単②

白紬中単　《楽学軌範》掲載の図。

ペクチンニョン〔白直領〕 백직령

白の▶直領（チンニョン）。朝鮮時代の官吏が普段着とした。白のカラムシで仕立てるが、まっすぐの襟に▶トンジョン（掛

け襟)を付け、▶オッコルム(結び紐)を結ぶようになっている。袖は角の丸い広袖で、▶団領のように余分な▶ム(襠)を後ろに折り、上側15cm程度を縫って固定する。

ペクチョッポ〔白畳布〕 백첩포

白の綿織物の一つ。唐の《翰苑》に「高句麗で白畳布を織っている」と記されている。《▶三国史記》を見ると、唐に贈る朝貢品目に40升(経糸320本)の白畳布が含まれているが、これは非常に精巧なもので、三国時代にすでに我が国の特産品であったことがわかる。インドや東南アジアなどを巡礼した中国人の見聞録には、綿布に関して「白畳」をはじめ「劫貝」「古貝」「吉貝」「古終」などの名称が記されている。《北史》には国王の常服として白畳衣を着るとあり、《新唐書》にも「王衣白畳」とあり、白畳布は上流階層の衣類であったことがわかる。《旧唐書》に「波利国では男性がすべて拳髪で古貝で仕立てた服を着ているが、織りの細かく美しいものは白畳といい、粗いものは古貝という」と記され、我が国で製織された40升の白畳布が非常に目の細かいものであったことがわかる。白畳は、インドの言語音をそのまま漢字表記したものである。
(林京子)

ペクチョプポ〔白氎布〕 백첩포

新羅で生産された毛織物の一つ。統一新羅景文王9年(869)に、大小花魚牙錦・朝霞錦・白氎を唐に献上していたことから(《東史綱目》巻5)、相当高級な織物だったと思われる。宋の韻書《集韻》は、「氎」を「繊細な毛布」としている。また、《▶星湖僿説》(巻5万物門)は《南史》を引用して、「西域の高昌国に糸のような実のなる草がある。これを白畳というが、中国ではこれを外国物産とし、他の毛を補って氎を生産している」と記されている。《翰苑》(高麗)にも白畳という名称が見られ、氎は毛織物、畳は綿織物と推測される。

ペクチョーチュンダン〔白綃中単〕 백초중단

朝鮮時代に、国王や文武官が▶朝服(朝賀服)・▶祭服(祭祀服)の内側に着た広袖の袍。白の▶綃(生絹)で仕立てられ、襟・裾周り・袖口に、朝服は青で、祭服は黒でそれぞれ▶襈(縁取り)があしらわれた。(《経国大典》巻3礼典儀章) 同白衫 →中単①

ペクテク-ヒュンベ〔白沢胸背〕 백택흉배

想像上の動物である白沢が刺繍された▶胸背(官服の胸と背中の標章)。朝鮮時代に王子が用いた。白沢は白竜が生んだ神獣とされ、言葉を話して万物のすべての意味を理解し、国王が上手に国を治めているときに出現するといわれる。形は獬豸(かいち)に似て、頭に角があって多毛であり、身体は鱗で覆われ、開いた口からは牙が覗いている。▶胸背の下段には三山が描かれ、雲・岩石・霊芝・波などの文様が調和をなしている。15世紀半ばの端宗の代に胸背の文様が決定され、王子は白沢となった。(《▶朝鮮王朝実録》端宗2年12月丙戌)→胸背

白沢胸背

ペクポーケドゥゴン〔白布蓋頭巾〕 백포개두건

白い麻で作られた▶頭巾。国喪の際、1品以下の命婦(側室・女官や王族の女性)が白布大袖衣・白布帯とともに着用した。(《朝鮮王朝実録》睿宗即位年9月乙丑)

ペクポグァ-カクテ〔白布裹角帯〕 백포과각대

白い麻で包んだ角帯。喪に当たり、元上級官吏および成衆官(宮中の雑職官)が、子が一周忌にあたる練祭の後に、白布団領衣・白布裹紗帽とともに着用した。(《▶増補文献備考》巻67礼考14国恤3)

ペクポグァ-サモ〔白布裹紗帽〕 백포과사모 →同布帽

ペクポグァ-オソデ〔白布裹烏犀帯〕 백포과오서대

白い麻で包んだ烏犀帯。国喪で、逝去後約1か月の公務停止期間である公除中の執務服として締められた。烏犀帯はサイの角に象嵌を施した黒い帯である。

ペクポグァ-イクソングァン 〔白布裹翼善冠〕 백포과익선관

ペクポグヴァーピョンジョンゴン〔白布裏平頂巾〕 백포과평정건

〔白布裏翼善冠〕 백포과익선관
白い麻で包んだ翼善冠。国喪に当たり、逝去後約1か月の公務停止期間である公除中に、国王が執務服として被った。喪中の国王の翼善冠着用例が1919年の高宗の喪の際の《服飾儀註》に記されているが、逝去後約3か月目の卒哭が終わった後の執務服には布裏翼善冠を被り、一周忌の練祭が終わった後の執務服には、白布・白布裏烏犀帯・白皮靴とともに白布裏翼善冠を被るという違いがあり、2年目の祥祭以降は平常の翼善冠に戻る。(《純宗実録》付録1919年1月26日)

ペクポグヴァーピョンジョンゴン〔白布裏平頂巾〕 백포과평정건
白い麻で包まれた▶平頂巾。国喪に当たり、内閣に当たる議政府、各省庁の六曹、公文書館の架閣庫、三軍府や漢城(ソウル)にある各官庁の吏属などが被った。(《朝鮮王朝実録》世宗2年7月丙子・世宗4年5月己巳)

ペクポグ〔白布裘〕 백포구
白い麻で仕立てられた広袖の▶袍の一つ。高麗時代に道教の修行者が白布裘の上に糸帯(紐帯)を締め、▶皂巾(黒頭巾)を被った。(《宣和奉使高麗図経》巻18)

ペクポータルリョン〔白布団領〕 백포단령
白い麻で仕立てられた▶団領。国喪に当たり、王族や文武官が逝去後約3か月目の卒哭を終えた後の▶公服(国王謁見服)として烏紗帽・黒角帯・白靴とともに着用した。(《朝鮮王朝実録》英祖6年7月辛未)

ペクポーテスイ〔白布大袖衣〕 백포대수의
白い麻で仕立てられた広袖の服。国喪に当たり、1品以下の命婦(側室・女官・王族女性)が▶白布蓋頭巾・白布帯とともに着用した。(《朝鮮王朝実録》睿宗即位年乙丑)

ペクポーテスジャングン〔白布大袖長裙〕 백포대수장군
女性の▶喪服の一つで、白い麻で仕立てられた広袖の上衣と長いチマ(スカート)。朝鮮時代に、1品以下の王族と文武官の妻、内命婦(側室・女官)が、死後約3か月目の卒哭を終えた後に着た。(《国朝五礼儀》服制)

ペクポリプ〔白布笠〕 백포립
→同白笠

ペクポマル〔白布襪〕 백포말
→同白襪

ペクポモ〔白布帽〕 백포모
白い麻で作られた帽子。朝鮮時代、国喪の際に官吏が被った。

ペクポーペジャ〔白布褙子〕 백포배자
国喪の際に用いられた、白い麻で作られた▶褙子(チョッキ)。逝去後約3か月目の卒哭を終えた後に、六尚以下の女官が着用した。(《朝鮮王朝実録》端宗即位年8月戌辰)

ペクポサム〔白布衫〕 백포삼
白い麻で仕立てられた▶衫(丈の長い上衣)。文禄・慶長の役のときの宰相である李鎰が、▶ペレニイ(竹笠)を被って▶チプシン(草鞋)を履き、白布衫を着たという記録がある。(《大東野乗》巻35再造藩邦志1)

ペクポーウォルリョンイ〔白布円領衣〕 백포원령의
白い麻で仕立てられた襟の丸い上衣。朝鮮時代の国喪で、逝去者の実子や元官吏・成衆官(宮中の雑職官)が、一周忌に当たる練祭を終えた後に着た。(《増補文献備考》巻67礼考14国恤3)

ペクポイ〔白布衣〕 백포의
白い麻で仕立てられた衣服。国喪の際に、地方官吏が埋葬の終わった後に地方官舎に入って執務するときに、喪服として一時的に着た。(《牧民心書》奉公六条宣化)

ペクポーチョルサンゴン〔白布折上巾〕 백포절상건
白い麻で作られた折上巾。朝鮮時代の太宗の代に、喪中の国王が執務するときの冠服制度を定めよとの命を受けて、成石璘が「宋では白布折上巾を着ておりますが、折上巾はその様式が不詳なため、白布巾に布衫を着て、内殿で政事に当たられますように」(《朝鮮王朝実録》太宗8年7月丁未)と上奏しており、我が国では着られていなかったようである。

ペクポーチンニョンイ〔白布直領衣〕 백포직령의
白い麻で仕立てられた襟の真っ直ぐな衣服。朝鮮時代、国喪の際に、牽馬陪(馬夫)・正闕達陪・宝馬陪・衣帯陪などの雑職官が、逝去後約3か月目の卒哭を終えた後に着た。(《朝鮮王朝実録》世宗28年3月甲午)

ペクピヘ〔白皮鞋〕 백피혜
白い革で作られた周囲の低い履き物。朝鮮時代に、国喪で官吏が履い

ペクピファ〔白皮靴〕 백피화
→㊁白靴

ペクハンサム〔白汗衫〕 백한삼
白い麻で作られた▶汗衫(付け袖)。手を隠すために、女性の▶袍や▶チョゴリ(<上衣)の袖先に長く付け足した。→汗衫

ペカン-ヒュンベ〔白鵰胸背〕 백한흉배
キジ科の鳥である白鵰を刺繡した▶胸背(官服の胸・背の標章)。朝鮮時代、15世紀半ばの端宗の代から堂上文官(正3品以上)が着用し(《経国大典》巻3礼典儀章)、18世紀半ばの英祖の代からは、堂下文官(従3品以下)が着用した(《▷続大典》巻3礼典儀章)。その後、朝鮮時代末期の高宗の代に文官の胸背が鶴に統一されるまで用いられた。

白鵰胸背 石宙善紀念民俗博物館所蔵。黒地に、翼を広げた中央の白鵰を卍字紋と唐草紋が取り巻いている。雲の中に白鵰に向かって飛ぶ5匹のコウモリがおり、下段には波文様と仏手紋を刺繡してある。七宝紋以外は、金糸・銀糸を置いて別の色糸とじる技法を用いている。太陽と白鵰の形を切り抜いて貼った上から刺繡を入れているのが特異である。

ペクァ〔白靴〕 백화

白い布や革で作られた長靴。朝鮮時代に官吏が国喪の際に履いた。白靴が使用された例をみると、太宗7年(1407)の《礼曹詳定喪制》に規定された鞋・靴制度に、文武官・駙馬(国王の婿)・内侍(宦官)などに白靴を履くようにさせたとあり(《太宗実録》巻15太宗7年5月)、世宗28年(1446)の王妃喪制でも、王族・駙馬・文武官・各道の守令(地方官)、生員(科挙の生員科合格者)などに白靴を履くよう定められた(《世宗実録》巻3世宗28年3月)。また17世紀前半の景宗の代に挙行された喪制では、文武官などが履くものと記されている(《景宗実録》巻4景宗即位年6月)。一方、正祖2年(1778)には、朝廷官吏の宮中での白靴着用が禁じられた(《正祖実録》巻5正祖2年5月癸亥)。→靴・シン

白靴 幅26.5cm、高さ26cm。温陽民俗博物館所蔵。

ペクァースピークァンモ〔白樺樹皮冠帽〕 백화수피관모
→㊁樺皮冠帽

ペクフク-チョマポ〔白黒苧麻布〕 백흑저마포
経糸に白糸を、緯糸には苧麻糸を用いて織った布。朝鮮時代の太宗の代に、宗廟・社稷での国家祭祀の祭服に用いる上等な絹が必要となり、礼曹(宮内所管庁)の参議安魯生が白黒苧麻布三百疋を持って明に出向き、羅錦綃緞に替えたという(《▷朝鮮王朝実録》太宗6年10月庚寅)。

ペプテンイ 뱁댕이(はたくさ〔機草〕)
織機の部品。布を織るとき、経糸が絡まないように間に挟み入れる細い棒。

㊁ペッデ・ペミ→ペトゥル(織機)

ポソン 버선(たび〔足袋〕)
足の保護やおしゃれのために履く布製の履き物。「足衣」「襪」とも呼ばれる。《▷三国史記》(巻33雑志)によれば、新羅では真骨階級(父母一方のみが王族)の女性が罽繡羅で作られたポソンの着用を禁じられるなど、素材が身分により差別されていた。高麗時代には主に白い布で作られたが、国王の大礼服である▶冕服には赤のポソンに白い紐を付け、王妃の大礼服である▶翟衣には青のポソンが用いられた(《▷高麗史》志72輿服)。朝鮮時代にも、一般には白のポソンが履かれたが、国王の礼服に合わせるポソンは、表地は赤または翡色(青磁色)の▶緞(朱子織の絹布)で、裏布には翡色の生絹を用いた。官吏が官服に合わせるポソンは各品とも白であり(《▷国朝五礼儀》序例祭服図説)、《経国大典》でも、官吏の▶朝服(朝賀服)、▶祭服(祭祀服)には白布襪を履くよう定めている。ポソンはふつう綿布で作られるが、宮中では青襪・赤襪・紅襪・黒襪など、さまざまな色絹のものが履かれた。

ポソンボル 버선볼

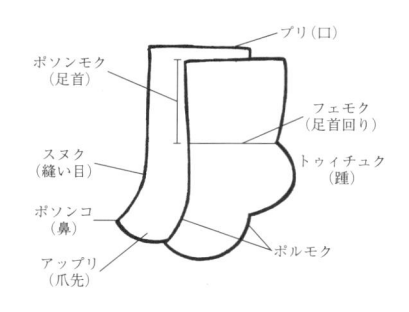

ポソンコ 버선코

ポソンの部分名
- プリ（口）
- ポソンモク（足首）
- フェモク（足首回り）
- スヌク（縫い目）
- トゥイチュク（踵）
- ポソンコ（鼻）
- アップリ（爪先）
- ポルモク

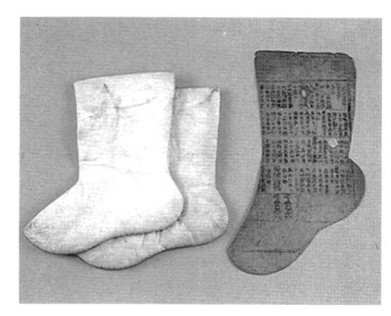

ポソンの型　嘉泉博物館所蔵。

ポソン袋　縦横10cm。国立民俗博物館所蔵。ポソンの型を入れておく袱紗。家族一人一人の型を保管し、仕立ての際に利用した。

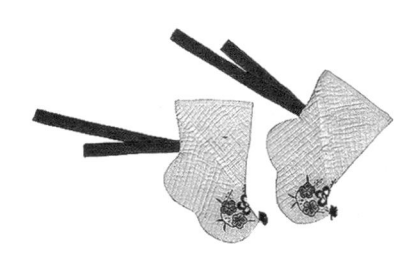

タレポソン　江陵市立博物館所蔵。縫い目の両側に長寿の象徴として花文様を刺繍し、男児は青、女児は紅色の鈴を繁栄の象徴として付け、満一歳の誕生日などに履かせた。

ポソン棒　長さ28.3cm。国立民俗博物館。ポソンを作るときに、爪先の突起を形作るために用いた。

ポソン

▶ポソン（足袋）の底の幅。または磨り減ったポソンに継ぎを当てる端切れのこと。

ポソンコ　버선코
▶ポソン（足袋）の爪先の上に反った部分。→ポソン

ポンベゴク〔燔白玉〕　번백옥
石の粉を焼いて白玉の形にした、人造の玉。朝鮮時代、15世紀前半の世宗の代に、堂上官（正3品以上）以外が貫子・カックン（笠紐）など官服の装飾物として使用することを禁じられた（《▷朝鮮王朝実録》世宗24年9月壬午）。一方、その後の《▷経国大典》（巻3礼典儀章）では、4品から9品官までの▶朝服（朝賀服）や▶祭服（祭祀服）の両脇に垂らす▶佩玉の材料として燔白玉を使用させた。

ポンチョンオク〔燔青玉〕　번청옥
石の粉を焼き、青玉の形にした人造の玉。白い▶燔白玉より上質で美しい。15世紀末の《▷経国大典》（巻3礼典儀章）では、▶朝服（朝賀服）や▶祭服（祭祀服）の両脇に垂らす▶佩玉の材料として、1品から3品官までは燔青玉を、4品以下は▶燔白玉を用いるよう定めている。

ポンポ〔番布〕　번포
朝鮮時代に、中央軍事組織の五衛の兵士が宮中の当番をする代わりに納めた布。1年に2か月の当番義務があったが、特別な事情がある場合には布2疋で免除された。

ポムボク〔梵服〕　범복
袈裟の別称。梵行（仏道修行）をする比丘尼が着る衣服という意味である。→同袈裟

ポモンユソンボポクカプ〔凡紅油盛法服匣〕　범홍유성법복갑
王室の大礼服である▶法服を入れておく箱。赤い油を染み込ませて作られている。朝鮮時代初期に、中国に使臣として出向いた黃儼・朴信・王延齡・崔瑩が中国の皇帝から下賜された品の中に含まれていた。（《▷朝鮮王朝実録》太宗3年10月辛未）

ポプコチュムボク〔法鼓チュム服〕　법고춤복
仏教舞踊の一つである法鼓舞を舞う際に着る衣装。法鼓は大鐘・雲板・木魚とともに仏教四法楽器とされ、寺での朝夕の各種儀式に用いられる。法鼓を叩くのは、世間の畜生を救済するためという。法鼓舞は観賞用の舞踊ではないため、一定の音階や調子がなく、梵唄に合わせて踊る。服飾は▶長衫の上に▶袈裟を掛け、両手に扇を持つ。

ポプタン〔法緞〕　법단
▶緞の一つ。経糸・緯糸ともに本絹糸を用いた非常に柔らかい朱子織の絹布で、花鳥・鶴・富貴寿福などの文様が織り込まれる。→緞

ポムナンジャム〔琺瑯簪〕　법

랑잠

琺瑯で飾られた簪。鉱物を原料とするガラス質の釉薬である琺瑯を、銅や銀製の簪の頂部に被せてある。(《▷朝鮮女俗考》(第18章朝鮮女子服装制度6)に、「婦女子が髪型をけばけばしく結った上に琺瑯簪を挿し、その重さに耐えられないほどだった」とあり、朝鮮時代に女性の間で愛用されていたことがわかる。→簪

ポッポク〔法服〕 법복

王妃や側室の大礼服。18世紀半ばの英祖の代の《▷国婚定例》や《国朝五礼儀補》(序例王妃礼服制度)に▷翟衣の様式が定められている。《国婚定例》には、翟衣以外に別衣・内衣・蔽膝・大帯・綬・襪・舄・▷白玉圭・霞帔・▷補の一式が法服と定められている。

ポビ〔法衣〕 법의

僧侶が着る衣服の一つ。僧衣・僧服などともいう。元々は三衣、すなわち▷袈裟を指していたが、後に袈裟以外に偏衫・裙子・直裰などを着るようになり、これらもすべて法衣と呼ばれるようになった。三国時代には、黒い▷袍(＜外衣)の下に裙(スカート)を履き、その上に単一色の貼廂袈裟を掛けた。高麗時代には、階級により袈裟が異なり、入門僧の沙弥比丘は壞色縵衣を着た。朝鮮時代になってからは袈裟の形が多様化する一方、藍色または黒の▷長衫が用いられたが、世宗11年(1429)2月の黒色禁止令で灰色に変わった。→同僧服

ポンゴジ 벙거지

①戦笠の一つ。豚などの毛を突き固めてフェルト化した帽子。朝鮮時代に、軍奴など下人が▷黒衣や▷伝令服とともに、何の飾りも付けずに被った。同ポンテギ・兵笠→戦笠・氈笠

②庶民芸能の農楽の隊員が被る帽子の一つ。「ピョンチ」「戦笠」ともいう。農楽では、武官や兵士の戦笠のように孔雀の尾をつけず、頂部に紙や羽根で▷象毛を飾り付け長く垂らし、木綿の紐を付ける。農楽ではこの▷象毛が重要な役割りを果たすので、ポンゴジ自体を象毛ということもある。被るときは、頭にまず青い木綿の手ぬぐいを巻き、その上に美しく染めたコッスゴン(花手ぬぐい)と呼ばれる平絹を被る。

ポンゴジ① 温陽民俗博物館所蔵。

ポンテギ 벙테기 →同ポンゴジ

ペゲ 베개 (まくら〔枕〕)

横たわるときに頭を載せる寝具の一つ。ふつう布や木で作られ、装飾の施されたものが多い。布で作る場合は、適当な大きさに本体を作ったあと、襞を入れて両端のペゲンモに縫いつけ、中にそば殻やもみ殻・粟・羽毛などを詰めて仕上げる。枕カバーを仮留めして使うため、洗濯が可能である。

種類としては、材料や装飾により、木枕・竹枕・鴛鴦枕・九鳳枕・螺鈿枕・陶枕・寿福枕・鳳枕・十長生枕・繍枕・桃枕・七宝枕・海鶴枕・不老枕・長枕・チャッペゲ(松の実飾りの枕)・菊花枕などがあり、また肘をつくための▷四方枕も枕の一種と見ることができる。《▷宣和奉使高麗図経》には繍枕に関して、白の▷カラムシ織の袋の中に香草が詰められ、両端には花の刺繍が精巧に施され、赤い無地の絹布で飾られたものは蓮の花のようであると記している。また朝鮮時代の世宗20年(1438)には、案席(背もたれ)や枕などに高級な綾緞が用いられるようになり、奢侈が過ぎるとしてこれらの高級な絹が禁じられ、平絹や綿布の使用が薦められた。(《▷朝鮮王朝実録》世宗20年9月戊子)

ペゲ 刺繍退枕。温陽民俗博物館所蔵。

ペゲンモ 베갯모

▷ペゲ(枕)の両端に当てる飾り。装飾には、刺繍・螺鈿・画角(牛角の彩色工芸)・木刻・玉石・玳瑁(鼈甲)などが用いられる。ふつう男性用は四角で、女性用は丸い。また、鴛鴦枕・九鳳枕・寿福枕などの枕の名称は、いずれもペゲンモの装飾によるものである。朝鮮時代のペゲンモには、多男・富貴など女性たちの願いが込められていた。多男の象徴

ペーナルギ　배날기

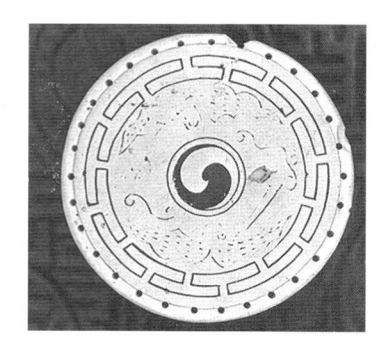

ペゲンモ　(左) 螺鈿ペゲンモ。(右) 大極紋ペゲンモ。温陽民俗博物館所蔵。

としては、強い繁殖力を持つコウモリの▶蝙蝠紋がもっとも多く用いられ、その他に▶葡萄紋がある。富貴の象徴としては、植物紋に▶牡丹紋・▶蓮花紋、動物紋には▶鳳凰紋・竜紋などがあり、文字紋に▶吉祥語紋がある。吉祥語紋は、上流階層では「礼儀康福」「富貴栄華」「万寿無疆」「子孫昌盛」「安民富貴」などが好まれ、庶民層では、「富」「貴」「寿」「福」「囍」「康」「寧」などが多用された。▶卍字紋も仏教の象徴として用いられた文字紋で、単純な幾何学図形であるため、庶民や女性に愛用されたようである。長寿を意味する▶十長生紋様や、節義や志操を象徴する▶四君子紋も、ペゲンモによく用いられた文様である。(参考) 高麗大学民族文化研究所《韓国民俗大鑑》2、1980

ペーナルギ　배날기 (せいけい〔整経〕)

製織する前に経糸を準備する過程。織物の種類にかかわらず、ペナルギの工程はほぼ同じである。ペナルギに用いられる道具には、ナルトゥル・コルトゥル・コムレがある。ナルトゥルとコルトゥルは直径3cm、高さ40cmほどの木の杭を用いた道具で、ナルトゥルは土台に横方向に2本または4本、縦方向に3本の杭を20～30cmの間隔で固定したものであり、コルトゥルは土台に2本の杭を立てただけの簡単なものである。糸の取り出しに用いるコムレ (別名ピナリデ・チョスルテ) は、堅固な土台に固定された高さ1m、幅80cmほどのT字形の道具で、竹がよく使われる。麻やカラムシの紝糸は、T字形の横木に開けられた10個の孔に通され、10本の糸が合わされる。このコムレの代わりに▶ナルサンイを用いることもある。ふつう一疋分の織物の経糸を準備する場合、ナルトゥルとコルトゥルは5.75mの距離を置いて固定し、糸を手にその間を往復して整経する。整経の済んだ糸は、一旦煮てから水気を切り、次のペメギ (糊塗り) の工程に入る。(参考) 文化財管理局《重要無形文化財解説》工芸編、1989

ペーメギ　배매기

綿布を製織する前に経糸に糊を塗る工程。織機に掛ける前段階で経糸の強度を高めるため、木綿糸を筬に通してから緒巻きに固定して、これをぴんと張り、粟糊を万遍なく塗って、もみ殻でおこした火で下から念入りに乾かす。機草を挟みながら緒巻を巻いてゆき、ペメギが終わったら緒巻を織機に移し、機織りとなる。

ペシル　배실→㊙大麻糸

ペーチャギ　배짜기 (はたおり〔機織り〕)

伝統織機で布を織る過程。布を織るためには、まず織機本体の設置が必要である。部屋・板の間・納屋などを利用するが、カラムシ織で有名な忠清南道の韓山地方では、適度な湿度を保つために穴蔵を利用することもある。農繁期など織機を使わないときは、分解して家の裏の軒先や牛小屋の軒先につるして保管する。組み立ては、2本のペトゥルダリ (桁) の前後に1本ずつ柱を打ち込み、カロデ (横木) を差し込んでつなぎ、基本的な形を作る。前脚の上端にはヨンドゥモリと呼ばれる横木を掛け渡し、その内側にヌンソプテ (掛け糸吊し) を差し込む。ヨンドゥモリの外側にはペトゥルシンデ (まね木) を付け、その先にペトゥルシン (履き物) のつながった足引き紐

ペナルギ

ペトゥル 베틀

ペメギ

を結びつける。

　織機の組み立てが終わると、経糸の巻かれたトトゥマリ（緒巻き）を前柱の外側に載せる。そしてサチムデ（綾棒）が差し込まれている経糸の上糸と下糸との間にピギョンイ（中筒）を押し込み、ピギョンイの下方にある経糸を1本ずつ綜糸掛けを使って綜糸に通す。インアッテ（綜絖枠）は、紐でヌンソプテ（掛け糸吊し）の端に結びつける。続いて、織り手はアンジュルケ（腰掛け板）に座り、プティ（腰当て）を腰に当て、プティの紐をマルコ（千巻き）に結ぶ。次にパディ（筬）にパディジプ（筬枠）を被せ、右足にペトゥルシン（履き物）を履き、片手にパディジプ（筬枠）を、別の手に巻いた緯糸の入ったプク（杼）を持つ。ペトゥルシンを履いた右足を引き寄せると、ヨンドゥモリが回転してヌンソプテ（掛け糸吊し）が持ち上げられ、これにつれてインア（綜糸）が上がると、下糸が上糸より吊り上げられ、両者の間にプク（杼）が行き来するプッキル（杼口）が生じる。織り手は、まず右手に持っていたプク（杼）を素早くプッキル（杼口）に投げ入れ、左手でそのプク（杼）を受けて緯糸をピンと張ると同時に右手でパディジプ（筬枠）を引き寄せ、投入された緯糸を織前まで押しつける。次に、押し付けた反動を利用してパディジプ（筬枠）を遠ざけながら、引いた右足を前に出すとインアが下がり、吊り上げられていた下糸が上糸の下にもぐり、新たなプッキル（杼口）が生じる。このような動作を繰り返しながら、緯糸を経糸に交差させ、平織りの布地が織られてゆく。

　織り始めは、幅を固定させるために藁を1～2本入れて織り進め、ある程度織り進んでプッキル（杼口）が遠くなったら、織り終わった部分をマルコ（千巻き）に巻いてトトゥマリ（緒巻き）を一回転させ、経糸を解く。徐々にマルコ（千巻き）に巻いた織物の量が増えていくにつれ、トトゥマリ（緒巻き）に巻かれた経糸は少なくなってゆく。布を織るときは両手を使うが、ふつう右手より左手の力が弱いので、織りあがった布が均一でないこともある。織り進む途中で経糸が切れたときには、ヌンソプテ（掛け糸吊し）に下げてあるプルソム（繭を灰汁に浸け煮たもの）を少しちぎってつなぐ。経糸は乾燥すると切れやすいので、ときどきチョジュルケ（湿らせた布）で湿らせる必要がある。経糸の本数が多く目の細い布ほど、頻繁に湿り気を与えねばならない。織りあがった布は灰汁ですすぎ、天日に晒してから、服地として用いる。（参考）文化財管理局《重要無形文化財解説》工芸編、1989

ペトゥル 베틀（しょっき〔織機〕）

麻・木綿・絹などの布地を織る機械。すべての部品が木製で、本体は2個のペトゥルダリ（縦に渡した桁）の孔にアプキドゥン（前脚）とトゥィッキドゥン（後脚）を通し、横木で固定させてある。アプキドゥン（前脚）の外側にトトゥマリ（緒巻き）を載せ、経糸をインア（綜絖）に通してマルコ（千巻き）に巻き、織り手はアンジュルケ（腰掛け）に座ってプティ（腰当て）を腰に当て、機を織る。

　布地の緻密さを表すのには升という単位を使う。1升は目の数が40のパディ（筬）で織られたものをいい、一つの目に2本の糸が通されるので、80本の経糸を表わす。絹やカラムシは15升（1200本）が最上で、木綿はふつう9升（720本）である。木綿と絹は季節を問わないが、麻とカラムシは中秋節の前後に秋風が吹きはじめると、織られなくなる。冷たい風に当たると糸がごわついてパディ（筬）の通りが悪くなり、プク（杼）を入れるのが難しくなるからである。

　ペトゥル（織機）は様々な部品から成っているが、機能別に分けると、本体・伝力装置・織布装置の三つに

ペトゥル 베틀

分けられる。伝力装置は、右足を引いたり押したりする動力がペトゥルシン（履き物）からシンクン（足引き紐）・シンデ（足引きの竹棒）・ヨンドゥモリ（回転軸）・ヌンソプテ（掛け糸吊り）・ヌンソムノリ（掛け糸吊りの先端）・ヌンソプクン（掛け糸）・インアッテ（綜絖枠）・ソクテという経路でインアッシル（綜絖糸）まで伝達され、これに通された経糸を上下に動かすようになっている。各部の機能の詳細は次のとおりである。ペトゥルの各部分の名称は地方によって異なり、括弧内は方言などの別称である。

①ヨンドゥモリ（ヨンドゥマリ）：ペトゥルの２本の前柱の上に渡された丸形または楕円形の回転軸。これにヌンソプテ（掛け糸吊り）・ペトゥルシンデ（足引き紐の竿）をはめ込むようになっている。②ヌンソプテ（ナブサンデ）（掛け糸吊り）：ヨンドゥモリから織り手側に伸びている２本の細い棒。ヌンソプチュル（掛け糸）でインアッテ（綜絖枠）を吊っている。③ヌンソムノリ：ヌンソプテ（掛け糸吊り）の先端部分で、ここにヌンソプチュル（掛け糸）が結ばれる。④ヌンソプチュル（チンガリ・ヌンソプクン）（掛け糸）：ヌンソプテ（掛け糸吊り）につながれた紐で、これにインアッテ（綜絖枠）が吊り下げられている。⑤インアッシル（インエッシル）（綜絖）：インアッテ（綜絖枠）につながれたたくさんの糸で、経糸が１本１本通される。ヨンドゥモリの動作に連動し、経糸を上に引き上げる役割をする。

⑥インアッテ（インエデ）（綜絖枠）：ヌンソプチュル（掛け糸吊し）とインアッシル（綜糸）をつなぐ棒。⑦ソクテ：インアッテ（綜絖枠）の下につながる棒。⑧プク（杼）：巻いた緯糸を入れ、経糸の間を往復させながら織り進めていく、舟形の道具。⑨プクパヌル：プク（杼）に入れた緯糸が上に抜け出さないようにする軸。⑩クリ：プクの中に入れられた緯糸。⑪パディ（筬）：竹ひごを櫛のように立てて上下を竹板で押さえ、糸で括りつけたもの。歯の隙間ごとに経糸を通し、経糸をならしながら緯糸を織前に打ち込むのに使われる。⑫パディジプ（筬枠）：パディ（筬）の上と下を押さえる一組の木枠で、溝にパディをはめ込んで両側面にパディジププニョを挿して止める。⑬パディジププニョ（マグリ・コルドゥマリ・パディジプピネ）：パディジプ（筬枠）を止める木と鉄。⑭チュェファル（チファル・チュェバル）（伸子）：布地の横幅が縮まないようにするために張る弓。⑮プティ（プテ）（腰当て）：マルコ（千巻き）の両端に付いたプティクン（腰当て紐）を結びつけ、織り手の腰に当てる帯。これを身体で引き、経糸に張力を与える。⑯プティクン（プテクン・ケトプテ・プテッチュル）：マルコ（千巻き）の両端とプティ（腰当て）をつなぐ紐。⑰マルコ（マルクェ・モルコ・メドゥプテ）（千巻き）：織り終わった布を巻く棒。両端の紐をプティ（腰当て）につなぎ、身体で経糸を張る。⑱アンジュルケ（アンチェンノル）（腰掛

け板）：織り手が座る厚板。後柱の上、ペトゥルダリ（桁）の上に載せられる。⑲トゥィッキドン（トゥィッダリ）：ペトゥルダリ（桁）の後ろ側を支える短い柱。⑳タオルッテ（ミルッテ・タウルッテ・タブルッテ）：アンジュルケ（腰掛け板）に座ったままトゥマリ（緒巻き）を押し回せるようにする長い棒。㉑ヌルリムデ（ヌルルムデ）：インア（綜絖）の後ろにある、経糸を押さえつける棒。㉒ヌルリムクン（ヌルルムデクン）：ヌルリムデをペトゥルダリ（桁）に結びつける紐。㉓ペトゥルダリ（ペトゥルウォンチェ・ヌウンダリ・ピトルチェ）：ペトゥルの重量を支えるため、前柱と後柱との間に縦に渡した一組の長くて太い桁。㉔カロデ（カリセ）：２本のペトゥルダリ（桁）の間に横に渡してある梁。㉕ピギョンイ（ピゲミ・ペゲミ・ピンオリ）（中筒）：インア（綜絖）の後ろ、サチムデ（綾棒）の前にあり、経糸がもつれないようにする役目を果たす。㉖ペトゥルアプキドン（アプタリ・ソンダリ）（前柱）：ペトゥルダリ（桁）の前側の孔に立つ一組の柱で、頂部にヨンドゥモリが渡される。㉗ペトゥルシン（チトゥルシン・クルシン・クシルシン・コルシン）：ヨンドゥモリを回し、インア（綜絖）を引き上げるため、シンクン（足引き紐）の先に結びつけられた履き物で、ふつう右足に履く。㉘ペトゥルシンクン（コルシンデ・シンナムクン・クシルシンジュル）（足引き紐）：ヨンドゥモリとペトゥルシン（履き物）とをつなげる紐。

㉙ペトゥルシンデ（シンナンゲ・シンナム・スェコリ）：ヨンドゥモリの後ろ中央に付けられた、ペトゥルシンクンを結び付ける竹の棒。㉚ペプテンイ（ペプテンイ・ペッテ・ペビ）（機草）：ペメギ（糊塗り）の工程で経糸をトトゥマリ（緒巻き）に巻くとき、糸が絡まないように間に挟み込む竹の枝。㉛トトゥマリ（緒巻き）：H形の厚板で、ペメギ（糊塗り）の工程で経糸が巻かれる。前脚の外側に載せる。㉜サチムデ（サチミ・クングリデ）（綾棒）：2本の竹棒で、ピギョンイ（中筒）の後ろにあり、上下の経糸がからまるのを防ぐ役割をする。㉝チョジュルケ（ムルジュルケ）：製織の途中で経糸の乾燥を防ぐため、糸を湿らせるのに使う、布を巻いた棒。（参考）文化財管理局《重要無形文化財解説》工芸編、1989

ペトゥルシン　베틀신

▶ペトゥル（織機）で布を織る際に、右足に履く▶チプシン（草鞋）。ペトゥルのヨンドゥモリにつながった紐に結びつけられ、プク（杼）を入れるたびに足を手前に引いたり伸ばしたりして、ヨンドゥモリを回し、綜絖を上下させる。⟨同⟩クルシン・チトゥルシン・クシルシン・コルシン→ペトゥル（織機）

ペトゥルシンクン　베틀신끈

▶ペトゥル（織機）の部品。▶ペトゥルシンデ（まね木）の先と▶ペトゥルシン（履き物）とをつなぐ紐。⟨同⟩コルシンデ・シンナムクン・コシルシンジュル→ペトゥル

ペトゥルシンデ　베틀신대

▶ペトゥル（織機）の部品で、ヨンドゥモリ（回転軸）の中央後ろ側に嵌められた竹の竿。▶ペトゥルシンクン（足引き紐）でペトゥルシン（履き物）とつなげられている。⟨同⟩シンナンゲ・シンナム・スェコリ

ピョク〔綼〕　벽

国王と王世子の礼服である▶冕服（ミョンボク）や▶遠遊冠服（ウォニュグァンボク）に巻く▶裳（サン）の横の縁取り。裳には幅1.5寸の黒で縁飾りを施す。→裳

ピョンニョン〔辟領〕　벽령

哀悼の意味で▶喪服（サンボク）の襟に付ける布切れ。5種類ある喪服のうち▶斬衰服（チャムチュェボク）・▶齋衰服（チェチュェボク）の加領（カリョン）（襟）の両脇に、それぞれ指尺で四方8寸の布切れを折り、幅4寸にして付ける。《世宗実録》（セジョンシルロク）（巻134五礼儀凶礼）にも、4寸丈の布切れを喪服の襟に付けると記されている。《▷朝鮮王朝実録》（チョソンワンジョシルロク）

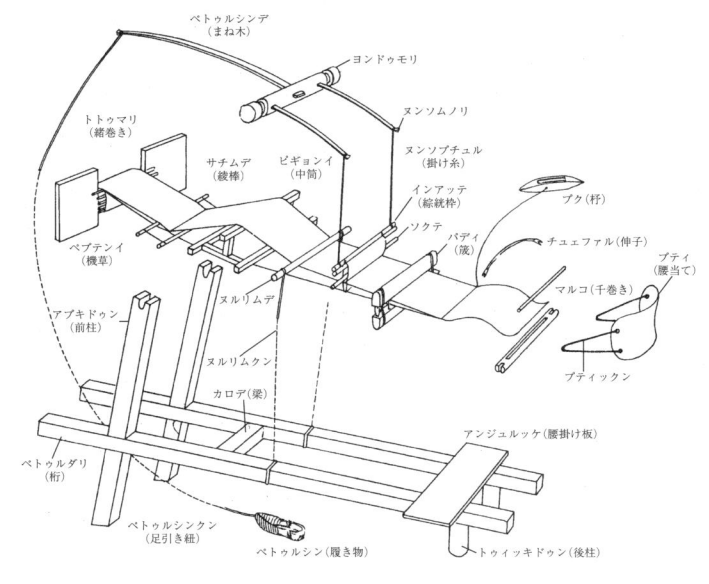

ペトゥル　各部の名称と分解図

(世宗1年9月己巳)には、「(先々王の喪には)上皇(先王)におかれては斬衰3年の服をお召しになり、月の数を日数に変えて13日目には練祭(一周忌)を執り行い、祥服と練冠を着用するときは、▶首経・▶負板・辟領を除く」と記されている。→喪服・屈巾祭服

ピョクサム〔辟邪舞〕벽사무

悪霊を追い払うために踊る舞。黄海道の康翎タルチュム(仮面踊り)や殷栗タルチュムの冒頭に出てくる獅子の舞などがこれである。

マルットゥギ　モクチュン

南江老人　老僧

小巫　獅子

辟邪舞　康翎タルチュムの仮面

ピョクサ-ヒュンベ〔辟邪胸背〕
벽사흉배

辟邪とは、麒麟に似た想像上の動物。邪悪なものを追い払ってくれるとされ、漢の時代に辟邪の姿が多く彫られた。朝鮮時代末期の高宗の代に王の孫の▶胸背を定めるにあたり、嫡子の王孫の胸背には辟邪を、庶子の王孫の胸背には狻猊が用いられた。

ピョクセク〔碧色〕벽색

空色。五行説では東の青と西の白の和とされ、五間色の一つである。朝鮮時代中期の宣祖の代に、儒学生の冠服である青衿団領を碧色にしたことがある。(《▷朝鮮王朝実録》宣祖39年2月辛亥)

ピョゴク〔碧玉〕벽옥

美しい青の玉。▶カラクチ(双指輪)などの装身具や印鑑の材料として用いられる。

ピョンギョンサ〔辺経糸〕변경사

織物の耳を形成する経糸。地組織の経糸とは異なる糸や別色の糸を用いる。

ピョンバル〔弁髪〕변발(べんぱつ〔弁髪〕)

男性の髪型の一つ。古代モンゴル地方の各民族に流行したもので、頭部の中央のみ残して周囲の髪を剃り、後ろで結って垂らしたものである。北方民族としては、モンゴル族が古くから弁髪だったが、彼らが建国した元の勢力圏の広がりとともに、その支配下にあった高麗・ペルシャ・中国の一部にまで弁髪の風習が広まった。高麗では、元宗13年(1272)2月に王世子(後の忠烈王)が元から弁髪姿で帰国するや、これを初めて見た国民が奇異に思い、悲しみ嘆く者まであったと記録されている。高麗が元の支配下にあった忠烈王4年(1277)2月には、王命で官僚はすべて▶開剃弁髪としたが、庶民の中にはこれに従わない者もいた。弁髪は王室や貴族の間に普及したが、14世紀後半の恭愍王の代に李衍宗の諫言により廃止された。朝鮮時代には、宣祖5年(1572)の記録に「婦人の髻鬟と童子の弁髪は胡俗(北方民族の服装)に由来するものだが、礼法を重んずる家において中国の制度に従おうとしても、旧習を突然変えるのは難しく、嘆かわしい限りである」とある。(《▷増補文献備考》)同編髪

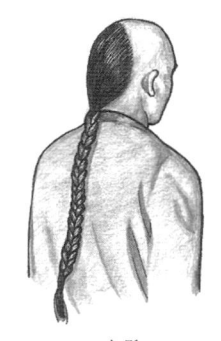

弁髪

ピョンジル〔弁経〕변질

▶喪服の一つ。国王が、国喪中に中国の使臣を接待する際に着用し、使臣の帰国後に再び喪服を着るものとされた。(《▷朝鮮王朝実録》文宗即位年6月壬午)

ピョンファ-チョジク〔変化組織〕변화조직(へんかそしき〔変化組織〕)

織物組織の一つ。平織・斜文織・朱子織のうちの一つを基本にし誘導変化させたり、二つ以上の組織を組み合わせた組織。種類が非常に多いが、変化組織の原組織になるのは平織・斜文織・朱子織であり、変化平織・

変化斜文織・変化朱子織に分けられる。変化平織には、畝織り（経畝織り・緯畝織り・変化畝織り）や、2本以上の経糸・緯糸を平織のように織って、特殊な組織効果を出すバスケット織（ななこ織）などがある。変化斜文織は、正則斜文織の斜文線の角度や形を変化させて様々な組織を作り出すものである。変化朱子織は、組織点を変化させ特殊な効果を表すもので、変則朱子織・拡げ朱子織・重ね朱子織・花崗織・昼夜朱子織・ぼかし朱子織などがある。⇔誘導組織

ピョルガムボク〔別監服〕 별감복

朝鮮時代の宮中の雑職である別監の衣服。別監は、その職責と所属により大殿別監・中宮殿別監・世子宮別監・世孫宮別監に分けられ、宮中の大小の行事に動員されて、王の行幸の際は御輿の護衛を任された。官服として、紫の▶巾を被り、青の▶団領に紐帯を締めたが、世子宮別監は青の巾を被った。後代には、青の団領は黒の団領に、世子宮別監の巾は青から黒へ、そして草緑色（黄緑）へと変わった。別監の▶戎服は、紅チョルリクに黄草笠を被り、常服としては黄草笠に紅色の▶直領を用いた。《▷経国大典》と英祖の代の《続大典》に記された別監服の制度は表のとおりである。

別監服制度

区分服	公服	常服
冠服帯	紫巾・世子宮別監 青巾 青団領 トア	朱黄草笠 直領 トア

《経国大典》巻3礼典儀章）

区分服	公服	大小朝儀	郊外動駕時	世子宮・嬪宮別監服
冠服	紫巾 紅直領	紫巾 緑色直領	黄草笠 紅チョルリク	紅チョルリク

《続大典》巻3礼典儀章）

ピョンブ〔兵符〕 병부

朝鮮時代に軍隊動員の際に使われた丸い木牌で、正式には発兵符という。直径7cm、厚さ1cmほどで、片面の中央に「発兵」の2文字が、別の面には該当する観察使・節度使の称号が書かれ、その真ん中を割って右側は軍の責任者に渡し、左側は国王が保管した。有事の際には国王が教書とともにその片方を送り、地方の指揮官は2枚を合わせてそれが王命であることを確認し、軍隊を発動したという。

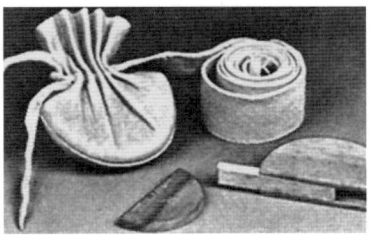

ポ〔補〕 보

王族の礼服の胸・背・両肩に付ける、刺繍の施された丸い布。直径18cm程度の礼服と同じ生地の布に、主として竜が刺繍された。朝鮮時代に、国王・王世子（皇太子）の▶袞竜袍や王妃・世子嬪の▶翟衣・▶円衫・▶唐衣の胸・背・両肩に付けられた。竜は想像上の動物で変幻自在の動きを見せ、天子や国王を象徴する動物と考えられた。竜の爪の数が位を表し、皇帝は袞竜袍に金糸の五爪円竜、皇太子は四爪円竜、皇后は金糸の五爪円竜、皇太子妃は四爪円竜、皇世孫は三爪円竜を付けた。竜補が初めて用いられたのは、朝鮮時代の世宗26年（1444）3月に、明から大紅織金の袞竜暗花骨朶雲袍を授かったときである。竜補の文様は時代により少しずつ異なるが、19世紀半ばの哲宗までは四爪竜が用いられ、次の高宗以後に五爪竜となった。現存する伝世品の特徴を見ると、皇帝・王・王世子などが用いた補は輪郭が24個の菱で飾られている。また、蟠竜（天に昇る前の竜）に長生紋のある補は女性用に限られ、必ず雲と長生紋を5色の糸で刺繍して区分した。

ポ〔褓〕 보

品物を包んだり覆うための四角の布。「褓ジャギ」ともいうが、これは特に小さなものを指すこともある。実用性と装飾性を兼ねたもので、日常使うものとしては食膳用のパプ

別監服

兵符

ポグ〔黼裘〕 보子

補

1 金繡四爪円竜補　朝鮮時代の国王や大韓帝国時代の皇太子は四爪竜を金糸で刺繍した補を付けた。紅竜袍に付ける補は、赤い地の縁に金糸で二重の二十四菱を刺繍し、その中に如意珠を抱く四爪竜をデザインした。竜は尾を左に正面を向いているが、袍の両肩に付ける際は尾が外側になるようにする。太い金糸で鱗と顔の輪郭を表わし周辺の空間は雲で埋めているが、如意珠の瑞気を赤で表わしアクセントとしている。
2 金繡五爪円竜補　大韓帝国時代には、皇帝や皇后の礼服に五爪竜を刺繍した補を付けた。皇帝の黄竜袍や皇后の黄円衫には黄色の地、唐衣には薄い黄緑の地に五爪竜を刺繍した。光武元年(1897)に高宗が皇帝となり、明成皇后とともにこれを胸・両肩・背中に付けた。二十四菱の円の中央に竜が正面を向いて口を開いており、頭と体の間には赤い火炎紋と白い月がデザインされている。雲と竜の体は太さの異なる金糸を使って、二重かけとじ繍いで処理している。
3 皇帝軍服補　李康七所蔵。軍服の前合わせで二つに分かれた円形補である。木版に彫ってあるため細かい線がよく表現されているが、竜の姿は他の補とは大きく異なる。竜の頭は馬のように長く、鬚があり、目は二重の円で表現されている。岩や霊芝、波の文様がかなり図式化され、瑞雲が非常に美しく表わされており、補の中でも芸術性の高いものである。
4 王孫補（拓本）　国立古宮博物館所蔵。王孫の紫的竜袍に付けたもので、袍と同じ赤紫の地に四爪竜が金箔で施されている。徳恵翁主のものと推定される唐衣にも同様のものが付けられているがかなり図案化されているのに対し、この王孫補は伝統的な竜の形を守っている。

床褓（宮中では「マッポ」）、寝具を包むイブル褓、布を包むオッカム褓、書物を包む冊褓などがあり、婚礼用としては新婦から舅姑への贈り物を包む幣帛褓、新郎の生年月日時を記した四柱単子を包む四柱褓、贈答用の生地を包む礼単褓、木雁を包むキロギ褓、さらに葬礼用の棺褓などがあり、用途が多様である。使用階層により民間で用いられた民褓と宮中の宮褓とに分けることもあり、端切れをつないだチョガク褓、油紙で作られた食紙褓などもある。素材には、平絹・カラムシ織・綿布・麻布などが用いられ、作り方によって一重のホンヌビ、袷のキョムヌビ、綿を入れたソムポジャギがある。紐の付けられた褓には、紐の真ん中を一隅に縫い付けたもの、対角線上の二隅に付けたもの、四隅に付けたものがある。婚礼の必需品であるイブル褓はふつう木綿で作られるが、橙色に染めて砧を打った布に菱花版を用いて墨で捺染したものもある。

ポグ〔黼裘〕 보子
黒山羊の毛に狐の白い毛を混ぜて縞模様にした毛皮の衣服。《礼記》に「黼裘を着て誓省（王が軍に命じて行う農業調査）するのはよいが、大裘を着て行うのは昔の制度ではない」と記されている。これは天子のみが用いる純黒の山羊毛で仕立てた大裘を諸侯が着るのは古くからの制度ではないというもので、白い狐の毛よりも黒山羊の毛が貴重であったことがわかる。(《▷五洲衍文長箋散稿》巻25裘毛向外弁証説)

ポリョ 보요
敷布団の一つ。布製の布団側に綿や獣毛を厚く詰めて縁取りを入れ、装飾縫いの▶上針で仕上げたもので、わが国独特の応接用具である。アンパン（居間）や舎廊房（客間を兼ねた主人の部屋）などに室内装飾として敷かれる。ペゲ（枕）や肘掛けなどを横に置くこともあるが、就寝用には用いられない。大きさは幅80cm、長さ190cmほどだが、最近では幅90cm、長さ210cmと大きくなり、厚さも5〜7cmだったものが、綿のかさが増えて15〜20cmほどになっている。

ポルムセ 보름새
経糸15セ（▶升）で織られた布。升は経糸80本を一まとめにした単位で、ポルムセは1200本で織られた非

ポサンファムン〔宝相華紋〕 보상화문

褓　朝鮮時代。1は淑明女子大学博物館所蔵、2～4は糸田刺繡博物館所蔵。
1　花草紋四柱単子褓　藍色の地の中央に双鶴を、上下に牡丹をデザインしてあるが、平繡い・纏り繡い・かけとじ繡いなどの技法が用いられている。満開の牡丹の間に鶴を左右対称に置いた構図を生み出した良家の女性の表現感覚は、図画署の専門職にも引けを取らない。
2　紅色苧布片綿褓　カラムシの端切れを縫い合わせたもの。
3　苧布刺繡片褓　濃い藍色の生地の四隅の刺繡は、花や花びらを5色の色糸で美しく仕上げてある。
4　三角片服褓　服の端切れを利用して色どりの美しい褓に仕上げたもの。四辺に別色の縁取りを入れ、絵画的な美しさを加えている。三角片は豊穣を象徴する。

常に目の細かい布を指す。

ポムン〔黼紋〕 보문
斧の紋。国王の大礼服である▶冕服（ミョンボク）の▶十二章紋のうちの一つで、尖角形紋もふつう黼紋（ポムン）といわれる。決断を象徴する紋である。→十二章紋

ポボク〔報服〕 보복
喪に関する尊属・卑属間の相互関係をいい、例えば長男が父親の喪に服するのは3年とされるので、父親が長男の喪に服するのも3年とする制度上の関係をいうが、ふつう目上の者が目下の者の喪に服することや、その喪服を指す。

ポブサンボク〔褓負商服〕 보부상복
朝鮮時代に、商品を背負って売り歩いた褓負商（チョソン）の着た衣服。白い木綿の▶パジ（ズボン）とチョゴリ（上衣）を着て▶ペレンイ（竹笠）を被ったが、ペレンイの帽部の両脇に白い綿毛を付けていたのが特徴である。

ポサム〔歩衫〕 보삼
雨天に頭からすっぽり被る雨具の一つ。形は、女性が外出時に被った▶チャンオッと同じである。

ポサンファムン〔宝相華紋〕
보상화문（ほうそうげもん〔宝相華紋〕）
宝相華を主題とした装飾的な唐草紋の一つ。宝相華は仏教美術によく用いられる想像上の花で、インドから中国を経て我が国や日本に伝えられ

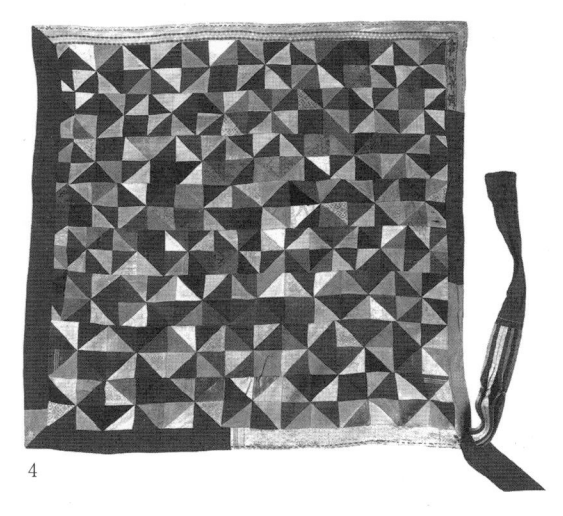

褓負商服　　　　　　　　　　　　　　宝相華紋

たものである。統一新羅時代に瓦の文様に用いられ、今日まで彫刻・絵画・織物をはじめとした工芸品に多用されてきた。唐草紋の中で最も優れたもので、構成は複雑だが花唐草の空想的な性格をよく表している。葡萄紋・石榴紋・牡丹紋・蓮花紋などと同様に美しい曲線を描き、花・葉・蔓が二重・三重に文様を成している。→紋様

ポオクシク〔宝玉飾〕 보옥식
装身具に使う様々な宝石の装飾。金の強い光彩と玉の柔らかな色調を加味し、宝石の美しさを一層際立たせる。三国時代の出土品として、玻璃玉・紅玉などを飾り付けた耳飾りの垂下飾や杏葉（鞍装飾）が現れている。

ポヨ〔歩揺〕 보요
古代の女性が用いた頭の装飾品。簪・釵（先の分かれた簪）が発展したものである。後漢の辞書《釈名》には「歩くときに宝石が揺れる」と記されている。歩揺は、3世紀末西晋の太康年間に北方の鮮卑族の一つである慕容部の旧俗に習ったというが、すでに3世紀前半の魏呉蜀の三国時代には宮廷婦人の間で用いられていた。《晋書》によれば、珠松は歩揺の別名である。魏晋時代には一層華麗になったが、顧愷之の《女史箴図》の頭髪装飾に歩揺が見られる。歩揺は仮髻同様に元来北方遊牧民族の習俗であり、唐の時代に流入し全盛をなしたのは、西域の胡の習俗から影響を受けたためである。（朴京子）→🔲トルセ

ポジョンファギョルジャジャム〔宝鈿花結子簪〕 보전화결자잠
宝石・珠玉・金銀・青貝などを嵌め

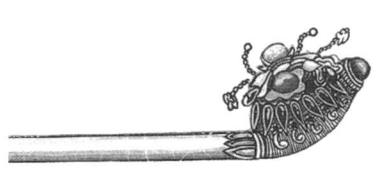

宝鈿花結子簪

て花文様を成した、女性の装飾用簪。

ポジョーピニョ〔補助ピニョ〕
보조비녀
頭髪装飾の補助として用いる簪。ふつうヘアピンのようなU字型で、銀製が多い。髪が乱れないよう、できるだけ目立たないように挿す。

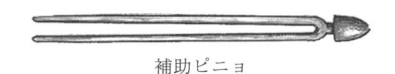

補助ピニョ

ポッコン〔幅巾・幞巾〕 복건
頭に被る▶巾の一つ。後部は丸みを帯び、耳の上に来る部分の左右2か所に襞を入れ、下の襞の中に紐を付けて後ろで結ぶ。黒の▶繒や▶紗などの絹で作るが、全体を一幅の布で作るため幅巾という。朝鮮時代に、士大夫や儒学生たちが▶深衣・▶鶴氅衣とともに用い、草笠を被る青年は、幞巾の上に草笠を被ることもあった。今日では、元旦などの名節や1歳の誕生日に男児に被らせる。《▷五洲衍文長箋散稿》（古今冠巾制

度弁証説）には、「漢の代には、国王や貴族の中に儒学者の服装が気に入る者が多く、幞巾を被ることを高尚と考え、以前は賤しい者の被った幞巾が漢末になって儒学者の服飾になった」とある。

幅巾　宋時烈（1607～1689）像。

ポクトゥ〔幞頭〕　복두

冠帽の一つ。▶紗帽の原型になったもので、形が酷似している。帽部が2段になって前部が低く、頂部は平らで四角く作られ、左右に翼状の角（脚）が付いている。幞頭は中国で最初に作られた冠帽で、後周の時代から被られていた。最初は軟らかい絹で角が作られたが、隋の時代に桐に改められ、唐の時代には▶繒や▶羅が用いられた。皇帝が被る幞頭の角は下を向いていたが、五代から次第に水平になった。我が国では、統一新羅の真徳女王の代に唐の制度を元にした冠服制が定められ、幞頭が被られるようになったが、素材に差を付けた上で全ての品階が被った。興徳王9年（834）の禁制では、王族の血筋を引く官僚の真骨大等は素材に制限はないが、6頭品は繐羅施、4頭品は四施絹布、平民は絹布を用いるとされた。高麗時代にも国王と官吏が幞頭を被ったが、品階により素材と形態が異なり、両角が水平な展脚幞頭と下を向いている折脚幞頭があった。13世紀の高宗の代には下人まで被るようになり、上下の区別がなくなった（《▷高麗史》巻73）。朝鮮時代にも文武官の官服とされたが（《▷経国大典》礼典儀章）、後に紗帽の普及とともに幞頭は影を潜め、朝鮮後期には儒学生が科挙を受けるときや、科挙に主席で合格したときの及第官服に▶御賜花を挿して被るなど用途が限定された。また、楽人などは装飾を施した彩花幞頭を被り（《▷楽学軌範》巻2俗楽陳設図説）、臨時官吏の去就差備は角がV字型になった▶交脚幞頭を被った。
→紗帽・冠帽

幞頭　高麗文宗の代の文臣崔惟善（？～1075）像。天理大学所蔵。

後周

隋・唐代

宋代

元代

明代

歴代中国の幞頭

ポクサム〔幞衫〕　복삼

三国時代の、袖が狭く短い上衣。唐の《梁書》（巻54列伝48百済）に、「百済では襦を幞衫と呼ぶ」とある。

ポクシク-クムジェ〔服飾禁制〕　복식금제

特定の階層・身分の人に、衣服の生地・色・文様や装身具などを禁ずる制度。身分による服飾制度が定められた階級社会においては、身分の確立、奢侈の禁止、虚栄の排除などを理由に、数多くの禁制が下された。

我が国で初めて禁制が下されたのは高句麗時代で、東明王10年（B.C.28）の「庶民は文彩のある紗羅衣を禁ずる」（《増補文献備考》巻80礼考27）というものである。統一新羅では興徳王の代に、真骨大等から平民までの男女の服飾に関して、着用範囲と材料などが明確に区分された。高麗時代には、光宗11年（960）に官服制度が確立された中で各種禁制が下された。宋の制度に従い、臣下と庶民に梔黄・淡黄

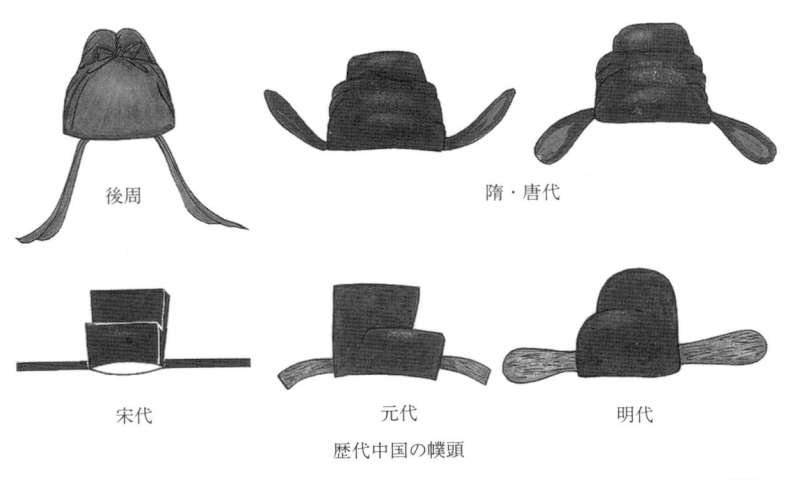

ふくしょくせいどのかくりつ〔服飾制度の確立〕 복식제도의 정립

を禁じ《高麗史節要》巻5文宗仁孝大王32年）、忠烈王の代には、東方の我が国で白衣を着ることは、五行説で西・白に当たる金が東・青に当たる木を滅ぼす不吉な相剋の形であるという理由から、これが禁じられた。（《▷高麗史》志巻39刑法2）

朝鮮時代には、さらに多様な禁制が下された。これらは、貴賤上下の区別のためのものと奢侈を禁ずるものとに大別できるが、衣服の色に関しては白・黄・紅・玉色（水色）などが禁じられたことがあり、素材としては紗羅綾緞といった絹、テン皮・虎皮などの毛皮が禁じられている。中宗17年（1522）には、文武官以外で白いカラムシの▷搭襆を作る者、平民や職人・商人・下人で白いカラムシの衣服を着る者、鴉青色（濃い藍色）でチマ（スカート）を履く者などをすべて取り締まり、都・地方の区別なく罪を犯せばその衣服は没収された（《▷朝鮮王朝実録》中宗17年8月乙酉）。また18世紀の英祖・正祖の代には加髢（入れ髪）や紋緞（有文の絹）が禁止された。このような禁制は絶対的な拘束力をもつものではないが、《▷秋官志》などの法令資料には、他にも様々な禁制条項が収録されており、禁制が服飾の育成・発展に阻害要因になったとする主張もある。

ふくしょくせいどのかくりつ〔服飾制度の確立〕 복식제도의 정립

韓国の服飾を理解するためには、まず朝鮮時代の服飾制度の変遷と社会的・文化的背景を把握しなければならない。中でも、高麗末（1354）以来の木綿の急速な普及、1443年に世宗大王により創製されたハングルの普及による女性の意識の変化、書籍の編纂や法典の整備が活発化したことに伴う服飾制度の新たな確立などが、特に重要な事件であると考えられる。朝鮮王朝の開祖太祖は、草創期に前代の弊害を踏襲しないよう文武官の制度を詳しく定めようとした。そのため書籍の編纂が活発に行われ、成宗5年（1474）の《国朝五礼儀》、同15年（1484）の《▷経国大典》、同24年（1493）の《▷楽学軌範》などが編まれたが、これらは現存する伝世品とともに、朝鮮時代初期の服飾制度を知り、我が国の服飾の基本様式とその変遷過程を把握するための重要な資料となっている。

■ハングル創製が服飾に及ぼした影響

ハングルは、文武官を頂点とする家父長的な両班社会において、学習の機会が少なかった女性たちに文献を通じて知識を習得する機会を与えた。その結果、衣服をまかなう女性の意識構造に変化が生まれ、これが服飾にも反映されたと考えられる。それまで手から手へと伝授されてきた裁縫技術が、ハングル創製以降は文字に記録されて伝えられるようになり、各家庭ごとに伝承されてきた独特な裁縫技術の情報が、書信を通じて交換されることもあったであろう。製織から裁縫に至るまで、衣服は女性の世界で生み出されたため、女性の意識や生活の変化が衣生活に影響を与えたと考えられる。

■《経国大典》の服飾制度

《経国大典》は、朝鮮王朝の法典の中で根幹をなす大法典であった。内容は、朝鮮開国以来刊行された《経済六典》と、過去の政策の記録である謄録、王命である教旨、規則・命令などの条例、さらに高麗王朝で施行された判旨や条例までも検討し、集大成したものである。世祖6年（1460）に着手され、睿宗元年（1469）に編纂が完結し、成宗即位後に修正され、同15年（1484）に完成した。吏典・戸典・礼典・兵典・刑典・工典に分けられており、服飾に関連する制度は礼典で扱われている。礼典の儀章の条では、▷朝服・▷祭服・▷常服・▷公服などの礼服に関して、冠・服・帯・笏・佩玉などの服飾を詳細に規定している。その内容は、その後時代による部分的変更はされたものの、根本的に改廃されることなく朝鮮時代を通じて守られた。この法典が、先王の遺法であり不可侵のものと考えられたためである。《経済六典》には服飾制度に関して礼服が規定されているのみで、日常の服飾に関しては不明であるが、朝鮮時代初期の服飾研究資料として価値が高い。

■《国朝五礼儀》の服飾制度

《国朝五礼儀》は国家の儀礼をまとめた儀礼書で、五礼とは吉礼（祭祀）・嘉礼（即位・国婚）・賓礼（迎賓）・軍礼（軍事）・凶礼（国葬）を指す。朝鮮時代の社会は、儀礼を人間の基本秩序と考えた儒教社会で、礼を重んじる中で服飾は最も重要な

要素の一つであった。《国朝五礼儀》では、儀礼服について図解説明がなされており、体系的な理解ができる。
■《楽学軌範(アカククェボム)》の服飾制度
《楽学軌範》は、宮中舞踊や音楽の例規をまとめた書籍である。陳説(チンソル)(宴での料理の出し方)や呈才(チョンジェ)(歌舞)に関することがらが記され、舞台衣装の図説も添えられている。服飾の図説の中には儀礼的な表衣のみならず、基本的なチョゴリ・袴(コン)・褌(サン)・裳などから小物まで紹介されており、服飾研究において貴重な文献資料であるとともに、朝鮮時代初期の日常衣服を把握するにも欠かせない。また、刊行の時期が朝鮮建国後百年に満たない時期であったため、高麗時代の服飾の推察にも役立つ資料である。

韓国の歴史の中で重要な時期である朝鮮時代初期の服飾は、上記の資料により体系的な把握が可能であり、具体的な内容は伝世品との比較により明らかにできる。この時期は、上代に服飾生活を営むようになって以来、特記するに値する変化を遂げた時期であり、我が国の服飾史において重要な一段階である。(高福南(コボンナム))

ポクチョン-カサ〔福田袈裟〕 복전가사

高麗時代に三重(サムジュンファサン) 和尚大師(テ サ)が着た袈裟。畑の畦のような筋があるので、こう呼ばれる。三重(サムジュンファサン) 和尚は国師に次ぐ僧位であり、経論を講義して仏法の広布に努めた。紫黄(チャファン) 貼廂(チョムサン)の福田(ボク) 袈裟(カサ)と袖の長い偏衫(ピョンサム)をまとい、紫裳(チャサン)を履いた。(《▷宣和奉使高麗図経(ソンファボン サ コリョトギョン)》巻18)→袈裟(カサ)

ポクチョニ〔福田衣〕 복전의
→僧伽梨(スンガリ)

ポクチョムムボク〔撲蝶舞服〕 복접무복

朝鮮時代後期の宮中舞踊である撲蝶(ボク) 舞(チョムム)の服飾。撲蝶舞は、純祖(スンジョ)28年(1828)に王世子(イクチョン)(皇太子)の翼宗により金昌河典楽(クムチャンハチョナク)とともに創製され、宮中の宴会などで披露された男舞である。撲蝶舞の舞童衣装は、頭には▷研光帽(アグァンモ)を被り、緑羅花蝶袍に紅質藍緝裳(ホンジルナムソンサン)と白質黒緝中単衣(ペクチルフクソンチュンダニ)を着、その上に珠鈿帯を締め、無憂履(ムウリ)を履いた。《戊子進爵儀軌(ムジャチンジャクウィゲ)》附編)→宮中舞服(クンジュン ム ボク)

ポクチェ〔服制〕 복제
→喪服制(サンボク チェ)

ポクチェ-ケヒョク〔服制改革〕 복제개혁
→甲申衣服改革令(カプシン イ ボクケヒョンニョン)

ポクチュ-カムトゥ〔服主坎頭〕 복주감투

老人や僧侶が被る防寒帽の一つ。獣毛で丸く形作り、両耳を折り上げてあるが、降ろすと頬まで覆うことができる。

ポンダン〔本緞〕 본단

絹織物の一つ。単一色の朱子織の地に小さな文様があり、▷模本緞(モ ボンダン)よりも薄い。→緞(タン)

ポンボク〔本服〕 본복

礼法に規定された正式な喪と▷喪服(サンボク)の制度。特殊な事情で加服(カボク)したり降服(カンボク)する前の、本来の喪服制度を指す。すなわち、父の喪に▷斬衰服(チャムチュェボク)を足かけ3年着たり、母の喪に▷齊衰服(チェチュェボク) 3年、祖父母・兄弟の喪に齊衰服を着て不杖朞(ブジャンギ)(手に杖を持たない)とするなどがこれである。加服は本服(ポンボク)より丁重に喪に服すもので、死んだ父・祖父に代わり祭祀を執り行う承重孫(スンジュンソン)が尊属の喪で斬衰(チャムチュェ)3年とすることや、嫁いだ女性が家を継いだ兄や弟の喪で齊衰(チェチュェ) 不杖朞(ブジャンギ)とするなどを指す。降服は、本服より簡易に

撲蝶舞服

215

済ますもので、家を出た者や生父母に対する１年、再婚した母、追い出された母に対する齊衰杖朞チェチェチャンギなどを指す。同正服チョンボク→喪服制サンボクチェ

ポルッキ　볼끼

両頬と顎を覆う防寒具。主に庶民層の女性や子供が用いた。短いものと長いものがあるが、短いものは防寒帽の▶ナムバウィに左右一つずつつないで顎の下で結び、長いものは顎から両耳にかけて覆い、両端の紐を頭頂で結ぶ。表地は▶絹、裏地は木綿で作られ、毛の縁取りを巡らしてある。女児は紫朱色チャジュセク（赤紫）、男児は藍色を多く用いた。

ポルッキ

ポッティチャンオッ　봇디창옷

済州島で新生児に着せる産着の一つ。「ポッ」は「胎」の意で、「チャンオッ」は単ひとえの▶トゥルマギ（＜外衣）のことである。オムツだけを当てていた新生児に、生後３日目からおよそ１か月間この服を着せる。２尺程度の麻布を裁断して作られるが、麻を用いるのは新生児の皮膚を丈夫にするためである。袖は腕より若干長めにし、帯は糸を用い、腰側の裾は明けておく。袖を長めにするのは、爪で顔などを引っ掻かないようにするためで、糸を帯代わりにするのは腰を圧迫しないためである。後裾を明け、排便時の汚れを避ける。（参考）チン・ソンギ《済州島民俗のモッ》１、悦話堂、1979

ポンディ　봉디

国王の着る▶パジ（ズボン）を意味する宮中用語。→パジ

ポンベークィサド〔奉盃帰社図〕　봉배귀사도

朝鮮時代の宮中宴会を描いた絵の一つ。肅宗スクチョン45年（1719）４月17・18日の両日にかけ、正２品以上の朝廷重臣11人と国王が親しく宴会を催した様子が文章と絵で記録された《己亥耆社契帖キヘキサケチョプ》の一つである。肅宗スクチョンが景賢堂キョンヒョンダンで賜宴を催したとき、老臣たちに「賜耆老所」と書いた大きな銀杯を一つずつ下賜し、五杯を空けるよう命じたというが、この絵に描かれた場面は、酒宴が終わり耆社キサ（老臣礼遇所）に戻る場面を描いたものである。老臣たちは、緑の▶袍ポ（＜外衣）を着てに恩花を挿した▶紗帽サモを被り、御輿に乗り楽隊に先導されている。先を行く行列は、処容舞チョヨンムの衣装を着た舞童らが先頭に立ち、それぞれ色違いの広袖の袍に紅ホン・青帯チョンデを巻いた行列が後に続き、帽羅幞頭モラボクトゥを被り紅袍ホンポに青帯を締めた楽人たちが、それぞれ楽器を演奏しながら後に従っている。その他の随行員は、▶黒笠フンニプに青袍チョンポ姿で、御輿の後ろには▶芭蕉扇パチョソンを手にした姿も確認できる。行列を見守る者たちは、黒笠に袍を着ている。牛馬の筆遣いからもわかるように、正確な描写をしようという努力がうかがえる。

ポンソン〔鳳扇〕　봉선

儀仗の一つで、竿の先に鳳凰の扇を取り付けたもの。朝鮮チョソン時代の国王の行幸には儀仗行列が後ろを従ったが、そのうち左右に従う６人が手にした。

奉盃帰社図（部分）　湖巖美術館所蔵。

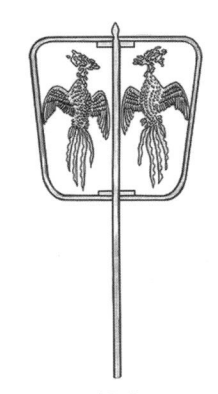

鳳扇

ポンスル　봉술
房飾りの一つ。▶ノリゲ（女性韓服用の房飾り）・▶扇錘（扇の要に付ける飾り）・▶チュモニックン（巾着の口紐）、各種室内装飾用▶流蘇、▶輦（御輿）や駕篭の帯飾りの下に垂らす▶チャンスルなどに用いられた。上部に巻く封に入れる文字により、囍字スル・寿字スル・王字スルなどと呼ばれる。→スル（房飾り）

ボンスル　王字スルと囍字スル

ポンエク〔縫掖〕　봉액
脇の下に明きのない▶袍（＜上衣）。《▶星湖僿説》（巻５万物門）には、「袍とは表衣の総称であるが、俗に直身、都では▶道袍といい、▶朝服もやはり袍と呼ぶ。隋・唐の時代には憑翼と呼ばれ、今日では直綴というが、これはすべて昔の縫掖である」と記されている。

ポンジャム〔鳳簪〕　봉잠
頂部に立体感のある鳳が彫刻された礼装用の簪。朝鮮時代に王妃が礼装する際、▶オヨモリや▶ナンジャモリなどの髪型に挿したもので、銀製またはメッキであった。英祖33年（1757）12月に、側室・女官などの命婦や両班階級の礼服に宝石や竜鳳簪を用いることが贅沢だとの理由で禁止された。（《▶朝鮮王朝実録》英祖33年12月甲戌）→ピニョ（簪）

鳳簪

ポン-チョプチ〔鳳チョプチ〕　봉첩지
鳳の姿が彫刻された▶チョプチ（女性の前頭部装飾品）の一つ。王妃が用いた。金メッキの鍍金鳳チョプチもある。㊤チョプチ

ポンファンムン〔鳳凰紋〕　봉황문（ほうおうもん〔鳳凰紋〕）
鳳凰を表す文様。鳳凰は想像上の動物で、鳳が雄、凰が雌とされる。鳳は古来、徳・義・仁・信・正を備えていると言われ、めでたさの象徴として装飾などに多用されてきた。後漢の字典《説文解字》によると、頭の両側は雄の麒麟、後頭部は鹿、首は蛇、尾には魚や竜のような鱗があり、胴は亀甲のようであり、顎は燕、嘴は鶏のようであるという。統一新羅時代の鳳凰唐草紋などが伝えられているが、朝鮮時代には▶胸背（官服の胸・背中の標章）や簪などの装身具に多く用いられた。→紋様

鳳凰紋

プギョニ〔覆肩衣〕　부견위
僧衣の一つ。比丘尼が身体の露出部を隠すために着る特別な衣服。㊤別衣

プニョ-サッカッ〔婦女サッカッ〕　부녀삿갓
顔を覆い隠すための▶サッカッ（笠）。朝鮮時代に庶民の女性が外出の際に被ったもので、竹や葦に布を張って作られた。→サッカッ（笠）

婦女サッカッ

プデ　부대（たけくだ〔竹管〕）
機織前の整緯工程で用いる、緯糸を巻く管。全羅南道地方では「チョムデ」ともいわれる。直径１cm、長さ12〜15cmの竹筒で、その片端はＹ字形になっている。

プドゥル-サンモ　부들상모
全羅道の左道クッで用いられる▶象毛（帽子の頂の飾り）の一つ。柔らかい紙や白鳥の羽根などで作られ、左右によく回るようになっている。

プサギョン〔富士絹〕　부사견

ふよのふくしょく〔扶余の服飾〕 부여의 복식

（ふじぎぬ〔富士絹〕）

経糸・緯糸に紡績絹糸を使って織られた絹織物。白いものは男性用パジ（ズボン）・チョゴリ（上衣）に、染色したものは女性用のチマ（スカート）・チョゴリに多用される。柔らかくて温かく、女性の下着にも用いられる。

ふよのふくしょく〔扶余の服飾〕 부여의 복식

扶余は紀元前1世紀ごろに中国東北部に成立した部族国家であるが、この服飾に関しては中国の歴史書に記されている。《後漢書》(巻115扶余国)には「黒い冠を被り、錦衣を着る」とあり、《三国志》(巻13烏丸鮮卑東夷伝第30扶余)には「白衣を崇め、白布で仕立てられた広袖の大袂袍を着て、ズボンと革靴を履き、国外への旅人は繪繡錦罽などのきらびやかな絹の服を着る。貴族は、この他に狐皮・狸皮・イタチ皮や黒白のテン皮などの皮衣を着ており、帽子は金銀で飾られている」と記され、その概要を知ることができるが、百済(ペクチェ)のものと相通ずる点がある。また、喪服もあったと見られ、《三国志》(巻139)に「喪時には男女とも白い服を着る。婦女子は布綿衣を着て、装身具を外す」とある。

プヨングァン〔芙蓉冠〕 부용관

朝鮮(チョソン)時代に宮中舞踏の舞童(ムドン)が被った冠。紙を糊で貼り合わせた土台に、裏は漆仕上げの布を当て、表は金銀など様々な色で飾って芙蓉の花の図柄を入れ、牡丹の花の飾りを挿した。左右には彩色された玉(ぎょく)で飾られた瓔珞と、赭黄色(山吹色)の宝石をはめた粉紅色(桃色)の生絹の紐が垂らされている。公演用の芙蓉冠(グァン)は、会礼宴用のものとは異なり、冠の形が円柱形である。

プインボク〔婦人服〕 부인복

（ふじんふく〔婦人服〕）

朝鮮(チョソン)時代には、成人の女性は髻を結い、▶チョゴリ・チョク衫(サム)などの上衣や▶チマ(スカート)・▶パジなどの下衣、▶ソゴッ・▶コジェンイなどの下着を着た。庶民が用いる生地は麻布・綿布に限られていたが、柔らかく品があり調和のとれた色が用いられた。チョゴリ(＜上衣)の種類は、使う生地をもとに、全体を同じ布で仕立てる普通のチョゴリと、別色の布を用いる▶半回装(パンフェジャン)チョゴリ・▶三回装(サムフェジャン)チョゴリ・▶色トンチョゴリなどに分類され、また仕立て方により、綿入れのソムチョゴリ、三枚合わせの三ギョプチョゴリ、薄絹の▶ケッキチョゴリ、ボタン止めの▶チョク衫(サム)などに分類される。チマ(スカート)には襞が多く寄せられているが、これは動きやすくするためよりも、豪華で優雅なラインの美しさを強調するためのものである。チョゴリの▶トンジョン（掛け襟）や▶チマホリ（腰）・▶ポソン（足袋）の白は清潔感と素朴さを漂わせ、動くたびに見え隠れする白いチマホリと胸前で揺れる白いチマクン（紐）は、女性韓服ならではの粋を感じさせる。四季の明確なわが国では季節に合わせて生地を使い分け、装身具の素材や色も変えて、季節にふさわしいおしゃれを演出した。朝鮮(チョソン)時代には衣服が身分を表すようになり、一般のチマチョゴリでも身分により色が使い分けられた。なお、庶民の被り物は▶チャンオッ（外出時に顔を覆う衣服）に限られていた。

プジュンニプ〔付竹笠〕 부죽립

糸のように細い竹ひごで編んだ笠。型の上に羅・平絹・麻などを貼(ナ)ったため、布笠(ポリプ)とも呼ばれた。王族や高官だけが被ることを許された。(《▶朝鮮王朝実録(チョソンワンジョシルロク)》中宗17年8月大典後続録巻23礼典禁制)

プチェ〔扇〕 부채（おおぎ〔扇〕）

手であおいで風を起こす道具。細い竹ひごで骨組みを作り、紙または布を貼って作られる。プチェに関する最も古い記録としては、《▶三国史(サムグクサ)

公演用の芙蓉冠　　会礼宴用の芙蓉冠　　温陽民俗博物館所蔵。

芙蓉冠

プチェ〔扇〕 부채

婦人服

1　**夏季用婦人普段着**　夏用の生地としては、主に白・水色系統の明るい色の紗が用いられた。朝鮮時代に衣服が身分を表わすようになり、一般のチマチョゴリも色を使い分けた。既婚の女性は赤紫の結び紐、息子がいる場合には袖口に藍色の縁取りを当てるのが通例だった。優雅さや清楚感を好む女性たちは、水色を好んで用いた。

2　**春秋用婦人普段着**　薄桃色の半回装チョゴリに藍色の甲紗のチマを履いた女性の姿。襟・結び紐・袖口に赤紫の縁取りを当てている。粧刀ノリゲと三千珠ノリゲを垂らしているが、粧刀ノリゲは装飾効果とともに護身用でもあり、女性の貞節の象徴であった。

3　**冬季用婦人普段着**　冬用のチョゴリは防寒のために薄綿を入れ、パジにも綿を入れて、濃い色を用いた。チマの裾を左に回して履いているが、これは朝鮮時代の下層階級の履き方で、今でも北部地方ではこのように履くところがある。手首にはトシ（腕抜き）をはめている。

4　**婦人礼服**　藍色のチマに黄色のチョゴリを着ている。床にじかに座る文化には、幅の広いチマがよく似合う。座るときは片膝を立て、両手をその上に載せると端正な姿になる。

5　**婦人作業着**　朝鮮時代の庶民女性の基本的な服装。髪型はトゥレモリにし、木綿のチョゴリにアプチマ（エプロン）を掛け、草鞋を履いた。

《甄萱記》に▶孔雀扇に関する記事があり、《▶宣和奉使高麗図経》には、「高麗人は冬にも扇を手にする」と記されている。19世紀初頭の《東国歳時記》には、「端午の節句にプチェを贈る伝統があるが、これを端午進扇という。端午の節句には、工曹（産業所管庁）で製作し進上されたプチェが、宰相や侍従、掖庭署（侍従所）の下人にまで分け与えられた」と記されている。早くから、我が国のプチェは交易品として中国をはじめモンゴル・日本などへ贈呈され、全羅道の全州・南平・羅州などで生産されるものが最高級品とされた。プチェは本来暑さをしのぐために用いられたが、後に儀礼・装飾用のものも現れた。婚礼の際に、新郎・新婦の顔を隠すため使われるものや、王室の男性が外出時に顔を隠す羽扇・▶毛扇・▶布扇・▶紗扇などは儀礼用のプチェといえよう。高麗時代には、女性が外出時に笠を阿弥陀に被り、プチェで顔を隠した（《▶朝鮮女俗考》）。朝鮮時代、15世紀の太宗の代には、プチェで顔を隠すことが禁じられ、大きな笠で顔を覆うよう定められたこともある（《▶朝鮮王朝実録》太宗14年11月丙辰）。一方、画家・書家・文人などが絵や詩句を書いたプチェは、装飾用の例である。さらに、韓国古典舞踊にはプチェを持って舞うプチェチュム（扇の舞い）があり、巫女や僧侶も舞いにプチェを用いたが、桃・牡丹の花や蝶などの描かれたものが好まれた。巫女たちは白扇を用いることもあったが、表に三仏・仙女・日月・花紋などが

219

プチェ〔扇〕 부채

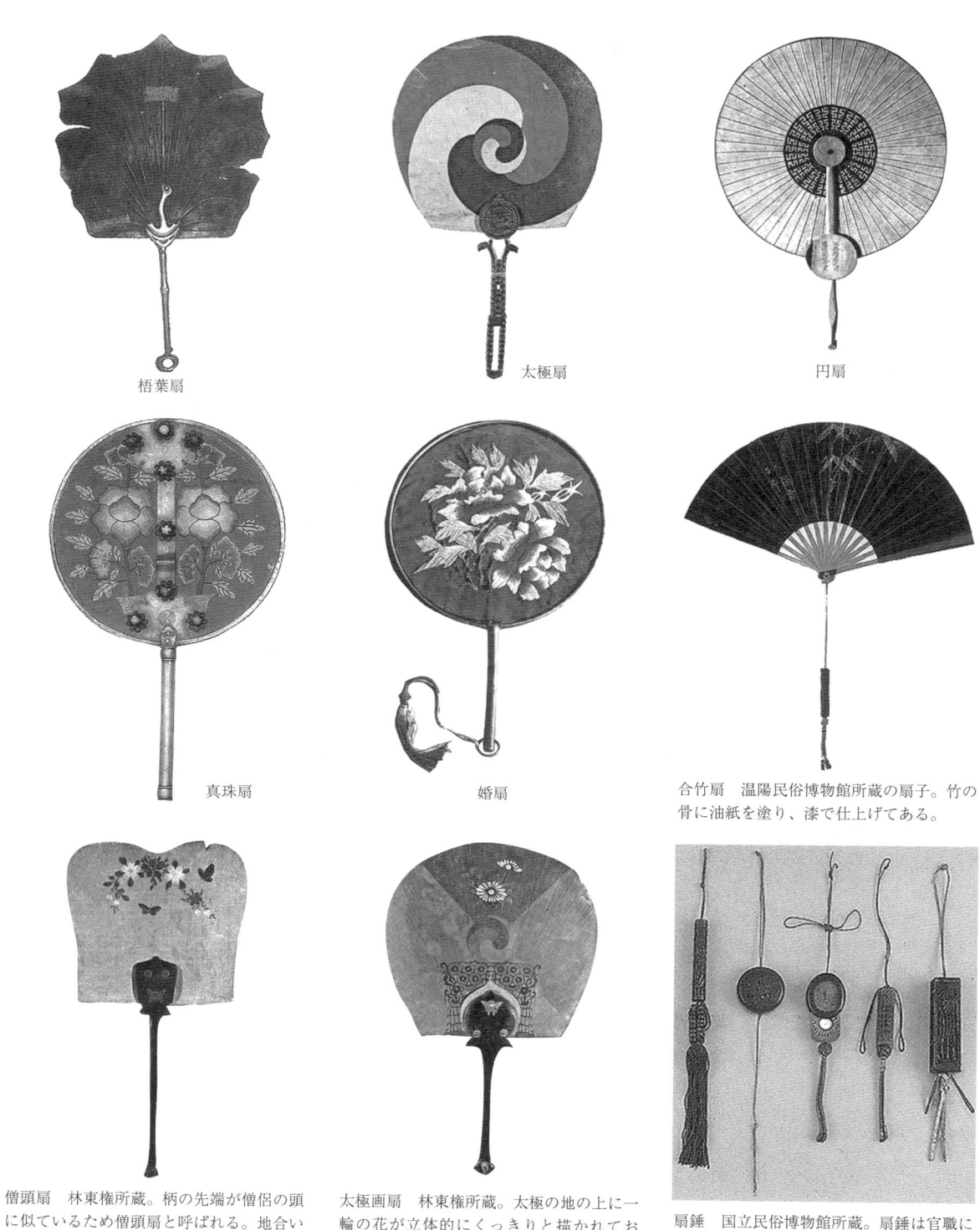

梧葉扇

太極扇

円扇

真珠扇

婚扇

合竹扇　温陽民俗博物館所蔵の扇子。竹の骨に油紙を塗り、漆で仕上げてある。

僧頭扇　林東権所蔵。柄の先端が僧侶の頭に似ているため僧頭扇と呼ばれる。地合いが独特で、上部に絵の描かれた変わった扇である。全体に繊細な印象である。

太極画扇　林東権所蔵。太極の地の上に一輪の花が立体的にくっきりと描かれており、柄の上部に描かれた蝶と周囲の絵がよく馴染み、全体のバランスがよく取れた美しいプチェである。

扇錘　国立民俗博物館所蔵。扇錘は官職に付いた文官のみに許された。

プチェ

描かれたものが多く、それぞれ三仏扇・八仙扇・日月扇・花扇などと呼ばれた。

■種類

大別して、団扇型のパングプチェと扇子型のチョププチェの2種類がある。①パングプチェ（団扇）：骨に絹や紙を貼って作られた丸い形の扇で、「トゥングンプチェ（丸い扇）」「団扇」「円扇」とも呼ばれる。骨の形や地の装飾により、梧葉扇・蓮葉扇・芭蕉扇・太極扇・児扇・五色扇・カチ扇（カササギ）・真珠扇・孔雀扇・青扇・紅扇・白羽扇・八徳扇・細尾扇・尾扇・松扇・大円扇などに分けられる。②チョププチェ（扇子）：開閉のできる骨に紙を貼ったものをいい、「摺扇」「摺畳扇」とも呼ばれる。骨の本数と要の形、付属品、地の文様により、白扇（白貼扇）・漆扇・油扇・服扇・僧頭扇・魚頭扇・蛇頭扇・班竹扇・外角扇・内角扇・三台扇・二台扇・丹木扇・彩角扇・曲頭扇・素扇・広辺扇・狭辺扇・有環扇・無環扇・合竹扇・短節扇・花扇・輪扇・呉骨扇・杓庭扇・舞扇・ムダンブチェ（巫扇）などがある。

プチェに用いられる色は、紫朱色（赤紫）・柳緑色（緑）・桃色・鴉青色（濃い藍色）・雲暗色・石鱗色・白・黒・赤・青など多様である。一般に夏用のプチェは無彩色のものを用いるが、婚礼で顔を隠すためのものは、新郎は青、新婦は紅色など季節にかかわらず様々な色が用いられ、喪中は白を使用した。㊂扇子

プティ 부티（こしあて〔腰当て〕）

織機の付属品。織り手の腰に巻く腰当てで、紐で千巻きにつながれ、織り手が腰で千巻きを後ろに引くことにより経糸に張力を与える。織り手の腰が痛くないよう、革・布・藁などで作られる。㊂プテ→ペトゥル（織機）

プティクン 부티끈

織機の付属品である▶プティ（腰当て）に付いている紐。プティの左右に開いた孔に通して千巻きとつなぎ、織り手の腰の力を千巻きに伝える役割をする。㊂プテクン・ケトプテ・プテチュル→ペトゥル（織機）

ププン〔負版〕 부판

▶喪服のうち、父の喪に着る▶斬衰服、母の喪に着る▶齊衰服などの背中に垂らす布切れ。1尺8寸四方の正方形で、上端を背中に縫い付けて垂らし、哀悼の意を表する。

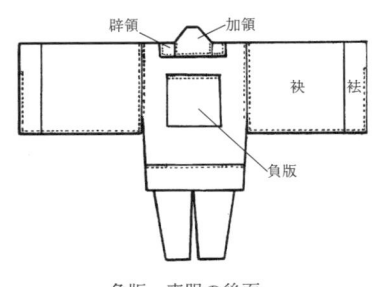

負版　喪服の後面。

プピョンチャ〔副編次〕 부편차

副と編と次。いずれも中国の皇后が用いる髪飾りである。《▶星湖僿説》（巻6万物門）には、「副とは覆うという意味で、今日の▶歩揺（揺れ飾り）のような作りであり、国王に従って宗廟で祭祀を行うときに頭に飾る。

編とは、乱れた髪を一つにまとめるという意味で、今日の仮髻（入れ髪）のようなもので、副と同様に祭祀に用いる。次とは、他人の髪で作る飾りで、髪を長さの順に並べて作るものである」と記されている。

プク 북（ひ〔杼〕）

織機の付属品。竹管に巻いた緯糸を入れる、くり抜き舟のような形の道具。経糸の隙間を往復しながら緯糸を送り出し、織物組織を作り出す。中央のくぼみに緯糸が巻かれた竹管を入れ、蓋を被せる。木綿・麻・カラムシなどを織るときは大きめのものを用い、▶明紬（絹布）を織るときには小さなものを使うので、小さなプクを明紬プクとも呼ぶ。麻糸などをプクの中に入れるときは、事前に十分に水に浸してから水気を切って使用し、木綿の場合は、引き出しをスムーズにするために糸を煮てから使う。→ペトゥル（織機）

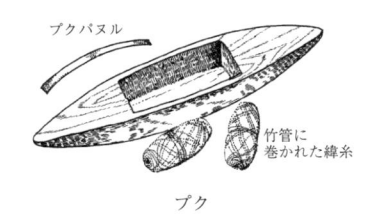

プク

プクケ〔北髻〕 북계

未婚女性の髪形である▶娘子モリの別名。《▶五洲衍文長箋散稿》（巻15東国婦女首飾弁証説）には、「洪大容の《乾浄筆談》に、寧遠衛の温泉には多くのモンゴル人女性がやって来るが、束髪・北髻の者はまるで我が国の娘たちのようだ、とある。正祖の代の辛亥年（1791）以降、▶加髢を禁じ北髻を用いるように

プッキル　북길

なったが、北髻とはいわゆる娘子（ナンジャ）モリのことである。これは、髪を結って後頭部に巻き、簪を挿した髪型で、その上に▶チョクトゥリ（黒絹冠）を載せるが、チョクトゥリには六つの角があり、絹で飾ってあるため、倭軍の被る冠に似る」と記されている。→同娘子（ナンジャ）

プッキル〔북길（ひぐち〔杼口〕）
布を織るとき、織機の綜絖の動きにより経糸の上糸と下糸との間にできる空間。緯糸の入った▶プク（杼）がここを行き来するので、この名前がある。→ペトゥル（織機）

プクパヌル　북바늘
織機や紡織機で、プク（杼）に緯糸を巻いた竹管を入れた後、それが抜け出ないようにプクの内側の縁に掛ける竹ひご。

プクポ〔北布〕　북포
朝鮮時代に、咸鏡道（ハムギョンド）の慶源（キョンウォン）・会寧（フェリョン）・鐘城（チョンソン）・穏城（ウンソン）・慶興（キョンフン）・富寧（プリョン）の六鎮（ユクチン）地域で生産された麻布。織り糸が細く、布目が細やかで非常に上質である。

プンミ〔粉米〕　분미
▶十二章紋の一つ。米粒を集めたような形の紋章で、民を養うことを意味する。前漢の学者孔安国は粉と米に分け十二章紋にしたが、後漢の鄭玄（チョンイ）は宗彝を追加し、代わりに粉と米を合わせ、一つの紋章とした。→十二章紋（シビジャンムン）

プントゥヘ〔分套鞋〕　분투혜
靴の上に重ねて履く、防寒・雨天用の履き物。朝鮮時代に、寒中の朝会や行幸の送迎の際、高齢で病気ぎみの官吏に着用が許された。（《林下筆（イマビル）記》巻10法令）→鞋

プンポ〔粉袍〕　분포
白い▶道袍（トポ）。科挙を受験する者が白い道袍を着たため、科挙の受験者の別称でもあった。

プルトゥジャム〔仏頭簪〕　불두잠
頂部が仏の頭のような形の簪。頂部に螺髪や仏紋・花紋などを彫ってある。

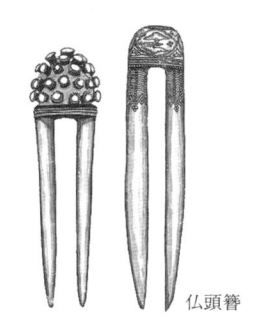

仏頭簪

プルリョン〔黻領〕　불령
▶黻紋（亞字紋）を入れた襟。国王・王世子（皇太子）・王妃が、大礼服の▶冕服（ミョンボク）・▶翟衣（チョギ）の中に着た▶中単（チュンダン）に付けられた。→中単①

プルロチム〔不老枕〕　불로침
老人や病人のための枕。直方体の枕の六面の中央にそれぞれ直径5.5cmほどの孔を開け、六つの孔に合う煙突状のものを作って中に入れ、縫い閉じたもの。枕の中には六つの通路ができてクッションとなり、長時間敷いても頭への負担が少なく、爽快な使用感がある。→ペゲ（枕）

プルムン〔黻紋〕　불문
後漢の明帝の代から祭服の紋様に取り入れられた▶十二章紋（シビジャンムン）の一つ。亞字型の幾何紋で、臣民の背悪向善、君臣離合の道理などを意味するとされる。国王の大礼服である▶冕服（ミョンボク）のみならず、一般の衣服や器物などにも使われた。→十二章紋（シビジャンムン）

プルボクチャン-チンムル〔仏腹蔵織物〕　불복장직물（ぶつぞうないのうにゅうおりもの〔仏像内納入織物〕）
仏像を製作し奉安する際、胎内に納める織物。主に経典や発願文などとともに納められるが、方位を表す五色の織物、発願者の衣服類、またこれらの織物を包んだポジャギ（袱紗）、発願文を記した布などが含まれる。衣服の形をしたものは一部で、大部分は端切れの形態で納められている。納入当時の製織状況のみならず、社会風潮や人々の意識などの分析のための重要な手がかりとなる。

プルサ〔黻翣〕　불사
亞字形を描いた扇の形。葬儀で、發靷（バリン）（出棺）の際に棺の前後に立てる。

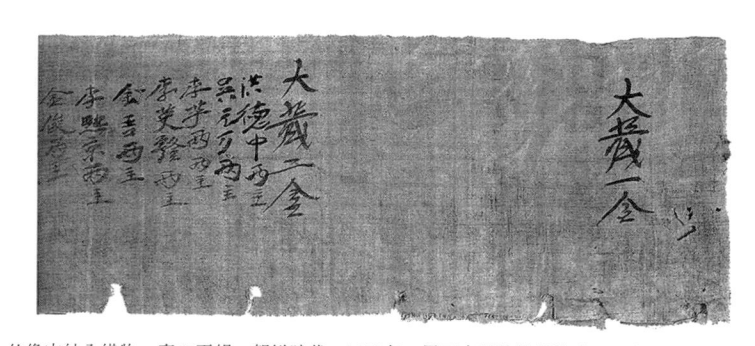

仏像内納入織物　青の平絹。朝鮮時代。1458年。黒石寺阿弥陀仏胎内から出現したもの。

ピギョンイ 비경이 (なかづつ〔中筒〕)

織機の付属品。木製の棒3本を切妻屋根の棟木・桁のように組んだ道具。綾棒と綜絖との間で経糸の上糸と下糸との間に挟み、両者の間に空間を生み出す。同ピゲミ・ペゲミ・ピンオリ→ペトゥル(織機)

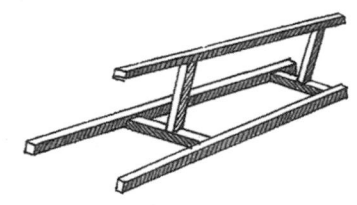

ピギョンイ

ピグァン〔緋冠〕비관

赤い冠。新羅(シルラ)時代の法興王(ボプン)の代に、官吏が公事に参与する際に被った冠で、4官等の波珍湌(パジンチャン)から5官等の大阿湌(テアチャン)までが被った。→冠帽(クァンモ)

ピグ〔臂韝〕비구

武士が甲冑や戎服(ユンボク)(軍服)を着るときに手首にはめる皮製のもの。同臂衣(ピイ)

ピニョ〔簪〕비녀(かんざし〔簪〕)

主に女性が髻に挿す装身具。「簪(チャム)」「笄(ケ)」「釵(チェ)」とも呼ばれる。髪から抜け落ちないように頂部が大きくなっており、様々な装飾が施される。

■歴史

忠清南道(チュンチョンナムド)の扶余(ブヨ)で発見された百済(ペクチェ)の銀のピニョは、頂部が環状で曲がっており、当時のピニョの一面を見せている。新羅興徳王(シルラフンドク)の服飾禁制では、真骨女の▶釵(チェ)への鏤刻(チンゴルリョ)(文字や絵の彫刻)や綴珠(珠の飾り付け)、6頭品女の純金使用や銀への鏤刻・綴珠、4頭品女の純金使用と鏤刻・綴珠などが禁じられ、5頭品女には白銀、平人女には真鍮の使用が薦められたことが《三国史記(サムグクサギ)》に記されている。これを見ても、当時すでに様々なピニョが用いられていたことがわかる。女性の髪形は、古代以降高麗時代まで特に変化は見られず、高麗の女性も頭に小さなピニョを挿していた。朝鮮時代中期には、▶加髢(チョソン)(入れ髪)を用いた▶オンジュンモリと呼ばれる髪型が流行し、宮中儀式用の▶巨頭味(コドゥミ)や▶大首(テス)、宮中や両班家(ヤンバン)(文武官一族)の礼装用であう▶オヨモリなどにもピニョを挿して、加髢を固定した。19世紀初頭の純祖(スンジョ)の代には、オンジュンモリに代わって▶チョクチンモリが一般化し、おしゃれの中心がそれまでの加髢からピニョに移ったことにより、その種類が多様化し、技巧的にも発達した。《青荘館全書(チョンジャングァンチョンソ)》(女服侈華制論)には、「ピニョは、太宗(テジョン)の代に明から贈られた王妃の冠服に付いてきた装身具で、その形態や素材から身分の識別が容易であり、季節によって様々なものが用いられた」と記されている。また、憲宗(ホンジョン)の後宮慶嬪金氏の《▶四節服色自蔵要覧(サジョルボクセクチャジャンヨラム)》によると、「ピニョも季節に合わせて使い分け、礼服の▶唐衣(タンイ)には▶鳳簪(ボンジャム)や玉牡丹簪、平常の御機嫌伺いには▶竜簪(ヨンジャム)、2月には牡丹簪(モランジャム)、4・8・9月には梅竹簪(メジュクチャム)や玉牡丹簪などを挿した」という。

■種類

女性用のピニョは、その素材と簪頭(チャム)(頂部)の飾りにより分類される。素材別には、金ピニョ・銀(クム)ピニョ(ウン)・白銅(ペクトン)ピニョ・ノッ(真鍮)(チンニュ)ピニョ・真珠ピニョ・瓔珞(ヨンナク)ピニョ・玉ピニョ・翡翠(ビチュィ)ピニョ・珊瑚(サノ)ピニョ・玳瑁(テ)(鼈甲)ピニョ・木(モク)ピニョ・竹(チュク)ピニョ・角(カク)ピニョ・骨(コル)ピニョなどに分けられる。頂部の装飾別には、鳳簪(ボンジャム)・竜簪(ヨンジャム)・▶鴛鴦簪(ウォンアンジャム)・鳥頭簪(チョドゥジャム)・魚頭簪(オドゥジャム)・▶梅竹簪(メジュクチャム)・▶梅鳥簪(メジョジャム)・▶竹簪(チュクジャム)・竹節簪(チュクチョルジャム)・蓮ボン(蓮のつぼみ)簪(ジャム)・木蓮簪(モンニョンジャム)・牡丹簪(モランジャム)・▶石榴簪(ソンニュジャム)・加蘭簪(カランジャム)・菊花簪(ククァジャム)・花葉簪(ファヨプジャム)・草籠簪(チョロンジャム)・胡桃簪(ホドジャム)・蕈簪(シムジャム)・豆簪(トゥジャム)・豌豆簪(ワンドゥジャム)・ミン簪(ジャム)・▶マルトゥク(杭)チャム・チョリジャムなどに区分される。新羅興徳王(シルラフンドク)の服飾禁制に見られるように、階級社会では貴賤上下の差別が厳しかったため、金銀・珠玉などの簪は上流階層で用いられ、庶民の女性は木・角・骨などのピニョに限られるなど素材が使い分けられた。これは頂部の装飾においても同様であった。名称からもわかるように大部分の装飾は吉祥を表し、富貴・長寿・多男を祈願するものである。中でも鳳簪(ボンジャム)・竜簪(ヨンジャム)は、王妃や世子嬪が礼装する際に入れ髪を足した大きな髻に挿したもので、一般の女性は婚礼の際にのみ用いた。また、一種の補助ピニョとして、本体が2本に分かれている釵(チェ)がある。これは、入れ髪や▶チョクトゥリ・▶トグジなどで頭を飾る際に、目立たなく挿された固定用の銀製ピニョである。ピニョは冠の固定にも用いられ、男性用のものとして国王が▶冕旒冠(ミョルリュグァン)に挿す玉簪導(オクチャムド)や金簪導(クムジャムド)、朝廷官吏が▶梁冠(ヤングァン)に挿す角簪(カクチャム)などがあり、女性用は▶花冠(ファグァン)に

ピニョ〔簪〕 비녀

銀釵　百済。国立扶余博物館所蔵。先の曲がった本体の頂部に五弁花の飾りが付いているが、花弁の縁と根元の周辺には鏤金細工で珠紋・小円・竹葉形紋などが入れられている。

雁鴨池出土金銅簪　新羅。国立中央博物館所蔵。①②頂部が烏頭簪のような形で、朝鮮時代に庶民が挿した黒角簪に似る。③頂部と先端が尖っていて今日の簪の形態とは異なる。毛筋立てとしても用いられた。

鳳簪　国立古宮博物館所蔵。鳳の姿に動感があり、翡翠珠をはめて豪華さを出している。朝鮮時代に大首を飾るために挿した。

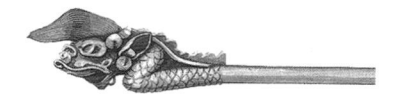

竜簪　温陽民俗博物館所蔵。頂部にめでたい竜の姿が彫られた、普通よりも全体が長い簪で、テンギを両側に掛けて垂らすのに用いられた。

瓔珞簪　頂部は、細い針金の先に付けた薄い金板の瓔珞や真珠で飾っている。動くたびに瓔珞が細かく揺れて美しい。礼式用の簪である。

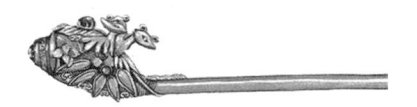

竹簪　石宙善紀念民俗博物館所蔵。竹の葉と双鳳を彫り、七宝・珊瑚で飾った簪である。

梅鳥簪　高麗大学博物館所蔵。玉を素材に梅の花と鳥を彫刻した頂部が本体と一体化し、清楚な印象を与える。夏用の簪である。

玉鷺簪　高麗大学博物館所蔵。玉にゴイサギの姿が彫られた簪。宮中や両班階級の女性が夏に用いたものである。

豆簪　温陽民俗博物館所蔵。頂部を大豆のように丸く仕上げた簪。胴体の白銅と黄色い琥珀の色が調和し、すっきりした印象である。

草篭簪　草の葉の文様を透かし彫りにし、灯篭のように仕上げた夏用の簪。穏やかな翡翠の色が優雅さを演出している。

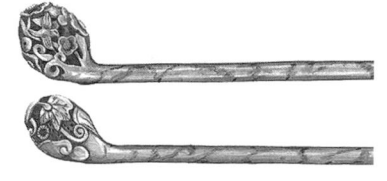

密花簪　江陵市立博物館所蔵。黄色い琥珀に梅の花や鳥、蓮の葉を彫った簪で、本体が長く重みを感じさせる。宮中で春秋に唐衣姿に挿した。

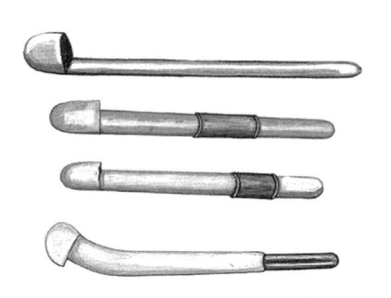

翡翠簪　温陽民俗博物館所蔵。頂部には飾りがなく、本体の中間に金の飾りを付けたり、本体の一部を銀製にして変化を出している。

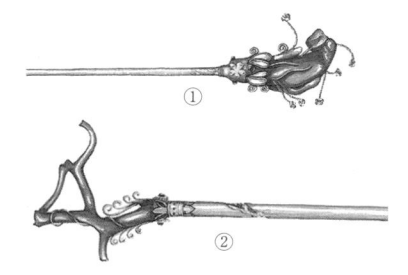

珊瑚簪。珊瑚の自然な姿を生かして頂部を飾っている。①周囲に銀琺瑯を被せた瓔珞を飾り付けてある。②珊瑚の枝と本体とのつなぎ目に青い花弁などの飾りを施し、自然な美しさを出している。主に冬に用いられた。

黒角簪　温陽民俗博物館所蔵。未亡人が慎み深さや簡素さを表わすために、黒のテンギとともに用いた。

簪導　冠帽を固定させるために左右に挿した簪。

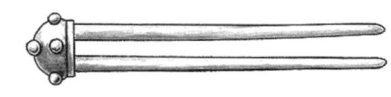

金釵　妓女が宴会で殘髪妓と呼ばれる髪型に挿した短い簪。頂部は真珠で飾り、七宝簪とともに用いられた。

ピニョの種類

ピダン〔緋緞〕 비단

様々な色糸で文様を入れた華麗な絹織物。緋緞の製織は、三国時代にすでになされており、統一新羅時代には緋緞の生産と製織技術を管掌する織錦房・別錦房などの官庁が置かれ、錦織が非常に盛んであった。炤知王の代（566年頃）の記録に、隣国の人々も緋緞の衣服を着るとあることから、緋緞の歴史はこれ以前に遡るものと考えられる。緋緞は、高麗・朝鮮時代になってからは貴族階層に多く使われ、その種類としては、▶繪・繡・▶錦・絹・紗・▶羅・綾・▶緞・綺羅・▶線羅・▶繪紬・▶絹・▶明紬・郷紬などがある。

ピダンシル 비단실 →絹糸

ピドゥリ 비두리

朝鮮時代の舞台衣装で、宮中舞踊の望仙門を舞うときに履く▶女鞋の一つ。花柄の刺繍が施され、つま先と踵に雲紋が入り、つま先には象毛（房）が付けられ、紐で足に縛るようになっている。

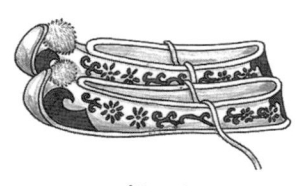

ピドゥリ

ピラ〔緋羅〕 비라

深い赤の薄絹。高句麗では緋羅の冠が被られ（《唐書》東夷列伝高麗）、高麗時代には官吏の▶朝服（朝賀服）の裙と▶蔽膝が緋羅で作られた。朝鮮時代の世宗の代には、楽人に緋公服を着させ、18世紀の英祖の代には堂上官（正3品以上）以上が▶緋衣を着るよう定められた。（《増補文献備考》巻79礼考26章服）

ピランサム〔緋鸞衫〕 비란삼

朝鮮時代に、錞・鐲・鐃・鐸・応・雅・相などの楽器や纛・旌などの儀仗を手にした楽人が着た表衣。紅色の平絹で仕立てられ、胸・背中・両肩に▶胸背に似た鸞鳳の紋が付けられた。《国朝五礼儀》で登歌・軒架の際に着ると定められ、実際に15世紀前半の世宗の代の会礼宴での登歌の武舞で楽生と旌を担当する者がまとい、15世紀後半の成宗の代の登歌でも楽生が着た。（《楽学軌範》巻9冠服図説）

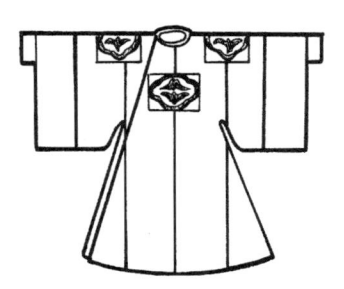

緋鸞衫 《楽学軌範》掲載の図。

ピログァン〔毘盧冠〕 비로관

八宝と金玉で作られた冠。戒師・大教師・禅師などの高僧が被った。

ピベク－テデ〔緋白大帯〕 비백대대

朝鮮時代に、雅楽の一つである登歌の導唱楽師が締めた▶大帯。目を揃えた平絹で作り、表は白、裏は黒であった。《▶国朝五礼儀》には、登歌のときは、楽生62名全員が赤白の緋白大帯を締めたとあり、15世紀末成宗の代の登歌では導唱が用いた。（《楽学軌範》巻2雅楽陳設図説）

緋白大帯 《楽学軌範》掲載の図。

ピビン－ムナンボク〔妃嬪問安服〕 비빈문안복

王妃や側室が御機嫌伺いに出向く際に着る服。王室では、定められた日に高位者にまみえるときの衣服にも一定の格式が設けられていた。憲宗13年（1847）12月に側室に選ばれて宮中入りした順和宮（慶嬪金氏）に、大王大妃（先々王の妃）金氏と趙大妃（先王妃）が書き残した宮中服飾指針書があるが、この解説書と見られる《帖草》に、問安服をはじめとする宮中儀礼服から日常の衣服までが記録されている。季節ごとの生地に関しても具体的に記されており、当時の宮中の生活像を知るための貴重な史料である。この《帖草》に記された季節別の問安服は、次頁の表のとおりである。

宮中妃嬪問安唐衣に着けた粧刀の種類

粧刀およびノリゲ	唐衣の色など
孔雀石粧刀	紫的唐衣に着ける
琥珀粧刀	玉色唐衣および紫的唐衣に着ける
玉粧刀	袷唐衣に着ける
チャラジュムチ	紫的唐衣にのみ着ける

ピオク〔緋玉〕 비옥

赤い絹の衣服と▶玉貫子を指し、朝鮮時代の堂下官（従3品以下）の官服を意味する。

ピイ〔緋衣〕비의

宮中妃嬪問安服飾

問安日	衣	裳	ノリゲ・指輪	チュモニ	頭飾り
誕生日・元旦	緑色金箔唐衣	スランダンチマ・ウッチマ（チョネンウッチマ）	三作ノリゲ	真珠嚢	クンモリ・七宝丹粧
冬至	緑色錦織寿福紋唐衣	テスランチマ	三作ノリゲ		クンモリ・竜簪
2月1日問安	貢緞唐衣		七宝カラクチ・銀七宝斑指		玉牡丹簪・銀牡丹簪（梅竹簪）
3月望日	亢羅草緑唐衣			香嚢	梅竹簪・泥糸トルジャム
4月8日	光紗唐衣		銀七宝斑指		梅竹簪
5月端午	光紗草緑ケッキ唐衣	紗のウッチマ	玉カラクチ		珉玉簪・トルジャム・竜簪
5月10日	白光紗唐衣				
6月陰暦15日	紵布唐衣				
8月1日	白光紗唐衣		真珠や玉ノリゲ		梅竹簪・玉牡丹簪
8月10日	草緑ケッキ唐衣				
8月以降	光紗草緑唐衣	紅色緋緞のウッチマ			
9月1日	亢羅唐衣				梅竹簪・玉牡丹簪
9月望日	貢緞唐衣				
10月以降	貢緞唐衣				
10月初旬から	絅紗袷唐衣 水和紬織金唐衣	春秋に亢羅唐衣を着て、綿入れのチマを着用。光紗や絅紗では袷のチマを、白紗はチェンチマで着るが、最近では綿入れのチマを着用しないため、チェンチマが早くからかなり遅い時期まで着られる。季節に合わせて、熱双紋チマを着たあと、貢緞チマは光紗のあとに着る。	金カラクチ		竜簪・鳳簪・玉牡丹簪
	円衫金箔唐衣			チャラジュムチ	クンモリ・七宝首飾り・玉鳳簪・泥糸蓮簪
10月から正月まで	柳青や紫的唐衣			白色チャラジュムチ	チョジムモリ・鍍金竜簪

※ノリゲ：春秋と夏には真珠や玉ノリゲを、冬には瑪瑙や琥珀で作られたヒャンチブノリゲを下げる。

（金用淑《順和宮帖草と宮中撥記》）

ピイ〔緋衣〕비의
朱紅色（赤橙）の衣服。百済の1品官から16品官までがまとい、新羅でも、紫・緋・青・黄の4色からなる公服制度があった。高麗時代には、王城を守る千牛左右杖衛軍が緋窄衣を着た記録がある。

ピジャンボク〔裨将服〕비장복
朝鮮時代に、外国への使臣に随行する裨将が着た服。軍服を着て、頭には銀花、雲月で飾り孔雀の羽根を挿した戦笠を被った。藍方紗紬に纏帯を締め、環刀を携え、手には短い鞭を持った。《熱河日記》渡江録6月24日）

ピチョプポク〔婢妾服〕비첩복
婢妾（妾になった下女）が着ていた服。高麗時代の婢妾は、表衣をたくし上げて中衣をのぞかせ、外出時に顔を隠すための▶蒙首は頭上に折り上げて歩いた。手を見せることを恥ずかしがり、赤い▶汗衫で手を隠す者もいた。《▷宣和奉使高麗図経》巻20婢妾）

ピチュィ〔翡翠〕비취（ひすい〔翡翠〕）
宝石の一つ。半透明で緑色を帯び、瑠璃のような光沢がある。硬玉と軟玉とに分けられる。白みを帯びたものや、白の中に緑色の線が入ったものもあるが、硬玉は大量の鉄分を含有しているため、濃緑玉と呼ばれる暗緑色ないし黒に近いものもあり、新羅時代には曲玉の素材とされた。
同翡翠玉

ピングスル 빈구슬
中が空洞になった金・銀・金銅製の

球形の玉。三国時代に登場したが、2個の薄い半球形の金属板を合わせたものが大部分である。忠清南道公州市の武寧王陵から出土したもののように、表面が縦に凸凹をなした蜜柑状のものと、表面に瓔珞を付けたものがある。伽耶・百済地域からも出土するが、大部分は古新羅古墳から出土している。瑠璃環玉の高級化したものとも言え、首飾り・腕輪・耳飾りなどに用いられた。同空玉

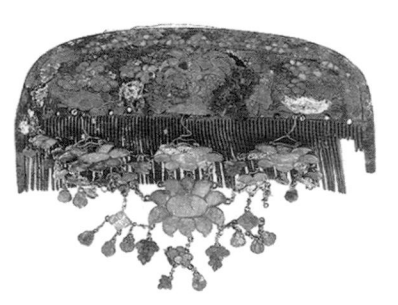

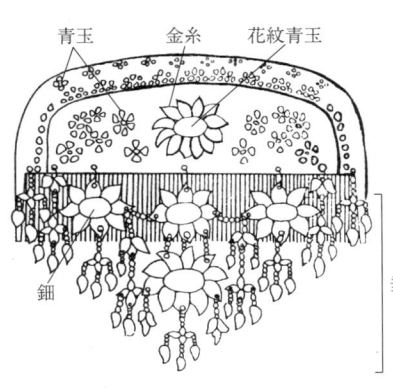

鈿玳瑁製花紋梳　統一新羅時代。伽耶地方出土。金東鉉所蔵。王妃や王女が使った鼈甲製の櫛。柄の面と歯の面とが直角に曲がり、髪に挿すようになっている。柄には金の糸象嵌で各種花文様が入れられ、青玉をはめてある。直角に曲がった部分には小さな孔を開け、青玉をはめた金製の花形装飾を垂らし、髪に挿したときに美しく光る。

ピッ　빗（くし〔櫛〕）

髪をとかす道具。「櫛」とも呼ばれ、髪に油を付けたり、汚れやふけを取るのにも使われる。また後頭部に挿し、装飾ともされた。ピッ（櫛）の歯は竹を細く割ったり、木や動物の角などを削って作られる。三国時代のものとしては、慶尚北道慶州市の金鈴塚から木製櫛1個、飾履塚から木製櫛2個が出土している。金鈴塚出土品は半円形で歯が比較的細長く、飾履塚のものは、一つは金鈴塚のものと同じだが、もう一つは曲がった背が広く、歯が細長い。このような木製櫛は、大同江流域の第7号古墳の玳瑁櫛（鼈甲櫛）をはじめ、他の古墳からの出土例もある。統一新羅時代の木製櫛は髪の毛をとかす以外に、装飾用としても用いられた。興徳王の代の服飾禁制（834）では、ピッに関して真骨女の瑟瑟鈿玳瑁と6頭品女の瑟瑟鈿を禁じ、5頭品女は素玳瑁、4頭品女は牙角、平人女は素牙角を用いると定められており、ピッの素材により身分が区別されていたことがわかる。ピッを挿し櫛として用いる髪型は▶オンジュンモリで、▶高髻や盤髻であったと推測される。統一新羅時代以降は素材が高級化し、装飾が主な用途となった。この時代の装飾櫛は伽耶地域から出土した玳瑁（鼈甲）製などで、上部に一つ、歯に三つの花文様を螺鈿で入れ、花どうしがつながれている。朝鮮時代のものとしては、赤漆が塗られ、▶画角（牛角彩色工芸）や彫刻などの施されたものが多数伝えられている。中でも特に、画角装飾が施されたものはその文様や細工技術が精巧で、女性の愛蔵品として大切に扱われた。種類は、▶オルレピッ・▶チャムピッ・▶面ピッ・▶サントゥピッ・▶陰陽梳・▶サルチョンミリなどがあり、用途・大きさ・形ともに多様である。ピッは、鏡台に置かれたり、▶ピッチョプ（櫛箱）にしまわれた。

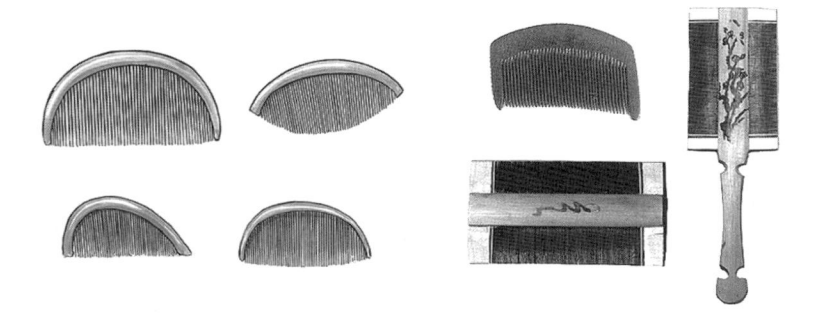

ピッ　朝鮮時代。オルレピッとチャムピッ。

ピッチョプ　빗접

▶ピッ（櫛）・ピッソル（櫛ブラシ）・▶ピッチゲ（毛筋立て）・▶カリマ（被り物）・コチェンイ（串）・▶トゥイッコジ（髷飾り）・トンゴッ（髷止め）などをしまう引き出し。用途に合わせ、大小の引き出しを組み合わせてある。柿・ケヤキ・桐などの木製のものと、障子紙などを何層にも貼り合わせ油に浸けて組み立てたものとがあり、木目を生かしたもの、赤漆

ピッチョプコビ　빗접고비

や黒漆を塗ったもの、螺鈿や華角(ファガク)で飾ったものなどがある。文様は女性の嗜好に合わせて、十長生・鴛鴦・蓮・山水などが用いられた。常時、鏡台とともに枕元に置かれて使用されたが、油紙で作られたものは普段は▶ピチョプコビに掛けておくこともあった。

ピッチョプコビ　빗접고비
油紙製の▶ピッチョプ（櫛入れ）を挿して掛けておく道具。細い木の棒で枠を組み立てて紙を貼り、その隙間にピッチョプを挿すようになっており、様々な文様が入れられている。

ピッチゲ　빗치개
櫛の歯の間に挟まった汚れをとったり、髪に分け目を入れる道具。金属・角・骨製で、円盤状の部分で櫛の汚れをとり、尖ったほうで髪に分け目を入れる。

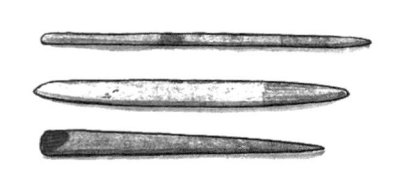

ピンサ〔氷紗〕　빙사→回純鱗(スルリン)

ピッチョプコビ

骨角製ピッチゲ　統一新羅時代。雁鴨池出土。国立中央博物館所蔵。

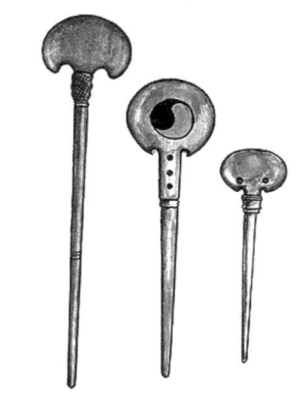

ピッチゲ　朝鮮時代後期。

サ

サ〔紗〕사
生糸で紗織にした絹織物。薄くて軽く、春から秋までの生地として用いられる。代表的なものに、▶熟庫紗・生庫紗・▶甲紗・菊紗（局紗）などがある。一般的な織物は平行して走る経糸が緯糸と交差するが、紗織は並ぶ2本の経糸のうち1本は直角に緯糸と交差し、もう1本は規則的に隣の経糸に絡みながら緯糸と交差する。

サガクス〔四角繡〕사각수
刺繡技法の一つ。布面を埋めるのに用いられる手法で、碁盤の目のような文様になる。→刺繡

サガル 사갈

紗 寿字雲花紋紗

雪山や凍った地面で滑らないよう、底に釘を打った靴。

サゴサム〔四袴衫〕사고삼→四襈衫

サグンジャムン〔四君子紋〕사군자문
梅・蘭・菊・竹を素材にした文様。いずれも君子の姿を象徴したもので、梅は勇気と高潔を、蘭は友情と高雅を、菊は高貴さを、竹は志操を表す。この文様は中国から入り、三国時代から朝鮮時代まで文人画や服飾などに広く用いられた。花鳥紋などとともに最も愛された文様の一つで、特に長寿の象徴である十長生にも数えられる竹紋は、儒学者たちの紙筒（紙を巻いて挿す筒）・筆立て・硯などに多用され、女性の簪などの装身具にも用いられた。
→紋様

サギュサム〔四襈衫〕사규삼
朝鮮時代に、男児が冠礼の際に着た礼服。広袖の両脇が明いた直線襟の▶袍（＜外衣）で、紗などの絹で仕立て、脇明き・襟・裾・袖口に当てた黒い▶襈（縁取り）の上に▶蝙蝠紋（コウモリ紋）や寿字紋が金箔で施されている。▶細条帯・▶幅巾とともに着用した。1844年に刊行された《▷四礼便覧》には「欽幣衫に同じ」とあり、藍絹や平絹を用いるとある。また「襟は打ち合わせで袖は丸く、背縫いは明き、絹を襟と袖口に当て、両裾をきちんと揃える。男児の普段着であるが、中致莫などで代用してもよい」と四襈衫の形態を詳しく述べ、冠礼に用いるとしている（《▷四礼便覧》巻1冠礼序立）。その前の純祖19年（1819）に王世子（皇太子）の冠礼服の色が論議された折には、首相格の領議政徐龍輔、副首相格の左議政金思穆、右議政南公轍が《▷家礼》に触れ、「中国では冠礼を受ける者が部屋から出て来るときに四

四襈衫　国立古宮博物館所蔵。

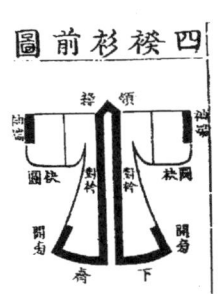

《四礼便覧》掲載の図版

袴衫を着るというが、これは中国では普段着である。我が国では普段着に▶道袍(トポ)を用いるので、これを用いるべき」(《朝鮮王朝実録(チョソンワンジョシルロク)》純祖19年3月丁未)と述べ、道袍を冠礼服と定めたが、厳格には守られなかったようである。同欠袴衫(キョルグァサム)・四袴衫(サゴサム)
→冠礼服(クァルレボク)

サダンジュソク〔紗緞紬属〕
사단주속→同紗羅綾緞(サラヌンダン)

サットゥギ 사뜨기
裁縫技法の一つ。コルム(指貫き)・▶スジョジプ(箸匙入れ)・繡ポソン(刺繍入り足袋)など、強度の求められる纏り縫いに用いられる装飾を兼ねた技法。→パヌジル(裁縫)

サットゥギス〔サットゥギ繡〕 사뜨기수
刺繍技法の一つ。▶スジョジプ(箸匙入れ)や▶ノリゲ(女性韓服用房飾り)・▶コルム(指貫き)などの前面・裏面のつなぎ目に用いる。→刺繡(チャス)

サラヌンダン〔紗羅綾緞〕 사라능단
高級絹織物の総称。▶紗(サ)・▶羅(ナ)は薄く透けた夏用の生地、綾は氷のようにきめ細かい綾織の春秋用生地、▶緞(タン)は光沢があり柔らかい朱子織の冬服生地である。

羅と緞は三国時代から生産され広く用いられ(《▷三国史記(サムグクサギ)》巻33雑志2色服)、朝鮮時代には紗羅綾緞(サラヌンダン)が中国から持ち込まれ官服や女性の衣服に用いられるようになったが、後に贅沢が極まり何度か禁止令が下された。世宗5年(1423)1月には、新婦の服にも紗羅綾緞を禁じて国内産の平絹・カラムシ・綿布を用いさせ、世宗31年(1449)1月には当時の内閣に当たる議政府(ウイジョンブ)が発布した命令で、紗羅綾緞の▶チュモニ(巾着)などは朝廷官吏以外の使用を厳しく禁じた。成宗(ソンジョン)6年(1475)7月には町中での売買が一切禁止され、中国など隣国使臣の接見や宮中宴以外では正3品以上の堂上官(タンサングァン)も普段の着用を禁じられ、女性でも堂上官の妻や御前で舞う妓女以外は用いることができなかった。一般官吏以下の庶民・下人には、チュモニ・網巾(マンゴン)や小物への使用も禁じられた。しかし燕山君(ヨンサングン)の時代に絹織職人を中国に送り製織・染色技術を学ばせたことにより(《燕山君日記(ヨンサングンイルギ)》巻42燕山君8年1月)、国内でも若干は生産されていた。中宗(チュンジョン)3年(1508)11月には、舶来の紗羅綾緞を高級官吏たちが好み、使臣たちが中間で暴利を得ていたため、これも禁じられた。

サリャングァン〔四梁冠〕 사량관
→梁冠(ヤングァン)

サリョンボク〔使令服〕 사령복
朝鮮時代に各官庁で使い走りをしていた使令(サリョン)が着た服。宮中ではカッ(笠)と紅長衣(ホンジャンイ)、地方官庁ではカッ

使令服

と黒長衣を用いた。黒長衣は黒の木綿製で▶ム(襠(まち))と衽が無く、両脇裾が明いている。着る際には左右の裾を後ろにまわして束ね、胸に帯を締め、▶パジ(ズボン)の裾も紐で結んで動きやすくした。

サレ〔四礼〕 사례
冠・婚・喪・祭の四つの礼法。冠礼は男子が15歳から20歳の間に行った成人の儀式で、女子は15歳に頭に簪を挿す▶笄礼を行った。中国・隋の王通が著述した《文中子中説》に四礼に関する記録が見られ、《小学紺珠》(人倫類四礼)には四礼は「冠・婚・喪・祭」と記されている。四礼(サレ)は我が国における礼法の基本とされ、現代では冠礼は失われたが、婚・喪・祭礼は依然として重要視されている。朝鮮時代中期まで一定の基準はなかったが、18世紀半ばの英宗(ヨンジョ)の代に、文臣の陶菴李縡(トアムイジェ)が《朱子家礼》を基に各学説を参考にして当時の実情にあう礼法を定め、《▷四礼便覧(サレピョルラム)》を著した。以後、これが我が国の四礼の基準となった。

サリ〔糸履〕 사리
→同糸鞋(サヘ)

サリプ〔蓑笠〕 사립
▶トロンイ(蓑(みの))と▶サッカッ(笠)。

サマチ 사마치
▶戎服(ユンボク)(軍服)を着て馬に乗る際、足を隠すために履いた下衣。

サモ〔紗帽〕 사모
高麗(コリョ)時代末期から朝鮮(チョソン)時代初期にかけて、文武百官が▶常服(サンボク)(執務服)着用時に被った▶冠帽(クァンモ)。朝鮮時代後期には、常服のみならずあらゆる▶官服(クァンボク)着用時に被られた。紗帽(サモ)は前低後高の二段式の帽部の後ろに角(カク)

サモープムデ〔紗帽品帯〕 사모품대

（脚）が二つ付いており、これは軟角と硬角とに分けられる。帽部と角は竹ひごや馬のたてがみ・尾の毛を編んだ型に紗布（絹）を被せてあり、これが名称の由来となっている。形は時代によって異なり、初期は帽部が低く、黒い▶テンギ（帯状の頭飾り）を付けたような軟角であったが、16世紀半ばの明宗の代前後から左右に突っ張った硬角に変わった。その後は帽部が高く角が幅広になったが、朝鮮時代末期には帽部が再び低くなり、角も短く屈曲型になった。黒紗帽と白紗帽とがあるが、黒紗帽は朝鮮時代末期まで最も多く用いられた代表的な冠帽で、庶民階層でも婚礼時に新郎が被った。一方、白紗帽は文武百官が国喪に着用した。

　我が国の紗帽は、高麗末期の禑王13年（1387）に明に派遣された使臣の偰長寿が持ち帰り、1品官から9品官までの官服に用いたのが初めである。紗帽は唐の頭巾に由来するが、昔は2本の紐を垂らし、後に竹を当てたり鉄を用いたという（《芝峰類説》巻19服用部冠巾）。五代時代は▶襆頭に似せた軟紗帽が作られ、明代には漆塗りした円紗帽も生まれた（《▷五洲衍文長箋散稿》巻4古今冠巾制度弁證説）。我が国では、朝鮮時代初期には官庁内でのみ被られたが、太宗18年（1418）からは外出時にも着用されるようになった（《▷朝鮮王朝実録》太宗18年1月壬子）。また、世宗8年（1426）の冠服制定時に普段着に紗帽を被ることになり、以後朝鮮時代末期までの長

黄廷彧（1532～1607）像。天理大学所蔵。

林慶業（1594～1646）像。天理大学所蔵。

李厚源（1598～1660）像。天理大学所蔵。

姜彛五（1788～？）像。李在寛画。国立中央博物館所蔵。

紗帽

きにわたり襆頭に取って代わり広く用いられた。19世紀末の高宗の服制改革の際にも、大礼服・小礼服に紗帽が用いられた。→冠帽

サモークァンデ〔紗帽冠帯〕
사모관대
朝鮮時代に、文武官が▶常服（執務服）として着用した▶紗帽をはじめとする服装。▶袍（＜外衣）としては▶団領を用いたが、その胸・背中に付ける▶胸背を品階によって使い分けた。文官の堂上官（正3品以上）は双鶴胸背、堂下官は単鶴胸背、武官の堂上官は双虎豹胸背、堂下官は単虎豹胸背を付けた。

　庶民も婚礼の際には紗帽冠帯の着用が許され、堂上文官の用いる双鶴胸背を付けた団領をまとい、紗帽・▶角帯・▶木靴を用いた。新郎が式場に入る際には、▶紗扇（両側に柄の付いた薄絹）を両手に持ち顔を隠し

紗帽冠帯　紗帽・団領姿で紗扇を手にした新郎。

た。

サモープムデ〔紗帽品帯〕 사모품대
朝鮮時代に、文武官が▶官服に▶紗帽を被り▶品帯を締めた服装。品帯は文武官がその品階別に締めた帯

サムンジク〔斜紋織〕 사문직

で、11世紀半ばの高麗文宗の代には、文武7品以下の官吏が紗帽品帯を着用した。朝鮮時代には、正・従1品官は▶犀帯、正2品官は▶金帯、従2品官は▶鶴頂金帯、正3品官から従6品官は▶銀帯、正7品官以下は烏角帯を締めた。→ティ（帯）

サムンジク〔斜紋織〕 사문직
→㊒綾織

サミ-ピグボク〔沙弥比丘服〕
사미비구복
高麗時代に僧籍を持たない男児が着た衣服。初めは壊色（濃い赤茶色）の▶袍（＜外衣）だが、律法を修めると紫色（濃い赤紫）に代わり、地位が上がれば▶納衣を着る。（《▶宣和奉使高麗図経》巻18）→僧服

サバンコン〔四方巾〕 사방건
→㊒四方冠

サバングァン〔四方冠〕 사방관
朝鮮時代に、士大夫や儒学者・儒学生が居宅時に被った冠。馬のたてがみや尾の毛で細かく編まれた立方体の冠で、上部が多少広く、頂は抜けていない。→㊒四方巾

サバンチム〔四方枕〕 사방침
寄りかかって肘をつくための枕。1尺ほどの長さの板を4面に組み合わせ、両脇に▶ペゲンモを付ける。真紅と藍色の絹で周りを包み、綿をつめる。

四方枕

サボク〔私服〕 사복
国王や官吏が私的空間で着た服。「平服」または「便服」ともいう。▶直領・▶道袍・▶氅衣・▶チョルリクなどを着て▶細条帯（紐帯）を締め、▶程子冠などを被る。

ササ〔四糸〕 사사
4本の糸または紐を組んだ▶クンモク（組紐）。

サセク-コンボクジェ〔四色公服制〕 사색공복제
文武官の▶公服を職務・品階を基に四色に使い分けるよう定めた制度。6世紀前半の新羅法興王の代には、真骨以上（王族）は紫衣、6頭品は緋衣、5頭品は青衣、4頭品は黄衣と定められたが、これは3品は紫、5品は緋、6・7品は緑、8・9品は青を用いる唐の制度を取り入れたものである。高麗時代には、光宗11年（960）に院君は紫衫、中壇卿以上は丹衫、都航卿以上は緋衫、小主簿以上は緑衫と定められ、紫・丹・緋・緑の四色が公服の色とされた（《▶高麗史》志巻26輿服）。

サソン〔紗扇〕 사선
沙織の絹布の両脇に柄が付いたもの。朝鮮時代に官吏が外出するときや、新郎が結婚式場に入場する際に両手に持ち、顔を隠した。→㊒遮扇

サスルス〔サスル繍〕 사슬수
刺繍技法の一つ。線を鎖状に表現する手法で、▶イウム繍（纏り繍い）に比べ線が太くはっきり現れ、作品に変化を与えることができる。一面をサスル繍で埋めることもある。→刺繍

サヤンゲ〔糸陽髻〕 사양계→㊒センモリ

サインギョ〔四人轎〕 사인교
前後それぞれ2人ずつ、4人で担ぐ▶カマ（駕籠）。民間の婚礼で新婦を乗せるのにも用いられた。房が垂れ、華麗に彩色されている。→カマ

四人轎

サインボク〔士人服〕 사인복
朝鮮時代のソンビ（在野の儒学者）の服装。▶袍（＜外衣）には▶褡襆・▶チョルリク・▶道袍・▶氅衣・▶トゥルマギを用い、頭に▶網巾を締めて、▶宕巾・▶冲正冠・▶程子冠・▶東坡冠・▶黒笠などの冠帽を被った。

サイル-ソンボク〔四日成服〕
사일성복

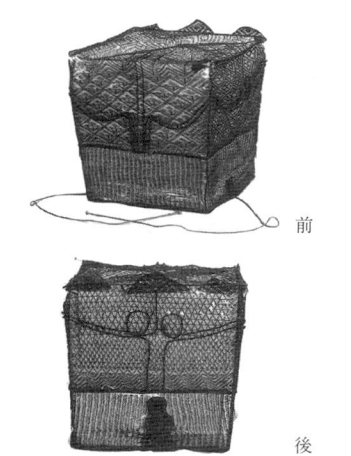

四方冠　鶴峯金誠一（1538～1593）の遺品。安東雲章閣所蔵。上面が多少広がっているが、ほぼ立方体である。馬のたてがみや尾の毛で細かく編まれ、四面に精巧な文様が施されており美しい。

士人服　道袍を着て黒笠を被った儒学者

喪礼の一つで、死後4日目に喪主以下の遺族が▶喪服(サンボク)を着ること。

サジャ-ヒュンベ〔獅子胸背〕 사자흉배
獅子の刺繍を施した▶胸背(ヒュンベ)(官服の胸・背の標章)。朝鮮時代の端宗(チョソン)(タンジョン)2年(1454)12月に都統使(トトンサ)に付けさせて以降、武官が用いるようになった。→胸背(ヒュンベ)

サジュボ〔四柱褓〕 사주보
四柱単子(サジュタンジャ)を包むための▶褓(ポ)(袱紗)。伝統的な婚礼では、新郎家が新郎の生年月日時の干支(四柱(サジュ))を紙(単子(タンジャ))に書いて新婦の家に届けた。青・紅の絹で表裏を別々に仕立てる。→褓(ポ)

サジンジク〔写真織〕 사진직
(しゃしんおり〔写真織〕)
織物組織の一つ。経糸には精練した白の撚糸、緯糸には白の組織用糸と黒の図柄用糸を用い、風景や人物などを写真のように表現する。

サチュンミョン〔紗縮緬〕 사축면
縮緬の一つ。経・緯糸ともに生糸を用い、普通の縮緬より経糸を稠密にし、緯糸は細糸を用いて表面にしぼの出るようにしたもの。

サチミ 사치미→㊥サチムッテ

サチムッテ 사침대(あやぼう〔綾棒〕)
織機の部品の一つ。経糸の上糸・下糸が絡まないよう間に挟む棒。㊥サチミ・クングリミ→ペトゥル(織機)

サポク〔斜幅〕 사폭
▶パジや袴衣(コウイ)などズボン類の内股を構成する布。大型のクン斜幅(サポク)と小型のチャグン斜幅があり、男性用パジにはそれぞれ2枚を用いる。→パジ(ズボン)

サピ〔斜皮〕 사피
靴や鞍、矢筒に用いる皮。朝鮮時代(チョソン)の世宗(セジョン)11年(1429)2月に職人・商人・下人の使用を禁じ(《▶朝鮮王朝実録(チョソンワンジョシルロク)》世宗11年2月辛巳)、睿宗(イェジョン)元年(1469)7月にも庶民の使用を禁じている。(《▶朝鮮王朝実録》睿宗元年7月庚寅)

サハプタン〔四合緞〕 사합단
絹織物の一つ。数本の絹糸で厚く織ったもので、冬用の生地にする。→緞(タン)

サクパル-ヨミ〔削髪染衣〕 사발염의
仏門に入り僧になるため、頭を丸め、生成りの服を脱いで染められた僧衣を着ること。

サクポク〔削幅〕 삭폭
国王が、大礼服である▶冕服(ミョンボク)着用時に腰に巻く▶纁裳(フンサン)の帯に当たる部分。纁裳は前3幅と後ろ4幅が別の布になっており、それぞれが白の削幅(サクポク)に縫い付けられていた。(《▶増補文献(チュンボムンホン)

備考(ビゴ)》礼考26章服1五礼儀)→裳(サン)

サンスナン〔山水囊〕 산수낭
山水の刺繍された▶チュモニ(ヒュンベ)(巾着)。山水の文様には、胸背の下段にも用いられた三山・波・岩・不老草などが多用された。→チュモニ(巾着)

山水囊

サンスル〔山述〕 산술
▶通天冠(トンチョングァン)の装飾品。《後漢書》(輿服志)に「通天冠は高さが9寸で、前部は盛り上がり、頂部から若干傾斜しながら後ろに落ちる形だが、鉄線を曲げて梁としている。前部には山述(サンスル)という五角形の装飾が立っており、また展筒という左右に角のように突き出した筒状の飾りがある。遠遊冠(ウォニュグァン)は通天冠と同じ様式で、展筒が前を横切っているが、山述はない。諸王の服である」とある。→通天冠(トンチョングァン)

サナンムン〔山岳紋〕 산악문
山岳の秀麗な形を表現した文様。中国の殷・周以来の竜紋に由来する波状山岳紋が漢代に流行し、六朝時代以後は三山形式の神仙山岳紋に発展した。唐以降は、写実的な山水画風になった。我が国では、朝鮮時代(チョソン)に主として▶胸背(ヒュンベ)(官服の胸・背の標章)の下段や女性の大礼服である▶ファロッの下段の文様、チュモニな

233

サヌォンボク〔散員服〕산원복

山岳紋

サヌォンボク〔散員服〕산원복

高麗時代に、武官の息子のうち下級官吏の散員になった者が着た▶公服。紫の絹で仕立てた細袖の服（紫羅窄衣）を着て、▶幅巾を被り、革靴を履いた。（《▶宣和奉使高麗図経》巻21）→高麗の服飾

サンホ〔珊瑚〕산호（さんご〔珊瑚〕）

珊瑚虫の骨格で、▶七宝の一つ。▶カックン（笠紐）・三作ノリゲ（女性韓服の装飾房飾り）・簪・指輪など、様々な装身具の材料として使われる。カックンの飾りには赤・桃色などが用いられ、形は玉形・扁平形・長形・小玉形など様々である。朝鮮時代の世宗11年（1429）2月に職人・商人・下人の使用が禁じられ、同24年（1442）9月には地方官吏に、睿宗元年（1469）には庶民に珊瑚の

珊瑚　珊瑚梅竹簪。国立古宮博物館所蔵。

カックンの使用を禁じた。

サルッチョンミリ　살쩍밀이

櫛の一つ。▶網巾を締めたときにはみ出した耳際の髪を網巾の下に押し込む道具で、竹や角で薄く作られた。→ピッ（櫛）

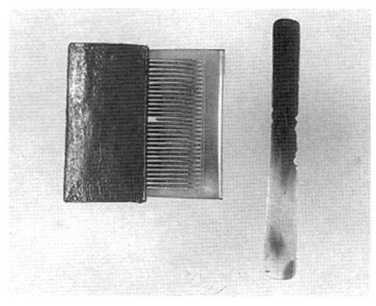

サルッチョンミリ　櫛入れ・櫛・サルッチョンミリ。国立民俗博物館所蔵。

サルチャン-コジェンイ〔サル窓コジェンイ〕살창고쟁이

慶尚北道特有の夏用の女性下着で、腰に切れ込みがあるのが特徴である。多いものは腰周りに14か所もあり、その独特な形態のため様々な名称が付けられている。「サル窓コジェンイ」とは格子窓（サル窓）のような▶コジェンイ（パンツ）という意味で、この他にもタコ（文魚）の足に似ていることから「文魚コジャンジュ」、鋏（カセ）で切ることから「カセコジャンジュ」などの名称がある。この地方では、新婦が嫁ぐ際には服を重ね着して行くのが礼儀とされたが、その際に蒸れないようにと新婦の母親がこのような下着を準備したという。通風機能の優れたこの下着には、嫁いだ後も支障なく生活できるようにという抽象的な意味も込められたようである。おおむね1930年代まで履かれていたようだが、その後、前の切れ込みがな

く後ろのみが明いた開化コジャンジュが若い女性の間で流行したことにより、中高年層の専用物となり、次第に姿を消していった。（李恩珠）

サルチャンコジェンイ　温陽民俗博物館所蔵。

サム　삼→回大麻

サム〔衫〕삼

「衫」の付く言葉には▶「チョク衫」（単の上衣）▶「汗衫」（付け袖）などがあるが、ただ「衫」と言う場合は丈の長い上衣を指す。朝鮮時代に官吏が朝服（朝賀服）として着た紅衫、祭祀の際に着た青衫・黒衫などがある。

サムガボク〔三加服〕삼가복

冠礼では冠を被る儀式が3回行われ、それぞれ初加・再加・三加と呼ばれるが、この三加で着る服装のこと。▶幞頭を被り、藍色や玉色（水色）の絹で仕立てた▶襴衫をまとい、帯を腰に2度回して小さな二つの鈴を付け、残りは後ろに垂らし、両端を結んで大きな鈴を一つ付ける。（《▶四礼便覧》巻1冠礼陳冠服）→冠礼

サムガクス〔三角繍〕삼각수

刺繍技法の一つ。▶点繍（芥子繍い）と同じく、太い線を表したり、面を

さんごくじだいのせんしょく
〔三国時代の染色〕 삼국시대의 염채

服飾の発達過程において、染色は重要な意味を持つ。上代社会に始まった染色は、当初は土・石・草、動物の血液などを表面に塗りつけるものであったと考えられる。その後、辰砂(しんしゃ)・緑青(ろくしょう)・紺青(こんじょう)などが発見され、また緑と青の製造過程で藍色が生み出され、木の実の汁を利用した浸染技術も習得されたであろう。

高句麗(コグリョ)の染色に関しては、《新唐書》(東夷伝高句麗)に国王の服が五采であったとあり、《翰苑》(蕃夷部高麗)には「高麗記曰く、人々は紫地纈文錦を生産し、これが最高級品であり、次は五色錦、次は雲布錦である。また白畳布・青布も織られており、美しい」とある。また、《通典》(辺防二東夷下)には「淵蓋蘇文(ヨンゲソムン)は髭を蓄えた顔にも威厳があり、体格も堂々としている。衣服・冠・履き物を金釆で飾っている」とあり、高句麗で五釆や防染技法が発達していたことがわかる。これらの記事は《日本書紀》などとともに、我が国の染織工が日本に渡ったことの傍証にもなる史料である。高句麗の染色技法は多様だったようで、鎧馬塚(ケマ)壁画人物の▶袍(ポ)の▶襈(ソン)(縁取り)に見られる紫地白斜格文(チャジベクサギョンムン)は蝋纈技法のようであり、狩猟塚(スリョプ)(梅山里四神塚(メサルリサシンチョン))壁画人物の袍に見られる黄地唐草紋(ファンジリダンチョムン)は抜染、人物の服装によく見られる点文は絞纈(こうけち)(絞り染め)と見られる。

百済に関しては、《旧唐書》(列伝東夷伝百済)に「官人の衣服に緋色の絵が描かれている」とあるが、これは単に染料で文様を描いたものであろう。

新羅の染色に関しては、《北史》(列伝新羅)に「衣服は白地に絵を描くことを好む」とあり、《▷三国史記(サムグクサギ)》(炤知麻立干(ソジダンチョ))には5世紀末の炤知王の代から錦繡・色絹を庶民が用いた記録があり、また《▷三国遺事(サムグクユサ)》には「28代真徳(チンドク)女王が太平頌を錦に刺繡し唐に贈った」と記されている。興徳王(フンドク)の代には、士女の衣服への夾纈(こう)(板締め)が禁じられ、短衣・袴・内裳・表裳・褙・内衣・半臂などへの刺繡や、内裳・表裳・褙などへの金銀泥も禁じられた。このような記録から、新羅(シルラ)では夾纈や刺繡・金銀泥が用いられていたことがわかる。

さんごくじだいのにほんへのかしひん
〔三国時代の日本への下賜品〕 삼국시대 일본에 전해 준 하사품

我が国と日本は地理的に近く、三国時代より文化交流が行われたが、これは服飾においても例外ではなかった。特に、百済(ベクチェ)と新羅(シルラ)から絹をはじめとする様々な物品が伝えられたとの記録が《日本書紀》に記されている。まず、神功皇后46年に百済の古爾(コイ)王が日本の使者に五色綵絹を贈り、仁徳天皇17年には百済から調絹1460疋その他雑貨が80隻の船舶で運ばれた。欽明天皇13年(552)には幡蓋若干が、推古天皇8年(600)には新羅から綿・絹・細布・霞錦・幡などが贈られ、持統天皇2年(688)には新羅の金霜林(キムサンニム)が綵絹・金銀・彩色など各種の珍貴な物品80種を贈った。これらの物品が、日本の織物と染色法の発展に大きな影響を及ぼしたものと見られる。

サムニュミョン
〔三旒冕〕 삼류면

天板に珠のれん状の冕旒(ミョルリュ)が垂らされた▶冕旒冠(ミョルリュグァン)のうち、冕旒が前後3本ずつのもの。それぞれの冕旒に

三国時代の染色　天馬図。新羅。6世紀ごろ。慶州天馬塚出土。白樺の樹皮に彩色。国立中央博物館所蔵。

は、赤・白・蒼の３色の玉を交互に12個通してある。→冕旒冠(ミョルリュグヮン)

サムニュミョン-サムジャンボク〔三旒冕三章服〕 삼류면삼장복

高麗(コリョ)時代に、大祝(テチュク)・太史令(テサリョン)・太常博士(テサンバクサ)・堂上(タンサン)協律(ヒョムニュル) などの官吏が着た▶祭服(チェボク)（祭祀服）。▶三旒冕(サムニュミョン)は、天板の前後に珠のれん状のものが３本ずつ垂れた▶冕旒冠(ミョルリュグヮン)で、それぞれの冕旒(ミョルリュ)に赤・白・蒼の３色の玉が交互に12個通してある。三章服(サムジャンボク)は、▶玄衣(ヒョニ)・纁裳(フンサン)・赤の▶蔽膝(ペスル)・▶白羅中単(ペンナチュンダン)・大帯(テデ)・綬(ス)・襪(マル)（▶ポソン）・烏(ソク)という構成だが、玄衣には▶藻(プンミ)（水草）と▶粉米の紋が、纁裳には黻紋（斧）の合計三章紋(サムジャンムン)が刺繍され、▶蔽膝には山紋が入れてある。

サムニュミョン-イルッチャンボク〔三旒冕一章服〕 삼류면일장복

高麗(コリョ)時代の▶祭服(チェボク)（祭祀服）の一つ。尚衣(サンイ)・奉御(ボンオ)・賛引(チャニニン)・賛者(チャンジャ)・通事(トンサ)・舎人(サイン)・御史(オサ)や、祭天儀式を行う円丘壇(ウォングダン)に五帝を迎える大祝(テチュク)など、祭祀に関わる官吏が着た。三旒冕(サムニュミョン)を被り、▶玄衣(ヒョニ)など一式を身に付けたが、▶纁裳(フン)に黻(プル)（亞字）の一紋が刺繍されており、一章服(イルッチャンボク)と呼ばれた。→三旒冕三章服(サムニュミョンサムジャンボク)

サムベ 삼베（あさぬの〔麻布〕）

大麻の靭皮繊維で織られた布。「ペ」とも、「麻(マ)」「麻布(マポ)」「布(ポ)」ともいう。三韓(サムハン)時代から用いられた我が国の代表的な織物で、平織にし、漂白せずごわごわした状態で使うことが多い。目の細かさは升数(スン)（経糸の本数）によって表すが、４升もの（経糸320本）や５升もの（経糸400本）などがある。

麻布の歴史は古く、《三国史》（魏志東夷伝(イェビョンハンチンハン)）に濊や弁韓・辰韓に麻があったと記されている。高麗(コリョ)時代には、雑織署に麻織職人が置かれ、朝鮮(チャプチクソ)後期の長編詩《漢陽歌(ハニャンガ)》（1844年頃）には咸興(ハムフン)五升深衣布(オスンシミポ)・六鎮長布(ユクチンチャンポ)・門布(ムンポ)・造布(チョポ)・安東布(アンドンポ)など、地方特産の麻布が登場する。各地の特産品の中でも、特に咸鏡道の六鎮地域(ハムギョンドユクチン)（鐘城(チョンソン)・穏城(ウンソン)・富寧(プリョン)・會寧(フェリョン)・慶源(キョンウォン)・慶興(キョンフン)）で生産された北布(ブクポ)は一疋が鉢に収まると言われるほど薄い上布で、「鉢内布(バルレポ)」とも呼ばれ重宝された。慶尚北道安東(キョンサンプクトアンドン)の安東布は夏服の生地に最適とされ、江原道の江布(カンポ)は目が粗く価格も安いので▶喪服(サンボク)に多用され、「喪布(サンポ)」とも呼ばれた。今日では、全羅南道谷城の▶トルシルナイと安東布の製織技術が無形文化財に指定され、伝承されている。→トルシルナイ

サムサンゴン〔三山巾〕 삼산건→㈠項風遮(ハンブンチャ)

サムスンポ〔三升布〕 삼승포

目の粗い三升(サンスン)（経糸240本）の麻布。主に▶喪服(サンボク)に用いられる。《▷五洲衍文長箋散稿(オジュヨンムンチャンジョンサンゴ)》（巻８冠衰弁證説）には、臣下が国王の喪に服するとき、次男以下が父親の相続者の喪に服するとき、父親が長子の喪に服するとき、妻が夫の喪に服するときに限り、三升布(サンスンポ)や三升半布(サンスンバンポ)の喪服を着たとある。

サムシン 삼신→㈠ミトゥリ（麻草履）

サムォン-チョジク〔三原組織〕 삼원조직（さんげんそしき〔三原組織〕）→▶織物組織(ンンムルチョジク)

サミ〔三衣〕 삼의（さんえ・さんね〔三衣〕）

僧侶が着る袈裟の３種類。五条の下品衣は安陀会(アンタフェ)、七条の中品衣は鬱多羅僧(ウルダラスン)、九条から二十五条の上品衣は僧伽梨(スンガリ)という。→袈裟(カサ)

サムジャ〔衫子〕 삼자

朝鮮(チョソン)時代の宮中女官の小礼服の一つ。上衣と下衣とがつながっている。《▷四礼便覧(サレピョルラム)》（巻１冠礼序立）に、「衫子(サムジャ)は俗称唐衣(タンイ)といい、膝まで丈のある細袖の女子の上服」とあり、唐衣と同じものと見ている。→唐衣

サムジャク-ノリゲ〔三作ノリゲ〕 삼작노리개

３個の▶ノリゲ（女性韓服用の房飾り）を一つにまとめたもの。３種の宝石それぞれに黄・藍・真紅の▶メ

サムベ 安東布。６・７・11・12・14升。国立民俗博物館所蔵。我が国に産する麻布のうち最も優れたもので、目が細かく赤みや黄みを帯びる。

サムフェジャン-チョゴリ〔三回装チョゴリ〕 삼회장저고리

三作ノリゲ　国立古宮博物館所蔵

ドゥプ（飾り結び）を垂らし、一組にまとめたもので、大きさにより大三作・中三作・小三作に分けられる。また、素材により金三作・銀三作・玉三作・翡翠三作・紫瑪瑙三作・密花三作（黄色の琥珀）などがあり、形により瓢箪形の飾りの付いたホリ瓶三作、宮廷遊戯で用いる壺をかたどった投壺三作、コウモリの飾りの付いたパクチュィ三作・蝶の飾りのナビ三作、童子三作などがある。

最も華麗な大三作ノリゲは宮中で大礼服に付けられたもので、中三作ノリゲは宮中や上流階級の▶唐衣に飾られ、小三作ノリゲは▶チョゴリ（上衣）の▶オッコルム（結び紐）に垂らした。また、ノリゲは季節ごとに使い分けられ、《▶四節服色自蔵要覧》によると、夏には玉の三作ノリゲを垂らし、春秋には紫瑪瑙・蜜花などを用いた。また、服や行事に合わせて素材が選ばれた。→ノリゲ

サムテギ-チマ　삼태기치마

朝鮮時代に、宮中で僕伊処の女官が履いた▶チマ（スカート）の格好。チマを腰に巻いて裾を右に回し、前面を両手で掴み脛が出るくらい吊り上げ、これを帯で止めてから、チマの上部両端を左右に引いて耳を出し、箕（サムテギ）のような形にする。僕伊処の女官は内殿のオンドルに火をつけたり、灯火の管理などが主な仕事であったため、品位を保ちながらも動きやすくするためにこのような履き方が考えられた。動きやすさのみを考えれば、▶チュリッテチマと呼ばれる妓女の履き方を少し上品にすることも考えられるが、宮中女官はチマが吊り上がる品のない履き方よりも、一般に比べ広いチマの幅を生かして、サムテギチマのスタイルをとるようになった。後ろから見ると両腰に耳が突き出ており、「蝶のようで美しい」と昔の女官たちに人気だった。（金用淑）

サムパルジュ〔三八紬〕　삼팔주

生糸で織ってから精錬した目の細かい平絹。朝鮮末期の高宗の葬儀（1919）で、大殮の際に遺体に着せる寿衣として、白三八紬の袷チョゴリが用いられた（《▶朝鮮王朝実録》純宗1922年4月13日）。

さんかんのふくしょく〔三韓の服飾〕　삼한의 복식

三韓、すなわち馬韓・弁韓・辰韓の服飾については、《後漢書》（巻85東夷列伝第75馬韓）に「早くより蚕業が発達し、瓔珠を珍重して服や首・耳に飾り、布袍・草履などを用いる」とある。同様の内容が《三国志》や《晋書》にも見られるが、特に《三国志》には革蹻蹋（革靴）の記載がある。辰韓は馬韓と風俗が類似し（《晋書》巻97列伝第67）、同じ服装をしていたと考えられるが、▶縑布（絹・麻の交織）が織られていたという。弁韓もまた辰韓と衣服・住居が似ていたとあるので（《三国志》巻13烏丸鮮卑東夷伝第30）、やはり同様の衣服を用いたと考えられる。

サムフェジャン-チョゴリ〔三回装チョゴリ〕　삼회장저고리

襟・脇・袖口・オッコルム（結び紐）に別色の布を用いた▶チョゴリ（上衣）。本体には主に黄色を用い、襟・オッコルム・脇には紫朱色（赤紫）、袖口には紫朱色や藍色を用いた。藍色のチマ（スカート）と黄色の三回

三回装チョゴリ　1700年代。身丈35cm、裄74cm、身幅53cm。国立民俗博物館所蔵。襟はタンコ襟で、身頃は緑の菊花紋緞。襟・袖口・脇は薄い赤紫の無紋緞である。

1890～1910年頃のもの。身丈18.5cm、裄62.5cm、身幅39cm。淑明女子大学博物館所蔵。身頃は黄色の無紋緞、襟・脇・コルム・袖口は紅色である。この時期のチョゴリは身丈が非常に短く、袖も細い。

サプクムデ〔鈒金帯〕 삽금대

装 チョゴリの組み合わせが上等の礼服とされ、朝鮮時代の婦人はめでたい席に好んで着て出た。→チョゴリ

サプクムデ〔鈒金帯〕 삽금대
彫刻した金色の装飾板を付けた帯。朝鮮時代に正2品官が▶朝服(朝賀服)・▶祭服(祭祀服)・▶常服(執務服)の上に締めた。▶ティドンと呼ばれる装飾板は方形や円形で、▶宝相華紋・唐草紋に鳥や牡丹・菊・蘭などが彫られた。→ティ(帯)・品帯

サプトゥンジャ〔鈒鐙子〕 삽등자
馬に乗った者が両足を載せる鐙に文様が彫られたもの。朝鮮時代の睿宗元年(1469)7月に庶民の使用が禁じられた。(《▷朝鮮王朝実録》睿宗元年7月庚寅)

サブ〔揷羽〕 삽우
▶鳥羽冠・▶戦笠・▶朱笠などの冠帽に飾りとして挿された羽根。→孔雀羽

サブンデ〔鈒銀帯〕 삽은대
彫刻された銀板で飾った帯。朝鮮時代に、正3品官が▶朝服(朝賀服)・▶祭服(祭祀服)・▶常服(執務服)の上に締めた。→品帯

サペ〔靸鞋〕 삽혜
爪先が長く踵のない革靴。朝鮮時代に上流階級で用いられ、専門職人(靸鞋匠)がいた一方で、儒学生や商人・職人・下人には着用が禁じられていた。(《▷大典後続録》巻5刑典禁制)

中国では、夏・殷・周時代には革で作られていたが、秦の始皇帝2年に蒲が使われはじめた。その後、梁の天監年間(502〜519)に武帝が糸を用い、解脱履と呼ばれた。我が国では、《▷高麗史》に初めて現れる。→シン(履き物)

サプァークムデ〔鈒花金帯〕 삽화금대
花紋を彫刻した装飾金板の付いた帯。高麗禑王13年(1387)に一品官が▶紗帽・▶団領とともに用い(《▷高麗史》輿服志)、朝鮮時代の世宗2年(1420)2月には、国王が中国への使節である奏聞使・謝恩使に鈒花金帯・黒斜皮靴を下賜した(《世宗実録》)。→品帯

鈒花金帯

サプァーウンデ〔鈒花銀帯〕 삽화은대
花紋を彫刻した小さな装飾銀板の付いた帯。高麗時代に正・従3品官が▶紗帽・▶団領とともに用いた。(《▷高麗史》輿服志)→品帯

サッカッ 삿갓
竹ひごや葦で編んだ▶カッ(笠)。▶農民が用いる農笠、雨天に被る雨笠、庶民階層の女性が外出時に被る▶婦女サッカッ、僧侶が被るテサッカッ、尼僧が被る細デサッカッなどがある。編み方は、一定の長さに揃えた幅8mmほどの竹ひごなどで、頂部から下に向けて円錐形に編んでゆき、縁が六角形になるようきれいに整える。被るときは中に▶ミサリと呼ばれる型を入れ、頭に固定する。→カッ(笠)

サン〔裳〕 상
①女性が履く▶チマ(スカート)のこと。裳に幅を足し美しく仕立てたものを▶裙という。平安南道南浦市にある高句麗古墳の双楹塚羨道東壁

鈒金帯

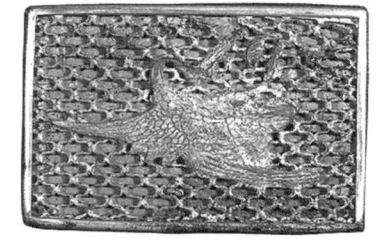

鈒金帯ティドン 鳳凰。明安公主遺品。

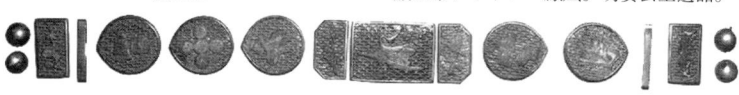

鈒金帯ティドン 朝鮮。17世紀。江陵市立博物館所蔵。明安公主遺品。鈒金帯はふつう紅色の絹帯にティドンを付ける。これはティドンのみ伝わるものだが、十長生紋・花紋・七宝紋などが彫られている。

サッカッ 温陽民俗博物館所蔵。

じょうこのふくしょく〔上古の服飾〕 상고 복식

壁画で3人の貴婦人が履いている裳は、腰から裾まで襞が細かく入っている。同じく平安南道の高句麗古墳である水山里古墳壁画には、長い襦(スサルリ)(上衣)と裳を着て日傘をさした貴婦人が描かれているが、他の裳と異なり襞の間隔が広く、別色の布をつなげたように見える。また、従者は襈(ソン)(縁取り)のある襞の細かい裳を履いている。

裳は、三国時代までは女性専用であったが、統一新羅(シルラ)時代に唐の服飾が取り入れられて男性も上衣に裳のつながった服を着るようになり、朝鮮(チョソン)時代に至っては、国王以下文武官が礼服に裳を用いた。このころの裳は前布と後布とが分かれており、前三幅・後四幅の七幅を削幅(サクポク)と呼ばれる帯に垂らしたものである。腰には無数の襞があり、また前後の布には緆(ソク)と呼ばれる細い布で縁取りをしてあり、両脇のものは紳(ピョク)、下のものは文紳(ムンピョク)と呼ばれる。大韓帝国末期の高宗(コジョン)の十二章服(シビジャンボク)では、明の皇帝の袞服の裳を真似て、繡裳に火・宗彝(ソンイ)(祭器)・藻(チョ)(水草)・粉米・黼(ブンミ)(ボ)(斧)・黻(ボル)(亞字紋)の六章紋を刺繡した。火・宗彝・藻が2行、粉米・黼・黻が2行の計4行が刺繡されたが、前後の布がつながって帳(とばり)のように見えたという。(《大明会典》巻60礼部18冠服1・《増補文献備考(チュンボムンホンピゴ)》巻79礼考26章服1)

②朝鮮時代に、宮中などでの宴会で蓮花台(ヨンファデ)を舞う童女が履いたチマ(スカート)。紅色の羅で仕立て、上段には緑羅、腰周りと腰紐には紅羅を用い、金花紋を施した紅羅・緑羅の流蘇(ユソ)(房飾り)を六つ垂らした。礼宴で妓女が丹衣(タニ)を着たときに履くチマは、紅色の絹で仕立て、金花紋を施した各色の流蘇を八つ垂らした。(《楽学軌範(アカククェボム)》)

サンガプ〔裳甲〕 상갑
鎧の一つ。鉄の札(さね)をつないだもので、両足を守るために腰にスカートのように巻きつける。朝鮮時代に呂攀(ヨバン)(1699～1773)将軍が着ていたものが、兜(カビ)や甲衣(ワンガブ)・腕甲とともに残されている。→カボッ(鎧)

じょうこのふくしょく〔上古の服飾〕 상고 복식
我が国の上古の服飾に関する文献記録としては、《三国志》(魏志東夷伝)に粛慎(スクシン)・沃沮(オクチョ)などで皮衣を着ていたとの記事がある。また養蚕が行われ、苧麻・麻などの繊維類が存在していたことから、衣料の生産が行われていたと見られるが、4・5世紀の高句麗(コグリョ)壁画には上衣と下衣が分離した東胡(トンホ)の服飾形態が見られ、当時の服飾文化がかなり発達していたことを思わせる。漢の服飾様式である襈(ソン)(縁取り)が高句麗壁画の服飾に見られることから、すでに当時から中国の服飾が我が国に影響を与えていたことがわかる。

我が国の服飾は、上古から今日に

裳① 裳を履いた貴婦人。水山里壁画西壁。

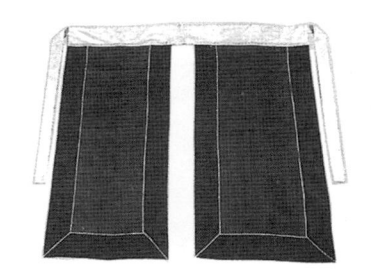

裳② 文武官が礼服に締めた裳。重要民俗資料第2号。石宙善紀念民俗博物館所蔵。

裳甲 呂攀将軍(1699～1773)寿字紋皮甲冑。慶尚北道星州郡、呂相鎧氏所蔵。丸襟で胸中央で打ち合わせにした甲衣と、鉄札をつないだ腕甲との組み合わせ。裳甲は楕円形の革札をつなぎ、真鍮の鋲で上下を留めてある。

サングンボク〔尚宮服〕 상궁복

至るまでその基本構造に大きな変化はない。すなわち上衣・下衣・▶袍の三分構造は二千年の間変わりなく、冠帽が重要視されることも古くからの伝統である。上古の服飾のうち、▶金冠(クムグァン)は南ロシアのスキタイ起源と推測されるが、一般的な冠帽は白樺帽(ペクァモ)であり、モンゴルや高句麗などの▶折風帽(チョルプンモ)、新羅(シルラ)の白樺帽、日本の上古の冠帽が類似した形態を示している。帯も皮製や布製で、当時は上衣の丈が尻まであったので、帯は必須であった。金冠(クムグァン)とともに用いられる▶銙帯(クァデ)は、実用性をもつ一方で呪術的性格を帯びていたと見られる。この他上古には、首飾り・腕輪・指輪などの装身具や、ポソン(足袋)・チプシン(草鞋)・革靴などが用いられていた。このような上古の服飾は後に中国の影響を受けたが、基本的な構成には大きな変化が見られなかった。(金東旭(キムトンウク))

サングンボク〔尚宮服〕 상궁복

朝鮮(チョソン)時代に、▶内命婦(ネミョンブ)の正5品女官であった▶尚宮(サングン)の服装。普段着には玉色(オクセク)(水色)の▶三回装(サムフェジャン)チョゴリに藍色の▶チマ(スカート)、真緑色(チンノクセク)(若竹色)の▶唐衣(タンイ)を着た。唐衣は王妃や側室と区別するために金箔を用いず、頭は▶チョプチモリ、靴は▶青玉唐鞋(チョンオクタンヘ)や▶紅玉唐鞋(ホンオクタンヘ)を履いた。→宮女服(クンニョボク)

サンニプ〔喪笠〕 상립

喪中に被るカッ(笠)。外出用としては、底の広い角錐型の▶方笠(パンニプ)、周囲に鍔のある▶ペレンイ・▶白笠(ペンニプ)がある。方笠は我が国固有の笠であり、ペレンイは士大夫が喪中の遠出に方笠の代用としたり、死後2年目の祭祀を終えてからその約3か月後の禫祭(タムジェ)までの期間に被った。白笠は士大夫が上記の期間に被ったり、庶民が国葬に被って喪に服していることを表した。→喪服

サンモ〔象毛〕 상모

稲穂のような形の赤い房。「槊毛」とも表記される。▶戦笠(チョルリプ)の頂や、旗・槍などの先に付けられた。戦笠の場合は頂部に竹や玉の飾りを付け、その先に垂らした。《▶星湖僿説(ソンホサソル)》(巻5万物門)には「鳥の羽根を様々な色に染め、戦笠に飾ったり馬のくつわに飾るが、通称象毛(サンモ)という」とある。

上宮服 尹妃と上宮。1906年。純宗皇后尹妃が上宮や大臣夫人たちと親蚕式後に撮影した写真。上宮たちはミンチョクトゥリを被り唐衣を着ている。

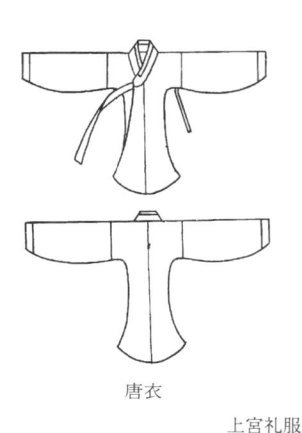

唐衣

上宮礼服

象毛 戦笠。全南大学博物館所蔵。

サンボク〔常服〕 상복

朝鮮(チョソン)時代に、国王や文武官が普段の執務時に用いた服装。王と世子(皇太子)は▶翼善冠(イクソングァン)を被って▶袞竜袍(コルリョンポ)をまとい、文武官はふつう▶紗帽(サモ)・▶

サンボク〔喪服〕 상복

団領（<外衣）・胸背（胸・背の標章）・革帯・白襪（白足袋）・挾金靴などを用いた。常服の基本である紗帽・団領は、高麗時代末の禑王13年（1387）に使臣の偰長寿が明の皇帝から下賜された紗帽・団領を着て帰国したのが契機となり、鄭夢周の建議により制度化されて以降（《增補文献備考》巻79礼考26章服1）、次の朝鮮時代を通して用いられた。また、胸背は15世紀前半の世宗の代より論議され、端宗2年（1454）に制度化された（《朝鮮王朝実録》端宗2年12月丙戌）。団領の色は、当初公服（国王謁見服）と同様であったが、後に黒団領に統一され、品帯は朝服（朝賀服）と同様であった。すなわち、朝鮮王朝の開祖太祖の代に定められた公服制度は、1～2品官が紅袍、3～6品官が青袍、7品官以下は緑袍で（《朝鮮王朝実録》太祖元年12月）、常服にもこの色が用いられたと思われる。1485年刊行の《経国大典》でも、1～正3品官は紅袍、従3～6品官は青袍、7～9品官は緑袍と大きな変化はない。18世紀の英祖の代の《続大典》では、3品官以上が淡紅袍、4品官以下は紅袍となり色使いが変わったが、正祖の代の《大典通編》では再び3品官以下の袍を青袍・緑袍とした。文禄・慶長の役以降には黒団領に統一されたが、これは李裕元の《林下筆記》によれば宣祖32年（1599）のことであった。胸背は、当初正3品以上の堂上官のみが付けたが、燕山君11年（1505）からは9品官までが用いるようになった（《燕山君日記》巻60燕山君11年11月甲辰）。その後、朝鮮時代末期の1895年の常服改定によって、文官はトゥルマギ、武官は戦服をまとって糸帯を締め、カッ（笠）を被り、木靴を履くこととなった。同 穿執→官服

サンボク〔喪服〕 상복

喪中に着る礼服。人が死んだ当日に遺体を洗う襲、翌日遺体に寿衣を着せる小殮、翌々日に遺体を包み入棺する大殮を終えると、遺族はその翌日に喪服に着替えるが、これを成服という。成服は死者との間柄の親疎・尊卑により、斬衰服・斉衰服・大功服・小功服・緦麻服の五服を着分ける。そして、最長2年2か月にわたり喪に服するのである。

男性の喪服は、冠・孝巾・衰衣・裳・中衣・行纏・首経・腰経・絞帯・杖・チプシン（草鞋）などからなる。衰衣は粗い麻布で仕立てた広袖の服で、涙を拭くための衰と呼ばれる布を左胸に付ける。その上に前3幅・後4幅の裳を腰に締めて垂らし、麻帯を締め、脛には麻の行纏を巻き、屈巾を被り、喪杖を突く。喪中に外出するときには、トゥルマギの上に麻の深衣をまとい、麻帯を締め、布網巾と頭巾の上に方笠を被り、顔を隠すために布扇を持つ。

女性の喪服は、冠・衰衣・裳・首経・腰経・絞帯・杖・ミトゥリ（麻草履）などであるが、やはり粗い麻布で仕立てたチマチョゴリの上に大袖長裙をまとう。大袖長裙は広袖で、腰から下の身頃は前後6幅ずつで、背中に負板と呼ばれる大きな布が付けられている。腰には布帯・麻帯を締め、宗家の長男の妻や既婚者は大袖長裙を着て白のチョクトゥ

国王の常服

時代 職位 構成	世宗（朝鮮王朝実録）	英祖（国朝続五礼儀）		高宗（増補文献備考）	
	国王	国王	王世子	皇帝	皇太子
冠	香皂縐紗翼善冠	毛羅で包む	国王と同一	頂前低後高烏紗帽	烏紗折角向上巾
袍	紅色	大紅緞・大紅紗	黒緞・黒紗	黄色盤領窄袖	赤色盤領窄袖
帯	玉帯	玉帯（雕玉）大紅緞で包む	玉帯（無彫刻玉）黒緞で包む	玉使用	玉使用
靴	皂鹿皮靴	皂鹿皮靴 黒黍皮	国王と同一	革使用	革使用
補	四爪竜	五爪竜	四爪竜	金織盤竜	金織盤竜

サンボク〔象服〕 상복

喪服 死者の息子などの喪服。外出時には方笠を被り布扇を手にする。

屈巾祭服・大袖長裙 石宙善紀念民俗博物館所蔵。

リを被り、チプシン（草鞋）を履き、未婚者は中衣を着て、頭に首経を締めた。また父親の喪には、服の布端をかがるだけで済ませ、母親の喪の際には布端を内側に一度折ってぐし縫いした。このように、喪服は死者との親疎によって、布の材質のみならず裁縫の仕方を使い分けた。→喪服制

サンボク〔象服〕 상복
「象」は礼儀作法にかなうという意味で、王妃の服飾を指す。（《▷朝鮮王朝実録》成宗3年1月）

サンボク〔殤服〕 상복
朝鮮時代の▶喪服の一つ。8歳から19歳までの子に死なれたときに着た。未成年者の子が死ぬことを「殤」というが、その年齢により16歳～19歳を長殤といい▶大功服を、12～15歳を中殤といい▶小功服を、8～11歳を下殤といい▶緦麻服を着た。→喪服制

サンボクチェ〔喪服制〕 상복제
家族や親戚が死んだ際に、その間柄に基づき一定期間定められた喪服を着て喪に服す制度。▶喪服は、▶斬衰服・▶斉衰服・▶大功服・▶小功服・▶緦麻服の5等級に別けられ、これを五服という。これが法制化されたのは高麗時代の成宗4年(985)であるが、これは官吏に与える休暇期間を規定したに過ぎなかった。その後、顕宗による制度の整備を経て、高麗時代末期の恭譲王3年(1391)に《大明律》を手本として服飾制度が一新された。このように喪礼を国法で規定することは朝鮮時代にも継承され、《▷経国大典》にも五服制度が細かく規定された。

五服の名称は、服の形に由来する。すなわち斬衰服は最も粗い麻で仕立て布端を縫わないが、斉衰服は布端を折り返して縫い、以下大功服・小功服・緦麻服の順に麻布の目が細かくなる。斬衰服は父・夫の喪に着る服で、その期間を3年（足かけ2年）とし、斉衰服は母の3年喪（足かけ2年、父に先立った母の喪には1年）から妻の1年喪まで、喪の期間が5段階に分かれていた。衰服とは原則的に直系尊属の喪に着る服で、高祖父母の場合その着用期間は3か月に過ぎないが、喪に服す期間は9か月である。大功（9か月・7か月）以下、小功（5か月）・緦麻（3か月）まで、喪服を着るよう定められた有服親の範囲は、直系4代までと、卑属及び傍系は8親等まで、姻戚は母方の祖父母、母の兄弟の子、妻の両親、婿などである。

嫁いだ女性は、嫁ぎ先の家族に対する喪服制度が夫とほぼ同じである反面、実家に関するそれは簡易であり、また養子に出た者の生家に対する服制も簡易だった。その他、妾の服制や未成年者が死んだときの三殤、すなわち長殤・中殤・下殤の服制があった。このように、喪服制度は封建的大家族制度の根本精神ともいえる父系中心主義に根拠を置いたもので、嫡出と庶出、年齢などの区別が厳格であった。

サンソ〔緗素〕 상소
白い絹を淡黄色に染めた織物。古代には、書籍の表紙に多用された。

サンアヨン〔象牙纓〕 상아영
象牙製の▶カックン（笠紐）。象牙を

サントゥグァン〔サントゥ冠〕 상투관

細い円筒形に削ったものと玉形に削ったものに孔を開け、交互に紐に通したもの。→カックン

サンアホル〔象牙笏〕 상아홀
(げしゃく〔牙笏〕)
象牙製の▶笏。朝鮮時代に、1品官から4品官までが▶朝服(朝賀服)・▶祭服(祭祀服)・▶常服(執務服)着用時に手にした。長さ1尺(約30cm)、幅2寸(約6cm)ほどである。(《▷経国大典》巻3礼典儀章)→笏

サンユックン-チュアウウィジャングンボク〔上六軍左右衛将軍服〕 상육군좌우위장군복
高麗時代に、宮殿を守る衛将軍が着た服。黒革製の鎧を着て鉄製の兜を被り、五色の花紋を刺繡した帯を締めて、腰には矢と刀を下げた。(《▷宣和奉使高麗図経》巻11)

サンイジャン〔上衣欌〕 상의장
外衣などを掛けておく箪笥。▶衣欌に似るが、低く小さい。上段の扉は左右に、下段の扉は上下に開け閉めする。衣欌同様に漆を塗り、螺鈿や鏡などで飾ったものもある。→衣欌

サンジャン〔喪杖〕 상장
葬礼で喪主が突く杖。父親の喪には竹製の杖を、母親の喪には桐製の杖を用いる。→喪服

サンジャン-チェド〔喪葬制度〕 상장제도 (そうそうせいど〔葬喪制度〕)
葬儀など、喪中に行われる全ての儀式。朝鮮民族が葬礼を手厚く執り行うという事実は、昔から中国でも知られていた。三国時代初期まで殉葬が行われていたが、新羅では502年に殉葬を禁じたという記録がある。一方、高麗時代には仏教の影響を受けて火葬が盛んに行われるようになり、末期には社会秩序を取り締まる司憲府が禁止を訴えるほどになったが、朝鮮時代には僧侶を除いてみな土葬するようになった。

一方、喪に関してはいち早く高句麗・百済で父母の死後に3年の喪に服したといい《東国文献備考》、高麗成宗の代には、斬衰3年、斉衰3年、大功9か月、小功5か月、緦麻3か月の五服制度を定めたが、実際は官吏の休暇制度に過ぎず、一般的には父母の場合でも喪は百日であった。《朱子家礼》に基づいて家廟を建て3年の喪に服することは、高麗末の鄭夢周など儒学者の一派により始められたものと見られる。恭譲王3年(1391)に《大明律》に基づき決められた喪制では、父母の喪には2年間毎月1日と15日に祭祀を執り行い、1年目の忌日に小祥祭を、2年目の忌日に大祥祭を、その2か月後の晦の日に禫祭を行い、翌1日に喪服を脱ぐが、2年余りの喪中には妻を娶ることも宴に加わることも許されないという内容で、これは朝鮮時代にも受け継がれた。民間に広く行われた喪礼は、土葬の後に3回の虞祭と卒哭を行い、1年目の小祥、2年目の大祥とその2か月後の禫祀が終われば神位を家廟に置いて祔祭を行い、2年余りの喪が完全に明けるというものであった。

サンチム〔上針〕 상침
装飾的裁縫技法の一つ。等間隔をおいて返し縫いを2針刺すトゥッタムサンチム、3針刺すセッタムサンチムなどがある。主に座布団などを作る際に、丈夫で美しく縫うために用いる。→パヌジル(裁縫)

サントゥ 상투 (まげ〔髷〕)
髪を頭頂で結った、成人男性の髪型。三国時代より近世の開化期まで、我が国の成人男性に広く用いられた。サントゥを結った後、その上にトンゴッと呼ばれる髷止めを挿す。士大夫は頭の鉢回りに▶網巾を締め、その額の部分に冠帽を固定するための▶風簪を付けて、その上に▶カッ(笠)など様々な冠帽を被ったが、庶民は網巾の代わりに手ぬぐいを被ることも多かった。しかし、高宗32年(1895)11月に断髪令が下され、サントゥを結う風習はさびれていった。高句麗古墳の角抵塚や舞踊塚の壁画にもサントゥが見られるが、基本様式は朝鮮時代のものと同じである。新羅の遺物でも、慶州市の金鈴塚出土の騎馬人物形土器に見られる。幼くても結婚すればサントゥを結ったが、未婚の男性が結うサントゥは「コンサントゥ」(見掛け倒しのサントゥ)と呼ばれた。

サントゥ サントゥを結って網巾を締めた姿。

サントゥグァン〔サントゥ冠〕

상투관

朝鮮時代に、▶サントゥ（髷）の上に被った小型の冠。サントゥをむき出しにするのは礼儀に反するとされたために用いられた。高さ7cm・直径5cmほどで形は多様だが、普通は各種の冠を縮小した形をしている。素材には、布や厚紙、牛の角などが用いられた。

サントゥ冠

サントゥーピッ　상투빗

▶サントゥ（髷）を結う際に用いる、目の粗い小型の片歯櫛。→ピッ（櫛）

サンポ〔上布〕　상포

苧麻・大麻・亜麻などを平織にした▶麻縮（麻のしぼ織）の上等品。

サンポ〔常布〕　상포

その時代ごとに最も多用された布を指す言葉。布は、用いられた経糸の本数で目の細かさを表し、これが実質的に品質を表すが、時代によって常布の目の細かさは変動する。たとえば朝鮮世祖6年（1460）の1次《経国大典》の戸典国幣の条では、布・紙を貨幣として三等級に分け、五升布（経糸400本の布）を上等、三升布（経糸240本の布）を中等、楮貨を下等としたが、この時の三升布が常布に当たる。（《▶朝鮮王朝実録》世祖6年8月乙卯）

サンポ〔紬袍〕　상포

淡黄色の▶袍（＜外衣）。高麗時代に国王が▶常服（執務服）に用いた。《▶宣和奉使高麗図経》（巻7 王服）に、高麗王は常服として▶烏紗高帽に窄袖絅袍を用い、金糸・青糸で刺繍をした紫羅勒巾を締めたとある。

セ　새→同升

セバルットゥギ　새발뜨기（ちどりがけ〔千鳥掛け〕）

裁縫技法の一つ。地布と折り代を交互に針を返しながらすくい、裏にはジグザクの縫い目が出る。布端を丈夫に美しく纏めるために用いる。→パヌジル（裁縫）

セアンモリ　새앙머리→同センモリ

セクトン〔色トン〕　색동

1枚の布を五色に染めたり、五色の絹布をつないで仕立てた子供用チョゴリの袖。また、これらの布。→色トンチョゴリ

セクトン-チョゴリ〔色トンチョゴリ〕　색동저고리

袖が五色の縞模様になった▶チョゴリ（上衣）。1歳の誕生日など、祝い着として子供に着せる。袖の色は▶五方色を基本とし、赤（南）・青（東）・白（西）・黄（中央）に緑を加えた五色が用いられた。1歳の誕生日には男児・女児の区別なく身頃の長い色トンチョゴリを着せ、女児には紫、男児には藍色の帯を締めさせた。宮中では、4月8日に幼い王子に五色絹の▶トゥルマギ（＜外衣）を着せたこともあり、現在国立古宮博物館に1点が保存されている。

セクス〔色袖〕　색수

赤・黄・青などの布を縫いつないだ袖。

センギョン〔生絹〕　생견（きぎぬ〔生絹〕）

生糸を精練・漂白しないで手織りにした絹織物。夏服の生地として用いられる。同生明紬

センギョン-チンムル〔生絹織物〕　생견직물→同生絹

センゴサ〔生庫紗〕　생고사

生糸で織られた絹織物の一つ。経・緯糸いずれも生糸で、地組織は綾織、文様組織は平織で、薄く軽い。精練・染色して使う。

セクトンチョゴリ　文化学園服飾博物館所蔵。身丈26.3cm。桁27cm。襟肩明き11cm。セクトンは赤紫・青・桃・藍・黄の五色。襟と結び紐は赤紫で、「彭祖之寿、汾陽之慶、百福同収」などの文字が金箔で施されているが、彭祖は堯の臣下で殷の末期まで700年生きたという仙人で、長寿の願いが込められている。汾陽は堯の皇帝が汾陽に来て仙人に会い、皇帝の座を明け渡したとの故事によるもので、祝い事を望む気持ちが込められている。結び紐には寿福の吉祥語紋が、袖口・肩・衽などには花紋が金箔で施されている。金箔やセクトンの形態から、士大夫の子供が着たものと見られる。

生庫紗

センダンモク〔生唐木〕 생당목

綿織物の一つ。精練していない、黄色みを帯びた粗い綿布。

センノバン〔生老紡〕 생로방

精練していない▶老紡紬。老紡紬とは、経・緯糸ともに生糸の平絹である。

センモリ 생머리

朝鮮(チョソン)時代の未婚女性の髪型。両班(ヤンバン)(文武官一族)階級の女性が▶進見服(チンヒョンボク)(国王謁見服)を着たときに結い、朝鮮時代末期には幼い女官の髪型であった。一組の入れ髪をそれぞれ結って下から巻き上げ、後頭部に載せ、紫朱色(チャジュセク)(赤紫)の▶テンギ(帯状の頭飾り)を結ぶ。宮中で国王・王妃の日常生活を世話する▶至蜜内人(チミルナイン)は4本、針房(チムバン)・繡房(スバン)の女官は2本で結った。両班家の女性は、元旦・冬至や国王の誕生日に宮中に入るときに、センモリに石黄(セキオウ)を飾り付けたり、▶トルジャム(揺れ簪)を挿した。18世紀末の正祖(チョンジョ)の代に、▶加髢申禁(カチェシングム)節目で未婚女性のセンモリを禁じた。〓糸陽髻(サヤンゲ)・セアンモリ→モリモヤン(髪型)

センモシ〔生モシ〕 생모시

カラムシ織の一つ。経・緯糸にカラムシ糸を用い平織にしたもので、精練・漂白していないもの。ふつう黄色味を帯び、夏服の生地として用いられる。我が国特有の美しく涼しげな風合いの布だが、洗濯・糊付け・アイロンなど手入れに時間が掛かる。〓生紵(センジョ)→モシ

生モシ 朝鮮時代。1458年。黒石寺阿弥陀仏像内納入織物。

センモク〔生木〕 생목→〓ソヤンモク〔西洋木〕

センサ〔生糸〕 생사(きいと〔生糸〕)

絹糸の一つ。繭から引き出した糸を1本に合糸したまま、精練していないもの。ふつう無撚糸を指し、白糸と黄糸の2種類がある。織物を織る際には、数本を片撚りか諸撚りにして用いる。通常一つの繭から出る生糸の長さは600〜700mである。朝鮮時代の中宗(チュンジョン)11年(1516)には贅沢が広まり、白糸を中国から買い入れ絹を織る者が増えたため、これを禁じたこともあった。(《▶朝鮮王朝(チョソンワンジョ)実録(シルロク)》中宗11年5月己酉)

センソガプサ〔生素甲紗〕 생소갑사

絹織物の一つ。生糸で織った紗織の無文絹。→甲紗(カプサ)

センス〔生繻〕 생수

生糸で織った有文の絹布。女性の▶チマ(スカート)の生地として愛用された。

センジョ〔生苧〕 생저→〓センモシ

センチョ〔生綃〕 생초(きぎぬ〔生絹〕)

生糸で織った絹織物の一つ。目が細かくて薄いがこわばった地合いで、夏服や冠帽類、▶具軍服(クグンボク)などの生地として用いられた。

センピョン〔生平〕 생평

経・緯糸ともに苧麻・大麻・亜麻などで織った平織の布。ふつう製織後に精練・漂白し、染めずに用いる。麻織物は、一般的に経・緯糸に同種の手紡糸を用いたものを本製品(ボンジェブム)といい、経糸に紡績糸、緯糸に手紡糸を用いたものを半洋品(バニャンプム)、経・緯糸に紡績糸のみを用いたものを洋品(ヤンプム)という。

センハプジュ〔生合紬〕 생합주

経糸に生糸、緯糸に練糸を用いて織った絹織物。

センハンラ〔生亢羅〕 생항라→〓タンハンラ(唐亢羅)

センファル-チャス〔生活刺繡〕 생활자수

身の周りの生活用品を美しく装飾するために用いられる刺繡の総称。用途が多様なだけではなく、他の刺繡作品に比べ現存する伝世品が多く、接する機会も多い。朝鮮(チョソン)時代に生活

センモリ

245

刺繍が施されたものの種類を次に列挙する。

① ▶ペゲンモ：筒型や直方体の枕の両脇を飾るペゲンモは、庶民社会で婚礼の必需品とされた。文様には格別な願いが込められたが、仲睦まじい幸せな暮らしを願う吉祥文様や文字がよく用いられた。刺繍文様によって、金必鐘・鼓楽枕・寿福多男枕・十長生枕・虎枕・松竹枕・雲鶴枕・鳳枕・蓮花枕・牡丹枕・太極枕・蓮花盆栽枕などと呼ばれる。② 繡方席：婚礼用の駕籠の中に敷かれたと思われる座布団と、王室で使われた座布団が残されている。駕籠の座布団は、藍色の絹地の中心に八角形の卍字紋が刺繍され、四隅には蓮の花、その周りにまた卍字紋が刺繍されている。③ チュモニ（巾着）：母親が子供の1歳の誕生日に、美しいチュモニを作り中に豆を入れる風習があった。また、結婚式や正月の子の日・亥の日に各色の絹でチュモニを作り、これを親戚や目下の者に分け与えたという。十二支の初めの子の日と最後の亥の日にチュモニを作るのは、1年間の福禄をそのチュモニに込めるという意味がある。形により▶トゥルチュモニ（丸巾着）・▶クィチュモニ（角巾着）・時計チュモニ（時計入れ）など、その用途は多様である。また、刺繍された文様によって、山水紋チュモニ・梅花紋チュモニ・五福チュモニなどに分類されるが、大部分は富貴・長寿・吉祥紋が施される。④ ▶スジョジプ：匙箸入れで、長生紋と牡丹・菊・蓮の花の文様が前後に刺繍されている。⑤ プッチュモニ：細い長方形の筆入れで、数本の筆が入る。⑥ ポソンチュモニ：ポソン（足袋）の型紙をしまう袋。布の四つの角を中央に折り合わせた形で、組紐ボタンが付いている。韓紙や厚紙で作ったポソンの型紙を折って入れた。ふつう蓮花・梅花・菊花紋が刺繍されるが、鶴紋を入れたものもある。⑦ ▶眼鏡ジプ：楕円形のメガネ入れで、紙を張り合わせた固いものと、布製のものがある。長寿・吉祥を意味する文字や、蓮の花・梅の花・竹・蘭・鶴などの文様が緻密に刺繍されている。⑧ 繡プチェ：婚礼の際に顔を隠すのに用いられた扇。⑨ パヌルジプ：針入れで、ザクロ形・眼鏡ジプ形・ひさご形など色々な形がある。長短の針を保管し、また目立つように、実用性と装飾性を兼ねている。⑩ コルム：裁縫で用いられる指貫で、針・糸などとともに生活必需品であった。絹布に梅の花・牡丹・ザクロ・鳳凰などの文様を刺繍し、裏に紙を張り、指貫の形に縫い合わせる。

この他、婚礼で新郎の生年月日時を記した四柱単子を包むポジャギ（袱紗）、布団を包むイブルポ、帯・ヨルスェゴリ（鍵挿し）、風除けとして部屋に張る房帳、インドゥパッチム（コテ置き）、インドゥパン（コテ板）など、様々なものに生活刺繍が施された。→刺繍

サガク〔犀角〕 사각

サイの角。稠密で、黄色や黒の花模様がある。帯や装飾品に多く用いられるが、朝鮮時代には、文武官の品階を表す▶品帯の装飾板にされた。

ソグァンボク〔庶官服〕 서관복

高麗時代に、6品以下の下級官吏である庶官が着た▶公服。緑衣に黒い革帯を締め、▶幞頭を被り、木笏を手にした。《宣和奉使高麗図経》巻7）→高麗の服飾

ソデ〔犀帯〕 서대

サイの角で飾った帯。▶玉帯に次ぐ高級品であった。13世紀末の高麗忠烈王の代には6品官以上が用いたが《増補文献備考》巻79礼袴26章服1）、朝鮮時代には1品官の朝服（朝賀服）・祭服（祭祀服）・公服（国王謁見服）・常服に用いられた《▶経国大典》礼典儀章）。世宗8年（1426）2月には「王世子が臣下の賀礼を受ける際に、公服として▶幞頭・▶紅袍・犀帯・象牙笏に黒靴を履く」との記録がある。→ティ（帯）・品帯

犀帯

ソリボク〔書吏服〕 서리복

書吏の執務服。書吏は、高麗・朝鮮時代に中央や地方の官庁に属した下級官吏で、「夷胥」「夷属」「衙前」とも呼ばれる。高麗時代には、録衣を着て▶幞頭を被り、木笏を手にしたが、録衣の色は濃いもの薄いものを使い分けた《▶宣和奉使高麗図経》巻1）。朝鮮時代には▶無角平頂巾を被って青の▶団領をまとい、▶トア（紐帯）を締めたが《▶経国

繡箱子　温陽民俗博物館所蔵。刺繍した布で包まれた木箱で、ノリゲなどの装身具が入れられた。正面中央には寿福紋とその周囲に4匹のコウモリ・蓮が、裏面には鶴・鳳凰・キジ・鹿、側面には花草紋が刺繍されている。

ペゲンモとモクチムモ（枕側）　江陵市立博物館所蔵。

パヌルジプ（針入れ）　江陵市立博物館所蔵。

コルム（指貫き）　江陵市立博物館所蔵。

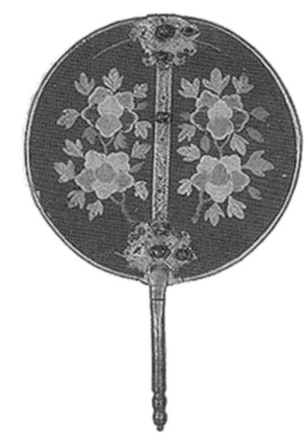

真珠扇　高麗大学博物館所蔵。

クィジュモニ　江陵市立博物館所蔵。

パプポンゴジ

スジョジプ（匙箸入れ）　淑明女子大学博物館所蔵。

プチェジプ（扇入れ）　江陵市立博物館所蔵。

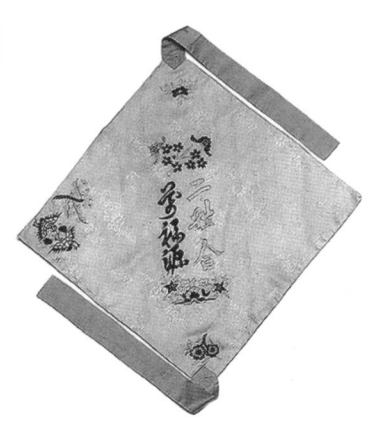

キロギボ（雁褓）　江陵市立博物館所蔵。

ポソンチュモニ（足袋型入れ）　江陵市立博物館所蔵。

生活刺繡

247

しょみんのふくしょく〔庶民の服飾〕 서민복

大典》礼典儀章）、司憲部（社会風俗所管庁）の書吏だけは、監祭や朝賀時の公服として幞頭・袍・帯・笏・黒皮靴を用いた。

書吏服　朝鮮時代の書吏。

しょみんのふくしょく〔庶民の服飾〕 서민복

昔から我が国の庶民の服の基本構造は、男性は▶パジ（ズボン）と▶チョゴリ（上衣）、女性は▶チマ（スカート）とチョゴリであり、時代による大きな変化は見られない。高句麗古墳の壁画には、長襦（丈の長い上衣）を着▶寛袴や▶窮袴を履いた上に▶袍をまとって帯を締め、巾を被った姿が描かれている。履き物は草や麻製だったようだ。高麗時代にもパジ・チョゴリの基本構造は保たれたが、▶白紵袍が用いられた記録もあり、また元の支配を受けたため、モンゴルの服飾の影響でチョゴリの袖幅が狭まり、丈も短くなった。末期には、男性は▶高頂笠を被って▶直領をまとい、糸帯を締めるようになった（《▷高麗史》志巻26輿服冠服

通例）。朝鮮時代には農民・職人・商人・下人は直領挾注音帖裡と呼ばれる▶チョルリク（上・下のつながった外衣）を着るよう定められ（《▷朝鮮王朝実録》世宗31年正月丙午）、女性は平絹やカラムシの衣に▶蒙頭里を用いるものとされ、羅・紗などの高級な絹や笠・冠帽・▶襪裙などは禁じられた（《▷朝鮮王朝実録》太宗12年6月丁卯）。

ソヤンモク〔西洋木〕 서양목

木綿糸で織った幅約90cmの目の細かい反物。広木より糸が細く色が白いので、漂白せずに用いる。元々西洋で発達したため西洋木と呼ばれるが、中国大陸を経て我が国に入ったので「唐木」とも呼ばれる。⊜唐木・唐木綿・セン木・洋木

ソヨンボク〔書筵服〕 서연복

王世子（皇太子）などが書筵で講義を受けるときに着た服装。ふつう、王世子は▶紫的竜袍と▶空頂黒介幘を用いた。

書筵服　紫的竜袍に空頂黒介幘を被った10歳のころの英王・李垠。

ソウイ〔絮衣〕 서의

綿を入れた柔らかい鎧。絹糸と麻から作った綿を中に入れる。

ソジャムド〔犀簪導〕 서잠도

冠帽に挿す、サイの角製の簪。→簪導

ソク〔舃〕 석

国王・王妃・王世子が履いた儀礼用の履き物。高麗末期から朝鮮初期まで、国王の▶冕服と▶朝服（朝賀服）、王世子の冠服、王妃の▶翟衣着用時に用いられた。表は絹で、白の縁取りをし、二重底で弾力性がある。国王の舃は踵に紐が付けられ、王妃の舃は爪先に飾りが付けられた。▶赤舃・▶青舃・▶黒舃などがあった。→シン（履き物）

舃

ソッカルジチョ〔釈褐之初〕 석갈지초

科挙に合格した者が平民の服を脱ぎ、初めて冠服を着て官職につくこと。

ソンニュムン〔石榴紋〕 석류문（ざくろもん〔石榴紋〕）

ザクロの文様。写実的な植物紋で、ザクロ自体の美しさの表現に留まらず、その実の多さから男子多産を象

石榴紋

徴する文様として用いられた。各種刺繍や螺鈿漆器、織物などに多く見られ、配置には四方散形や三方散形などがある。→紋様

ソンニュジャム〔石榴簪〕 석류잠
頂部にザクロの文様が彫刻された簪。ザクロの実の側面に梅の花が彫られている。→ピニョ〔簪〕

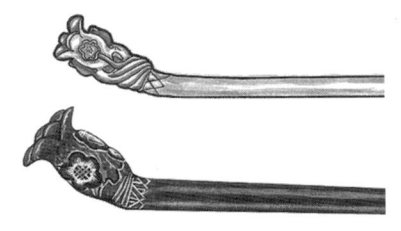

石榴簪

ソクセーサムベ 석새삼베
経糸3升（ソクセ）、すなわち240本で織った麻布。最も粗い麻布である。
⟲三升布

ソグンファン〔石雄黄〕 석웅황
석웅황（せきおう〔石黄〕）
天然に産出される光沢のある石。染料や顔料にされ、朝鮮時代には携帯すると蛇にかまれないと愛用された。固くて色が美しく、▶チョクトゥリ（女性用黒絹冠）・花冠・トゥラクテンギ（装飾用垂れ帯）・▶ノリゲ（女性韓服用房飾り）などに飾られ、中心に紐を通して▶センモリにした髪に結んだり、正月に新妻が後頭部の髻に飾ることもあった。

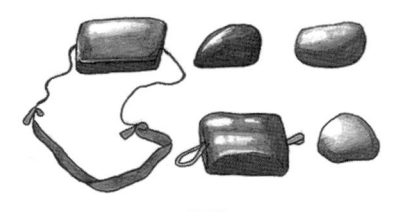

石雄黄

ソクチャ〔席子〕 석자（ござ〔茣蓙〕）
茣蓙のこと。我が国は床に座る住居様式であるため、横になったり座るときに用いる茣蓙類が発達した。代表的なものは、カヤツリグサを編んで文様を入れた▶花紋席である。新羅時代から席典と呼ばれる官庁が設けられて国家的に生産され、高麗時代には特産品として外国にも贈られ、朝鮮時代には需要が急増した。黄花席・彩花席・満花寝席・満花廉席・満花方席などは宮中への進献用で、いずれも慶州道地方で作られた。（《▶朝鮮王朝実録》世宗150地理志慶尚道）

ソン〔洗〕 선
履き物の一つ。《梁書》や《南史》の諸夷新羅の条には履き物が洗と記されているが、これは履き物を表わす「シン」の当て字である。→シン（履き物）・履

ソン〔襈〕 선
ほつれを防ぐために、布端や座布団などの縁に別布を当てること。また、その布。儀礼的な服では、襈の色が重要視された。→加襈・縁

ソングン〔施裙〕 선군
高麗時代に、女性が着た▶ソクチマ（内スカート）。朝鮮時代の▶ムジギに似た、丈の異なる複数のチマを腰で一つにまとめた八幅物で、歩行時には手繰り上げるほど長いものだった。上に履くチマを豊かに膨らませるために履くもので、幾重にも重なったものが好まれた。（《▶宣和奉使高麗図経》巻20）

ソンダン 선단
単衣の▶トゥルマギ（＜外衣）の衽の布端。単衣▶チマ（スカート）の

宮廊下用莞草花紋席。30×222cm。

席子　明安公主遺品。朝鮮時代。江陵市立博物館所蔵。明安公主は朝鮮王朝18代顕宗の三女、粛宗の妹で、1679年に呉泰周に嫁いだ。席子の遺品としては宮廊下用莞草花紋席（上）と宮用莞草花紋席（下）が残されているが、宮廊下用莞草花紋席は宮中や両班家の嘉礼で新婦が式場に向かう廊下に敷いたもので、行歩席と呼ばれた。

宮用莞草花紋席。75.5×78cm。

ソンドゥルム〔襈ドゥルム〕선두름

チマの布端などに別布を当て、縁取りとすること。

ソルラ〔線羅〕선라

絹とカラムシとの交織り。

ソルリュンチャ〔施輪車〕선륜차→同ムルレ（糸車）

ソンムン〔蟬紋〕선문

蟬をかたどった文様。蟬は頭上に冠を被り、早朝に澄んだ朝露を飲むため、高潔な徳を備えた昆虫として文様化された。玉に彫刻したり、金銀の装飾品に用いられる。▶遠遊冠の前面には9匹が飾り付けられた。

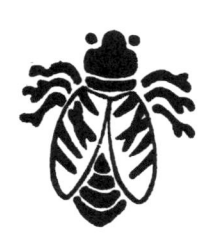

蟬紋

ソンボンジャム〔先鳳簪〕선봉잠

朝鮮時代に、王妃が礼服を着て髪型を▶大首にしたとき、前頭部に載せた複雑な装飾のうち頭頂部に近いところに2本挿した簪である。簪の頂部に翼を広げた精巧な鳳の飾りが付き、鳳の頭部には角ばった小さな紅水晶を、目には小さな真珠を嵌め込み、美しい鳳の形を表している。両翼には二つの大きな真珠を、尾にも大きな紅水晶の両脇に二つの真珠を嵌め、華麗に飾ってある。鳳と簪をつなげる部分には紅水晶と二つの青水晶を嵌めこんであるが、紅水晶の土台は銀琺瑯の花形になっており、立体感があって美しい。→大首・ピニョ〔簪〕

先鳳簪　国立古宮博物館所蔵。

せんしじだいのふくしょく〔先史時代の服飾〕선사시대의 복식

遺跡や遺物を通じて見ると、先史時代の人たちは一次的に体の保護と保温の目的で葉や樹皮、獣毛や鳥の羽根などで体を覆い隠す基本的な衣生活を営んでいたが、一方で体を飾ろうとする意欲もあり、動物の歯や鳥の骨、石で作った装身具を用いていたようである。

我が国の旧石器時代の遺跡としては、忠清南道公州市の石壮里遺跡や北朝鮮の雄基郡屈浦里遺跡などが調査されたが、服飾史料は見つかっていない。新石器・青銅器・鉄器時代の遺跡についてはよく調査され、服飾関連史料も出土しており、それらを通じて当時の服飾を推測できる。服飾史料のうち重要な発見物は、裁縫用の石針・骨針、紡織用の紡錘車、装身具の飾玉類、耳飾り・腕輪などである。（李殷昌）

ソニュランムボク〔船遊楽舞服〕선유락무복

船遊楽舞を舞うときに着る服飾。船遊楽舞は「ペッタラギ」とも呼ばれ、新羅時代から舞われていた郷楽呈才の一つである。国家が催す宴会で舞妓が彩船を引き、船の発つ光景を描写した舞である。童妓は▶虎鬚を挿した▶朱笠を被り、土紅色（赤褐色）の綿の▶チョルリクをまとい、真紅色（深紅）の▶銙帯を締めた。

ソンジャ〔扇子〕선자→同プチェ（扇）

ソンジャムジェ〔先蚕祭〕선잠제

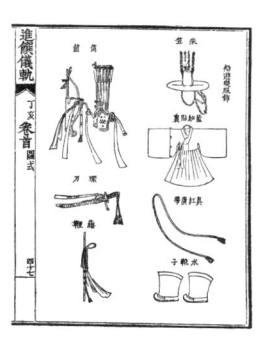

船遊楽舞服

船遊楽舞

蚕の神である先蚕に対し、1年の養蚕の無事を祈願する祭祀で、高麗時代から行われたものである。先蚕壇に養蚕の創始者である中国の王妃西陵氏を祀り、陰暦3月の巳の日に行われた。隆熙2年（1908）に神位が社稷に祀られ、以後先蚕祭は途絶えた。

ソンチョ〔扇貂〕 선초→同扇錘

ソンチュ〔扇錘〕 선추
扇の柄の端に垂らされた飾り。主体と呼ばれる本体と紐とからなる。本体は、白玉・翡翠・琥珀などの宝石類に松鶴・日月・山水・不老草・鹿などの文様を彫ったものや、刺繍した丸い布製のものを用いる。これに▶円多繪（丸組紐）を付けて、その中間に同心結と呼ばれる結び目を作り、扇に取り付ける。扇錘の端には房を垂らすが、男性用は▶パンウルスル・▶タルギスルを単独で、女性用はタルギスル・▶ポンスルを二つ垂らし、紐に小さな▶メドゥプ（飾り結び）を施すこともある。同扇貂→プチェ（扇）

ソンチュースル〔扇錘スル〕 선추술
▶扇錘の主体（本体）に垂らす房。扇錘の装飾は文官にのみ許されたもので、科挙を受けずに家柄で任用された蔭官や武官には禁じられたという。男性用の房としては藍色・濃い赤紫色・灰色・芥子色・玉色（水色）などの▶パンウルスルや▶タルギスルを単独で用い、女性用は夕紅色（深紅）・粉紅色（桃色）などの▶タルギスルや▶ポンスルを単独または

二つ用いた。→プチェ（扇）

扇錘

ソルダプ〔雪沓〕 설답
雪上で履く藁靴。厚く編んだもので、狩猟にも用いられた。

雪沓

ソルミョンサ〔雪綿糸〕 설면사→同プルソム

ソルボク〔褻服〕 설복
礼服の内側に着る中衣。→同褻衣

ソリ〔褻衣〕 설의
▶袍の形をした服で、普段着または内衣とされた。高麗時代には汗衫（▶ソクチョク衫）が褻衣とされ、《四礼便覧》（襲衣諸具）には褻衣として▶トゥルマギ・中赤莫・冬衣の類が挙げられている。《▶朝鮮王朝実録》（世宗15年10月己巳）に「我が国の民は袍衣を礼服として用いているが、袍衣は褻衣である」とあり、当時は袍衣が普段着として認識さ

れていたことがわかる。同褻服

ソボクチャム〔鑞玉簪〕 섭옥잠
頂部に穴を開け、各種文様を表した玉の簪。

ソプジャ〔鑞子〕 섭자
▶腰佩の装飾に用いられたピンセット状のもの。

ソングァン〔成冠〕 성관
男子が冠礼を済ませること。朝鮮時代、男子は15〜20歳で冠礼を行ってカッ（笠）を被り、女子は後頭部にチョクと呼ばれる髻を結い、簪を挿した。→同冠礼

ソングァン〔筴框〕 성관→同パディジプ

ソンボク〔成服〕 성복
普段着から喪服に着替えること。人の死後三日目に土葬を終えると、翌日遺族は死者との間柄を元にそれぞれ決められた喪服を着る。→喪服・喪服制

ソンシンムン〔星辰紋〕 성신문
星を表現した文様。日紋・月紋とともに国王の大礼服である▶十二章服の章紋として用いられた。十二章服の星辰紋は、左に北斗七星、右に織女星が描かれている。→十二章紋

ソプ 섶（おくみ〔衽〕）
上衣の一部分。身頃の襟元から裾までに当てる布で、コッソプ（上衽）とアンソプ（下衽）とがある。生地を裁断した後、上衽は身頃より約1cm下に出るように内側から縫う。下衽はバイアスに裁断した布端を身頃端に合わせて縫い、縫い代は身頃

セゴ〔細袴〕 세고

側に折る。

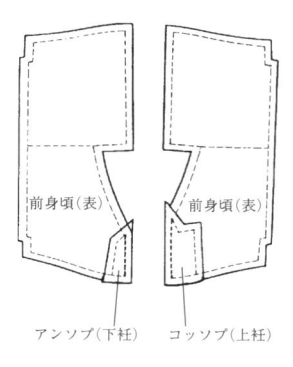

ソプ 衽付け
　アンソプ（下衽）　コッソプ（上衽）
　前身頃（表）　前身頃（表）

セゴ〔細袴〕 세고→同窮袴
セグム-セゴン〔細金細工〕
세금세공（さいきんざいく〔細金細工〕）
金・銀を糸・粒状にして地板に鑞付けする装飾法。「細線細工」とも言う。エジプトでいち早く始められ、ギリシャ・イタリアなどで装身具製作に多用され、インド・中央アジア・中国などでも発達した。我が国の新羅時代の細金細工（セグムセゴン）は、世界に類を見ない精巧さである。

セラ〔繐羅〕 세라
絹織物の一つ。細糸で粗く織ったもので、統一新羅（シルラ）時代の織物に見られる。→羅

セジョデ〔細條帯〕 세조대
▶多絵（タフェ）（組紐）の帯。朝鮮時代に、男性が▶道袍（トポ）・▶戦服（チョンボク）など外衣の上に締めた。品階などにより色を使い分け、堂上官（タンサングァン）（正3品以上）は紅または紫色、堂下官（タンハグァン）は青または緑、庶民は黒、喪中の遺族は白を用いた。朝鮮時代初期の《▶経国大典（キョングクテジョン）》には「絛児（トア）」と記され、「細絛児（セジョア）」「細條帯（セジョデ）」「糸帯（サデ）」などとも呼ばれた。

セチュェサン〔繐衰裳〕 세최

細條帯

상
粗い麻布で仕立てた喪服の一つ。スカートのように腰に巻きつける。

セポ〔細布〕 세포
平織の白い綿布のこと。粗布より細い糸で細かく織る。

ソゴ〔繰車〕 소거→同ムルレ〔糸車〕

ソゴウイ〔小古衣〕 소고의
▶チョゴリ（上衣）の一つ。朝鮮時代に、王妃や王世子（皇太子）が普段着ていた短いチョゴリを指す宮中語。

ソゴル〔蘇骨〕 소골
高句麗（コグリョ）で、士大夫階級以上の男性が被った▶折風帽（チョルプンモ）の一つ。《周書》に「蘇骨（ソゴル）は丈夫すなわち一般男子の冠で、多くは紫の絹布で作られ、官品を持つ者は鳥の羽根2本を挿して官品なき者と区別する」とある。また、《北史》にも「折風は特殊階級の冠帽ではないが、士人は2本の羽根を挿し、貴人は紫の絹布を多く用い、蘇骨と呼ぶ」とあり、蘇骨が折風と同一形態であったことがわかる。→同折風帽（チョルプンモ）

ソゴンボク〔小功服〕 소공복

喪服である▶五服（オボク）の一つ。これを着て喪に服する期間は5か月（満4か月）で、従祖父母（祖父の兄弟）・再従兄弟（はとこ）、従兄弟の子供、孫（長男の長男）などの喪に着る。小功服（ソゴンボク）には大功服（テゴンボク）より目の細かい麻布を用いる。→喪服制（サンボクチェ）

ソゴンチン〔小功親〕 소공친
▶有服親（ユボクチン）の一つで、従祖父母（祖父の兄弟）・再従兄弟（はとこ）・従兄弟の子供・孫（長男の長男）などの総称。→喪服制（サンボクチェ）

ソグムデ〔素金帯〕 소금대
彫刻の施されていない金メッキ板の付いた革帯。高麗（コリョ）時代末期の禑王13年（1387）に定められた冠服制度では2品官が▶紗帽（サモ）・▶団領（タルリョン）姿に用いるものとされ、朝鮮時代の《▶経国大典（テジョン）》（巻3礼典儀章）では従2品文武官が▶朝服（チョボク）（朝賀服（チェボク））・▶祭服（チェボク）（祭祀服）・▶常服（サンボク）（執務服）に用いるものと定められた。→品帯（ブムデ）

ソリョム〔小殮〕 소렴
葬儀で、遺体を洗い寿衣を着せる襲（スプ）を終えた翌日、入棺に備えて遺体を包む儀式である。まず執事が、死者が普段着ていた服と綿なし布団を準備し、遺体の置かれた部屋の東側の壁の前に置き、牀（サン）・莫産・敷布団・枕・テーブル・布団・長布（チャンボ）・上衣・散衣・平絹・綿・冪板（イグム）2枚・長竹2本・俵衾・洗面器・タオルなどを準備する。このうち、麻の反物である長布は砧打ちした目の細かいものを用いるが、縦布は丈が約10尺（約4.7m）のもの1枚で遺体を身長方向に巻いてから両端を三つに裂いてそれぞれを結び、横布は約4尺（約

1.9m）のもの3枚で、遺体の胴周り・尻周り・脚周りに巻き、やはり両端から三つに裂いてそれぞれを結ぶ。我が国は反物の幅が狭いので、端を二つに裂いた4枚の横布にその半幅の布を1枚加えて、計9か所結ぶようにすることもある。遺体に着せる上衣は▶深衣と同様のもので、女性の葬儀では▶褖衣・▶円衫のようなものを用い、散衣には▶道袍・チョゴリ・パジなどの雑衣を用いる。（参考）権五虎《韓国民族文化大百科事典12》韓国精神文化研究院、1991

ソリョムグム〔小殮衾〕 소렴금
葬儀の過程の一つである▶小殮で、遺体を包むのに用いる布団。細長い布3枚を並べてつなぐ。1907年の高宗の葬儀では、表は草緑貢緞、裏は白貢緞、布団襟は紅貢緞など、絹布が用いられた。（《純宗実録》附録1922年4月13日）

ソレボク〔小礼服〕 소례복
簡易な儀式のときに着る衣服。朝鮮時代末期に文武官が国王謁見の際や公式の宴会などで着た小礼服は、▶黒団領・▶紗帽（翼状の角のある帽子）であった。高宗32年（1895）8月には、小礼服は黒団領・窄袖袍・紗帽・束帯・靴と定め、国王謁見の際に着るものとされた。光武4年（1900）4月には、小礼服は宮中での国王（皇帝）謁見、公式の宴会、上官の機嫌伺い、私的な祝い事などで着るものと定められた。

ソリプ〔素笠〕 소립
朝鮮時代に庶民が被った素色（生成り色）の笠の総称。→ペレンイ

ソリプ-ポンジャム〔小立鳳簪〕 소립봉잠 →同先鳳簪

ソメ 소매（そで〔袖〕）
上衣の身頃の左右に付いている、腕を通す部分。「袖」「袂」「袪」「袘」「襜」ともいう。基本的に長さと幅により分類され、丈が手首までのものを短袖、手先が隠れるものを長袖、袖幅の狭いものを窄袖・筒袖、広いものを広袖・大袖という。また袂の形も様々で、丸く垂れたものをブン魚ペレ（鮒の袂）、まっすぐなものを直ペレという。広袖・大袖は袖口全体が開いているが、袖口が20cmほど開き残りを縫い合わせてあるものをトゥリソメという。（金美子）→チョゴリ・袍

ソモサ〔梳毛糸 소모사〕（そもうし〔梳毛糸〕）
毛糸の一つ。細く長い高級羊毛をくしけずって不純物や短い繊維を取り除き、残った長い繊維を揃えて撚りをかけたもの。このような梳毛工程を経ないものを▶紡毛糸という。

ソモジャ〔小帽子〕 소모자
馬のたてがみや尾の毛、皮、布などで作られた鍔のない帽子。形は▶宕巾に似る。朝鮮時代の宣祖26年（1593）に、軍人や庶民のカッ（笠）を禁じて中国式の小帽子を被らせることが論議されたが、実施されなかった。（《▶朝鮮王朝実録》宣祖26年閏11月壬寅）

ソボン-ユソ〔小鳳流蘇〕 소봉유수
小鳳メドゥプを結んだ▶流蘇（房）。遺体を墓場まで運ぶ喪輿を飾るのに用いられた。喪輿の屋根の四辺に付けられた鳳の口ばしに垂らした。→流蘇①

小鳳流蘇

ソサゴ〔繰糸車〕 소사거

ソメの種類（細袖（窄袖）、チクペレ、ブンオペレ、広袖、大袖、トゥリソメ）

ソヨゴン〔逍遙巾〕 소요건

繭から糸を紡ぎ出すのに用いるムルレ（糸車）。→ムルレ

ソヨゴン〔逍遙巾〕 소요건
朝鮮時代に男性が被った▶巾の一つ。二つに分かれた頂部にメッキの簪が挿され、正面には菖蒲形の金や玉の飾りが付いている。被るときは、王世子（皇太子）は髷に双玉導と呼ばれる簪を挿し、両班家の男子は木や角製の簪を両脇から挿して固定した。中宗16年（1522）2月に奏請使・質正官として明に派遣された崔世珍が、王世子の冠礼用に持ち帰った記録がある。（《朝鮮王朝実録》中宗16年2月）

ソヨボク〔逍遙服〕 소요복 →同袈裟

ソウンデ〔素銀帯〕 소은대
彫刻が施されていない銀の装飾板を貼り付けた帯。高麗時代には判事から四品官までが用い（《高麗史》輿服志）、朝鮮時代には従三～四品官が朝服（朝賀服）・祭服（祭祀服）・常服（執務服）に用いた（《経国大典》巻3礼典儀章）。→品帯

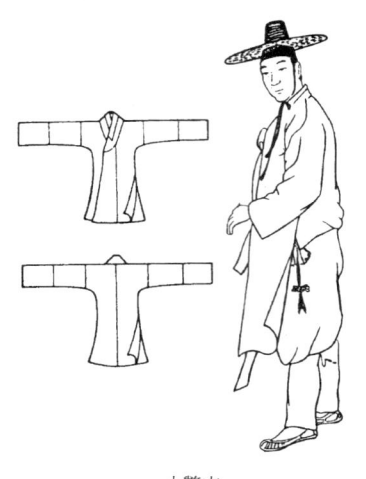

ソチャンイ〔小氅衣〕 소창의
朝鮮時代に、士大夫が普段着とした▶氅衣の一つ。丈が短めの細袖の服で、両脇裾が大きく明いている。普段は白いものを外衣として用い、▶公服（国王謁見服）着用時には青いものを中衣とした。また大氅衣を禁じられていた庶民たちも、外衣として小氅衣を着た。風俗画では付き人がよく着ているが、19世紀末の開化期以降にも「氅オッチャリ」といえば下級官吏の蔑称であった。（金美子）同氅オッ→氅衣

小氅衣

ソチャンジク〔小氅織〕 소창직
質の低い染糸を用い、縞模様や碁盤の目模様を出した粗い綿織物。

ソチンシボク〔小親侍服〕 소친시복
高麗時代に、宮中の10歳前後の下僕が着た服。紫衣に▶頭巾を被って髪を後ろに垂らし、結婚とともに髪を結った。（《宣和奉使高麗図経》巻21）→高麗の服飾

ソピデ〔素皮帯〕 소피대
高句麗・百済の国王や貴族が締めた白の革帯。唐の史書《北史》（巻94列伝第83高麗）に「高句麗の貴族たちは大袖衫・大口袴・素皮帯・黄革履を着ている」とあり、《三国史記》（巻24百済本紀2古爾王28年）には「百済の王は紫大袖袍・青錦袴・金花飾烏羅冠・素皮帯・烏韋履を着る」とある。「素」はふつう白の純色を意味する。→ティ（帯）

ソク-カムチム 속감침（おくまつり〔奥纏り〕）
裁縫技法の一つ。上衣の袖口や裾な

どで表地と裏地とを纏り合わせる際に、裏地が引っ張られて表に顔を出さないように、裏側の中に1cmほど入った位置に纏り縫いをすること。布は伸縮性のよいものが用いられる。→パヌジル

ソッコッ 속곳
朝鮮時代には女性が下半身に下着を重ね着したが、▶ソクパジの内側、肌の上に履いたパンツ型の下着。形は▶タンソッコッに似るが、全体が若干小さく、股布が多少長い。直接肌に触れるため、やわらかい布が用いられた。同単襯衣

ソッコッ　木綿刺し子ソッコッ。中原金緯墓出土。重要民俗資料第18号。忠北大学博物館所蔵。

ソク-パジ 속바지
女性▶ソッコッと▶タンソッコッとの間に履くパンツ型の下着。三国時代から多目的に用いられた▶パジ（ズボン）が、朝鮮時代になって女性の下着として定着したもの。股が明いており、腰紐を締めるようになっている。夏物は単衣だが、裾のみ袷にしたものもある。冬物は平絹などで暖かく仕立てられた。→同コジェンイ

ソク-ソッコッ 속속곳
女性が重ね着するパンツ型下着の一つ。形はタンソッコッと同じだが、

若干小さく、股布は長めである。直接肌に触れるため、木綿類が多用された。㈲内襯衣

ソクス〔ソク繡〕 속수
刺繡技法の一つで、面に厚みを出すために芯を入れるもの。芯には綿・糸・紙などが用いられる。面は▶平繡(平繡い)・▶カルム繡(割繡い)・▶プンサヌルム繡・斜線平繡などを、線は▶イウム繡(纏り繡い)・カムゲ繡などを用いる。ふつう丈夫な地布が用いられる。(金恵卿) →刺繡

ソゴッ 속옷(したぎ〔下着〕)
内側に着る服の総称。用途は、冬季の防寒用、夏季の汗吸収用、外衣を優雅に見せるための整形用などがある。我が国では冬の寒さを防ぐための下着が求められ、防寒用下着が主に発達した。下着に関する記録は少ないが、《三国史記》(色服の条)にある興徳王代の服飾禁制に「表衣」「短衣」「内衣」「表裳」「内裳」などの言葉が見られる。「表衣」を外衣、「短衣」をその内側に着る上衣とすると、「内衣」が下着に当たり、「表裳」が外衣の▶チマ(スカート)とすると、「内裳」は下着の▶ソクチマであろう。朝鮮時代には下着が多様化し、男物は上衣にソクチョゴリまたは▶ソクチョク衫、下衣に▶チャムバンイが、女物は上衣にソクチョク衫、下衣にタリソッコッ・▶ソクソッコッ・▶ソクパジ・▶単ソッコッ・▶ノルンパジ・▶テシュムチマ・▶ムジギなどがあった。女物は、他の民族には見られない独特なものが多い。(柳喜卿) ㈲内衣・内服・単衣・襞服・襯衣

ソク-チャムバンイ 속잠방이
股下の短い男物の肌着。夏物は目の細かい麻やカラムシ、冬物は木綿を用いる。

ソク-チョクサム〔ソク▽赤衫〕속적삼
▶チョゴリ(上衣)の中に着る単衣の▶チョク衫。形はチョゴリと同じだが若干小さく、▶トンジョン(掛け襟)・▶コルム(結び紐)がなく、布の紐ボタンが付けられた。

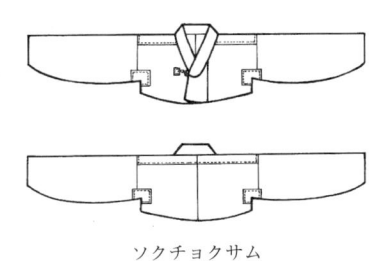

ソクチョクサム

ソク-チマ 속치마
外衣の▶チマ(スカート)の中に履くチマ。19世紀末の開化期から履かれ始めたもので、白の平絹や▶三八紬・綿・人絹などでチマよりも若干幅を狭く、丈も7〜8cm短く仕立てて、襞を入れてチョッキ状の上衣と縫い合わされた。肩に吊るのではなくチョッキを用いたのは、梨花学堂

ソクチマ

のアメリカ人女性校長J・ウォルターの指導によるものとされる。現在でも、韓服用に人絹・ナイロン・綿製のものが使われる。

ソルギ 솔기
服の仕立てで、2枚の布を縫い合わせた接ぎ目のこと。

ソム 舎(わた〔綿〕)
広義には綿花の種子の周りに付いた白い繊維を、狭義には服や布団などに用いられる加工された綿を指す。綿の繊維は表皮細胞が変形したもので、光沢があって非常に軽く柔らかい。弾力・張力に富むとともに吸水性・保温性があり、織物をはじめとした多くの用途に用いられる。高麗の文臣文益漸が14世紀に元から種子を持ち帰って以来、綿は貧困層にまで普及した。種を除く前の綿花を実綿、種を除いたものを繰綿といい、繊毛の長いものが高級とされる。

ソム-パジ 솜바지
綿入れの▶パジ(ズボン)。防寒用として男女ともに用いる。腰以外の全体に均等に綿を入れ、接ぎ目と裾にはしつけ縫いをして、綿が偏らないようにする。生地には、木綿・三八紬・平絹などが用いられる。

ソム-ポソン 솜버선
綿入れの▶ポソン(足袋)。内・外の両側に綿を均等に入れて仕立てる。もともと防寒用のものだが、傷みにくく型崩れしにくいので、一年中履かれる。《▷四礼便覧》(巻2喪礼陳襲衣)には、葬儀で遺体に着せる襲衣諸具のポソンに綿を入れるとある。

ソム-チョゴリ 솜저고리

ソンナク〔松▽蘿〕 송락

主に寒冷地で用いられる綿入れの▶チョゴリ（上衣）。▶模本緞・▶法緞・▶三八紬・平絹などの絹布で、春秋物は綿を薄く、冬物には厚く入れて仕立てられた。

ソンナク〔松▽蘿〕 송락

樹皮に着生する地衣類のサルオガセを編んだ笠。僧侶が外出する際に、▶衲衣を着た上に被る。上部のみ尖った山形に編み、下部は広がったままである。⦿松蘿笠→僧侶帽

ソンナリプ〔松▽蘿笠〕 송라립

→⦿ソンナク〔松▽蘿〕

ソンナク　石宙善紀念民俗博物館所蔵。

ソンムン〔松紋〕 송문

松をかたどった文様。松は寒い冬にも色あせずに青さを保つため、強い気概や高い理想、忠節などの象徴とされ、朝鮮時代に特に愛用された。▶十長生紋の一つで、長寿を象徴する他の文様とともにバランスよく用いられる。→紋様

ソンファセク〔松花色〕 송화색

松の花粉の色で、薄黄色。18世紀の朝鮮英祖の代に、王世子（皇太子）の▶嘉礼（結婚式）で妃候補の二次審査である再揀択に残った娘に、宮殿が松花色の▶チョゴリ（上衣）を与えたことがあり、19世紀末の光武年間前までは、宮中女官のうち若い層は黄色いチョゴリの着用が自由であった。伝世品として伝わる英王妃の松花色チョゴリは、礼服の▶唐衣着用時に内側に着られたものである。普段着として着られた▶三回装チョゴリとともに、国立古宮博物館に保存されている。

スェジャガプ〔鎖子甲〕 쇄자갑

鋳鉄の輪を精密に並べつなげた、朝鮮時代の鎧の一つ。襟は後ろ側が高く前が低い形で、袖は上腕を覆い、前合わせは突合せで、丈は腰下までである。上着の内側に着たものと見られる。（李康七）→カボッ（甲衣）

スェコーチャムバンイ 쇠코잠방이

→⦿犢鼻褌

ス〔綬〕 수

礼服の腰に垂らす装飾品。高麗末期から朝鮮時代まで、国王以下文武官が▶朝服（朝賀服）・▶祭服（祭祀服）を着るときに用いた。色糸で織った長方形の布の上部に環を付け、下部には▶青糸網を垂らす。品階によっ

松花色　松花色三回装チョゴリと半回装チョゴリ。国立古宮博物館所蔵。

国立古宮博物館所蔵

《国朝五礼儀序例》（軍礼）掲載の図

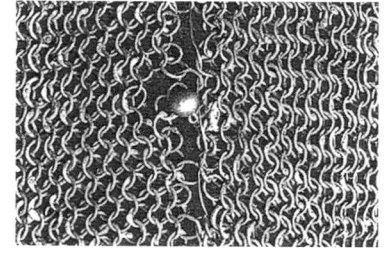

突合せと真鍮製のボタン

スェジャガプ

て糸の色数と文様、環の素材が使い分けられた。起源は中国戦国時代に腰に付けた玉の佩璲で、後に色紐で帯状の装飾品を編み、玉とともに腰に締めたものが綬と呼ばれた。後世の人々はこれを小綬または傍綬といい、背に垂らすものを大綬・後綬と呼んだ。我が国に綬が採り入れられたのは高麗恭愍王の代で、冕服に付属して中国から伝わったものだが、《▷高麗史》(志巻26輿服1)には「綬は小綬で二つの金環が付いている」とある。朝鮮時代にも国王・王世子・王妃・文武官が用い、《▷経国大典》(1485)などでそれぞれの綬の様式が規定されているが、《▷国朝五礼儀》には「王の綬は紅花錦とし、双金環を付ける」とある。その後、英祖22年(1746)には▷紋緞が禁じられ、また国王らの衣装を管理した尚衣院に赤・青・玄(黒紫)・縹(藍色)・緑などの緞を織らせた際にも、無文としたことがあった(《▷増補文献備考》巻79衣服総論)。《▷経国大典》および《▷国朝五礼儀》に規定された綬の制度は表のとおりである。国王の大礼服である▷冕服に用いられる綬は▷纁色(薄い赤)の地に粧花が入った絹で、高宗皇帝の十二章服の綬は、纁色の地に黄・白・赤・玄・縹・緑の6色の刺繍を入れ、竜紋のある玉環が三つ付けられていた。⇒後綬

ス〔繡〕 수 →⇒刺繡

スヌク 수늑
▷ポソン(足袋)などの布の接ぎ目。 →ポソン

スダン〔繡緞〕 수단

品階別の綬の制度

区分 品階	色	文様	環
1・2	黄・緑・赤・紫	雲鶴	金環
3	黄・緑・赤・紫	盤鵰	銀環
4	黄・緑・赤	練鵲	銀環
5・6	黄・緑・赤	練鵲	銅環
7・8・9	黄・緑	渓鶒	銅環

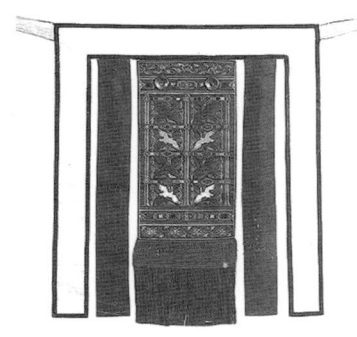

綬 雲鶴金環綬。国立民俗博物館所蔵。

綾織または朱子織の地に、色とりどりの文様を入れた▷紋織物。

スデ〔繡帯〕 수대
刺繡が入れられた帯。三国時代からあったもので、▷翟衣・▷露衣・▷長衫・▷円衫などに締められた。朝鮮時代の女性は、円衫・▷ファロッなどに牡丹や蓮などをあでやかに刺繡し、また子供の満1歳の誕生日にも長寿と幸福を願って文字紋を刺繡した帯を締めさせた。

スマノ〔水瑪瑙〕 수마노
石英の一種。艶が美しく光沢があり、紅・黒・白の3色がある。▷ノリゲ(女性韓服用房飾り)の主体(本体)にしたり、印章・文房具などに用いられる。

スモ〔手母〕 수모
婚礼で、新婦に付いて化粧や作法指導などを受け持つ女性。

スモク 수목

古い綿から紡いだ糸で織った綿布。

スバクタン〔繡珀緞〕 수박단
織物組織の一つ。平織の変化組織である経畦で、経糸には諸撚糸または片撚糸を高密度に用い、緯糸には片撚糸を用い文様を入れるが、ふつう人絹を用いる。

スバン〔繡房〕 수방
朝鮮時代に、宮中で刺繡を担当した部署。繡衣・▷胸背(官服の胸・背の標章)・香囊・▷筆囊(筆入れ)・▷ヨム囊(巾着)・角囊(▷クィジュモニ)・後綬・▷ペゲンモ(枕側)・▷真珠扇・繡ノリゲ(女性韓服用房飾り)・屏風など、衣服の装飾から室内装飾に至るまで、あらゆる刺繡を受け持った。繡本(図案)を描く女官と刺繡を刺す女官が別におり、糸は王室の衣服を管理する尚衣院の練糸匠が練った絹糸を染匠・紅染匠が染め、合糸匠が撚って繡房に納めた。

文様の種類としては、王の服には日・月・山・竜・雲・如意珠・岩、王妃の服には鳳・霊芝、王族の服には金・銀糸で麒麟や鶴などが刺繡された。王女の服には牡丹・蓮などが用いられ、婚礼衣装にはオシドリが刺繡された。また、▷十長生紋が共通の文様として多用された。

刺繡技法は大きく分けて、刺繡を

重ねないホッ繍と重ねるキョプ繍があるが、初期には糸が貴重だったためホッ繍が用いられた。また、弱撚糸を用いる▶宮繍(クンス)と撚糸を用いる安州繍(ジェス)があり、後者は刺繍に芯を入れるためボリューム感と躍動感があり、民間でも人気が高かった。

スバンサ〔手紡糸〕 수방사 (てつむぎいと〔手紡ぎ糸〕)

木綿を糸車で紡いだ太い糸。機械紡績糸に比べ太さが均一ではないが、織って布にすると糸のばらつきが調和して自然な風合いが出る。

スボグァニ〔繡黼棺衣〕 수보관의

棺を包む布の一つで、斧の文様である▶黼紋(ポム)が刺繍されたもの。黼紋は強い決断を意味する文様である。15世紀世宗(セジョン)の代の《▶国朝五礼儀》(凶礼儀式大歛)には、「赤い苧麻糸で織り、粉彩で斧型を描く」とあり、18世紀初頭の粛宗(スクチョン)の代には繡黼棺衣(スボグァニ)を錦織で代用した(《▶朝鮮王朝実録(チョソンワンジョシルロク)》粛宗44年2月戊子)。

スボロ〔繡甫老〕 수보로

朝鮮(チョソン)時代に、王妃や側室が着た▶チマ(スカート)の一種。表は粉紅色(桃色)の紵紗(チョサ)(カラムシの紗織)で、裏は白綃(ペクチョ)(白の生絹)で仕立てる。3幅を上半分のみ縫い合わせ、各幅の下段には牡丹が刺繍されている。腰と腰紐にも白綃が用いられる。材料は、粉紅色の紵紗2尺5寸5分(布帛尺で約1.2m)、白綃2尺5寸と、裁縫糸として紅色の絹糸3分(約1g)、刺繍糸として白・紅の絹糸3分、草緑色(黄緑)・粉紅色の絹糸それぞれ1銭(約4g)を要すると

いう。宮中行事を記録した儀軌(ウイゲ)に描かれた彩色図を見ると、牡丹の花は白・紅・粉紅色で、葉は草緑色で刺繍されている。(金明淑(キムミョンスク))

繡甫老

スサジ〔首沙只〕 수사지→①流蘇②

スシク〔首飾〕 수식 (①あたまかざり〔頭飾り〕)

①頭を飾る装身具。我が国の頭飾りに関する最も古い記録は、中国の《隋書》《南史》《唐書》に見られる記事で、新羅の婦人が頭を結い雑綵と珠で飾っていたというものである。出土品としては、百済の武寧王陵(ムリョン)から出土した王妃の金製頭飾りがある。高句麗(コグリョ)壁画にも、女性が鉢巻やリボン状のもので頭を飾っている絵がある。統一新羅時代には、興徳王の服飾禁制で装飾用の櫛・簪を禁じており、これらの遺物が出土している。高麗(コリョ)時代には、《▶宣和奉使高麗図経(ソンファボンサコリョドギョン)》によれば、嫁入り前の女性は紅色の羅の▶テンギ(帯状の頭飾り)で髪を結い、結婚後は髷を結って紅色の羅を結び、小さな簪を挿して、残りの髪は後ろに垂らしていたという。朝鮮(チョソン)時代には、テンギ・簪・▶トゥィッコジ(髷に挿す簪)・▶トルジャム(揺れ簪)・▶チョプチなどで頭を飾った。

■種類

①装飾簪：新羅興徳王の服飾禁制には、王族の血筋を引く真骨女(チンゴルリョ)が装飾簪に▶鍍金細工を施したり玉を付けること、貴族の6頭品女が純金を用いたり銀に鍍金細工をしたり玉を付けること、5頭品女が白銀を用いることなどが挙げられ、平人の女性には真鍮のみを用いるよう定めていることからして、当時新羅には多様な装飾簪があり、贅沢を極めていたものと推測される。高麗時代のものとしては、頂部の丸い1本物の簪と、ピンセットのように2本に分かれたものが残っている。朝鮮時代末期のものとしては、花・実・鳥などを彫刻し、珠玉・琥珀を付けた長さ12〜21cmの高級品が伝えられている。特に国立古宮博物館所蔵の英王の結婚式に用いられた装飾簪は、実に華麗で美しい。②装飾櫛：新羅興徳王の服飾禁制で、真骨女が翡翠で飾った鼈甲の櫛を挿すことを禁じていることからして、統一新羅の装飾櫛は大変華やかなものであったと推測される。遺物としては、半円形の櫛の上に金・銀の花・実・葉を飾ったものが伝わっている。③トルジャム(揺れ簪)：朝鮮時代に、上流階級の女性が儀式の際に▶オヨモリや▶巨頭味(コドゥミ)といった豪華な髪型に挿した装飾品。頭が動くたびに細かく揺れる。④トゥィッコジ：女性が後頭部に結った髷に挿す飾りで、装飾のためのトゥィッコジ以外に、耳掻きを兼ねたクイイゲトゥィッコジ、毛筋立てを兼ねたピッチゲトゥィッコジなどがあった。頂部の装飾には蓮のつぼみ、梅の花、蝶、天桃(天上界の

桃)、鳳などが、素材には真珠・珊瑚・翡翠・七宝・琺瑯・玉などが用いられた。また、飾りのない杭状のマルトゥクトゥィッコジは庶民が用いた。⑤▶チョプチ：上流階級の女性の礼装時と宮中の女性が前髪の分け目に載せた装飾品。長さは5〜7cmで、本体と土台部とからなる。本体は尾の反り返った棒状で、前部の1cmほどに彫刻が施されているが、竜・鳳は王妃、蛙は内命婦(ネミョンブ)(側室や女官)と外命婦(ウェミョンブ)(王族の女性や高位官吏の妻)用であった。⑥簪：女性が髻に挿す簪は、朝鮮時代末期の加髢(カチェ)(入れ髪)禁止後に多様化した。簪は本体と頂部とからなる。頂部は髻から簪が抜け落ちることを防ぐとともに装飾にもなっており、その形によって竜簪(ヨンジャム)・鳳簪(ポンジャム)・鴛鴦簪(ウォナンジャム)・烏頭簪(オドゥジャム)・梅竹簪(メジュクチャム)・竹簪(チュクチャム)・梅鳥簪(メジョジャム)・竹節簪(チュクチョルジャム)・木蓮簪(モンニョンジャム)・蓮ボン簪(ヨンボンジャム)(蓮のつぼみ)・石榴簪(ソンニュジャム)・胡桃簪(ホドゥジャム)・菊花簪(ククァジャム)などがあった。素材としては、珊瑚・翡翠・玉・金・銀・白銅・角・竹・木などが用いられた。⑦▶テンギ：束ねた髪を結う布で、多くの種類がある。髻に飾り付けたり、宮中で▶巨頭味や▶オヨモリに締めた▶メゲテンギ、婚礼で礼服の▶ファロッや▶円衫姿に垂らす▶トトゥラクテンギ、大きな簪の左右に垂らす▶トゥリムテンギ、子供用のトトゥラクテンギや▶マルトゥクテンギ、独身男女用の▶チェビブリテンギなどがある。(金美子)

② 髪型のこと。→モリミヤン(髪型)

スシンサ〔修信使〕 수신사
修信使(スシンサ)は、朝鮮時代(チョソン)末期に日本に派遣された外交使節である。それ以前は通信使(トンシンサ)といったが、高宗(コジョン)13年(1876)の江華島条約以降、修信使に改称された。

スア〔垂児〕 수아
駕籠・帯・紐などに飾りとして垂らす房。

スヨン〔邃延〕 수연
国王が大礼服に被る▶冕旒冠(ミョルリュグァン)の前後に、玉を通して垂らす紐。冕旒冠の頂に載った平天板(ピョンチョンパン)の前端と後端に、紅・白・蒼・黄・黒の5色の玉を通した邃延(スヨン)を垂らした。その数によって、三旒冕(サムニュミョン)・五旒冕(オリュミョン)・七旒冕(チルリュミョン)・九旒冕(クリュミョン)・十二旒冕(シビリュミョン)などに別けられる。→冕旒冠(ミョルリュグァン)

ス〔秀羽〕 수우
▶戦笠(チョルリプ)の頂部に飾る孔雀の羽根。→孔雀羽(コンジャグ)

スウンガプ〔水銀甲〕 수은갑
朝鮮時代(チョソン)の鎧の一つ。鉄の札(さね)に水銀を被せて銀色・灰色にし、赤い皮紐でつないだもの。→カボッ

スイ〔寿衣〕 수의(じゅい〔寿衣〕)
葬儀で、殮襲(ヨムスプ)の際に遺体に着せる服。朝鮮時代の士大夫の寿衣(スウイ)は身分によって異なったが、死者が生前着ていた礼服と同様に仕立てられた。閏月のうちの吉日を選び、生前にあらかじめ仕立てておくこともあった。生地には▶細布(セポ)(白綿布)・▶明紬(ミョンジュ)(平絹)・▶貢緞(コンダン)・▶羅緞(ナダン)・▶綾(ヌン)(綾絹)・▶綃(チョ)(生絹)・銀条紗(ウンジョサ)・▶生庫紗(センゴサ)・▶生襦(スン)(生絹)・▶三八紬(サムパルジュ)・カラムシ・麻などが用いられ、ふつう染めずに用いるが、普段の衣服と同様の色物も用いられた。仕立てに当たっては糸を途中でつないだり留めたりせず、幅数は偶数を避けて、多少大きめに仕立てる。男性の寿衣は、ソクチョクサム衫(下着の上衣)・チョゴリ(上

スイ〔寿衣〕 수의

修信使 (左)修信使金綺秀(1832〜?)像。方巾を被って鶴氅衣を着、細條帯を締めた姿。鶴氅衣の襟・衽の縁取りが太い。金綺秀は江華島条約(1876)以降、国情視察のために日本に派遣された人物で、韓日外交の先駆者の1人である。(右)修信使金弘集(1842〜1896)像。紗帽冠帯に木靴を履いた姿。横のテーブルの上には「修信使印」と書かれた印箱が見える。金弘集は、高宗17年(1880)に修信使として日本に渡った開化政策の先駆者であった。

259

スジャムン-ペゲンモ〔寿字紋ペゲンモ〕 수자문베갯모

衣)・パジ(ズボン)・ソク袴衣(下着のズボン)・▶道袍、中致莫または▶氅衣、深衣または▶鶴氅衣、▶幅巾・▶幎目(顔隠し)・裹頭(胴巻)・▶五囊(爪髪入れ)・握手(手布)・ポソン(足袋)・襲シン(履き物)、▶大殮衾と▶小殮衾(薄布団)、▶天衾(掛け布)・地褥(敷き布)・枕・服裸・▶トシ(腕貫き)・▶行纏(脚巻き)・▶条帯などで構成される。女性の寿衣は、上半身に着せるソクチョク衫・ソクチョゴリ、▶三回装チョゴリまたは▶キョンマギ、ズボン型の▶ソッコッ・▶タンソッコッ・パジ、スカート型の青チマ・紅チマ、外衣の▶唐衣・▶円衫、さらに女帽などで、その他は男性の寿衣と同様であるが、女官などは生前の職位によって若干の差があった。

■寿衣を着せる順序

寿衣は、殮襲の過程で遺体に着せる。殮襲は、大きく襲・小殮・大殮に分けられる。①襲：遺体を洗って襲衣を着せる儀式で、死去の当日に行う。まず、最も外側に着せる深衣を広げ、その内側に着せる中致莫を中に重ねる。次に、やはりチョゴリ(上衣)の内側にチョク衫を重ね、襟首と左右の袖口を絹糸で縫いとめる。さらに、パジ(ズボン)の中にソクパジを重ね、腰を縫う。以上の準備が終わったら、先ず遺体にポソン(足袋)を履かせ、次にパジを履かせて帯を締め、▶テニム(足首紐)と行纏(脚巻)を巻く。次に、上半身にチョゴリを着せ、中致莫を重ねた深衣を着せる。さらに、▶網巾と▶幅巾を被せて、充耳を耳に詰め、▶幎目で顔を

覆い、条帯を締め、襲シン(履き物)を履かせる。②小殮：襲の翌日に行う。まず胴周りを包む横絞布を横向きに並べ、その上に縦絞布を縦に置き、さらに小殮衾を広げる。その上に上衣を置いて遺体を寝かせた後、首周りに綿や生地を、肩に上衣を、股下にパジ(ズボン)を詰め、全体の形を整える。これを補空という。③大殮：小殮の翌日に行われる。大殮床の上に莫蓙を広げ、横絞布・縦絞布・大殮衾・上衣(円領または道袍)を敷き、上に遺体を寝かせて大殮衾で包み、絞布で縛る。棺の底に灰を敷いて、北斗七星をかたどって七つの孔を開けた七星板を置き、地褥を広げてから遺体を納める。死者の髪や爪を入れた五囊を左右に置き、死者の普段着で棺を埋めた後、天衾を被せ、天板を載せて釘を打ち、棺の上に柩衣を被せる。

スジャムン-ペゲンモ〔寿字紋ペゲンモ〕 수자문베갯모

寿の字の文様を入れた▶ペゲンモ(枕側)。寿字の端に八卦(乾・兌・離・震・巽・坎・艮・坤)をデザインしてあるが、八卦はこの世の現象を抽象化したもので、無窮を意味する。

スジャムン-ヒュンベ〔寿字紋胸背〕 수자문흉배

朝鮮時代に、王女の大礼服であった▶円衫に付けられた▶補。紅色の地の中央に長寿を意味する寿の字が、その周囲に雲紋と波紋が刺繍されている。中央の寿字を雲紋が支える形で、下段には岩・波・不老草が刺繍されている。胸背の中心文様として文字が用いられたものは珍しい。→胸背

寿字紋胸背

スジャジク〔繻子織〕 수자직
(しゅすおり〔朱子織・繻子織〕)

織物組織の一つ。繻子織は組織点が連続せずに少なく、布の表面には経糸・緯糸のいずれかが浮く。表に経糸が多く浮いたものを経繻子、緯糸が多く浮いたものを緯繻子という。柔らかく、光沢に富んで美しいので外出着の生地に最適だが、組織点が少ないため摩擦に弱く、実用性に欠ける。組織点は一定の法則により飛ぶが、これを飛数(飛び数)という。▶模本緞・▶色トン・▶貢緞などがある。

繻子織 黄色牡丹唐草紋繻子織長裸。朝鮮時代。1458年。黒石寺阿弥陀仏像内納入織物。飛び数3の5枚経繻子の地に唐草紋を入れた紋繻子で、文様組織は飛び数3の緯繻子を用い、優雅でこじんまりとした文様を表わしている。

スジャン〔袖章〕 수장

軍人・官吏などの官服の袖に付ける

スジル〔首絰〕 수질

階級章。我が国における近代的な軍服制度は高宗32年（1895）4月9日の勅令第78号によるもので、袖章もこのときに採用された。将官は袖口に金線を3条、領官は2条、尉官は1条入れ、さらにその先に銀色の太極釦を正尉は三つ、副尉は二つ、参尉は一つを付け、将官・領官もこれに準じた。その後、建陽2年（1897）5月15日からは、袖口に人の字型の金糸縄線を大将は9条、副将は8条、参将は7条、正領は6条、副領は5条、参領は4条、正尉は3条、副尉は2条、参尉は1条入れ、その上部にやはり金糸縄線で無窮花（ムクゲ）紋を入れた。さらに、光武4年（1900）7月2日からは、メッキの無窮花ボタンを三つ付けた。その後、隆熙元年（1907）10月1日からは全ての色を兵科定色とし、ボタンの文様はスモモの花になった。(李康七)

スジョジプ 수저집

匙と箸をしまう袋。深紅の▶洋緞・▶貢緞・▶模本緞など朱子織の絹布に、▶十長生紋・▶吉祥語紋・花鳥紋などを刺繍し、裏には目の細かい綿布を数枚貼り合わせたものや、白紙の芯を入れたものを当てる。大きさは通常の匙と箸が2組入るほどで、口を8cmほど折り返して蓋とし、その縁に上針と呼ばれる飾りの縫い目を入れ、▶メドゥプ（飾り結び）と▶スル（房）で飾る。朝鮮時代の女性の嫁入り道具として必需品であった。→生活 刺繍

スジョニ〔水田衣〕 수전의 →㊁袈裟

スジョン-チョンジャ〔水晶頂子〕 서정정자

カッ（笠）の頂部に付ける水晶製の▶頂子。高麗恭愍王の代に、中級官吏の正郎・佐郎や地方官吏の県令・監務が、黒笠に飾り（《▶高麗史》志巻26）、階級を区別した。朝鮮時代には、監察のカッ（笠）の装飾に用いられた（《増補文献備考》巻79礼考26章服）。→頂子

スジュ〔水紬〕 수주 →㊁水禾紬

スジン〔繻珍〕 수진（しゅちん〔繻珍〕）

朱子織の地に美しい文様を入れた紋織物。高級▶洋緞はこの繻珍の一つで、高級衣服の生地にされる。経糸には諸撚糸を、緯糸には地組織用と文様組織用の2種類が用いられる。地組織用の経・緯糸は同色とし、文様組織用の緯糸は2色以上の弱撚糸を用いる。銀糸洋緞とは、金・銀糸を混用した繻珍である。地組織はふつう八枚朱子とする。

スジル〔首絰〕 수질

▶喪服着用時に頭に巻く丸い輪。麻・藁を撚ったもので、男性は▶頭巾・▶屈巾の上に被り、女性は首絰のみを用いる。首絰に垂らす紐は、父や子が死んだときに着る▶斬衰服には縄纓、祖父や母が死んだときに着る▶斉衰服には布纓を用い、小功服以

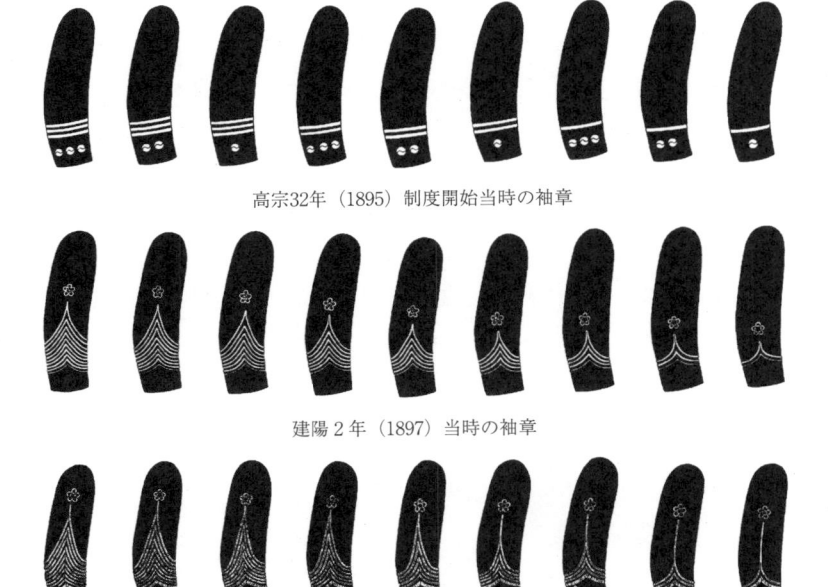

スジョジプ

高宗32年（1895）制度開始当時の袖章

建陽2年（1897）当時の袖章

光武4年（1900）当時の袖章
袖章

スチェ〔首絰〕 수체

下には付けない。《世宗実録》(セジョンシルロク)（五礼儀序例喪服）に記された首絰の製作法と着用法は次のとおりである。
斬衰(チャムチュェ)の首絰は実のある麻を用い、周囲は9寸で、麻の根元が頭の左側に来るようにし、額から右に回して、先端を根元の上に持ってゆき、縄で縛る。斉衰(チェチュェ)の首絰は、実のない麻を用い、周囲は7寸強で、麻の根元が右に来るようにし、先端は根元の下に入れ、布紐で縛る。首絰は、死後1年目の小喪(ソサン)が過ぎると外す。→喪服(サンボク)

首絰

スチェ〔首髢〕 수체 →同タリ（入れ髪）

スパ〔首帕〕 수파
頭に巻くための手ぬぐい。既婚女性は薄絹製の鈘子と呼ばれるものを用い、毛皮製の冬物は暖額(ナエク)と呼ばれた。《宣祖修正実録》7年11月）

スパムン〔水波紋〕 수파문→同渦紋(ワムン)

スパルリョン-ファンジャ〔鍱八蓮環子〕 수팔련환자
朝鮮(チョソン)時代に、3品の文武官が▶網巾(マンゴン)に付けた▶貫子(クァンジャ)。玉に朝顔や梅の花などを彫ったもの。（《五洲衍文長箋散稿(オジュヨンムンチャンジョンサンゴ)》巻34網巾環制弁證説）

スヒャンナン〔繡香囊〕 수향낭
刺繡を施した▶香囊(ヒャンナン)。紅・軟豆色(ヨンドゥセク)（黄

繡香囊

緑）・白の絹の袋に、花紋・葡萄紋・蝙蝠（コウモリ）紋・文字紋・▶十長生紋(チャンセンムン)・蓮花紋などの吉祥紋を5色の糸で刺繡し、これに房を垂らして、女性が韓服に飾る▶ノリゲとした。大小の儀式の際に王室や両班家(ヤンバン)（文武官一族）の女性が▶オッコルム（上衣の結び紐）に垂らし、中に入れた麝香(サヒャン)・芙蓉香(ブヨンヒャン)・玉楸丹(オクチュダン)などの香は薬としても用いられた。

スヘ〔繡鞋〕 수혜
各種の刺繡を施した履き物。全体に花・唐草・松竹・菊の花などを刺繡し、主に若い女性が履いた。《▶三国史記(サギ)》(新羅色服)の興徳王9年(834)の禁制を見ると、罽繡・錦羅・繐羅(クムラ)(セラ)の履き物を禁じているが、このことから繡鞋が新羅の時代にすでに普及していたことがわかる。→シン（履き物）

繡鞋 糸田刺繡博物館所蔵。朝鮮時代後期。

スヘジャ〔水鞋子〕 수혜자
武官が履いた防水用長靴。形は▶木

靴に似て、油に長時間浸けた綿や皮、紙を底に敷いた。雨天時をはじめ、陣地に向かうときに戎服(ユンボク)とともに用いられたが、後に鎧を着るときにも履かれるようになった。同水靴子(スファジャ)→靴子(ファジャ)・シン（履き物）

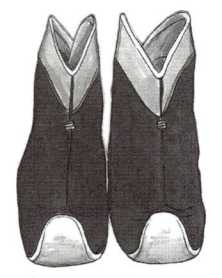

水鞋子

スファ〔首花〕 수화
髪に飾る造花。朝鮮(チョソン)時代に妓女が用いたもので、花・葉は各色のカラムシで、蜂・蝶は色糸で作られた。礼宴正殿(イェヨンジョンジョン)の際には、妓女が▶七宝簪(チルボジャム)・金簪とともに首花(スファ)を髪に飾った（《▶楽学軌範(アカクェボム)》巻2俗楽陳説図説）。

スファジャ〔水靴子〕 수화자 →同水鞋子(スヘジャ)

スファジュ〔水禾紬〕 수화주
絹織物の一つ。▶三八紬(サムパルジュ)と似るが、質がよく、幅は明紬(ミョンジュ)（平絹）と同じである。絹水紬

スッカプサ〔熟甲紗〕 숙갑사
絹織物の一つで、練糸で織った質のよい▶甲紗(カプサ)。主に、春秋物の生地として用いられる。同熟素甲紗(スクソカプサ)

スッコサ〔熟庫紗〕 숙고사
経糸は練糸、緯糸は生糸で織った平織の絹織物。文様は紗組織で、主に円形の寿字と瓢箪の文様を入れる。春秋の女物の生地として多用される。

スンマ〔熟麻〕 숙마

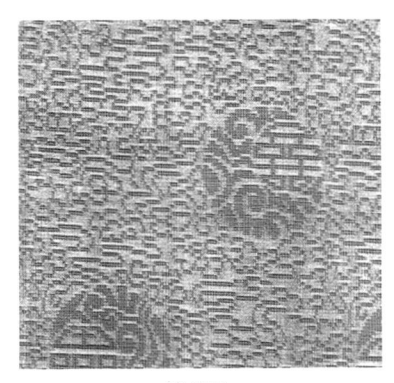

熟庫紗

漂白した麻の皮。▶喪服の一つである▶總麻服（サンボク）の▶首経（シマボク）などを作る際に使われる。

スンマファ〔熟麻靴〕 숙마화
漂白した麻の皮で作った長靴。喪の最後に行う▶禫祭（タムジェ）の際に男性が履いた。

スクソ〔熟素〕 숙소
絽織の絹織物。経糸には生糸、緯糸には練糸を用い、不規則な文様を入れる。冬用の生地として用いられる。

スクソ－カプサ〔熟素甲紗〕숙소갑사→同▶熟甲紗（スッカブサ）

スルリョン〔純領〕 순령
衣服と同色の襟。

スンリン〔純鱗〕 순린
鱗状の文様の入った上質の絹織物。同氷紗（ピンサ）

スニャンゴン〔純陽巾〕 순양건
▶頭巾の一つ。頂部に5幅の絹の飾りが、後部に竹札（チュクチャル）と呼ばれる薄い竹板が付けられている。名称は、中国八仙人の1人純陽子の名に由来するとされる。同楽天巾（ナクチョンゴン）

スニン〔純仁〕 순인
絹織物の一つで、無地の▶甲紗（カブサ）。経糸には生糸、緯糸には練糸を用い、平織と紗織の混合組織である。春秋用の生地として広く用いられる。

スル 술
帯・紐・▶ノリゲ（女性韓服用の房飾り）などの端に飾りとして付ける房。装身具に合わせて大きさが選ばれる。種類としては、頭に封がされた▶ポンスル、頭がイチゴ形の▶タルギスル、鈴状の▶パンウルスル、組紐を束ねた▶クンスル、蛸足状に広がる▶ナクチバルスルをはじめ、金箋紙スル（クムジョンジ）・パンマンイスル（棒房）・チャンスル（杯房）・▶戦服（チョンボク）の裾に垂らした戦服スルなどがある。このうち、ポンスル・タルギスル・パンマンイスル・チャンスルはふつう対で用い、ポンスル・タルギスル・クンスル・ナクチバルスルなどはノリゲに用いられた。《▶大典会通（テジョンフェトン）》(1865)

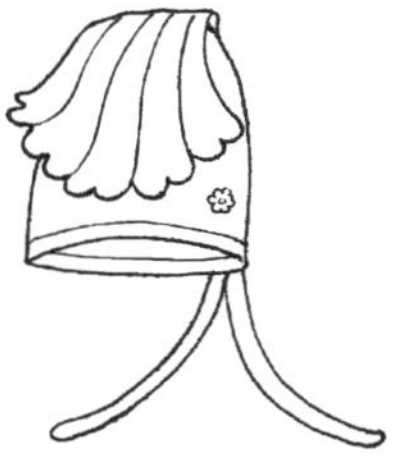

純陽巾 南九満（1629～1711）像。

タルギスル

クンスル

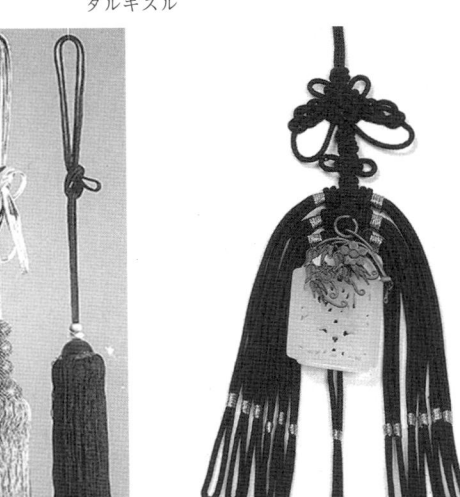

号牌の紐のスル。国立民俗博物館所蔵。

ナクチバルスル

ポンスル

スル

（工典）には、スルもメドゥプ同様にその需要を満たすため、官庁に一定人数の専門の職人を置いて製作に当たらせるとある。

スランダン〔▽膝襴段〕 스란단
▶チマ（スカート）の裾に施す金色の装飾。金箔を押したり、▶金織の布を縫いつける。→ス襴チマ

スランチマ〔▽膝襴チマ〕 스란치마
裾に▶ス襴段が施された▶チマ（スカート）。色は深紅や藍色で、夏は▶紗、冬は▶緞で仕立てる。普通のチマより幅があり、丈も地面に着くほど長い。ス襴段の文様には、王妃は竜紋、世子妃（皇太子妃）は鳳凰紋、皇女は花や文字の紋が用いられた。燕山君10年（1504）に、宮中衣装所管庁の尚衣院に紫色と藍色のス襴を大殿に持ち込むよう命じた記録がある。ス襴段が1段のチマは小礼服、2段のものは大礼服とされた。

スルガプ〔膝甲〕 슬갑
防寒用の膝掛け。紐で腰の帯に結びつけ、▶パジ（ズボン）の上に当てる。

スルスル〔瑟瑟〕 슬슬
宝石の一つ。中国の字典《正字通》には「珠類」、《通雅》には「珠と同様の宝石で、本物は透明で青い」、《本草綱目》には「青いものを唐人は瑟瑟というが、宝石である」、《資治通鑑》には「青い珠」とあり、ベルトルト・ラウファー（Berthold Laufer）は「イラン語「Se-Se」の表音で、エメラルドを指す」と述べている。主産地はタシケントで、中国人たちが愛用した贅沢品であった。瑟瑟冠は、後世の▶花冠の原型であると考えられる。（朴京子）

スルスルジョン〔瑟瑟鈿〕 슬슬전
統一新羅興徳王の服飾禁制に現れる▶花簪の一種。王族の血筋を引く真骨女に、瑟瑟細を用いることが禁じられた。形は不詳だが、西域産の碧玉を付けた花樹状の簪ではないかと思われる。

スプ〔褶〕 습
袴とともに着られた上衣。防寒用で、丈は膝まであった。顔師古の《急就篇注》には、「褶は左衽系統、すなわち胡服系統の長襦の形で、袖が広い」とある。

スプシン〔襲シン〕 습신
葬儀で、遺体に寿衣を着せる殮襲の際に遺体に履かせる履き物。障子紙や藍色の▶貢緞（朱子織の絹布）でつくる。

スビ〔襲衣〕 습의 →寿衣・国王の襲衣

スン〔升〕 승
織物の経糸を数える単位。経糸80本を1升とする。⑯セ

スンガリ〔▽僧伽▽梨〕 승가리
僧侶が着る三衣の一つ。九条から二十五条までの▶袈裟で、人里に出たり、宮中に入る際に着る正装である。水田に穀物が植えられた様子をかたどったものである。（《▷五洲衍文長箋散稿》経史篇3 釈典類1 釈典総説僧服）⑯→僧服

スンギョルリプ〔縄結笠〕 승결립
麻縄で編んだ▶カッ（笠）。朝鮮時代の庶民の▶草笠は縄結笠であった。（《▷経国大典》巻3 礼典雑令）

スンニョモ〔僧侶帽〕 승려모
僧侶が被る冠帽の通称。菅笠状の屈

スランチマ　花紋スランチマ。国立古宮博物館所蔵。

花紋スラン段

竜紋スラン段

竹笠
ソンナク
コッカル
僧侶帽

笠、布を折った▶コッカル、竹ひご
を編んだ▶竹笠、地衣類のサルオガ
セで編まれた▶松ナクなどがある。

スンボク〔僧服〕 승복

僧侶の着る衣服の総称。▶袈裟・
長衫（＜外衣）・僧冠・僧鞋から
成る。仏教が伝来した三国時代半ば
から高麗時代末までの約千年間は、
中国から黒い長衫と赤い▶袈裟を採
り入れ、我が国の伝統的な服の上に
まとった。

三国時代の僧服は、黒の▶袍（＜
外衣）の下に▶裙を履き、貼廂袈裟
をまとった。高麗時代の僧服につい
ては、《高麗史節要》に、僧侶に白
衫・襴衫・皮靴・彩色帽子・カッ
(笠子)・冠纓を禁じたという記述
や、14世紀後半の恭愍王の代に司川
小監于必興が僧服に黒巾・大冠を用
いるよう建議したという記述があ
り、僧服が規制を受けていたことが
わかる。また《宣和奉使高麗図
経》には、次のとおり階級ごとの僧
服が詳述されている。①国師服：最
も位の高い国師は、衲袈裟・長袖
偏衫・紫裳・金跋遮・烏革鈴履を
用いた。衲袈裟とは刺し子縫いの袈
裟で、長袖偏衫は長衫に似た袖の
長い上衣である。紫裳は紫系統の布
で仕立てた前後が分離した中国式チ
マ（スカート）で、金跋遮は金剛杵
を指す。烏革鈴履は、鈴を垂らした
黒い革靴である。②三重和尚大師
服：国師の次に位の高い三重和尚
大師は、紫黄貼廂の福田袈裟の
下に、長袖偏衫・紫裳を着た。③阿
闍梨大徳服：▶短袖偏衫に壊色（濃
い赤茶色）の掛衣、黄裳を着た。

④沙弥比丘服：壊色の▶袍に紫裳と
衲衣を着た。当初は、土黄色（黄土
色）系統の麻の壊色袍を用い、戒律
を修めて地位が上がると紫衣を着
た。⑤在家和尚服：袈裟を用いず、
白紵窄衣に黒帯を締めた。

朝鮮時代の僧服は、朝鮮初期に日
本に贈った目録から推測できる。世
宗6年（1424）2月に回礼使を通じ
て日本の天皇へ贈った僧服は、大紅
羅袈裟に草緑羅で装飾したもの1
着、紫羅掛子に鴉青羅で装飾したも
の1着、藍羅長衫1着、黒麻細布
15疋、紅細紵布15疋、白細紵布15疋、
紫斜皮の僧鞋1足であった（《▶朝鮮
王朝実録》世宗6年2月癸丑）。世
宗の代には黒の僧服が禁じられ、緇
色（鉛色）を用いたものと思われる。
この色は、現在でも僧侶の長衫や
普段着、所持品などに使われている。
(劉英子) 同僧衣・法衣

スンヨン〔縄纓〕 승영

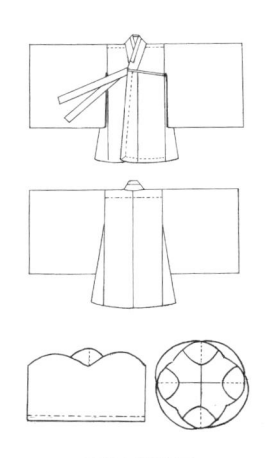

長衫と蓮華冠

僧服　長衫の上に袈裟をまとい、蓮の花の形をした蓮華冠を被った僧の姿。広袖の長衫は
灰色の紗や麻で仕立て、袈裟は麻を壊色（赤茶色）に染めたものが用いられたが、後に本
朱子や紗・絹を使うようになった。左肩に掛ける袈裟は108片の布を縫い合わせ、首にか
ける念珠も108個の珠でできている。108という数は人間界の煩悩の数で、煩悩を絶ち成仏
できるようにとの願いが込められている。

黒長衫と袈裟　載月堂大禅師像。儀式・法
会・祈祷・参禅などに僧侶が着た礼服。黒
の木綿や麻で仕立てた直領の単衣で、袖が
広く長い。形はトゥルマギに似るが、一般
の服と異なり、袵と脇布の中央に苦行を象
徴する縫い目が入れられている。袈裟は紅
色の絹に縦横の条が入れられているが、こ
れは農耕の象徴として畑の畦をかたどった
もので、その数は僧侶の階級を表す。

スンイ〔僧衣〕 승의

喪服である▶斬衰服の▶首経の両側に垂らした麻縄。→首経

スンイ〔僧衣〕 승의→同僧服

スンチョングァン〔承天冠〕
승천관→同通天冠

スンヘ〔僧鞋〕 승혜
僧侶が履く靴。▶絨（起毛織物）を主材料としており、弾力がある。同黒鞋

スンヘ〔縄鞋〕 승혜→同ミトゥリ〔麻鞋〕

シマ〔枲麻〕 시마
実の付いていない麻。喪中に被る▶首経などに用いる。斬衰服には実の付いた菴麻で作った首経・腰経を、斉衰以下には枲麻で作ったものを締める。同スサム

シマボク〔緦麻服〕 시마복
▶喪服の▶五服の一つ。従曾祖（曽祖父の兄弟）・三従兄弟（曽祖父の兄弟の曾孫）・衆曾孫（曾孫のうち家の後継ぎでないもの）・衆玄孫（曾孫の子のうち家の後継ぎでないもの）など、喪の対象としては最も縁の遠い親戚の死後3か月間着る。緦麻服は最も軽い服制で、目の細かい麻布を使用する。朝鮮時代の世宗14年（1432）4月には、家の後継者となった庶子が生母の喪に緦麻服を着たという記録がある。→喪服・喪服制

シマイサンチン〔緦麻以上親〕
시마이상친
喪中に▶緦麻服を着るよう定められた関係、およびそれより近い関係にある親戚。

シボク〔時服〕 시복
朝鮮時代に、官吏が国王謁見時や執務時に用いた服装。初期には▶黒団領・紗帽・品帯・木靴などが用いられたが、後に紅団領になった。文禄・慶長の役の後に文臣李恒服が、時服の黒団領と▶常服の紅団領がきちんと区別されていないため、いずれも青に統一すべきと述べたことがある（《▶燃藜室記述》別集巻13 政教典故）。高宗21年（1884）の服制改革時に、黒団領に統一された。▶公服とは紗帽で、常服とは胸背の有無で形態的に区別されるが、両者とどのように使い分けられたかは不詳である。→官服

シサボク〔視事服〕 시사복
国王や文武官の執務服のこと。朝鮮時代の国王は、執務時に▶翼善冠を被り▶袞竜袍を着た。《国朝続五礼儀補》に、「殿下の視事服である翼善冠は毛羅で包まれ、二つの小角は天を向いている。袞竜袍は大紅緞、夏は大紅紗で仕立て、前後に金で飾った五爪円竜を付け、両肩も同様である。▶玉帯は雕玉で飾り、大紅緞で包む。靴は黒の鹿皮、夏には黒鼠の皮で作る」とある。→袞竜袍

シジョプ 시접（ぬいしろ〔縫い代〕）
布を接ぎ合わせる際に生じる、布の余る部分。

シチムジル 시침질（しつけぬい〔仕付け縫い〕）
裁縫技法の一種。2枚以の布を縫い合わせる際に、ずれを防ぐための仮縫いに用いる。ふつう、針の長さほどの縫い目にする。→パヌジル（裁縫）

シンムルムン〔植物紋〕 식물문（しょくぶつもん〔植物紋〕）
植物を素材にした文様。朝鮮時代に愛用された。写実的な文様としては、▶牡丹紋・蓮花紋・四君子紋・▶葡萄紋・石榴紋・▶霊芝紋・忍冬唐草紋などがあり、想像上の植物紋には天桃紋などがある。→紋様

シクソ〔飾緒〕 식서（へんぷく〔辺幅〕）
糸が解けないように織られた反物の両側の端。

シゴク〔飾玉〕 식옥
装飾用の玉。古墳から出土するもので、▶金冠や帯・▶クィゴリ（耳飾）・指飾・足飾に用いられた。

シン 신（はきもの〔履き物〕）
足を保護したり飾るために履くものの総称。上代の履き物は、その形態により靴と履とに区別された。靴は「鞾」とも書かれ、北方起源の履き物で足首（勒）があり、現在の長靴に似る。履は靴以外の履き物の総称で、鞋・扉・屐・鳥・蟜踏などを含む。履は三国時代に主に貴族階級に履かれ、統一新羅時代になって靴と履が併用されるようになった。高麗初期には主に履が履かれたが、高麗末期には靴が多用されるようになった。朝鮮時代には鞋が代表的な履き物とされ、靴は上流階級の専用物になった。素材には、皮・絹・木・草・麻・真鍮・紙などが用いられた。①皮革製：「靴」には▶黒皮靴・▶俠金靴・▶水鞋子・▶木靴・▶白靴・起子靴・斜皮靴・童靴・短靴などがあり、「鞋」には黒皮鞋・▶分套鞋・▶套鞋・▶皮草鞋・▶唐鞋・▶雲鞋・斜皮鞋・▶パルマクシン・チン

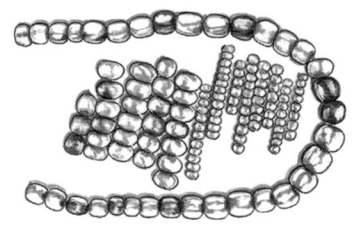

シン　신

飾玉　硝子製の金色飾玉。百済武寧王陵出土。国立公州博物館所蔵。硝子製の小玉類とともに王妃の胸・腰の部分から発見されたもので、硝子の表面に金箔を施したものである。大部分が連珠玉で、ばらばらになったものが多い。中央に孔があって連ねることができ、寿衣に付けられたものと思われる。

シンなどがある。②草・麻製：我が国で最も古くからある履き物で、藁などを編んだ▶チプシンには、目の細かい▶コウンチプシン、喪中に履く▶オムチプシン、カヤツリグサで編んだワンゴルチプシン、ガマで編んだプドゥルチプシンなどがあり、麻を編んだ▶ミトゥリにはサムシン、寺（チョル）で編まれたチョルチ、漢城（ソウル）の塔コルで編まれた塔コルチ、底に糊を塗ったムリパダク、紙縒りで縁取った紙チョンミトリなどがあった。③布製：絹製の唐鞋・雲鞋・太史鞋などがあった。皮の土台の表に布が当ててある。④真鍮製：「鍮鞋」「ノッシン」と呼ばれる真鍮製の履き物で、特殊な階層の人たちが雨天時に履いた。⑤紙製：「紙鞋」と呼ばれる紙の履き物は、一般に貧困層の人々に履かれたものである。朝鮮粛宗の代に紙鞋が法で禁じられ、徐々に消滅していったが、20世紀初頭の純宗の代まで履かれていたことが記録に残っている。⑥木製：木を彫った靴で、「木屐」「キョクチ」「ナマクシン」

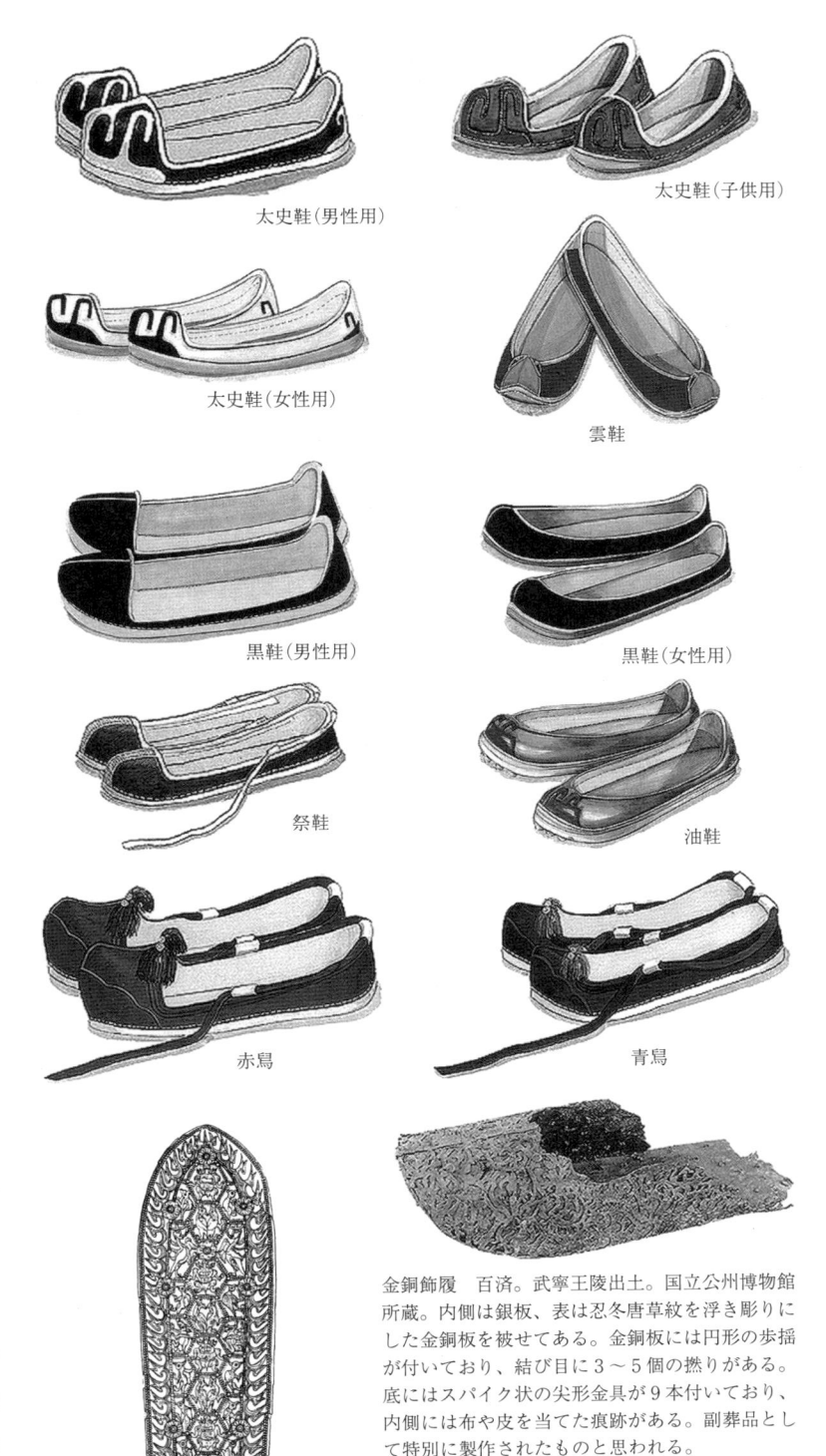

太史鞋（男性用）

太史鞋（子供用）

太史鞋（女性用）

雲鞋

黒鞋（男性用）

黒鞋（女性用）

祭鞋

油鞋

赤鳥

青鳥

金銅飾履　百済。武寧王陵出土。国立公州博物館所蔵。内側は銀板、表は忍冬唐草紋を浮き彫りにした金銅板を被せてある。金銅板には円形の歩揺が付いており、結び目に3〜5個の撚りがある。底にはスパイク状の尖形金具が9本付いており、内側には布や皮を当てた痕跡がある。副葬品として特別に製作されたものと思われる。

金銅飾履底面文様（左）　新羅。慶州路東洞飾履塚出土。亀甲型の輪郭の中に各種怪獣の文様が打ち出されている。

履き物の種類

などと呼ばれる。
■歴史

文献に現れる我が国最古の履き物は、扶余の革鞜(ヒョクタプ)、馬韓のチプシン・草蹻蹋(チョギョタプ)などを挙げることができる。これらは革や草で作られたもので、既に履き物として完全な形をしている。高句麗(コグリョ)では、赤皮靴(チョクピファ)・烏皮靴(オピファ)・黄革履(ファンヒョクニ)・黄葦履(ファンウィリ)(《旧唐書》志音楽高麗)、麻履(マリ)・踏(タプ)・皮糸履(ピサリ)・繭羅履(ケラリ)(《三国史記(サムグクサギ)》職官色服)などが履かれた。百済では靴に関する記録はなく、履に関して国王が烏革履(ペクチェファ)を履いた記録(《旧唐書》百済伝)や、古爾王(コイ)の代に烏葦履(オウィリ)が履かれた記録(《▷三国史記》古爾王28年)がある。新羅(シルラ)では、紫皮靴(チャピファ)(《▷三国史記》色服興徳王)・烏皮靴(オピファ)(同、祭祀楽新羅)などの記録があり、出土遺物として金鈴塚(クムニョン)・金冠塚(クムグァン)・天馬塚(チョンマ)・皇南洞古墳(ファンナムドン)・飾履塚(クムドン)などの古墳から金銅履(クムドンニ)が出土している。

高麗時代には、国王に明から赤履(チョクリ)が下賜された記録が見られ(《▷高麗史(コリョ)》志巻26興服)、また《宣和奉使高麗図経(ソンファボンサコリョトギョン)》によれば、▶朝服に黒舄(ソク)・緋葦舄(ピウィソク)・草履・皂履(チョリ)が用いられた。

朝鮮時代には履き物が多様化し、国王の▶冕服(ミョンボク)や官吏の朝服(チョボク)として舄・黒皮鞋(フクピファ)・侠金靴(ヒョプクムファ)・鈒鞋(サベヘ)・木鞋(モクヘ)・太史鞋(テサヘ)・水鞋子(スヘジャ)・カッシン(革靴)などが履かれ、他にも祭祀に履く祭鞋(チェヘ)・白皮鞋(ペクピヘ)、王女や官吏の夫人が履いた黒熊皮温鞋(フグンピオネ)、侍女・下女が履いた白皮鞋・雲鞋(ウネ)・唐鞋(タンヘ)・繡鞋(スヘ)、油を含ませたチンシン、チプシン・ミトゥリ・ナマクシン・ウェコシン

などがあった。同時に様々な禁制も敷かれ、世宗(セジョン)12年(1430)正月には、7品以下の官吏が套鞋(トゥファ)を履くことや、庶民・職人・商人・下人が靴を履くことを禁じた記録が見られる。17世紀半ばの孝宗(ヒョジョン)の代には白靴(ペクァ)が禁じられ、正祖(チョンジョ)17年(1793)にはその製造も禁じられた。

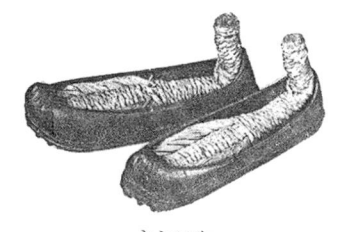

シンコル　신골
履き物の型。

シンコル

シンギグンボク〔神旗軍服〕　신기군복
高麗(コリョ)時代に、女真族を征伐するために組織された別武班(ピョルムバン)の騎兵である神旗軍(シンギグン)の着た軍服。皮を頭に被り、木鼻(モク)を付けて獣に見せかけ、勇猛さを表した。服は、背中に獣紋の入った2枚の布を垂らした朱衣を着た。(《▷宣和奉使高麗図経(ソンファボンサコリョトギョン)》巻12)

シンナル　신날
▶チプシン(草鞋)や▶ミトゥリ(麻鞋)を編むときに、底に入れる経縄。

しらぎのふくしょく〔新羅の服飾〕　신라의 복식
新羅(シルラ)の服飾は、中国の史書には高句麗(コグリョ)・百済と同様であると記されている。注目されるのは服飾用語で、冠が「遺子礼(ユジャレ)」、襦が「尉解(ウィヘ)」、袴が「柯半(カバン)」、靴が「洗(セ)」と漢字表記されている(《梁書》諸夷伝・《南史》東夷伝)。遺子礼を遺介礼と見れば▶コッカル(山形頭巾)、尉解はウティ、柯半はコイ、洗はシン(履き物)と推定され、これらの服飾用語が新羅語起源である可能性を示唆している。新羅も白い衣服を尊び、女性は髪を結い、男性は黒巾を被っていたという。法興王(ポプン)7年(520)に国民の服色が定められたが、紫・緋・青・黄が公服に用いられ、平人は白や黒の服を着たものと見られる。また、冠は《唐書》に見られる黒巾、即ち▶幞頭(ポクトゥ)であったと推定される。真徳女王(チンドギョ)2年(648)に金春秋(キムチュンチュ)が唐から常服制度を導入して以降、官吏が常服を着るようになった。統一新羅興徳王(フンドク)9年(834)には服飾の秩序が乱れ、貴賤上下の区別なく贅沢になり、禁令が下されるに至った。

唐の制度を反映した新羅の服飾制度は、270頁・271頁の表のとおりである。

男性の服飾は、初・中期の冠帽(ベクモ)は白樺帽を基本にしていたが、貴族階層では金冠・金銅冠などが被られたようで、中期以降は主に▶幞頭(翼状の角のある帽子)が用いられた。上衣は▶襦に外衣を重ね着し、貴族は▶銙帯(クァデ)を、一般庶民層は布帯を締めた。下衣はパジ(ズボン)を、足にはポソン(足袋)と縁の低い履を履いたが、官吏や貴族は足首まで覆う靴を履き、足首に紐を締め、玉や銅鉄で飾ったようである。武具類は▶短甲(タンガプ)を中心に鉄鎧が発達し、襟でその出身を区別した。女性もパジの上に内裳(ネサン)と表裳(ピョサン)を履き、上衣はチョゴリを重ね着した。唐の影響で▶半臂(パンビ)やチョッキのような▶裲襠(ペダン)も着ら

シンポ〔身布〕 신포

新羅使節団の服飾　アフラシアブ(Afraciab)宮殿壁画。旧ソ連ウズベキスタンの首都サマルカンドのアフラシアブ聖地に残る宮殿壁画の一部。7世紀ごろの遺跡で、壁画に各国使臣が描かれているが、アリバウム(L.I.Al'baum)はこのうち右の2人を新羅人と報告している。渤海人あるいは高句麗人とする見解もある。2人の人物は団領袍を着て帯を締めているが、袍は細袖で縁取りがなく帯も細帯で、足首も紐で締めている。冠帽には鳥の羽根が2本挿されている。袍に縁のないことや団領という点から、高句麗の固有服飾に中国の団領様式が加味されたような印象を受ける。

1　善徳女王肖像画。兪煌画。八公山符仁寺所蔵。
2　新羅の女性の服飾。ホヨン韓服作品展。
3　統一新羅時代の貴婦人服。韓国服飾2千年展。

れたが、興徳王9年(834)には6〜4頭品の女性にのみ着用が許され、庶民階層には禁じられた。華麗な花冠やコッカルのような帽子を玉や金銀銅鉄で飾って被り、髪は解きほぐした▶被髪(ピバル)や▶オンジュンモリとし、玉や鼈甲、角製の簪を挿して飾った。首からは襟巻きのような裱(ピョ)を長く垂らし、耳飾り・首飾り・腕輪・▶カラクチ（双指輪）なども用いられた。ポソンは紐で飾った華麗なものが履かれた。

新羅の服飾　新羅善徳女王の肖像画に見える金冠は、瑞鳳塚出土の金冠と同じである。瑞鳳塚出土の金冠は、細い梁状のものを台輪の前後と左右に付け、2本が頭頂部で十字に交差する個所に金板をくり貫いた3頭の鳳凰が飾られている。冠を被った際に鳳凰が頭上を舞うかのごとく作られており、天鳥思想の反映と考えられる。冠の両側に垂れた飾りは冠纓の役割を果たすと同時に、金冠に華やかさを添えている。また、金製太環耳飾を耳に掛け、首には瑠璃玉を6条につないだ首飾りを掛けている。銙帯には様々な腰佩が垂らされているが、独特な装飾形態が見られる。魚型のものは薄い純金板に点紋を施し、鱗まで緻密に表現されており、優れた新羅の意匠技術を見せている。玉佩は17条で、歩くたびに輝きを放ち、この上ない神神しさであったろう。また、新羅の貴婦人は襟巻き(裱)を巻いたが、《三国史記》色服の条に、その素材は身分によって羅・繐・綾・紬・絵などを用いたとある。当時の発達した製織技術を背景に、錦の表衣・袴・裳などはたいへん艶やかなものであったろう。

シンセポ〔神税布〕 신세포

朝鮮時代に、祭祀のための税として徴収した布。初めは巫女や管手(チョンソ)(巫儀の笛吹き)から徴収したが、後には一般世帯からも1年に1疋ずつ徴収した。

シンジュドギョン〔神舟図鏡〕 신주도경

高麗時代の円形銅板の鏡。文様は、宋の使者が高麗に派遣された際に乗ったという神舟(シンジュ)が彫刻されており、船首には水鳥が、船尾には竜が雲に包まれるように描かれている。神舟は風波によく耐える豪華船であったという。→コウル(鏡)

シンチャンニプ〔新着笠〕 신착립

朝鮮時代に、冠礼を終えて草笠(チョリプ)を被った男子が、一定の年齢になって初めて黒笠(フンニプ)を被ること。

シンポ〔身布〕 신포

朝鮮時代に、兵役や賦役を義務付けられた男子が、その代わりに納めた木綿や麻。

神舟図鏡　国立中央博物館所蔵

269

統一新羅興德王の服飾禁制

服飾＼階級	冠帽	表衣	短衣	袴	内裳	表裳	内衣	半臂	褙襠	裱
真骨大等	幞頭。生地は任意	罽繡錦羅を禁ず		表衣に同じ				表衣に同じ		
真骨女	冠。瑟瑟鈿を禁ず	真骨大等に同じ		罽繡羅を禁ず			袴に同じ	袴に同じ		罽繡は禁じ、金銀糸・孔雀尾・翡翠毛は使用
6頭品	幞頭を被り、繐羅絹布を使用	綿紬細布を使用		絁絹綿紬布を使用			小紋綾絁絹を使用			
6頭品女	冠を被り、繐羅紗絹を使用	小紋綾絁絹を使用	罽羅錦羅布紡羅野草羅金銀泥を禁ず	繐羅錦羅罽羅金泥を禁ず	罽羅錦羅野草羅を禁ず	罽繡錦羅繐羅野草羅金銀泥纐纈を禁ず	罽繡羅野草羅を禁ず	罽繡繐羅を禁ず	短衣に同じ	罽繡錦羅金銀泥を禁ず
5頭品	幞頭を被り、羅絁絹布を使用	布を使用		綿紬布を禁ず			小紋綾絁絹を使用	内衣に同じ		
5頭品女	冠無し	無紋織独を使用	罽羅錦羅布紡羅野草羅金銀泥纐纈を禁ず	罽繡羅錦羅繐羅野草羅金泥を禁ず	罽繡錦野草羅金銀泥纐纈を禁ず	6頭品女に同じ	小紋綾を使用	罽繡錦野草羅繐羅を禁ず	短衣に同じ	綾を使用
4頭品	幞頭を被り、紗絁絹布を使用	綿紬を使用		布を使用		絁絹を使用		絁絹紬を使用		
4頭品女	冠無し	4頭品に同じ		小紋綾絁絹を使用	内裳無し	袴に同じ	小紋綾を使用	袴に同じ	綾を使用	絹を使用
平人	幞頭を被り、絹布を使用	布を使用		表衣に同じ			絹布を使用			
平人女		綿紬布を使用		絁を使用		絹を使用	絁絹綿紬布を使用			

270

腰帯	腰襻	襪	襪袔	靴	靴帯	履	梳	釵	布	色
研文白玉を禁ず		綾を使用		紫衣を禁ず	隠文白玉を禁ず	皮糸を使用			麻布26升を使用	
		袴に同じ				袴に同じ	瑟瑟鈿玳瑁を禁ず	刻鏤綴珠を禁ず	麻布28升使用	赭黄を禁ず
烏犀鍮鉄銅を使用		絁綿紬布を使用		烏麕皺文紫皮を禁ず	腰帯に同じ	皮を使用			麻布18升を使用	
金銀糸・孔雀尾・翡翠毛・為組を禁ず		罽繡銀羅繐羅野草羅を禁ず	罽羅錦羅を禁ず			罽羅繡羅繐羅を禁ず	真骨女に同じ	純金 以銀・刻鏤及び綴珠を禁ず	麻布25升を使用	赭黄紫紫粉金屑紅を禁ず
鉄銀を使用		綿紬を使用		6頭品に同じ	鍮鉄銅を使用	皮を使用			麻布15升を使用	
6頭品女に同じ	罽繡錦羅を禁ず	6頭品女に同じ	罽羅錦羅繐羅を禁ず			皮を使用	素玳瑁を使用	白銀を使用	麻布20升を使用	赭黄紫紫粉黄屑紅緋を禁ず
鉄銅を使用				6頭品に同じ	銅鉄を使用	牛皮麻を使用			麻布13升を使用	
繡組野草羅乘天羅繐羅は禁じ、綿紬を使用	越羅を使用	小紋綾絁絹紬布を使用	小紋綾を使用			皮を使用	牙角を使用	刻鏤綴珠及び純金を禁ず	麻布18升を使用	赭黄紫紫粉黄屑緋紅滅紫を禁ず
銅鉄を使用				6頭品に同じ	鉄銅を使用	麻を使用			麻布12升を使用	
綾絹を使用	綾を使用	絁綿紬を使用	無紋を使用				素牙角を使用	鍮石を使用	麻布15升を使用	4頭品女に同じ

シンホーチュァウーチヌィグンボク〔神虎左右親衛軍服〕 신호좌우친위군복

シンホーチュァウーチヌィグンボク〔神虎左右親衛軍服〕 신호좌우친위군복

高麗時代に、国王の親衛隊が着た服。毬文錦袍(クムングムポ)にメッキの帯を締め、金花で飾った帽子を被った。(《▷宣和奉使高麗図経(ソンファボンサコリョドギョン)》巻11)

シル 実（いと〔糸〕）

繭・麻・綿・毛などを細長く紡ぎ出して撚ったもの。撚り目がS字に見える右撚糸と、Z字に見える左撚糸とに分けられる。

糸　糸の撚り。

シルッソギ 실써기（くりいと〔繰り糸〕）

繭から糸を引き出して、かせ糸を作る過程。釜に湯を沸かし、水面が半分埋まるほどの繭を入れて煮る。浮いた繭を箸でつついて糸口を見つけ、10個以上の繭糸を合わせて1本の糸とする。→明紬(ミョンジュ)

シルーイッキ 실잇기

裁縫の途中で糸をつなげる方法。糸と糸とを撚り合わせる▷コアイッキ、重ね継ぎのキョプチョイッキ、結び継ぎのオンメオイッキ、玉止めをして縫い直すメドゥプチオイッキなどがある。→パヌジル（裁縫）

シルペ 실패（いとまき〔糸巻き〕）

糸を巻いておく道具。糸を扱いやすくし傷めないための裁縫用具で、ふつう木を削って作られる。▷画角(ファガク)や▷螺鈿を施したものもあり、前者は様々な図柄を入れて宮中で用いられた。糸の汚れを防ぐためのシルペチュモニ（糸巻き袋）もある。

シルペ

シミ〔深衣〕 심의

士大夫が閑居する際に着た普段着。深衣(シミ)に関する最古の記録は、《高麗史(コリョサ)》(睿宗)の国王が深衣を着たというもので、高麗時代末期に朱子学が伝来して以降、儒学者の間に普及した。襟が直領(チンニョン)の一重の▷袍(<外衣)で、ふつうは白の地に襟・衽・裾・袖口に黒の襈(縁取り)が施されており、▷チョルリクや▷襴衫(ナンサム)・鶴氅衣(ハクチャンイ)に影響を与えた。一般の袍と異なり、上半身の衣(ウィ)と下半身の裳(サン)とを別個に仕立ててつなげてある。十二幅の裳が体をゆったりと深く包み込む印象を与え、「深衣」という名称はここに由来するものかと思われる。着用時には黒い紗の▷幅巾(ポクコン)を被り帯を締めるが、白の地と縁・幅巾の黒が調和し、学者らしい高貴な気品が漂う。一般に、両班(ヤンバン)（文武官一族）階級では普段着に▷道袍(トポ)を多用したが、儒学者の間では深衣が礼服として愛用された。深衣の各部には哲学的な意味があり、衣と裳はそれぞれ乾・坤を、裳の十二幅は1年12か月を表し、縁取りは両親に対する孝と恭敬の意を表している。

■深衣の構成

①衣身：身頃のこと。幅2尺2寸、丈4尺4寸の布2枚で仕立てるが、これを半分に折って前後の身頃にするので、それぞれの丈は2尺2寸になる。明の《三才図会》には衣の前部に三角形の衽を付けるとあり、2枚の身頃とは別に布を用意し、斜めに2枚に裁って身頃に縫い合わせる。②袖：袖の仕立て方には、計2枚で仕立てる方法と、4枚で仕立てる方法とがある。③袂：袖に4枚の布を用いる場合、身頃側に左右各1枚、袖口側に各1枚を用いるが、前者を袂という。袖丈は身頃丈と同じで、内側から身頃・袂・袖口側の袖が同じ丈で縫い合わされる。④袪：袖に4枚の布を用いる場合、袖口側の2枚を袪という。袖口に向かって丸みを帯びて細くなり、袖口に縁を付ける。⑤曲袼(コッキョク)：《朱子家礼》によると、襟の後ろ中央の折れた部分を指すもので、角ばっていなければな

シミ〔深衣〕심의

らないとあるが、註には首を囲む形にするとあり、形は不詳である。宋の司馬光の《書儀》には「周礼の註の『首を引き寄せる紐』という記述と《漢書》顔師古の註の『首に巻く紐』という記述に基けば、紐を結んで作った方領である」とあり、▶方心曲領(シムコンニョン)を指すものと思われる。⑥闊中(ファルチュン)：襟ぐりのこと。左右の前身頃の襟部分に縦横8寸の襟ぐりを入れる。ここに左右それぞれの幅が2寸の曲格が入るので、最終的に首の入る幅は4寸となり、上下は曲格の下縁の幅が2寸あるので、6寸となる。⑦衿(ネグム)：襟のことで、右身頃には内衿、左身頃には外衿(ウェグム)を付け、内衿の上に被さるようにする。上は曲格に、下は裳の衽に縫い合わされ、丈は指尺で1尺ほどになるが、適宜調節する。幅は上から下に向かって徐々に広くなり、外側に少帯を縫い合わせる。⑧少帯：「オックン」「コルム」とも呼ばれる結び紐である。コルムは4本で、2本は襟に、もう2本は両脇の下にある。幅は曲格と同じ2寸で、丈は2尺4寸でほぼ胴周りと同じである。⑨格(キョク)：袖付けのことで、註には「脇の縫い目の部分」とある。《礼記》（深衣篇）に、「格之高下可以運肘」とあり、脱着と腕の動きに不自由のないことが求められた。⑩裳：深衣の下衣部分で、六幅それぞれを二つに分けた十二幅で仕立てる。各幅は3分の1幅と3分の2幅とに分け、上を細く下を太くする。裳は衣と縫いつなげられるが、その方法は一様ではない。⑪続衽鉤辺(ソギムクビョン)：続衽(ソギム)とは衽を縫い合わせること、鉤辺(クビョン)とは接ぎ合わせの方法で、衽や裳の各幅を縫い合わせることを指す。《▷五洲衍文長箋散稿(オジュヨンムンチャンジョンサンゴ)》には、「『続』は『属』の意で、衽はチマの部分の両脇を指す。属とはチマの前幅・後幅をつなげることで、続衽とは深衣の下衣の前後を一つにすること」であり、「縫い目が互いにかみ合っていることを鉤辺という」とある。⑫縁・純(ヨン・スン)：経文によると、縁は袖口など服のへりに縁取りをすることで、各1寸半とされ、《礼記》（深衣註）には「深衣は裳をつなぎ、彩色で飾ること」とある。すなわち、内衿と外衿の縁、前裳(イェギ)と後裳(フサン)の縁と裾、袖口に縁取りをす

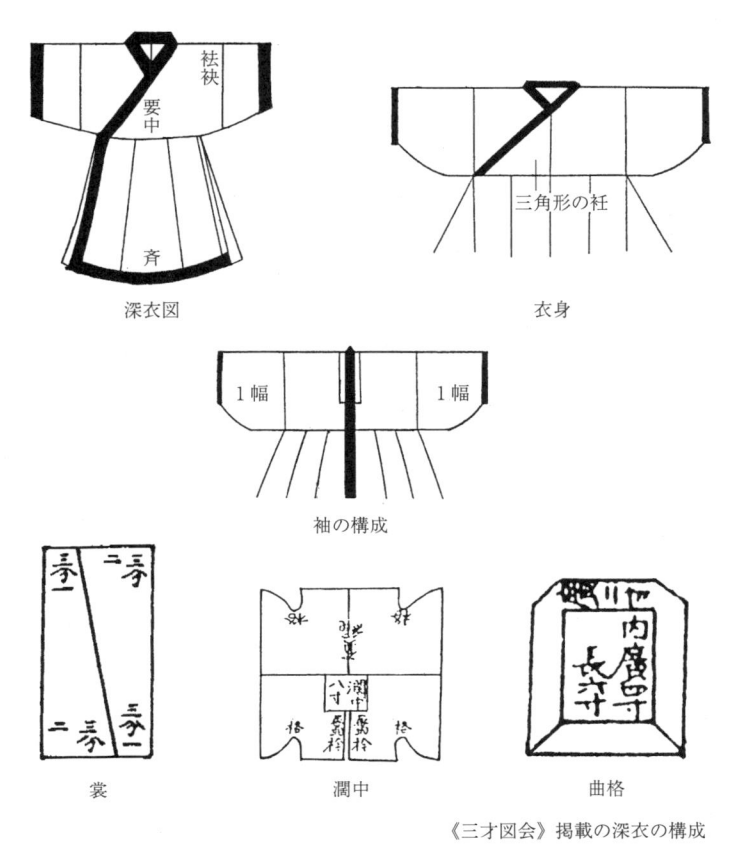

深衣図

衣身
三角形の衽

1幅　1幅
袖の構成

裳　闊中　曲格

《三才図会》掲載の深衣の構成

深衣

273

シムジャム〔蕈簪〕 심잠

ることである。《礼記》(深衣篇)に、両親・祖父母いずれも生存している者は服の純に有文の絹布を用い、両親のみの者は青、両親もいない者は素色を用いるとあり、古代には深衣の縁の色を状況により使い分けていたことがわかる。後に儒学者が礼服としたときには黒の絹布に統一されていたが、《朱子家礼》は便宜のためであると説明し、その幅は衽の表裏が各2寸、袖口が各1寸半としている。(李善宰)

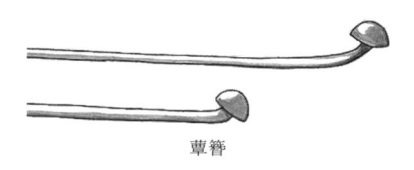

シムジャム〔蕈簪〕 심잠

頂部が茸のような半円形の簪。白銅製で、単調だが独特な美しさがある。朝鮮時代に、女性の入れ髪に多用された。→ピニョ(簪)

蕈簪

シビジャンムン〔十二章紋〕 십이장문

皇帝の大礼服であった十二章服に入れる紋で、日・月・星辰・山・竜・火・華虫(雉)・宗彝(祭器)・藻(水草)・粉米・黼(斧)・黻(亞字紋)の12紋。→十二章服

シビジャンボク〔十二章服〕 십이장복

▶十二章紋が施された皇帝の▶冕服。高宗34年(1897)に国号を大韓帝国と改めて高宗が皇帝位に上り、年号を光武とした。これとともに、冕服も十二章服に改め、玄色(黒紫)の地に十二章紋を施した。

《大韓礼典》に記された冕服は次のとおりである。

① 冕：冠である冕は、黒い円筒形の円匡烏紗帽で、頂部に覆版がある。覆版は奥行き2尺4寸、幅2尺2寸で、前辺が丸みを帯び、表は玄色、裏は朱色である。前後に黄・赤・青・白・黒・紅・緑の7色の玉を通した十二旒があり、冠身とは玉珩でつなげられている。この他に、玉の▶簪導・▶朱纓や、2個の玉を耳栓として付け、両脇の紫の紐2本は顎で結び、残りは垂らす。② 衣：玄色の地に六章紋が織り込まれている。直径5寸の日・月紋は肩に入れ、星・山紋は背中に、竜・華虫紋は両袖に入れる。③ 裳：纁色(薄い赤)の布を、前3幅、後ろ4幅につなげて幕のようにする。六章紋は、火・宗彝・藻が2列、粉米・黼・黻が2

十二章服 (朝鮮王朝五百年服飾展)

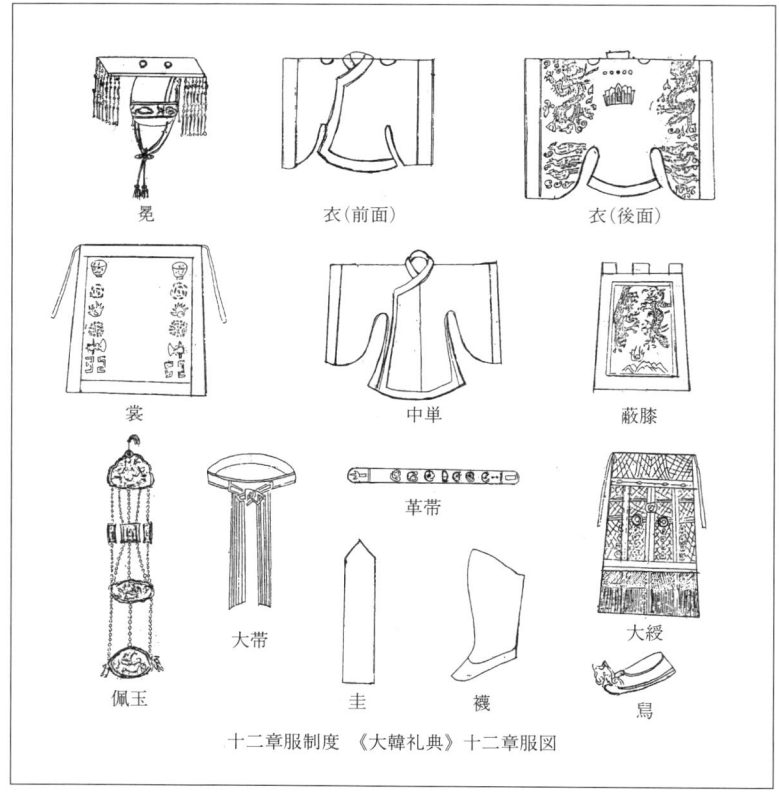

十二章服制度 《大韓礼典》十二章服図

列になるように刺繍する。④▶中単：衣の内側に着る中単は、白の紗で仕立て、襟に青の縁取りを入れ、黻紋12個を織り込む。⑤▶蔽膝：裳と同色の羅を用いる。上段に竜紋を、下段に火紋を三つ刺繍し、革帯に掛ける。⑥▶佩玉：いろいろな形の玉板を5本の紐で上下につなげ、後ろに纁色（薄い赤）を地にした6色の縦長の絹布（小綬）を当てる。玉板は、上から珩が一つ、瑀が一つ、琚が二つ、衝牙が一つ、璜が二つで、瑀の下に玉花が、その下には雲竜紋を彫った玉滴が二つ垂らされている。佩玉は、上部の留め金で両腰に1本ずつ垂らし、歩くと衝牙・玉滴・璜がぶつかり音を出す。⑦▶大帯：表は素色（黄みのある象牙色）、裏側は朱色で、上端には朱色、下端には緑の襈（縁取り）を当てる。錦は用いない。⑧革帯：前部を玉で飾る。⑨大綬：纁色（薄い赤）を地に、黄・白・赤・玄・縹・緑の6色を用いる。⑩▶圭：白玉製で、高さは1尺2寸。頂部の尖った五角形で、上部に山形四つを彫り、下部は黄色の絹で包む。黄色の絹の袋に入れる。⑪襪：朱色の緞（朱子織の絹布）で作る。⑫舄：朱色の緞で作られ、黄色の紐を縁にめぐらせ、玄色（黒紫）の紐で結ぶ。

シプチャンセンムン〔十長生紋〕 십장생문

亀・鹿・鶴・松・竹・不老草・岩・水・雲・太陽という、10種の代表的な長寿の象徴を集めてデザインした複合文様。上記以外に月や山が用いられることもある。我が国独自の文様で、長寿への願いを込めて広く用いられた。朝鮮時代には、宮中で元旦に十長生紋の入った絵を掛ける風習があり、庶民の間では婚礼に用いる新婦の▶スジョジプ（箸・匙入れ）・▶ペゲンモ（枕側）・屏風、在野の儒学者の文房具などに使われた。→紋様

サバッキ 싸박기

裁縫技法の一つ。薄い▶チョク衫（＜上衣）や▶ケッキオッの襟を付けるときに、縫い代を細く、丈夫に裁縫する方法。襟を身頃の襟線に仕付け縫いし、表から襟線を縫う。次に、裏から襟線を引き出して折り、襟が身頃と身頃との間に挟まれるように仕付け縫いし、襟線を再び裏から縫って縫い代を切り、残りの縫い代を襟側に折ってアイロンを掛ける。→パヌジル〔裁縫〕

サムソル 쌈솔 （おりふせぬい〔折り伏せ縫い〕）

布と布との接ぎ目を処理するための裁縫法の一つ。2枚の布を合わせて端を縫い、片側の縫い代を若干切って短くし、残りの長い縫い代を折ってこれを包むようにし、その上を再度縫う。単衣や縫い目が解けやすい布に用いられる技法で、▶トンソルギ（袋縫い）より薄く丈夫に仕上げられ、下着や作業服などに多用され

十長生紋

る。→パヌジル〔裁縫〕

サムジ 쌈지

煙草や火打石を携帯するための油紙・革・布製の袋。形は、煙草入れの場合は▶ヨム嚢・▶クィジュモニのような巾着型をはじめ多様だが、火打石を入れるものはふつう長方形である。刺繍を施したものもある。

サンゲ〔双紒〕 쌍계

頭の頂部左右に結う二つの髻。高句麗時代からの髪型で、朝鮮時代まで行われていた。龕神塚など高句麗古墳壁画の女性の頭に、髻が大きく描かれた双紒が見られる。朝鮮時代の

光武元年高宗皇帝冕服十二章服の紋

種類	紋	位置	意味
日		左肩	太陽の中に描かれた三足鳥は金鳥とも呼ばれ、太陽光を象徴する。周代には三足の赤鳥が日象紋として描かれている。
月		右肩	月の中に不老不死を意味する兎や蝦蟇が描かれている。古事には、西王母から賜った不老不死の薬を盗み飲んで月に逃げ、月の精になったと記されている。
星辰		背の上部	左に北斗七星、右に三角形で織姫星を表わし、忠義な人間を意味する。《書経》に「星辰を敬い人士に授ける」とあるが、これは功が大きく忠義な人物に授けるとの意である。
山		背の中央	不動の形で、鎮静を意味する。崇高な霊感を漂わせる山は古人に崇められた。雲を吐き、雨露を通じて万物に恵みを与える宇宙山象に対する崇拝は相当なものであった。
火		裳に左右一つずつ	明るい炎は、眩しいばかりの明徳を象徴する。《説文》に、火紋は円状で、自然燃焼する炎を表わすとある。
華虫		袖口に左右三つずつ	羽の美しい雉の文様で、いち早く中国の夏・殷・周の代の后妃衣に刺繍され、我が国でも冕服の玄衣と后妃の翟衣・蔽膝などに用いられた。冕服の左右の袖口にそれぞれ3羽の華虫を描き、翟衣には十二等翟紋を織り成す。
藻		裳に左右一つずつ	清潔と華美を意味する。
粉米		裳に左右一つずつ	穀物の文様で、互いに私心の無いことを表わし、良民に忠誠を尽くすという意味が含まれている。
黼		裳に左右二つずつ	斧の文様で、国王の決断力と意志を象徴する。半分が黒である。
黻		裳に左右二つずつ	互いに私心が無く、忠誠心をもって背を合わせた形で、臣民の背悪向善を意味する。
竜		両肩に左右一つずつ 蔽膝に左右1ずつ	神奇変化を表す。太宗(1392〜1398)の代に竜紋が普及したが、竜は国王を象徴し威厳を表すとされ、国王を竜にたとえてその御衣を竜袍と呼び、補にも竜紋を用いた。中国では皇帝の御衣の地に装飾として用いられた。
宗彝		両袖に三つずつ 裳に左右一つずつ	宗廟の祭器をかたどり、神明を意味する。宗彝に描かれた虎は勇猛を、猿は知恵を表す。また、ともに孝を意味する。

サムジ 花草紋の火打石サムジ。21.5×10cm。朴ヨンスク所蔵。朝鮮時代。前面は藍色の地に長生紋を隙間なく入れ、後面にも余白に花鳥紋を刺繍してある。精巧な刺繍の腕前からして、宮中で用いられたものと思われる。

正祖12年(1788)に備辺司から出された加髢申禁節目に、双紒は嫁入り前の娘のするものとあるが(《朝鮮王朝実録》正祖12年10月辛卯)、これは髪を両耳元で結って垂らした髪型と思われる。仁祖の代に、宮内所管庁の礼曹の上奏に「王世孫の冊封の際は双童髻・双玉導・空頂幘を用いる」(《朝鮮王朝実録》仁祖26年8月乙巳)とあり、冊封の際に世継ぎが双紒をしていたことがわかる。

サンドンゲ〔双童髻〕 쌍동계
→双紒

サンバングォン〔双蟠圏〕 쌍반권
朝鮮時代に、2品の文武官吏が頭に締める▶網巾に付けた金製の▶貫子。朝顔・梅・瓜の花の形をしている。(《▷五洲衍文長箋散稿》巻34 網巾環制弁證説)同蟠金圏

サンジョジャム〔双鳥簪〕 쌍조잠
頂部に2羽の鳥が彫刻された簪。

サンホ-ヒュンベ〔双虎胸背〕 쌍호흉배
2匹の虎が刺繍された▶胸背。朝鮮時代に、堂上武官(正3品以上)がその標章として官服の胸と背中に付けた。深青色雲宝紋緞に、鋭い眼光の2匹の虎が顔を向き合わせた姿で上下にデザインされている。虎の間には青・紅の太極紋が、下段には三山や波紋・卍字紋・岩・不老草などが刺繍され、地には紅・藍の雲紋を入れ、縁を白で仕上げてある。虎は武士に通じる勇猛さを備え、悪を懲らしめ義を守る賢い動物とされ、太極は陰陽の働く方向と万物生成の宇宙を表している。朝鮮時代の基本法典である《▷経国大典》(礼典儀章)の冠・服規定に、1・2品武官は▶常服(執務服)に虎を刺繍した胸背を付けるとあり、高宗8年(1871)2月の《五礼便攷》(儀章巻)は、堂上武官は双虎、堂下武官は単虎胸背を付けるよう定めている。→胸背

サンヒジャーチョムムンサ〔双囍字蝶紋紗〕 쌍희자접문사
囍字と蝶の文様を入れた紗織の絹布。薄くて軽く、夏用の生地として多用される。

スゲ 쓰개 (かぶりもの〔被り物〕)

頭の保護や装飾のため、また身分や儀礼に合わせて格式を整えるために用いられた被り物の総称。

■歴史
①三国時代:中国の《史記》や我が国の古墳壁画を見ると、折風系統の▶折風帽・羅冠・蘇骨・鳥羽冠・▶幘・▶黒巾や笠系統のもの、戦闘用の▶トゥグ(兜)などが見られ、出土遺物には金冠類と樺皮冠などがある。統一新羅時代には、9世紀の興徳王服色禁制の記録によると、王族系の官僚であった真骨大等から庶民に至るまで絹の▶幞頭を被り、女性は真骨女と6頭品女は絹の花冠を被り、5頭品女以下は無冠であった。
②高麗時代:《宣和奉使高麗図経》によると主に幞頭が用いられ、国王は常服(執務服)に▶烏紗高帽、▶祭服(祭祀服)に▶冕旒冠、燕服に▶

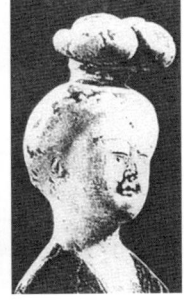

双紒 (左)龕神塚壁画の侍女。(右)中国河南省出土の唐三彩俑の双紒

双虎胸背

スゲ−スゴン〔スゲ手巾〕 쓰개수건

皁巾を被った。軍服にも幞頭を被り、他にも▶金花大帽・▶皮弁・皮蒙首・▶文羅頭巾などがあった。庶民は皁巾・文羅頭巾などを被っていたと見られる。女性の被り物としては顔を隠すための▶蓋頭があり、元伝来の▶チョクトゥリ（黒絹冠）と新羅時代から用いられた▶花冠が礼冠であった。③朝鮮時代：国王が被る冕旒冠・遠遊冠・翼善冠、官吏が被る▶金冠・幞頭・紗帽・▶耳掩、事務官の録事が被る▶平頂巾、儒学生の▶緇布巾、宮中の雑職であった別監の紫巾・朱黄草笠・青巾、刑務官であった羅将の皁巾、士大夫や庶民の被る▶黒笠・▶草笠、軍服に被る▶ポンゴジ（戦闘帽）などがあった。普段着には、笠系統の▶ペレンイ・草笠・黒笠と、冠系統の▶程子冠・▶東坡冠・▶方巾など、多様な被り物が用いられた。また、防寒帽や、女性が顔を隠すためのものもあった。

■防寒用スゲ
朝鮮時代を通じて、庶民の男女はこぞって防寒用▶暖帽を被った。種類も多く、▶耳掩・▶揮項・▶風遮・▶項風遮・小風遮・胡耳掩・▶満縇頭里・▶抹額児掩などがあり、朝鮮時代後期には▶ナムバウィ・チョバウィ・▶児掩・クルレなど種類が増えた。これらは、朝鮮中期までは上流階級で用いられるものだったが、後期以降は一般に普及した。

■覆面用スゲ
高麗時代以降、貴婦人たちは外出時に▶蒙首を被って顔を隠した。蒙首は蓋頭とも呼ばれ、唐では冪䍦・帷帽・蓋頭などの名称があった。朝鮮時代には儒教的な生活規範により、女性が男性と顔を合わせることがタブー視され、覆面用スゲが中人階級以上に普及した。その種類は実に多様で、▶ノウル・▶スゲチマ・▶チャンオッ・▶チョネ・▶サッカッ・▶氈帽などがあったが、19世紀末の開化期以降、姿を消した。王妃と側室のスゲは紫的羅で、その他の女性は皁羅または黒紬など黒の絹で仕立てられた。（朴京子）

スゲ−スゴン〔スゲ手巾〕 쓰개수건
髪を結った上に締める白い手拭（スゴン）型の被り物。中に綿を入れる。

スゲ−チマ 쓰개치마
朝鮮時代に、女性が外出時に顔を隠すために用いた被り物。形は▶チマ（スカート）と同じだが、チマより30cmほど短く、幅も狭めである。赤や玉色（水色）の木綿や平絹の一重チマに木綿で腰を付け、額に被ってのど元を手で押さえた。季節により袷や綿入れにし、夏には紗も用いられたが、どんなに暑い日でも被られた。→スゲ

スゲチマ 〈月下情人〉（部分）申潤福画。

シア 씨아（わたくりぐるま〔綿繰り車〕）
実綿から種を取り除く器具。「シアトゥル」「攪車」「シアシ」「シエギ」「スェギ」「シエ」「タリゲ」など多様な呼称がある。シアは、取っ手を回すとスカラク（オスの軸）が回転し、これにつながった歯車なども回転してアムカラク（メスの軸）がスカラクと接したまま逆方向に回転するようになっている。二つの軸の間に実綿を挟んで取っ手を回すと、種は後ろに、綿は前に落ちる。軸の下には受け台があり、布で綿と種とを分離して混ざらないようする。1人ないし2人で回すようになっており、摩擦によるきしみ音を防ぐため、ときどきに蜜蝋を塗る。長期間使ったものは摩滅により軸がすべり能率が悪くなるため、鋸やヤスリで角を立て、軸を取り替える。軸の間隔はくさびで調節する。（参考）高麗大学校民族文化研究所《韓国民俗大観2》1980

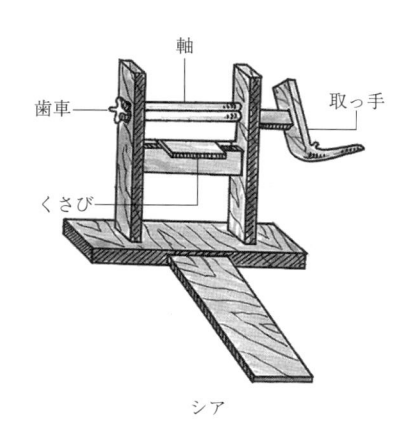

シア

アチョン-タンジャ-チョピ〔鴉青緞子貂皮〕아청단자초피

ア

アグァンモ〔硏光帽〕아광모
朝鮮時代に、宮中の舞童が被った帽子。形は▶紗帽と同じだが、後部が高く、その正面に絹で線を入れてある。宝相舞・響鈴舞・影池・春光好・春鶯伝・催花舞・佳人剪牧丹・撲蝶舞・沈香春・畳勝舞・舞山香・舞鼓・牙拍舞などを舞うときに被った。→宮中舞服

研光帽

アグィ 아귀
衣服の脇の明き。

アダゲ〔阿多介〕아다개
虎・ノロ鹿などの毛で作った敷布団や座布団などの敷物の俗称。

アランジュ〔アラン紬〕아랑주
緯糸に絹4本または6本を入れてから麻2本を入れたり、経糸の絹に2・3本の麻を混ぜて縞模様になるようにした交織織物。織った後に染色すると、麻糸と絹糸が色の濃淡を作り風変わりな織物となる。

アマサ〔亜麻糸〕아마사(あまいと〔亜麻糸〕)
亜麻繊維を紡績機で紡いだ糸。各種麻糸の中で最も重要なもので、細いものは洋服・シャツ・ハンカチ・テーブルクロス地、太いものは天幕地などを織るのに用いられる。

アマ-チンムル〔亜麻織物〕아마직물(あまおりもの〔亜麻織物〕)
亜麻糸で織った幅の広い織物。経・緯糸の密度が一定の平織である。

アサリ-テドクポク〔阿闍梨大徳服〕아사리대덕복
阿闍梨大徳が着た服。阿闍梨大徳とは高麗時代の僧位で、教団で教育を担当した。短袖偏衫に壊色(濃い赤茶色)の5条掛衣を羽織り、黄裳を履いた。(《宣和奉使高麗図経》巻18)→僧服

アヤム〔額掩〕아얌
朝鮮時代に、女性が冬の外出時に被った防寒帽の一つ。両班層(文官・武官とその一族)では防寒用に、平民層では装飾用に用いられた。額を巻く黒絹に毛皮を当てたもので頭頂部はなく、後頭部に▶トゥリムデンギを長く垂らしてある。トゥリムデンギは、長さ100cm、幅20cmほどの黒・紫の紗(捩り織の絹)や緞(朱子織絹)に紅色の窓戸紙(障子紙)で裏を当て、蜜花(黄色の琥珀)や金板製のメミ(蝉型の飾り)を所々に付けてある。前頭部・後頭部には黒や紫色の玉や珊瑚珠に紐を通して端にスル(房飾り)を垂らしてある。朝鮮時代初期から耳掩と混同されている。同額掩→暖帽

アヤム-テンギ〔▽額▽掩▽唐▽只〕아얌댕기
▶アヤムの後ろに長く垂らす▶テンギ(帯状の頭飾り)。長さ100cm、幅20cmほどの黒や紫の紗(捩り織の絹)・緞(朱子織の絹)に紅色の窓戸紙(障子紙)で裏を当て、玉や蜜花(黄色の琥珀)などで飾る。

アヤム-トゥリム〔▽額▽掩トゥリム〕아얌드림→同アヤム-テンギ

アチョン-タンジャ-チョピ〔鴉青緞子貂皮〕아청단자초피
▶鴉青色(濃い藍色)の▶緋緞(朱子織絹)と貂などの皮革。朝鮮時代、端宗即位年(1452)10月に国王が

アヤム 髷を結った上にアヤムを被った端正な姿。外出時にはアヤムを被るのが礼儀であった。初期には男女ともに被ったが、後に女性専用となり、朝鮮時代末期のチョバウィの登場により姿を消していった。

アヤムとアヤムテンギ

アチョンナム〔鴉青藍〕아청람

叔父に当たる首陽大君に鴉青緞子貂皮裘(革衣)を下賜したことがある。

アチョンナム〔鴉青藍〕아청람→⊡鴉青色

アチョンセク〔鴉青色〕아청색

濃い藍色。藍の重ね染めで出す色で、よく茂った藍の葉を3日以上水に浸し、蓬の灰汁で8回以上染める。朝鮮時代に朝廷官吏の服色に定められ、▶団領・▶耳掩(＜防寒帽)・カムトゥ(簡易帽)などの織物色として用いられた。世宗19年(1437)9月、近衛兵である侍衛軍士の下着が鴉青色と定められ、文宗即位年(1450)5月には、先王の世宗の喪中に慕華館に喪服で出向き明の使臣から信任状を受ける際に、鴉青色の団領(外衣)を着て黒の▶革帯を締め、黒い履物を履いた。同緇色・鴉青藍

アチョン-オホ-クムダン〔鴉青五壺金緞〕아청오호금단

瓢箪の文様が入った▶鴉青色(濃い藍色)の冬物生地。→紋緞

アチョン-チョサ-カムトゥ〔鴉青紵糸坎頭〕아청저사감두

▶鴉青色(濃い藍色)の苧麻糸で作った▶坎頭(簡易帽)。朝鮮時代に第10代国王燕山君が警辺使李克均に与えた下賜品の中にこの坎頭が含まれていた。(《▶朝鮮王朝実録》燕山君5年7月戊辰)

アチョン-チェダン-ホウィ〔鴉青綵緞胡衣〕아청채단호의

▶鴉青色(濃い藍色)の有文の緋緞(朱子織絹)で仕立てた胡衣。胡衣とは女真族から伝わったとされる衣服で、朝鮮時代の太宗17年(1416)に、中国の使臣黄儼が鴉青綵緞胡衣を差し出して貂皮で裏を打って欲しいと要請した記録がある。(《▶朝鮮王朝実録》太宗17年7月戊辰)

アペ〔牙牌〕아패

2品以上の文武官が携帯した象牙製の▶号牌(身分証札)。→号牌

アホル〔牙笏〕아홀(げしゃく〔牙笏〕)

象牙で作った▶笏。朝鮮時代、中宗13年(1518)4月に明の皇帝が下賜した王妃の冠服の中に牙笏1本が含まれている。朝鮮時代には4品以上の官吏が▶朝服(朝賀服)・▶祭服(祭祀服)・▶公服(国王謁見服)着用時に手にした。

アクス〔握手〕악수

葬儀で遺体を洗い服を着せる殮襲の際に、遺体の手に巻く布。男性は白または藍色の地に紫朱色(赤紫)の裏を、女性は白や黒の地に真紅の裏を当てて袷にする。左右の端に紐を付け、手の甲から手のひらに向けて被せる。

アギンボク〔楽人服〕악인복

朝鮮時代に典楽署・掌楽院などの官庁に属し、祭祀・宴会などの儀式で音楽を担当した楽師・楽生・楽工の服飾。儀式の種類により服飾に違いがあった。朝鮮時代初期には宋の制度に従い、楽工は大朝会で▶黒介幘を被り、上衣に緋繍鸞衫、下衣に白絹の狭袴を着用し抹帯を締めたが、制度が完全に整備されていたわけではなかった。世宗12年(1430)には朝会での雅楽工人の冠服が定められ、翌13年には朴堧(1378～1458)の建議により、冬至・正月の会礼宴で男楽を踊る際の冠服が制定された(《▶朝鮮王朝実録》世宗12年12月辛巳・世宗13年8月辛丑)。世宗の時代の《国朝五礼儀》に収録された楽人の服飾を見ると、登歌演奏の際には楽生62名が▶介幘冠を被り、緋鸞衫、平絹の▶中単、白紬袴を着て金銅革帯を締め、白の麻▶ポソン(足袋)と黒の革靴を履いた。楽士は▶幞頭を被って赤い公服(国王謁見服)を着、金銅革帯と緋白大帯を締め、白の麻▶ポソン(足袋)に黒の革靴を履いた。このような服飾は、国王の行幸である軒駕の際にも同様であり、基本的な楽人の服飾であった。

楽人服

アンギョンジプ〔眼鏡ジプ〕안경집(めがねいれ〔眼鏡入れ〕)

眼鏡を保管するための入れ物。一般的に鼈甲・獣皮・鮫皮・魚皮・布・紙・紙縄(紙紐工芸)等で作り、刺繍を入れた色布で巻く。長楕円形のものや長方形のものがあり、十長生紋・吉祥紋・蓮花紋・梅花紋・竹紋・双鶴紋などが刺繍で施された。

アプトゥロクセク〔鴨頭緑色〕 압두록색

梅花紋眼鏡ジプ 淑明女子大学博物館所蔵。楕円形で、表は梅花紋を施した玉色(水色)の絹を当ててある。蓋には「必見万国」の文字が、本体の前面にはすっと伸びた梅の枝に一対の鳳凰が、後面には竹が刺繍されている。

アンドンポ〔安東布〕 안동포

サムベ(麻)の一つ。慶尚北道安東地方で生産される大麻布で、我が国に産するものとしては最も質がよい。赤みや黄みを帯び、目の細かな美しい高級生地である。ざらざらした風合いで風通しがよく、汗をかいてもべたつかず、▶袴衣のような男性用の夏着や▶赤衫、両班家(文武官の一族)の▶喪服の生地とされた。(《▷朝鮮女俗考》22章朝鮮女子労力僱作4)→サムベ〔麻布〕

安東布

アンシ〔雁翅〕 안시

▶幞頭(<帽子)の左右に突き出た角のような軟脚の一つで、雁の翼の形をしたもの。上向きに反った先端が剛健な気性を表しており、「展翅」とも呼ばれる。(《▷磻渓随録》巻25続編上)

アノルリム-ポンゴジ 안올림병거지

朝鮮時代中期以後に、品階の高い武官が被った▶戦笠。品質の良い豚毛を固めた毬で帽子の形を作り、頂部に孔雀尾・栗毛・頂子・蜜花纓などの装飾を付けた。庇の裏には藍色の雲文緞を当てた。→戦笠

アンジューハンナ〔安州亢羅〕 안주항라

平安南道安州で生産される▶亢羅。亢羅は細い経糸で織った▶絽織(捩り織)の布で、無数の網目が規則的に並び、まだらに透ける織物である。軽く薄いので夏用の生地として用いられ、朝鮮時代には安州で生産されるものが特産品とされた。

アンタッケビ 안타깨비

絹のくず糸を繋いで織った厚い平絹。

アンタフェ〔安陀会〕 안타회

5条の▶袈裟のこと。仏教では5条、7条、9〜25条の3種の袈裟を「三衣」と呼ぶが、安陀会はこのうち最も小さいものである。同行道・務襯身等衣→袈裟

アンジュルケ 앉을깨

機織りの織り手が作業の際に座る板。→ペトゥル(織機)

アムセファ-エンガロク〔暗細花鶯哥緑〕 암세화앵가록

暗細花の絵に高麗鶯の図柄を入れて織った緑色の絹織物。朝鮮時代の端宗3年(1455)4月の王妃即位時と、世祖2(1457)年4月に明の皇帝から王妃に下賜された物品中にそれぞれ11疋が含まれていた。

アムファ-コルタ-ウンガム-パルボロク〔暗花骨朶雲嵌八宝緑〕 암화골타운감팔보록

暗い花の絵に骨朶・雲嵌・八宝を刺繍し織り上げた青黄色の絹織物。朝鮮時代の文宗即位年(1450)に明の皇帝が下賜した物品中に、2疋が含まれていた。(《▷朝鮮王朝実録》文宗元年4月壬寅)

アムファ-パルボ-チョンファ-ウンミョンノク〔暗花八宝天花雲明緑〕 암화팔보천화운명록

暗い花の絵に八宝・天花・雲明を刺繍して織った青黄色の絹織物。天花は仏家において天上の妙花とされ、雲明は天の象徴である。15世紀半ば、朝鮮時代の文宗の代に明から持ち帰った物品の中に2疋が含まれていた。(《▷朝鮮王朝実録》文宗元年7月辛酉)

アプトゥロクセク〔鴨頭緑色〕 압두록색

鴨の頭の毛色に似た濃い緑色。鼠李(チョウセンクロツバラ)の皮を煮詰めたものでそば茎の灰汁を媒染にするか、甘棠(アズキナシ)の皮を煮たもので明礬を媒染に染める。朝鮮時代に木綿や平絹をこの色に染めた。朝鮮時代の太宗16年(1416)に、各宮殿の敷物の▶襈(縁取り)の赤い絹を鴨頭緑色の7升木綿に変え、世宗6年(1424)には使臣の領議政李稷と副使の摠制李格に鴨頭緑色の平絹で仕立てた服を下賜したことがある。世宗27年(1445)には6人の承旨(王命下達官)に鴨頭緑綿

を下賜し、服制は明のものを取り入れた。(《▷朝鮮王朝実録》太宗16年5月壬辰・世宗6年9月辛卯・世宗27年3月丙子)

アプチュル-テンギ 앞줄댕기
→同トゥリム-テンギ

アプチマ 앞치마(まえかけ〔前掛け〕・エプロン)
▶チマ(スカート)の汚れを防ぐために、その上に掛けるチマ。高句麗の壁画にも見られるほど、その歴史は長い。朝鮮時代には、吸水性のよい綿布で単衣に仕立てたものを用いたが、現代のものよりは実用性に重点が置かれた。

エンマジ〔腋ケ只〕 액마지→

アプチマ (左)両班家の女性のアプチマ姿。チマを覆うほど長い。(右)庶民の女性のアプチマ姿。チマの丈より20〜30cmほど短かった。

腋注音袍 身丈96cm、裄93.5cm、幅70cm。石宙善紀念民俗博物館所蔵。朝鮮中期の東萊鄭氏休復(1529〜1604)の墳墓から出土した遺品で、綿布に綿を入れ刺し子にしてある。

同 **肩ケ只**
エクチュウムポ〔腋▽注▽音袍〕 액주음포
男性用▶袍(<外衣)の一つ。朝鮮時代の初期から中期にかけて用いられた。襟は▶直領で、刀型である。細袖で、腋下の▶ム(襠)の付け根に襞を入れてあり、腋チュルム袍(「脇襞袍」の意)とも呼ばれる。刺し縫いしたものが多い。(金美子)
→▶袍

エクチュウイ〔腋皺衣〕 액주의
脇に襞を入れ、粗縫いで仕立てた服。朝鮮時代の世宗28年(1446)に議政府(内閣)の服色詳定条件により、庶民・諸員(下級官吏)・隊長・隊副(下級武官)・日守両班(地方下級官吏)・商工業従事者などは▶団領に代えて、▶帖裏と腋皺衣・▶直領を着るように定めた。(《▷朝鮮王朝実録》世宗28年5月壬辰)

エンサム〔鶯衫〕 앵삼
朝鮮時代に、儒学者が科挙に合格し

腋皺衣 石宙善紀念民俗博物館所蔵。

たときや、▶冠礼の三加の際に着た礼服。豆緑色(薄い黄緑)の表地に黄色の裏地を当てた▶曲領の袍で、襟・裾周り・袖の縁に黒の▶襈(縁取り)を施してある。両脇の▶ム(襠)には明きがあり、やはり黒い襈が当ててある。▶鈒金帯を締めて木靴を履き、▶幞頭を被った。鶯衫は中国の▶襴衫に由来するもので、朝鮮時代末期に鶯色になり、現在の名称が付いた。科挙に合格した者は、鶯衫を着て国王から授かった御賜花を帽子に挿し、3日間恩師や親戚を訪問し祝福を受けた。

ヤギョンサ〔野繭糸〕 야견사
(てぐす〔天蚕糸〕)

鶯衫

野蚕の繭から紡いだ糸。薄い褐色の糸で光沢があり、濡れると縮む性質がある。🔁柞蚕糸・野蚕糸・天蚕糸

ヤジャデ〔也字帯〕야자대

宮廷の舞童が舞台服に締めた帯。▶花冠を被り、▶中単（＜中衣）・裳（≒スカート）と各色の▶団領（＜上衣）を着た上に也字帯を締めて、黒の▶靴子を履いた。帯を締めたとき、片端が下に垂れ「也」字型になることから名付けられた。朝鮮時代の英祖33年（1757）には、喪中に科挙の合格発表に出席する者は、麻で覆った▶幞頭を被り、也字帯を締めるよう定められた。（《▷増補文献備考》巻67礼考14国恤3）

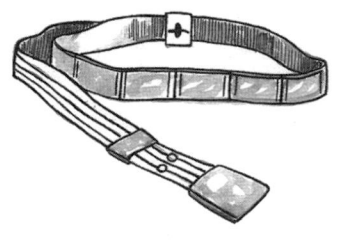

也字帯

ヤン〔梁〕양

▶梁冠の額部分から頭頂を通って後頭部に至る、丸みを帯びた筋。梁冠は、高麗・朝鮮時代に文武官吏が被ったものだが、品階により梁の数が異なった。梁が1本の一梁から六梁まであった。→梁冠

ヤングァン〔梁冠〕양관

朝鮮時代、元旦・国慶日・大祭礼、詔勅の頒布、賀詞奉呈式で、文武百官が▶朝服・▶祭服を着て被った冠。額から頭頂部を通って後頭部に至る筋が平行に数本走っており、これを▶梁と呼んだ。冠の鉢巻状の部分と後面全体に唐草文様を刻んで金泥を塗ってあり、▶木簪と呼ばれる▶簪が冠を左右に貫いている。品階によって梁の数が異なり、太宗16年（1416）の朝廷官吏の冠服制度に関する記録によると、1品官は五梁冠、2品官は四梁冠、3品官は三梁冠、4・5・6品官は二梁冠、7・8・9品官は一梁冠を被った（《▷朝鮮王朝実録》太宗16年3月壬戌）。王世子は▶絳紗袍（＜外衣）を着て六梁冠を被った。→🔁金冠②

梁冠　五梁冠。温陽民俗博物館所蔵。

ヤンダン〔洋緞〕양단

地組織を経朱子、文様組織を緯朱子で厚く織った高級絹織物。8枚または5枚朱子で織り、文様はふつう綾織で入れる。銀糸や色糸で円・草花・鶴・文字などを刺繍する。主にチマ（≒スカート）・チョゴリ（上衣）・トゥルマギ（＜外衣）など冬の女性用外衣や、男性のマゴジャ（ボタン式外衣）・チョッキなどの生地、あるいは布団地として用いられる。

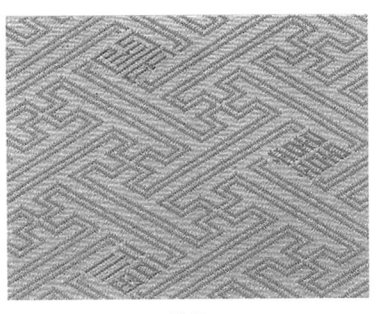

洋緞

ヤンモク〔洋木〕양목→🔁唐木

ヤンセクタン〔両色緞〕양색단

絹織物の一つ。地は平織の変化組織で、経・緯糸の色を変えて織った冬用の絹。

ヤンジャム〔養蚕〕양잠（ようさん〔養蚕〕）

蚕を飼育し繭を生産すること。《漢書》地理誌によると、我が国では古朝鮮時代からすでに養蚕が始まっていたという。三韓時代、高麗時代、朝鮮時代を通じて養蚕が盛んであった。

■養蚕の奨励

朝鮮時代の歴代国王は、衣食の基盤となる農業と養蚕を積極的に勧奨した。そのためには養蚕技術や優秀な蚕種の普及に加え、桑の栽培が重要であったため、国は各種の書物を刊行し、養蚕や桑の栽培法を農民に教える一方、法を整備して、ときには刑罰を加えることもあった。初代国王である太祖の代に刊行された《経済六典》（1397年）には「種桑之法」を定め、農家を世帯の大小により大戸・中戸・小戸に分けて、桑の最低栽培本数を定めた。第3代国王の太宗の代には種桑之法が守られなくなったため、桑の栽培数が10株に満たない農家からは米1〜2斗相当の貨幣1枚を罰金として徴した（《▷朝鮮王朝実録》太宗10年11月）。太宗は、養蚕を国家産業として育成するためには国立養蚕所ともいえる蚕室都会の設置・運営が必要と考

養蚕

え、まず京畿道加平郡朝宗と揚根郡迷原の2か所に試験設置した（《▷朝鮮王朝実録》太宗16年2月）。15世紀半ばの文宗の代には、ソウルのパムソム（栗島）での一般作物の栽培が禁じられ、桑の苗木のみが植えられるようになった。世祖の代には桑の栽培を強力に推進するため、蚕室都会付近の公桑植栽地のみならず全国の農家を5等級に分け、大戸は300株、中戸は200株、小戸および残戸は100株、残残戸は50株を植えるよう義務付けるとともに、桑の枝を折ったり伐採した者を処罰した（《▷朝鮮王朝実録》世祖2年2月）。朝廷では、養蚕技術の普及・奨励のために《養蚕経験撮要》《農桑蓄牧書》などの養蚕技術書を編纂し普及させる一方、蚕種之法、公桑蚕室法、養蚕条件などの法を制定し、関係官庁や農家に桑の栽培を義務付け、これに背いた者を処罰した。

ヤンテ〔涼太〕 양태（つば〔鍔〕

▶カッ（笠）の周囲のつば。カッは、頭を覆う帽子と涼太とから成る。カッは朝鮮の服飾の基本要素であったため、カッの需要が増すにつれて涼太の生産も増えた。主要産地であった済州道と慶尚南道統営には、現在も帽子部分と涼太の製造技能と両者の組み立て技能が伝承されている。1925年の統計では、済州道内の涼太の年間生産量は125万個であり、その生産世帯数は13,700戸であった。同笠簷→カッ（笠）

オッケバデ 어깨바대
▶チョク衫（ボタン式上衣）などの単衣を仕立てる際に、肩の部分を補強するために裏に当てる布。同トゥンバデ→キョッパデ

オッケ-ソルギ 어깨솔기
前・後身頃をつなぐ肩の縫い目。

オッケホリ 어깨허리
肩にかけるベルトを付けた▶チマホリ（スカートの腰周りの部分）。紐で留めるチマは胸を圧迫し、ずり落ちやすいため、チマを着慣れない人が肩に掛けられるように作られた。生地は白の木綿を用いる。

オッケホリ

オデ〔魚袋〕 어대
高麗時代に官吏が腰に付けた魚型の

▶チュモニ（巾着）。▶金魚袋・銀魚袋の2種類があった。高麗時代の文官の▶公服（国王謁見服）は4品以上が紫色、5・6品は翡色（青磁色）、7〜9品は緑色と決められ、紫色の公服には金魚袋、翡色には銀魚袋を付けた。魚袋は唐の符契に始まるとされる。すなわち、左右一組の魚符の左側を宮廷で保管し、右側は官姓名を刻んで各自が身に着け、宮廷に入るときに両者を符合して身分確認を行ったもので、これを巾着に入れたため魚袋と呼ばれた。宋では金銀で飾った魚型を作り、公服の帯の後ろに垂らして品階を表示したが、これは唐の符契とは異なる（《宋史》巻153輿服志）。《▷高麗史》には「金魚」「銀魚」と記されており、《▷宣和奉使高麗図経》には「魚袋」となっている。→金魚袋

オドゥジャム〔魚頭簪〕 어두잠
玉・珊瑚・真鍮で作った▶ピニョ（簪）の頭を魚の形に彫ったり、透かし彫りにしたもの。→簪

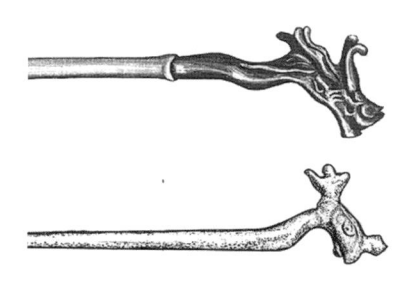

魚頭簪

オサファ〔御賜花〕 어사화
①朝鮮時代に、国王が科挙に及第した者に下賜した紙の花。長い竹ひごに紙を巻いて、真紅・紫・黄色の紙の花をまばらに挿してある。一端を

オンジュン-モリ 얹은머리

帽子の後頭部に挿して赤い絹糸で固定し、全体を前に垂らした。(《慵斉叢話》巻8)
②宮中儀式である進饌の際に、国王から下賜された花を臣下が▶紗帽(左右に翼状角のある帽子)に挿す風習。科挙合格者が挿すものと同様に、長さ約90cmの竹に青紙を巻いて真紅・紫・黄色の紙の花を挿し、帽子の後ろに挿した。粛宗45年(1719)の契会を描いた《耆社契帖》の「奉盃帰社図」には、下賜を受けた盃を持って御輿に乗り耆老所(老官吏礼遇館)に入る高齢の官吏が、頭に御賜花を挿している姿が描かれている。㊌帽花・賜花→奉盃帰社図

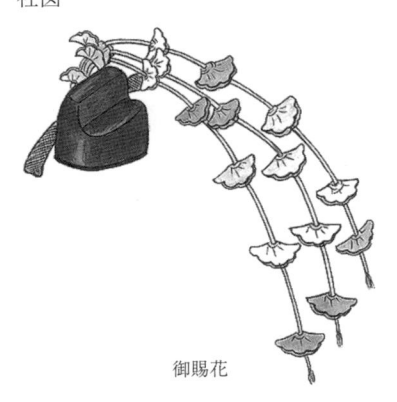

御賜花

オヨモリ 어여머리
髪を結って大きく巻き頭に載せた、礼装用の髪型の一つ。大礼服を着て儀式に参加するときに結う。「オイムモリ」「於汝美」「於由味」とも呼ばれる。王妃・王女と高級女官である至密尚宮、堂上官(正3品以上)の両班家の女性のみに許された。前頭部の髪の分け目に▶チョプチ(角状の装飾品)を載せ、幾束もの入れ髪を2本に結って▶オヨムチョクトゥリ(固定台にする冠)の上に置き、▶ピニョ(簪)と▶メゲテンギ(≒リボン)で固定した。鳳簪を中央に、▶トルジャム(揺れ飾りの簪)を左右に挿して豪華に飾ることもある。オヨムチョクトゥリは黒の▶貢緞(朱子織絹)に綿を入れたものだが、子供の枕を真ん中で縛ったような形をしている。正祖12年(1788)に、甚だしく華美に流れた▶加髢(入れ髪)について備辺司から出された▶加髢申禁節目に「於由味は命婦(王族の女性や女官)らの髪型であるが、常時着用するものであるから、民家での祝宴や婚礼での使用を禁じてはならない」と記されていることから、婚礼時にもオヨモリが用いられていたことがわかる。(《朝鮮王朝実録》正祖12年10月辛卯)㊌トヤモリ・オヨミ・オユミ・オイムモリ(参考)金用淑《朝鮮朝宮中風俗研究》一志社、1981→モリモヤン(髪型)

オヨミ〔於汝美〕 어여미
→㊌オヨモリ

オヨム-チョクトゥリ〔オヨム▽族▽頭▽里〕 어염족두리
▶オヨモリの固定台として頭に載せる▶チョクトゥリ(絹冠)。黒の▶貢緞(朱子織絹)8片(前3枚、後4枚、腰1枚)を繋ぎ、中に綿を入れて中間部分を糸で縛ったもの。礼装するときに前頭部に載せ、窪んだ部分にオヨモリを載せる。㊌ソムチョクトゥリ→オヨモリ

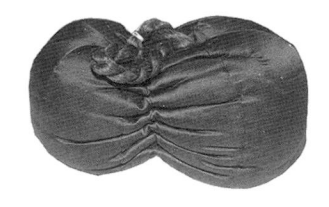

オヨムチョクトゥリ

オユミ〔於由味〕 어유미→㊌オヨモリ

オウイ〔御衣〕 어의
国王が着る服の総称。→王服

オイギ 어이기
布で服を仕立てる際に、曲線の部分を少し余裕を持って切っておくこと。

オンジュン-モリ 얹은머리
後ろで結った髪を頭頂部に丸く固定した髪型。▶チョクチンモリと同様、

オヨモリ (左)純宗妃尹皇后(1894〜1966)のオヨモリ姿。(右)オヨモリ姿の女性。

285

既婚女性の代表的な髪型として上代から行われてきたものである。高句麗舞踊塚主室東壁の卓袱台を手にした女性が、オンジュンモリをしている。新羅の女性の髪形について《北史》に「婦女は髪を結い上げ、様々な絹や玉で飾っている」とあり、百済の女性の髪型についても「既婚者は髪を二つに分けている」(《北史》巻49列伝異域)とあるのを見ると、高句麗・百済・新羅に同じ形のオンジュンモリが存在したことがわかる。この髪型は朝鮮時代まで引き継がれたが、中期には▶加髢(入れ髪)により高く大きくすることが流行って髪型が甚だしく華美に流れ、弊害も多かったため、正宗12年(1788)には加髢禁止令が下され、地毛を丸く結って装飾には▶チョクトゥリ(黒絹冠)を用いることが強制された。その後、オンジュンモリの風習は徐々に消えていった。→モリモヤン(髪型)同トゥレモリ

オルレーピッ 얼레빗

歯が太く目の粗い大きな櫛。半円形または角形の片歯櫛で、髪を大雑把に解くのに用いられる。朱漆や▶画角(牛角彩色工芸)を施したもの、鼈甲で作ったものなどもあるが、大部分は木製である。斧折樺や竹・棗・沢蓋木・松などを用いるが、特に済州島の黒松は病を封じ厄除けになるとされ愛用された。三国時代や高麗時代には鼈甲・象牙・角・銀などで作り、場合によっては螺鈿・銀象嵌・画角を施して、飾りとして頭に挿すこともあった。同月梳→ピッ(櫛)

オルレピッ　国立古宮博物館所蔵

オムシムガプ〔掩心甲〕 엄심갑

槍や矢から身を守るために、胸を覆う正方形の防具。兜の中に着用した。(李康七)

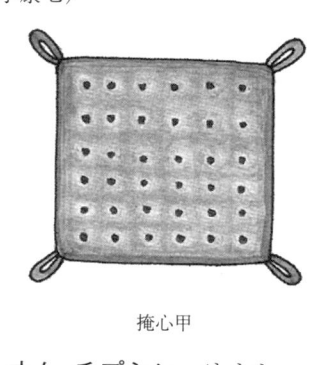

掩心甲

オムーチプシン 엄짚신

チプシン(草鞋)の一つ。喪中に用いるもので、喪制(死者の子・孫)が死後約3か月の卒哭まで履く。側面の繊維を粗く結い、白い紙で側面の結び目を巻いた。→菅履

ヨルムーヌエ 여름누에

夏に飼う蚕。6月下旬から7月初旬に孵化し、蚕座に移す。

ヨリンモ〔女笠帽〕 여립모→同蓋頭②

ヨミムソン 여밈선

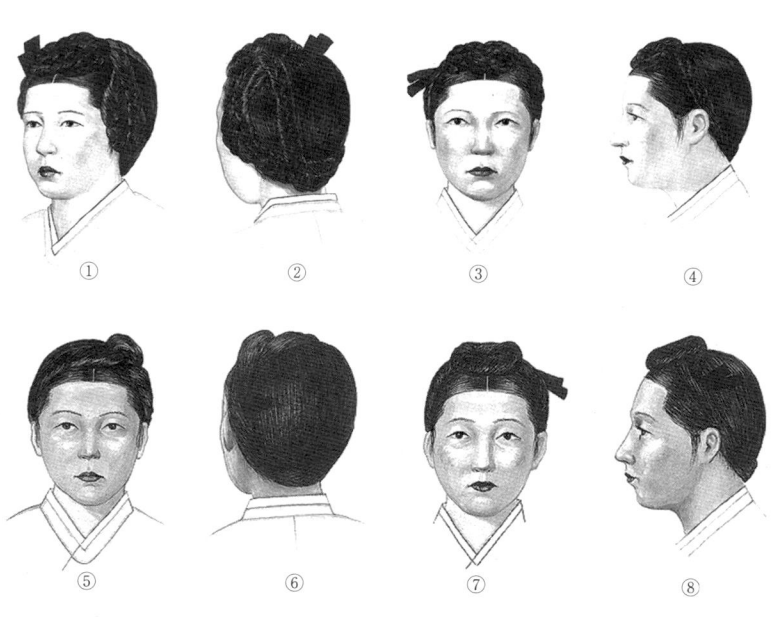

オンジュンモリ　①②朝鮮時代の両班家の女性のオンジュンモリ。後頭部下段で入れ髪を2本に結い、1本は左耳の後ろに当て、もう1本は後頭部のやや左側に当てて頭頂に回し、前頭部の分け目のあたりでドーナツ状に結う。その下で2本の髪をまとめて左に垂らし、1本で大きな輪を作って耳や頬を覆い、さらに右に回してテンギ(リボン)を下げる。テンギは黒または赤紫で、長さは40~50cm、幅は3~4cmである。喪においては党派によりテンギの色が異なり、老論に属する家では墨で染めたものを、小論に属する家では白を用いた。③④は、少ない入れ髪で結ったオンジュンモリで、これも朝鮮時代の両班家の女性の髪型である。結い方は①②とほぼ同じだが、左耳を覆う輪のない点が異なる。⑤⑥⑦⑧は一般女性のオンジュンモリである。入れ髪を用いず、自然に弱めに撚って後ろから前に回し、前頭部の分け目で結っている。⑤⑥は横で丸く結ったもの、⑦⑧は前で結ったものである。

服の前合わせの線。

ヨウイ-キュファーチュィラムグム〔如意葵花翠藍錦〕 여의규화취람금
如意宝珠と葵の花を刺繡した絹織物。朝鮮時代の成宗の代（15世紀末）に、明の皇帝が下賜した物品の中に1段が含まれていた。（《▶朝鮮王朝実録》成宗7年2月辛丑）

ヨウィサ〔如意紗〕 여의사
▶紗（捩り織絹）の一つ。方勝メドゥプ（紐の切れ端や撚糸による四角い飾り結び）と同じ模様が入った夏用生地。→紗

ヨジークムデ〔荔枝金帯〕 여지금대
荔枝（捩菖蒲）を表す飾りの付いた▶品帯。金色の装飾板に真紅の点が打たれているが、金色は菖蒲の皮の色、赤は菖蒲の茎の中の色を表す。朝鮮時代に正2品と正3品の文武官吏が公服（国王謁見服）に用いたもので、▶紅袍（<外衣）を着て荔枝金帯を締め、▶幞頭（左右に翼状角のある帽子）を被り▶象牙笏を手にした。

ヨジク〔絽織〕 여직（ろおり〔絽織〕・ひらろ〔平絽〕）
平織と紗織（捩り織の一種）の混合織物。平織部分の緯糸の数によって三越絽・五越絽・七越絽などに分けられる。普通は七越絽を用いるが、有文の織物には九越絽・十一越絽などが用いられた。唐亢羅・セカルなどがこの織り方によるもので、製織後精練・染色して夏用生地として用いられた。→亢羅

ヨヘ〔女鞋〕 여혜
女性の履物の総称。男物に比べ爪先が尖っているのが特徴である。▶雲鞋・▶白雲鞋・黒雲鞋・▶白皮鞋・白皮温鞋・草鞋（▶チプシン）・▶紙鞋・麻鞋（▶ミトゥリ）・▶木鞋などがある。→シン（履物）・鞋

ヨクポク〔易服〕 역복
喪が明けて普段の服に着替えること。1926年に死去した朝鮮王朝第27代国王の純宗の喪の際には、王世子は▶常服を脱いで髪を解き、素服（白い服）を着て前をはだけ、▶ポソン（≒足袋）を脱いで素足になった。王妃と王世子妃も冠と常服を脱いで髪を解き、素服・素鞋・麤布襪（木綿の靴）に履き替えた。（《純宗実録》附録1926年4月25日）

ヨン〔縫〕 연→同 平天板

ヨン〔輦〕 연
国王が乗った▶カマ（御輿）の一つ。前面と左右に珠簾（玉すだれ）を張って鱗状の布を垂らし、長柄が2本付いている。朝鮮時代の輦は、4本の丸柱で部屋を作って四方に赤い欄干を付け、表には雲竜が、内には雲鳳が描かれた。屋根も赤く塗って黄金などで飾り、軒には様々な彫刻が施された。小輦、大輦、平輦などがあり、また似たものに王女の乗るトンがあった。輦は仏教儀式に用いられることもあったが、これは仏・菩薩の座る蓮台をかたどったものである。→カマ

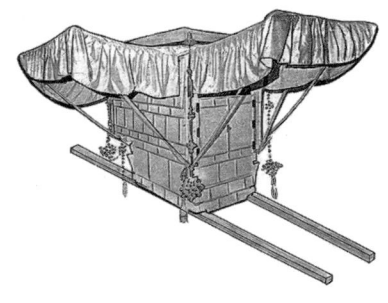

輦

ヨン〔縁〕 연
▶チョゴリ（上衣）や▶袍（<外衣）の襟・裾周り・袖先に施す黒や紅色の襈（縁取り）。後漢の辞書《釈名》に「襈は縁であり、青または赤を用いる」とあり、北宋の韻書《広韻》にも「襈は縁」とある。縁は元々ほつれを防ぐために自然に生じ、後に装飾として用いられるようになったものと思われる。《北史》列伝高句麗の条に「婦人の裙襦に襈が巻かれている」とあり、高句麗時代にはすでに縁が服飾に用いられていたことがわかるが、これは古墳壁画でも確認できる。高句麗では老若男女や身分の区別なく縁を用い、色も黒・紅・青・白・黄などがあったが、中でも黒・紅が多用された。朝鮮時代には礼服に用いられ、文武官吏の▶朝服（朝賀服）には黒の縁、王妃の着る▶翟衣（孔雀文外衣）には紅色の縁を当てた。《五礼儀補》（序例巻1吉礼王妃礼服制度）には「▶大帯の縁には緑の絹を用いる」とあり、17世紀初頭の光海君の代には、「儒学者の衣服を藍絹として青絹で縁を巻き、頭巾も絹にするとなれば、高価になりすぎて誂えがたき候」とした礼曹（文部所管庁）の上奏文も見られる（《▶朝鮮王朝実録》光海君2年閏3月乙卯）。高宗の代の《私服変制節目》（1884年）には、「庶民は窄袖衣（細袖の衣服）のみを着るものとする。別色で縁を付けるかどうかは任意とするが、縁の幅は▶布

ヨンガク〔軟脚〕 연각

帛尺（ペクチョク）で1寸とする。下人は縁を付けてはならない」とある。また、同じく高宗の代の成均館（ソンギュングァン）官吏（金榮善（キムヨンソン））の上訴文には、「皆が等しく▶深衣（シミ）を着て、縁の色で身分を区別すべき」とある。（《▷朝鮮王朝実録》高宗25年10月28日）→襈

ヨンガク〔軟脚〕 연각
▶紗帽（サモ）の左右に付ける、柔らかい布で作った角状の突起。→紗帽

ヨンゴボク〔燕居服〕 연거복
国王や文武官吏が、執務以外に着る服。→平常服（ピョンサンボク）

ヨンドゥセク〔軟豆色〕 연두색
黄緑。▶円衫（ウォンサム）・▶唐衣（タンイ）・▶チョゴリ（上衣）・▶トゥルマギ（＜外衣）など、主に女性の衣服に使われた。一般庶民や家政婦の上衣には、濃い緑色が用いられた。

ヨンボク〔練服〕 연복
人の死後1年目に行う小祥（ソサン）の後、死後約26か月目に行う禪祭（タムジェ）までの間に着る喪服。喪服を洗い整えるとの意味で「練服」と呼ばれる。同練祭服（ヨンジェボク）

ヨンッポン-メドゥプ〔蓮ッポンメドゥプ〕 연봉매듭
蓮の蕾の形をした▶メドゥプ（飾り結び）。主に夏用の▶チョク衫（サム）（＜上衣）のボタンや、▶粧刀（チャンド）（携帯小刀）・▶輦（ヨン）（＜御輿）の装飾などに用いられる。チャムジャリメドゥプ（トンボ型飾り結び）の頭の部分や、男性用の▶プチェ（扇）の柄に付ける房に用いる。同タンチュメドゥプ→メドゥプ

ヨンッポン-ムジギ〔蓮ッポンムジギ〕 연봉무지기

①タンソッコッ ②ソクチマ ③ムジギ ④チマ（藍チマ）

蓮ッポンムジギ チマを履く順序は図のとおり。

女性が礼装をする際に下半身が広がり豊かに見えるよう、▶チマ（スカート）の下に履いた▶ソクチマ（下着のスカート）。襞を入れて5段や7段にしたものと、2段のものとがある。裾を蓮の花のようにピンクに染めるが、色は上にゆくほど薄くなる。→ムジギ

ヨンサ〔撚糸〕 연사（よりいと〔撚り糸〕・ねんし〔撚糸〕）
2本以上の糸を撚って、弾力性と強度を高めた糸。刺繡にも用いる。同コンサ

ヨンシル-カックン〔蓮実カックン〕 연실갓끈→同蓮子纓（ヨンジャヨン）

ヨニャクサ〔撚搦糸〕 연역사（もくいと〔杢糸〕）
精練して別色に染めた片撚糸どうしを諸撚りにしたもの。織物にするとまだらになる。

ヨニ〔縁衣〕 연의→襐衣（タニ）

ヨンジャヨン〔蓮子纓〕 연자영
蓮子（ヨンジャ）（蓮の実）で作った▶カックン（笠紐）。朝鮮時代に金宏弼（キムクェンピル）（1454〜1504）が初めて用いたとされる。琥珀・鼈甲などで作ったものも、形が似ていれば蓮子纓（ヨンジャヨン）と呼ばれた。《▷星湖僿説（ホサソル）》（巻5万物門）に「蓮子は池に実るもので、池は俗に防築と呼ばれるため、蓮子纓を防築蓮（パンチュンニン）ともいう」とある。同防築纓・蓮実（ヨンシル）カックン→カックン

ヨンジャク-トンファンース〔練鵲銅環綬〕 연작동환수
朝鮮（チョソン）時代に5・6品官が▶朝服（チョボク）（朝賀服）・祭服（チェボク）（祭祀服）の腰に垂らした▶後綬（フス）（装飾帯）。黄・緑・赤の3色で練鵲（ヨンジャク）（百舌鳥（もず））の姿を刺繡し、その下に▶青糸網（チョンサマン）を垂らし、二つの銅（トン）の環（ファン）を付けた。（《▷経国大典（キョングクテジョン）》巻3礼典儀章）→綬（ス）・後綬（フス）

ヨンジャンムン〔練鵲紋〕 연작문
練鵲（ヨンジャク）（百舌鳥（もず））の文様。朝鮮（チョソン）時代4・5・6品の文武官吏が▶後綬（フス）（腰に垂らす装飾帯）に刺繡した。

練鵲紋

ヨンジェボク〔練祭服〕 연제복→練服（ヨンボク）

ヨンジ〔臙脂〕 연지

紅花の花びらで作った赤い染料。絵の具や、女性の頬紅に用いられる。崔豹の《古今注》には「臙脂の葉はオケラ（菊科の多年草）に、花は菖蒲に似て、西部地方で生産される。中国ではこれを紅藍と呼び、婦人の顔に塗る粉を作る。これを臙脂粉という」とあり、また《▶星湖僿説》（巻5万物門）には「一般に臙脂とは胭脂で、脂膏を用いて婦人の顔を粧うものである。この風習は中国に始まる」とある。額に丸く紅を差すことをコンジというが、これにも臙脂を用いた。紅花以外に、辰砂で作ることもあった。

ヨンパン〔蓮板〕 연판

麻布や綿布を染色するのに用いる、蓮花の文様を型取った板。

ヨンファグァン〔蓮花冠〕 연화관

朝鮮時代に、童妓（幼い妓生）が蓮花台舞を披露するときに被った冠。開きかかりの蓮花の形をかたどり、両側に紐を垂らしてある。各種儀軌（儀式記録書）の呈才図（宮中歌舞図）に描かれた蓮花台舞の童妓は、紅絹襪裙と紅羅裳を履いた上に、▶汗衫（付け袖）を付けた▶丹衣（紅色の紗や羅の服）をまとい、金花羅帯を締めて、繡草鞋を履いている。高宗24年（1887）の《進饌儀軌》では▶蛤笠を被ったとなっているが、高宗光武5年（1901）のものでは蓮花冠となっている。→蛤笠

温陽民俗博物館所蔵のもの。

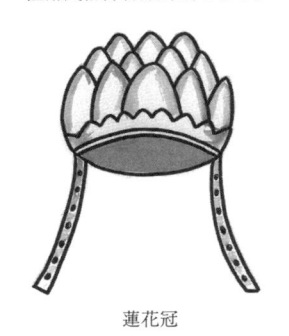

蓮花冠

ヨンファムン〔蓮花紋〕 연화문（れんげもん〔蓮花紋〕）

蓮花の文様。インドから仏教文化とともに伝来したもので、高句麗以降今日まで赤・青・白・黄の蓮花紋が用いられてきた。泥の中にあって常に美しく花開き、葉が水や埃を寄せ付けないことから、俗世を離れた清らかさの象徴となっている。鳥・蝶・水・雲とともにデザインされ、朝鮮時代の▶胸背（官服の胸と背の標章）、織物、チュモニ（巾着）、▶ファロッ（女性用大礼服）などによく用いられた。→紋様

ヨムナン〔ヨム囊〕 염낭

全体が膨らみをもった丸形の▶チュモニ（巾着）。素材や色調は▶クィジュ

蓮花紋 （上）三国時代の蓮花紋。（左）民画に描かれる蓮花紋。（右）粉青沙器（三島）鉄画蓮花紋壺。

ヨミ〔染衣〕염의

モニ（角形巾着）と同一である。口の部分に5本の襞を入れ、その中央に開けた孔に通した紐で締める。チュモニのうちの代表的なもので、明るい色の布を使い、美しい刺繍で飾った。物を入れるのみならず、装身具としても大きな役割を果たした。㊅トゥルジュモニ・狹(ヒョムナン)囊→チュモニ

ヨム囊　（上）桃色の絹に十長生紋を刺繍したもの。（下）鮮やかな赤の絹に蓮の花を刺繍したもの。紐は赤紫の組紐で、左右に飾り結びを施してある。

ヨミ〔染衣〕염의→㊅袈裟

ヨミ〔神衣〕염의

朝鮮時代に女性が婚礼服として着た▶袍(チョソンポ)（＜外衣）。上下のつながった服で、玄色綾綺（黒紫の有文絹）の表地に素紗（白い薄絹）で裏を当て、縁に桃色のあて布がしてある。（《▶四礼便覧(サレピョルラム)》巻2婚礼）㊅純衣(チュニ)

ヨムジュヒョン-ヨンスシク〔念珠形輦垂飾〕염주형 연수식

仏教行事に用いる▶カマ（御輿）に垂らす飾り。全羅南道(チョルラナムド)の仙巖寺(ソナムサ)に現存する輦垂飾には4種類がある。一つ目は10個の珠を1本に5個ずつ通したもの、二つ目は2種類または4種類の色珠を20～27個ずつ通したもの、三つ目は大きい珠8個とさらに大きい珠1個に凸型の珠1個で念珠のようにしたもの、四つ目は40個の珠と斧折樺(おのおれかんば)の凸形珠が使われた念珠形のものである。

ヨングァンボク〔令官服〕영관복

高麗(コリョ)時代に、最高位官吏である太師(テサ)・太尉(テウィ)・中書令(チュンソリョン)・尚書令(サンソリョン)の服装。文様の入った紫朱色(チャジュセク)（赤紫）の紫文羅袍(ラポ)（＜外衣）を着て、▶紗(サ)で作った▶幞頭(ポッコン)（左右に翼状角のある帽子）を被り、▶玉帯(オクテ)を締めて▶金魚袋(クモデ)を腰に下げた。（《▶宣和奉使高麗図経(ソンファボンサコリョトギョン)》巻7）

ヨングン-ナンジャン-キビョンボク〔領軍郎将騎兵服〕영군랑장기병복

高麗(コリョ)時代に、王城を守る軍人のうち正6品官の領軍郎将騎兵(ヨングンナンジャンキピョン)の服装。紫色の絹で仕立てた▶戦袍(チョンポ)（＜外衣）に、玉で飾った絹の▶頭巾(トゥゴン)を被り、皂履(チョリ)（黒靴）を履いた。（《▶宣和奉使高麗図経(ソンファボンサコリョトギョン)》巻12）

ヨンナク〔瓔珞〕영락（ようらく〔瓔珞〕）

▶クィゴリ（耳飾り）・▶モッコリ（首飾り）・▶金冠(クムグァン)などに付ける装飾品。主に玉を用いるが、薄く小さな金板を使うこともある。新羅(シルラ)・百済(ペクチェ)などの古墳から出土した金板・▶銙帯(クァデ)・クィゴリ・モッコリ・飾履(ショクリ)に付けられた瓔珞(ヨンナク)は、ハート型の金板に▶鏤金細工(ヌグムセゴン)を施し金糸で結んだものが大部分で、多いものは数百個にもなる。

ヨンナクチャム〔瓔珞簪〕영락잠

頂部を▶瓔珞(ヨンナク)で飾った▶ピニョ（簪）。メッキをしたり、銀細工などに珊瑚・翡翠・真珠などを嵌め込み、瓔珞で豪華に飾る。▶トルジャム（揺れ飾りの簪）と同様、動くたびにヨンナクが細かく揺れて美しい。朝鮮時代に礼装用に用いられた。→ピニョ

瓔珞簪　国立古宮博物館所蔵。

ヨンウ〔嶺羽〕영우

▶戦笠(チョルリプ)の頭頂部を飾る孔雀の羽根。→孔雀羽(コンジャグ)

ヨンジャ〔纓子〕영자→カックン

ヨンジムン〔霊芝紋〕영지문

霊芝(ヨンジ)を図案化した文様。霊芝は「万年茸(マンニョニ)」「芝草(チチョ)」などとも呼ばれ、神霊の芝草という意味で「霊芝」と称されるようになった。縁起のよい茸と考えられ、平安南道江西古墳(ピョンアンナムドカンソコグリョ)の高句麗壁画にもその姿が見えることから、いち早くから文様化されていたことがわかる。主に▶十長生紋(シプチャンセンムン)の一部に用いられる。→文様(ムニャン)

霊芝紋

ヨンチョ〔英綃〕영초

絹織物の一種。生糸で織った▶紗の一種で、▶毛綃より品質は落ちるが、地合いは美しく光沢がある。夏用の生地として多用される。

ヨプトゥギ 옆트기（わきあけ〔脇明け〕）

▶トゥルマギ（<外衣）や女物の▶パジ（ズボン）の脇に、手が入れられるよう縫い目を明けたもの。

イェダン〔礼緞〕예단

結婚前に、新郎の家から新婦の家に贈る生地。地方や家風により異なるが、真紅と藍色の▶チマ（スカート）用の生地を贈るのが通例である。

イェボク〔礼服〕예복（らいふく・れいふく〔礼服〕）

儀式の際に着る服。朝鮮時代の国王と文武官吏の礼服としては▶朝服（朝賀服）・祭服（祭祀服）・公服（国王謁見服）、女性の礼服には▶翟衣（孔雀紋外衣）・円衫（身頃が足元まで垂れた広袖外衣）・唐衣（身頃が腰下まで垂れた細袖外衣）・大衫・▶ファロッなどがあったが、朝鮮時代末期には衣服が簡素化され、大礼服・小礼服に集約された。大礼服は受冊（王世子・王世孫などの冊封）、納妃（妃を迎える儀式）、宗廟・社稷での祭祀、元旦・冬至といった大きな儀式の際に用い、小礼服は進見（国王謁見）や公式の宴会で用いた。

イェジャンボク〔礼装服〕예장복

儀礼の際に身に付ける服装。一例として、朝鮮時代末の高宗32年（1895）に定めた陸軍の服装では、宮内の御宴（国王が催す宴会）や因公進見（国王謁見）、上官にまみえるとき、公式宴会や祝賀儀式に参列するとき、親族の祝儀や葬儀などの場で礼装をする定めであったが、この際には袴（ズボン）・大礼衣・礼帽・礼肩章・刀剣・正緒（刀剣に付ける飾り）・手套・白布下襟・靴の一式を身に付けた。

オガクデ〔烏角帯〕오각대→◉黒角帯

オグァン〔烏冠〕오관

黒い▶冠。朝鮮時代に、文昭殿・迎恩殿・昭敬殿といった王室の追悼施設での祭祀の際に、雅楽を奏でる楽人が被った。表は紙を張って黒く塗り、裏には目の細かい麻を張ってある。前面には緑の葉を描いて紅色の造花を挿し、後面には花と葉を描き、縁には紅色の▶マレギ（絹の飾り紐）を巻いて後ろで結び、長く垂らした。左右には青いあご紐が付いている。世宗15年（1432）に文昭殿で行われた親幸殿上楽（雅楽会）で、楽士39人全員が紅色のマレギを巻いた烏冠を被り、牡丹の花の▶胸背（胸と背の標章）を付けた赤や緑の外衣を着た。粛宗7年（1681）に迎昭殿で楽妓（歌を歌う妓生）や楽人が身に付けたものも、これに準ずるものであった。

オグン〔襖裙〕오군

朝鮮時代に、両班（文武官とその一族）階級の女性が履いた股下の太い▶パジ（ズボン）。中国では、襖は▶袍に似た男性用の外衣、裙は▶チマ（スカート）であり、まったく形の異なる衣服であった。しかし、両者は朝鮮時代初期の文献には「襖裙」と併記されている。太宗9年（1409）に司憲部（社会秩序所管庁）から出された上奏文では「我が国の女子の衣服の中で尊ぶべきは襖裙と笠帽にて、一般の婦女や下女には襖裙の着用を禁じ、身分を分かちくださるべく候」（《▶朝鮮王朝実録》太宗9年3月壬戌）とあり、また3年後の太宗12年には4品官以上の正妻には▶露衣・襖裙・笠帽を、5品官以下の正妻には長衫・襖裙・笠帽を着させるよう上奏したが、施行には至らなかった（《▶朝鮮王朝実録》太宗12年6月丁卯）。さらに、朝鮮時代初期に文臣梁誠之（1415〜1482）が「士大夫階級の婦女が、襖裙も履かずに短靴で馬に乗ることを禁ずべし」（《▶訥齋集》巻4便宜32事）と述べており、これを読む限り襖裙は中国とは異なりパジ（ズボン）形の下衣であったと思われる。また、15世紀前半の世宗の代に司憲部が出した上奏文を見ると、太宗のときと同じ内容の文

烏冠

で襐裙が「襪裙」と記されている(《▷朝鮮王朝実録》世宗11年2月辛巳)。また、1493年の《楽学軌範》(巻2殿後鼓吹・巻9女妓服飾図説)ではこの襐裙は「袜裙」となっており、ズボン型の衣服の絵が添えられていることから、結局襐裙・袜裙・襪裙は同一のものと考えられる。→⑩襪裙

オナン〔五囊〕 오낭

▷チュモニ(巾着)の一種。葬儀で遺体を洗って死に装束を着せる殮襲の際に、死者の爪・毛髪などを入れるもので、毛髪を入れるもの一つ、両手の爪を入れるもの各一つ、両足の爪を入れるもの各一つの計五つが一式になっている。横約20cm、縦約10cmの真紅の平絹を四つ折りにし、開いた部分を口にして残りの縁を縫い、袋にする。

オドン-サンジャン〔梧桐喪杖〕 오동상장

母親の喪中につく、青桐製の四角い杖。→喪杖

オドゥジャム〔烏頭簪〕 오두잠

▷ピニョ(簪)の一つ。▷黒角(黒い水牛角)でできた飾りのないもので、女性が喪中に挿す。頂部のみ若干太くなっており、烏の頭のように見えるのでこの名前が付いた。→簪

オラギ 오라기

布・糸などの細長い切れ端。⑩オラク

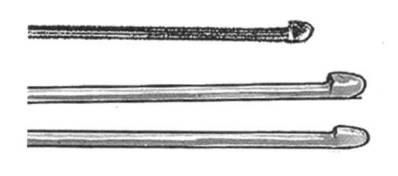

烏頭簪

オリャングァン〔五梁冠〕 오량관 →梁冠

オレイ〔五礼儀〕 오례의

国家が執り行う五つの儀礼。すなわち、祭祀などに関する吉礼、国内外の葬儀に関する凶礼、軍の発動に関する軍礼、国賓に関する賓礼、冊封・国婚などに関する嘉礼を指す。

オリュミョン-サムジャンボク〔五旒冕三章服〕 오류면삼장복

▷祭服(祭祀服)の一つ。高麗時代に、2品官である太常卿以下、五祀憲までが身に付けた。五旒冕とは、頭に被る▷冕旒冠の前後に垂れる縄暖簾のような冕旒の数が5本のもので、1本の冕旒に赤・白・青3色の珠それぞれ12個を交互に通してある。三章服とは、▷玄衣(黒紫の外衣)に▷藻(水草紋)と▷粉米(米紋)を描き、▷纁裳(≒スカート)に▷黻紋(亜字紋)を刺繡したものである。(《▷高麗史》志巻26輿服)

オリュミョン-オジャンボク〔五旒冕五章服〕 오류면오장복

高麗時代に、文武百官が着た▷祭服(祭祀服)。太常卿・光緑卿・黄門侍郎・殿中監、籍田の有司農卿などが身に付けた。五旒冕とは、頭に被る▷冕旒冠の前後に垂れる縄暖簾のような冕旒の数が5本のもので、1本の冕旒に赤・白・青3色の珠それぞれ12個を交互に通してある。五章服とは、▷玄衣(黒紫の外衣)に宗彝(宗廟の祭礼で使われる杯)・▷藻(水草紋)・▷粉米(米紋)の三章紋を描き、▷纁裳(≒スカート)に黼(斧紋)・▷黻紋(亜字紋)を刺繡して、上下合わせて五章紋になるものである。(《▷高麗史》志巻26輿服)

オモク-ヌビ 오목누비

裁縫技法の一つ。綿を厚めに入れ、縫い目の間隔を広くとって縫う▷ヌビ(刺し子縫い)。縫い目の谷が深いので、オモク(凹)ヌビという。

オモク-タリ 오목다리 →⑩タレ-ポソン

オモク-ポソン 오목버선 →⑩タレ-ポソン

オミチュムン-チャピファ〔烏麋皺文紫皮靴〕 오미주문자피화

ノロ鹿の文様が入った、足首の長い紫の革靴。新羅時代に、貴族階級の6頭品以上の男性が履いた。《三国史記》(雑志第2色服)に、6頭品以下には烏麋皺文紫皮靴が禁じられ、烏犀・鍮鉄銅が用いられたとある。

オバン-ナンジャ〔五方囊子〕 오방낭자

5色の絹で作った▷トゥルチュモニ。全体の色構成を青(東)・白(西)・赤(南)・黒(北)の4色として東

五方囊子

西南北の方向に合わせ、その中央に黄色を四角あるいは丸型に配置して、幸福を象徴する文字を金箔や刺繡で入れた。厄を祓い1年を無事に過ごせるようにと、正月の初亥の日に子供に与えるのが風習であった。中には炒めた大豆を赤い紙に包んで入れるが、これは厄除け招福の意味だけではなく、型崩れを防ぎチュモニを美しく見せるための心遣いでもあったろう。→チュモニ

オバンセク〔五方色〕 오방색

東・西・南・北・中央の5方位を象徴する色。青・白・赤・黒・黄の五色は陽の色で「五正色(オジョンセク)」と呼ばれ、青は東、白は西、赤は南、黒は北、黄は中央を表す。また青と白の間には碧色(ビョクセク)(鮮やかな空色)、青と黄の間には緑色、赤と白の間には紅色、赤と黒の間には紫色、黒と黄の間には硫黄色(卵色)を設け、これらは陰の色で「五間色(オガンセク)」と呼ばれる。これら五正色・五間色は陰陽五行の原理に基づいて色を配置したもので、我が国の基本色である。同方色(バンセク)

五方色

五方	季節	五正色	五間色
東	春	青	碧・緑
西	秋	白	
中央	晩夏	黄	柳黄
南	夏	赤(朱)	紅・紫
北	冬	黒(玄)	

オバンセク-ポクセク〔五方色服色〕 오방색 복색

中国の漢で制定された百官の服制。季節は春・夏・晩夏・秋・冬の五時に分け、これに合わせて春には青、夏には赤、晩夏には黄、秋には白、冬には黒の服を着るものとした。季節の変わり目には、郊外で各季節の神に対し祭祀を行って、衣替えをした。

オバン-チェワン〔五方帝王〕 오방제왕

東・西・南・北・中央の5方位を守る神。すなわち、東の青帝(チョンジェ)、西の白帝(ベクチェ)、南の赤帝(チョクチェ)、北の黒帝(フクチェ)、中央の黄帝(ファンジェ)で、5方を5色で表したのは、方位・色彩・季節の間に関連性を見る五行思想によるものである。各方位に位置し厄払いをしてくれる神として、ムダン(巫女)の家では絵に描いて壁に貼られるなど、民俗信仰に影響を及ぼした。

オボク〔五服〕 오복

5種類の喪服。すなわち、斬衰(チャムチェ)・齋衰(チェチェ)・大功(テゴン)・小功(ソゴン)・緦麻(シマ)で、死者との関係が近いか遠いかによって着分ける。→喪服制(サンボクチェ)

オボク-スナン〔五福繡囊〕 오복수낭

五福を表す五つの文字を刺繡した、絹の▶チュモニ(巾着)。五福とは、寿(長寿)・富・康寧(カンニョン)(心身の健康)・攸好徳(ユホドク)(道徳を楽しく守る)・考終命(コジョンミョン)(生死を運命に任せる)のことで、儒教思想に基づく。

オサゴモ〔烏紗高帽〕 오사고모

黒の▶紗(サ)で作った丈の高い帽子。高麗(コリョ)時代に国王が▶常服(サンボク)(執務服)着用時に被った。(《▶宣和奉使高麗図経(ソンファボンサコリョトギョン)》巻7王服)

オサヨンモ〔烏紗軟帽〕 오사연모

烏紗高帽

▶カッ(笠)の一種。高麗(コリョ)時代の儀杖兵であった左右衛(チュァウウィ)牽攏軍(ギョンノングン)が紫窄衣(チャチャギ)(紫の細袖衣)着用時に被った。

オセックム〔五色錦〕 오색금

5色の絹。唐の《翰苑(ハンウォン)》高麗の条に五色緋緞(オセクビダン)を用いていたとの記録があるが、これは錦織を意味する。

オセクータンガプ〔五色緞甲〕 오색단갑

朝鮮(チョソン)時代に、定大業之舞(チョンデオプチム)を舞うときに着た、5色の絹の▶カボッ(鎧)。表地には青・黄・紅・黒・白の絹を用い、裏は白の▶生綃(センチョ)(生糸で織った絹)を当てたもので、襟ぐりが広

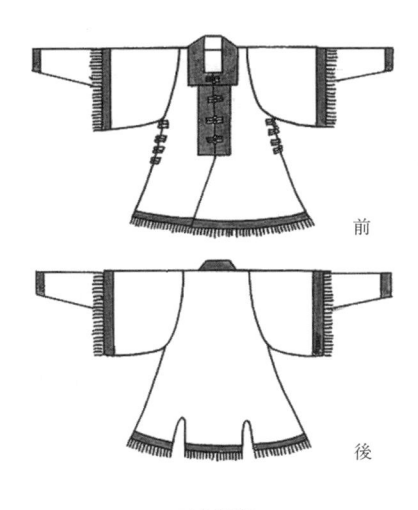

前

後

五色緞甲

い。胸元と両腋には紐ボタンが四つずつ付いており、また袖と身頃には紫の絹の紐が３本あり、これを結んで両者をつなぐ。襟下の衽と袖先には辺児（縁取り）を付けるが、青・黒の服には桃色、紅の服には緑、黄・白の服には紅の絹を用い、さらにその縁には五色糸の垂児（房飾り）が付いている。(《▶楽学軌範》巻8定大業呈才儀物図説)

オセク-ハンサム〔五色汗衫〕 오색한삼

赤・黄・黄緑・青・白の▶セクトン（色縞）になっている▶汗衫（付け袖）。女性たちの礼服を飾ったり、舞妓が舞うときに手を隠すために用いた。

オソデ〔烏犀帯〕 오서대

水牛の角で装飾した帯。新羅時代には貴族階級の６頭品が用いたが(《▶三国史記》色服の条)、朝鮮時代には国王が喪中に執務服の上に締めたり、御陵参拝時に用いた。

オスンポ〔五升布〕 오승포

5升の麻布や綿布。▶升とは経糸を数える単位で、1升は80本、5升で400本。品質が劣り、主に▶喪服として使われた。

オシプチュク-チョリプ〔五十竹草笠〕 오십죽초립

50竹の▶草笠（草・竹製の笠）。竹とは、草笠の鉢の部分を編むときに経筋に用いられるひごを数える単位で、朝鮮時代には士大夫は五十竹、庶民は三十竹を被った。→草笠

オウィリ〔烏韋履〕 오위리

黒の革靴。→履・シン

オジョンデ〔烏鞓帯〕 오정대

朝鮮時代に、楽師（宮中音楽所管庁の官吏）と工人（楽人）が▶公服（国王謁見服）に締めた黒い帯。牛の生皮・薄板・銅線・真鍮などで作り、木の留め金を付け、黒塗りに仕上げる。宗廟永寧殿と文昭殿の祭祀で楽師が烏鞓帯を締め、また殿庭軒架と正殿礼宴では楽師・楽工ともに烏鞓帯を締めた。(《▶楽学軌範》巻2俗楽陳設図説)

烏鞓帯

オジョリョン-ポ〔五爪竜補〕 오조룡보

五つの爪を持つ竜を刺繍した▶補（王族が礼服に付ける丸型の標章）。朝鮮時代、国王は四爪竜補を用いたが、光武元年（1897）に高宗が皇帝を称した後は五爪竜補を付けるようになった。→補

オジョク-ハンナ〔五足亢羅〕 오족항라

製織法の一つで、緯糸5本おきに経糸を絡めて織る絽織。横縞柄の亢羅を織るときに用いられる。→亢羅

五爪竜補

オジュギョン〔烏竹纓〕 오죽영

切った黒竹を繋いで作った▶カックン（笠紐）。朝鮮時代に▶黒笠に用いた。

オジラプ 오지랖

外衣の前裾。

オジ-スウイ〔五指手衣〕 오지수의

朝鮮時代に、妃嬪（王妃と側室）が儀礼用に用いた手袋。五脂・伍指・手衣ともいう。《世宗実録》（世宗2年9月戊寅）によると、朝鮮初代国王太祖の妃であった元敬王后の葬儀で、遷奠（出棺）の際に準備された儀礼用手袋は紅段子五指手衣であった。また、《国朝五礼儀》（書例服玩図説）には、女性の葬儀に用いる儀礼用手袋は白綃（生糸で織った白絹）の袷とするよう規定されている。歴代妃嬪の▶嘉礼（婚姻）の際には紅羅で作り、「五指」と称した。（金明淑）

オチェボク〔五采服〕 오채복

青・黄・赤・白・黒の5色（五采）に仕立てられた服。

オピリ〔烏皮履〕 오피리

足首の短い黒の革靴。朝鮮時代に、雅楽の登歌・軒歌を奏で文舞・武舞を舞った楽生（雅楽担当の楽人）たちや、宗廟永寧殿で俗楽の文舞・武舞を舞った楽工（俗楽担当の楽人）や小道具を手にした楽工たちが履いた。黒く染めた牛皮や馬皮で作り、紐を付けてある。(《▶楽学軌範》巻9冠服図説)→楽人服

オピファ〔烏皮靴〕 오피화→㈠黒皮靴

《楽学軌範》掲載の図

烏皮履

オハプームジギ〔五合ムジギ〕
오합무지기
5層のムジギ(<下着スカート)。
→ムジギ

オヒョンニ〔烏革履〕 오혁리
黒革で作った平靴。百済の国王は、紫の▶袍(外衣)を着て烏革履を履いた。(《新唐書》巻220列伝第145東夷百済)→シン・履

オクークァンジャ〔玉貫子〕
옥관자
▶網巾(鉢巻型の頭巾)に付ける玉製の▶貫子(紐孔)。朝鮮時代に1品官と3品官のみが用いたもので、1品官は無文の玉を用い、正3品官は朝顔・梅など様々な花の文様を刻んだ。(《▷五洲衍文長箋散稿》巻34網巾環制弁証説)→貫子

オック〔玉鉤〕 옥구
▶蔽膝(膝隠し用の前垂れ)の上部両端に付けた玉製の鉤。

オッキュ〔玉圭〕 옥규
玉製の▶圭。国王・王妃・世子妃などが、礼服を着るときに吉祥の象徴として手に持った。→圭

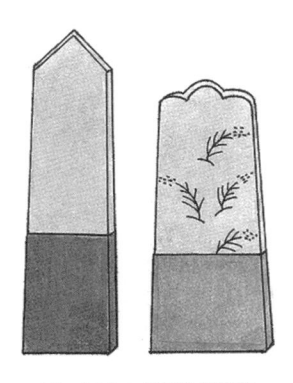

玉圭 国立古宮博物館所蔵。

オクテ〔玉帯〕 옥대
玉で飾った帯。高麗時代には、国王が紫羅公服を着たときや、3品以上の官吏が▶公服(国王謁見服)を着たときに締めた。朝鮮時代には、国王の▶袞竜袍、王妃の▶翟衣(孔雀紋の外衣)、王世子(皇太子)の紫的竜袍の上に締めた。国王の玉帯には立体的で躍動感のある竜紋を透かし彫りし、王妃のものは泯玉、王世子と王世子嬪のものは青泯玉を用いて、可愛らしく上品に仕上げた。→角帯・ティ

オンノリプ〔玉鷺笠〕 옥로립
玉製の鷺形装飾をした▶黒笠。覆鉢形だが、頂部は玉鷺を取り付けるため平たくなっている。最高級品に属するもので、朝鮮時代の高官が儀式に参列したり、外国に使臣として渡るときに被った。《▷高麗史》によると、高麗時代末期の恭愍王16年(1367)7月に于必興の進言により笠の制度が定められ、白玉・青玉・水晶などの▶頂子を黒笠の頂部に飾ることとしたが、これは玉鷺笠に似ており、その原型と言えるだろう。

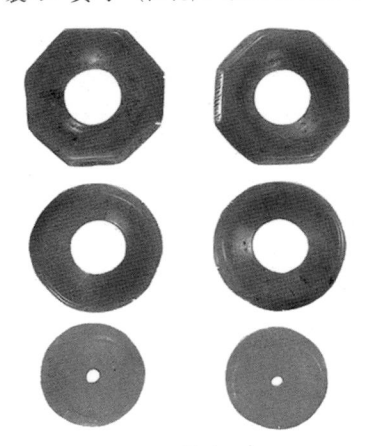

玉貫子

玉帯

玉鷺笠

オンノーチョンジャ〔玉鷺頂子〕옥로정자

▶カッ（笠）の天井に付ける、鷺形の玉製▶頂子。朝鮮時代末期、現任・前任の大臣が外国に使臣として出向くときにカッの上に装着した。玉頂子の形態は様々だが、玉鷺頂子はその中で最も代表的なものである。→玉鷺笠・頂子

玉鷺頂子

オクサ〔玉糸〕 옥사

絹糸の一つ。2匹以上の蚕が一緒に作った繭（玉繭）から紡いだ糸。太さが一定しない。

オクセク〔玉色〕 옥색（みずいろ〔水色〕）

水色を現す伝統色名。朝鮮時代には主に喪服に多用され、宮中では王妃の回装チョゴリ（衿・袖口・結び紐などが別色の上衣）や国王の普段着に用いられた。《▷国朝五礼儀》（1474）では、先王の喪にあたっては崩御約3か月後の卒哭の後に文武百官が玉色の団領を着るものと定められ、16世紀前半の中宗の代には御陵を移設する際に文武百官に玉色の服を着せた記録がある（《▷朝鮮王朝実録》中宗8年3月庚寅）。《▷閨閣叢書》（巻1染色諸法）には、「玉色は藍染の残りの液で染める色で、絢爛である。藍の茂った葉を用いる場合は色が濃くなりすぎるので、藍の染液に氷水を混ぜて染め、氷水で何度もすすぐ。藍のない冬に玉色に染めるには、鼠李（チョウセンクロツバラ）で黒く染めた布と鴉青色の布をそれぞれ熱湯で洗い、再び熱湯に浸けて色を染み出させ、この液を半分ずつ静かに混ぜ、明礬の粉を少量振りかけて満辺なく染める」と記されている。

オクセク-コンダン-チュンジョンマク〔玉色貢緞中赤莫〕 옥색공단중적막

▶玉色（水色）の▶貢緞（朱子織の無文絹）で仕立てた中赤莫（▶中致莫）。朝鮮第21代国王英祖の崩御時（1776年）に棺に収めた物品の中にも含まれていた。（《▷朝鮮王朝実録》英祖52年3月庚辰）→中致莫

オクセギ〔玉色衣〕 옥색의

▶玉色（水色）の衣服。朝鮮時代には、祥祭（一周忌）から禫祭（死後26か月目の祭祀）までの間の喪服として色の濃い玉色衣が用いられ、また喪中に官吏として任命された場合にもこの色の服を着た。

オクソブクチャム〔玉西北簪〕 옥서북잠

玉製の▶ピニョ（簪）で、頂部には花弁の形が七宝細工で施されている。《四節服色自藏要覽》には「主に5月に挿す」とあり、高宗24年（1887）の王世子（皇太子）▶冠礼の装身具目録に含まれている。

オギャンモク〔玉洋木〕 옥양목

平織の綿布の一つ。19世紀末に海外から持ち込まれた種類（▶西洋木）だが、中でも目が細かく薄い上等なものを指す。経・緯糸に、漂白加工した30〜40番手の単糸を用いる。

オク-チョンジャ〔玉頂子〕 옥정자

▶カッ（笠）の頂部に付ける装飾である▶頂子のうち玉製のもの。高麗時代の恭愍王16年（1367）に高官・要職の▶黒笠に初めて用いられた。朝鮮時代には品階によって頂子を使い分け、司憲部（社会風紀所管庁）・司諫院（国王への諫言所管庁）の官吏と観察使（道知事）・節度使（道軍司令官）が玉頂子を用いた。（《増補文献備考》巻79礼考26章服）→頂子

玉頂子

オク-チファン〔玉指環〕 옥지환

玉製の▶カラクチ（双指輪）。《四節服色自藏要覽》に「玉指環は、端午から秋夕（中秋節）前まで白い唐汗衫を着る時にはめる」とあり、▶玉色（水色）の涼しげな色合いに合わせて主に夏に用いられた。→カラクチ

オクチュンシク〔玉虫飾〕 옥충식

三国時代に馬具や衣服などに付けた玉虫（玉虫）の装飾品。玉虫は

「吉丁虫」・「緑金蝉」とも呼ばれるコウチュウ目タマムシ科の昆虫で、緑・藍色の金属光沢がある両羽の中央に1本ずつ金色の縦線が入り、非常に美しい。玉虫の装飾は慶尚北道慶州市の金冠塚で最初に発見された。初期には馬具やその付属品の装飾として用いられ、透彫金具に布を貼った上に、木片のようなものに並べ付けた玉虫の羽を貼り付けたものであった。馬具の鞍輪の縁を飾る場合には、両端を切断した玉虫の羽を金属板の上に長く並べ、細長い金具で押さえ固定した。ほとんどは羽の表面を利用したが、まれに腹部の硬い皮を利用することもあった。後には絹織物の装飾にも用いられ、玉虫綾羅に発展した。玉虫綾羅は、小さな瓔珞の周りに玉虫の羽を十字形や花形に付けたもので、金箔で縁を取り、中心には小さな金の小円板が雄蕊のように付けられている。一方、平安南道中和郡真坡里7号墳から出土した金銅透彫金具にも玉虫の装飾が見られることから、高句麗の工芸品にも用いられたことがわかる。日本では奈良・法隆寺の玉虫厨子が有名である。

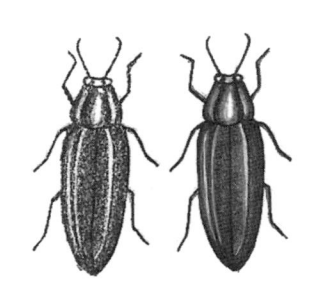

玉虫

オクチルボ〔玉七宝〕 옥칠보
髪型を▶巨頭味（木枠を用いた髪型）にしたときに、飾り付ける玉や七宝。

オクパン〔玉板〕 옥판
▶チョクトゥリ（女性用黒絹冠）・▶アヤム（帯状の飾り付きの女性用防寒帽）・帯・▶テンギ（帯状の頭飾り）などを飾る薄い玉板。様々な文様を彫刻したり透かし彫りにした。

オク-ヒャン〔玉香〕 옥향
夏に用いる▶ノリゲ（女性の韓服用房飾り）の一つ。玉を彫って中に空洞を作り、漢沖香（各種香と漢方薬とを混ぜたもの）や麝香を入れて房飾りを付け、▶チョゴリ（上衣）の結び紐に結び付けた。微かな香りを楽しむとともに、応急時には薬として服用した。→香匣ノリゲ

オク-ヒョクテ〔玉革帯〕 옥혁대
青絹で包んだ革に玉・金の装飾を付けた帯で、▶翟衣（王妃の孔雀紋外衣）の上に締めた。玉10個、金4個を付け、皇后のものには雲竜紋を、皇太子妃は雲鳳紋を金泥などで描いた。《▶増補文献備考》巻79礼考29章服1）→玉帯

オンパグムジル 온박음질（ほんがえしぬい〔本返し縫い〕）
裁縫技法の一つ。一針分戻りながら進む運針法で、表には縫い目が連続する。→パヌジル

オンヘ〔温鞋〕 온혜 →同雲鞋

オルセ 올새
布の目の細かさを指すことば。→刺繍

オルス〔オル繍〕 올수
刺繍技法の一つ。布地の緯糸に沿って等間隔の縫い目を入れていく技法で、全面を縫う全面オル繍と輪郭のみ縫う部分オル繍とがある。布地は厚く、横の目がはっきりしたものを選ぶとよい。同管繍

オッ-コルム 옷고름
▶チョゴリ（上衣）や▶トゥルマギ（<外衣）の前身頃を合わせて止めるために、両袵の胸のあたりに付ける2本の紐。上古には帯を締めていたが、高麗時代後期からチョゴリの丈が短くなったためオッコルムが登場したものと見られる。当初は細く短かったが、朝鮮時代後期に女性のチョゴリの丈が非常に短くなったため、多少幅広く、長くなった。17世紀末の粛宗の代あたりには、官服にも用いられた。内袵のアンコルムと外袵のコッコルムとがあり、長さは同じである。普通、服と同色の布を用いる。

オッ-キッ 옷깃（えり〔襟〕）
上衣の首周りの部分。→同キッ

オッタン 옷단
服の裾や縁を折って縫い止めたり、かがり縫いしたもの。

オング-パジ 옹구바지
膝下が膨らんだ▶パジ（ズボン）。牛の荷鞍に掛けるオングに似ているためにこの名がある。

オング-ソメ 옹구소매
下腕部にふくらみのある、▶中致莫（<外衣）などの袖。牛の荷鞍に掛けるオングに似ているためにこの名がある。

ワリョングァン〔臥竜冠〕 와룡관
朝鮮時代に、士大夫が余暇に被った▶冠。前後に畝があり、中央が高い。中国では三国時代に諸葛亮が被ったと言われる。《▶海行摠載》（東槎日

ワムン〔渦紋〕 와문

録閏3月29日）に、日本に渡った通信使の副使が▶鶴氅衣に臥竜冠を被ったという記録がある。→冠帽

臥竜冠を被った申鈺（1639〜1725）像。

臥竜冠

渦紋

頂部がエンドウ豆の形をした▶ピニョ（簪）。銀製かメッキで、花の文様を彫刻したものもある。身近なエンドウ豆をモチーフにしたため、一般女性に愛用された。→ピニョ（簪）

豌豆簪

ワムン〔渦紋〕 와문
荒波や渦の文様。写実的に描いたものではなく創意的な表現であるため、形は千差万別である。戯画・彫刻・工芸などに用いられ、荘厳さを表す。㊂水波紋→紋様

ワササ〔瓦斯紗〕 와사사
ガス糸で織った綿布。ガス糸とは、木綿糸の表面の毛羽をガスの火で焼き切り、艶を出したもの。→チュラン紗

ワンデ〔腕帯〕 완대
弓の射手が手首を保護するために巻く布で、形は▶トシ（腕貫き）に似る。輪が付いており、紐を通して縛るようになっている。

ワンドゥジャム〔豌豆簪〕 완두잠

ワンジャムン〔卍字紋〕 완자문
→㊂卍字紋

ワンチョ〔莞草〕 완초
カンエンガヤツリ。湿地に生える高さ1mほどの草で「ワンゴル」とも呼ばれ、茣蓙や座布団など敷物の素材とされる。慶尚北道安東が名産地で、明への貢物や王室用の敷物はここで生産された。座布団1枚を作るのに平均16把が必要で、1把の重さは4両（1両は約37グラム）であったという。（《▶朝鮮王朝実録》世祖4年1月丙子）

ワングァン〔王冠〕 왕관
国王が被った▶冠帽。▶金冠・▶冕旒冠・▶翼善冠・▶通天冠がある。三国時代のものとしては、5世紀から6世紀にかけての新羅・伽耶の金冠・金銅冠が多数出土している一方で、高句麗・百済の遺物は少ない。新羅のものは、金冠塚・瑞鳳塚・天馬塚などから出土した金冠をはじめ、校村洞出土金冠、国宝第138号の金冠など多様である。これらの金冠をどの王が用いたかは定かではないが、国家的な儀式の際に用いられたものと推測される。伽耶のものとしては、湖巌美術館所蔵の金冠、梁山夫婦塚出土の金銅冠、義城塔里鳥翼飾金銅冠、山字形立花飾金銅冠などがある。また、百済のものとしては、羅州新村出土の金銅冠がある。
　冕旒冠は▶祭服（祭祀服）着用時に、翼善冠は平服での執務時に、また通天冠は執務時や詔勅を下すときに被った。大韓帝国末期には、冕旒冠に垂らされる縄暖簾のような冕旒の数を12本とした。

ワンボク〔王服〕 왕복
国王が着る服。状況ごとに着分けられた。高句麗の国王は5色の絹衣をまとい、白い羅（捩り織の絹）の冠を被った（《旧唐書》高麗伝）。百済の国王は、広袖の紫の袍（＜外衣）と青錦袴（青絹の下衣）を着▶素皮帯を締め、烏羅冠を被り、烏革履を履いた（《旧唐書》巻29百済）。
　高麗時代には▶祭服（祭祀服）・▶朝服（朝賀服）・公服・喪服・燕服の区別があり、祭祀には▶冕旒冠を被って▶玉圭を持ち、朝会時には幞頭を被り、束帯を締めた。中国の使臣に会うときには、紫羅の公服を着て▶牙笏を持ち、▶玉帯を締めた。

ワンセジャーポクシク〔王世子服飾〕 왕세자복식

喪服には烏紗高帽に細袖の淡黄色の袍を着て紫羅勒巾を締め、平常時は、一般庶民と同様に白いカラムシの袍を着て烏巾を被った（《宣和奉使高麗図経》巻7）。

朝鮮時代には、祭服には冕旒冠に九章服、朝服には遠遊冠に絳紗袍、常服は翼善冠に衮竜袍を用い、国難時には戒服姿で戦笠を被った。

ワンセジャーポクシク〔王世子服飾〕왕세자복식（おうせいしのふくしょく〔王世子の服飾〕）

王世子（皇太子）が着た服。冕服（大礼服）・朝服（朝賀服）・公服・常服（執務服）などに分けられるが、高麗時代以前のものについては明確な記録がない。朝服は朝鮮時代初期の太宗8年（1408）4月に初めて用いられたが、王世子の公服制度は世宗8年（1426）に制定された。冕服とは、天地に対する祈祷や宗廟・社稷での祭祀、元旦・冬至・朝会・冊封・納妃（妃を迎える儀式）の際に着る大礼服で、世宗32年（1450）に定められ、八旒冕七章服が用いれらたが、19世紀末の高宗の代には九章服に変わった。朝服は六梁冠に赤羅衣、公服は幞頭に紅袍、常服は翼善冠に衮竜袍を用いたが、光武元年（1897）に制定された常服規定では、翼善冠・衮竜袍・玉帯・黒革靴となった。《朝鮮王朝実録》に見られる王世子の服飾関連記事は、次のとおりである。

■王世子の官服制定

《国朝五礼儀》では「国王と王世子は、冕服に絳紗袍と衮竜袍を着る」とし、明の《大明会典》には「皇帝・皇太子の冕服と皮弁服は同色で、常服は皇帝袍は黄、皇太子袍は赤である」とある。しかし、いつからか王世子が上のいずれにも定めのない黒の衮竜袍を用いるようになり、世子の官服に関しては論議が盛んであった。宣祖29年（1596）、具思孟と古老たちは黒の使用が正しいと述べ、宣祖もまた「順懷世子（先王明宗の子）が儒教の経典を学ぶ際には常に黒袍をまとい、また仁廟が東宮にあったころに用いた胸背が黒地であったというから、王世子が黒袍を着ることには疑いを挟む余地がない」とし、黒袍が引き続き用いられた。（《朝鮮王朝実録》宣祖29年4月丙午）

■王世子の冠礼

朝鮮時代、17世紀後半の顕宗の代に王宮で行われた王世子李焞の冠礼の式順は次のとおりであった。辰の刻（午前8時前後）に国王が遠遊冠に絳紗袍姿で仁和門を入り仁政殿に至ると、文武百官がすでに所定の位置におり、鼓吹、鹵簿・侍衛の陳設などの儀式が行われた。まず国王の教示が読まれ、次に王世子が定められたとおりに堂中で冠礼を執り行った。尚方官が初加の冠である翼善冠をうやうやしく持って西階段を上がると、賓（進行役）がこれを受け取り王世子の席の前に置き、東を向いて立ち「佳き月の佳き日に

王服　（左）太祖李成桂（在位1392〜1398）像。1872年模写。全羅北道全州市慶基殿所蔵。翼善冠を被り衮竜袍を着た常服姿である。胸と両肩に五爪竜補を付けているが、胸全体を覆うほど大きいのが特徴である。（右）英祖大王（在位1724〜1776年）像。1990年、趙錫晋・蔡龍臣等画。昌徳宮所蔵。二段になった翼善冠は後部が非常に高く、蟬の羽を模した二つの飾りは後ろに付いている。補は服地に直接金糸で刺繍した五爪竜補で、竜の頭にはたてがみと2本の角が生え、瑞気に満ちた姿である。やはり補が胸と両肩を覆い隠すほど大きいのが特徴的である。腰には躍動感にあふれる竜紋がきめ細やかに透かし彫りされた玉帯を締めている。

ワンセジャーポクシク〔王世子服飾〕 왕세자복식

元服を迎えられ、幼き心を捨て謹んで徳を積まれ、長寿景福を享受され給え」と祝願し、ひざまずいて冠を被せた。王世子が冠を被って賓とともに揖（お辞儀）をし、東序の帳の中に入り、袞竜袍を着て出てくると、賓が再び揖をした。王世子が席に座ると、賓と賛（補助役）がひざまずいて初加の冠を外し、続いて尚方官が再加の冠である遠遊冠を渡した。賓がこれを受け取り王世子の前に出て、「佳き月の佳き時に嘉服を重ね、威厳を保ち、眉寿万年に渡り祺福を授かり給え」とひざまずいて冠を被せ、揖を行った。王世子が帳の中で絳紗袍を着て出て来ると、賓が揖を行う。王世子が席に座ると、賓と賛がひざまずいて再加の冠を外す。さらに、尚方官が三加の冠である平天冠を差し出すと、賓がこれを受け取り前に出て、「日の正と月の令を用い、その服色を加えて徳を修め、眉寿万年に渡り天の慶祝を受け給え」とひざまずいて揖を行った。王世子が戻ると、輔徳が礼席を催した。（《▷朝鮮王朝実録》顕宗11年3月丙寅）

■王世子冠礼時の時服

王世子が冠礼を行い退出するときの式服は、《▷国朝五礼儀》では時服を着るものとなっている。上記の顕宗の代には時服は竜袍であったが、竜袍を時服とすると冠礼の最初の儀式である初加に竜袍が着られなくなるので、童䯻玉簪と鴉青団領をもって時服とした（《▷朝鮮王朝実録》顕宗11年2月丁卯）。18世紀前半の純祖の代には、草緑道袍を時服とし

たこともあったが、後に再び鴉青団領に戻された（同、純祖19年2月己丑）。

■王世子の師傅・賓客相見式の服飾

《▷国朝五礼儀》には、王世子が師傅（王世子教育所管庁の長）や賓客（経書講師）とまみえるときには礼服を着るとあるが、これは遠遊冠と絳紗袍を指している。王世子が万一この服を着ない場合、東宮の官吏も公服を着てはならない（《▷朝鮮王朝実録》光海君7年10月庚申）。

■冠礼前の王世子の賓客・官僚接待時の衣服

《杜氏通典》の皇太子朝賀儀には「皇太子は遠遊冠を被るものの、冠礼を行わない場合は双童髻とする」とあるが、冠礼前に冊封された王世子の冠については触れていない。しかし、明宗朝には「幼くして冊封を受けた王世子が礼冠を被ることができない場合、中宗朝ではこれに忠静冠を被らせたというので、忠静冠を被るのが妥当である」とある。また中宗朝には「祖宗朝以降、冊封を受けた王世子は、衣服と礼秩が他の王子とは異なった。元子が王世子として冊封された後には、仮に冠礼前でも網巾と翼善冠を被り、紺の袞竜袍を着て師と賓客を接待するものであり、冠礼前だからと便服を着ることはできない。皇帝もまた冠礼前で髻を結っていなくても、冠・道袍いずれも礼文に従うとあり、皇帝さえも臣下に相対するときに冠帯を用いるのだから、王世子が冠礼前との理由で冠帯を用いないのは過ちである。むしろ、早くから冠礼を行うのがよい」とあ

る。17世紀初頭の光海君の代には、王世子が東宮に入って数年が過ぎた後も、冠帯を用いずに賓僚に接見することは礼に反し、喪中であればやむを得ないものの、26か月目の禫祭の後には冠礼前でも、講論をする場合には必ず冠服を用いねばならず、双童髻に便服姿は許されなかった。（《▷朝鮮王朝実録》光海君2年3月丁丑）

■冠礼前の避接時の世子の巾

冊封礼は済んだものの冠礼前に避接（場所を移しての病気療養）する際には、▶カッ（笠）や翼善冠を用いることはできず、16世紀前半の中宗の代に明から下賜された忠静巾が頭巾のように頂部が平坦なため、王世子が被るのに適当であるとされた。（《▷朝鮮王朝実録》明宗12年8月己亥）

■王世孫入学時の衣服

昔からのしきたりに則り、頭巾・青衫姿とされた。（《▷朝鮮王朝実録》英祖37年2月乙未）

■王孫の冠礼

王子より一段格下げし、賓は正3品、賛は堂下正3品とし、▶章服は準備が煩わしくない程度とした。（《▷朝鮮王朝実録》英祖41年5月乙酉）

■王世孫の翼善冠と袞竜袍着用

王世孫が聴政・朝参など国政報告の場に参列する際、翼善冠に袞竜袍姿で崇賢門を入り、景賢堂に座って賀礼を受けた。文武百官が▶黒団領姿で庭に入り、奉朝賀（名誉職）・時任（現任）・原任（前任）大臣が堂へ上がって二礼し、王世孫は席から下りてこれに応えた。大臣

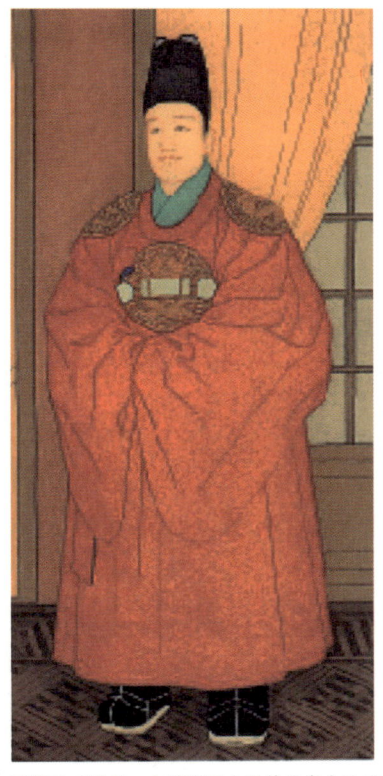

王世子の服飾　大韓帝国の最後の皇太子である英王（1897～1970）の姿。（左）王世子の常服（権五昌画）。翼善冠・紅竜袍・玉帯・靴からなる。（右）王世子の冠礼前の常服。空頂幘・紫的竜袍・水晶帯からなる。

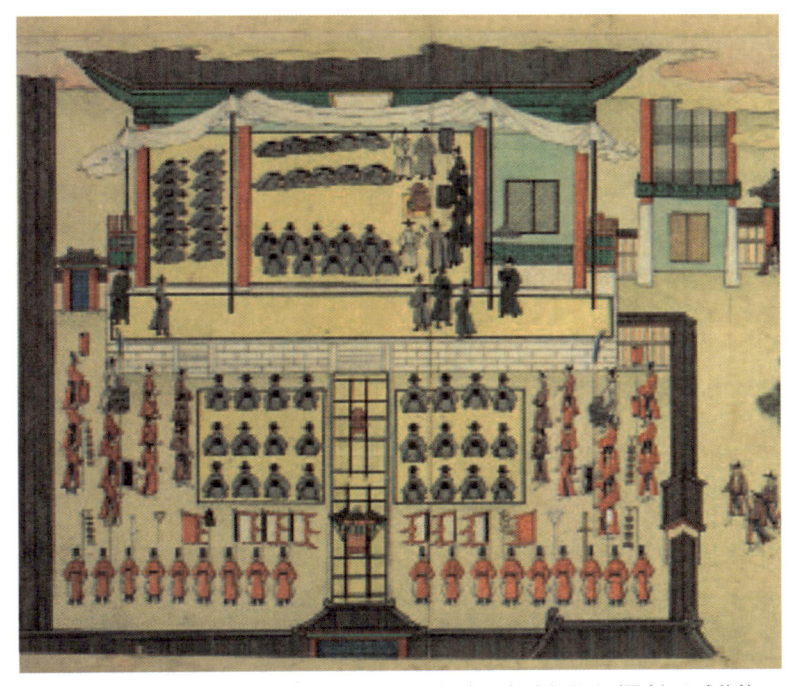

〈王世子入学図〉。国立文化財研究所所蔵。純祖17年（1817）文祖世子（翼宗）が成均館の文廟にて入学礼を終えた後、明倫堂で祝福を受ける受賀儀の場面。

ウェジュルム-ソルギ　외주름솔기

が堂から下り王世子が席に戻ると、文武百官が二礼した。（《▷朝鮮王朝実録》英祖51年12月癸丑）

こくおうのスビ〔国王の襲衣〕
왕의 습의

遺体を埋葬する前に着せる服を▷襲衣というが、国王が崩御し埋葬する場合には、▷袞竜袍・▷褡複・▷チョルリク・円領・▷寡肚・▷汗衫・▷大帯・パジ（ズボン）・▷ポソン（足袋）・▷網巾（鉢巻型の頭巾）・首冠・瞑目・充耳・▷握手・履物をその一式とした。（《▷増補文献備考》巻66礼考13国恤2）→寿衣

ウェナンモク　왜난목 ⃝内供木

ウェサ〔倭紗〕　왜사
▷紗（紗織の絹織物）の一つ。目が細かく、主に夏用の生地に用いられる。

ウェジュン〔倭繒〕　왜증→⃝甲繒

ウェッシ-ポソン　외씨버선
幅が狭く、ひょろりとしたポソン（足袋）。キュウリの種（ウェッシ）のように可愛く、見栄えがよい。→ポソン（足袋）

ウェオル-マンゴン〔ウェオル網巾〕　외올망건
撚り合わせたりしない1本の馬毛（ウェオル）で編んだ上等な▷網巾（鉢巻型の頭巾）。→網巾

ウェオル-タンゴン〔ウェオル宕巾〕　외올탕건
撚り合わせたりしない1本の馬毛（ウェオル）で編んだ▷宕巾（簡易二段帽）。→宕巾

ウェジュルム-ソルギ　외주름솔기

ヨデ〔腰帯〕 요대

縫い代を処理する技法の一つ。布を中表に合わせて縫い代を1.5cm程度取り、しつけ縫いをした後、片側に折って表にタックを入れてから、しつけ糸を取り除く。装飾を兼ねた処理方法である。

ヨデ〔腰帯〕 요대

腰に巻く帯。統一新羅時代の興徳王(フンドク)の服飾禁制では、貴族階級である6頭品・5頭品の女性の腰帯には金銀糸・孔雀尾(コンジャンミ)・翡翠毛(ピチュイモ)の使用を禁じ、4頭品女には野草羅(ヤチョラ)・乗天羅(スンチョルラ)・繐羅(セラ)などの繡組(スジョ)(刺繍入りの絹)を禁じた。また、平人の女性は綾絹(ヌンギョン)を用いるものとした。真骨大等(チンゴルテドゥン)(高位官僚)には研文白玉(ヨンムンベゴク)が禁じられたが、これは王が玉を用いたためと思われる。真骨女(チンゴルリョ)(父系・母系のいずれかが王族の女性)にはいかなる禁制もなく、豪華なものを用いたことは創造に難くない。(柳喜卿(ユヒギョン))

ヨバン〔褾襻〕 요반

豪華な▶腰帯(ヨデ)の腰に付けた紐。統一新羅(シルラ)時代の興徳王(フンドク)の服飾禁制では、5頭品女に罽繡錦羅(ケスグムナ)を禁じる一方、4頭品女は越羅(ウォルラ)、平人女性は綾(ヌン)を用いるものとした(《▶増補文献備考(チュンボムンホンビゴ)》巻79礼考26章服1)。統一新羅時代には、唐の女性のようにチョゴリ(上衣)の裾をチマ(スカート)の中に入れ、腰を飾り立てて紐を垂らしたものと思われる。(柳喜卿(ユヒギョン))

ヨペ〔腰佩〕 요패

▶銙帯(クァデ)(装飾付き帯)に長く垂らす様々な装飾品。三国時代に国王や貴族階級の男女が威厳を示すために用いたが、初期には実用性も備えていた。高句麗(コグリョ)では刀や装飾用の磨ぎ石が付けられていたという記録があり(《翰苑》高句麗)、百済の腰佩(ヨペ)(ペクチェ)としては武寧王陵(ムリョン)から出土したものが代表的である。新羅(シルラ)でも各地の古墳から腰佩が出土しているが、梁山夫婦塚(ヤンサンププチョン)出土銙帯(クァデ)には大型のもの1条、小型のもの5条が付き、先端の尾飾は短冊形である。金冠塚(クムグァン)出土品には17条の腰佩があるが、最も長いものは10個の楕円装飾が付いた先端に長方形の尾飾が付いており、残りの16条は楕円装飾6個ずつに短冊形・杏葉形・金製曲玉などの尾飾が付いている。金鈴塚(クムニョン)出土品には12条の腰佩が垂らされているが、短冊形大型1条、短冊形6条、筆鋒形2条、曲玉3条である。飾履塚(シンニ)出土腰佩は1条のみだが、楕円装飾5個を繋ぎ、尾飾は短冊形板だ。天馬塚(チョンマ)出土品は13条の腰佩が付いており、長いものは73.5cmで、四角形の連結板に繋がれた楕円形金板8個の先に笏形の尾飾が付き、他は5個の楕円形金板の先に魚形・薬籠形・小刀・金鑷形(ピンセット形)・曲玉・笏形の尾飾が付いている。このような腰佩の中で典型的なものは、楕円形板と方形板が交互に繋げられた先端に尾飾を付けた短冊形繋飾で、4世紀頃に新羅と伽耶(カヤ)で多用された。→銙帯(クァデ)

ヨンドゥモリ 용두머리

▶ペトゥル(織機)の前脚の上端に渡された長い横木。2本の▶ヌンソプテ(綜絖を吊る竿)が付いている。→ペトゥル

ヨンニンガプ〔竜鱗甲〕 용린갑

朝鮮時代の▶カボッ(鎧)の一つ。竜の鱗状の札(さね)を付け、下部に頭釘が打ってある。両肩には竜頭の彫り物を載せ、動きにつれて竜が身をうねらせるように見せた。(李康七(イカンチル))→カボッ(鎧)

ヨンムン〔竜紋〕 용문

竜の姿を表した文様。竜は想像上の動物で、天子と皇后の象徴であった。平安南道(ピョンアンナムド)の高句麗梅山里古墳(コグリョメサルリ)主室の壁画や、忠清南道扶余郡(チュンチョンナムドプヨ)から出土した百済(ペクチェ)時代の文様瓦である蟠竜紋塼(パルリョンムンジョン)に見られ、長い伝統のある

腰佩　慶州金冠塚出土の金製銙帯および腰佩。新羅。国宝第88号。国立中央博物館所蔵。

ウンムン〔雲紋〕 운문

文様であることがわかる。朝鮮時代には、王室以外での使用が禁じられた。双竜紋と単竜紋とがあるが、用いる者の地位により爪の数が異なり、皇帝は5爪、国王は4爪であった。→文様・補

竜紋

竜簪

ヨンソン〔竜扇〕 용선

国王の行幸の際に用いる扇形の儀杖。丸い木板に双竜を描き、中心に2～3cmの柄が付いている。

ヨンジャム〔竜簪〕 용잠

頂部に竜の文様を彫ったり竜の飾りを付けた▶ピニョ（簪）。主に王族が用いたが、士大夫階級でも婚礼などで巨頭味（木枠を用いた髪型）に挿した。非常に長いピニョで、頭に挿したあと両側に飛び出した部分に▶テンギ（帯状の頭飾り）を巻いて、前に垂らす。礼装時は、入れ髪を用いて結った後頭部の髻に挿した。宮中の側室らは、平時の国王謁見には10月1日から竜簪を挿し、▶チョジムモリ（＜髪型）には10月から正月までメッキを施した竜簪を挿した。→ピニョ（簪）

ヨン-チョプチ〔竜チョプチ〕 용첩지

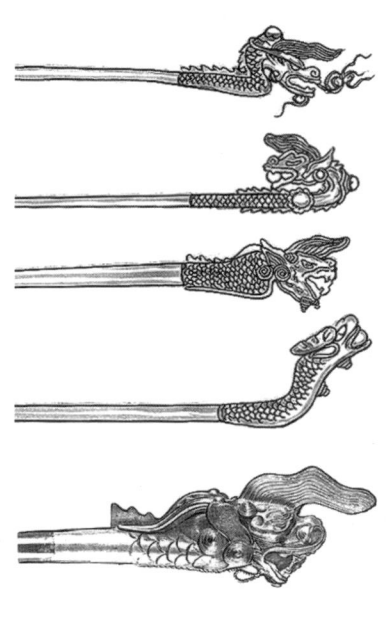

竜を彫刻した▶チョプチ（角状の前頭部装飾品）。朝鮮時代末期に皇后が頭の上に載せ、身分を表した。→チョプチ

ヨンポ〔竜袍〕 용포→同袞竜袍

ヨンホ-サンチョグンボク〔竜虎上超軍服〕 용호상초군복

高麗時代に宮城を守る軍人であった竜虎上超軍の服装。青い細袖の服を着て、有文の絹で作った▶文羅頭巾を被った。前襟と背には丸い標章を入れ、王宮の使令は竜紋、それ以外は花紋を金箔し、文様隙間には精巧な刺繍を施した。（《▶宣和奉使高麗図経》巻12）

ヨンホ-チュァウ-チヌィークンジャンボク〔竜虎左右親衛軍将服〕 용호좌우친위군장복

高麗時代の親衛部隊竜虎軍の長であった上将軍・大将軍・将軍らの服装。円文のある絹の▶袍にメッキした帯を締め、▶幞頭（翼状の角のある帽子）に金花を飾った。国王が出入りする時には、鳥の羽根で作った扇と金鉞（斧型の儀杖）を持って仕えた。（《▶宣和奉使高麗図経》巻1）

ヨンホ-チュンメングンボク〔竜虎中猛軍服〕 용호중맹군복

高麗時代、王城を守る親衛隊であった竜虎中猛軍の服装。青の窄衣（細袖上衣）と窮袴（細ズボン）の上に、鉄の札を重ねた鎧を着た。兜は被らずに背負い、雲紋の白旗を付けた小さな槍を手にした。

ヨンホ-ハヘグンボク〔竜虎下海軍服〕 용호하해군복

高麗時代、王城を守る親衛隊であった竜虎下海軍の服装。青い布に黄色で鷹を刺繍した窄衣（細袖上衣）に紅革銅帯を締めて、赤い鞭を手にしていた。（《▶宣和奉使高麗図経》巻12）

ウウイ〔羽衣〕 우의

鳥の羽根を織って作った服。非常に軽く、高麗時代に仙人・仙女が着たとされる。しかし、《宣和奉使高麗図経》（巻18道教）には、高麗の仙人は羽衣を着ずに白布裘を着たとある。

ウイム〔右衽〕 우임（みぎまえ〔右前〕）

前合わせを右前にすること、またそのように仕立てた襟や服。

ウンムン〔雲紋〕 운문（うんもん〔雲紋〕）

雲の文様で、朝鮮時代に多用されたものの一つ。中国では周代以前から存在し、我が国では楽浪と三国時代の遺物にも見ることができる。雲は

ウンムン-ハンダン〔雲紋漢緞〕 운문한단

その大きさ・姿・色に定型がなく、忍冬雲・霊芝雲・雲唐草や瑞雲・怪雲として表現された。また、雲は神仙思想に立脚した十長生(シプチャンセン)の一つで、単独でよりも別の吉祥文とともに使われる。このような文様には、雲竜紋・雲鶴紋・雲鳳凰紋・雲花紋・雲鳥紋などがある。→文様

ウンムン-ハンダン〔雲紋漢緞〕 운문한단

雲紋を織った厚い緋緞(ビダン)(朱子織絹)。20世紀初頭、大韓帝国末期の《宮中衣襨撥記(ジュンウイデバルギ)》によると、主に▶袞竜袍(コルリョンポ)や裏地に用いられ、17世紀初めの昭顕世子(ソヒョンセジャ)の《▷嘉礼都監儀軌(カレトガムウイゲ)》には、嬪の大礼服の裙霞(クンハ)に用いられたとある。→緞(タン)

ウンボムン〔雲宝紋〕 운보문

雲と各種宝物を幾何学的に図式化した文様。宝物は法螺・法輪・宝傘・宝瓶などの8宝とするが、宝珠・銅銭・方勝(パンスン)(袱紗の四隅の飾り)などを含めることもある。主に王が着る▶袞竜袍(コルリョンポ)や文武百官の官服の地文に用いられた。→文様

ウンボンムン〔雲鳳紋〕 운봉문

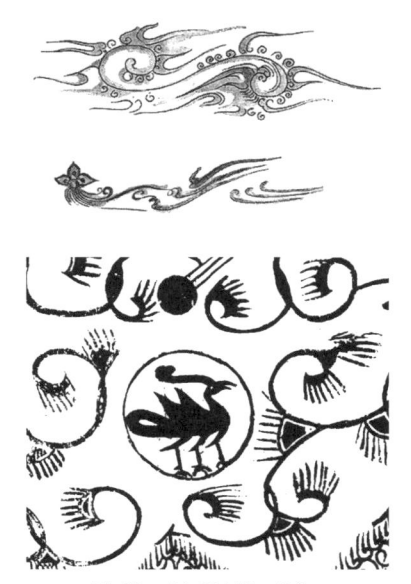

高句麗。高句麗古墳の雲紋。

百済。①陵山里古墳天井②文様塼(瓦)に刻まれた雲紋

統一新羅。慶州聖徳大王神鐘。

高麗時代①渦巻型雲紋②高麗青磁に見られる雲紋③霊芝型の雲紋④高麗仏画の衣服に見られる雲紋

朝鮮時代。1458年。黒石寺阿弥陀仏像内納入織物。

雲紋

ウンハクークムファンス〔雲鶴金環綬〕 운학금환수

雲と鳳凰とをデザインした文様。上古から、絵画・生活用品・服飾などに多用されてきた。めでたさを表す雲紋は、単独で、時としてデフォルメされて用いられたり、あるいは山・森や四神と呼ばれる神獣、天上界の神仙・天人などの周囲にあしらわれて幻想的な雰囲気を醸し出す。鳳紋も単独で用いられるより、雲紋・七宝紋と併用されることが多い。雲鳳紋(ウンボンムン)は、朝鮮(チョソン)時代には夫婦和合を象徴するとされ、女性の婚礼衣装に多用された。特に、王妃の礼服である▶円衫(ウォンサム)や▶唐衣(タンイ)の背中にデザインされた。

ウナンムン〔雲雁紋〕 운안문
雲と雁とをデザインした文様。雁は陽気を帯びる鳥で、義理を知り、秩序を守る性質を持つとされた。雲雁(ウナン)紋は各種生活用品に用いられ、一時▶胸背(ヒュンベ)(官服の胸と背の標章)にも用いられた。

ウナン-ヒュンベ〔雲雁胸背〕 운안흉배
雲と雁とを刺繍した▶胸背(ヒュンベ)(官服の胸と背の標章)。朝鮮(チョソン)時代の一時期、2品の文官が用いた。現物は存在せず肖像画が残るのみだが、忠清北道(チュンチョンブクド)槐山郡(クェサングン)花厳書院(ファアムソウォン)所蔵のユ・グ(1597～1666)と尹鑴(ユンヒュ)(1617～1680)の肖像画に描かれた雲雁胸背(ウナンヒュンベ)は、橙色の地に漂う瑞雲の間を2羽の雁が顔を見合わせながら飛び、周囲に牡丹の花があしらわれている。朝鮮時代の端宗(タンジョン)2年(1454)に2品の文官は雲雁胸背を用いるものと定められ(《朝鮮王朝実録(チョソンワンジョシルロク)》端宗2年12月丙戌)、《▷経国大典(キョングクテジョン)》(巻3礼典儀章)にも、2品の文官の▶常服(サンボク)(執務服)に付ける胸背に雲雁の刺繍を入れるものと記されている。
→胸背(ヒュンベ)

雲鳳紋 (上)円衫の部分。(下)雲鳳寿香嚢。重要民俗資料第41号。糸田刺繍博物館所蔵。

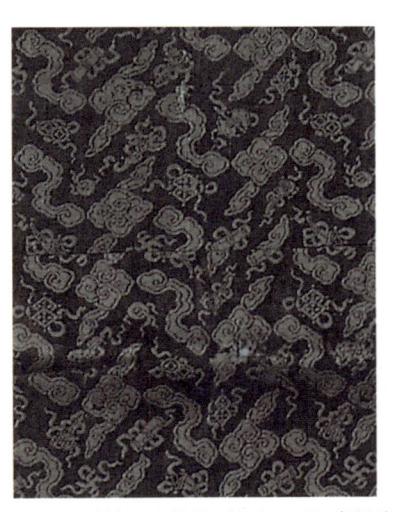

雲雁胸背

ウンポグム〔雲布錦〕 운포금
高句麗で生産されたという絹織物の名称。《翰苑》高麗の条に記されている。→錦(クム)

ウンハクークムファンス〔雲鶴金環綬〕 운학금환수
雲鶴紋と金環で飾った▶綬(ス)。綬とは、▶朝服(チョボク)(朝賀服)や▶祭服(チェボク)(祭祀服)の腰に巻いて後に垂らす化粧回しのような飾りで、身分により文様・色を使い分けた。中国の戦国時代に、佩綬の代用として帯に彩色紐を結び儀礼用装飾としたことに由来する(《後漢書》輿服志)。また、金環とは綬の上部に付ける2個の金属環である。1・2品の官吏は黄・緑・赤・紫の4色の糸で雲鶴紋を刺繍

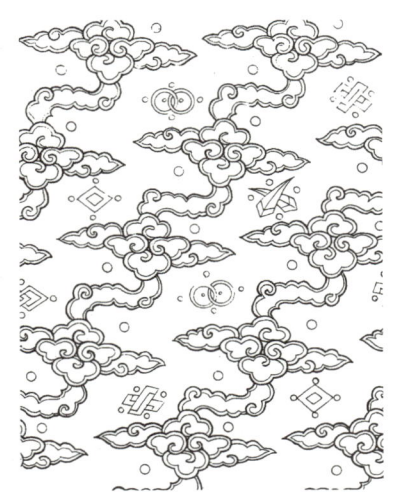

雲宝紋 (左)雲宝紋緋緞袷ポジャギ。朝鮮時代。明安公主遺品。江陵市立博物館所蔵。(右)朝鮮時代の服飾に見られる七宝如意卍字雲紋。

ウンハク-ヒュンベ〔雲鶴胸背〕 운학흉배

し、下端に青糸網を垂らした綬を腰に締めた。(《朝鮮王朝実録》世宗8年2月庚寅) 同金環綬→綬・後綬

雲鶴金環綬　沈東臣遺品。19世紀末。重要民俗資料第2号。石宙善紀念民俗博物館所蔵。

雲鶴胸背　単鶴・双鶴胸背。興完君（1815～1848）遺品。重要民俗資料第121号。淑明女子大学博物館所蔵。

ウンハク-ヒュンベ〔雲鶴胸背〕 운학흉배

雲と鶴を刺繍した胸背（官服の胸と背の標章）。朝鮮時代に文官が用いた。単鶴と双鶴の2種類があり、品階によって使い分けられた。雲の中を飛ぶ鶴の姿は、孤高たる文官の英知の象徴である。雲鶴胸背は胸背の代表的なもので、現在最も多く残っている。生地は主に濃い青の雲宝紋緞で、中央に鶴紋、周囲には各種雲紋、下部には長生紋が刺繍された。口に不老草を咥えた鶴の体には金糸・銀糸・白糸などを用い、雲の形や色の配置に工夫が凝らされている。英祖10年（1734）に「最近武官が鶴胸背を着用しているので、次回からは特別に訓戒すべし」との記録もあり、武官も一時的に身に着けていたようである。(《朝鮮王朝実録》英宗10年12月丁未) →胸背

ウンヘ〔雲鞋〕 운혜

雲紋を施した女性用の履物。朝鮮時代に上流階級の女性が履いた。ツバメのくちばし（チェビプリ）のような形であることから、「チェビプリシン」とも呼ばれる。表は桃色の絹、裏は絨（起毛織物）で、爪先とかかとに緑の絹を当て、その上に藍色の絹で雲紋を施してある。爪先・かかとには三角の赤い絹を当て、雲文を刺繍をすることもある。《朝鮮王朝実録》世宗14年（1432）8月の条には、国王の衣服などを管理する尚衣院の職員は、赤紫の頭巾と細袖の紫紬衫に雲鞋を履くよう定められ、世宗17年（1435）2月には漂着した白毛針らに雲鞋を下賜したことがある。また、《京都雑誌》（巻1 風俗巾服）には「士大夫は路上でカッ（笠）を被り、唐鞋・雲鞋を履いている」とある。同温鞋・チェビプリシン→鞋・シン（履物）

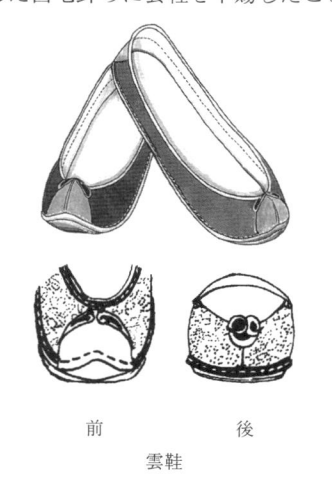

前　　後

雲鞋

ウルダラスン〔鬱多羅僧〕 울다라승（우ㅉ다라소우〔鬱多羅僧〕）

仏教の三衣の一つ。《金剛般若経》疏に「僧衣には安陀会・鬱多羅僧・僧伽梨の三つがあり、このうち鬱多羅僧は7条（2長1短）の中衣で、大衆に説法するときに着る」とある。《五洲衍文長箋散稿》経史編）→袈裟

ウォンダフェ〔円多絵〕 원다회（まるぐみひも〔丸組紐〕）

丸く組んだ多絵（組紐）。ノリゲ（女性用韓服の房飾り）、チュモニ（巾着）の紐、各種の流蘇（房飾り）を作るのに用いられる。多絵は、組む糸の数により4糸・8糸・16糸・24糸・36糸に分けられるが、4糸と8糸が円多絵の基本組織で、用途によって細くも太くも組まれた。→クンモク 同童多絵

ウォンサム〔円衫〕원삼

ウォンサモ〔円紗帽〕원사모

漆塗りの▶紗帽(左右に翼状の角のある帽子)。明の代に、▶幞頭に漆を塗って円紗帽を作った。(《▷五洲衍文長箋散稿》巻4古今冠巾制度弁証説)

ウォンサム〔円衫〕원삼

女性の礼服の一つ。統一新羅時代、文武王4年(664)の女服改革で唐の広袖の▶袍が取り入れられ、今日の円衫になったと言える。《▷三国史記》色服の条に、「宋の使臣劉逵と呉拭が招聘され館にいたところ、宴会で階上に招き上げられた郷粧の倡女の着ている闊袖衣・色糸帯・大裙を見て、隨・唐・宋三代の服飾がすべて揃っていることに驚き感嘆した」とあるが、この闊袖衣・色糸帯は《周礼》に出てくる皇后の六服に準拠した我が国の円衫あるいは▶ファロッと考えられる。

円衫は女性の大礼服で、身分により色や文様が使い分けられた。大韓帝国時代の皇后は、振袖に真紅・藍色の▶セクトン(色縞)と白の▶汗衫(付け袖)を付けて金襴または金箔で竜紋を施した黄円衫を、朝鮮時代の王妃は、黄色と真紅または藍色の袖先に汗衫を付けて鳳紋を金箔した真紅の紅円衫を、側室は黄色と真紅の袖先に汗衫を付けてやはり鳳紋を金箔した紫赤円衫を、王女や内命婦(側室・宮中女官)・外命婦(王族の女性)は軟豆色(黄緑)の身頃で、真紅と黄色の袖先に汗衫を付けて花紋を金箔した緑円衫をまとった。緑円衫は、▶ファロッとともに庶民の新婦婚礼衣装としても許された衣服である。いずれの円衫にも紅緞帯を用いるが、7尺(約2.1m)余りもあるもので、前から巻いて後

円衫 (左)貴人楊氏の円衫姿。(右)高宗の継妃嚴妃(1854〜1911)の円衫姿。

尹皇后の黄円衫 世宗大学博物館所蔵。光武元年(1897)に高宗が皇帝に昇格すると同時に王妃も皇后に昇格し、黄円衫を大礼服として着るようになった。黄織金円衫の構成は、黄色の絹に藍色の裾当てをした鮮やかな赤の裏を当て、袖口には紅・藍の先に白の付け袖を施し、五爪竜補が四つ付いている。ソクチョクサム・ソクチョゴリ・黄三回装チョゴリまたは半回装チョゴリの三点を着た上に黄円衫を着る。チマは、藍色の大欄チマを履いた上に赤紫の大欄チマを重ね履く。大帯は紅の絹で仕立て、大帯の前に大三作ノリゲや真珠の袋を付け、足には黄色の絹の鳥を履く。髪型はオヨモリにし、前頭部中央に先鳳簪、左右に揺れ簪を挿す。

ウォンサム〔円衫〕 원삼

円衫を着た横姿

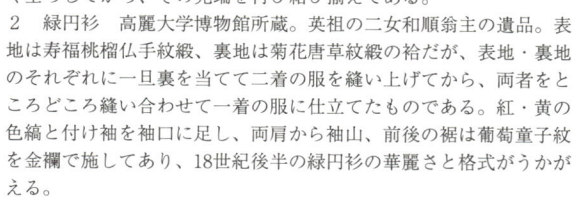

1　紅円衫　身丈145cm、桁135cm。重要民俗資料第48号。世宗大学博物館所蔵。朝鮮時代末期に東宮妃が大礼服として着た円衫で、身頃と袖は紅色の雲鳳紋緞、袖の色縞と付け袖には藍と白の忍冬宝相華紋を金襴で施してある。両肩から袖山、袖の袂、前後の身頃に雲鳳紋が金襴で入れられ、縁には2本の金襴を施してある。裏は蝙蝠紋の黄色の絹を当て、袖口には藍色の襈が施されている。前身頃よりも後身頃が長く地に付くほどで、若干裾広がりになっている。桁は長いほうで、袖口には黄色と藍色の縞柄と白の付け袖が付いている。前合わせは突き合わせで、付け衿は裏に縫い付けてある。紅の絹で仕立てた補には金糸で雲竜紋と三山・岩・不老草紋が刺繍されている。帯には牡丹紋を金箔で施し、背中で一度ゆるく結んで長く垂らしてから、その先端を再び結び揃えてある。
2　緑円衫　高麗大学博物館所蔵。英祖の二女和順翁主の遺品。表地は寿福桃榴仏手紋緞、裏地は菊花唐草紋緞の袷だが、表地・裏地のそれぞれに一旦裏を当てて二着の服を縫い上げてから、両者をところどころ縫い合わせて一着の服に仕立てたものである。紅・黄の色縞と付け袖を袖口に足し、両肩から袖山、前後の裾は葡萄童子紋を金襴で施してあり、18世紀後半の緑円衫の華麗さと格式がうかがえる。
3　紫的円衫　重要民俗資料第52号。世宗大学博物館所蔵。高宗の後宮光華堂の遺品。赤の身頃に青・黄の色縞と付け袖を施し、帯には鳳紋を金箔で押してある。王后・王妃と異なり、服地には何の文様も入れていない。

ろで締め、先を長く垂らした。この紅緞帯にも、皇后は竜紋、妃嬪は鳳紋、緑円衫には花紋を金襴や金箔で施したが、金襴・金箔は宮中でのみ許された。また王室では円衫に▶補（円形の標章）を付けることもあったが、皇后・王妃が大礼服として用いるときには五爪竜の雲竜紋を金糸で刺繍した円補を胸・背中・肩に付け、小礼服として用いるときには双竜紋を金糸で刺繍した補を胸・背中に付けた。また、側室や王女は双鳳紋の補を胸・背中に付けた。《▷四礼便覧》（巻3喪礼陳襲衣）には、「円衫は大きな服で、色絹や平絹で仕立てる嘉礼の大袖である。円衫を仕立てるとき、着丈は前を短く後を長くし袖先に絹で色縞を施すが、これを燕香袖という」とある。燕山君4年（1498）には、礼曹（宮内・文部所管庁）の上申した《奢侈禁制目録》10条で円衫・単長衣を禁じ、同11年（1505）には朝廷官吏の中で貧しく高級な絹を買えない者は、円衫で仕立てた団領を着て朝賀・朝参に参列するように勧めたところ、半分以上がこれに従ったとの記録がある（《▷朝鮮王朝実録》燕山君4年6月・11年6月）。

ウォンサム-タンチュ〔円衫タンチュ〕 원삼단추
▶円衫の前合わせに用いられた▶タンチュ（ボタン）。円衫は衽がなく突き合せになっているので、タンチュでとめる。素材は主に銀を用いるが、七宝で飾ることもあった。メスは蝶・コウモリ・菊をかたどって装飾性を高め、その中央にオスをはめるようになっている。

ウォンソン〔円扇〕 원선
円形のプチェ（扇）。朝鮮時代に、士大夫階級に広く用いられた。細く裂いた竹を放射状に並べた上に油紙を貼り、中央に「亞」字型の紙を貼って、下部には銘文を入れた。→プチェ（扇）

ウォナンムン〔鴛鴦紋〕 원앙문
（おしどりもん・えんおうもん〔鴛鴦紋〕）オシドリ（鴛鴦）の文様。オシドリは鴨に似る水鳥で、水草の間で遊ぶつがいの姿を文様にしたものが多い。夫婦和合の象徴として新婚夫婦の布団・▶ペゲンモ（枕の両端の装飾）・ファロッなどに刺繍され、偕老への願いが込められた。→紋様

鴛鴦紋

ウォナンジャム〔鴛鴦簪〕 원앙잠
頂部にオシドリ（鴛鴦）の姿が彫られた▶ピニョ（簪）。夫婦和合の象徴とされる。→ピニョ（簪）

ウォニュグァン〔遠遊冠〕 원유관
朝鮮時代に国王・王世子（皇太子）が朔望（毎月1日・15日の祭祀）・詔降（詔の発布）・進表・朝見（臣下の謁見）などに▶絳紗袍を着て被った冠。▶梁（前後に走る畝）のある帽子と簪・珠翠（装飾板）・珠纓（装飾紐）から成り、身分により梁と珠翠の数が異なった。初めて用いられたのは高麗時代末の恭愍王19年（1370）で、明の太祖から冕服・絳紗袍とともに下賜されたものであった（《▷高麗史》志巻26輿服）。この時のものは七梁冠で、▶金博山（装飾石）、七つの蝉形装飾、珠翠で飾られ、犀簪導（サイの角の簪）が挿されていた。世宗の代の《▷国朝五礼儀》（序例巻2嘉礼冠服図説）は、「遠遊冠は▶羅で作り、その色は玄色（黒紫）とする。梁は9本とし、それぞれに前後に9個ずつ、計18個の玉を縫いつける。玉の色は黄・蒼・白・朱・黒の順とする。金簪の両端に赤い紐2本を結び、顎の下で結んで垂らす」と遠遊冠の様式を定めている。一方、15世紀末の成宗の代には、王世子の遠遊冠を七梁と定めたが（《▷増補文献備考》巻79礼考26章服）、英祖の代（1744年）の《▷国朝続五礼儀補》（序例巻2王世子遠遊冠服図説）では、王世子は八梁、王世孫は七梁となった。国王は朝鮮時代を通じて九梁の遠遊冠を被ったが、光武元年（1897）の制度では、皇帝は絳紗袍を着て▶通天冠を被るようになった。この通天

遠遊冠

ウォニュグァンボク〔遠遊冠服〕 원유관복

冠について《▷増補文献備考》（章服）は、「前後十二梁の烏紗帽の各梁に5種の玉を12個ずつ飾り付け、玉の簪導と紅組纓が付いている」と記述している。また、皇太子は九梁に5色の玉九つを飾り付け、金簪・珠纓の付いたものを被った。→冠帽

ウォニュグァンボク〔遠遊冠服〕 원유관복
▶遠遊冠と▶絳紗袍。高麗時代末から朝鮮時代まで、国王と王世子が朝賀を受けるときに身に付けた。→同絳紗袍

ウォルソ〔月梳〕 월소→同オルテビッ

ウィサ〔緯糸〕 위사（よこいと〔緯糸〕）
織物を構成する横方向の糸。同シシル・シ

ウィウイ〔緯衣〕 위의
中国・周の時代に皇后などが着た▶六服の一つ。色は玄色（黒紫）で、白地に5色の雉の文様を縫いつけてある。髪は副と呼ばれる入れ髪を用いたもので、これに衡笄と呼ばれる簪を横に挿したようである。簪の装飾である珈は最も豪華なもので、身分により使い分けられた。履物である鳥は玄鳥で、黄絢・黄繶・黄純で飾った。宗廟で祭祀を行うとき国王の後に従う皇后と上公・二王の後裔と魯夫人が着た。（《新定三礼后服図》）→六服

ユ〔襦〕 유
チョゴリ（上衣）の一つ。新羅では「尉解」と称された。上代社会から着られた襦の基本形態は男女ほぼ同じで、今日のチョゴリより丈が長く腰下まであり、腰には帯を締め、襟・裾周り・袖先に▶襈（縁取り）が施されていた。前合わせは左前であったが、高麗時代に入って右前に変わった。古代服飾の基本型であった襦は、壁画に見られるように、老若男女・貴賤の区別なく用いられたようである。後にモンゴルの服飾の影響により丈が短くなり、帯に代わるオッコルム（結び紐）が生じ、袂が曲線になって、現在のチョゴリの形となった。

襦 双楹塚羨道

ユガク-ピョンジョンゴン〔有角平頂巾〕 유각평정건
帽頂の前部を尖らせた▶平頂巾。高麗・朝鮮時代に録事（文書などを扱う上級官吏）が用い、無角平頂巾を被る書吏（同下級官吏）と区別した。（《▷経国大典》巻3礼典儀章）→平頂巾

ユゴン〔儒巾〕 유건
朝鮮時代に儒学者が被った室内用▶頭巾の一つ。黒の麻布・カラムシ・綿布などで作る。左右に耳が出ており、顎紐の付いたものもある。後面が板状のまっすぐな状態を保ったまま頂部を後に折り曲げ、左右に耳を出して被る。左横から見ると「民」字型になるので、一般に「民字巾」とも呼ばれた（《▷星湖僿説》巻10人事門）。15世紀前半の世宗の代には、進士（科挙の小科合格者）が黒団領姿で儒巾を被った記録があり（《▷朝鮮王朝実録》世宗20年2月）、現在も郷校・書院で祭祀を行う際に被られる。《▷燃藜室記述》（別集巻13）に「儒巾は民字巾ともいい、竹で編み、黒い麻で包んだり紙を貼って漆を塗った。その形は端正で、それほど尖りもせず傾きも少ない」とある。同民字巾→巾

儒巾 温陽民俗博物館所蔵

ユギョビ〔襦裌衣〕 유겹의
裌に仕立てた男物のチョゴリ（上

緯衣

衣)。→同繻衣

ユゴ〔油袴〕 유고
雨天用の▶パジ（ズボン）。雨が浸みないよう、油を染み込ませてある。→パジ

ユデ〔繻帯〕 유대
▶チョゴリ（上衣）に締める帯。上古時代のチョゴリは丈が腰下まであったため、腰に帯を締めた。高句麗古墳壁画を見ると、袍（＜外衣）は後ろ帯、繻は前帯だが、必ずしも一定ではない。後代にチョゴリの丈が短くなるとともに、帯の代わりに▶オッコルム（結び紐）で止めるようになった。

ユドゥン〔油芚〕 유둔
油を吸わせた紙や麻・綿布。

ユロクセク〔黝緑色〕 유록색
黒みを帯びた濃い緑色。栗の木の皮をヨモギの灰汁で煮て、3～4回染める。朝鮮時代の▶官服や▶団領に多用され、《宮中衣襨撥記》を見ると、男性用の冠や帯にも用いられたことがわかる。

ユリヨン〔瑠璃纓〕 유리영
瑠璃を様々な形に加工し、糸に通して作った▶カックン（笠紐）。朝鮮時代の瑠璃は青みを帯びた黒の中に金色の小斑点が散らばるもので、職位の高い官吏が▶黒笠に用いた。→カックン（笠紐）

ユモクァ〔油木靴〕 유목화
▶チンシン（雨靴）の一つ。▶木靴に油を染み込ませたもので、▶官服を着るときに履いた。

ユムンソンチョダン〔有紋線綢緞〕 유문선초단
有紋の薄絹。→紋緞

ユボク〔儒服〕 유복→同儒生服

ユボクチン〔有服親〕 유복친
葬儀で▶喪服を着る範囲に入る近い親戚。遺族は親等などにより5等級に分けられ、喪服の種類や、喪の期間が異なった。この5等級に入る親戚を「有服親」、これ以外を「無服親」という。このような服制がとられたのは、中国では《家礼》が制定された周の時代からで、我が国では高麗初期の成宗4年（985）のことであった。官吏の喪服制度は国家が法制化したが、庶民においては自律的に運営された。→喪服制

ユボクチンニョ〔有服親女〕 유복친녀
葬儀で▶喪服を着る範囲に入る近い親戚の女性。

ユサグムジョク〔蕤絲金翟〕 유사금적
金糸で雉を刺繍した▶テンギ（帯状の頭飾り）。朝鮮時代の太宗の代に明の使臣黄儼が伝えた王妃の冠服の中に、珠翠七翟冠の金事件1副に蕤絲金翟1対が含まれていた。（《朝鮮王朝実録》太宗3年10月辛未）

ユサム〔油衫〕 유삼
油を含ませた布や紙で作る雨着。雨天時はユサムを着て▶油鞋を履いた。同油衣

ユセンボク〔儒生服〕 유생복
朝鮮時代に、幼学（科挙の小科合格前の儒学生）・校生（郷校の学生）・生員（小科の生員科合格者）・進士（小科の進士科合格者）・処士（在野の儒学者）など、儒学生・儒学者が着た衣服。時代により名称は異なる

ユセンボク〔儒生服〕 유생복

が形態は類似しており、玉色（水色）の▶袍を着て帯を締め、▶巾を被った。朝鮮時代に儒生服とされた衣服としては、冠は▶儒巾・▶緇布冠・軟巾・▶幞頭、服は▶青衿団領・青衫・▶襴衫、帯は帯・▶大帯・條帯など多様であった。▶青衿団領は、15世紀初頭の太宗の代に初めて成均館と五部学堂の儒学生の服として採用され（《▷朝鮮王朝実録》太宗11年6月）、次の世宗の代には科挙進士科の合格発表の際に応試者に▶黒団領と儒巾を着用させた（同、世宗20年2月）。成宗の代の《経国大典》（1485）は、諸学生徒は学内では緇布冠に団領を着用し、幼学は青衿団領を着るものとした。成宗8年（1477）に白勗が弘文館の学生に青衿団領を着させることを提案すると、国王は「過去にも試みられたことで、▶カッ（笠）を被って青衿団領を着ることにすれば皆従うであろう」と賛成したという（《▷増補文献備考》章服2）。成宗19年（1488）に使臣として朝鮮を訪れた明の董越が著した見聞記《朝鮮賦》には、「朝鮮の儒学生はみな青襴衫に帯を締め、軟羅巾を被り皮襪を履いている」とあるが（《▷新増東国輿地勝覧》巻1京都上）、この軟羅巾が儒巾であり、青襴衫は青衿団領を指すものとみられる。粛宗の代には、儒学生は紅団領を用い、特に国王が科挙の試験場に現れる親試では黒団領を着ることとなっていたが、白団領と黒団領とが併用され見た目が悪かったため、黒団領の着用を徹底するよう訓戒が出された

ユソンギ〔流星旗〕 유성기

《▷朝鮮王朝実録》粛宗11年2月)。宣祖の代の文臣趙憲の《東還封事》に、「中国の科挙受験者と武官学生はみな儒巾と黒団領を着用し、中外の学生はみな襴衫を着ているが、大部分は玉色(水色)の地に青絹で▷襈(縁取り)を当てており、これは我が国の青衿とは大きく異なる」とあることから、襴衫と青衿は同一ではなかったと思われる。ところで、《▷林下筆記》(巻17文献指掌篇)には、「宣祖2年(1589)8月に襴衫を初めて成均館の太学生の服と定めた」とあるが、実際に襴衫が着られたのは18世紀半ばの英祖の代であった。英祖22年(1746)9月に安東郷校にある幞頭・襴衫・大帯を検討し、生員・進士の合格発表時の服が儒巾と青衿であったのを改め、昔の制度に倣って幞頭・襴衫・大帯とし、翌年23年(1747)2月に生員・進士が初めて軟巾と襴衫を着用した。以降、高宗の代には《衣制節目》で、儒学生が国王に謁見するときは従来の制度に従い、それ以外は▷盤領窄袖に糸帯を締めることとし、生員・進士・幼学の私服も窄袖衣を着るものとした(《▷朝鮮王朝実録》高宗21年閏5月)。その後も、生員・進士・幼学は唐の例に従って▷褡穫を着用せよとの命が下るなど、儒生服は時代により様々に入れ替わったが、その基本は儒巾・襴衫であったと言えるであろう。

ユソンギ〔流星旗〕 유성기

儀仗旗の一つ。北斗七星を描いた三角旗である。

ユソ〔遊蘇〕 유소

①多繪(組紐)で▷メドゥプ(飾り結び)を作り、その下端に房を垂らしたもの。国楽器・▷カマ(御輿)・旗などの装飾に用いられた。
②舞童女が舞台衣装の▷丹衣に垂らす装飾品。紅羅や紫色の綃(生糸で織った絹)で作って金花紋を施し、紅綃の紐の先に8本垂らす。(《▷楽学軌範》巻8蓮花台服飾図説) ⓐ首紗只

ユシムジャム〔鍮蕈簪〕 유심잠

頂部に茸のような半球状の飾りを付けた白銅製の▷ピニョ(簪)。単純さの中に独特の美しさを感じさせる。女性が日常生活で使用した。→ピニョ(簪)

鍮蕈簪

ユアボク〔幼児服〕 유아복(ようじふく〔幼児服〕)

幼い子供の服。高宗の代の《宮中衣襨撥記》には、王子の生後21日目の三七日の祝い着として、▷褙子(チョッキ)・ヌビミン粉紅チョゴリ(桃色の単色上衣)・ヌビミン玉色チョゴリ(水色の単色上衣)・ミンパジ(単色ズボン)・ヌビドゥロンイ(綿入れ刺し子スカート)・白オモギ(綿入れ刺し子足袋)・草綠ヌビ薦衣・紐などが見られ、100日目の百日の祝い着としては、▷冠・鴉青幅巾・洋藍チョクサデ・粉紅ヌビトゥルマギ(桃色の刺し子外衣)・ヤンナム掛子・草綠褙子(薄い黄綠のチョッキ)・粉紅玉色チョゴリ(桃色・水色の上衣)・ヌビキョプ白パジ(刺し子白ズボン)・細紵布行纏(カラムシの脛当て)・オモギ(綿入れ刺し子の足袋)・豆綠薦衣・ヌビックンなどが見られる。良家の女児には、1歳から4・5歳までの間の名節や特別な行事にあたっては、チョゴリ(上衣)・チマ(スカート)に▷風遮パジ(股割れズボン)と▷トゥ

儒生服

遊蘇① 遊蘇②

ルマギ（＜外衣）を着せ、頭には▶トトゥラクテンギ（帯状の頭飾り）を結い、紫朱色（赤紫）の▶クルレまたは黒い▶チョバウィ（防寒帽）を被らせた。また、▶タレボソン（綿入れ刺し子足袋）と美しい刺繍を施した▶繡鞋を履かせ、▶オッコルム（結び紐）には5色の▶ノリゲ（房飾り）を付け、腰には▶ヨムナンや▶クィジュモニなどの巾着を下げた。男児には、チョゴリ・風遮パジ・チョッキ・▶麻古子（襟なし外衣）を着せタレボソンを履かせ、その上にトゥルマギと▶戦服（袖なし外衣）を着せ、▶幅巾を被らせた。新生児には、▶ペネッチョゴリ（上衣）・▶トゥロンイ（≒スカート）などを用いた。（参考）権桂淳《韓国民族文化大百科事典》17、韓国精神文化研究院、1991

幼児服 節句の服を着た子供たち。男児3人はカチトゥルマギ・虎巾・戦服を着て、腰には房の付いた福袋を垂らしている。刺繡入りの綿入れ足袋を履いたかわいい姿である。女児は頭にチョバウィを被り、色縞チョゴリに黄緑のチョッキを着て、ノリゲを付けている。

ユヨプカプ〔柳葉甲〕 유엽갑
朝鮮時代の▶カボッ（鎧）の一つ。鉄製の札を燻した鹿皮でつなぎ、黒く塗った。（《世宗実録》五礼儀五礼軍礼序列兵器）同葉兒甲→カボッ（鎧）

ユウイ〔油衣〕 유의→同油衫

ユウイ〔襦衣〕 유의
男性用の冬物上衣。朝鮮時代に国王や文武官吏が着た。世宗即位年（1418）11月、国王が胎室都監提調金自知に襦衣と毛冠を下賜した例があり、仁祖14年（1636）4月には国王が洗濯した襦衣を着て、臣下たちに質素な生活の模範を示し、庶民が富裕になったとの記録がある。（《朝鮮王朝実録》世宗即位年11月・仁祖14年4月）同襦袷衣・胴衣・トンオッ

ユジャマ〔有子麻〕 유자마
実の付いた麻。直系親族の喪に着る▶斬衰服の首経（鉢巻き）と腰経（腰紐）の素材にした。同苴麻

ユジャム〔油蚕〕 유잠
蚕の一つ。油を含んだように透明感があり艶のある蚕。→コチ①

ユジョク〔褕翟〕 유적
中国・周の皇后などが着た▶六服の一つ。青地に5色で雉の文様を施し、これを服に縫い付けたもので、皇后が国王とともに先王の祭祀を行う際に着た。頭髪装飾の副（入れ髮）は編髪して作り、履物は白絇（靴先の装飾）・白繶（組み紐）・白純（縁飾り）で飾った▶青舃であった。侯伯夫人が国王を介助して祖宗の祭祀を行うときにも着用し、やはり副を用いた。（《新定三礼后服図》）→六服

ユジウイ〔襦紙衣〕 유지의
綿の代わりに紙を入れて仕立てた男性用の冬物上衣。朝鮮時代に西北地方の国境を守る軍人が着た。同紙衣

ユヘ〔油鞋〕 유혜
雨天用の革靴。エゴマ油に1か月ほど浸けた革で作り、水が染み込まず長持ちする。中底の下には鋲を打つが、縁だけ2列に打ったものと全面に打ったものとがある。鋲（チン）を打つので「チンシン」とも呼ばれる。→鞋・同チンシン

ユヘ〔鍮鞋〕 유혜
真鍮製の履き物。三国時代から用いられ、彫刻とメッキで装飾性を高めた。貴族階層の一部が雨靴の代用とした。同ノッシン→シン

ユッカク-ヨンゴン〔六角軟巾〕 육각연건
高麗時代に国王の付き人が被った▶巾。黒絹製で、六つの角には白い綿玉が付けられていた。→巾

ユックン-サヌォン-キドゥボク〔六軍散員旗頭服〕 육군산원기두복
高麗時代の軍総指揮官である六軍散員旗頭の服装。紫文羅窄衣（紫の有文絹の細袖服）を着て帯を締め、▶展脚幞頭（翼状の角のある帽子）を被り、革靴を履いて旗を持った。（《宣和奉使高麗図経》）

ユンニャングァン〔六梁冠〕 육량관
前後に6本の畝が入った▶梁冠。朝鮮時代に王世子（皇太子）の▶朝服（朝賀服）として、▶絳紗袍とともに用いられた。世宗10年（1428）に、明の皇帝が王世子に六梁冠1頭を下賜した。（《▶朝鮮王朝実録》世宗12月甲申）→梁冠

ユンネ〔六礼〕 육례

ユクポク〔六服〕육복

伝統婚礼における六つの儀式。即ち
▶納采(求婚)・問名(新婦の運勢占い)・納吉(婚姻日の通告)・納幣(結納)・請期(婚姻日伺い)・親迎(新郎新婦顔合わせ)を指す。

ユクポク〔六服〕육복(ろっぷく〔六服〕)

中国・周の皇后が着た6種類の服。キジの柄が入った緯衣・揄翟・闕翟は三翟と呼ばれ祭服として用いられ、無文の鞠衣・展衣・禄衣は三衣と呼ばれ公服・常服であった。六服はいずれも、中国の伝統衣装形態である弁服・長袍・深衣のうち深衣に属すもので、地色と文様が異なる。

ユクチャボク〔六字服〕육자복→浅淡服

ユクチンポ〔六鎮布〕육진포

朝鮮時代に咸吉道(現在の咸鏡北道)の六鎮地方(慶源・慶興・富寧・穏城・鍾城・会寧)で生産された良質の麻布。

ユクァデムボク〔六花隊舞服〕육화대무복

朝鮮時代後期の宮中宴会舞踊である六花隊を舞うときの衣装。宮中儀礼の記録書である各種儀軌に記された宮中男舞のうち、六花隊は高宗光武5年(1901)の辛丑進宴と、翌年(1902)の壬寅進宴の記録に見られる。▶花冠を被り、▶中単・▶裳姿に各色▶団領をまとって▶也字帯を締め、黒靴子を履いた。

ユリ〔律衣〕율의

受戒した僧侶が着る灰色の僧衣。→僧服

ユン〔絨〕융

片面または両面を起毛させた織物。製織後に精練・漂白して起毛機で緯糸の繊維を毛羽立てるため、緯糸は経糸より太く密度も若干高い。ふつう平織か綾織で、柔らかく暖かい生地である。

ユンボク〔戎服〕융복

朝鮮時代に、官吏が有事の際や国王随行時に身に付けた服装のことで、一般に▶チョルリク・▶朱笠を用いた。チョルリクは、襟が▶直領の上衣と襞入りの▶裳をつないだ▶袍で、もともと儒学者の私服であったが、16世紀末の壬申倭乱(文禄の役)後に戎服として着られるようになった。堂上官(正3品以上)は藍色、堂下官(従3品以下)は青玄色(薄い紺色)と定められ、チョルリクの上からは房の付いた比較的幅広の平組紐を結び、カッ(笠)を被って▶木靴(革・布製長靴)を履き、背中には▶トンゲ(矢籠)・弓袋(弓袋)を背負った。《続大典》(巻3礼典儀章)には、「堂上3品以上は藍色のチョルリクを着て▶貝纓を垂らした紫笠を被り、堂下3品以下は青玄色のチョルリクを着るが、郊外行幸時には紅色のチョルリクを着て晶纓を垂らした黒笠を被る」とある。15世紀半ばの睿宗の代には、平常時の戎服着用を禁じた(《朝鮮王朝実録》睿宗元年7月)。16世紀末の宣祖の代には、「壬申倭乱(文禄の役)を経て衣冠が失われ、朝廷官吏がみな戎服を着るようになったが、色がまちまちで見苦しい。敵を平定して冠帯が整うまでは、堂上官は平時に使用する藍色を使い、堂下官は麻を黒く染めて用いるものとし、紫と黄色の使用を禁ずる」とした(同、宣祖29年3月己巳)。19世紀初めの純祖の代には、大臣が「我が国の衣服制度の中で最も歴史のあるものがチョルリクである。上衣下裳がつながっており、袖は肘を隠し、▶深衣でありながら戎事(戦争)に着て出られるので戎服と呼ばれ、これを帽袍の中に着ることから「帖裏」と呼ばれる。袍を上に着て朝廷に出向き、袍を脱げば戦場に出ることができ、平時に危機感を忘れることなく、便利である」と述べている(《朝鮮王朝実録》純祖34年4月甲子)。同戎衣

戎服

ユンボク-ペヨン〔戎服貝纓〕융복패영

▶戎服着用時に被る▶朱笠の紐。琥珀・蜜花(黄色の琥珀)・瑪瑙・水晶などで飾った。

ユンイ〔戎衣〕융의→同戎服

ウンケグリ-チョプチ 은개구리첩지

蛙形の装飾を付けた銀製の▶チョプチ(角状の女性用前頭部装飾品)。

朝鮮時代に▷尚宮(正5品の宮中女官)が任務に付いている間に用いた。土台部には添え髪が付いており、本体を前頭部の分け目に載せてからこの添え髪を髷に回して固定した。→チョプチ

ウンデ〔銀帯〕 은대
銀製の装飾を付けた帯。朝鮮時代に正3品から従6品までの文武官が▷朝服(朝賀服)の上に締めた。太宗18年(1418)には、礼曹(宮内・文部所管庁)が「婚姻時にみだりに銀帯を締めるのは制度に反することで、▷角帯または▷トア(紐帯)を用いるべし」と建議している。(《▷朝鮮王朝実録》太宗18年5月壬子)

ウン-ピニョ 은비녀
銀製の▷ミン簪(頂部に飾りのない簪)。庶民の女性が普段用いた。→ピニョ(簪)

ウンサ〔銀糸〕 은사 →金銀糸

ウンソピ〔銀鼠皮〕 은서피
イタチの皮。北部地方や満州・モンゴル・シベリアなどに産する。朝鮮時代の端宗即位年(1452)に、明の使臣金宥が銀鼠皮50枚を端宗に贈っている。(《▷朝鮮王朝実録》端宗即位年10月戊申)

ウン-チャンド〔銀粧刀〕 은장도
鞘や柄を銀で装飾した小刀。柄の端が上に、鞘の端が下に反ったものも多く、様々な文様が彫り込まれている。刃は鋼鉄製で、「一片丹心」の文字を刻んだものもあった。朝鮮時代の女性は、貞節の象徴である銀粧刀を護身用として常に携帯した。燕山君4年(1498)には庶民の銀粧刀所持が禁じられたがあまり守られず、顕宗11年(1670)には、儒学者・雑職官吏・庶民男女で銀粧刀を所持する者を罰した。これは封建社会において金・銀の使用が貴賎上下を区別する基準になったためであり、同時に明に金・銀の貢物をしないための措置でもあった。

銀粧刀

ウンジク〔銀織〕 은직
平織・綾織・朱子織などの地に銀糸で文様を入れた高級絹織物。国立古宮博物館所蔵の▷唐衣(遺物番号456-1)は英王妃(梨本宮方子妃)が着たもので、金糸・銀糸を用いて▷雲鳳紋・桃榴紋・牡丹紋・寿福紋を織った華麗なものである。金・銀織の唐衣は、この1着が残るのみである。

ウン-パラン-ククァ-タン

銀織 英王妃の唐衣。国立古宮博物館所蔵。

チュ〔銀玻瓈菊花タンチュ〕 은파랑국화단추
銀製の菊の花に様々な色の玻瓈(琺瑯)を施したボタン。両班家(文武官一族)の婚礼や還暦の際に着る▷円衫に付けた。▷オッコルム(結び紐)の代わりに用いられ、実用と装飾を兼ねる。→タンチュ(ボタン)

銀玻瓈菊花タンチュ

ウン-パラン-ヨン-スシク〔銀玻瓈輦垂飾〕 은파랑연수식
玻瓈を付けた房飾り。仏教儀式に用いる▷輦(御輿)には、銀玻瓈輦垂飾をはじめとする各種房飾りを数十個付けて豪華に飾った。→輦

ウンファンス〔銀環綬〕 은환수
二つの銀環を付けた▷後綬(腰に垂らす装飾帯)。朝鮮時代に、3・4品の文武官が▷朝服(朝賀服)・祭服(祭祀服)姿に締めた。→綬・後綬

ウルサ〔ウル紗〕 을사
捩り織の絹織物。▷亢羅に似るが縦筋が入っており、隙間がない。

ウミャンニプ〔陰陽笠〕 음양립
朝鮮時代に被られた▷黒笠の一つ。馬のたてがみや尾の毛で作った帽部に上質な竹製の▷涼太(鍔)を付け、帽部の全体を絹糸で覆う。→カッ(笠)・黒笠

ウミャンソ〔陰陽梳〕 음양소

櫛目を片方は粗く、もう片方は細かくした櫛。→ピッ（櫛）

ウイグァンゲク〔衣冠客〕 의관객

カッ（笠）を被って正装した人の意で、中流階級以上の人を指す。同衣冠之人

ウイデ〔衣襨〕 의대

王・王妃・王世子（皇太子）・王世子嬪（皇太子妃）などの王族の衣服を指す敬語。朝鮮時代の世宗12年（1430）2月には「世子宮の衣襨に用いる綿布は13〜14升（経糸1,040〜1,120本）のものとし、裏地には10升の平絹を用いよ」とし、成宗元年（1470）8月には「冬至の衣襨は吉服を進上するものとし、慣例的な衣襨を用いることのないよう」の命が下された。中宗12年（1517）には「衣襨に用いる花紋大紅段4〜5疋と、花紋紫的段・花紋黄柳青段・藍羅各2〜3疋を宮中に納めるよう」命じられた（《▷朝鮮王朝実録》中宗12年12月乙丑）。英祖28年（1752）には、衣襨を管理する官庁として▷尚衣院を置いた。

ウイマサ〔擬麻糸〕 의마사（ぎまし〔擬麻糸〕）

木綿糸を擬麻加工して、麻糸に似た触感を持たせた糸。擬麻糸で織った布は麻の代用織物で、夏物の生地にされる。

ウイボク〔衣服〕 의복（いふく〔衣服〕）

人間が体にまとうものの総称。衣服は人間生活において食糧・住居とともに基本となる要素である。衣服の起源については様々な説があるが、衣服の着用は人間が他の動物と区別される特徴の一つであり、現在の人類社会で衣服を着用しないのは未開人の一部に過ぎない。衣服は気候の変化に合わせて寒暖を調節したり、外部の刺激から身体を保護する必要性により生じ、次第に装飾性・社会性が加味されて今日に至ったと考えられる。

ウイジャン〔衣欌〕 의장

箪笥のこと。我が国の箪笥は開き戸式の木製で、塗装したものと白木のものとがあり、金属・螺鈿・鏡などで飾る。

ウイジャン〔儀仗〕 의장（ぎじょう〔儀仗〕）

儀式に用いる形式的な武器類。もともと「仗」は刀・槍・弓・矢などの武器を指すもので、唐では皇帝がいる宮殿の親衛隊を指すこともあった。高麗時代以後の儀仗は、旗・斧・鉞（大斧）・蓋（大傘）・扇などで、大駕式・法駕式・小駕式など祭祀に関連して国王が行幸する際に用いられた。扇には、尾扇・雀扇・鳳扇・繖扇などがある。

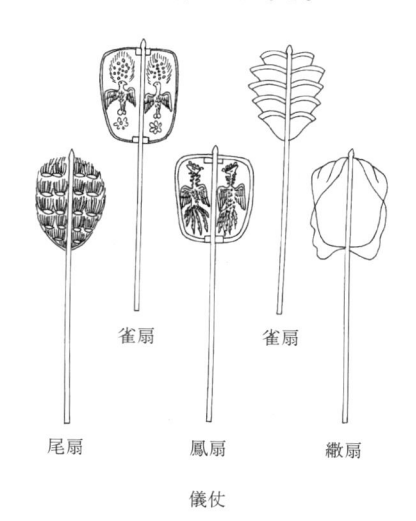

雀扇　雀扇

尾扇　鳳扇　繖扇

儀仗

イ〔履〕 이

足首の短い履き物の総称。▶鞋・屝・▶履・屣・舄・▶蹻踏など、足首の短い南方系の履物すべてを含み、今日のコムシン（ゴムの履き物）もこの類である。素材には、革・布・糸・麻・金属などが用いられた。具体的には、三国時代の黄革履・▶烏革履・革履・▶皮履、新羅時代の芒鞋・麻履・▶皮糸履・罽羅履・牛皮履・繡羅履・錦羅履、高麗時代の烏革鈴履・皂履・烏革勾履・革履、朝鮮時代の▶雲鞋・▶唐鞋などがある。

イダン〔耳璫〕 이당

耳に垂らす装身具。イヤリング。→クィゴリ（耳飾り）

イリャングァン〔二梁冠〕 이량관

前後に2本の畝が走る▶梁冠。朝鮮時代に4〜6品の官吏が▶朝服（朝賀服）・▶祭服（祭祀服）を着るときに、▶木簪を挿し髷に固定して被った。（《▷経国大典》巻3礼典儀章）→梁冠

イソボク〔吏胥服〕 이서복

朝鮮時代に、各官庁の末端官吏であった書吏と録事が着た服で、それぞれ書吏服・録事服と呼ばれた。→書吏服・録事服

イシク〔履飾〕 이식

履き物の装飾。古墳から出土した金銅製の履き物は▶瓔珞などで装飾されている。過去には贅沢な履き物に対する禁制も何度か下された。朝鮮時代末期には、幼くして王位に就いた高宗の父興宣大院君が摂政となり、絹鞋以上に贅沢な絹緞靴・錦緞靴・白革靴などの使用を禁止する

とともに、チプシン（草鞋）も禁じた。近代化改革である▶甲午更張以降は▶開化チプシンと呼ばれる藁とワンゴル（カンエンガヤツリ）の混織草鞋が流行し、特に女性用は文様入りの高級品として人気を集めた。

イオム〔耳掩〕이엄
防寒用▶暖帽の一つ。文武官吏が10月から正月末まで▶紗帽（左右に翼状の角のある帽子）や▶梁冠の下に被った。堂上官（正3品以上）と王族の6品までは表が▶緞（朱子織絹）、裏がテン皮のものを、堂下官（従3品以下）は表が▶紬（生絹）、裏がネズミ皮のものを用いた（《▶経国大典》巻3礼典儀章）。《▶朝鮮王朝実録》（成宗3年正月己未）に記録された奢侈禁止節目（1471）では、庶民の男女がテン皮やエゾリス皮で耳掩を作ることを禁じたものの、女性のネズミ皮使用は禁じないとあることから、耳掩が男女・貴賤の別なく広く用いられていたことがわかる。《▶五洲衍文長箋散稿》（巻45暖耳袹袷項暖帽弁証説）に「耳掩は表は毛、裏は絹で、大きな被り物

である。後ろに垂れた尾が何とも特異な形だが、常に被られ風俗の一つとなっていたので、おかしいとは思われなかった」とある。⟳暖耳・披肩→暖帽

イウムス 이음수（まつりぬい〔纏り繍い〕）
刺繍技法の一つ。縫い目を斜めにつないでいく縫い方で、一定の幅のある線を表現する代表的な手法として多用される。普通は糸を右方向に撚った右撚糸を用いるが、唐草模様や葉を左右対称に表現するときなどは、左撚糸を同時に用いる。縫い目が最大3本並ぶ三針立ちを超えると斜線平繡（縫い切り）になる。（金惠卿）→刺繡

イジュン-タンジャ〔二重緞子〕이중단자
絹織物の一つ。経糸には単色の練糸を、緯糸には2色以上の練糸を用い、様々な地文を入れた織物。

イジクボク〔吏職服〕이직복
高麗時代の末端官吏であった胥吏の服装。8～9品程度の庶官と同じもので、緑衣を着て▶黒角帯を締め、▶頭巾を被り木笏を手にした。→書吏服

イジニ〔離塵衣〕이진의→⟳袈裟

イファン〔耳環〕이환
丸型の耳飾り→クィゴリ（耳飾り）

イクソングァン〔翼善冠・翼蝉冠〕익선관
朝鮮時代に、国王が▶常服（執務服）である▶袞竜袍を着るときに被った冠。王世子（皇太子）・王世孫が書筵で経書の講義を受けるときにも、

インドンムン〔忍冬紋〕 인동문

講書服を着て翼善冠を被った。帽部に前後2段の段差をつけ後ろを高くし、後頭部には蝉の羽形の飾りが上向きに二つ付いており、帽頂の中央には青糸弁が後面まで伸びている。紫色の▶紗または▶羅を用いるが、喪中の執務服には黒を用いた。臣下の被る▶紗帽の翼状の角は下向きで、これと区別するために翼善冠の蝉状の角は上向きになっている。▶金冠や▶冕旒冠とは異なり、朝鮮時代末期までその形態が変化せず、高宗の皇帝即位以後もそのまま用いられた。《唐書》車服志に「北周で幞頭を作り武人に被らせたのを唐の太宗が見て、翼善冠を作らせ唐冠とした」とある。朝鮮時代の翼善冠は、この唐冠に起源を求めることができる。

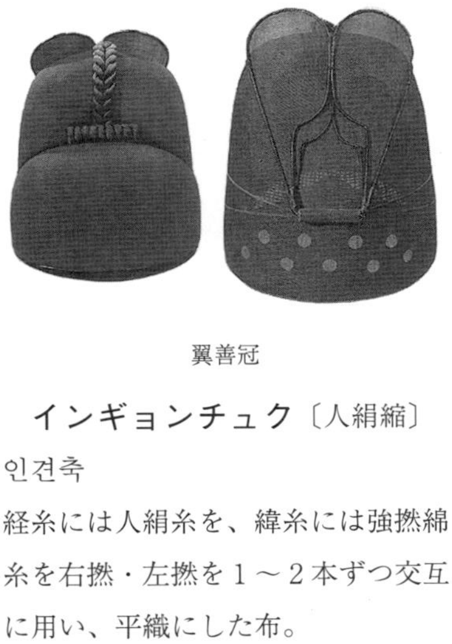

翼善冠

インギョンチュク〔人絹縮〕인견축
経糸には人絹糸を、緯糸には強撚綿糸を右撚・左撚を1～2本ずつ交互に用い、平織にした布。

インドンムン〔忍冬紋〕인동문（にんどうもん〔忍冬紋〕）
▶唐草紋の一つで、忍冬の蔓が伸びる姿を図案化した文様。我が国では、三国時代以降、朝鮮王朝まで幅広く用いられた。蔦の文様は細長い面の処理に向くので、波形・S字形など

耳掩　耳掩の上に梁冠を被った姿。

の形状で銅鐘や工芸品に広く使われた。冬でも凍りつかない忍冬は根気の象徴とされ、積極的で力強い生を表わす。→紋様

忍冬紋

インドゥ　인두（のし）

裁縫で縫い目などの皺を伸ばすのに、熱して用いる金属器具。2種があり、一つは頭の部分が尖った葉型で、スプーンのように曲がった柄に木の取っ手が付いている一般用のものである。もう一つは、頭の部分が鷲のくちばしを上下逆にした形で、やはり柄に木の取っ手が付いており、細かい刺し子縫いに用いられた。

インドゥ　インドゥとインドゥ板。国立民俗博物館所蔵。

イルロボク〔引路服〕　인로복

朝鮮時代に、道を先導する末端官吏が着た▶公服。青団領を着て紫襴ティ（帯）を締め、紫巾を被った。（《▷経国大典》巻3礼典儀章）

イルリボク〔人吏服〕　인리복

高麗時代に金銭・穀物・布の出納を担当する地方官吏が着た服。皂衣（黒服）に▶幞頭を被り、黒皮の句履を履いたが、中央官庁に出向くときには色物を着ることもあった。（《▷宣和奉使高麗図経》巻21）→高麗の服飾

インス〔印綬〕　인수

朝鮮時代、官吏の身分や等級を表す官印を携帯するために用いられた紐。→綬

インファムン〔鱗花紋〕　인화문

花を鱗のように並べた文様。朝鮮時代末期に、幼い英王に着せる百日祝いの▶褙子（チョッキ）に、鱗花紋紗を用いたことがある。→紋様

インファムン-サムパル〔鱗花紋三八〕　인화문삼팔

経・緯糸ともに生糸を用い、文様を入れて織った目の細かい春秋用の生地。

イプシク〔笠飾〕　입식

▶カッ（笠）の装飾品。朝鮮時代の笠飾には、▶麦穂・虎鬚・▶頂子・槊毛などがあった。▶戒服着用時に被る▶戦笠には、槊毛・孔雀羽を挿した。帽子の頂に付ける頂子については、高麗恭愍王19年（1370）7月に官職ごとの使用規定が定められ（《▷増補文献備考》79礼考章服1）、白玉・青玉・水晶が使い分けられた。朝鮮王朝では、大君（正室の息子）は金、3品官以上は銀、司憲府・司諫院の官員および観察使・節度使は玉、監察は水晶で頂子を作った。現存する笠飾の一つに▶玉鷺頂子がある。（《▷経国大典》巻3礼典儀章）

イビョン〔笠纓〕　입영

▶カックン（笠紐）のこと。黒笠の笠纓は、3品以上は金・玉を用い、▶戦笠の場合、堂上官（正3品以上）は紫紗に▶貝纓、堂下官（従3品以下）は黒笠に晶纓を用い（《▷経国大典》礼典儀章）、後には絹纓が用いられた。→同カックン（笠紐）

イプチャ〔笠子〕　입자→同カッ（笠）

イプチョン〔笠頂〕　입정

▶カッ（笠）の▶涼太（鍔）から上に突き出た帽部。「帽頂」ともいう。時代ごとに幅・高さが異なったが、朝鮮時代の17世紀後半の粛宗の代には、布帛尺（鯨尺）で高さと周囲を4寸5分（約21cm）とした。（《▷五洲衍文長箋散稿》笠制弁証説）→カッ（笠）

イプチュン-ソルポビ〔入衆説法衣〕　입중설법의

僧侶が大衆に説法するときに着る七条の▶袈裟。→同鬱多羅僧

イプチョム〔笠簷〕　입첨→同涼太

インア　잉아（あぜいと〔綜糸〕）

織機や紡績機の経糸を吊り上げるように結んだ太い糸。同綜糸→ペトゥル（織機）

インアッテ　잉앗대

織機の部品。経糸を吊り上げて、緯糸を入れる開口を作る。→ペトゥル（織機）

ス
チャ

チャゴン〔紫巾〕자건
紫の頭巾。朝鮮時代の別監(宮中雑務官)が着用した。ただし、世子宮(王世子の宮殿)の別監は青頭巾を着用した。(《▷経国大典》巻3礼典儀章)→別監服

チャギョン〔煮繭〕자견
絹糸を採るため蚕を蒸したり茹でたりすること。→明紬

チャナン〔子囊〕자낭→㊜頒囊

チャデ〔紫帯〕자대
紫朱色(赤紫)の帯。百済で、1品官の佐平から7品官である将徳までが緋色の衣服の上に締めた。朝鮮睿宗元年(1469)7月に、4品以下の紫帯使用は禁止された。(《▷朝鮮王朝実録》睿宗元年7月庚寅)→帯

チャデスポ〔紫大袖袍〕자대수포
百済の王がまとった袖の広い紫朱色(赤紫)の袍で、その上から白い革のベルトを締めた。さらに、青い絹のパジ(ズボン)を履き、金細工の花で装飾された冠を被り、黒の革靴を履いた。(《三国史記》百済本記第2古爾王)→百済の服飾

チャラグァン〔紫羅冠〕자라관
三国時代に用いられた鳥羽冠の一つ。弁形部分が紫の羅(捩り織の絹)で作られており、身分により紫羅・緋羅・絳羅が使い分けられた。鳥の羽や金銀で装飾されている。

チャラートゥゴン〔紫羅頭巾〕자라두건
紫朱色(赤紫)の絹織物で作られた頭巾。高麗禑王13年(1387)に品階ごとの官服が定められ、別監・小親侍・給事などが細條纏帯と共に着用した。(《▷高麗史》志巻26輿服)

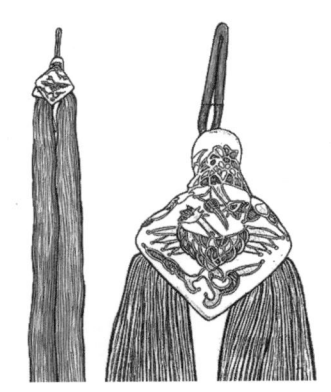

チャラーチュムチ자라줌치
朝鮮時代に、宮中の王妃や皇女たちが身に着けたチュモニ(巾着)。様々な装飾を施したスッポンの首状の香囊(匂い袋)に長い房飾りを垂らしたもので、服に色を合わせて携帯した。朝鮮憲宗の側室である慶嬪金氏の《四節服色自蔵要覧》には、チャラチュムチは柳青色(黄緑)や紫の唐衣(女性用小礼服)に付け、春秋冬には白のものを用いたとある。

チャラチュムチ

チャラーチャギ〔紫羅窄衣〕자라착의

チャラグァン〔紫羅冠〕자라관
紫の絹織物で仕立てられた細袖の衣服。高麗時代の武臣の子弟のうち散員(正8品の官位)に登用された者が着た。(《▷宣和奉使高麗図経》21)→散員服

チャランティ〔紫襴ティ〕자란띠
紫色の布で作られた帯。朝鮮時代の国王の行幸の際、引路(先導者)と皁隷(王子の随行者)が着た。(《▷経国大典》巻3礼典儀章)→官服

チャリョンス〔刺連繍〕자련수
刺繍技法の一つで、長短の針目で面を埋める繍い方。針目の長さは不規則な場合もある。糸の太さや色の濃淡により変化をつけることが可能で、鳥や花びらなどを立体的・写実的に表現できるのが特徴である。運針の方向は図案の意図に従うものの、比較的自由である。→刺繍

チャリオッ자리옷㊜寝衣

チャリプ〔紫笠〕자립
朝鮮時代の文武堂上官(正3品以上の官吏)が戎服着用時に被った赤い笠。3品以上は戎服に貝纓(珊瑚・琥珀などで作った冠の紐)を垂らした紫笠を被った。(《▷続大典》巻3礼典儀章)→戎服㊜朱笠

チャリッス〔チャリッ繍〕자릿수
刺繍技法の一つで、我が国の伝統刺繍にのみ見られる独創的なもの。莫蓙のようにびっしりと面を埋めるこの技法は、緻密でむらがなく丈夫な印象を演出することができる。比較的古い時代の作品と仏教刺繍に多く見られる。→刺繍

チャマノ〔紫瑪瑙〕 자마노
紫色のメノウ。ノリゲ（女性の韓服用房飾り）の装飾に用いられる。→メノウ

チャムルラゴン〔紫文羅巾〕 자문라건
柄入りの絹織物で作られた紫の頭巾。高麗時代、上六軍衛中検郎将が大礼・斉祭・受詔・拝表の際に着用したもので、玉で装飾されている。（《▷宣和奉使高麗図経》巻11 仗衛1）

チャバンサン〔紫方傘〕 자방산
紫の日傘で、広げると三角形になる。それぞれの隅に木彫りの竜頭を付け、その口には三色の流蘇（房飾り）を垂らした。

チャサピースンヘ〔紫斜皮僧鞋〕 자사피승혜
紫の革で作られた僧侶の履物。朝鮮時代の世宗6年（1424）に、回礼使を通じて日本国王に般若波羅蜜経・阿弥陀経・華厳経・大蔵経などの仏教経典と大紅羅袈裟・紫羅掛子・藍羅長衫などの僧衣とともに紫斜皮僧鞋を贈ったことがあり（《▷朝鮮王朝実録》世宗6年2月癸丑）、世宗11年（1429）には司憲府から出された文書により、献上品の服飾と御用器物以外には紫斜皮の着用が禁じられた。

チャセ 자새
糸や紐などを巻いたり撚ったりするときに使われる小さな糸巻。同チャエ→織機

チャセク〔紫色〕 자색
「紫」、「紫的」、「紫赤」、「静」（濃い紫）などとも呼ばれる。染色では、紫根に椿の灰汁媒染をすると紫色になり、不純物の混じらない紫根で染色した後に酸を加えると紫朱色（赤紫）になる。三国・高麗・朝鮮時代にかけ、袍・衫・帽・帯・鞋など様々な服飾にこの色が使われた。《雞林志》には「高麗人の赤や紫の染色は絶妙で、いまや紫赤は中国をはるかに凌駕する」とある。王妃と世子嬪宮の法服（大礼服）のうち、チマ（スカート）は紫朱色である。朝鮮時代には、間色かつ奢侈であるとの理由から何度も論議の対象となった。15世紀前半の世宗の代には、楽正（音楽研究官）の公服（国王謁見服）を紫色とし（《▷朝鮮王朝実録》世宗15年3月乙亥）、15世紀後半の成宗の代には官員が使臣を出

刺繍 （左）花鳥屏風 八幅屏風中の一幅。19世紀。平安南道安州地方で男性繍匠が刺した作品で、ふつう安州繍と呼ばれる。（中）日月繍陀羅尼チュモニ 重要民俗資料第42号。糸田刺繍博物館所蔵。陰陽の対になっているチュモニで、黄緑の貢緞の地に刺し繍い・平繍い・纏り繍いなどで前面のみ刺繍を入れ、裏面には施主の氏名が記してある。（右）《賢愚経》表紙 15～16世紀。糸田刺繍博物館所蔵。

チャス〔刺繡〕 자수

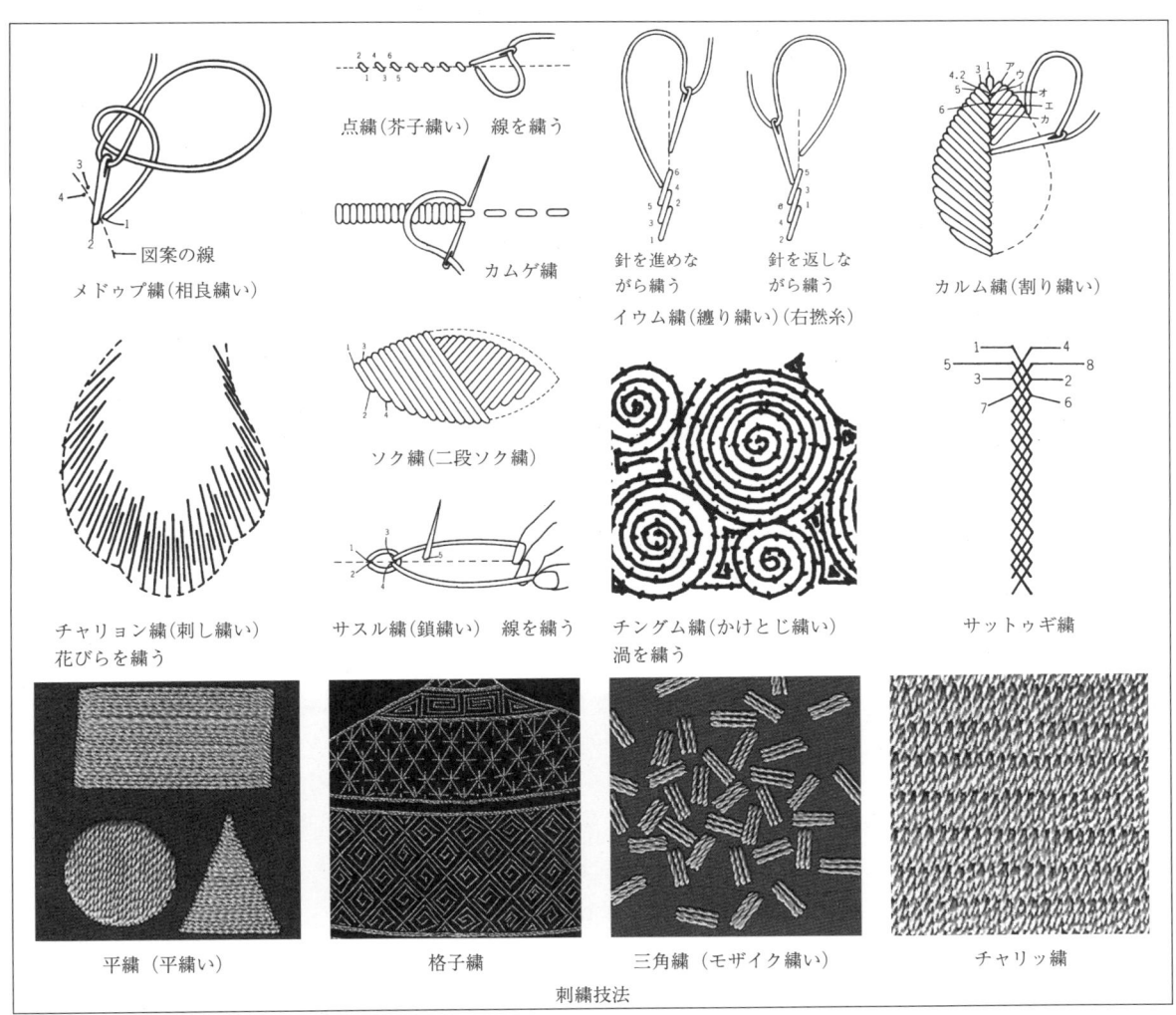

メドゥプ繡（相良繡い）　点繡（芥子繡い）線を繡う　カムゲ繡　イウム繡（纏り繡い）（右撚糸）針を進めながら繡う　針を返しながら繡う　カルム繡（割り繡い）

チャリョン繡（刺し繡い）花びらを繡う　ソク繡（二段ソク繡）　サスル繡（鎖繡い）線を繡う　チングム繡（かけとじ繡い）渦を繡う　サットゥギ繡

平繡（平繡い）　格子繡　三角繡（モザイク繡い）　チャリッ繡

刺繡技法

迎え応接するときは、紫の衣服を禁止したこともあった（《▷朝鮮王朝実録》成宗7年2月丙戌）。また16世紀前半の中宗（チュンジョン）の代には、商人・職人・儒学者・庶民には紫色の着衣を禁止し（《▷朝鮮王朝実録》中宗17年8月）、16世紀後半の宣祖（ソンジョ）の代には朝廷の官員の袍（ポ）に紫色の使用を禁止した（《▷朝鮮王朝実録》宣祖39年3月己巳）。

チャソンスダン〔子孫寿綏〕 자손수단
絹織物の一つ。経・緯糸ともに本練り糸、地の組織が朱子織である高級織物。ひさご模様に「寿・福・富・貴」の文字を織り込み、子孫の長寿を願った。

チャス〔刺繡〕 자수
土台布に色糸で様々な模様を刺し縫いし、装飾する工芸美術の一つ。その起源は衣服の装飾からとされる。《拾遺記》に、遼の国のころ船乗りが緯糸に金糸を織り込んだ織物を捧げたことがあったが、後にそれを真似て糸を染めて織ったという（《▷閣（キュ）閣叢書（ハプチョンソ）》）。我が国でも数百年前から、花鳥・山水・動物・人物などを刺繡し衣服や様々な日用品の装飾とした

が、《三国志》東夷伝扶余の条には、白衣と刺繡が高く評価され、使臣として国外に行く場合も繪衣（チュンイ）・繡衣（スウイ）・織金緞衣（チックムダニ）・錦衣（クミ）・毛羅衣（モラウイ）などを着たとある。《三国遺事（サムグクユサ）》には、新羅真徳女王（シルラチンドク テビョンソン）が自ら織った絹に太平頌（唐の繁栄を祈願した漢文）を刺繡し、唐の高宗に贈ったという記録がある。三国時代に盛んになり普及した我が国の刺繡は日本にも伝えられ、大きな影響を与えた。《日本書紀》や日本の刺繡教本の年表には、340年ごろ百済（ペクチェ）から刺繡の技術が伝えられたと書かれている。現在、奈良の

321

中宮寺に所蔵されている国宝《天寿国曼荼羅繡帳》がその証拠である。

高麗時代のものとしては、末期に制作されたものと推定される「刺繡四季盆景図(サゲブンキョンド)」(宝物653号)と《騎虎山神図(キホサンシンド)》など一部の作品が伝えられている。当時の服飾刺繡は繊細で洗練されすぎ、贅沢な貴族趣味に偏っていたようで、仁宗(インジョン)22年(1144)には奢侈が過ぎ、内外公私の衣服に例外なく錦繡を使用するようになったため、これを根絶すべく王命が下された。また《▷宣和奉使高麗図経(ソンファボンサコリョドギョン)》王服の条には、「高麗の王は常服として烏紗帽を高く被り、袖の狭い薄黄色の袍(ボ)をまとい、紫朱色(赤紫)の羅で作られた広い帯を締めている。帯のところどころには金糸と碧糸で刺繡が施されている」とある。

朝鮮時代(チョソン)に入ってからは寿福・康寧・吉祥をパターンにした大小の衣服をはじめ、階級の表示から室内装飾・裁縫道具・寝具に至るまで刺繡が施され、美を極めた。朝鮮時代の刺繡は、その用途から仏教刺繡・生活刺繡・観賞用刺繡に大別される。仏教刺繡は仏を刺繡したものをはじめ袈裟・仏座布団・陀羅尼チュモニ(巾着)など、種類が多様である。生活刺繡としては、身分と権威を表す胸背(ヒュンベボ)や裸ジャギなどをはじめ、衣服や生活用品の様々なものに寿福と富貴栄華を象徴する文様を刺繡した。観賞用刺繡を代表する刺繡屏風は絵画的性格を帯びたもので、山水図・花鳥図・十長生図・百寿全図などがある。

刺繡の文様としては十長生・四君子・鳳凰・松鶴・竜・雲などがあり、様々な文字と図案を自由に変形させて用いた。刺繡の土台布としては羅・絹・苧麻・毛織物が使用され、また刺繡糸は無撚り・半撚りのものを主体としたが、場合により金糸・銀糸・麻糸・毛糸も使われた。

刺繡の種類は、先に芯を埋めその上に刺すキョプ繡(重ねて刺すことにより厚みが出て立体的な表現になる)と直接刺すホッ繡とに大別される。また、産地により中国繡(チュングクス)・安州繡(アンジュス)・羅州繡(ナジュス)、階級により宮繡(クンス)・民間繡(ミンガンス)に分けられる。主な技法としては、チャリッス・チャリョン繡・平繡(ピョンス)・イウム繡・チングム繡・メドゥプ繡・サスル繡などがあり、その他にもカルム繡・カムゲ繡・キョクチャ繡・モサ刺繡・門サル繡(ムンサルス)・サトゥギ繡・三角繡(サムガクス)・四角繡(サガクス)・ソク繡・オル繡・チョム繡などがある。刺繡に必要な道具は、繡本(スボン)(図案)、シルチョプ(糸を保管する容器)、繡トゥル(刺繡用木枠)、繡パヌル(刺繡針)、金糸筒(クムサトン)(金糸入れの筒)、ハサミなどである。

チャス〔紫綬〕 자수

紫朱色(チャジュセク)(赤紫)の紐。朝鮮時代(チョソン)に正三品以上の堂上官(タンサングァン)が使用した象牙の▷号牌(ホペ)(身分証)に垂らした。

チャスサ〔刺繡糸〕 자수사(し しゅういと〔刺繡糸〕)

刺繡用の糸。生糸4~10本を合わせ、繊維が毛羽立って絡まない程度に緩く撚り、精練・染色をしたもの。

チャウイ〔紫衣〕 자의

紫朱色(チャジュセク)(赤紫)の衣服。紫は献上品および宮中品の色とされ、朝鮮時代(チョソン)の世宗(セジョン)12年(1430)に初めて一般の使用が禁止され(《▷朝鮮王朝実録(チョソンワンジョシルロク)》世宗12年2月辛巳)、同32年にも再び朝廷官吏・庶民に対し使用禁止令が下された(同、世宗32年1月癸巳)。

チャジョクーヨンポ〔紫的竜袍〕 자적용포

朝鮮時代(チョソン)後期の王世子の礼服。紫朱色(チャジュセク)(赤紫)の▷桃榴紋緞(トリュムンダン)(石榴・桃の文様の入った絹織物)や紗に赤の裏地を当てて仕立てた▷袞竜袍(コリョンポ)と同形の服で、胸・背中・両肩に四爪竜補(サジョヨンボ)を縫い付けてある。これに▷空頂黒介幘(コンジョンフッケチェク)(<冠)を被り、▷玉帯(オクテ)を締め、黒の鹿皮靴を履いた。→王世子の服飾

チャジョクーウォンサム〔紫的円衫〕 자적원삼

紫朱色(チャジュセク)(赤紫)の▷円衫(ウォンサム)(大礼服)で、朝鮮時代(チョソン)に宮中で王妃や王世子妃が着用した。鳳紋を金で箔押しし、胸・背中・両肩には▷補(ボ)をつけた。この上に真紅の大帯を締め、鳳紋を金箔で施した▷大襴チマ(テラン)(≒スカート)を履いた。→円衫

チャジューテンギ〔紫朱▽唐▽只〕 자주댕기

紫朱色(チャジュセク)(赤紫)の▷テンギ(≒リボン)。一般にテンギには紅・黒・赤紫・白などの色が用いられたが、紅色や紫朱色は若年層の女性、黒は寡婦や独身男性、白は喪主と使い分けられた。→テンギ

チャジーヒルムングム〔紫地纈文錦〕 자지힐문금

絹織物の一つ。紫朱色(チャジュセク)(赤紫)の地にまだらな文様のあるもので、高句麗(コグリョ)時代に用いられた。(《翰苑》蕃夷

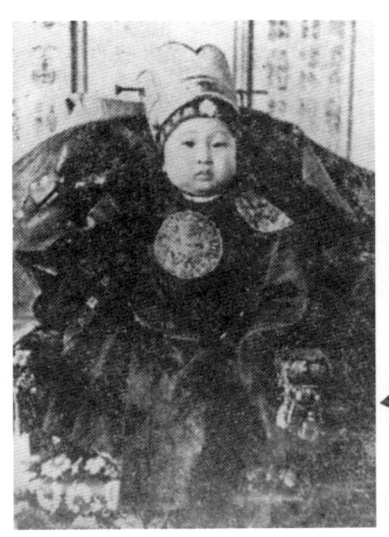

紫的竜袍 （左）空頂幀を被り紫的竜袍を着た李垍（右）李垍の紫的竜袍と空頂幀。国立古宮博物館所蔵。

部高麗）

チャピファ〔紫皮靴〕 자피화
紫の長靴。三国時代に使用されたもので、《▷三国史記》によれば、興徳王9年（834）の服飾禁制で真骨大等（王族の閣僚）の紫皮靴使用を禁じた。→靴・シン

チャファンセク〔赭黄色〕 자황색
赤みを帯びた黄色で、山吹色に近い色。新羅では聖骨階級（父母ともに王族の者）にのみ赭黄色の衣服の使用が許された（《▷三国史記》巻33）。高麗時代にも国王の大朝会服が赭黄色の▶袍（＜外衣）であったし、小会には梔黄衣（梔子染めの衣服）を着用（《▷高麗史》志巻72）するなど、支配階級のみが用いた色である。

チャファン-チョプサン-ポクチョン-カサ〔紫黄貼廂福田袈裟〕 자황첩상복전가사
僧衣の一つ。紫黄色（ベージュ）の地に畝文様のある▶袈裟。高麗時代に、国師に次ぐ2番目の地位にある三重和尚大師が長い袖の偏衫（＜僧衣）の上にまとった。（《▷宣和奉使高麗図経》巻18）→袈裟・僧服

チャファン-ポ〔赭黄袍〕 자황포
赭黄色（≒山吹色）の▶袍（＜外衣）。高麗時代に国王が元旦・冬至の朝賀の際や、大観殿での大宴会、儀鳳門での宣教、奉恩寺での謁祖真、八関会、燃燈大会、祈穀のとき、円丘へ出宮するとき、王世子の納妃醮戒、王妃の冊封、王子の臨軒発冊の際に着用した。

チャグ〔雀羽〕 작우
孔雀の羽根。▶戦笠・朱笠の頂部に挿した。→孔雀羽

チャギ〔鵲衣〕 작의
朝鮮時代の羅将（刑務官）の服装のこと。羅将は白い服の上に、黒地に白格子の▶半臂（短い袖の外衣）を重ね着したが、その姿が鵲に似ていることから「鵲衣」または「カチトゥンゴリ」（鵲の袖なし服）と呼ばれた。《▷海行摠載》奉使日本時見聞録に「鵲衣羽笠」という語が見られる。→羅将服

鵲衣 粛宗37年（1711）通信使行列図に見られる鵲衣を着た姿。

チャクチャ〔綽子〕 작자→同戦服

チャクチャムサ〔柞蚕糸〕 작삼사→同野繭糸

チャクホルレ〔酌献礼〕 작헌례
宗廟（王室の祠堂）・王陵・文廟（孔子を祀る祠堂）などで国王が自ら祭祀を執り行うこと。

チャンスル 잔술
いくつかの▶ポンスルを合わせて作った▶スル（房飾り）。▶チュモニ（巾着）や▶ナムバウィ（＜防寒帽）などの装飾に使われた。→スル

チャンジャン-ヌビ 잔잔누비
裁縫技法の一つ。綿を挟んだ2枚の

布を、非常に狭い間隔で刺し子縫いすること。→ヌビ

チャム〔簪〕 잠 →ピニョ

チャムド〔簪導〕 잠도
▶冠帽を固定するために水平に挿す簪。サイの角や玉・木材などで作られ、▶遠遊冠(ウォニュグァン)や▶梁冠(ヤングァン)などに取り付けられた。簪導に関して、18世紀実学の大家李瀷(イイク)は《▷星湖僿説(ソンホサソル)》(巻5 萬物門)で《釈名》を引用して「簪は建てるの意で髪を冠の中で立てるもの、導は耳元の髪を巾幘(コンチェク)の中に収めるものである」と記して簪と導を別物とし、後に便宜的に一緒に用いるようになり簪導(チャムド)と称されるようになったと述べている。一方、《▷国朝続五礼儀補(ククチョクソクオレウイボ)》(序例巻2 嘉礼)には「双玉導はすなわち簪である」とあり、導と簪を同じものとみなしている。

簪導

チャムドゥ〔簪頭〕 잠두
簪の頭の部分。→ピニョ

チャムバンイ 잠방이
股下が膝のあたりまでしかない一重の▶パジ(ズボン)。主に麻製で、農夫が夏に野良着としてよく履く。「沙鉢(サバル)チャムバンイ」「沙鉢(サバル)袴衣(コウイ)」「沙鉢(サバル)ソクパンイ」「スェコチャムバンイ」など、地域や形により名称が異なる。→同褌衣

チャムサ〔蚕糸〕 잠사 →同コチシル(繭糸)

チャプセクポク〔雑色服〕 잡색복
農楽や民俗芸能で、雑色(チャプセク)が着る衣服。雑色は主に踊りを踊る芸人だが、ときには漫談や遊戯も見せる。江原道(カンウォンド)海岸地域では舞童、京畿道(キョンギド)地域では舞童・沙弥(サミ)(幼僧)・両班(ヤンバン)(貴族)・広大(クァンデ)(芸人)などの役で雑色が登場し、南の地方では大砲手(テポス)・チョリジュン(僧)・両班(ヤンバン)・ハルミ(老婆)・カクシ(新妻)・倡夫(チャンブ)(男の芸人)・舞童などが登場する。大砲手(テポス)は、▶チョルリク(<外衣)に冠を被るか▶トグレ(<外衣)に▶ポンゴジ(<笠)を被って鉄砲を担ぎ、マンテ(網袋)を携えた。チョリジュンは▶長衫(チャンサム)(<僧衣)を着て松ナク(苔笠)を被り、ずだ袋を背負った。倡夫は▶小氅衣(ソチャンイ)を着て▶草笠(チョリプ)を被った。両班は▶道袍(トポ)(<外衣)に帯を締め、冠を被った。ハルミ広大(クァンデ)は黒の▶チマ(スカート)に白い▶チョゴリ(上衣)、カクシは赤いチマに黄色あるいは緑色のチョゴリを着て、藍色の▶快子(クェジャ)(戦闘服)を羽織ったが、地方によっては▶コッカル(山形頭巾)を被った。沙弥(サミ)は白の長衫を着て、白のコッカルを被った。本来、雑色は面を被るが、現在はあまり見かけない。

チャッペゲ 잣베개
松の実(チャッ)の形を模した小布で側面を装飾した枕。→ペゲ(枕)

チャンゴ〔長袴〕 장고
長いパジ(ズボン)。《翰苑》高麗の条の注に「上着は衫を、下着は長袴を着ている」とあり、高句麗人が長いパジを履いていたことがわかる。→パジ

チャンド〔粧刀〕 장도
鞘を備えた小さな刀。男女ともに身に着けた装身具で、ぶら下げるものは佩刀(ペド)、チュモニ(巾着)に入れて携えるものは嚢刀(ナンド)という。新羅(シルラ)時代から携行されたものとみられ、朝鮮時代には▶ノリゲ(女性の韓服用飾り)として流行した。男性はチュモニ(巾着)・タバコ入れとともに腰帯に下げたが、粧刀(チャンド)の紐飾りは腰帯と同様の組み紐の場合もあれば、絹織物を折りたたんで作ることもあった。女性は▶チマ(スカート)の中の腰帯に下げたり、ノリゲの本体にもした。古墳からの出土品を見ると三国時代の刀剣工芸技術が発達していたことがわかり、刀の柄の装飾デザインにも余裕が窺える。高麗(コリョ)・朝鮮(ソン)時代の官庁にも刀子匠(トジャジャン)を置き、様々な刀剣を製作した。士大夫階級の女性が携行していた粧刀で日本兵に抵抗したり自決した例があるように、特に婦女子の護身用として用いられた。

粧刀は柄・刃・鞘から成る。柄と鞘は柿の木、棗(なつめ)の木、紫檀、牛の骨、鼈甲、珊瑚、象牙、▶画角(ファガク)(牛角の彩色工芸)、金、銀、白玉、琥珀、青剛石などで作られた。木製の場合、柄と鞘の合わせ目には帯状の金属装飾が施された。木製の彫り抜きの場合には両端を金属で飾ることもあり、この技法をハメギという。崔南善(チュエナムソン)は《故事通(コサトン)》で、「現在は旧習になってしまったが、男女が上衣の結び紐に下げるその形態と着用法は、モンゴル風であることに疑いの余地がない」と記し、粧刀の着用は高麗が元に服属した後に始まり、朝鮮時代以降もそのまま踏襲されたものと見ている。

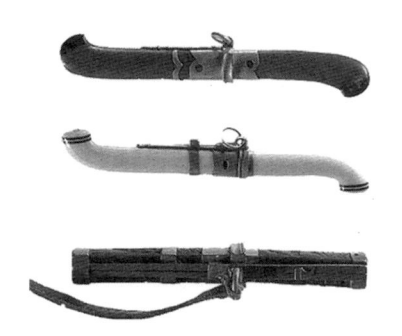

粧刀　温陽民俗博物館所蔵。

チャンドックン〔粧刀ックン〕장도끈
▶粧刀に付けた紐。実用と装飾を兼ねたもので、組み紐を用いたり、絹織物を折って作られた。

チャンドッキョ〔帳独轎〕장독교
珠を繋いで作ったすだれ状のもので豪華に装飾した輿。前部に跳ね上げ戸が付き、両側面に窓がある。屋根は丸味を帯びて四隅に垂木が張り出し、床は骨組みで、全体が一体構造になっている。

チャンムン〔章紋〕장문
国王と王世子の▶冕服（大礼服）に刺繍された文様。国王の衣（上衣）には竜・山・火・華蟲（雉）・宗彝（宗廟の祭礼で使われる杯）、裳（下衣）には藻・粉米・黼（斧）・黻（亜字紋）の九章紋を施し、王世子は七章紋であった。高宗26年（1889年）には日・月・星辰が加わり、十二章紋となった。→十二章服

チャンベジャ〔長褙子〕장배자
丈の長い▶褙子（チョッキ）。前合わせは打ち合わせで脇は縫われておらず、長襦に似る。丈が短いものは短褙子という。→背子・褙子

チャンボグァン〔章甫冠〕장보관
儒学者が被った冠の一つ。朝鮮時代に官職にあった者が日常使用した。《▷五洲衍文長箋散稿》（巻45笠制弁証説）に「商（殷）の国の冠であったが、我が国にその制度が残り用いられた」とある。鉢が高く、庇も広い。→冠帽

章甫冠　田愚（1841～1922）像。

チャンボク〔章服〕장복
▶章紋を施した外衣。朝鮮時代に皇帝・国王・王世子が祭服として着た。章服が初めて使用されたのは高麗末期で、《▷高麗史》によれば、仁宗18年（1140）に宋の制度を取り入れ、▶冕旒冠と章服を制式とした。その後、毅宗の代の《詳定古今礼》によると、国王は九章服、臣下は品階により七章服・五章服・三章服・一章服・無章服を制服とした。また、恭愍王は独自に十二章服も身に付けたが、朝鮮時代に入ると国王は一貫して明伝来の九章服を着用し、これが大韓帝国成立後に十二章服が取り入れられるまで続いた。一方、文武百官が章服を着ることはなかった。→九章服・十二章服

チャンサム〔長衫〕장삼

①僧衣の一つ。仏教発祥の地であるインドでは着られなかったものである。中国では気候と独自の服飾習慣に合わせ袈裟の下に偏衫を着たが、この偏衫が我が国に伝わり長衫となった。偏衫は偏綴ともいうが、上衣である偏衫と下衣である裙子（下裙、腰に締める短く黒い下衣）とを縫い合わせたものが直綴で、これが我が国の長衫に当たる。黒麻で仕立てられ袖が大きく、道袍に似る。朝鮮時代の世宗6年（1424）には、日本からの回礼使に藍羅長衫1領を下賜している。（《▷朝鮮王朝実録》世宗6年2月癸丑）→僧服

長衫①四溟大師（1544～1610）遺品。重要民俗資料第29号。慶尚南道表忠祠所蔵。

②朝鮮時代に、妃嬪から両班階級の女性に至るまで広く用いられた礼服。太宗12年（1412）6月に、女性の礼服として5品以下の官吏の本妻は▶長衫・▶襖裙・笠帽を着用するものと定め、以後長衫が5品以下の女性の礼服となった。形態は▶円衫に似るが、袖と丈が円衫より短めで、《四礼便覧》によれば裾は膝に届き、広袖で、袖丈は2尺2寸と伝えられる。《国婚定例》や《嘉礼都監儀軌》などによると、妃嬪から▷尚宮・内人らの女官に至るまで、広く着用されていたことがわかる。

チャンスーピョンサム〔長袖編衫〕 장수편삼

妃嬪の大紅色（真紅）の長衫には、白の羅や綾の大袖（付け袖）があり、尚宮（正5品女官）の単長衫にも藍鼎紬大袖があるが、内人（従5品以下の女官）の長衫には大袖がない。生地はカラムシ織り・▶紗（捩り織りの絹）・▶紬（平織りの絹）・▶緞（朱子織の絹）など階級により異なるが、種類としては妃嬪の胸背キョプ長衫（刺繍文様付き袷長衫）・キョプ長衫（袷長衫）、尚宮の鴉青緞長衫（濃い藍色の長衫）、内人の紅長衫、侍女の黒長衫などがある。

長衫②

チャンスーピョンサム〔長袖編衫〕 장수편삼
僧侶が着る袖の長い上衣。高麗時代に、三重和尚大師が紫裳を履いた上に着て、▶福田袈裟をまとった。《▷宣和奉使高麗図経》巻18）→僧服

チャンシクサ〔装飾糸〕 장식사（いしょうねんし〔意匠撚糸〕・かざりいと〔飾り糸〕）
太さや張力の違う2種類以上の糸を撚り合わせた糸。糸は普通同じ本数を合わせて均一に撚り上げるが、装飾糸は特殊な質感が出るように撚る。布地用・装飾用などの各種織物や編み物に多く使われる。同じ種類の糸を撚り合わせたものと、異なる種類の糸を撚り合わせたものがある。

チャンシング〔装身具〕 장신구（そうしんぐ〔装身具〕）
装いのために用いる道具。新石器時代の遺跡から、玉を磨いて作った管玉や動物の骨で作った首飾りが発見されるが、青銅器時代には非常に多様化した。三国時代には工芸技術が高度に発達し、華麗な金・銀・金銅製の装身具が製作され広まったが、特に新羅では金属細工の技術が大きく発達し、▶カラクチ（＜指輪）・耳飾り・首飾りなどの優れた芸術品が作られた。朝鮮時代にも、金銀・宝石類の装身具を中心に細工技術が発達した。装身具の種類としては▶冠帽・▶銙帯（装飾板付きの帯）・▶ノリゲ（女性の韓服用飾り）・首飾り・耳飾り・カラクチ・簪・▶チョプチ（角状の女性用前頭部装飾品）・▶トルジャム（装飾簪）・トンゴッ（男性用髷留め）・▶トゥィッコジ（女性の髷に挿す装飾簪）・▶チュモニ（巾着）などがあり、▶粧刀（携帯小刀）・▶針筒（筒状針入れ）・▶パヌルジプ（二枚貝状針入れ）・▶ピッチゲ（≒毛筋棒）など実用性を兼ねたものもある。これらは女性の品位を高め雰囲気を演出するものだったが、19世紀末の開化期以降は▶香囊・パヌルジプ・▶粧刀などの装身具は徐々に使われなくなり、ノリゲは正装に限って用いられるようになった。

チャンオッ 장옷
見ず知らずの男女が顔を合わせることを避けた朝鮮時代、女性が外出時に顔を隠すために用いた被り物の一つ。基本形態は▶汗衫（付け袖）が付いた筒袖の▶トゥルマギに似るが、襟とコルム（結び紐）は紫朱色（赤紫）である。夏には▶紗（捩り織りの絹）、冬には平織りや朱子織の絹で仕立て、表地には草緑色（緑）、裏地には紫朱色が用いられた。袖先には白い布をあしらい、襟首にも汚れよけの白い布を当てた。初期には庶民の女性のみが被ったが、後に士大夫階級の女性も用いるようになり、この風習は開化期を迎えるまで続いた。《▷朝鮮女俗考》第20章には、「平民の妻はチャンオッ（長衣・蔵衣）を被った。チャンオッは草緑色の▶明紬（平織り絹）で仕立てた衣服で、顔と頭を隠すものだが丈はふくらはぎまである。このチャンオッがいつから用いられたかの記録はない」とある。中宗17年（1522）8月には儀礼担当官庁であった礼曹が「庶民の女たちが白のカラムシや麻でチャンオッを作るのを禁ぜよ」との通達を出し、中宗21年（1526）12月には士大夫階級の女性が服で顔を隠して巷を歩いたところ、道理にもとる行為として家長の兄が罰せられた記録がある。当時、庶民の女性が被るチャンオッを士大夫階級の女性が用いたことが罪に問われたのである。しかし、朝鮮時代末期の王家の遺品の中にはチャンオッがあり、後期には士大夫階級にも普及していたものと思われる。なお済州島では、女性の婚礼衣装や葬儀の際の▶寿衣としても用いられた。同長衣

チャンユ〔長襦〕 장유

チェチュェボク〔斎衰服〕 재최복

チャンオッ 高麗大学博物館所蔵。

丈の長い▶チョゴリ（上衣）。筒袖で丈は臀部まであり、襟・裾周り・袖口に▶襈（縁取り）がある。→襦

チャンユ-クァンゴ〔長襦広袴〕 장유광고

丈の長い▶チョゴリ（上衣）と広幅の▶パジ（ズボン）。一般的に、三国時代の上下衣の一類型を指す。高句麗のものとしては黄襦（黄色のチョゴリ）や大口袴に、百済のものでは広袖の紫色袍衣や青錦袴と呼ばれる青絹の広幅パジに、新羅のものでは異次頓の殉教碑のレリーフや、断石山神仙寺磨崖供養人物像・騎馬人物像などの遺物に、長襦広袴の様式を見ることができる。

長襦広袴 異次頓殉教碑。国立慶州博物館所蔵。（文明大《韓国彫刻史》から転載）

チャンユ-セゴ〔長襦細袴〕 장유세고

丈の長い▶チョゴリ（上衣）と幅の狭い▶パジ（ズボン）のことで、高句麗人が着た上下衣の形態を指す。貴族から庶民・賤民に至るまで老若男女の別なく用いられたほか、新羅でも5世紀以前に男性が着用した。

チャンチム〔長枕〕 장침

長い直方体の枕で、座って肘をつくのに用いる。麻・絹などで作られ、両端には花鳥や「囍」文様を入れ、刺繍の施されたものもある。→ペゲ（枕）

チェガボク〔再加服〕 재가복

朝鮮時代に、▶冠礼の三加礼の一つである再加の際に着た礼服で、皂衫（▶黒団領）・角帯（装飾板付き帯）・▶紗帽（翼状突起のある帽子）などのこと。→冠礼服

チェガーファサンボク〔在家和尚服〕 재가화상복

高麗時代の僧衣の一つ。「在家和尚」と呼ばれた在家の僧侶は、比丘尼と同じく戒律を受けず、妻帯して労働に従事した。白いカラムシの細袖の衣服（白紵窄衣）に黒絹（皂帛）の帯を締め、普段は裸足で、時折り靴を履くという姿であった。《▶宣和奉使高麗図経》巻18）→僧服

チェボンシル〔裁縫シル〕 재봉실 （縫い糸）

裁縫に使う糸。素材は木綿・絹・麻・合成繊維などで、良質の単糸を2本以上合わせて撚りをかけて作る。強度があり太さが均一で、表面がなめらかである。生地の品質・厚さなどに合わせて使い分けるが、一般に手縫い糸は二本合糸を、ミシン糸は三本合糸や、二本合糸を3本合わせて撚った六本合糸を使用する。

チェチュェボク〔斎衰服〕 재최복

喪服に用いられる▶五服の一つ。五服のうち直系親族の喪に着る喪服を衰服といい、これは▶斬衰服と斎衰服とに分けられる。斎衰服を着る喪の期間は3年、1年、5か月、3か月の4通りで、このうち1年間

着るものは杖をつく杖暮と杖をつかない不杖暮とに分かれる。母の喪は足かけ3年（父に先立った母の喪には1年）、妻の服喪期間は1年の杖暮、祖父母の喪は1年の不杖暮、曽祖父母の喪は5か月、高祖父母の喪は3か月と決められ、この間斎衰服を着た。斎衰服の様式は▶斬衰服と同じだが、▶斬衰服に次ぐ粗さの生麻を用い、布端は折り返して縫う。《世宗実録五礼儀》凶礼序礼喪服）→喪服・喪服制

チェチウェープジャンギ〔斎衰不杖暮〕 재최부장기

▶喪杖と呼ばれる杖をつかず、1年間▶斎衰服を着ること。祖父母、父の兄とその妻、父の弟とその妻、父の姉妹、兄弟姉妹、次男以下の息子・娘、長男の嫁、甥姪、長孫（長男の長男）、長曾孫（長孫の長男）の喪にこの喪服姿をとる。→斎衰服

チェチウェーオウォル〔斎衰五月〕 재최오월

曽祖父母の喪に、5か月間斎衰服を着ること。→斎衰服

チェチウェーチャンギ〔斎衰杖暮〕 재최장기

▶喪杖をつきながら、▶斎衰服を1年間着ること。妻、祖父に先立った祖母、父の死後他家に嫁いだ母、家を追い出された母親、父の妾の喪にこの喪服姿をとる。→斎衰服

チェン 쟁

▶緋緞（朱子織り絹）・▶明紬（平織り絹）・▶モシ（カラムシ）などに糊付けし、布目がまっすぐになるよう長い竹竿を布幅の両側に張り、日に干すこと。

チョ〔苧〕 저→同モシ（カラムシ）

チョゴリ〔▽赤▽古▽里〕 저고리

上衣の一種。身頃・袖・衽・掛け襟・結び紐から成る。上代から男女ともに着用したが、三国時代には「▶襦」「▶複衫」「▶尉解」と呼ばれた。「尉解」とは上衣を指す新羅語である。当時のチョゴリは現在のものより丈があり、腰に帯を締めるものであった。朝鮮時代には、「▶衫」「衣」「キョマギ（絹莫伊）」などの他に「チョゴリ」「チョグリ」「赤古里」という名称が登場し、宮中では「胴衣襨」と呼ばれた。「チョゴリ」という呼称は世宗2年（1420）の《▶朝鮮王朝実録》に初めて現れるが、13世紀半ばの高麗忠烈王以降、元の支配下にあったころから用いられた用語である。生地は、季節ごとに綿・麻・絹などを使い分けた。朝鮮時代中期以降は、チョゴリの縫い代の処理に陰陽思想が反映され、左身頃と衽との間の縫い代は衽側に、右身頃と衽との間の縫い代は身頃側に、背縫は左から右に折りたたまれるようになった。

■チョゴリの種類

チョゴリは構成要素の形により分類されるが、襟の形によれば、木板キッ（広襟）チョゴリ・カルキッ（刀襟）チョゴリ・▶タンコキッ（尖り襟）チョゴリに分類される。また、縫製法により▶ムルギョプ（並縫い袷）チョゴリ・ケッキチョゴリ・▶ヌビ（綿入れ刺子）チョゴリに、構成によりホッ（単衣）チョゴリ・キョプ（袷）チョゴリ・ソム（綿入れ）チョゴリに、装飾により▶半回装チョゴリ（衿・袖口・結び紐が別色のもの）・▶三回装チョゴリ（衿・袖口・結び紐・脇が別色のもの）・▶セクトンチョゴリ（色縞のもの）・カチチョゴリ（各部の色が異なる子供用）に分類される。

①木板キッチョゴリ

木板型の広襟のチョゴリで、朝鮮時代中期まで男女の区別なく広く用いられた。襟以外に、身頃、丈、ム（脇布）、裾明きの有無により、4種類に分けられる。第1のタイプは、木板襟、身頃、袖、衽、曲線の脇布から成り、裾明きのある褐色系統の袷チョゴリで、男女ともに着用した。

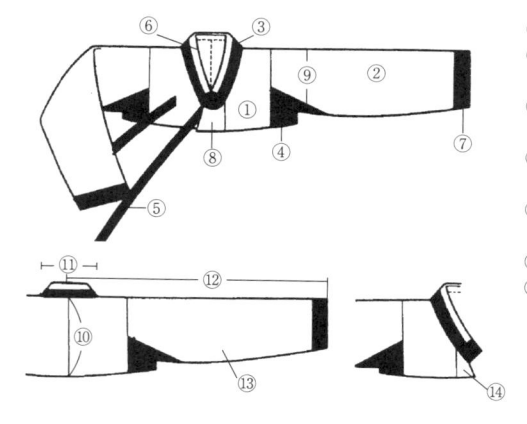

①キル（身頃） ②ソメ（袖）
③キッ（襟） ④キョンマギ（脇布）
⑤コルム（結び紐） ⑥トンジョン（掛け襟）
⑦クットン（袖口） ⑧コッソプ（上衽）
⑨チンドン（袖付け） ⑩トゥイッ中心線（背縫い）
⑪コデ ⑫ファジャン（桁）
⑬ペレ（袂） ⑭アンソプ（下衽）

チョゴリの部分名称

チョゴリ〔▽赤▽古▽里〕 저고리

チョゴリ　(左)河演夫人像(奈良・天理大学図書館所蔵)。(中央)趙伴夫人肖像(国立中央博物館所蔵)。(右)〈申末舟契会図〉の女人像。15世紀。朝鮮初期の服飾であることが確認できる。チョゴリは多少短めで臀部の上までのようで、襟は木板襟と思われる。前合わせも非常に長く、帯はなく、コルム(結び紐)が付いているようである。

第2のタイプは、第1の類型と似るが裾明きがなく、生地に平織りを用いたり綿を入れたものがあり、主に男性が着たものと思われる。第3のタイプは、台形と三角形のム(脇布)が縫い付けてある褐色または緑系統のもので、襟・衽・脇布・袖先が別色となっており、男女ともに着用した。第4のタイプはム(脇布)がなく、身頃が曲線化したもので、木板キッチョゴリの衰退期に見られる不完全なものである。

②カルキッ(刀襟)チョゴリ
刀型の襟が付いたチョゴリで、朝鮮時代中期から中着として用いられた。ム(脇布)がなく、身頃が曲線で裾明きがあり、色は単色である。出土したものを見ると、季節により単衣・袷・綿入れ・ヌビ(綿入れ刺子)などを使い分けており、素材もカラムシ・麻・木綿・絹など多様である。

③タンコキッチョゴリ
朝鮮時代中期以降に女性に広く用いられた外衣のチョゴリで、時期により二つのタイプがある。第1のタイプは身頃・袖・衽に曲線が使われ、初期に流行した。第2のタイプは、第1のタイプの身頃が直線になりム(脇布)が加えられたもので、中期に流行した。色は褐色または緑系統で、襟と袖先は別色となっている。

■チョゴリの形態とその変遷
初期の高句麗(コグリョ)古墳壁画に描かれたチョゴリの基本的な形は左前の直線襟で、身丈は尻まであった。襟・衽・裾・袖に襈(縁取り)が施してあり、帯を締めた。中国吉林省集安市の通溝や平壤(ピョンヤン)の壁画には筒袖・広袖と右前・左前がともに描かれている。
9世紀初頭、統一新羅興徳王(シルラフンドク)の服飾

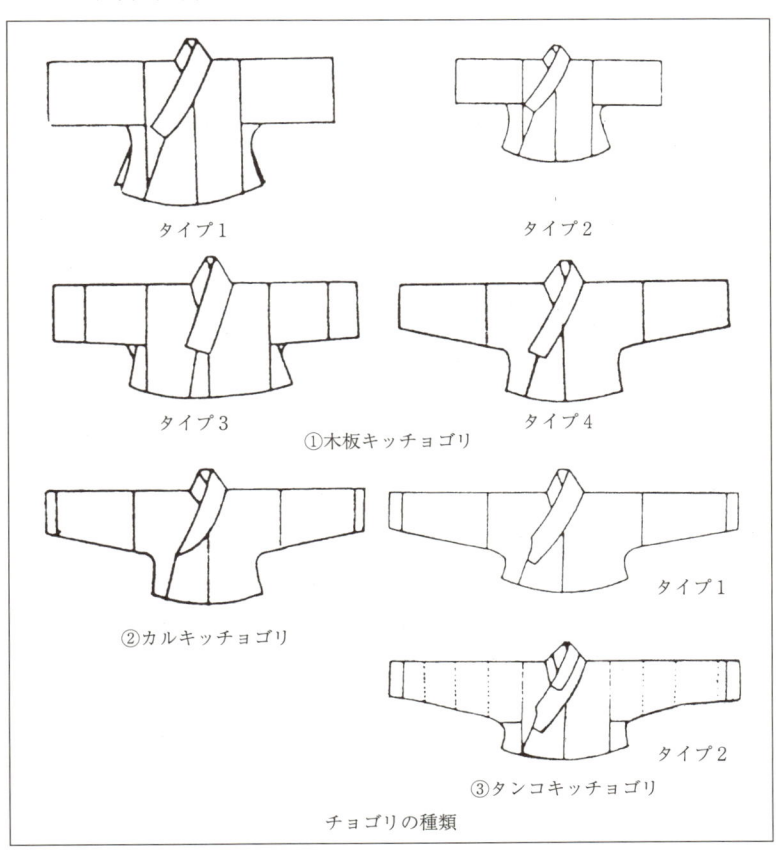

タイプ1　タイプ2
タイプ3　タイプ4
①木板キッチョゴリ

②カルキッチョゴリ
タイプ1
タイプ2
③タンコキッチョゴリ

チョゴリの種類

329

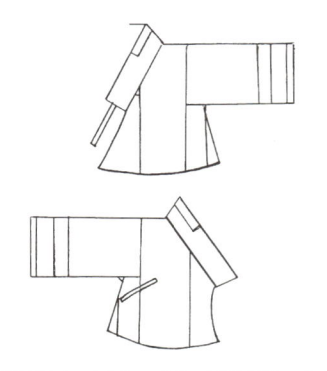

チョゴリ〔▽赤▽古▽里〕저고리

原州元氏のヌビチョゴリ：1450年代。身丈66cm、身幅66cm、裄80cm、袖付け30cm、袖口28cm。石宙善紀念民俗博物館所蔵。身丈が長く身幅もあり、裄も長い。木板キッに筒袖で、短く細い結び紐が襟の中間に付いている。

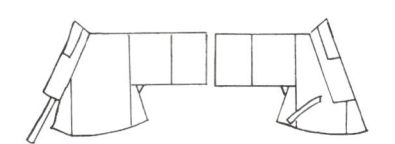

清州韓氏袷チョゴリ：1560年代。身丈55cm、身幅70cm、裄70cm。石宙善紀念民俗博物館所蔵。三角形の脇布がある。木板キッに筒袖で、身幅に比較的余裕がある。

光海君妃柳氏紅衫：17世紀。身丈78cm、身幅59cm、裄98.5cm、袖付け32.5cm、袖口22.5cm。海印寺所蔵。後身丈と裄が長く、脇明きがある。幅広いタンコキッに筒袖で、襟・結び紐・袖先が赤紫の半回装チョゴリである。

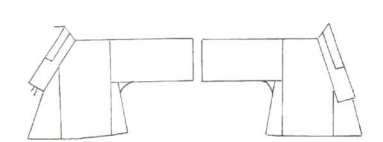

尚宮権氏チョゴリ：17世紀。身丈59cm、身幅57.5cm、裄74cm、袖付け34cm、袖口26cm。海印寺所蔵。筒袖で木板キッの内襟は内衽の中に入り、三角形の脇布がある。

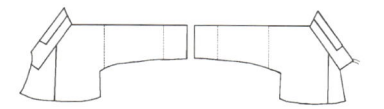

牡丹紋緞チョゴリ：1765年頃。身丈45cm、身幅50cm、裄74cm、袖付け27cm、袖口20cm。国立民俗博物館所蔵。襟は緩やかなタンコキッで、身頃は無地だが、襟は濃い色、袖口は薄い色の牡丹紋緞である。

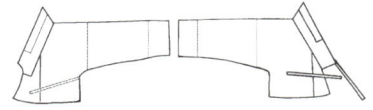

恩津宋氏刺し子チョゴリ：18世紀末。身丈47cm、身幅46.5cm、裄70cm、袖付け30cm。国立民俗博物館所蔵。平絹の袷チョゴリで、綿は入っていない。同じ布で掛け襟を付け、結び紐も付いている。

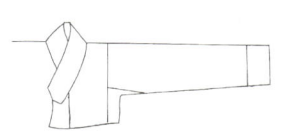

清衍郡主三回装チョゴリ：1754～1821年。身丈21cm、身幅52cm、裄51cm、袖付け13.8cm。高麗大学博物館所蔵。裄・袖元・袖口が短い反面、脇布が大きい。筒状の搾袖で、襟は木板キッからタンコキッに移る過渡期の形態である。

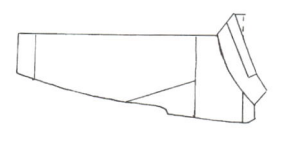

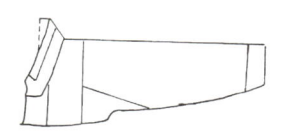

金海許氏三回装チョゴリ：1835～1878年。身丈27cm、身幅50cm、裄73cm、袖付け23cm、袖口13cm。温陽民俗博物館所蔵。タンコキッで、内襟は木板襟。袂に膨らみがある。

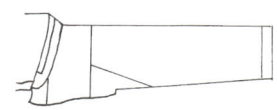

軟豆色の三回装チョゴリ：1890～1910年頃。身丈19cm、身幅37.5cm、裄59cm。淑明女子大学博物館所蔵。外襟はタンコキッで内襟は木板キッ。身丈が非常に短くて袖幅が狭く、短小化の傾向が見られる。

朝鮮時代のチョゴリの形の変遷

禁制に見られる「内衣(ネウイ)」もチョゴリであったと思われるが、「短衣(タニ)」は女性がチョゴリの上に着た外衣である。高麗(コリョ)時代のチョゴリ着用の様子は、慶尚南道居昌郡屯馬里古墳(キョンサンナムドコチャントゥンマリ)の供養人物図、羅漢図の女人像、奈良・天理大学図書館所蔵の〈河演夫人像(ハヨンプイン)〉、〈観経序分(品)変相図(クァンギョンソブンソブムビョンサンド)〉(愛知県御津町大恩寺の〈王宮曼荼羅図〉および福井県敦賀市西福寺の〈観経十六観変相図〉)、ソウル市方背洞(パンベドン)出土の木偶像などに見られる。また、仏像胎内納入品も発見されているが、1302年の阿弥陀仏胎内納入品の上衣を見ると、身丈があり掛け襟が狭く、帯は見当たらず、脇の裾に小さな明きがある。

朝鮮時代の伝世品は多数伝わっているが、時代により身丈と襟に変化が見られる。朝鮮時代のチョゴリを描いた絵画と出土遺物は、次のとおりである。①15世紀:〈申末舟契会図(シンマルチュケフェド)〉〈趙胖同夫人肖像(チョバンドン)〉。②16世紀:1560年代の安東金氏寿衣(アンドンキムシスイ)。③17世紀:文臣李端夏(イダンハ)の夫人のチョゴリ1点。江原道平昌郡月精寺(カンウォンドピョンチャンウォルチョン)所蔵の1660年代のチョゴリ。慶尚南道陝川郡海印寺(キョンサンナムドハブチョンヘイン)所蔵の第15代国王光海君妃柳氏(クァンヘグンビュ)の紅衫(ホンサム)と尚宮(女官)権氏の紫朱色(チャジャセク)(赤紫)の明紬(ミョンジュ)(平織り絹)チョゴリ。④18・19世紀:梨花女子大学博物館所蔵の完山崔氏(ワンサンチュェ)のチョゴリ1点。清衍郡主(チョンヨン)のチョゴリ60点(1754〜1821)。梁憲洙(ヤンホンス)将軍夫人のヌビ(綿入れ刺し子)チョゴリ。(金美子(キムミジャ))

チョゴリ-サムジャク〔▽赤▽古▽里三作〕 저고리삼작

▶チョゴリ(上衣)を3着重ね着すること。特に、▶唐衣(タンイ)(身頃の長く垂れた女性用上衣)を着るときに、その下に内側から順に▶チョク衫(サム)(ボタン式の単衣)、真粉紅(チンブンホン)(濃い桃色)の▶三八紬(サムパルジュ)(目の細かい平織り絹)▶クットンチョゴリ(袖先が別色のもの)、▶松花色(ソンファセク)(刈安色)の三回装(サムフェジャン)チョゴリを重ね着するが、このうちクットンチョゴリ・三回装チョゴリ・唐衣の三つを指す。高宗31年(1894)4月の《春節期衣服発記(チュンジョルギウィボクパルギ)》を見ると、王子君(庶出の王子)の夫人の衣服のうち、南松銀条紗唐衣(ナムソンウンジョサタンイ)、松花色花紡紬(ソンファセクファバンジュ)チョゴリを一作ともいい、南松桃榴紗唐衣(ナムソントリュサタンイ)、松花色花紡紬(ソンファセクファバンジュ)チョゴリを二作(イジャク)とするなど、呼び方は一定していない。

チョゴリ三作

チョマ〔苧麻〕 저마→有子麻(ユジャマ)

チョマ〔紵麻〕 저마(カラムシ・ちょま〔苧麻〕)

イラクサ科の多年草。熱帯アジア原産で、我が国をはじめ中国の中・南部、日本・フィリピン・インド・インドネシアなどで栽培されている。淡黄色の花を付け、高さは約1.5mである。茎の皮から繊維を採り、夏服用布地・船舶用ロープ・魚網などを作る。我が国では西南地方で広く栽培され、とくに忠清南道(チュンチョンナムド)の韓山(ハンサン)は細モシ(目の細かいカラムシ織り)で有名である。いつから織物に利用され始めたかは定かではないが、おそらく新羅(シルラ)時代末期あたりとみられ、高麗(コリョ)の太祖(テジョ)の時代には唐に白紵(ペクチョ)を輸出していたという。→回モシ(カラムシ)

チョマ-キョジクポ〔紵麻交織布〕 저마교직포

▶モシ(カラムシ)糸と麻糸を交ぜ織りにした布。紵糸兼織布(チョサキョムジクポ)とも呼ばれた《▶朝鮮王朝実録(チョソンワンジョシルロク)》成宗15年12月丙辰))。《世宗実録(セジョンシルロク)》地理誌には、忠清道(チュンチョンド)・全羅道(チョルラド)・慶尚道(キョンサンド)の献上物と記されている。

チョマサ〔紵麻糸〕 저마사

▶モシ(カラムシ)の繊維を手作業で紡いだ糸。カラムシ織りは高級織物とされる。

チョマポ〔紵麻布〕 저마포→回モシ(カラムシ)

チョモリプ〔猪毛笠〕 저모립

豚やイノシシの毛で編んだ▶カッ(笠)。▶竹糸笠(チュクサリプ)に次ぐ高級品で、朝

猪毛笠

チョサン〔紵裳〕저상

鮮時代に堂上官（正3品以上の官吏）が被った。→カッ（笠）

チョサン〔紵裳〕저상
▶モシ（カラムシ）のチマ（スカート）。6枚接ぎの袷仕立てであるが、腰の帯状布はなく、2本の紐が付いている。沐浴の際に、紵衣とともに着たとされる。（《▷宣和奉使高麗図経》巻29）

チョウイ〔紵衣〕저의
▶モシ（カラムシ）で作られた、襟や襈（縁取り）のない▶中単（中着）。高麗時代に、国王から庶民に至る男女が着用した。（《▷宣和奉使高麗図経》巻29）

チョジュ〔紵紬〕저주
▶モシ（カラムシ）糸と絹糸とで交ぜ織りにした布地。

チョチ〔紵絺〕저치
麻糸と葛糸とで交ぜ織りにした夏用の生地。

チョポ〔紵布〕저포→同モシ（カラムシ）

チョポーチルチョ〔紵布七処〕저포칠처
▶モシ（カラムシ）の名産地とされる7地域のことで、忠清南道の韓山・舒川・鴻山・庇仁・林川・定山・藍浦を指す。

チョク〔適〕적→同辟領

チョッコ〔赤袴〕적고
赤いパジ（ズボン）の古称。新羅時代の真聖王10年（896）に、赤いパジを履いて活動した盗賊を「赤袴賊」と呼んだ記録がある。（《▷三国史記》巻11新羅本記第11真聖王）

チョッカン〔翟冠〕적관
朝鮮時代に王妃が▶翟衣（孔雀紋の大礼服）を着る際に被った冠。19世紀末の大韓帝国時代の皇后は▶九翟冠、それ以前の時代の王妃は▶七翟冠を用いた。朝鮮王朝初期の太宗3年（1403）10月以降、明の▶珠翠七翟冠が数回に渡り下賜されたが、仁祖23年（1635）7月の嬪宮（王世子妃）冊封の際は翟冠制度を知らなかったため、▶月子（入れ髪）で頭を飾り婚礼を執り行ったという。

チョクテ〔赤帯〕적대
赤い帯の古称。百済の9品官であった固徳が、公服（国王謁見服）である緋衣の上から締めた。→ティ（帯）

チョンナウイ〔赤羅衣〕적라의
赤い▶羅（捩り織りの絹）で仕立て、衿・裾周り・袖口に青の縁取りをした上衣。朝鮮時代の王世子が▶朝服（朝賀服）として着たものだが、世宗8年（1426）2月に、唐・宋の制度に倣い王世子が毎月1日・15日の大朝会と元旦・冬至の朝会に赤羅衣を着用するよう定めた。

チョクサム〔▷赤衫〕적삼
単衣の▶チョゴリ（上衣）で、コルム（結び紐）の代わりにボタンを付

チョク衫（左）麻のチョク衫。1500年代末。身丈65cm、裄71cm、身幅59cm。忠北大学博物館所蔵。重要民俗資料第118号。朝鮮中期金緯の墓から出土した。刀襟で、脇の下に三角の襠がある単衣で、後ろ襟の下に当て布がしてある。（右）ソクチョク衫。国立古宮博物館所蔵。目の細かい白い綿布で仕立ててある。

けたもの。夏用のチョク衫と、チョゴリの中に着るソクチョク衫とがある。素材は主に麻や▶モシ（カラムシ）・木綿などで、縫い方は素材ごとに異なるが、糊をきつく付けアイロンなどで布目を整えると見栄えがよい。朝鮮時代には、宮中や士大夫階級の女性はどんなに暑くてもソクチョク衫を着たものである。普通季節に合った布で仕立てるが、婚礼の際には真冬でもカラムシのソクチョク衫を着た。これは、前途がカラムシ織りのように爽やかでつつがなきようにとの願いからであった。

チョクサン〔赤裳〕적상
朝鮮時代の▶舞服の一つで、文官舞・武官舞の舞い手や、小道具を手にした楽師が履くチマ（スカート）。▶紅色の▶明紬（平織絹）で仕立て、黒の▶襈（縁取り）を施してある。《▷楽学軌範》（巻2俗楽陳設図説）には、保太平の舞いの楽師38名と定大業の舞の楽師71名が、藍色の上衣を着て黒の縁取りを施した赤裳を履いたとある。

チョクソク〔赤舄〕적석
赤く平たい靴。高麗時代から朝鮮時代にかけて、国王が▶冕服（大礼服）

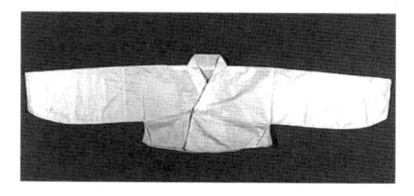

を着る際や、王世子が冠服を着る際に履いた。高麗の毅宗の代に制定された祭服の中の赤舃は、赤い襈（縁飾り）を施して青い輪をつけ、これに赤い結び紐を通してある。朝鮮時代の太宗2年（1402）に、明の建文帝から贈られた▶九章服の舃は緋舃で、《▶国朝五礼儀》（序例祭服図説）には「国王や王世子の冕服の舃の表地は緋色の▶緞（朱子織り絹）で、裏地には白の繒（無紋の絹）を用いる」とある。大韓帝国時代の光武元年（1897）に制定された皇帝の冕服制度の赤舃を見ると、黄條（黄色の紐）で縁飾りを施し、玄纓（黒の紐）で結ぶものであり、また皇帝の一般冠服制度の赤舃は、黒の鉤純（縁飾り）を巡らし、つま先を黒く飾るものであった。《▶増補文献備考》巻79章服1）→舃

チョギ〔翟衣〕 적의

王妃の大礼服。翟衣制度が導入されたのは、高麗時代の恭愍王19年（1370）に、明の太祖高皇帝から国王の▶冕服と▶遠遊冠服が、孝慈皇后から王妃に官服が、下賜されたことに始まる。このときの王妃の官服は、冠・翟衣・中単蔽膝・裳・大帯・佩玉・綬・青舃青襪であった。冠は▶七翬二鳳冠で、▶花釵（花簪）が大小9本、耳元の飾りが九つ付属していた。翟衣は、青地に九つの翟紋（雉の紋）が刺繡されていた。《▶高麗史》世家巻43）

朝鮮時代になって翟衣が下賜されたのは、太祖3年（1394）であるが、このときは▶珠翠七翟冠と▶霞帔・▶金墜子などであった（《▶増補文献備考》巻79礼考26章服）。18世紀の英祖の代には《▶国朝続五礼儀補》の編纂とともに王妃の官服が整備されたが、このときの翟衣は次のようなものであった。生地は大紅緞を用い、前合わせが突合せで、前身頃の裾は▶チマ（スカート）の裾にぴったり揃え、後ろはチマの裾よりも1尺余り長い。胸・背中には金糸で刺繡した五爪円竜補を付け、その下から裾に至るまで刺繡の円翟を左右に七つずつL字型に付け、全体が凵字型になるようにした。同様に後身頃にも左右九つずつの円翟を付けた。袖丈は着丈に等しいほど長く、袖口にも円翟が左右に九つずつ付けられ、円翟の総数は51個である。

高宗34年（1897）に国王が皇帝に、王妃が皇后に昇格したときから翟衣の制度が本格化したが、翟衣は、中単・蔽膝・圭・革帯・大帯・綬・玉佩・霞帔・補・襪・舃とともに用いると定められた。皇后と皇太子妃の翟衣制度を《▶増補文献備考》（章服）にみると、次のとおりである。①翟衣：濃い青で、夏には苧紗、秋は紗羅を用いる。皇后は十二段、皇太子妃は九段の翟紋を付け、その間には小輪の花を金襴で施す。襟・裾周り・袖口には紅色の▶襈（縁取り）を施すが、これには皇后は雲竜紋、皇太子妃は雲鳳紋を金襴で入れる。②▶中単：皇后は玉色（水色）、皇太子妃は灰色の絹を用い、襟・裾周り・袖口には紅色の▶襈を巡らし、襟には▶黻紋（亞字紋）を皇后は13個、皇太子妃は11個を織り込む。③▶蔽膝：翟衣の地と同じ濃い青の苧紗や紗羅を用い、皇后は3段、皇太子妃は2段の翟紋を入れ、その間に小輪の花を金襴で施す。縁には皇后は雲竜紋、皇太子妃は雲鳳紋を金襴で入れた赤の縁飾りを巡らす。④▶圭：玉製で、長さは周尺で7寸（約16cm）、頂が尖っている。穀紋を彫り、金竜紋の刻まれた絹布で下を包む。⑤▶革帯：青の絹地の帯に玉を10個、金を4個飾り付け、皇后は雲竜紋、皇太子妃は雲鳳紋を入れる。⑥▶大帯：表裏はそれぞれ紅・青、下に垂れる部分は紅色を用い、皇后は雲竜紋、皇太子妃は雲鳳紋を金襴で施す。上は赤、下は緑で縁取りされ、青綺副帯を一つ付ける。⑦玉佩（▶佩玉）：飾り付ける玉板は、上段の珩が1個、2段目の瑀が1個、3段目の琚が2個、下段の衝牙が1個、璜が2個であるが、瑀の下に玉花がある。玉花の下部には雲竜紋を彫り、描金が施された玉滴2個を垂らす。珩の下に玉珠を連ねた紐を5本垂らし、歩くと衝牙と二つの滴がぶつかって音を立てる。上部には金具が付いており、皇后は▶纁色（薄い赤）の地に黄・赤・白・縹・緑の5色で、皇太子妃は赤・白・縹・緑の4色で織られた小綬が付いていて、両脇に垂らす。⑧綬：纁色（薄い赤）の地に、皇后の綬は黄・赤・白・縹・緑の5色で、皇太子妃は赤・白・縹・緑の4色で織って作られ、上部に2個の玉環を付ける。⑨▶襪（足袋）：皇后の襪は青の▶羅で作られ、皇太子妃は青線羅で作られる。⑩▶舃：皇后の舃は青の▶綺に雲竜紋を、皇太子妃は雲鳳紋を描

チョギ〔翟衣〕 적의

翟衣を着た英王妃

翟衣の型　重要民俗資料第67号。国立中央博物館所蔵。障子紙を厚く貼り合わせたもので、翟衣と同じ大きさで、文様まで描かれている。袖がないが、身頃の延長であるので省いたものと思われ、翟紋の配列から皇后用のものと思われる。

翟衣　世宗大学博物館所蔵。

大帯・後綬

チョンヘンウッチマ

蔽膝

翟衣の付属品　国立古宮博物館所蔵。

金で入れ、黒の線で縁取りがされている。つま先に、皇后は玉を五つ、皇太子妃は三つ付ける。

　伝世品としては、世宗大学博物館所蔵の純宗皇帝妃純貞孝皇后着用の翟衣と、国立古宮博物館所蔵の英王妃の翟衣がある。

チョクチョサン〔赤綃裳〕적초상
赤の綃(生絹)で仕立てられた裳。朝鮮時代に文武官が朝服(朝賀服)・祭服(祭祀服)を着るときに、中単を着た上に締めた。前3幅、後4幅が分かれ、襞を取り、横と下は黒の縁取りがされている。腰紐が付けられていて、中単のボタンに掛けられるようになっている。裾を中単の裾に揃えて締めた。→裳①

チョクチョウイ〔赤綃衣〕적초의
赤の綃(生絹)で仕立てられた外衣。文武官の朝服(朝賀服)としてすべての品階が用いた。襟・裾周り・袖口に沿って青の縁取りがされ、襟は直領である(《経国大典》巻3礼典儀章)。朝鮮時代の初期、世宗以前の衣・裳・中単には、綃の代わりに羅が用いられ(《朝鮮王朝実録》太宗16年3月壬戌・世宗8年2月申申)、朝鮮時代末期の赤綃衣は赤の充羅を用い、襟は直領、袖は広袖で脇を明け、襟・裾周り・袖口に白い細線の入った黒の縁取りが施されていた。同紅衫→朝服

チョクァンゴ〔赤黄袴〕적황고
朱黄色(橙色)のパジ(ズボン)。《旧唐書》(諸音楽高麗)に、高句麗人が着たと記されている。

チョン〔瑱〕전
国王が大礼服に被る冕旒冠の冕板の両脇に付け、両耳の横に垂らされた球状の飾り。中国では天子は玉瑱を、諸侯は石瑱を用いたが、これで耳に栓をして甘言を遠ざけるとされ、「充耳」「塞耳」などとも呼ばれた。高麗時代の12世紀半ば、毅宗の代に制定された冠冕制には青瑱があり、朝鮮時代の15世紀前半、世宗の代の《国朝五礼儀》には、「冕の両脇に玄紞を付け、玉瑱を垂らして耳を塞ぎ、紫の紐を2本両脇に付けて顎の下で結び、その残りを垂らす」とある。光武元年(1897)の皇帝の冕服制度では、玉簪導・朱纓(赤紐)・青紘(青紐)とともに玉2個を充耳として用いた。(《増補文献備考》巻79)同クィマギ・充耳・塞耳

チョン〔氈〕전
動物の毛で細かく織られた無文の織物。後漢の字典《説文》には「撚毛」とあり、《大漢和辞典》には「けむしろ。まうせん。毛おりの敷物」と記されている。また18世紀末の《才

中単

佩玉

翟衣補

青襪

玉帯

青舃

チョンガク−ポクトゥ〔展脚幞頭〕 전각복두

《物譜》にも、「氈、氈之織子」とあり、氈がフェルトであることがわかる。中国では漢代に敷物として用いられた記録があり、我が国では《▷三国史記》に、「車騎褥子として5頭品は氈を用いるが、布と同じである」と記されている。現存する遺物としては、紀元前1～3世紀の文星里土城発掘調査の際に、様々な衣類とともに毛氈が出土したことがある。《三国史記》(巻37)には、新羅には毛典と席典が設置されていたと記されている。いずれも公営の工房で、ここで作られた製品は宮中用や朝貢品とされた。一方、奈良・正倉院には花氈が30点あまり所蔵されているが、中国や我が国からの交易品と考えられている。(朴京子)

チョンガク−ポクトゥ〔展脚幞頭〕 전각복두
▷幞頭の一つ。後面下部左右に翼状の脚(角)が水平に付けられている。高麗時代に、竜虎左右親衛旗頭と正7品別将に当たる官府門衛校尉・六軍散員旗頭・領兵上騎将軍などが、紫文羅窄衣を着て被った。→幞頭

展脚幞頭

チョング〔氈裘〕 전구
毛織物で仕立てた衣服。主に北方民族の匈奴が着たため、やはり北方民族の女真族のことを氈裘とも呼ぶこともあった。

チョンデ〔戦帯・纏帯〕 전대
朝鮮時代に武官が軍服に締めた帯。正方形の藍色の▷紗を用意し、向かい合う二つの耳を内側に折って二等辺三角形にし、さらにその折り目を内側に折って縫いとめ、これを繰り返して両端がツバメのくちばしのように尖った、幅10cm程度のバイアスの帯にしたもの。→帯

戦帯

チョルリョンボク〔伝令服〕 전령복
朝鮮時代に、軍に所属する伝令(連絡兵)が着た服装。鴉青色(濃い藍色)の木綿で仕立てられた▷小氅衣を着て▷快子を羽織り、肩と胴周りに襷を巻いて帯を締める。後ろ襟の中心に青と白の紐を垂らし、袖口には文書を入れる▷汗衫(付け袖)が付いている。頭には手拭いを巻いた上に▷ポンゴジ(毛の帽子)を被り、▷チプシン(草鞋)を履いて、肩の大きな鈴を鳴らして急を知らせながら早馬を駆った。

チョルリプ〔戦笠・氈笠〕 전립
朝鮮時代に武官が被った帽子。獣の毛を突き固めたもので伏鉢形の帽部を作り、これに鍔を取り付けた▷ペレンイ型の帽子である。帽部には、孔雀の羽根・▷象毛・▷頂子などを付けて階級を区別し、帽部と鍔とのつなぎ目に、白い紐を廻らして結んである。この鍔の左右には黄色い琥珀製の蝉形装飾品を載せ、裏には藍色の雲紋緞を当て、紐を付けてある。戦笠には、高位武官が被るアノルリムポンゴジと一般卒兵が被る普通のポンゴジ、紅戦笠・朱戦笠・竹戦笠などがある。主に西北地方で被られたが、光海君10年(1618)の満州出兵以降に流行し、仁祖5年(1627)の丁卯胡乱以後は武官のみならず士大夫全体が被るようになった。喪の際には、白い毛の白戦笠が用いられた。⑩毛笠

チョンモ〔氈帽〕 전모
朝鮮時代に、女性が外出時や乗馬時に被った帽子の一つ。竹枠に14～16本の骨を組んだ基本型に紙を張り、表の縁に花と蝶の柄や、寿・福・

戦笠 (上)紅戦笠。全南大学博物館所蔵。罪人を見張る刑務官が軍服に被った戦笠。(下)直径32cm、高さ12cm。全南大学博物館所蔵。帽部の前面に勇字型の真鍮を縫い付けてある。

伝令服　高麗大学博物館所蔵。上衣のチョルリクは紅色に染めた綿、袖は直線状の窄袖で、掛け襟と結び紐のない点が他の伝世品とは異なる。小氅衣は濃い藍色の麻の直領袍で、両脇には襠がなく裾が明いており、襟・袖・掛け襟が付いている。袖口に着脱自在の汗衫が付いており、他の小氅衣には見られない独特の形態である。赤土色の麻の快子は小氅衣に縫い付けてあり、脇に付けた紐でつないである。具軍服の戦服に比べ丈が短く、脇明きの長さやその処理が独特である。背中の飾りは、白の木綿２本、黄緑と藍色の絹１本ずつを束ねたもので、快子の左肩後ろに取り付けて垂らしてある。油を含ませた紙紐に真鍮の鈴を結び、右肩に垂らしている。

伝令服　石宙善《韓国服飾史》から転載。

富・貴などの文字が入れてある。被りやすいよう内側には頭にはめる枠が付いており、この両側に色違いの紐が付けられ、顎の下で結ぶと顔が隠れるようになっている。

氈帽　申潤福（1758～？）画。

チョンボク〔戦服〕 전복
朝鮮時代の武官の官服。文武官が普段着にもした。「▸褡穫」「綽子」「号衣」「トグレ」ともいう。袖や衽のない単衣で、両脇の下部と背縫いの腰から下が明いている。戦服を着るときは中に赤の▸トンダリを着て、藍色の▸纏帯を締め、▸戦笠を被った。18世紀末の《文献備考》には、「現在の戦服は昔の▸半臂であるが、別名を綽子または褡穫ともいう」とあり、高宗21年（1884）の衣服簡素化の際にも、褡穫と戦服は同じものとみなされている。高宗25年（1888）１月の広袖衣服の禁止にともない、文武官が普段着として着るようになった。現在は、男の子の１歳の誕生日などに祝い着として着せ、頭に幞巾を被らせる。→具軍服

チョンサポ〔転写布〕 전사포
亜麻や綿の織物で、片面が滑らかに処理されたもの。

チョンサム〔展衫〕 전삼
▸道袍の後身頃に重ねて当てた布。本来は、乗馬に用いる馬上衣の背縫いの明きから下衣が見えるのを防ぐために付けた布を指す。道袍の展衫は形式的なものである。→道袍

チョナルレ〔奠雁礼〕 전안례
新郎が婚礼の当日、木彫りの雁を携えて式場になる新婦の家に出向いて行う儀式。新婦のいる部屋の前庭に屏風をしつらえ、その前に卓を置き、新郎は門前から敷かれた莫蓙の上を進んで卓前に立ち、木彫りの雁を捧げて礼をする。生涯をともにするといわれるつがいの雁は夫婦和合の象徴であり、天で人間社会の福寿と婚姻を司る紫微聖君に木彫りの雁を捧げて、福寿と子孫繁栄を願うのである。

チョヌ〔転羽〕 전우
▸氈笠の頂部に挿す孔雀の羽根飾

チョニ〔展衣〕전의

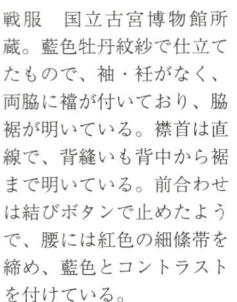

戦服　国立古宮博物館所蔵。藍色牡丹紋紗で仕立てたもので、袖・衽がなく、両脇に襠が付いており、脇裾が明いている。襟首は直線で、背縫いも背中から裾まで明いている。前合わせは結びボタンで止めたようで、腰には紅色の細條帯を締め、藍色とコントラストを付けている。

男児戦服　身丈71.1cm、身幅34.8cm、明き55.5cm。江陵市立博物館所蔵。男児の一歳の誕生日の祝い着。1800年代の両班家のもので、袖と衽がなく、両脇と背縫いが明いている。黒の襟にはジグザク文様が入れられ、腰の線には花紋と吉祥紋、鶴などが刺繍されている。裾裏は前は緑、後ろは紅色である。襟には緑の結び紐を付け、脇にも紅・緑のボタンが付いている。

り。→孔雀羽

チョニ〔展衣〕전의
中国で周代に王妃が着た六服中の一つ。王妃が国王と賓客を迎える際に礼服として用いた白い服。白鳥を履き、黒絢・黒繶・黒純を飾った。《新定三礼后服図》→六服

チョンジョントゥヘ〔氈精套鞋〕전정투혜
氈で作られた防寒用の履き物。靴の上に重ね履きした。→套鞋

チョンジ-ポサンファタンバン-クムホン〔纏枝宝相花丹礬錦紅〕전지보상화단반금홍
絹織物の一つ。枝が絡み合った宝相花の図柄を織り込み、丹礬（硫酸第２銅）で赤く染めた絹織物。朝鮮時代の成宗の代に、明の皇帝が国王と王妃に彩幣と文錦を下賜した際に纏枝宝相花丹礬錦紅大緞が含まれていた。

チョンジッタリ　전짓다리
麻や苧麻などの繊維を紡ぐときに使う道具。先が二股に分かれた２本の支柱をそれぞれ木の土台に立てたもので、二つを離して置き、二股の上に麻や苧麻の繊維を掛け渡す。ここから１本ずつ繊維を抜き取り、紡いでいく。

チョンポ〔戦袍〕전포
武士が着た袍（＜外衣）の一つ。《宣和奉使高麗図経》(仗衛)に、領軍朗将騎兵は紫羅戦袍を着用し、竜虎左右親衛旗頭・竜虎左右親衛軍将・神虎左右親衛軍が毯文羅袍を、興衛左右親衛軍は紫文羅袍を着たと記されている。

チョネンウッチマ　전행웃치마
皇后などが大礼服を着るときに大襴チマの上に履くチマ（スカート）。夏物には藍色の紗を、冬物には緞を用い、３幅を別々に仕立てて長さ約110cmの腰帯に縫い付けてある。両側の２幅は丈が約140cmだが、中央の１幅は約130cmと短く、横幅は約60cmである。裾には14cmの幅でス襴緞を入れ、さらに17cmほど間をおいて23cm幅のス襴緞を入れ、皇后は竜紋を、皇太子妃は花紋を金箔で施してある。皇后のものは８cmの間隔をおいて両側に0.7cm幅で28本の立襞を取り、皇太子妃のものは32本の襞を取って中央の一部の襞を固定し、広がらないようにしてある。腰の両側に付けた長い紐を後ろから回して前で結ぶ。→翟衣

チョルチョプクァン〔折畳冠〕절첩관
朝鮮時代に儒学者が被った冠。沖正冠ともいい、明の世宗が朝冠平服に着用するために作ったと伝えられる。馬のたてがみや尾の毛で四面の内冠を作り、各面に多少低めの外冠を取り付けて、外に少し開くようにする。自由に折り畳めるので、この名称が付いた。孤高な趣を漂わ

チョンデオムムボク〔定大業舞服〕 정대업무복

折畳冠を被った尹鳳九（1681〜1767）像。

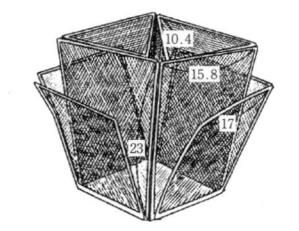

折畳冠

せる冠である。

チョルチ 절치
粗く編んだ麻の草履。寺（チョル）で作られ履かれたため、この名称が付けられた。→麻鞋

チョルプンゴン〔折風巾〕 절풍건→㊂折風帽

チョルプンモ〔折風帽〕 절풍모
上古の冠帽の一つ。高句麗・百済・新羅・伽耶などで多用された、三角形の最も古い冠帽である。高句麗の大加主簿は無後幘を、小加は折風を被り、その形は三角形であり（《三国志》魏志東夷伝）、また鳥の羽根を横に挿して貴賎の別を表し、これが鳥羽冠の母体となった（《魏書》巻100列伝高句麗伝）。《隋書》（巻81高句麗）には「高句麗人はみな皮冠を被り、使人は鳥の羽根を挿す」とあり、《北書》（巻94高句麗）には「人はみな頭に折風を被っているが、その形は三角形で士人は2本の鳥の羽根を重ねて挿している」とあり、折風帽が男女貴賤の区別なく被られていたことがわかる。平安南道の雙楹塚古墳壁画には、窄袖形の服装で折風帽を被った人物が描かれている。百済でも、布や金属製の折風帽が貴族から庶民に至るまで被られた。古新羅では、白樺の樹皮や金製・金銅製・銀製などの折風帽があった。㊂折風・折風巾・蘇骨→高句麗の服飾

折風帽

チョムス〔点繡〕 점수（けしぬい〔芥子繡い〕）
刺繍技法の一つ。小さな点を並べる技法で、地を埋めたり輪郭を際立たせるとき、あるいは雲などをぼかして表現するときに用いる。点の大きさを一定にする技術が求められる。（金惠卿）→刺繡

チョプチャム〔蝶簪〕 접잠
蝶の形が彫られた簪。新婦が婚礼の際、礼装として用いた。

チョンダンボルリプ 정당벌립

済州島で被られた帽子の一つ。漢拏山に自生する青葛藤の蔓で編まれたもので、農夫や牧童が被った。形と機能が麦藁帽子によく似るが、帽部が頭にすっぽりと被らず、頭頂の髷がつぶれないようになっている。漢拏山の鬱蒼とした原始林の中を駆け巡って暮らした済州島民の暮らしに適した帽子である。㊂チョンドンボルリプ

チョンダンボルリプ 国立民俗博物館所蔵。

チョンデオプ〔定大業〕 정대업
朝鮮王朝の歴代王を祭る宗廟祭礼の亜献礼と終献礼で披露される楽舞の一つ。定大業之楽と定大業之舞とからなるが、ふつう合わせて定大業と呼ばれる。計11の楽曲と舞いで構成されており、宗廟祭礼では楽曲とともに舞いも披露されるが、最近では楽曲だけが舞台で演奏されることもある。定大業の舞いは武舞で、数人が並んで舞う佾舞の形式をとる。朝鮮王朝建国の武徳を称える武舞は現在8人で舞われ、前の4列は刀を持ち、後の4列は槍を持って踊る。朝鮮時代の武舞の様子が《時用舞譜》に描かれている。

チョンデオムムボク〔定大業舞服〕 정대업무복
朝鮮時代に、朝鮮王朝の歴代王を祀る宗廟祭礼の際に使用される武舞服。舞い手は6名ずつ6列、または

339

8名ずつ8列で四角い布陣を敷き、木槍や木の剣を持って朱色の▶皮弁を被る。そして、▶紅紬衣を着て藍紗帯を締め、▶木鞋を履いて、定大業之楽全11楽章に合わせて舞う。→定大業

チョンドンボルリプ　정동벌읍→回チョンダンボルリプ

チョンニボク〔丁吏服〕　정리복
高麗時代に高位官吏の従者だった丁吏が着た服。丁吏は通常の勤務では文羅頭巾を被り、中国からの使臣を迎えると、▶幘を重ねて被った。伴官や屈使に付き添う者や使臣の正使・副使に所属する者も、同じ服装をした。(《▷宣和奉使高麗図経》巻21)→高麗の服飾

チョンジャ〔頂子〕　정자
▶戦笠・▶黒笠などの頂部に付ける装飾品。職位により金・銀・玉に区分され、大きさは一定ではなかった。大君(国王の嫡子)は金、司憲部・司諫院といった国王直属機関の官吏と観察使・節度使などの地方長官級は玉、取締官の監察は水晶、堂上官(正3品以上)は銀を用いた。朝鮮時代の18世紀、正祖の代に琺瑯などの頂子を禁止すべきかどうか論議されたことがあり、(《▷朝鮮王朝実録》正祖10年6月癸未)、同17年の▶戎服制度に関する論議では、兵曹(軍務所管庁)の次官級の林済源が、戦笠に付ける頂子を階級別にメッキ・彫金・純銀・銀・馬毛・木彫などに分け、鳥の羽根と▶象毛で文官と武官を区別すべきだと上奏したこともある(《▷朝鮮王朝実録》正祖17年10月戊辰)。回鐙子

チョンジャグァン〔程子冠〕　정자관
朝鮮時代の士大夫や儒学者が▶道袍・▶氅衣に合わせ、家の中で被った冠。馬のたてがみや尾の毛で編み、「山」字形を2～3段に突き出すような形に仕上げてある。冠の最下部には黒の綿布で3mm程度の縁取りをし、冠の前後の中心および各段の端は馬毛を数本束ねて上から閉じ縫いをし、固定されている。単層程子冠・二層程子冠・三層程子冠があるが、二層冠は高さが約20cm、三層冠は約25cmであり、朝鮮時代後期まで最も愛用された学者らしい風貌の冠である。→冠帽

チョンポ〔正布〕　정포
5升(経糸400本)で織られた麻布。正布の基準を5升とするのは、これが衣服にするための最低限の糸数だったからだが(《▷朝鮮王朝実録》太宗3年9月乙亥)、麻布が租税として広く用いられるようになるとともに、4升や3升の粗い織物も多く通用するようになった。後に綿布の生産が増加するにつれ、正布は綿布を指すようになった。

チョジュルケ　젖을깨
麻を織るときに、経糸を湿らせるのに用いる道具。棒の先に端切れを付けたもので、これを湿らせて経糸に当て、経糸が切れるのを防いだ。→ペトゥル・ペッチャギ

チェグァン〔祭冠〕　제관
祭祀のとき被る冠。朝鮮時代の国王は▶冕旒冠を、百官は梁冠を被った。→祭服

チェボク〔祭服〕　제복
国家祭祀に着る礼服。高麗時代の祭服を見ると、国王は▶冕服を着て玉圭を持ち、1品官は七旒冕・五章服、2品官は五旒冕・三章服、3品官以下は無旒冕とされていたが、実際に用いられたかは不明である。朝鮮時代に入り、開祖の太祖4年(1395)に初めて祭服が制定されたが実施されず、第3代の太宗16年(1416)にようやく着用に至った。祭服の制度は▶朝服(朝賀服)とほぼ同じであるが、品階により異なり、▶方心曲領を首に掛けた。また、朝服はふつう赤であるが、祭服は青を用いた。帯・▶笏・▶佩玉・▶襪・靴

程子冠　(左)単層程子冠。(中)二層程子冠。(右)三層程子冠。

チェボク〔祭服〕 제복

祭服着用姿　1979年宗廟で英王の息子李玖が祭祀に望む姿。

文武官の祭服黒綢衣　朝鮮後期。高麗大学博物館所蔵。

白綢中単　高麗大学博物館所蔵。

祭冠

祭鞋

祭服

341

チェビブリ-テンギ　제비부리댕기

国王の祭服制度

礼服名称	内容			備考
章服	冕制：九旒冕	版の大きさ	幅8寸、長さ1尺6寸。前の高さ8寸5分、後ろの高さ9寸5分	太祖4年
		版の形態	前は丸く後ろは角ばっている。表は黒く内側は薄い赤の繒で覆ってある	
		旒	九旒に金で装飾をする。各旒ごとに五采玉（朱・白・蒼・黄・黒）長さ：9寸、前後18個の旒がある	
		金簪を挿す		
		紫の紐（紫纓）を首元で結ぶ		
	服制：九章服	上衣	黒の繒で仕立てる。五章（竜・山・火・華虫・宗彝）を描く	奉祀朝覲時服
		裳	薄赤の繒で仕立て、前3幅、後ろ4幅で合計7幅である。藻・粉米・黼・黻の四章を刺繍する	
		大帯	緋色・白の繒を合わせて仕立てる	
		中単	白の繒で仕立てる。襟・袖口・裾周りに青の縁取りを廻らす。襟に黻紋11個を描く	
		佩玉		
		方心曲領	緞・白羅	
		綬	金環佩綬	
		蔽膝	藻・粉米・黼・黻を刺繍	
		襪	緋色	
		舃	緋色	
	圭制		青玉で作られる。長さ9寸、幅3寸。上は三角で下は角ばっている。	

鞋などは、朝服の場合と同じである。

■国王の祭服制度

▶冕旒冠と▶衮服で構成される冕服で、その制度は表のとおりである。

■文武官の祭服

1〜9品の祭服は、▶青絹衣・赤絹裳・蔽膝・白絹中単・白絹方心曲領を用いた。青絹衣と白絹中単の襟・裾周り・袖口と赤絹裳には黒の▶襈（縁取り）を巡らしてある。

▶黒絹衣と紫絹衣は、朝鮮時代末期に青絹衣に取って代わったもので、裾に白線を細く巡らし、襟は▶直領である。祭服を着るときは、蔽膝・帯・▶後綬・佩玉・▶梁冠・襪・▶舃を着用し、手には▶笏を持った。品階により梁冠の梁の数、帯・佩玉の素材、後綬の文様などが異なる。すなわち、1品は五梁冠、2品は四梁冠、3品は三梁冠、4〜6品は二梁冠、7〜9品は一梁冠であり、帯は1品は▶犀帯、正2品は▶鈒金帯、従2品は▶素金帯、正3品は▶鈒銀帯、従3品および4品は▶素銀帯、5〜9品までは▶黒角帯を締めた。佩玉は1品から9品まで▶燔青玉を用い、▶笏は1品から4品までは象笏を用い、5品から9品までは木笏であった。また後綬は、1・2品は雲鶴金環綬、3品は盤鵰銀環綬、4品は練鵲銀環綬、5・6品は練鵲銅環綬、7〜9品は鸂鶒銅環綬を着用した。→官服

チェビブリ-テンギ 제비부리댕기

端を燕のくちばしのように折った▶テンギ（帯状の頭飾り）。未婚女性がお下げ髪に垂らしたり、未婚男性が用いた。女物は紅色、男物は黒の絹布で作られるが、年齢により大きさが異なる。男物は何の装飾もない一方、女物は寿・福などの文字を金箔で押したり、上部に玉板や玉・七宝製の蝶を付けたものもある。

チェビブリテンギ

チェシクポク〔祭式服〕 제식복

冠婚葬祭などの儀式に着る服装。

チェヘ〔祭鞋〕 제혜

チョラーモンス〔皂羅蒙首〕 조라몽수

朝鮮時代に、祭礼の際に履いた靴。一般の平靴と同様の形態であるが、縁が低く、周囲に白の太い襈（縁取り）を巡らしてある。つま先は扁平で、中央に約3cm幅の白線を入れ、両脇に紐を付けて足に縛るようになっている。この紐は「藁」「シンドゥルメ」「トゥルメックン」と呼ばれる。祭鞋に履く▶ポソン（足袋）は白布で作られ、形には階級による差はない。→鞋

チョ〔条〕 조
糸を編んで作られた帯。同編糸帯

チョ〔藻〕 조
国王の▶冕服に用いられた紋章の一つ。水草を描いたもので、国王の▶蔽膝の上段や、皇帝や国王の▶裳の表に刺繍された。→十二章紋

チョガクポ 조각보
端切れを縫い繋いだ褓。→褓

チョゴン〔皂巾〕 조건
黒い▶頭巾。高麗時代に国王が普段着姿で被り、道教の修行者たちにも用いられた。→巾

皂巾 李斎賢（1287〜1365）像。

チョグァン〔朝冠〕 조관
朝鮮時代に、▶朝服を着る際に被った冠。国王は遠遊冠を、文武官は▶梁冠を用いた。梁冠は、品階により梁の数が異なり、王世子（皇太子）は六梁冠、1品は五梁冠、2品は四梁冠、3品は三梁冠、4〜6品は二梁冠、7〜9品は一梁冠であった。武（冠前面）の唐草紋部分と横に挿した木笄に金泥を塗り、▶祭冠と区別した。（《大典会通》《▶経国大典》礼典儀章》）

チョグァンボク〔朝官服〕 조관복
朝廷に出入りする官吏が着た公服。高麗時代の司業博士（儒学校の従4品官吏）と史館校書（従9品）、太医・司天二省の録事（正9品官吏）以上の官吏は、緋文羅袍に黒点角帯を締め、▶銀魚袋を携え、▶幞頭を被り、象笏を手にした。（《▶宣和奉使高麗図経》巻7）→高麗の服飾

チョグ〔皂履〕 조구
麻で編み、黒漆を塗った履き物。高麗時代に、外国使節の留まる使館の下男だった房子が▶文羅頭巾を被り、▶紫衣に▶角帯を締め、皂履を履いた。（《▶宣和奉使高麗図経》巻21皂隷）→履

チョッキ 조끼
▶チョゴリ（<上衣）の上に羽織る袖なしの服。開化期以後今日まで着られており、袷と単の2種類がある。素材としては▶緞や木綿・▶紗などを用いる。丈はチョゴリより若干長く、前身頃の両側にポケットがあり、左胸にも小さなポケットがある。

チョッキーチョクサム 조끼
적삼〔조끼▽赤衫〕
チョッキに似るが、袖の付いた夏用の下着。→トゥンゴリ

チョッキーホリ 조끼허리
チマ（スカート）に付けるチョッキ状のもの。チマをジャンパースカートのように肩に掛けて履けるようにする。→オッケホリ

チョデ〔条帯〕 조대
男性用の▶寿衣に締める帯。白い布に黒の襈（縁取り）を巡らしてある。→寿衣

チョラーモンス〔皂羅蒙首〕 조라몽수
黒の▶羅で仕立てられた▶蒙首。高麗

①大ポケット　②小ポケット
③キル（身頃）　④チンドン
⑤キッ（襟）　⑥トリョン（裾）
⑦コデ　⑧タンチュ（ボタン）
⑨タンチュクモン（ボタン孔）

チョッキ　王孫のチョッキ。国立古宮博物館所蔵。

343

時代に、貴族階層の女性が外出時に顔を隠すのに用いた。丈8尺の布3幅で仕立て、頭から被るが、顔と目だけが出て地面に引きずるほど長かった。《▷宣和奉使高麗図経》巻20貴婦）→蒙首

チョムル〔組物〕 조물

糸などを組んで作る紐状のもの。断面が円形のものや平たいものなど、形は様々である。ベルトや靴紐などに用いられるほか、被服・編み物などの縁の装飾用として使われ、夏帽子の素材にもなる。

チョバウィ 조바위

女性の防寒帽の一つ。朝鮮時代末期に、両班（文武官一族）階層から庶民に至るまで、広く用いられた。頂部は開いており、後部は髪型を▶娘子モリにしたときに髷に被らないよう、丸くくりぬかれている。また、頬当てが耳と頬を覆うようになっている。表地には黒や紫色の▶紗・▶緞などの絹布、裏地には藍色・紫色・黒などの緞や▶紬（平絹）・木綿などが用いられた。寿福康寧・富貴多男

チョバウィ　温陽民俗博物館所蔵

などの文字や花文様を刺繍し、金糸や銀糸で留め付た珊瑚の先に翡翠・玉などを下げ、房飾りで装飾した。→暖帽

チョボク〔朝服〕 조복

朝鮮時代に、国王や文武官が元旦の朝や冬至など、祝賀の儀式に参列する際に着た礼服。▶官服の中で最も華麗なもので、▶金冠を被ったことから金冠朝服ともいう。白の▶中単・赤色衣、赤の▶裳、赤の▶蔽膝・▶後綬・▶佩玉・金冠を着用し、▶笏を手に持ち、黒履を履いた。衣と裳・中単には▶襈（縁取り）を巡らし、▶襈の色は15世紀初めの太宗の代には1品から9品まで青であったが、《▷国朝五礼儀》（1474年）では黒とされている。生地は、太宗の代には▶羅と定められたが、《▷経国大典》（1484年）と19世紀後半の高宗の代には▶綃（生絹）であった。《国朝五礼儀》には青羅衣・赤羅裳・白紗中単とあり、衣の青が特異である。袖の広い中単を着て、前三幅・後四幅の裳を締め、脇の明いた衣を上に羽織る。品階の区別は、金冠の▶梁の数と後綬の文様、そして▶革帯の装飾によった。

太宗16年（1416）3月に制定された朝官の官服制度は次のとおりである。①1品：五梁冠・金革帯・玉佩・四色雲鶴金花錦綬・象牙笏②2品：四梁冠・金革帯・玉佩・四色雲鶴花錦綬・象牙笏③3品：三梁冠・銀革帯・薬玉佩・四色盤鵰花錦綬・象牙笏④4品：二梁冠・銀革帯・薬玉佩・三色（黄・緑・赤）練鵲花錦綬・象牙笏⑤5・6品：

二梁冠・銅革帯・薬玉佩・三色練鵲花錦綬・槐木笏⑥7・8・9品：一梁冠・薬玉佩・二色（黄・緑）鸂鶒花錦綬・槐木笏。

赤羅衣・赤羅裳・白紗中単・赤羅蔽膝、赤白の絹の大帯、白襪・黒履・▶角簪は、1品から9品まですべて同じである。この朝服制度は、世宗8年（1426）に確定し、《経国大典》に引き継がれた。→官服㊂
金冠朝服

ちょうせんのふくしょく〔朝鮮の服飾〕 조선의 복식

朝鮮時代の服飾は、高麗時代末期の服飾制度を受け継いだ時期、文禄・慶長の役や丙子胡乱の時期、開化期などに分けられる。

官服の場合、その構成には大きな変化がなかった。1636年の丙子胡乱に前後して中国では清が興り、服飾制度が大幅に改編されたが、我が国は明の制度を固守し続けた。朝鮮時代の法制は、太祖の代の《▷経国大典》の起草、同10年（1410）の儀礼詳定所の設置などを経て、睿宗の代の《経国大典》の成立でその完成を見たが、これは建国初期のこの時期に元の礼制から抜け出し、明の礼制を忠実に受容する過程であったといえる。その後、19世紀末の開化期に国王が皇帝に昇格し、服飾においても若干の格上げがあったが、服飾制度の基本は守られた。国王や両班階層は、朝鮮時代を通じて明の▶紗帽・▶団領を常服とし、特に国王の▶冕旒冠・▶九章服・▶遠遊冠・▶絳紗袍などは、中国の制度をそのまま採り入れたものであった。

朝服一式　　　　　　　　　　　　　赤紵衣

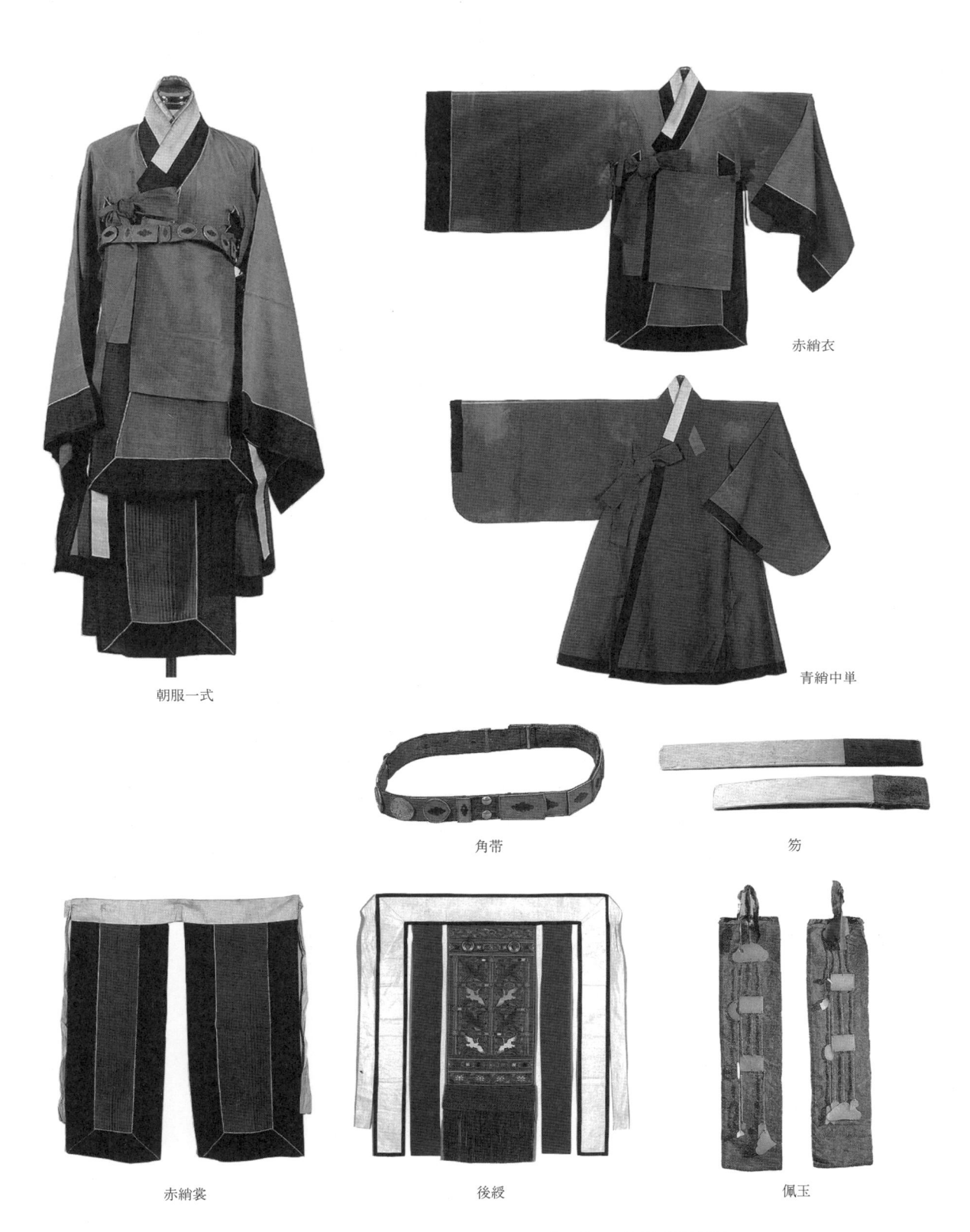

　　　　　　　　　　　　　　　　　青紵中単

　　　　　角帯　　　　　　　笏

赤紵裳　　　　　後綬　　　　　佩玉

朝服　鄭元容（1783〜1873）遺品。重要民俗資料第13号。国立民俗博物館所蔵。

チョヨン〔組纓〕 조영

一方、官服以外の服飾は、上古から伝えられてきた我が国独自の袍衣やパジ（ズボン）・チョゴリ（上衣）が用いられ、一般民衆も元の時代から踏襲されてきた▶チョルリクや、上代から用いられた▶トゥルマギを普段着とした。

チョヨン〔組纓〕 조영

国王の大礼服に用いられた▶冕旒冠に飾り付ける朱色の紐。一端を、冠に横に挿された笄（簪）の左側に絡ませ、別の端を顎の下を通して右側の笄に掛ける。高麗時代の12世紀、毅宗の代に制定された国王の▶祭服（祭祀服）は、「袞冕の前後に邃縫・▶青紘・▶青紞・青瑱・青纊を付ける」（《▶増補文献備考》巻79礼考26章服1）とあり、青紘が用いられていたことがわかるが、朝鮮時代の15世紀、世宗の代の《冠冕図》には見当たらない。後の光武元年（1897）に定められた皇帝の冕服制度には、玉珩・玉簪導・朱纓・青紘・充耳などとあり、朱纓が用いられていたことがわかり、皇太子の▶官服には玉珩・金簪・玄紞・青紘・充耳を用い、白玉瑱珠の紘纓を付けるとされている。→冕旒冠

チョオク〔棗玉〕 조옥

棗の形をした玉。新羅時代の複数の古墳から、装飾品として使われた棗玉が出土しているが、素材は瑪瑙・玻璃などである。

チョウグァン〔鳥羽冠〕 조우관

▶折風帽に鳥の羽根を飾ったもの。三国時代に男性が被ったもので、冠帽の部分と鳥の羽根の部分とに分けられる。冠帽は山型の折風帽で、動物の皮や羅、金属などで作られた。羅冠には紫色・翡色（青磁色）・縹青色などのものがあり、金属冠には金・銀・金銅が用いられた。鳥の羽根の部分は、その形により鳥羽式・鳥尾式・金羽式に分けられる。鳥羽式は2本の鳥の羽根が挿されたもので、中国吉林省集安県の舞踊塚狩猟図の騎馬人物が被っているものである。鳥尾式は数本の鳥の尾を一束にして冠帽の正面に挿す方式で、舞踊塚主室西壁の狩猟図の騎馬人物に見られる。金羽式は鳥の羽根の形の金属を挿したもので、平壌市の鎧馬塚主室騎馬図の2番目の人物に見られるが、これは支配層である貴族が鳥の羽根を金属製に替えたものである。文献によると、貴族・公職者が被ったとあるが、舞踊人が鳥尾式の鳥羽冠を被った例もある。新羅でも金属製の鳥羽冠を使用していた

ことが、古墳の出土遺物からわかる。→折風帽

チョウイ〔皂衣〕 조의

黒の外衣。高麗時代に、金銭・穀物・麻・絹などを出納する州・県の人吏が着た。皂衣に▶幞頭を被り、黒い革製の句履を履いた。（《▶宣和奉使高麗図経》巻21）

チョジャジョクポク〔照刺赤服〕 조자적복

朝鮮時代に、軍楽を担当した宣伝官庁の法螺貝奏者が、宮中儀式で着た礼服。黄色の木綿で仕立てられた単の▶直領で、袖は細く隅が広がっている。頭には▶草笠を被り、藍色の帯を締め、脛には▶行纏を巻き、白の▶ポソン（足袋）に▶チプシン（草鞋）を履いた。

チョジュグ〔皂紬裘〕 조주구

黒の平絹で仕立てられた広袖の▶袍（＜外衣）。高麗時代に、科挙に合格した進士が四帯文羅巾を被って皂紬裘を羽織った。（《▶宣和奉使高麗図経》巻19）

チョジムモリ 조짐머리

朝鮮時代に、両班家（文武官一族）の女性が用いた髪型の一つ。入れ髪10束を後頭部に被せ、前頭部の分け目に載せた▶チョプチの紐につないだ▶加髢の一つである。18世紀後半

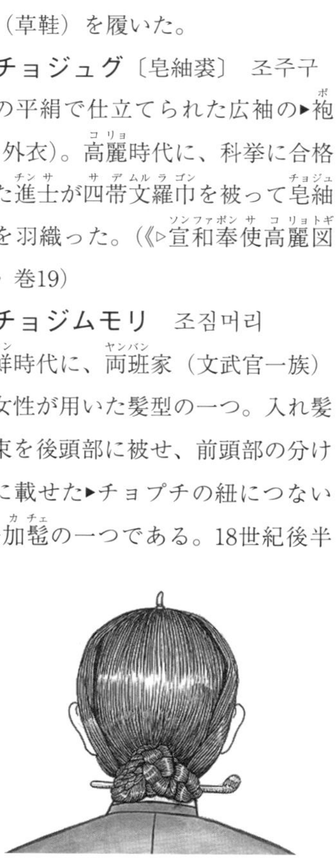

鳥羽冠　（上）鳥羽式鳥羽冠。（下）鳥尾式鳥羽冠。舞踊塚主室西壁。

チョジムモリ

チョクトゥリ〔▽簇▽頭▽里・▽足▽頭▽里〕족두리

の正祖の代に加髢禁止令が下され、髪を頭頂に載せる▶オジュンモリの代わりに後頭部に髷を結う▶チョクチンモリが奨励されたため、この髷を目立たせるために工夫されたものである。簪や▶トルジャム（揺れ簪）を挿して飾る。《四節服色自蔵要覧》には、「10月から正月まではメッキの竜簪を、2月には玉の牡丹簪を、5月にはミン玉簪やトルジャムを挿す」と記されている。

チョポ〔造布〕조포
咸鏡北道で織られる麻布。幅が狭く、厚地で目が細かい。

チョハ〔朝賀〕조하（ちょうが〔朝賀〕）
元旦・冬至・即位・誕生日などの慶祝日に、王世子（皇太子）・王族・文武官・外国使節などが国王と王妃に拝賀する儀式。世子嬪や内外命婦（側室・女官など）は、王妃・大妃（先王の妃）に拝賀した。正至朝賀・朔望朝賀・誕日朝賀などと呼び分けられ、正至（元旦と冬至）・即位・誕生日などの慶祝日には▶朝服で、朔日（毎月1日）には▶公服で、望日（毎月15日）には常服で参列したが（《朝鮮王朝実録》世宗28年1月辛卯）、望日には公服を着ることもあった。

チョハグム〔朝霞錦〕조하금
美しい文様が織り成された錦の一つ。新羅時代の景文王9年（869）に、新羅で生産された朝霞錦を唐に贈った記録がある。（《三国史記》巻11新羅本記11景文王9年）→錦

チョハジュ〔朝霞紬〕조하주
新羅時代に用いられた▶明紬（平絹）。《三国史記》に、聖徳王22年（723）4月に朝霞紬を唐に贈ったと記されている。

チョファ〔造花〕조화
▶韓紙製の造花。宮中や一般民家・仏家・道家・巫俗において装飾用として広く用いられてきた。19世紀半ばの《▶大典会通》（巻6工典京工匠）には、祭祀所管庁の奉常寺に花匠6名を置いたと記されている。また、土木・建築所管庁の繕工監に食卓を装飾する造花工の状花籠匠4名が配属されており、宮中には祝賀客の襟に挿す花を主に作る花匠と、食卓の装飾花を専門に製造する状花籠匠が別にいたことがわかる。高宗39年（1902）の《▶大典会通》に記された造花の種類は全部で22種類で、御簪・糸圏花・糸圏花・樽花・三層大水波蓮・二層中水波蓮・一層小水波蓮・牡丹花・月季花・紅桃別間花・四季花・紅桃三枝花・紅桃別建・紅桃二枝花・紅桃建花・福盆子花・紅桃間花・瓜子花・菊花・柚子花・茄子花・柿子花・葡萄花である。

チョクコン 족건
国王が履く▶ポソン（足袋）を意味する宮中語。→ポソン

チョククァン〔簇冠〕족관→同チョクトゥリ

チョクトゥリ〔▽簇▽頭▽里・▽足▽頭▽里〕족두리

チョクトゥリ函

チョクトゥリ　①各種の豪華な装飾を施した七宝チョクトゥリ。上面中央には花柄の玉板を付け、珊瑚・琥珀・翡翠・真珠の珠を縫い付けてある。各角には七宝で飾った蝶型の揺れ簪と赤い絹糸の結び飾りが付けられている。また、縁には白い珠を2列に縫いつけ、輪郭を出している。側面にも珠を花の形に縫い付け、正面には数珠状の飾りの先に五色の房を付け、豪華さを演出している。②上面に白玉を彫った五つの花形と、その中央に玉板の飾りを付けてある。側面には寿福康寧の文字を青石で彫り、飾り付けてある。③上部に玉板装飾を施し、側面には白珠を丸い花形に縫い付けてある。④上面の左右に黄色の琥珀を飾り付け、側面に玉板を蝶・蝉などの形に彫ったものを付けてある。⑤上面に黄色の琥珀と玉板・珠のみが飾り付けてある。

チョン〔縱〕 종

朝鮮時代に、女性が儀式の際に礼服に合わせて被った冠の一つ。18世紀の英祖・正祖の代に下された▶加髢禁止令以降に流行した。黒絹6枚をつないで丸く形作ったものに、綿を入れてある。各面を七宝・蜜花（黄色の琥珀）・玉などで飾ったものもあり、七宝チョクトゥリ・▶オヨムチョクトゥリ・▶ミンチョクトゥリなどの種類がある。チョクトゥリの起源は▶カリマであると思われる。

英祖32年(1756)正月に、名門の女性は入れ髪をやめてチョクトゥリに替えよとの命が下された。翌33年11月には若い女性はチョクトゥリを、老女は入れ髪を用いていたという記録があり、さらに翌34年1月にはチョクトゥリ以外の女性の頭飾りは一切厳禁となった。正祖12年(1788)の▶加髢申禁節目では、婚礼での七宝チョクトゥリ使用が厳禁となった。19世紀末の《▶林下筆記》（巻17文献指掌編）に、「チョクトゥリは光海君の代からすべて表は黒の木綿で作り、裏には紫朱色を当て、中は空洞である。これを頭に載せて用いるが、一時好まれて流行した」とあり、以前から被られていたものが、加髢禁止令とともに積極的に勧奨されて一般化したことがわかる。

チョン〔縱〕 종→唐只

チョングァンボク〔從官服〕 종관복

高麗時代に、国王に仕える4品の官吏が着た▶公服。▶紫文羅袍に御仙金帯を締め、▶幞頭を被った。→高麗の服飾

チョンギョムン〔宗教紋〕 종교문

宗教の教理や象徴物を図案化した文様。特に仏教紋が多く、▶卍字紋・仏手紋・▶蓮花紋などがある。卍字紋は仏心に現れる吉祥万徳を象徴し、袈裟などに刺繍される。仏手紋は釈迦の手に似る仏手柑の実をデザインしたもので、釈迦の大慈大悲の象徴として▶ノリゲ（女性韓服用房飾り）などに用いられる。蓮花紋は涅槃の境地と、泥の中でも美しい花を咲かせる高貴さの象徴として、陶磁器・ノリゲ・文箱などに多用される。→紋様

宗教紋　仏手紋

チョンテンギ 종댕기

▶道吐楽テンギに付ける細い紐。

チョンミョーテジェ〔宗廟大祭〕 종묘대제

朝鮮王朝歴代王の位牌を祀る宗廟で執り行われる国家祭祀。四季の始まる1月・4月・7月・10月の上旬と臘日（冬至後の3番目の未の日）に行われた。

チョンニプ〔鬃笠〕 종립

馬のたてがみや尾の毛で帽部や鍔を包んだ笠。16世紀の中宗の代に編纂された《大典後続録》（巻3礼典禁制）では、堂上官（正3品以上）のみに許された。同馬鬃笠

チョンイムン〔宗彝紋〕 종이문

十二章紋の一つで、宗彝を表す模様。宗彝とは、宗廟での国家祭祀に使われる酒器で、孝の象徴とされる。表面に虎と猿が描かれているが、虎は勇猛を、猿は知恵を意味する。後漢の学者であった鄭玄により、十二章紋に採用された。→十二章紋

宗彝紋

チョンジョンモリ 종종머리

女児の髪型の一つ。髪を中分けにし、それぞれ三編みにしたものを後ろで一つにまとめて、▶トトゥラクテンギや▶マルトゥクテンギといった帯状の飾りを付ける。

チョンジョンモリ

チョンチンニョボク〔宗親女服〕 종친여복

宗親にあたる女性が着る衣服。宗親とは国王の一族で、宗親府に属する者をいう。王女と同様、宗親の妻は▶外命婦とされ、同時に品階を与えられた。宗親の女性は宮中の制度に従うものとされ、服飾において

も同様であった。宗親女服を王妃や側室の衣服と比較すると、大礼服である翟衣を除いては、文様や色に大きな差は見られない。

チュアイム〔左衽〕좌임（ひだりまえ〔左前〕）
上着の右衽を左衽の上に重ねる着方。上代社会の▶襦や▶袍は北方系統の左衽が多かったが、高麗時代以降は右衽（右前）に変わり、朝鮮時代の▶トゥルマギや▶チョゴリはすべて右衽である。高句麗古墳壁画に見られる打ち合わせは、表のとおりである。

高句麗古墳壁画の襟と前合わせ

古墳名	左衽	右衽
集安 三室塚	3	1
集安 角抵塚	3	
梅山里 四神塚		3
龍岡 双竜塚	1	8
集安 舞踊塚	18	
大同 鎧馬塚		4
合計	25	16

（李如星《朝鮮服飾考》）

チュ〔紬〕주
絹織物の一つ。三国時代から用いられ、特に新羅では製織技術も発達し、魚牙紬・朝霞紬などは唐に輸出されるほどであった。朝鮮時代以降大量に生産され、▶明紬・生明紬・吐紬・三八紬などは今日でも用いられている。紬は普通、明紬・明白と呼ばれるが、《度支準折》や《宮中撥記》などを見ると、種類が非常に多様である。中でも、我が国の特産品として昔から名高いものは▶吐紬と水禾紬である。吐紬は「土産」の紬を当て字で表したもので、また水禾紬は機械織に対する手織りの絹布を意味し、別名ソン紬（手の

紬）という。繊維の太さにより、上紬・中紬・下紬などの等級がある。王室において、側室や女官が衣服の生地として明紬を用いたが、無文の明紬や目の細かい花紡紬は縁起が悪いとされ、日常での使用が避けられた。《国婚定例》では、吐紬は王妃や世子嬪の下着や裏地などにするものとされ、表衣には使われず、一般の女官も用いないのが慣例であった。（金用淑）

チュグァン〔鮭纊〕주광
国王の▶冕旒冠の両側に垂らされた丸い装飾品。国王が甘言に耳を貸さないための耳栓として、黄色の綿を丸めて紐を付け、耳に届く程度の長さに垂らしたもの。後代には玉の玉瑱が用いられた。→瑱

チュグェン〔朱紘〕주굉
国王の被る▶冕旒冠に付けられた朱色の紐。→紘

チュラバル〔周羅髪〕주라발
仏門に入るために剃髪する際、最後に剃る頭頂部の髪の毛。修行者が最後に絶つ小さな煩悩に例えられる。

チュランサ 주란사
綿糸の一つ。木綿糸の表面に出る綿毛を加工し、光沢を出した糸。㊅瓦斯糸

チュリプ〔朱笠〕주립
赤い笠。朝鮮時代に、文武堂上官（正3品以上）が▶戎服着用時に被った笠。細く割った竹で帽部と鍔を作り、朱色に塗ったもの。形は▶黒笠と同じで、▶虎鬚を挿し、紅色と黄色の珠を通した笠紐を付けた。高宗9年（1872）7月に、戎服着用の際には朱笠の代わりに漆糸笠を被るよう定められたが、同11年（1874）5月に再度朱笠を被るようになった。→カッ㊅紫笠

朱笠

チュリッテーチマ 주릿대 치마

チュリッテチマ （左）妓女の姿。(右) 1800年代の妓女。

349

チュマギ〔周莫衣〕 주막의

마
朝鮮時代の身分の低い女性のチマ(スカート)着用法。両班家の女性とは逆に、右から左に回して左腰に揃えたチマの端を、さらにお腹の上に半周させて吊り上げ、胸元で帯を締めるまとい方である。18世紀の画家恵園申潤福の風俗画に見られるように、身体がほっそりと見え、昔刑罰に用いられた刑杖(チュリッテ)のように見えるためにこの名が付いた。下級の妓女や飲み屋の女性がこのスタイルをとったが、内側に着る▶ソゴッが露出するので、妓女たちは▶ソゴッにも贅沢な絹布を用いた。「チュリッテチマ」という名称には「チュリッテを打たれる者」という語感があり、一般の女性たちの妓女に対する否定的なとらえ方が反映されている。

チュマギ〔周莫衣〕 주막의
▶トゥルマギの別称。19世紀初めの《万機要覧》(軍政編3御営聴軍器)に、「木綿周莫衣五十領」とある。
→同トゥルマギ

チュモニ 주머니(きんちゃく〔巾着〕)
金銭や所持品を入れるための、口を紐で締める袋。三国時代からパジ(ズボン)の腰や胸のあたりに着けられ、実用と装飾を兼ねていた。《▶三国遺事》(景徳王)に「恵恭大王が絹のチュモニを好んで身に着けた」とあり、統一新羅時代にもチュモニが用いられたことがわかる。《▶宣和奉使高麗図経》(巻20婦人貴婦)には、「高麗の貴族の女性たちは橄欖勒巾を締め、彩色の紐に金の鈴を付け、絹の

香嚢を下げる」とあり、高麗時代にもチュモニが愛用されていたようである。朝鮮時代のものとしては後期の伝世品が残っているが、主に宮中や民間で作成した物件一覧である《嚢撥記》などにも名前が記されている。
チュモニは絹や木綿を素材とし、紐は唐八糸(糸8本の組紐)を使って蝶や梅の花などの▶メドゥプ(飾り結び)を施し、表には富貴・長寿を象徴する吉祥紋が刺繍された。種類は、丸型の▶トゥルチュモニ(ヨム嚢・夾嚢)と角型の▶クィチュモニ(チュムチ・角嚢)の2種類があり、文様や用途により▶黄嚢・▶宮嚢・▶山水嚢・梅花嚢・桂枝嚢・五福嚢などがある。
宮中でも、誕生日に着る大礼服には真紅の地に真珠を散りばめた真珠チュモニを着け、特に新年最初の亥の日には、炒り大豆を1粒ずつ紅紙に包んでチュモニに入れ、国王の親族に贈る風習があった。これは亥の日にチュモニを身に着けると、1年間無病息災で過せると信じられていたためである。庶民の間でも、1歳の誕生日や還暦祝いにはチュモニを贈るのが通例であった。各種文様を刺繍した▶香嚢や▶パヌルジプ(針入れ)は▶ノリゲ(女性韓服用房飾り)として身に付けられることもあり、▶スジョジプ(箸匙入れ)・筆嚢なども日常生活でよく使われるチュモニといえる。同嚢・嚢子

チュモボク〔酒母服〕 주모복
朝鮮時代に、飲み屋で酒を出す酒母が着た服装。上半身には▶半回装

トゥルチュモニ。糸田刺繍博物館所蔵。

クィチュモニ

繍薬嚢。国立古宮博物館所蔵。

チュモニ

チョゴリを着、▶チマ（スカート）は裾を右から左に回し、たくし上げて巻いた上から細帯を結ぶ▶チュリッテチマの姿をとり、動きやすくした。腰紐を結ぶのは酒母だけではなく、庶民が作業をするときの共通の姿である。髪型は▶トゥレモリにし、赤紫の▶テンギ（≒リボン）を右頭部に飾り、足には主にチプシン（草鞋）を履いた。

酒母服

チュサリプ〔朱糸笠〕주사립
→朱笠

チュヨン〔珠纓〕주영
▶カックン（笠紐）の一つ。金・銀・玉の珠などに紐を通して一つなぎにしたもので、夏は琥珀・鼈甲・水晶・錦貝（黄色の透明な琥珀）・蓮の実などで作られた。珠纓は笠の最も豪華な部分で、胸の前まで届く長さに垂らされ、顎紐はこれとは別の布紐を用いる。朝鮮時代には、笠の種類に合わせてその素材を変えるなど奢侈が過ぎるようになると、禁制が出されたこともある。15世紀末の燕山君の代に珠纓が禁止され、麻や絹布を用いるようにしたこともあったが、その後朝鮮時代末期まで使われたと見られる。

チュウイ〔周衣〕주의→同トゥルマギ

チュインボク〔舟人服〕주인복
船乗りが着る服。高麗時代の船乗りは、丈の短い粗い麻の服を着て、▶竹冠を被ったが、その形は四角・円形など様々であった（《▶宣和奉使高麗図経》巻19）。→高麗の服飾

チュジャチク〔朱子織〕주자직（しゅすおり〔朱子織〕）
織物組織の一つ。経糸と緯糸の交差する組織点を一定な間隔で飛ばして配置し、経糸あるいは緯糸いずれか一方が浮く組織。平織・綾織のように組織点が連続しないため、織物の表面が平滑で光沢があり、地合いが軟らかい。

チュジョルリプ〔朱氈笠〕주전립
軍隊で罪人を扱う軍牢が被った赤い毛氈の笠。→同クルレボクタギ

チュチャウイ〔周遮衣〕주차의→同トゥルマギ

チュチュイグムグァン〔朱翠金冠〕주취금관
朝鮮時代に、宮中舞踊の望仙門・慶豊図舞・万寿舞・献天花舞を舞うときに、舞い手が被った冠。形は▶コウンゲと同じだが、脇に朱色または翡翠色の枝状の突起を飾り付け、青の紐を垂らした。→宮中舞服

朱翠金冠

チュチュイチルチョククァン〔珠翠七翟冠〕주취칠적관
朝鮮時代に、王妃が▶翟衣を着て被った冠。太宗3年（1403）11月に、明への使臣黄儼・朴信らが持ち帰った王妃の冠服に含まれていた（《▶朝鮮王朝実録》太宗3年11月辛未）。→翟冠

チュトセク〔朱土色〕주토색
→同朱紅色

チュホンセク〔朱紅色〕주홍색
赤土を水に溶いて沈殿させたもので染めた色。朝鮮時代には貴重な色とみなされ、世宗11年（1429）には進上用の服飾と御用器物以外への使用が禁じられた。（《▶朝鮮王朝実録》世宗11年2月辛巳）同朱土色

チュホンチル−ポプポッカプ〔朱紅漆法服匣〕주홍칠법복갑
礼服の▶法服をしまうための、朱紅色（橙色）に塗られた箱。朝鮮時代の太宗3年（1403）に、中国の皇帝から下賜された王妃の冠服一式に含まれていた。（《▶朝鮮王朝実録》太宗3年10月）

チュクカムトゥ〔竹坎頭〕죽

チュクコンエ 〔竹工芸〕죽공예

감투
竹製の▶坎頭（＜帽子）。朝鮮時代の太宗15年（1415）に、地方官吏の郷吏が被る笠の制度が定められ、通引・将校・駅吏は通常は▶頭巾、雨や雪の日は油紙の油紙帽を被り、官庁に出入りするときや使臣を接待するとき以外は黒の竹坎頭を被るものとされ、縁の幅は2寸に限定された。《▶朝鮮王朝実録》太宗15年4月）

チュクコンエ 〔竹工芸〕죽공예
（たけこうげい〔竹工芸〕）
竹を素材とした工芸。主に全羅道・慶尚道で生産される。竹は削るなどの加工を経て工芸品にするが、細工が簡単で用途も広く、融通の利く素材である。《▶経国大典》（工匠）に記された都と地方の竹職人の種類をみると、竹の器を作る竹匠、竹櫛を作る竹梳匠、笠の鍔を作る涼太匠、雨傘匠、すだれを作る簾匠、扇子を作る扇子匠などがいたことがわかる。

チュックァン 〔竹冠〕죽관
高麗時代に船乗りが被った笠の一つ。竹ひごを編んで作られた。《▶宣和奉使高麗図経》（巻19舟人）には「船乗りたちは竹冠を被るが、角ばったものもあれば丸いものもあり、一定した形はない」と記されている。→舟人服

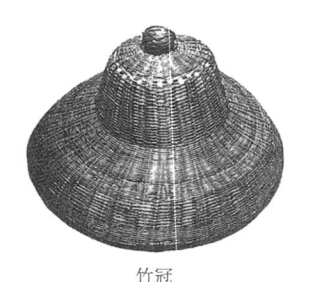

竹冠

チュンニプ 〔竹笠〕죽립
細い竹ひごを編んだ笠。朝鮮時代に僧侶や女性が被った。漏斗型で、僧侶のものは小さいが、女性用は上半身を覆うほど大きい。→同婦女サッカッ・僧侶帽

チュクプイン 〔竹夫人〕죽부인
竹ひごを人間の背丈ほどの円筒形に編んだ器具。主に男性が夏の暑さをしのぐために用いるもので、布団の中で抱いて眠ると風通しがよく、竹の冷たさも手伝って涼しく眠れる。

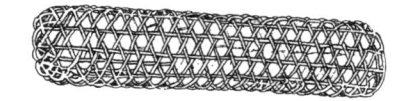

竹夫人

チュクサリプ 〔竹糸笠〕죽사립
朝鮮時代に、国王や両班（文武官一族）階層の間で被られた笠の一つ。細く割いた竹で帽部や涼太（鍔）を4層に編み、絹糸を1本1本被せて塗ったもので、▶黒笠中の最上品である。帽部の根元に糸を巻いて身分を表示したが、国王が被るものには唐糸と呼ばれる中国製の絹糸を染めて撚った紅糸を巻き、臣下の笠には青糸や緑糸を用いた。同真糸笠

チュギョン 〔竹纓〕죽영
細い円筒形の竹に紐を通して1本につないだ▶カックン（笠紐）。竹と竹の間に玉や角状の装飾を挟む。→カックン（笠纓）

チュクチャン 〔竹杖〕죽장
喪中に用いる竹の杖。朝鮮時代には、《礼記》（喪服小記）に基き、▶斬衰服を着た遺族は竹杖を突き、▶齊衰服を着た遺族は桐杖を突いた。→喪杖

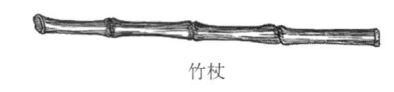

竹杖

チュクチョモリプ 〔竹猪毛笠〕죽저모립
豚の毛と竹を混ぜて編んだ▶黒笠。

チュクチョルリプ 〔竹戦笠〕죽전립
▶戎服着用時に被った竹製の▶戦笠。承・史・閣臣・別雲剣・文将臣・文摠官などが被った（《▶大典会通》礼典儀章）。憲宗7年（1841）3月には、将臣（大将）の着用が禁じられた。→戦笠

チュクチョル-カックン 〔竹節カックン〕죽절갓끈
琥珀の一種である錦貝や鼈甲などで作った笠の紐。素材を細い竹筒型にし、珠状のものと交互に紐を通して1本に繋いだもの。

チュクチェク 〔竹冊〕죽책
薄い竹片を綴った簡冊。世子妃の冊封文を記した。

チュン 〔純〕준
衣服や織物装飾品の周囲に巡らす▶襈（縁取り）。▶蔽膝では下端の縁取りを、▶深衣では襟の縁取りを指す。→深衣・蔽膝

チュンモ 〔駿帽〕준모
朝鮮時代の武官が▶氈笠の下に被った▶巾。頂部は尖り下部は丸く、前後の区別がなく▶宕巾によく似る。《▶林下筆記》

チュニ 〔純衣〕준의→同袡衣

チュル-ヌビ 줄누비
裁縫技法の一つ。2枚の布を合わせて刺し子縫いし、縫い目ごとに裏か

チュンチマク〔中到莫〕중치막

ら糊を付け火のしをして線を出す。
→ヌビ

チュルビョンジャ 줄변자
男性用の▶マルシン（晴天用の靴）の縁に飾り付ける細い布。

チュル-ヒャン〔チュル香〕줄향
香を数珠のようにつないだ▶ノリゲ（女性韓服用房飾り）の一つ。紅・白・緑・黄の4色の香を長くつなぎ房を飾りつけたもので、宮中で高位女官の尚宮たちがチマ（スカート）の中に垂らした。香には、救急薬にもなる漢沖香などが用いられた。
→ノリゲ

チュル香　（左）石宙善紀念民俗博物館蔵。（右）江陵市立博物館所蔵。

チュムチ 줌치 →⊜クィジュモニ

チュングンボク〔中宮服〕중궁복
王妃が着た服。朝鮮時代の王妃の礼服には、▶大衫・▶翟衣・▶露衣・▶長衫・▶円衫・▶唐衣などがあった。

チュンダン〔中単〕중단
①朝鮮時代に、国王・王妃・文武官が、▶朝服（朝賀服）・▶祭服（祭祀服）着用時に▶袍の中に着た衣服。すなわち、国王の衮服・▶絳紗袍、王妃の▶翟衣、文武官の▶赤綃衣・▶青綃衣の下に着られたものである。形は現在の▶トゥルマギに似て、襟は▶直領、袖が広い。襟・前裾・袖口などに▶襈（縁取り）を巡らし、国王・王妃・王世子は襟に▶黻紋（亞字紋）を金で箔押しした。初めて文献に現れるのは、高麗仁宗18年（1140）に国王が禘礼服装として七章服を制定した記事で（《▷高麗史》志巻26興服1冠服）、次の毅宗の代の《詳定古今礼》には白羅中単の名が見られる。⊜単衣
②朝鮮時代に、宮中舞踏の舞童が外衣の中に着た服。夏は白のカラムシ、冬は平絹で仕立て、襈（縁取り）は黒で、襟に5色（黄・緑・紫・藍・桃紅）の絹を用いた。（《楽学軌範》巻9世宗15年2月）

チュンドン-パジ 중동바지
上部は単、下部は袷に仕立てた女性用のパジ（ズボン）。

チュンドゥリ 중두리
股下に絹で当て布をした、袷また

中単①翟衣の内側に着たもの。国立古宮博物館所蔵。

は綿入れのパジ（ズボン）。

チュンドゥリ　江陵市立博物館所蔵。

チュンボク〔重服〕중복
5種類ある▶喪服のうち、身近な身内の喪に着る▶斬衰服・▶齊衰服・大功服の3種類。

チュンイ〔中衣〕중의
夏物の男性用単パジ（ズボン）。→袴衣

チュンチマク〔中到莫〕중치막
16世紀末の文禄・慶長の役以降、士大夫が外出時に着た直線襟の▶袍（<外衣）。玉色（水色）・白・青・藍色などに仕立て、▶朝服（朝賀服）などの中着とした。直線襟に広袖で、身頃は長く、脇に▶ム（襠）は当てず、脇裾は明いている。中到莫を着た姿は風俗画に多数描かれ、伝世品としては興宣大院君の着た青い絹の中到莫が、梨花女子大学博物館に所蔵さ

353

チュイルッテ 췰대

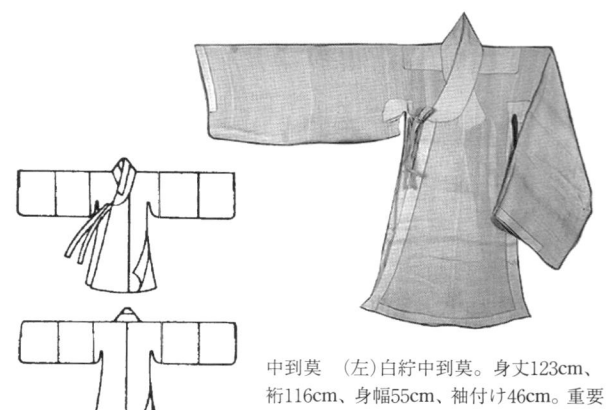

中到莫 （左）白紵中到莫。身丈123cm、袵116cm、身幅55cm、袖付け46cm。重要民俗資料第4号。李端夏（1625〜1689）遺品。長い広袖で両脇が明き、掛け襟がない。（右）〈酒肆挙杯〉（部分）。申潤福画。澗松美術館所蔵。

れている。高宗21年（1884）の甲申衣服改革令の際、広袖の▶大氅衣、直領・▶中衣、▶道袍とともに中到莫の着用は禁じられ、トゥルマギを着るようになった。（金美子）
→袍

チュイルッテ 췰대
手で▶ヌビ縫い（刺し子縫い）をするときに、布を巻くようにして使う細くて短い丸棒。縫おうとする部分の左横に当て、布の下から左手で布を巻くように持ち、右手で縫い進める。

チュン〔繒〕증
絹織物の一つ。薄く柔らかに織られた無文の高級絹。《▶三国史記》（東夷伝扶余）に、扶余の人々が外国に出掛けるときに着たと記されている。朝鮮時代の国王の大礼服であった▶冕服の▶裳や▶蔽膝にも用いられた。

チュンジャ〔鏳子〕증자→頂子

チガプ〔紙甲〕지갑
朝鮮時代の▶カボッ（鎧）の一つ。紙で札を作り、鹿革でつなぎ黒く塗ったもの。世宗32年（1450）1月に、紙甲は黒・黄色・青に染めるか、中国の楚の裏甲のように中に着て上に▶五方色の文様のある服を着るようにし、兜にも庇をつけさせた。（李康七）

チデギ 지대기
僧衣の一つ。特に、放浪の修行僧の衣服などを指す。→僧服

チドリプ〔紙塗笠〕지도립
紙を張った笠。国喪で、事前に▶白笠の準備ができないとき、黒い笠に白い紙を張って臨時に用いたものである。

チサッカッ〔紙サッカッ〕지삿갓
▶韓紙を張った▶サッカッ（笠）の一つ。雨天に用いられた。竹ひごで帽部を編み、その上に韓紙を貼って油を染みこませ、内側に▶ミサリ（頭にはめる型）を取り付けてある。主に慶尚北道の安東地方で被られたもので、普通の笠より目が細かい。直径が1m以上と非常に大きく、農夫が腰を曲げて作業をするときには、背中にくくりつけて全身を雨から守る。

紙サッカッ

チウサン〔紙雨傘〕지우산
竹ひごの骨に油紙を貼った雨傘。

チウサム〔紙雨衫〕지우삼
油紙で仕立てられた雨着。壮紙と呼ばれる厚紙に大豆油を染み込ませ、雨が染みないようにしたもので、▶衫同様の身丈の長い衣服である。

チウイ〔紙衣〕지의
綿の代わりに紙を入れた冬服。西北

チンサボク〔進士服〕 진사복

地方の国境警備に当たる軍人が着たもの。→同襦紙衣(ユジャウイ)

チチョムン〔芝草紋〕 지초문→同霊芝紋(ヨンジムン)

チチョン-ミトゥリ〔紙チョンミトゥリ〕 지총미투리→同紙鞋(チヘ)

チヘ〔紙鞋〕 지혜
縒った紙で編んだ靴。朝鮮時代に身分の低い人々が履いたもので、17世紀末から18世紀初頭の粛宗(スクチョン)の代に一般庶民の間で流行した。都の人々が紙鞋(チヘ)を好んで履き、両班家(ヤンバン)(文武官一族)や官庁の文書が盗まれるおそれがあるとして、着用が禁じられたこともある。(《受教輯録(スギョチムノク)》巻5刑典禁制)同チチョンミトゥリ→鞋・シン

チファン〔指環〕 지환→同カラクチ(双指輪)

チッコータニ〔直裾襌衣〕 직거단의
在家の儒学者や庶民が通常着た単衣。「襜褕(チョミユ)」ともいう。直裾襌衣(チッコタニ)は衽が垂直だが、襟が胸元で曲がって脇の下に入ってから裾に落ちる形の曲裾襌衣(コッコタニ)もあった。《漢書》(寗不疑伝)に、襜褕は曲裾襌衣であると記されている。→襌衣(タニ)

チッキ〔織機〕 직기(しょっき・おりき〔織機〕)
織物を織る機械。人の手足を使って織る手織機と、電力・水力などの動力を利用した力織機に大別される。織物を織るには、まず織物の幅に必要な本数の経糸を緒巻きに巻いておき、これを2群以上に分けてその間に隙間を作り、1群の経糸を綜絖(そうこう)に1本1本通して上げ下げしながら、その開口部に緯糸を入れた杼を往復させることにより経糸と緯糸とを交差させ、筬を打ち込んで緯糸の目を詰めて、経糸と緯糸とをしっかりと組織してゆく、という基本手順を踏む。→同ペトゥル(織機)

チンニョン〔直領〕 직령
真っ直ぐな襟、またはその襟のついた▶袍(ポ)(<外衣)。高麗時代の禑王13年(1387)6月に、明の制度に従い官服が改定された際に登場した。朝鮮時代の世宗(セジョン)の代には、▶団領(タルリョン)が官服に昇格するとともに、直領(チンニョン)は庶民や賎民の服となった。両班(ヤンバン)(文武官一族)階層では、15世紀半ばの世祖(セジョ)の代以降普段着として用いられるようになり、宮中護衛官の▶別監(ビョルガム)や地方官吏の郷吏の間では▶常服(サンボク)(執務服)として用いられた。その後、高宗(コジョン)21年(1884)と32年(1895)の私服改革令により廃止されたが、その子の純宗(スンジョン)は皇太子のときに冠礼服として用いた。形態は、初期には細袖で、襟は先まで同じ幅の木板ギッを付け、脇に当てる▶ム(襠)は幅が狭かった。中期には袖が広がり、襟はカルキッ(刀襟)になり、幅広くなったムの上側を折って後ろに反らして羽織った。後期には広袖になり、襟は先の緩やかな現代の▶トゥルマギの襟と同じになり、ムは完全に後ろに反り返り、上側を後身頃に縫い付けた。高宗32年(1895)以後は、トゥルマギとほぼ同じ形のものもあった。(金美子(キムミジャ))

チンニョン-キョイムシク〔直領交袵式〕 직령교임식
直線襟の服を、衽が打ち合わせになるように着る方法。上代社会の▶襦(ユ)や▶袍(ポ)、今日の▶チョゴリや▶トゥルマギなどがこの方式である。

チンムル-チョジク〔織物組織〕 직물조직(おりものそしき〔織物組織〕)
織物における経糸と緯糸の交差のしかた。基本になるのは平織・斜紋織・繻子織の三原組織で、これ以外はこの応用組織である。

チンドン 진동(そでつけ〔袖付け〕)
▶チョゴリ(上衣)の袖の付け根の縫い目。

チンサダフェチェラン〔進糸多繪綵嚢〕 진사다회채랑
5色の絹布で作られた▶チュモニ(チョ)(巾着)。多くの絵が描かれている。朝鮮時代の燕山君(ヨンサングン)4年(1498)10月に、北方の女真族の軍司令官に下賜したことがある。

チンサリプ〔真糸笠〕 진사립
→同竹糸笠

チンサボク〔進士服〕 진사복

進士服

チンソ〔真梳〕 진소

朝鮮時代に進士が着た服。進士は科挙の小科の進士科に及第した人物で、儒教の最高学府である成均館に入学する資格を与えられた。黒絹の▶袍に黒帯を締め、▶四帯文羅巾を被り、革靴を履いた。

チンソ〔真梳〕 진소→チャムビッ

チンシン 진신

油を染み込ませた革靴。三国時代から用いられた。形は唐鞋と同じで、側面や靴底の革にエゴマ油を染み込ませてある。底の縁に鋲を2列打ち込んだものもあり、中には中央部まで鋲で埋めたものもある。回油鞋・油靴→シン

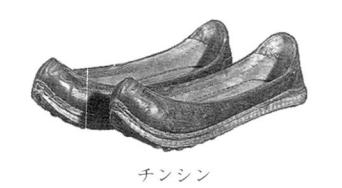

チンシン

チンジュナン〔真珠嚢〕 진주낭

真珠で装飾された▶チュモニ(巾着)。紅色の▶貢緞(<朱子織の絹)で作ったチュモニに小さな真珠を金糸に通して飾りつけたもので、朝鮮時代に王妃が正装に用いた。

チンジューテンギ〔真珠▽唐▽只〕 진주댕기

真珠で装飾された▶テンギ(帯状の頭飾り)。独身女性の簪に掛け、前に垂らす。婚礼の礼装をする際に▶髪型をクンモリにして使用した。→テンギ

真珠テンギ

チンジュサ〔真珠紗〕 진주사

絹織物の一つ。経糸・緯糸ともに生糸を用いた平織で、菱形文様が特徴である。

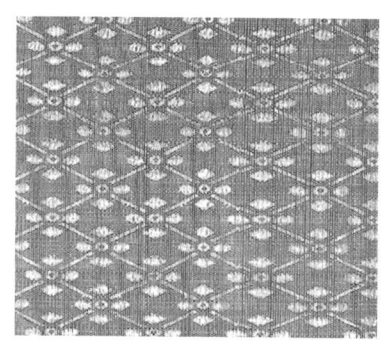

真珠紗 国立古宮博物館所蔵。国王の春秋用マゴジャの生地。

真珠嚢 国立古宮博物館所蔵。紅色の地に金糸で花文を平繡いした縁に真珠を付け、周りにも真珠を飾り付けて立体感を出している。上部には藍色の紐を付け、赤紫の紐には牛角でつないだ房を付けて品位を出している。

チンジュソン〔真珠扇〕 진주선

真珠で飾られた丸い扇。華麗に花の刺繍が施され、柄と要にも数か所真珠が付けられている。朝鮮時代の顕宗3年(1662)に、国婚で真珠扇を用いるようにしたが、価格が白金千両と言われるほど豪華なものだった(《▶朝鮮王朝実録》顕宗3年1月己卯)。両班家(文武官一族)で婚姻用に用いられたのも同じものだが、真珠を付ける代わりに牡丹の花が刺繍されていた。→プチェ(扇)

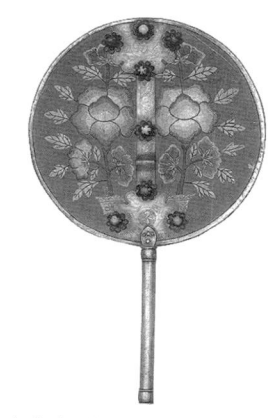

真珠扇 温陽民俗博物館所蔵。

チンジュジャム〔真珠簪〕 진주잠

頂部が真珠で飾られた簪。球形の周囲に大きな真珠をはめたものや、四方に大きな真珠、中央に小さな真珠をつけたものがあった。→大首・簪

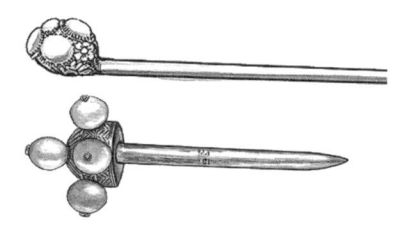

真珠簪 国立古宮博物館所蔵。

チンヒョングァン〔進賢冠〕 진현관

朝鮮時代に、雅楽の文舞や、俗楽の

文舞のうち保太平之舞を舞う楽人たちが被った冠。紙を何層にも貼り合わせて縁を針金で補強し、表は黒く塗って前面に美しい黄色で線が入れられている。裏には目の細かい麻布が貼られ、青い絹の紐が付いている。当初の文舞の冠は、紙を貼って作った二つの部分をつなげてあったため舞い手の頭に合わず、世宗15年（1433）3月に進賢冠が用いられるようになった。《▷楽学軌範》巻9冠服図説）

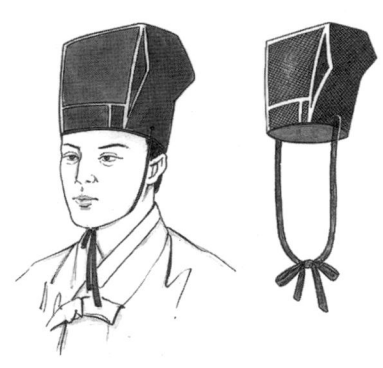

進賢冠 《楽学軌範》掲載の図。

チンヒョンボク〔進見服〕 진현복

国王に謁見する際に着る服。高宗33年（1896）7月に定められた明成皇后の服制によると、喪中の王世子（皇太子）の進見服は、一周忌の練祭までは漂白しない麻で仕立てられた直領衣・▷布笠・布帯とし、その後は漂白した麻の▷白布衣・白布裏翼善冠・▷烏犀帯・白皮靴で、王世子妃の進見服は、▷白布大袖長裙・▷蓋頭・頭帔・白皮鞋とされた。

チングムジル 징금질

裁縫技法の一つ。服が擦り切れにくくするため、他の布を当てて縫い付ける方法である。→パヌジル（裁縫）

チプシン 짚신

藁で編んだ履き物。爪先が短く、足の露出部が大きい。チプシンの歴史は古く、馬韓ですでに用いられていたことが文献で確認できる（《晋書四夷》馬韓）。12世紀初頭の高麗の風俗を記録した《▷宣和奉使高麗図経》（巻29供張2）には、「チプシンはつま先が低く踵の高い奇異な形である。国中の老若男女がみなこれを履く」とあり、具体的な形態まで記されている。過去には一般庶民が履いたが、現在では喪中に遺族が履く。藁以外には麻・葛・楮の皮で作るが、雨天には向かず、形が崩れやすいという欠点がある。目の細かいコウンチプシン、喪中に履くオムチプシン、蒲の茎などで編んだプドゥルチプシン、葛の蔓で編んだチョンオルチプシン、麻のサムチプシン、カヤツリグサで編んだワンゴルチプシンなど

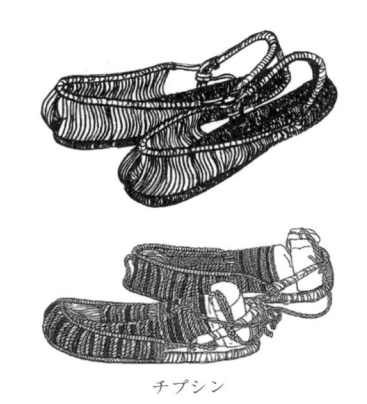

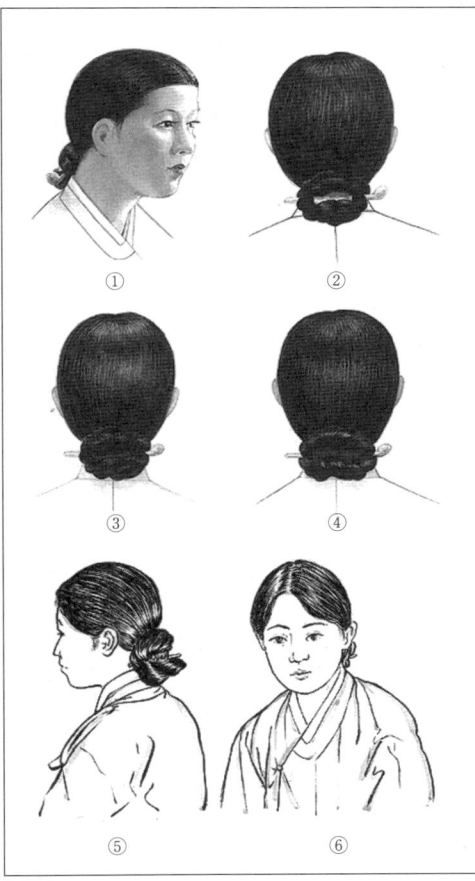

チプシン

チョクチンモリ
①②喪中の女性が喪服を着てチョクチンモリを結った姿。
③④一般の女性のチョクチンモリで、黒と赤紫のテンギを垂らす。
⑤⑥1880〜1900年代のチョクチンモリ。

チョク 쪽

どがある。⇔草履(チョリ)・草鞋(チョヘ)→シン

チョク 쪽

髪をうなじで一つに束ね、髷を結って簪を挿す既婚女性の髪型。

チョクテンギ 쪽댕기→⇔メゲテンギ②

チョクチン-モリ 쪽찐머리

髪をうなじで一つに束ね、髷を結って簪を挿す髪型。既婚女性の一般的な髪型である。額の中心で髪を分けて両側にとかし、黒の▶テンギ(リボン)で結わえてから後ろで一まとめにし、端に紫朱色(赤紫)のチョリムテンギを付け、髷を結ってから簪で固定する。三国時代からあった髪型で、高句麗(コグリョ)のものは、中国吉林省集安県の角抵塚(カクチョ)主室と舞踊塚(ムヨン)主室の女性に見られ、百済(ペクチェ)のものについては《周書》(巻49列伝異域)に、「家にいる者は後頭部で髪を丸くまとめ、その一つを下に垂らして飾り、既婚の者は二つに分けて垂らす」とある。新羅(シルラ)でも「女性は髪を後ろで結っており、北髻(ブクケ)という」(《東京(トンギョン)志》巻1風俗)との記録があり、三国で普及していた髪型であったことがわかる。その後、高麗(コリョ)時代を経て朝鮮(チョソン)時代まで続き、英祖(ヨンジョ)33年(1757)には、「以降は髢髻(チェゲ)(入れ髪)を改め後髻(フゲ)(チョクチンモリ)とし、宮中様式に則るようにせよ」(《▷朝鮮王朝実録(チョソンワンジョシルロク)》英祖33年12月甲戌)と、チョクチンモリが勧奨された。⇔北髻(ブクケ)・後髻(フゲ)・ナンジャモリ

え
チャ

チャギル〔借吉〕　차길
朝鮮時代、喪中にある喪制（死者の子または孫）が冠礼・婚礼などの▶吉礼を行うときに、▶喪服を脱ぎ、特別に▶吉服に着替えること。

チャリョプ　차렵
布団や服に綿を薄く入れること。薄く綿を入れた衣服には、チャリョプトゥルマギ・チャリョプパジ・チャリョプイブル・チャリョプチョゴリなどがある。

チャソン〔遮扇〕　차선
朝鮮時代に、新郎が顔を隠すために使った道具。四角い布の左右に木の柄が付いている。新郎が式場に入るときに、両手で持ち顔を隠した。→㊥紗扇

遮扇

チャエク〔遮額〕　차액→㊥加里尓⃞1

チャイル〔遮日〕　차일
日差しを遮るために張る幕。綿布や麻布で作る。今日の天幕のようなもので、神聖な儀式の最中に鳥の糞が落ちてくると不吉だとして、これを防ぐために用いられたという説もあるが、定かではない。竹の骨に油紙を張って傘のようにしたものを遮日傘というが、これは野外での詩筵や饗宴・科挙試験・漢詩大会などで使用された。

チャクス〔窄袖〕　착수
袂のない袖。北方遊牧民の服で、先史時代から用いられたものと思われるが、三国時代には袖の太い▶袍とともに使用されたことが、文献や壁画などで確認できる。朝鮮時代には、儀礼的な面の強い▶広袖が多用されたが、後期になると動きやすい窄袖に代えることが主張された。16世紀後半の文禄の役勃発直後には、全ての官吏の▶戒服と下着を窄袖としたことがある（《▷朝鮮王朝実録》宣祖26年7月甲寅）。宣祖30年（1597）には社会風俗所管庁の礼曹が、窄袖衣は雑役職が着る服であるため▶チョルリクを用いるようにと提案したが、宣祖は朝廷官吏の戒服の広袖をすべて直すよう指示した（《▷朝鮮王朝実録》宣祖30年9月癸巳）。17世紀前半の仁祖の代にも、「我が国の民の袖は太く、軍事の妨げになるので、袖を狭めるのがよい」とされ（《▷朝鮮王朝実録》仁祖26年10月）、19世紀末の高宗の代にも官服を盤領窄袖の▶黒団領にした（同、高宗21年閏5月24日）。

チャンチャン-ウイボク〔燦燦衣服〕　찬찬의복
五章紋・七章紋の刺繡された▶冕服のこと。（《▷星湖僿説》巻21経史門）

チャル〔札〕　찰→㊥カボッミヌル

チャルガプ〔札甲〕　찰갑
三国時代に、貴族階層の武士が着たカボッ（鎧）。小札を革紐で縫い合わせる革綴式のため伸縮自在で、鉄板式の▶短甲よりも動きやすく、乗馬にも便利な進歩した鎧である。中国吉林省集安県にある高句麗古墳の三室塚第二室西壁の武士図に、札甲と双角の付いた革綴式兜を被った武将の姿が描かれている。→カボッ（鎧）

札甲　三室塚第二室西壁。

チャムピッ　참빗
目の細かい竹櫛。平らな竹片の両側に細かい櫛目を入れたもので、髪をきちんと整えるのに用いられた。大きさにより、大梳・中梳・於中梳・密梳に分類され、中梳が最も多く用いられた。三国時代の古墳から櫛が発見され、高麗時代の伝世品もあることから、我が国の櫛の歴史は三国時代より前まで遡る可能性がある。→㊥真梳→ピッ（櫛）

チャムィボク〔參尉服〕 참위복

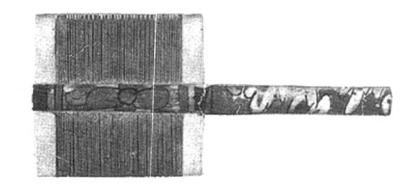

チャムビッ 朝鮮時代の画角チャムビッ。梨花女子大学博物館所蔵。画角が施されたもので、歯が細く目が細かい。実用品というよりは、女性の礼装品と思われる。歯は赤で、両側には白い牛の骨を使用している。

チャムィボク〔參尉服〕 참위복

20世紀初頭の大韓帝国末期に、武官の參尉が着た礼服。武官の西欧式服装制度は、高宗32年(1895)4月に初めて制定され、勅令第78号として施行されたが、光武元年(1897)と同4年(1900)に若干の変更があった(《官報》第639号・《朝鮮王朝実録》光武4年7月2日)。英王の着た參尉服が現存しているが、材質は起毛織物の黒い▶絨で、上衣の襟と袖口には紅色の絨が巻いてある。打ち合わせは右前で、左身頃を右に深く合わせるようになっている。襟は金糸の刺繍線で縁取りし、前側左右に星が一つずつ入れられている。身頃には、スモモの花を彫ってメッキした小型のボタンを左右七つずつ付け、左右の袖にも同じものを三つずつ付けてある。袖の標章としては、袖に巻いた紅色の絨とつながる部分に金糸線辺織で正倒己字形を縫い付け、その上部には金糸で人字型の線を入れ、スモモの花一輪を刺繍した。ズボンには黒い絨で12cm程度の幅の標章を付け、裏地には白の▶貢緞を当てている。

參尉服 英王の姿。国立古宮博物館所蔵。

チャムチュェ〔斬衰〕 참최 →斬衰服

チャムチュェボク〔斬衰服〕 참최복

▶喪服の一つ。5種類ある喪服の中で最も重要な服で、父・夫・摘出長子・夫の父が死去したときに足かけ3年間着る。また、このような親族を斬衰親と言う。非常に粗い生麻を用い、肩山など上部のみ縫って、脇や裾には針を入れない。上衣の丈は腰に巻く裳が隠れるほど長く、背中には▶負版、胸には▶衰と呼ばれる麻の布片を垂らし、両襟脇には▶辟領を付ける。裳は前三幅、後四幅が別々で、縫いは外から内に向けて入れる。冠は、紙を貼り合わせて作った型を服よりも目の細かい麻で包み、前後に3本ずつ襞を入れ、左から右に向かって横に縫う。丈は頭頂にかかる程度である。頭に載せた▶首経は、実の付いた麻で作り、頭囲は9寸である。(《▶国朝五礼儀》凶礼序例喪服) 繿斬衰→喪服

チャムトプテ 참톱대

綿布の製織過程で経糸に糊を塗る際に、緒巻きに経糸を巻きやすいよう幅を調節する棒。

チャムポ〔鴉袍〕 참포

青鉛色の▶喪服。朝鮮時代に、国王が一周忌にあたる練祭から26か月目の禫祭まで着た。2年目の大祥祭には、鴉袍・翼善冠・烏犀帯・白靴を着用した。正祖2年(1778)2月には、▶視事服(執務服)・法講服・陵幸服にも鴉袍と黒笠を用いた。

チャムポデ〔鴉袍帯〕 참포대

青鉛色の帯。朝鮮時代に、国王が鴉袍の上に締めた。

チャングモン 창구멍

布団・綿入れ・裕などを縫う時、後で裏表をひっくり返せるよう縫わずに残しておく孔。

チャンギボク〔倡妓服〕 창기복

妓女の服飾。朝鮮時代には倡妓服にも色の制限があり、太宗18年(1418)以降は黒を用い、三回装チョゴリとキョプチマ(裕スカート)が禁止されたが、▶半回装チョゴリや▶長衫を着ることは許されていた。また袖は細袖で、チマは単衣のものを左回しにまとい、両班(文武官一族)階級と区別した。

チャンオッ 창옷 →同小氅衣

チャンイ〔氅衣〕 창의
朝鮮時代中期から19世紀末の開化期まで、士大夫や庶民が着た直線襟の▶袍(<外衣)。士大夫は平常時の外衣や▶公服の中着として、庶民は外衣として用いた。▶道袍と▶トゥルマギの中間形態で、小氅衣・大氅衣・中致莫の3種類があった。小氅衣は一般的に「氅オッ」とも呼ばれ、細袖で丈は長くなく、▶ム(脇の襠)を付けず両脇の裾は明いており、家の中での普段着としたり、外出時に大氅衣・中致莫の中に着た。《正祖実録》(巻37、17年10月庚辰)に、「氅衣は閑居時に着るものとはいえ、朝廷官吏の服飾に属するものであり、公服の中着にするときは青を、私室では白を着た」とあるが、これは小氅衣に関する記述である。また、小氅衣は道袍・中致莫・大氅衣が許されない庶民に、後に発生するトゥルマギとともに外衣としての着用が許可された。大氅衣は広袖で、丈も若干長く、ム(襠)の両脇は少し明いており、背縫い下も割れており、裾は四つに分かれている。中致莫は広袖である点は大氅衣と同じだが、この服は小氅衣の袖が大きくなったもので、大氅衣は裾が四つに分かれているのに対し、中致莫は小氅衣と同様三つである。これは19世紀後半の興宣大院君の遺品からも確認できる。大氅衣・中致莫はともに外出の際に用いられ、上に細条帯を締めた。この二つは、高宗21年(1884)閏5月の甲申衣服改革の際に、道袍などの広袖衣とともに廃止され、1895年

氅衣 《平壌監司宴図》(部分)。檀園金弘道画。黒笠を被り氅衣を着た群集たち。

3月乙未改革では公私礼服にトゥルマギのみを着るとされたことから、氅衣は姿を消していった。(柳喜卿)

チャンポ-ピニョ〔菖蒲ピニョ〕 창포비녀
菖蒲の根を削って作った簪。端午の日に、女性が伝染病を予防するために菖蒲の根で作った簪に「寿福」の文字を刻み、端に▶臙脂を塗って髪に挿した。また、菖蒲の葉や根を浸した菖蒲湯で髪を洗い、紅色と緑の新しい服に着替えた。→ピニョ(簪)

チェ〔釵〕 채
先が2～3本に分かれた簪。忠清南道公州市にある百済古墳の武寧王陵から、国王が使用した金製の釵が出土したことがある。統一新羅興徳王の服飾禁制では釵に関して、「真骨女には▶鏤金細工と珠を付けること(刻鏤綴珠)を禁じ、6頭品女には純金・銀の彫刻や珠を禁じ、5頭品女は白銀以下を用いるものとし、4頭品女には▶鏤金細工と珠と純金を禁じ、平人女は真鍮以下を用いること」(《三国史記》巻33雑志2色服)と定められた。統一新羅時代には髪型や装飾品が唐のものに似ていたが、唐では宝鈿や花釵の数で身分・階級を区分したのに対し、統一新羅では冠や櫛・釵の素材と装飾で階級を区別した。(朴京子)

チェグク〔彩屐〕 채극
色を塗った木靴。朝鮮時代に主に子供が履いた。《▷四礼便覧》(巻1冠礼序立)に「屐とは木履のことだが、今は彩屐と呼ぶ。幼い男児が用いた。今は必ず履かねばならないということはなく、代用しても問題ない」とある。→ナマンシン(木靴)

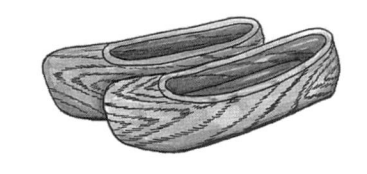

彩屐

チェダン〔彩緞〕 채단
婚姻に際し、新郎家が新婦の家に贈る絹布。青・紅の1着分の生地を青糸・紅糸でくくり、手紙を添えて贈るのが通例である。→納幣

チェモリ 채머리
髪を後ろに長く垂らす自然な髪型。三国時代の女性の髪形で、中国吉林省集安県にある高句麗古墳の舞踊塚壁画に描かれている。

チェムンソク〔綵紋席〕채문석

チェモリ　舞踊塚

チェムンソク〔綵紋席〕채문석
色柄を入れた茣蓙。

チェボン〔綵棚〕채봉
国王や中国の勅使が通る際に、道沿いの城門や橋を飾るのに用いられた色糸・色紙・色布のこと。また、そのように飾ること。→㊀結綵

チェサン〔彩箱〕채상
竹・柳・葦・カヤツリグサなどを染色して編んだ箱。「彩篋（チェヒョプ）」ともいう。平安南道にある楽浪古墳の彩篋塚から、彩篋漆器が出土している。彩箱は3個または5個一組で、3個のものを三合（サムハプ）、5個のものを五合（オハプ）という。大きい箱には服や生地を、小さな箱には化粧品や装身具・日用雑貨を入れ、針箱や貴重な文書・書簡の保管箱としても用いられた。彩箱は、竹や柳を編んだ箱の中では最上品で、色紙を内外に貼ったものもある。また、紙に漆を塗ったり、四隅に皮を当て、縁を魚皮で飾ったものもある。（参考）文化財管理局《重要無形文化財解説》（工芸篇）、1987。㊀

彩篋（チェヒョプ）

チェファ-ポクトゥ〔綵画幞頭〕채화복두
朝鮮（チョソン）時代の舞台衣装の一つ。▶幞頭（ポクトゥ）に金花飾（クムファシク）を付け、5色の大団花（テダンファ）を刺繡したもの。舞い手は、青袍（チョンポ）に▶角帯（カクテ）を締め、綵画幞頭（チェファポクトゥ）を被り、黒い靴を履く。（《▶朝鮮王朝実録（チョソンワンジョシルロク）》太宗5年9月）

チェク〔幘〕책
高句麗（コグリョ）で被られた、頭巾形の冠帽。▶折風帽（チョルプンモ）とともに、文献に現れた最初の被り物である。我が国の幘（チェ）は中国の幘とは異なる特徴を示し、中国の様々な文献に「無後幘」と記されているが、折風帽より常に上位の被り物として、貴人や高位官吏が被った。実際に高句麗の壁画に描かれた幘は、一つの完成した冠帽であったが、後ろに垂れる部分がないだけでなく、後頭部が突き出た独特の平巾幘（ピョンゴンチェク）の形である。高句麗の幘は、後頭部に突き出た角（カク）の形状によって2種類に分けられる。一つは鉢の前中央が少し突き出ており、後部は前より一段高く、後部の尖った角が二つか三つに分かれている形で、壁画で見る限り、主に活動量の少ない文官が被ったものと思われる。もう一つは鉢の後部が突き出したもので、前から見ると後部が一段高く、横から見ると後部が三角形をしている。（姜淳弟（カンスンジェ））㊀幘巾（チェッコン）・承露（スンノ）→高句麗（コグリョ）の服飾

幘　水山里古墳

チェッコン〔幘巾〕책건→㊀幘（チェク）

チェンモリ 챙머리
女性の髪型。といた髪を頭の上に丸くふくらませて結い上げた、飾りのない髪型である。開化期の女性が用いた。

チョネ〔▽薦▽衣〕처네
庶民の女性が外出時に用いた被り物の一つ。19世紀末の開化期に、西北地方で主に防寒用として使われた。紫朱色（チャジュセク）（赤紫）の絹や木綿に、緑色や藍色の裏地を当てたもので、形は▶チマ（スカート）に似る。両脇に大きな▶ム（襠）を付け、綿を入れるが、▶チャンオッより丈が短く、袖はない。被りやすいよう4本の襞を入れ、襟には掛け襟をかぶせ、両襟の紐を後頭部で結ぶようになっている。子供を背負うのに使うポデギ等も、チョネの一種といえる。㊀薦衣

チョニョボク〔処女服〕처녀복
朝鮮（チョソン）時代の未婚女性の服飾。ふつう、真紅のチマに黄色の▶三回装（サムフェジャン）チョゴリを着て、チマの裾を左から右前に回してまとい、襟・オッコルム（結び紐）・キョンマギ（脇当て）・クッ

トン（袖口）に紫朱色（赤紫）の布を当てた。髪型は両脇の髪を後ろの髪と合わせて長く垂らし、真紅の▶チェビブリテンギ（垂れ帯）を結んで飾った。

チョネ　温陽民俗博物館所蔵。

処女服　真紅のチマに黄色の三回装チョゴリ。

チョヨングン〔処容裙〕 처용군

宮中舞踏の処容舞の舞い手が着る▶パジ（ズボン）。四方に位置する舞い手のうち、東・北の処容は紅色の絹の処容裙を履き、緑色の襈（縁取り）を巻いた方膝を膝に当てる。西・南の処容は黒い絹の処容裙を履き、紅色の方膝に緑色の絹で襈を当てる。（《▶楽学軌範》巻9処容冠服図説）→処容舞服

チョヨンデ〔処容帯〕 처용대

宮中舞踊の処容舞の舞い手が締める帯。紅色の革帯に木の止め具を付け、赤い点を打った金板で飾ってある。（《▶楽学軌範》巻9処容冠服図説）→処容舞服

チョヨンムボク〔処容舞服〕 처용무복

宮中舞踊の処容舞の舞い手が着る衣服。処容舞は「五方処容舞」とも呼ばれ、五方を象徴する東・南・中央・西・北の5人による群舞である。主に宮中で大晦日に行われる儺礼や重要な宴会のときに舞うが、《▶楽学軌範》によると儀式の前日の夜、駆儺儀の後に続いて2度踊ることになっている。1度目は本歌を歌った後、音楽に合わせて五方処容を型どおりに舞う。2度目は霊山会上を演奏しながら五方処容舞を舞い、続いて2人の鶴人が蓮花をつつくと2人の童女が蓮の花の中から現れて舞い、処容機を演奏しながら再び五方処容を舞う。

処容舞は仮面と処容紗帽を被り、処容衣・処容裙・処容裳・処容帯・

チョヨンサン〔処容裳〕 처용상

処容鞋からなる処容舞服を着て舞う。仮面は、カラムシ織または漆を塗った布で型を作り、彩色は赤面油光である。仮面に被せる▶紗帽は竹で編んだ型に紙を貼り、牡丹の花を描く。両耳には真鍮の輪と鉛の珠をつけ、帽部には桃の実と枝を付ける。処容衣は、方位によって東は青、中央は黄、南は紅、西は白、北は黒とし、前後の身頃と袖に蔓花が描かれ、白の生絹の▶汗衫（付け袖）を付ける。首にかける▶天衣は緑緞に蔓花を描き、裏地は五方全て紅色の絹を用いる。吉慶は表裏ともに紅色の生絹を使い、緑色の絹をつなぎ合わせる。処容裳は黄色の生絹を用い、処容裙は東と北は紅色の▶緞（朱子織の絹）、西と南は黒の緞、中央は藍色の緞で仕立てる。帯は紅鞓帯を締め、鞋は五方全て白皮で作り紐を付ける。

チョヨン-サモ〔処容紗帽〕 처용사모

処容舞の舞い手が、仮面とともに被る帽子。竹で編んだ型に紙を貼り、方位ごとの色を塗って花を描き、両耳には鉛の珠と真鍮の環を付ける。上部の両側に牡丹の花を描き、桃の実のなった枝で飾る。牡丹の花は美しいカラムシを薄い桃色に染めて作り、桃の枝は緑色に染めたカラムシで、桃の実は木を削って作る。（《▶楽学軌範》巻9処容冠服図説）→処容舞服

チョヨンサン〔処容裳〕 처용상

処容舞の舞い手が履く▶チマ（スカート）。中央には縦に緑の絹で幨を付

363

処容舞　《耆社私宴図》（部分）。金振汝他画。1720年。

処容舞の処容

処容衣

処容裳

処容紗帽

処容帯

天衣

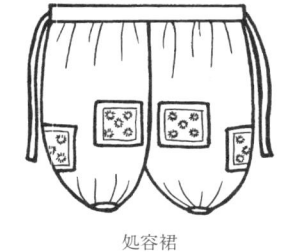

処容裙

処容鞋

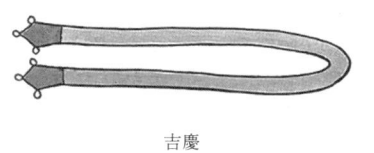

吉慶

処容舞服　《楽学軌範》掲載の図

てんじゅこくまんだらしゅうちょう〔天寿国曼荼羅繡帳〕 천수국만다라수장

け、左右に黄色の生絹を長く当ててある。幨の下には横に紅金線（ホングムソン）と黄色の生絹をつなぎ合わせ、幨の上には紅色の生絹の紐2本が付いている。紐の端には緑の絹をつなぎ、黄色の珠三つを付ける。五方全て同じ色の服を着る。(《▷楽学軌範（アカククェボム）》巻9処容冠服図説)→処容舞服（チョヨンムボク）

チョヨンイ〔処容衣〕 처용의
処容舞（チョヨンム）の舞い手が着る上衣。裾は前が短く後ろが長く、襟は丸く太い。胸には長方形の布を当て、全体に蔓花（マンファ）が描かれている。処容舞は5人の舞い手が東西南北と中央に立って舞うもので、処容衣もそれぞれ▶五方色（オバンセク）に基き青・白・赤・黒・黄の絹で仕立てる。東の舞い手は青の地で、首と胸に紅金線（ホングムソン）を入れ、胸の両縁に緑の絹で▶襈（クムソン）（縁取り）を当てる。袖口には黒の絹と黄色の生絹をつないで縫いつけ、裏に紅色の生絹を当てる。西の舞い手は白の表地、南は紅色の表地に藍色の生絹で裏を当てる。首・胸には緑の金線を入れ、藍色の絹で襈を巻く。北の舞い手は黒で、袖口に緑の絹と黄色の生絹をつなぎ、中央の舞い手は黄色の地で、袖口に黒の絹と黄色の生絹をつなぐ。(《▷楽学軌範（アカククェボム）》巻9処容冠服図説)→処容舞服（チョヨンムボク）

チョヨンヘ〔処容鞋〕 처용혜
処容舞（チョヨンム）の舞い手が履く履き物。白の革で作り、紐を付ける。5人の舞い手が同じものを履く。(《▷楽学軌範（アカククェボム）》巻9処容冠服図説)→処容舞服（チョヨンムボク）

チョク〔尺〕 척
尺貫法で長さを表す基本計量単位。1寸の10倍で、1mの約3分の1に

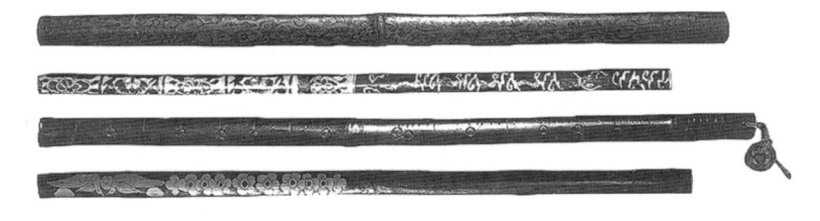

尺 各種の物差し

当たる。尺は手を広げて物の長さを計る形を模した象形文字で、高麗（コリョ）時代から朝鮮（チョソン）時代初期にかけては32.21cmを1尺とした。世宗（セジョン）12年(1430)の改革で31.22cmに変更されたが、その後韓国併合に伴い日本式の曲尺（かねじゃく）に変更され、現在の30.3cmとなった。

チョングム〔天衾〕 천금
葬儀で、入棺後に遺体の上に掛ける布団。長さ170cm、幅40cm程度で、白や藍色の布で袷にする。▶貢緞（コンダン）・▶明紬（ミョンジュ）といった絹を使うこともある。

チョンダムボク〔浅淡服〕 천담복
薄い玉色（水色）の▶喪服。朝鮮（チョソン）時代に国王と王世子（皇太子）が、一周忌の練祭を終えてから26か月目の禫祭（タムジェ）までの間に文武官の謁見を受けるときに着た。

てんじゅこくまんだらしゅうちょう〔天寿国曼荼羅繡帳〕 천수국만다라수장
奈良の中宮寺に所蔵されている刺繡。聖徳太子の妃であった橘大郎女（たちばなのおおいらつめ）が、先に他界した聖徳太子の極楽往生した姿を描かせたものとされる。曼荼羅だけでなく様々な人物も刺繡されており、飛鳥時代の服飾を知るための重要な資料となっている。この繡帳に描かれた人物は、女性は高句麗（コグリョ）式の長い▶チョゴリ（＜

天寿国曼荼羅繡帳 奈良中宮寺所蔵。

チョヌ-チゥアウ-チャンウィグンボク〔千牛左右仗衛軍服〕천우좌우장위군복

上衣)と襞の入った▶チマ(スカート)を身に付け、男性は▶パジ(ズボン)・チョゴリを着ている。高句麗の服飾との関連も注目されるところであり、▶襦(上衣)・▶裳(スカート)・▶袴(ズボン)・▶襈(縁取り)・帯などに類似性が見られる。

チョヌ-チゥアウ-チャンウィグンボク〔千牛左右仗衛軍服〕천우좌우장위군복

高麗時代に、王城を守る千牛左右仗衛軍が着た服。赤い細袖の服(緋窄衣)を着て、黒い角で作った帯を締め(黒角束帯)、頭には皮弁を被った。腰には獣の文様を入れた二つの裫(当て布)が付けられ、手には小さな槍を持った。(《▶宣和奉使高麗図経》巻12)

チョニ〔天衣〕천의

宮中舞踊である処容舞の舞い手が、▶処容衣を着た上に首に掛ける布。緑の絹に左右五つずつ蔓花を描き、裏は紅色の平絹とする。長さは8尺4寸5分、幅は5寸6分とし、両端を燕のくちばしのように尖らせる。これを首に掛けて前に垂らし、その上に帯を締める。(《楽学軌範》巻9処容冠服図説) →処容舞服

チョニ〔薦衣〕천의→⑧チョネ

チョンジウンギムン〔天地雲気紋〕천지운기문

雲・岩・波・珊瑚・虹などの自然物や自然現象をかたどった文様。朝鮮時代の人々は、衣服に瑞雲紋・雲宝紋・琥雲紋など様々な雲の文様を刺繡し、また▶胸背(官服の胸・背中の標章)にも雲・岩・波などを刺繡して、人間が自然とともに永遠不変

であることを願った。→紋様

チョンジプ〔穿執〕천집

官吏が執務時に着る▶常服のこと。本来は靴と笏を意味する言葉であった。《遼史》(儀衛志)に「常服は遼の国の穿執を指すもので、起居礼において臣僚が穿執を着る」とある。⑧常服

チョンハソク〔天河石〕천하석

(てんがせき〔天河石〕)美しい青緑の微斜長石。淡緑色から濃緑色まであり、装身具に用いられた。

チョルリク〔▽帖▽裏〕철릭

上衣と下衣が腰でつながった形の▶袍(<外衣)。朝鮮時代に、国王や文武官が着た。直線襟の袍で、上衣の襦と下衣の裳がつなげられた形態であり、裳に細かい襞が入っているのが特徴である。両袖または片袖に結びボタンを付け、袖を取り外しできるようにしたものもある。いつから用いられるようになったかは不明だが、元の時代の軍服である上下連属衣に由来するともされる。高麗歌謡の鄭石歌に登場し、明の百科事典《三才図会》に描かれた高麗人もチョルリクを着ている。朝鮮時代のチョルリクに関する最初の記録は、世宗7年(1425)の「国王が宮殿の外に出るときは、衛軍士はチョルリクを着用せよ」との記述だが、以後朝鮮時代末期まで文武官が有事の官服である▶戎服として用いた。特に16世紀末以降の宣祖の代には、文禄・慶長の役や丙子胡乱など戦乱が続き、士大夫までが活動しやすいチョルリクを着た。世宗26年(1444)

には、国王の▶袞竜袍の中に着る服として明から下賜されたことがあり、婚礼の際にも国王や王世子(皇太子)が中着として用いた。また、当時の風俗画を見ると巫女が着ることもあったようで、多様な階層において用いられたことがわかる。

生地には、▶紬・▶紗・▶綾・▶緞などの絹をはじめ、カラムシ織・麻布・綿布などが用いられた。色は、国王の平常服には黒緑暗色・柳青色(萌黄)・紫色(濃い赤紫)・素色(黄みのある象牙色)などを使い、士大夫が普段着として着るときは、白・柳青色など特に決まりはなかったが、18世紀半ばの英祖の代に、朝廷官吏の戒服として正3品以上の堂上官は藍色、堂下官は青玄色(薄い紺色)を用い、国王が郊外に出かけるときには紅色を用いるものと定められた。

時代によって、衣と裳の丈や幅、襞の入れ方、襟・袖の形に変化があった。初期には衣と裳の比率が1:1であったが、後期には1:2となって裳の丈が長くなり、襞は初期には細かったのが後期には太くなり、裾まで襞の入ったチュルムチマの形態となった。また後期には袖が広くなって袂がふくらみ、太い二重襟は消え、前合わせも初期には完全に重なっていたが、次第に重なりが小さくなった。名称も多様で、「チョムニ(貼裏・貼裡・帖裏・帖裡)」「チョニク(天翼・天益)」「チョルリク(裰翼・綴翼)」などがあるが、漢字の当て字により派生したものと思われる。《▶朝鮮王朝実録》に記さ

チョプチ 첩지

簷笠 金時習（1435～1493）像。

チョルリク （上）1500年代。身丈117cm、桁119cm、身幅70cm。忠北大学博物館所蔵。順天金氏の墓から出土したもので、文禄の役以前のものである。襟は刀襟で、中央に飾りの縫い目を入れてある。小さな結び紐が二つ付いており、表地と裏地との間に綿を入れて刺し子縫いしてある。上衣と下衣との比率が1対1程度で、袖が丸みを帯びた広袖に変わっていく朝鮮時代中期の形態を示している。（中）1593年頃。身丈134cm、桁101cm、身幅56cm。重要民俗資料第118号。忠北大学博物館所蔵。金緯の墓から出土したもので、表地は濃い色、裏地は象牙色の平絹である。襟はカルキッで、結び紐は外れている。袖は丸みを帯び、襞は2cm幅で深く入れられている。（下）興完君（1815～1848）の衣服。重要民俗資料第121号。淑明女子大学博物館所蔵。

れた表記は、次頁表のとおりである。
（金美子）→戒服

チョルッチュ〔鉄冑〕 철주
朝鮮時代に、武官が戦争の際に使用した鋳鉄の武器。前部にのみ庇が付いている。

チョム〔簽〕 첨
細く削った竹片。帽子や▶カッ（笠）を作る時に使用した。

チョムニプ〔簷笠〕 첨립
周囲に鍔の付いた▶カッ（笠）。新羅と伽耶には、白樺の樹皮や金属製の簷笠があった。

チョムモーチンムル〔添毛織物〕 첨모직물
表面を羊毛のように毛羽立たせた織物。パイル織りとも言う。地を構成する糸の他に、毛羽や輪奈（輪状の糸）を作る糸を要する。

チョプケ〔貼介〕 첩개
▶カボッ（鎧）に付着させた矢筒。肩に下げる形の矢筒（筒介）を使いやすくするために、鎧に直接付けたもの。朝鮮時代の成宗22年（1491）に、貼介を準備できない者には敢えて督促せずとあり（《▷朝鮮王朝実録》成宗22年5月乙卯）、一般的には使われなかったようだ。

チョプクム〔貼金〕 첩금
金属や金具の表面に金箔を押すこと。金膜が厚くなって純金のように見えるため、耳飾や指輪など装身具に用いられた。

チョプチ 첩지
朝鮮時代に、王妃・側室・女官などの内外命婦が頭に飾った装身具の一つ。装飾・形態・素材を使い分けて身分を表し、礼装する際に▶花冠や▶チョクトゥリ（黒絹冠）の滑り落ちるのを防ぐ役割もした。皇后はメッキの竜チョプチを用い、王妃・側室はメッキの鳳チョプチ、王族や女官などの内外命婦は、家柄によりメッキまたは黒いサイの角製のケグリチョプチを用いた。宮中では常に頭に付けて身分を示し、寝室でのみ

367

チョプチ-モリ 첩치머리

朝鮮王朝実録のチョルリク表記

王朝	王朝年	年	表記
世宗	26年3月	1444	黒緑暗花帖裏・柳青素帖裏
	31年1月	1449	直領脥注音帖裡
端宗	即位年8月	1452	柳青糸紬帖裏
	即位年10月	1452	綿紬帖裏・藍段子帖裏
	3年4月	1455	鴉青帖裏・草緑紬帖裏・灰色紬裌帖裏
世祖	14年4月	1468	藍腰線裌帖裏・黒麻布帖裏・白苧布帖裏・白苧布汗帖裏
成宗	元年5月	1470	綿布単帖裏・苧布帖裏
	3年正月	1472	帖裏
	5年12月	1474	帖裏
	6年11月	1475	紫紬帖裏
	7年8月	1476	紫紬襦帖裏
	8年8月	1477	白綿布単帖裏・赤綿布裌帖裏
	10年9月	1479	緑紬襦帖裏
	22年9月	1491	四段襦帖裏一領・紬帖裏一領
燕山君	9年5月	1503	柳青紗帖裏・白苧布帖裏
	11年4月	1505	帖裏襦
	11年5月	1505	大紅紗帖裏
中宗	14年7月	1519	帖裏
明宗	8年10月	1533	帖裏
宣祖	29年1月	1596	天益
	32年1月	1599	帖裡
孝宗	8年1月	1657	帖裡
英祖	2年10月	1726	黒天翼
	19年3月	1743	帖裏
	26年3月	1750	天翼
正祖	10年閏7月	1786	青帖裏
	16年8月	1792	帖裏
純祖	7年2月	1807	黒帖裏
高宗	元年4月	1864	白天翼・青天翼
	元年7月	1864	帖裏
	27年10月	1890	生布帖裏
純宗	丙寅年4月	1926	帖裏

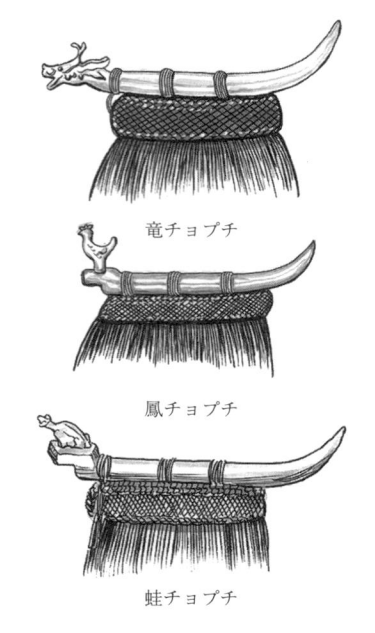

竜チョプチ

鳳チョプチ

蛙チョプチ

チョプチ

た。チョプチは、18世紀半ばの英祖の代の▶加髢（入れ髪）禁止以後、髪を巻いて頭上に載せる▶オンジュンモリの代わりに後頭部に髻を結う▶チョクチンモリが一般化し、また礼装の際にチョクトゥリや花冠の使用が勧められたことにより使い始められたものと思われる。

チョプチ-モリ 첩치머리

▶チョプチを載せた髪型。朝鮮時代に女性が用いた。

外した。また、高位官吏の妻などは礼装時のみ使用が許された。

銀や銅に金メッキを施した胴体は7～8cmの長さで、先端部を各種動物の形に加工し、後部は上に反っている。胴体だけでは使用できないため、長さ4～5cm、幅3cmほどの黒い布で包んだ台の中央に載せ、前部・中央・後部の3か所を真紅の糸で巻きつけ固定してある。台の両脇には、長い人髪が付いている。着用方法は、前頭部の中央で髪を分け、額に近い部分にチョプチを載せ、台の両側の人髪が頭髪に馴染むように、耳の後ろを沿わせて、先端を後頭部の髻に巻いて固定する。一般庶民は、婚礼時に▶チョクトゥリや▶花冠の固定具として用いることもあっ

チョプチモリ

チョンセク〔青色〕청색

チョンゲ〔青蓋〕청개
儀仗の一つ。朝鮮時代に国王の取り巻きが手にした日傘状のもので、青い生絹の地に竜や鶴が描かれている。

青蓋　《楽学軌範》掲載の図。

チョンゲン〔青紘〕청굉
国王が大礼服姿に被る▶冕旒冠の左右に垂らされた紐。高麗毅宗の代に定められた文武官の祭服の七旒冠は、「表は玄色（黒紫）、裏は朱色で、前後に邃延・青紘・青紞・青纊・青瑱・犀簪導がある」と記されている。（《増補文献備考》巻79礼考26章服1）

チョングムゴ〔青錦袴〕청금고
青い絹で仕立てられた▶パジ（ズボン）。百済の国王が、袖の太い紫朱色（赤紫）の▶袍（＜外衣）とともに青錦袴を着た。（《▷三国史記》百済本記巻1古爾王）

チョングム-タルリョン〔青衿団領〕청금단령
朝鮮時代の儒学生の礼服。青い襟の付いた団領で、太宗11年（1411）に初めて用いられた（《朝鮮王朝実録》太宗11年6月辛丑）。《▷経国大典》に、「諸学生徒の服は団領であるが、儒学は青衿を用いる」とあり、成宗8年（1477）に「成均館・四学の儒生は青衿団領を着る」とある。しかし、18世紀半ばの英祖の代には、青衿団領の色が下級官属の書吏の服と似ていたため儒学生たちが着用を控え、朝廷からの数度にわたる呼びかけもあまり効果はなかったという（《▷朝鮮王朝実録》英祖17年4月壬寅）。青衿団領は、衣服と同時に儒学生そのものを指す言葉でもあった。

チョングムソク〔青金石〕청금석
青金石（せいきんせき〔青金石〕・ラズライト）
青い鉱物の一つ。朝鮮時代の睿宗元年（1469）には、庶民が青金石で▶カッ（笠）を飾ることが禁じられた。（《朝鮮王朝実録》睿宗1年7月庚寅）

チョンギ〔請期〕청기
婚礼の六礼の一つ。新郎の家で婚姻の日を選び、その可否を尋ねる手紙を新婦の家に送る。

チョンタルリョン〔青団領〕청단령
青い団領。朝鮮時代に、別監・引路・皂隷などが公服として着た。→官服

チョンダム〔青紞〕청담
国王が大礼服に被る▶冕旒冠の左右に垂らす紐。

チョントゥゴン〔青頭巾〕청두건
青い▶頭巾。露払いの引路が青衣を着て被った。

チョンナ-チェトゥークォン

クム-チョッケ-ハピ〔青羅綵繍圏金翟鶏霞帔〕청라채수권금적계하피
青い有文の絹の地に金で縁取りをし、雉と鶏の文様を刺繍した▶霞帔（首に掛ける装飾帯）。朝鮮時代に、王妃の大礼服である▶翟衣の上に掛けられたもの。端宗3年（1455）に明の皇帝から下賜された王妃の冠服に、金翟鶏褡子褙子とともに1本含まれていた。（《▷朝鮮王朝実録》端宗3年4月丁酉）→霞帔

チョンモ〔青帽〕청모
麻・絹製の青い帽子。形は▶坎頭に似て、鍔や飾りはない。高麗時代末の元の干渉期以降、下層民の間で広く被られた。（《▷高麗史》辛禑伝4）

チョンパンビウイ〔青半臂衣〕청반비의
青の▶半臂衣。朝鮮時代に、罪人を見張る羅卒が着た。襟・トンジョン（掛け襟）・袖のない上衣で、▶袍（＜外衣）の上に羽織った。（《▷経国大典》巻3礼典儀章）→半臂

チョンサマン〔青糸網〕청사망
▶後綬の下部に垂らす、青い糸で編んだ網。15世紀初頭、朝鮮の太宗の代に朝廷官吏の官服制度を定めたときに、1品から9品まで全ての官吏の後綬に青糸網を付けるものとされた（《▷朝鮮王朝実録》太宗16年3月壬戌）。これは、世宗の代の《国朝五礼儀》にも引き継がれた。（《国朝五礼儀》五礼吉礼序例冠冕図説）㊀
網綬→後綬

チョンセク〔青色〕청색（あお〔青〕）

チョンソク〔青舄〕 청석

青糸網　興完君遺品。

五行説の5色の一つで、季節は春、方位は東に当たる。歴史的に青い服の着用例を見ると、新羅の5頭品が青衣を、高麗時代の竜虎中猛軍・竜虎上超軍・竜虎下海軍が青布窄衣を、朝鮮時代の従3品から6品までが青袍を着た例がある。18世紀の英祖の代に、「我が国は東方に位置するので当然青を尊ぶべきであり、人々が白衣を着るのが良い風習と言えようか。ましてや過去に定められた法令まであるのだから、公卿から士庶まで吉服はすべからく青を尊ぶべし」と、青い服の着用が勧奨された。(《▷朝鮮王朝実録》英祖2年10月丙寅)

青は碧系と緑系に区分されるが、碧系には蒼色、藍色、鴉青色、青玄色、柳青色、蒼黄色などが含まれる。蒼色は、国王が大礼服に被る▷冕旒冠に垂らす珠の色で、《▷国朝五礼儀》には赤・白・蒼の珠を付けるとある。藍色は、蒼と黒が混ざった色である。王妃や女官たちが即位式や結婚式などの嘉礼の際に、藍色の袷の▷チマ(スカート)の上に紫朱色(赤紫)のチマを履いた。また若い女性はふつう紫朱色や紅色のチマを履くが、年を重ねると藍色のチマを外側に履くようになり、未亡人となった王妃なども同様であった。世子嬪の最高の礼服である▷翟衣も、藍色の地である。鴉青色は濃い藍色で、朝鮮時代に朝廷官吏の官服の色と定められ、▷団領・▷耳掩・▷坎頭などに用いられた。青玄色は薄い紺色で、朝鮮時代に堂上官(正3品以上)が藍色の▷チョルリクを着たのに対し、堂下官は青玄色のチョルリクを着た。また上級官属の録事も、大小の朝廷儀式において青玄色の▷団領を着た。

緑系には、翡色・軟豆色・玉色・黒幼色などが挙げられる。翡色は青磁の色である。軟豆色は緑と黄の中間色で、▷円衫・唐衣・チョゴリ・▷トゥルマギなど、主に女性の衣服に多用された。玉色は若干緑の入った空色で、女官の回装チョゴリに最も多く用いられ、王妃の回装チョゴリや国王の平服にも用いられたことがある。王妃も未亡人になると回装チョゴリではなく、玉色一色のチョゴリと玉色のトゥルマギを着るのが通例であった。黒幼色は黒みがかった緑色で、成宗6年(1475)に朝廷官吏の団領の色に定められたことがある。

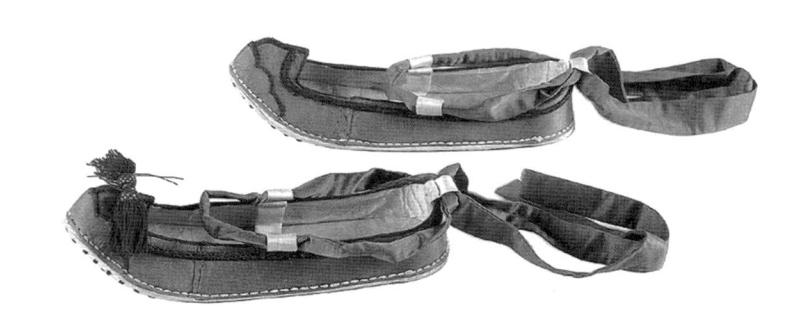

チョンソク〔青舄〕 청석

皇后が礼服姿に履いた、青い絹の履き物。我が国での青舄の使用は、高麗恭愍王19年(1370)に明の太祖の孝慈皇后から王妃の冠服の一つとして下賜されたものが初めてである。朝鮮時代に入ってからは、青舄の代わりに赤舄が用いられたこともあった。17世紀初めの仁祖の代に、孝顕世子の《▷嘉礼都監儀軌》に赤舄を使用した例が見られ、《▷国朝続五礼儀補》にも「王妃の舄は殿下の舄と同じだが、端に赤と青の糸花三つを付ける」と、赤舄の使用規定を明らかにしている。光武元年

青舄　重要民俗資料第55号。世宗大学博物館所蔵。皇后が翟衣を着るときに履いたもの。表地は濃い青の貢緞、裏は白の平絹で、間に芯を詰め形崩れを防いでいる。爪先には、紫の網で包んだ二つの金色の鈴を房とともに飾りつけ、爪先の頂部を纒るように刺繍してある。また、縁は紫の糸で纒り、表と裏との境目を上手に仕上げ、縁のすぐ下の部分は紫の細い紐で飾っている。両脇と踵には白絹の輪をつけ、ここに長い紐を通して、足を固定するようになっている。底には目の粗い綿布を当て、中には丈夫な芯が入っている。底には紫の太い糸を縫い付けて、列状に結び目を作ってあり、鋲を打ったように見える。表地と木綿の底は白い糸でしっかりと縫いつなげられている。

(1897) に制定された皇后の冠服制では青鳥を復活させ、鳥は青の絹（青綺）を用い描金雲竜紋で飾り、線と純（縁取り）は黒で、鳥の先に珠5顆を付けるものとされた。→シン（履き物）

チョンアムセク〔青暗色〕 청암색
濃い青。朝鮮時代に、国王の▶褡䙅や王妃の▶裙に用いられた色である。世宗26年（1444）3月に、明から下賜された国王の冠服の中に青暗花褡䙅があり、中宗13年（1518）4月の王妃の冠服に青暗花紵糸夾裙が含まれていた。

チョンオクータンヘ〔青玉唐鞋〕 청옥당혜
青の▶唐鞋。朝鮮時代末期には表を絹で、底を鹿皮で作り、女官が履いた。→唐鞋

チョンジョヌ〔青転羽〕 청전우
朝鮮時代に、武官のカッ（笠）に付けた装飾品。孔雀の羽をカッの頂にある頂子に付け、回るようにした。

チョンチョルリク〔青帖裏〕 청철릭
青の▶チョルリク。朝鮮時代に、文武官が普段着にした上衣である。形態は、上衣と襞の入った裳とがつなげられた、広袖で打ち合わせの▶直領である。堂上官（正3品以上）は藍色のチョルリク、堂下官は青玄色（薄い紺色）のチョルリクを着、国王の行幸時には紅色のチョルリクの上に▶広多絵を締めた。頭には▶玉鷺笠を被り、階級によって▶頂子を使い分け、▶木靴を履く。文禄・慶長の役と丙子胡乱の両乱以後は、▶戎服として用いられた。→チョルリク

チョンチョウイ〔青綃衣〕 청초의
青の▶綃（生絹）で仕立てられた▶祭服（祭祀服）の上衣。朝鮮時代に1品から9品までの官吏が着た。襟は直線で、襟・裾周り・袖口には青や黒の▶襈（縁取り）を巻き、両脇が明いている。中には白の中単を重ね着し、▶蔽膝を垂らして、首には▶方心曲領をはめた。（《▶経国大典》巻3礼典儀章）→祭服

チョンチョーチュンダン〔青綃中単〕 청초중단
青の▶綃（生絹）で仕立てられた▶中単。朝鮮時代末期の高宗の代に、文武官の▶朝服（朝賀服）である▶赤綃衣の中に着る服として用いられた。襟は直線で、襟・裾周り・袖口に黒い▶襈（縁取り）を巻いてある。→朝服・中単

チョンポ〔青袍〕 청포

青チョルリク

青綃中単 沈東臣遺品。重要民俗資料第2号。石宙善紀念民俗博物館所蔵。

朝鮮時代に、従3品から6品までの官吏が▶公服（国王謁見服）として着た青の▶袍（＜外衣）。（《▶経国大典》巻3礼典儀章）

チョンヒョン〔青絢〕 청현
▶赤舄の爪先の青い装飾。→赤舄

チョンヒョンセク〔青玄色〕 청현색
紺色。朝鮮時代に、堂下官（従3品以下）が青玄色のチョルリクを着用し、官属の録事も大小の朝廷儀式に青玄色の▶団領を着た。（《▶続大典》巻3礼典儀章）

チョンホンサ〔青紅糸〕 청홍

チェ〔髢〕 체

糸
青と紅色の絹糸。婚礼の六礼の一つである納幣の際に、新郎家から新婦の家に贈る青・紅の絹布をくくるのに用いられた。

チェ〔髢〕 체→同加髢

チェゲ-クムジリョン〔髢髻禁止令〕 체계금지령
朝鮮時代の英祖32年（1756）に下された、女性の入れ髪禁止令。女性の入れ髪が豪奢になったため、「士族の婦女の加髢を禁じ、いわゆるチョクトゥリで代用する。加髢は高麗時代に始まる蒙古の風習である。最近士大夫の家で日ごとに贅沢がひどくなり、婦人が加髢を買うために大金を浪費して互いに自慢し合い、高さ大きさを競っているので、これを禁ずる」とした。これ以降、何度か下された髢髻禁止令は効果が見られなかったが、正祖12年（1788）に▶加髢申禁節目が発布されて以降、入れ髪は次第に姿を消した。→加髢申禁節目

チェドゥ〔剃頭〕 체두→同剃髪

チェバル〔剃髪〕 체발
髪を短く刈ること。朝鮮時代末期に、髷を切って剃髪させる断髪令が下され、国民の反発を買った。《梅泉野録》（巻2乙未高宗32年）は「高宗31年（1894）甲午年に、日本公使は国王を皇帝と称して年号を定め、剃髪して洋服を着るよう命じたが、人々はこれに応じなかった。翌乙未年に高宗がついに髪を切って断髪令を下すと、叫び声は空を揺るがし、人々は憤慨し、自害しようとする者

もいた」と記している。同剃頭

チョ〔綃〕 쵸
生糸で織った薄絹の総称。朝鮮時代に、文武官の▶朝服（朝賀服）・▶祭服（祭祀服）に用いられたが、▶生綃・熟綃・練綃など様々な種類があった。

チョガ〔初加〕 초가
冠礼の手順の一つ。冠礼では3回異なる冠を被る手順があり、初めに▶緇布冠を被せることを初加という。賛者（補助者）が冠礼を受ける冠者の髪をとかし、サントゥ（髻）を結って▶網巾を被せると、賓（冠礼の主幹）が冠者の前に出て祝辞を述べた後、緇布冠を被せて▶ピニョ（簪）を挿す。冠を被せる時には冠者や賓はひざまずき、祝辞は「佳き月、佳き日に元服を迎え、幼き考えを捨てて大人の徳を得、長寿を享受し大いなる幸福を授かるべし」との文言であった。→冠礼

チョガボク〔初加服〕 초가복
冠礼の中で、▶緇布冠を被せる初加の儀式で着る服。《▶四礼便覧》によれば、冠者（冠礼を受ける者）が双紒（二つの髻）を結い、▶四揆衫・▶勒帛・彩履姿で定められた席に出ると、賛者（補助者）が冠者の髪をとかし、髻を一つに結い、▶網巾を被せ、賓（主幹者）が祝辞を述べる。続いて賛者が緇布冠にピニョ（簪）を挿し、▶幅巾を賓に与えると、賓はこれを冠者に被せる。冠者は部屋に入って四揆衫を脱ぎ、▶深衣に▶大帯を締めて履を履いた。しかし時代が下ると、網巾・幅巾・草笠を一緒に被って三加に代え、服

も冠服・▶道袍・▶トゥルマギなどを状況に合わせて用いるようになった。→冠礼

チョガル〔蕉葛〕 쵸갈→同蕉布

チョグ〔貂裘〕 쵸구
テンの毛皮で作った服。朝鮮時代に、両班階層（文武官一族）の男女が防寒服としてに着た。▶チョゴリ（上衣）の上に重ね着するもので、チョゴリよりも胸周りにゆとりがあり、袖も長い。《朝鮮王朝実録》によれば、世宗5年（1423）9月、同14年（1432）7月、文宗2年（1452）3月に明からの使臣に貂裘を贈ったことがあり、世宗11年（1429）2月には職人・商人・賎人・下人の着用を禁じ、両班階層にのみ許可した。しかし15世紀末の成宗の代には、若い男女が着た例もあった。→カドッ（皮衣）

チョレ〔醮礼〕 쵸례
①伝統的な流儀で行う結婚式のこと。一般的に交拝礼と誓拝礼とからなる。新郎新婦が生涯をともにすることを誓う儀式である。事前に、結婚式場の醮礼大庁の東西に座を用意し、南北に屏風を置き交拝床を片隅に置く。床の上には1組の蝋燭を灯し、松・竹を挿した花瓶1組と白米2皿、鶏1羽を南北に分けて置く。また、洗面器に水2杯、酒盃2杯を準備する。

■交拝礼と誓拝礼
①交拝礼：まず新郎が醮礼庁東側の席につくと、新婦が侍者に付き添われて、床に敷かれた白布を踏みながら入場する。新婦は、緑の▶チョゴリ（上衣）に赤い▶チマ（スカート）

をまとい、髪型を▶娘子モリにして▶チョクトゥリ（黒絹冠）を被り、額や頬に▶臙脂を差している。醮礼床を中央に、新郎は東側、新婦は西側に立ち、向かい合う。新郎は南側に準備された洗面器で、新婦は北側の洗面器で手を洗う。新婦がまず2度礼をすると新郎が1度答礼し、再び新婦が2度礼をすると新郎がもう1度答礼する。②晉拜礼：侍者が酒を注ぎ肴を勧めると、新郎は新婦に揖（両手を顔の前に挙げ腰をかがめる礼）をし、盃を少し傾けて地面にこぼしてから、酒を含んで肴を口にする。これをもう一度行うが、この時は酒をこぼさず、肴にも手をつけない。次に、侍者が新郎・新婦に瓢箪の器を渡して酒を注ぐと、新郎は盃を高く、新婦は低く持ってこれを交換し、酒を口にするが、このときも酒をこぼさず肴にも手をつけない。こうして結婚式が終了する。（参考）高廷基《冠婚と葬祭》、ウリ出版社、1982。

②冠礼儀式の一つ。冠礼で、初加・再加・三加の手順が終わった後、賓（主幹者）が冠礼を受ける冠者に盃を勧めて祝詞を上げると、冠者が再拝し、賛者（補助者）にも答拝し、酒を口に含む儀式である。（参考）高廷基《冠婚と葬祭》、ウリ出版社、1982。

チョロク〔草緑〕 초록
黄緑色。朝鮮時代に、▶団領・唐衣・▶道袍・褙褶・長衣などに用いられた色である。朝鮮時代、15世紀前半の世宗の代には、朝廷官吏に草緑色の服を着ることが許され（《▶朝鮮王朝実録》世宗22年10月乙亥）、16世紀初頭の燕山君の代には絹織職人の綾羅匠を北京に送り、草緑などの染色法を学ばせたこともあった（《朝鮮王朝実録》燕山君8年1月乙酉）。次の中宗の代には、濃い草緑色の染色が好まれ乱用されたため、濃い草緑色の染色禁止令が下されたこともあった（《朝鮮王朝実録》中宗23年8月丁巳）。草緑系統の色には、▶軟豆色・軟草緑・両草緑・藍松色・トゥロク色・柳緑色などがある。

チョロク-タルリョン〔草緑団領〕 초록단령
▶草緑色（黄緑）の▶団領。朝鮮時代に、王女の道案内役が着た。→官服

チョロク-ウォンサム〔草緑円衫〕 초록원삼→⊙緑円衫

チョリ〔草鞋〕 초리→⊙チプシン

チョリプ〔草笠〕 초립
草や竹ひごを編んだ▶カッ（笠）。士大夫・庶民の区別なしに被られたが、士大夫は目の細かい50竹、庶民は目の粗い30竹を用いた。竹は、編むときの経筋の数を表す。形は、涼太（鍔）部分が他の笠より狭くてせり上がり、帽部はやっと頭に載る程度の大きさである。▶戦服を着て、▶幅巾を被った上に草笠を被るのが通例であった。

朝鮮時代に、宮中宴などで歌を披露する歌童が被った草笠は、赤みがかった草（朱黄草）で編み、帽部には孔雀の羽根を挿して、紐を付けたものだった。国王の狩猟や行幸の途

草笠 （上）温陽民俗博物館所蔵。（下）歌童が被った草笠。《楽学軌範》掲載の図。

中で奏楽会を催すときに、歌童が草笠を被り、土紅色（朱色）の綿の単チョルリクを着て、▶黒皮靴を履いた。

チョリプトン〔草笠童〕 초립동
▶草笠を被った青年。朝鮮時代に、冠礼を終えた青年が▶黒笠を被るようになるまで草笠を被ったため、草

草笠童

チョポ〔蕉布〕 초포

笠童と呼ばれた。▶戦服を着て▶幅巾を被った上に草笠を被るのが通例であった。同草笠トゥニ→草笠

チョポ〔蕉布〕 초포
芭蕉の一種である蕉麻繊維で織った布。同草葛

チョピ〔貂皮〕 초피→タムビ(テン)

チョピ-ホヒュン〔貂皮虚胸〕 초비허흉
貂皮（テン皮）で作った、胸に当てる防寒具と思われる。

チョホン〔軺軒〕 초헌
朝鮮時代に、2品以上の官吏が乗った一輪車。車輪の付いた1m以上の長い脚に椅子が載り、前後に長柄が付いた日除けのない乗り物である。本来「軺」は国王の使いの乗り物、「軒」は大夫（4品文官と2品武官以上）の乗り物を指したが、後に区別されなくなった。世宗22年（1440）から、2品以上の官吏が乗るようになった。《▶朝鮮王朝実録》世宗22年4月甲戌）同軺車・命車

モンマ〔木馬〕 목마→カマ

チョヘ〔草鞋〕 초혜→同チプシン

チョコングム〔蜀紅錦〕 촉홍금（しょっこうにしき〔蜀紅錦〕）
絹織物の一つ。元来は、中国の蜀江で生産されたため蜀江錦と呼ばれた。

チョンテウ 총대우
馬のたてがみや尾、牛の尾の毛を編んで漆を塗った▶カッ（笠）。

チョンモジャ 총모자→同カンモジャ

チョンヒョン〔葱珩〕 초형
緑色の▶佩玉。

チュェ〔衰〕 최
▶喪服の▶斬衰服・齋衰服の左胸につける、指尺で長さ6寸、幅4寸の布片。悲しみに耐える姿を現すものである。また、喪服の上衣である衰衣そのものを指すこともある。→喪服・屈巾祭服

チュェウイ〔衰衣〕 최의
喪服の一つ。→喪服

チュェファル 최활（しんし〔伸子〕・はたばり〔機張り〕）
織機の付属品。木綿や麻などを織るとき、織り進めるうちに経糸の幅が狭くならないように押さえる細い棒。弓のように曲がっており、両端に金具が付いている。同チファル・チェバル→ペトゥル（織機）

チュギョル〔椎結〕 추결→同椎紒・椎髻

チュゲ〔椎紒・椎髻〕 추계
サントゥ（髻）を結う方式の一つ。結った形が椎（槌）に似ているため、この名が付いた。高句麗古墳の龕神塚壁画の人物図に見られる。同椎結

椎紒　龕神塚。

チュサ〔縐紗〕 추사
皺を入れて織られた紗織の絹布。

同紬紗→紗

チュセク〔緅色〕 추색→鴉青色

チュポ〔麤布〕 추포
粗い布という意味で、普通の綿布を指す。

チュンミョヌィ〔縮緬緯〕 축면위（ちりめんよこ〔縮緬緯〕）
数本の生糸を合わせて強く撚った、緯糸に用いる片撚糸。右撚糸と左撚糸がある。織り込んで精練すると撚りが強まり、しぼの入った縮緬になる。

チュンサ〔春紗〕 춘사
絹とカラムシを交織りにした布。

チュンポ 춘포
絹と麻を交織りにした粗めの布。

しゅつどふくしょく〔出土服飾〕 출토복식
墓から出土した、被葬者の服飾。埋葬文化財の一つで、主に墓の移葬や改葬時に出土した服飾資料を指す。朝鮮半島の土質はおおむね酸性のため、古い墓から服飾資料が発掘されることは少ないが、まれに気密性に優れた灰槨墳や墓穴に水がたまって腐敗を免れた場合に出土することがある。現在まで報告された出土服飾資料は、儒教的葬儀制度が一般化した朝鮮時代以後の墓から出土しており、当時の葬儀制度と密接な関係を持っている。特にこれらの出土服飾資料は、服飾文化を含めた当時の生活文化を理解する貴重な基礎資料となるので、発掘過程では服飾関連専攻者のみならず、喪葬研究者、保存処理専門家などがともに参加し、出土服飾資料に対する正しい分析を

しゅつどふくしょく〔出土服飾〕 출토복식

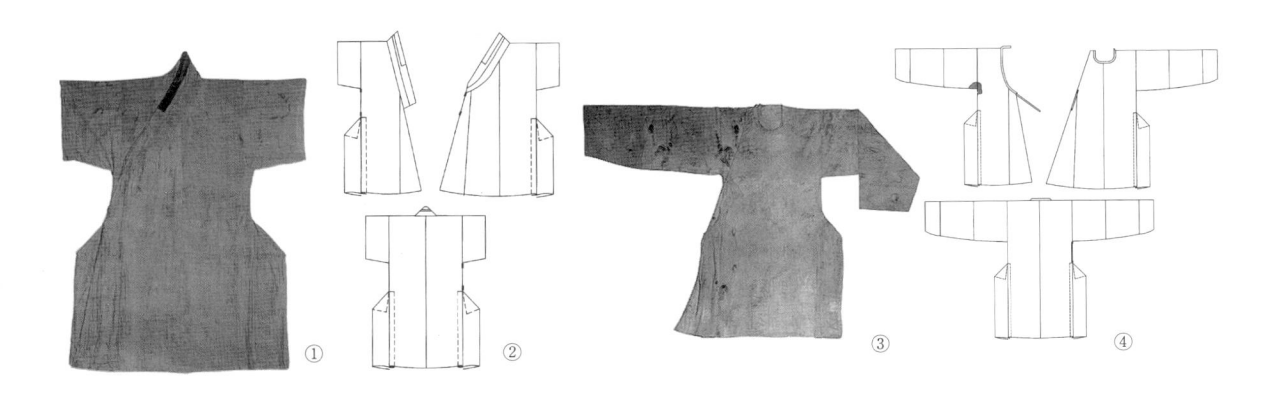

金欽祖（1462～1528）墓出土服飾　栄州市所蔵。①褡襆②褡襆実測図③団領④団領実測図

順天金氏墓出土服飾　1500年代。重要民俗資料第109号。忠北大学博物館所蔵。①キョプ回装チョゴリ②ヌビチョルリク

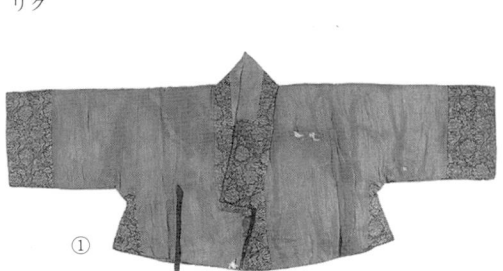

光州李氏墓出土服飾　1550年代。重要民俗資料第114号。石宙善紀念民俗博物館所蔵。①キョプチョゴリ②葡萄童子紋織金大襴チマ③葡萄童子紋織金緞（部分）。

洪氏墓出土服飾　中致莫。1670年ごろ。重要民俗資料第40号。安東大学博物館所蔵。

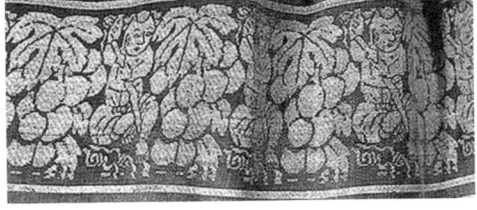

出土服飾

375

しゅつどふくしょく〔出土服飾〕 출토복식

求礼孫氏（1576～1626）墓出土服飾　重要民俗資料第116号。忠北大学博物館所蔵。①藍明紬綿チョゴリ②キョプチマ③素色綿単ソッコッ

伝朴将軍墓出土服飾　1500年代。重要民俗資料第117号。忠北大学博物館所蔵。①褐色牧丹紋キョプタンチョゴリ②チョゴリの襟と結び紐の部分③明紬ヌビチョゴリ

金緯（1592～1598）墓出土服飾　重要民俗資料第118号。忠北大学博物館所蔵。①明紬ヌビ氅衣②明紬ヌビソッコッ

洪鎮宗（1647～1702）墓出土服飾　褡𧞤。重要民俗資料第113号。高麗大学博物館所蔵。

出土服飾

376

するとともに、以後の適切な保存を図る必要がある。

■出土服飾の処理
出土服飾資料は、光の遮断された温度・湿度の変化がほとんどない地中にあったものが、出土後に急激な環境の変化にさらされるため、処理には細心の注意を要する。特に、光による退色や温度・湿度の変化による繊維の変質など各種劣化が進行するため、これを防ぐための迅速な保存処理が求められる。

保存処理作業は、事前作業・本作業・事後作業に分けられる。事前作業は、出土服飾の埋葬状況、材質や製織状態、縫い目の状態、染色・堅牢度などを把握する作業である。事前作業の結果は本作業の方向性を決定するものであり、これを誤ると出土服飾資料に致命的損傷を与える場合があるので、正確な分析が求められる。

本作業としては、微生物発生を抑制するための燻蒸法による殺菌処理、遺物の材質と状態に合わせた汚染物洗浄、硬質化した織物の分離と柔軟化処理、補修と復元などである。出土服飾には多くの微生物がいる場合があり、出土初期には大部分胞子として休眠状態にあるが、出土後に適切な環境が与えられると成長を始める。これら微生物は繊維に致命的な損傷を与えることがあるので、その被害を減らすため一次的に殺菌消毒が必要である。特に取扱者の安全のためにも、殺菌消毒作業は必ず行われなければならない。大部分の出土服飾は繊維自体に汚物が付着していて悪臭を発するので、この悪臭を除去するとともに、繊維の適正な保存のために洗浄が必要である。洗浄方法は大きく分けて乾式洗浄と水で洗う湿式洗浄があり、材質・染料・色・損傷状態・汚染の種類などにより適切な方法を選択せねばならない。保存処理作業は、服飾資料の本来の姿を可能な限り取り戻し、事後の変化を最大限減らしてその寿命をできる限り伸ばす行為で、服飾資料に無理な力や変形を加えたり、アイロンを掛けるなど恒温恒湿の保存環境を壊す行為は厳禁である。また保存処理全体の過程で、出土方式に関する情報を写真撮影や実測などにより完全な形で整理しておく必要がある。これは、出土服飾資料に対する研究者の直接的接近を減らし、服飾資料の保存に有益なだけでなく、効果的な情報整理と研究者に対する正しい資料提供という側面からも必要である。出土服飾資料は保存処理以後、貴重な文化財として恒温恒湿の環境条件が整った博物館などに収蔵されるが、保管時には可能な限り本来の形態をそのまま維持できるよう別途桐箱に保管するようにし、必要により防湿剤や防虫剤を補充したり、虫干しをするなど、適宜点検が求められる。（金在浩）

■栄州市、義城金氏墓
①出土服飾：▶団領・▶直領・▶褡襆・▶チョルリク・開襠袴型パジ・合襠袴型パジなど、計66点。②墓主：金欽祖（1462〜1528）。義城金氏17世孫。中宗21年（1526）、掌隷院判決事就任。③特徴：団領・直領・褡襆・チョルリクは細袖で、襟は木版キッとカルキッ（刀襟）の過渡期型二重襟で、打ち合わせが深く、コルム（結び紐）は細い紐状であるなど、朝鮮時代前期服飾の特徴をよく表している。大部分が精巧に縫われ、生地は絹・綿布・麻布などのおおむね質素な素材で、褡襆の中には美しい七宝紋紗1点が含まれている。色はほとんど褐色に変色し、本来の色を知ることはできない。特に団領・直領・褡襆のム（襠）は長方形で、同一の反物である。脇の内側に細い襞、外側に太い襞を入れる形で、これは李繼倫（1431〜1489）の墳墓やチョン・ウンウ（1508〜1572）の墳墓から出土した服飾でも確認されている。一方、パジ（ズボン）は女性の▶ノルンパジほどの幅があり、開襠袴型パジ2点以外の6点は腰が縫われたままで発掘され、遺体に着せられたものであることが分かる。これにより、朝鮮時代前期の男性用パジの形態に関する研究の必要性が生じた。（李恩珠）

■安東府主、洪氏墓
①出土服飾：▶中致莫・▶道袍・パジ・襪。②墓主：洪克加（〜1670?）③特徴：道袍は伝朴将軍墓出土服飾と合わせて、最も古いものである。中致莫は襟が▶カルキッ（刀襟）で、両脇の裾が明き、オッコルム（結び紐）が細く、袖が長い。素材は白色木棉で、袷である。

■清州、順天金氏墓
①出土服飾：ヌビ▶チョルリク・キョプヌビパジ・キョプ回裝チョゴリなど。②特徴：ヌビチョルリク

チュンジョングァン〔沖正冠〕 충정관

はその原型とみられ、特に女性も着たことが確認された。上衣と下衣との丈の比率は1：1程度で、2〜3mmの細かい襞が入っている。オッコルム（結び紐）は細いものが2本付いているが、コルムを付ける部分に装飾布を当て、しっかりと固定している。キョプ回装チョゴリはずんぐりした形で、脇にム（襠）が付き、袖口の縁当ての幅が非常に広い。襟は二重襟のカルキッ（刀襟）で、襟の中心に装飾の縫い目を1本入れてある。新羅・高麗のチョゴリの研究に参考となる衣服である。

■果川、光州李氏墓
①出土服飾：葡萄童子紋織金大襴チマ・素紵チョク衫（2点）・キョプチョゴリ・トリョンキョプチュルム袍など。②墓主：李彦雄（16世紀）の嫁、清州韓氏③特徴：▶大襴チマは一般的なス襴緞の文様と異なり、特異な葡萄童子紋が金襴で施されている。青の木絹で仕立てられたトリョンキョプチュルム袍は、両腰の下に細かい襞の入った刺し子縫いである。キョプチョゴリ（袷上衣）は身丈が各々80cm、75cmで両脇の明きが34cm、27cmと長く、朝鮮時代初期に導入された短褙子の様式が伝承されていることがわかる。

■清原、求礼孫氏墓
①出土服飾：小帽子・藍明紬綿チョゴリ・キョプソムチマ・素色綿単ソッコッ・キョプ綿回装チョゴリなど。②墓主：卞惟寅（1566〜1641）の側室、求礼孫氏。③特徴：チョゴリの身丈が長く、袖口に縁当てが付いている。藍明紬綿チョゴリは、襟が木版キッで、58cmの縫紬が付き、2cm幅のコルム（結び紐）がある。キョプチマ（袷スカート）と素色綿単ソッコッは今日の様式と同じで、吊り紐と締め紐がともに付いている。

■清原、伝朴将軍墓
①出土服飾：中致莫（2点）・トリョン袍（2点）・団領・裘衣・道袍・明紬ヌビチョゴリ・チョゴリ・チョク衫など。②墓主：朴将軍（生没年不詳）③特徴：年代は不明だが、チョゴリの形態・質感・紋様などから文禄・慶長の役前後の服飾と推定され、朝鮮時代前期と後期をつなぐ重要な資料である。褐色牧丹紋キョプタンチョゴリ（袷上衣）は、身頃に牡丹唐草紋が織り込まれている。形態から見て、朝鮮時代初期の短褙子と18世紀以降の唐衣の中間に位置するものである。明紬ヌビチョゴリ（刺し子上衣）は両脇に明きがあり、身丈は65cmである。紬襈に10〜15cmの縫紬が付いている。

■中院、金緯墓
①出土服飾：褐色キョプヌビ氅衣・明紬ヌビ氅衣・明紬ヌビソゴッ・麻・チョク衫など。②墓主：金緯（文禄・慶長の役当時の県監）③特徴：文禄・慶長の役当時の各種衣服が大量出土し、特に外衣の団領と中着の道袍が同時に出土して、注目される。これらの衣服は、朝鮮時代初期の原型を留めている可能性がある。明紬ヌビ氅衣は脇のム（襠）が64cm明いており、着たままで腰に手を入れることができる。明紬ヌビソゴッはふっくらとしており、繊細な手縫いの刺し子縫いで、今日のものと同じである。

■京畿道烏山、洪鎭宗墓
①出土服飾：中致莫（8点）・小氅衣（2点）・深衣・褡穫・袴（3点）。②墓主：洪鎭宗（1647〜1702）は、肅宗3年（1677）に科挙の進士に及第し、平康県監を勤めた。③特徴：褡穫は、前身頃が後身頃より30cmほど長い刺し子で、風変わりな形態である。表・裏ともに平絹で、1cm間隔で縫い目が入っている。裾には別布を当てて処理し、首周りはバイアスになっている。両脇には、前後の身頃をつなぐ紐が1組ずつある。17世紀の形態をそのまま保っており、貴重である。

チュンジョングァン〔沖正冠〕
충정관

朝鮮時代に士大夫が平常時に被った冠。中国から伝来したもので、《明史》《大明会典》には「忠静冠」、《三才図会》には「忠靖冠」と記されている。形態は頂部がやや傾いており、丸く雲のような形で起伏があり、梁冠を模倣しながらも丸く角がない。朝鮮時代中期以後、士大夫は官庁に出入りする時以外は、つねに沖正冠を被った。《▷増補文献備考》巻79礼考26章服1）→冠帽

チュイジャゴ〔取子車〕 취자거→同ムルレ

チュイタスボク〔吹打手服〕
취타수복

朝鮮時代に、使臣をもてなす際にラッパを吹いた吹打手が着た服。黒三升単狭袖に紅三升単掛子を着て、紅綿紬戦帯を締め、紅戦笠を

被り、黒水靴子を履いた。《▷万機要覧》軍政編2訓練都鑑軍器）

吹打手服《通信使人物図》。東京国立博物館所蔵。

チュラ〔紬羅〕 주라
絹織物の一つで、▶三八紬に似るが柔らかく、文様は▶曲生絹に似る。

チマ 치마（スカート）
布をつなぎ合わせて襞を入れた女性の下衣。腰に巻いて、紐を上腹部で結ぶようになっている。三国時代の文献には「裳」「裙」と記されているが、裳は裙の原型である。朝鮮時代、世宗2年（1420）の元慶王后の《遷奠儀》には「赤亇」、《訓蒙字会》には「チュマ、裳」、《内訓》には「チマ」と表記されている。高句麗の古墳壁画の中で、双竜塚壁画の女人図に描かれた裳は丈が引きずるほど長く、腰から裾先まで均等に襞が入れられ、裾には縁取りがしてある。裳は三国時代までは女性の専用物であったが、統一新羅が唐の服飾制度を導入したことにより、男性も上衣とチマがつながった上衣下裳式の服を着るようになった。《宣和奉使高麗図経》（婦人）によると、高麗時代には上下黄裳を着たとあり、同書の賤使の条には、八幅の旋裙を下半身に何重にも巻いて脇に高く吊り上げて履いたり、富豪の妻妾は7〜8疋を重ねたという。朝鮮時代に入ると、国王や文武官が礼服着用時に裳を履いた。裳の形態は性別・時代によって異なるが、今日の形態は朝鮮時代に完成したものである。女性のチマは、普段着の短いチマや長いチマ、礼服用のス襴チマ・大襴チマに大別することができる。短いチマは庶民や下層民が履き、長いチマは両班（文武官一族）階層が履いたが、時には長いチマが礼装用に用いられることもあった。短いチマも長いチマも単または袷にし、出土品の中には長いチマに薄く綿を入れたものもある。ス襴チマは裾にス襴緞を施したもの、大襴チマはこれを2段にしたもので、ともに袷である。豊かに見せるために、中に▶ムジギを重ね着することもあった。→裳①

チマモリ 치마머리
朝鮮時代、成人男子が▶サントゥ（髻）を結うときに用いる入れ髪。

チマーホリ 치마허리
▶チマ（スカート）の腰部分をなす布。普通白の綿布を用い、幅は10cm程度である。

チムン〔雉紋〕 치문
雉の文様。→同花虫紋

雉紋

チアトン〔歯牙筒〕 치아통
爪楊枝を入れる筒。様々な素材に彫刻を入れたもので、▶ノリゲ（女性韓服用房飾り）を兼ねた。黒檀に鳥を彫ったもの、竹に花を彫ったもの、錦貝（黄色の透明な琥珀）で作ったもの、銀にエナメルを被せたもの、玉製のものなどがあった。

歯牙筒

チウイ〔緇衣〕 치의
黒の僧服。→僧服

チチャル〔緇撮〕 치촬→同緇布冠

チポ〔緇布〕 치포
黒い布のこと。

チポゴン〔緇布巾〕 치포건→同緇布冠

チポグァン〔緇布冠〕 치포관
朝鮮時代に、儒学生が平常時に被った冠。黒布で▶サントゥ（髻）が隠れるくらいの大きさに作る。着用時には、上にさらに▶幅巾を被る。《経国大典》（巻3礼典儀章）には、諸学生徒が学内にいるときに緇布巾を被るとある。《五洲衍文長箋散稿》（巻45笠制弁証説）には、「緇布冠は緇撮であるが、冠は小さく髻がやっと隠れるほどである。▶深衣を着て緇布冠を被り、その上に幅巾を被る」とある。朝鮮時代後期の学者田愚は、彼の門人たちに深衣・緇布冠・幅巾を用いさせ、市の立つ日

379

チニョン〔親迎〕 친영

には門人たちが深衣・緇布冠・幅巾に竹製の紐を垂らし、木靴を履いて歩いたという。(《▷梅泉野録》巻1上甲午以前)同緇撮・緇布巾→冠帽

緇布冠

チニョン〔親迎〕 친영

婚姻の六礼のうちの一つ。六礼の最後の手順で、新郎が新婦の家に行き新婦に相対する儀式。結婚式である醮礼に含まれる。

親迎

チニ〔襯衣〕 친의

下着を意味する漢語。

チンジャム〔親蚕〕 친잠

王妃がみずから蚕を飼って繭を集める一連の儀式。農民に養蚕の重要性を認識させ、これを広く奨励するためのもので、親蚕礼と受繭礼に分けられる。親蚕に関する記録は太宗11年(1411)に遡るが、実際には成宗7年(1476)に王宮後苑の採桑壇で初めて執り行われた。この翌年には、これを制度化した親蚕応行節目が制定された。王妃が世子嬪や側室・女官などの内外命婦を率いて実施したが、英祖43年(1767)3月の《親蚕儀軌》には、王妃は5枚、内外命婦は7枚、2・3品の婦人たちは9枚の桑の葉を取ったと記されており、親蚕儀式の後には、文武官たちがこれを祝った。同年5月に作成された《蔵種受繭儀軌》を見ると、英祖の継妃貞純后の受繭儀式は5月26日に徳遊堂にて執り行われ、5月29日に文武官が崇政殿にてこれを祝ったという。受繭儀式は、尚功(正6品女官)が竹箱に満たした繭を国王と王妃に捧げると、王妃みずから繭を精査した後、王妃は尚儀(正5品女官)に、尚儀は尚服(従5品女官)に渡して保管させ、官吏を慰労する給賜で締めくくられた。1924年の純貞孝皇后尹妃の親蚕儀式は、水原にある現在の蚕業試験場にて陽暦5月13日に掃蚕(蚕の掃き立て)をし、受繭は昌徳宮宙合楼西側の親蚕室で陽暦6月17日に行われた。(金榮鎮)

チルボ〔七宝〕 칠보(しちほう〔七宝〕)

仏教経典に出てくる七つの宝石。冠や▶チョクトゥリ(女性用黒絹冠)などの装飾や、その他装身具に用いられた。

七宝に数えられる宝石は、経典によって少しずつ異なり、次のとおりである。①一般的な七宝:金・銀・瑠璃・玻璃・瑪瑙・珊瑚・硨磲(オオシャコガイ)②般若経:金・銀・瑠璃・玻璃・瑪瑙・珊瑚・硨磲③無量寿経:金・銀・瑠璃・玻璃・瑪瑙・珊瑚・硨磲④法華経:金・銀・瑠璃・瑪瑙・硨磲・真珠・玫瑰⑤恒水経:金・銀・瑠璃・玻璃・瑪瑙・硨磲・赤珠⑥大論:金・銀・瑠璃・玻璃・瑪瑙・硨磲・真珠⑦仏地論:金・銀・瑠璃・瑪瑙・硨磲・真珠・頗胝迦同七珍

チルボムン〔七宝紋〕 칠보문(しちほうもん〔七宝紋〕)

▶七宝を中心とした吉祥紋の一つ。七宝紋は、子孫の幸福や長寿、万事順調を祈願する意味で、様々な図案に用いられた。七宝紋の七宝とは、銭宝、犀角宝、方勝宝(金紙製の装飾品)、画宝(書宝)(画帖・本)、艾葉宝(薬用ヨモギ)、鏡宝、特磬宝(古代雅楽器)である。これは仏教の七宝とは異なり、吉祥の要素である。このような文様を器物に施すが、単独で用いられる場合と七種を組み合わせる場合とがあり、連続文様として器物の地文にすることもある。古代建築をはじめ、家具・衣服などの意匠として用いられた。

七宝紋

チルボムンダン〔七宝紋緞〕 칠보문단

▶七宝紋を織り込んだ冬用の生地。
→紋緞

チルボムン-ワンデ〔七宝紋腕帯〕 칠보문완대
▶七宝紋を刺繍した腕帯。弓を射るときに、弓を持つ手首の揺れを防ぐために巻く腕貫きである。布製で、玉環が付いており、紐で腕に締める。

七宝紋腕帯 横11cm、縦13cm。温陽民俗博物館所蔵。地を埋めるように、黄・朱・青・黄緑・赤紫の五色で七宝紋を刺繍してある。

チルボジャム〔七宝簪〕 칠보잠
▶七宝で飾った簪。朝鮮時代に、宮中宴で妓女が頭に挿した。(《▷楽学軌範》巻9女妓服飾図説)→ピニョ(簪)

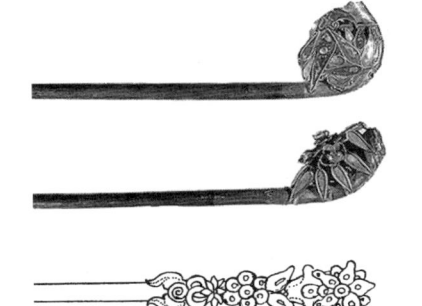

七宝簪

チルセク-ポプタン〔七色法緞〕 칠색법단
絹織物の一つ。経・緯糸ともに本絹糸で、地組織は朱子織であり、水玉文様が入っている。

チルチン〔七珍〕 칠진→同七宝

チルハプ-ムジョクサン〔七合無足裳〕 칠합무족상
朝鮮時代に、上流階層の女性が履いた▶ソクチマの一種。丈の異なる7着のチマを重ねて腰に巻き、外側のチマが膨らんで見えるようにするもの。→ムジギ

チルフィ-イボングァン〔七翬二鳳冠〕 칠휘이봉관
王妃が被った冠の一つ。高麗時代末に中国から伝わり、恭愍王妃が▶翟衣姿で被った記録がある。7羽の雉と2輪の鳳花で飾り、簪は九樹の小花を大花の数と同じにし、両耳脇の髪には鈿を九つ挿した。恭愍王19年(1370)5月に、明の太祖高皇帝の孝慈皇后が恭愍王妃に下賜した。(《▷高麗史》志巻26輿服王妃冠服)

チク-ソミュ〔チク繊維〕 칡섬유(くずせんい〔葛繊維〕)
葛の内皮から採った靭皮繊維。精練の度合いにより、白または黄色みを帯びる。繊維の長さは9.5～42mm、太さは1.0～2.2mmで、断面は規則的な楕円形だが、円形のものもある。湿気や熱に強く、皮膚に貼り付かないため、夏用の生地に向く。掛図・壮紙(厚紙)・莫蓙などにも用いられる。同葛繊維

チムナン〔針嚢〕 침낭→同パヌルジプ

チムニッ〔枕ニッ〕 침닛
枕に被せる布をさす宮中用語。

チムソク〔砧石〕 침석→同タドゥミットル

チミ〔寝衣〕 침의
就寝時に着る服。高麗時代にも就寝時に寝衣を着る習慣があり、表地は紅黄色で、裏は白いカラムシを当てた。(《▷宣和奉使高麗図経》巻29)同チャリオッ

チムチョク〔針尺〕 침척
裁縫に用いる定規。長さは50cmほどで、半分は寸単位の目盛りを刻み、残りは装飾文様を刻む。

チムトン〔針筒〕 침통
針をしまう筒。高麗時代以前の伝世品に銀製針筒があるが、中央がやや膨らんだ円筒形で、片側に輪がついており、両端に節を入れて片方を蓋にしてある。長さ8cm、直径2cm未満の小型で、針孔の開いた針とともに発見された。表面には、唐草・竜・花などの各種文様を象嵌や陰刻で刻んである。朝鮮時代の針筒は、木・竹などを長さ10cm内外、直径(幅)3cm内外の円筒形・直方体・八角形・花形などに作り、内部に医療用の針を入れ、▶扇錘として使用した。幅の広いものは内部に小さな仕切りを付け、針とともに小さな筆の入るものもある。朝鮮時代中期以後は、曲線の美しい形に変わり、名称も「パヌルジプ」に変わった。旧式の針筒も用いられ、伝世品もいくつかある。表面には各種文様を陰刻や七宝で施し、象牙で飾ることもあった。竹製品は文様を焼き付けたものが多い。(参考)金三代子《韓国美術事典》、芸術院、1985

コモリ コモリ

ヲモ
カタ

コモリ 코머리
女性の髪型の一つ。地毛を1本または2本に結って赤い▶テンギ（帯状の頭飾り）を巻き、頭の周りにぐるりと回して、残った髪とテンギを横に固定する。

クェジャ〔快子〕 쾌자→回戦服

クンテンギ 큰댕기→回トトゥラク-テンギ

クンモリ 큰머리→回コドゥミ・トグジ

タレーポソン 타래버선
綿を入れて刺し子縫いした子供用の▶ポソン（足袋）。足の甲のあたりからふくらはぎにかけての斜めの接ぎ目を境に、足底側は刺し子の縫い目が縦に、足首側は正バイアスになっている。足の甲には長寿を象徴する花紋を刺繍し、爪先に男児は藍色、女児は紅色の糸で栄華を象徴する▶象毛（房）を付ける。後ろ足首に紐が付いており、前に回して結ぶようになっている。主に▶トル服を着るときに履く。回オモクポソン

タレポソン

タプコルチ 탑골치
ソウルの東大門外の塔コルで作られた▶ミトゥリ（麻草履）。上等品として名を馳せた。→麻鞋

タンゴン〔宕巾〕 탕건
朝鮮時代に、官吏が▶網巾を締めた上に被ったり、▶カッ（笠）の中に被った▶巾。竹や馬のたてがみ・尾の毛で編み、漆塗りで仕上げたもので、16世紀末の宣祖の代以降に流行した。▶紗帽やカッと異なり平常時に被る帽子で、士大夫は家の中でも髷姿ではいられなかったため、手軽に被れるように考案された。帽部が二段になっている形からして▶幞頭や紗帽の影響を受けたものと思われるが、両者に見られる角（翼状の突起）がなく、帽部はすらりとしている。馬毛のものは丈夫で被りやすく、絹とは異なり汗や脂垢が付きにくい。《▶閨閤叢書》は、全国八道の物産を列挙する中で、平安北道定州の宕巾と平安南道安州のチョンカムトゥ（帽部に段のない馬毛帽）を挙げ、また《▶五洲衍文長箋散稿》（物産弁証説）は、定州の驄巾を名産品としている。宕巾は、済州宕巾と慶尚南道の加徳宕巾が代表的なもので、済州宕巾には一重の疎宕、袷の密宕、四角の柄が入ったパドゥク宕巾がある。→巾

宕巾

タンゴンチプ〔宕巾チプ〕 탕건집
宕巾をしまう箱。軽く丈夫な木や紙・竹ひごなどで宕巾と同じ形に作る。ふつう底が蓋になっている。

宕巾チプ

タンヒュン〔盪胸〕 탕흉
▶カボッ（鎧）を着た上から胸に当てる保護具。

盪胸

テグンムン〔太極紋〕 태극문
陰陽と宇宙運行の原理を意味する太極を表す文様。吉祥の訪れを願って、主に日常生活用品の▶ペゲンモ（枕の両端）や▶プチェ（扇）などの装

トリ〔土履〕 토리

太極紋 (上)太極紋ペゲンモ。温陽民俗博物館所蔵。(下)朝鮮時代の民画、季暦図の太極紋。

身具に用いられた。→紋様

テグクソン〔太極扇〕 태극선
▶太極紋の入った扇。細い竹ひごを骨に円形を作り、三原色の太極紋を描いた紙を貼りつける。我が国を象徴する代表的な扇である。→プチェ（扇）

テモシ－マンドゥルギ 태모시 만들기
▶モシ（カラムシ織り）の製織工程の一つで、収穫した苧麻の外皮を刀で剥き、テモシ（苧麻靭皮繊維）を得る工程。このテモシを水に浸け天日干しにすることを4～5回繰り返すことにより、水溶性の不純物を除去するとともに漂白し、カラムシ糸の原料を得る。→モシ

テサムン〔太史紋〕 태사문
男子の履き物であった太史鞋の爪先やかかとに入れられた白い縞模様。→太史鞋

テサヘ〔太史鞋〕 태사혜
縁の低い履き物の一つ。朝鮮時代に、両班階層（文武官一族）の男性が普段着姿に履いたもので、末期には国王も用いた。側面には絹や革を用い、底の周囲を蜜蝋を塗った太い糸で縫い、爪先とかかとに太史紋（白の縞模様）を施した。一枚革の靴底全体に鋲を打ったものもあった。→鞋・シン（履き物）

トルーペジャ 털배자〔털背子・털褙子〕
裏に毛を当てた▶背子（チョッキ）。表は絹で、袖・衽・襟がなく、袖付けと裾周りに毛皮で襈（縁取り）を施してある。→背子・褙子

トルーポルリプ 털벌립
牛の毛で作った農作業用の帽子の一つ。「トルポルリプ」は済州島方言で、一般には「トルポンゴジ」と言う。済州島の農家では牛の毛を集めきれいに洗って乾かした後、弓で打って毛玉をほぐして型に押し込み、大豆糊で固める。矢を通さないほど丈夫で、済州島では民乱時に反乱軍が被ったという。

トルペジャ

トルポルリプ 温陽民俗博物館所蔵

トルートシ 털토시
裏に毛を当てた防寒用の▶トシ（腕貫き）。→トシ

トックッ 토끝〔辺幅（へんぷく）〕
反物の両脇の端。絵や文字を入れて織ることもある。

トリ〔土履〕 토리
三国時代に履かれた土製の履き物。爪先が高いのが特徴で、両脇上部に孔を開けて紐を通し、足の甲で結ぶようになっている。▶鍮鞋のような金属製の履き物に比べ華やかさはないが、当時の履物の形を窺わせてく

太極扇　　　太史鞋

383

土履　伽耶。5〜6世紀。宝物第556号。湖巌美術館所蔵。

れる。→履

トリシル　토리실

糸の玉。枷を用いずに糸を苧環状に丸く巻いたもの。

トサ〔兔糸〕　토사→同命糸

トス〔吐手〕　토수

→同トシ

トシ〔▽吐▽手〕　토시

寒さや暑さを防ぐための腕貫き。本来は男性がはめるものだったが、後に女性も用いるようになった。冬用のものは、絹と木綿の交織りを袷にしたり綿を入れたもので、夏用のものは風通しをよくして▶チョゴリ（上衣）の袖に汗が滲まないよう、藤や竹、馬のたてがみ・尾の毛などを編んで作られた。綿を入れて刺し子縫いしたものはヌビトシ、藤製のものはトゥントシ、馬蹄形のものは▶マジェクプトシと呼ばれ、表は白・灰色・黒・茶色、裏は白が一般的であ

トシ　（上）春秋用トシ　（下）冬用トシ

る。裏に動物の毛を当てたトルトシもあるが、これは19世紀末の開化期以降に装身具として作られたようである。同套袖

トジュ〔吐紬〕　토주

絹織物の一つ。太い糸で織った平絹で、地が厚く黄色味を帯びている。《尚方定例》（入染式）に、白・紫色（濃い赤紫）・赤・柳青（萌黄）・黄緑など各色の吐紬が記されている。19世紀初めの純祖の代に編纂された《万機要覧》（財用編1 供上大殿）には、白い吐紬1疋の値段が21両とある。

トピョグ〔土豹裘〕　토표구

我が国で生産される豹皮の衣服。朝鮮時代の世宗22年（1440）1月に、「▶貂裘（テン皮の服）と土豹裘は集賢殿副提学以上が着る」と定められ、成宗6年（1475）7月には、土豹皮の服は堂上官（正3品以上）のみが着るものとされた。→カドッ（皮衣）

トホン〔土紅〕　토홍（たいしゃいろ〔代赭色〕）

代赭（赤鉄鉱）から取れる顔料の色で、赤褐色。朝鮮時代に▶直領（＜外衣）に多く用いられたもので、代赭石を水に沈め、沈殿物を漉して膠を混ぜたものを染料とした。15世紀末の成宗の代には、「官吏たちが常用する上衣の色に一定の制度がないため、これまで▶紺茶褐色（暗い緑褐色）または▶鴨頭緑色（濃い緑）、あるいは草緑色（黄緑）が用いられてきたが、近年は洗濯がしやすいと皆が土紅色を好み、▶朝服の文彩がない。これからは上の雑色と

便宜上用いる土紅色を除いては、中国の使臣を接待するとき以外はすべからく吉服として用いよ」との王命が下っている（《▶朝鮮王朝実録》成宗16年11月辛未）。▶木紅色の染色に用いる蘇芳は日本人が持ち込んでいたもので奢侈禁制に触れるため、代わりに土紅色が用いられたが、次第に贅沢になって貴賤を問わず紅藍色が多用されるようになり、土紅色は消えていった。（《星湖僿説》巻12人事門紅衣）同代赭石色

トッシル　툿실 同命糸

トン-ソルギ　통솔기（ふくろぬい〔袋縫い〕）

接ぎ目を処理する裁縫技法の一つ。2枚の生地を外表に重ね、0.5cmほど縫い代を残して縫ったら、この縫い代を隠すように中表に返し、縫い代を包み込むように再度縫う。単衣に多く用いられる。→パヌジル（裁縫）

トンスウイ〔筒袖衣〕　통수의

上代の服飾の一つで、窄袖衣と同じく袖が筒型の上衣。寒帯・亜寒帯地方の様式で、胴・腕・足を完全に包み込むようになっており、服飾としてある程度完成段階にある。貴人の服飾や礼服として用いられた広袖も、この筒袖が発展したものと見られる。前合わせは、打ち合わせのものと突き合せのものとがある。

ちょうせんつうしんしのふくしょく〔朝鮮通信使の服飾〕
통신사 복식

朝鮮通信使は、朝鮮時代に日本に派遣された外交使節である。朝鮮開国の太祖元年（1392）から文禄の役直

ちょうせんつうしんしのふくしょく〔朝鮮通信使の服飾〕 통신사 복식

筒袖衣　角抵塚主室奥壁　貴婦人像。

前の宣祖23年（1590）までの200年余りのみでも、70回以上に及ぶ派遣記録がある。これは日本に対する平和的懐柔策とも見られるもので、朝鮮の対外政策の根幹を理解することができる。一時、文禄の役の勃発により中断されたが、終戦約10年後の宣祖40年（1607）に再開され、純祖11年（1811）まで12回に渡って派遣された。通信使とその随行員は、三使を筆頭に上上官・上判事・学士・上官・次官・中官・下官から構成されている。三使は正使・副使・従使の3名で、正使には正3品堂上官が任命され、副使には従3品堂下官、従使には5・6品の官吏が任命された。三使に次ぐ上上官と上判事は通訳を任務とし、倭学官や倭学の教官が任命された。学士は外交文書の草案などを担当し、上官には漢方医学に精通した良医、通訳官である次上通事、書に長じた写字官、医員・書記・画員など学術文化交流に備えて各分野の第一人者が選抜され、加えて三使の縁故者から子弟軍官と軍官が選ばれた。次官には、乗馬曲芸師の馬上才、典楽、三使の従僕である班倘・船長が、中官には従船長・小童・使令・小通事・沙工・吹手・砲手・棋手などが属し、下官には風楽手と船夫などが含まれた。

純祖11年（1811）の通信使一行を描いた《通信使人物・旗仗・轎輿図》（日本名古屋蓬左文庫所蔵）、《通信使服飾図》（韓国・国史編纂委員会所蔵）、《通信使人物図》（日本東京国立博物館所蔵）に見られる通信使の服飾について整理すると、次のとおりである。

■国書伝達時の服飾
写真①（387頁）は、純祖11年（1811）金履喬を正使とする通信使一行を描いた図の一部である。図では正・副使をはじめとする通信使一行の服飾の名称と材質について説明しているが、▶金冠朝服に▶大帯・後綬を締め、手には▶笏を持った、威厳のある堂々とした姿である。

■副使李勉求の服飾
写真②は近藤子文が描いた副使李勉求の人物画である。紅色の襟が付いた群青色の▶団領を着て、▶紗帽を被っている。

■軍官服
写真③の軍官は、青の▶チョルリク（<外衣）の上に▶広多絵（平組紐）を締め、▶虎鬚で飾った▶カッ（笠）を被り、▶木靴を履いている。肩には矢を入れた矢筒を下げ、長剣を差した威風堂々とした姿である。写真④の人物画は③の軍官とほぼ同じ姿だが、▶戦笠を被っている。この戦笠は帽頂に▶象毛と黒紐が付き、裏地は紅色である。黄色の玉を通した▶貝櫻が垂らされている。

■楽人服
写真⑤は、太平簫と呼ばれるラッパを持った吹手の姿だ。孔雀の羽を挿した▶朱笠を被り、紅色の麻のチョルリクを着ている。朱笠の貝櫻は堂上官（正3品以上の官吏）のものより太く大きい。写真⑥は洞簫を吹いている楽人の姿で、服飾は全体的に吹手のものと同一である。

■下官服
下官は、通信使一行の中で最も低い階級である。写真⑦は船夫の姿で、白の▶袍の上に玉色（水色）の戦服をまとい、頭に▶網巾を締め、黒笠を手にしている。通信使一行の中では、船夫の人数が最も多かった。

■使令服
写真⑧は使令の姿で、白の▶氅衣の上に白縞の入った▶鵲衣をまとい、孔雀の羽を挿した鍔の大きい黒笠を被り、右腰には大きな鈴を下げている。仁祖13年（1636）の行列図では使令が羅杖と表記されている。

■郷書記服
写真⑨は宴会参席時の郷書記の姿で、鍔の大きい黒笠を被って、広袖の青い直領をまとい、▶細条帯を締め、扇を手にしている。

■小童服
小童とは、宴会で日本人に朝鮮固有の舞を披露する児童である。写真⑩

385

トンインボク〔通引服〕 통인복

の小童は、長い髪を結って後ろに垂らし、襞が比較的多く入った薄黄色の麻のチョルリクを着て、扇を手にしている。写真⑪の小童は、やはり薄黄色の麻衣を着た上に両脇が完全に明いた濃い草緑色(黄緑)の戦服(チョロクセク)をまとい、紅色の帯を締め、左手には杖竹(チャンジュク)を持っている。

正使趙泰億像 粛宗37年(1711)に正使として日本を訪れた趙泰億の肖像画。紗帽を被り、鴉青色の雲紋官服に双鶴胸背を付けた堂上文官の服装である。団領の襟がのど元まで上がっている。

トンインボク〔通引服〕 통인복

通引服

通信使の儀仗　通信使一行が江戸に入城する様子。様々な儀仗を手に行進する威厳ある姿で、麾・戟に象毛を垂らし、大駕や軍隊の行列に用いる大将旗を先頭に、雲紋の入った旗が後に従っている。旗手は鍔の大きい黒笠を被って戦服をまとい、周囲には荷物を担いだ日本人が短衣に刀を差して従っている。

通信使医員の服飾　1709年の通信使の医員奇斗文の姿。紗帽冠帯に団領を着用し、平轎に乗っている。駕籠の横に従う及唱は、鍔の広い黒笠を被り、半臂衣を着ている。護衛の日本人武士たちは、丸い家紋の入った短衣を着て両刀を差し、裸足である。このうち一部は袴を着ている。

通信使写字官の服飾　写字官李壽長(1661～1733)が、1711年に趙泰億の随行員として日本を訪れたときの図。御輿に朝鮮国王の国書を載せ護送している。御輿の担ぎ手は鍔の広い黒笠を被った戦服姿で、護衛の日本人武士は袴に両刀を差し、裸足である。後ろの馬に乗った写字官が李壽長・李爾芳で、紗帽団領姿である。背後の及唱は黒笠に戦服を着ており、他の日本人随行員は短衣を着ている。

通信使の服飾

①国書伝達時の堂上官（正1・2品）の服飾

②副使李勉求像

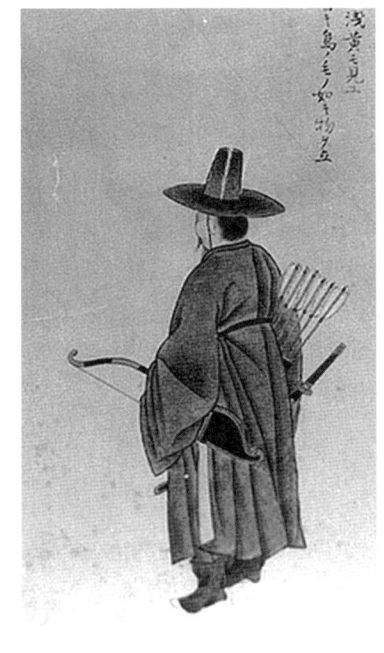

③軍官服

④軍官服

⑤楽人服（太平簫）

⑥楽人服（洞簫）

⑦下官服

⑧使令服

⑨郷書記服

⑩小童服

⑪小童服

通信使の服飾

通引の服飾。通引は朝鮮時代に公賤(官庁の下人)階級出身の年少者で、守令の小間使いである。パジ(ズボン)・チョゴリ(上衣)の上に白い木綿の短衣を着て、腰に細い帯を締めていた。短衣は両脇が明き、身頃が三つに分かれた服である。動きやすいよう足首を軽く縛っていた。

トンチョンクァン〔通天冠〕 통천관

朝鮮時代末期に、皇帝が▶朝服(朝賀服)姿に被った冠。中国では、明代まで皇帝が通天冠を、皇太子及び親王が遠遊冠を被っていた。朝鮮では国王が九梁の遠遊冠を被っていたが、光武元年(1897)に高宗が皇帝の座に就いてからは通天冠を被るようになった。遠遊冠と異なり、前面に▶山述と呼ばれる装飾がついている。(《増補文献備考》巻79章服1衣服総論)同承天冠→遠遊冠・山述

通天冠　絳紗袍に通天冠を被った高宗像。

トン-チマ 통치마

在来式の▶チマ(スカート)のように腰に巻くのではなく、足を通して履く筒状のチマ。19世紀末の開化期に革新的な女性が履き始めたもので、裾は地面から20cm程度の高さである。襞を大きくとり、吊り紐を付けて動きやすくしてある。

トンチマ

トンプンジク〔通風織〕 통풍직

(ふうつうおり〔風通織〕)
2色の経糸を交互に配列し、緯糸も2色を用いた平織の二重織。使用する糸によって仕上がりが異なり、様々な種類がある。

トゥェグン〔腿裙〕 되군

▶カボッ(鎧)の、腰や両脚を保護する部分。布や鉄で作られた。

トゥェチム〔退枕〕 되침

小さな箱型の男性用木製枕。主に桑を用い上面を若干くぼませて作るが、中には陶製や骨製もある。引き出し付きのものが多く、中に櫛・簪・笄(冠に挿す簪)などの身だしなみ道具をしまう。本体の中に小さな石英を入れカタカタと音が鳴るようにしたものもある。→ペゲ(枕)

トゥグ 투구 (かぶと〔兜〕)

① ▶カボッ(鎧)とともに身に付ける鉄製の帽子。頭を包み込んで敵の攻撃から身を守る武装である。三国時代から用いられてきたトゥグは、主に騎馬武装に見られる。高句麗壁画には、中国吉林省集安県の三室塚第1室北壁の騎馬武装図に、のっぺりとしたトゥグを被った武士と双角冑を被った武士の姿があり、平安南道南浦市の双楹塚羨道東壁壁画では、騎馬札甲武士が札甲冑を被っている。新羅や伽耶地域の古墳からも、鉄製鋲留眉庇付冑や鉄製弁帽が出土している。高麗時代には、《▶宣和奉使高麗図経》に竜虎中猛軍がトゥグを背負って歩いたことが記され、朝鮮時代には《▶国朝五礼儀》によると鍔のある鉄製の簷冑と鍔がなく丸みを帯びた円冑とがあった。ふつう頭頂部に三枝槍を立て▶象毛を垂らしたが、中期以降はトゥグの前後に▶竜鳳紋や▶唐草紋などを透かし彫りや象嵌で施し、後部には耳と首を覆うトゥリム(しころ)を付けた。(李康七) →甲冑

② 朝鮮時代の国家祭祀で、定大業之舞を舞う武舞工人が被った装飾用トゥグ。布製で、表は黒い朱子織の絹で包み、帽部の裏は紅色の生絹、鍔の裏には紅色の朱子織の絹を当て

トゥグ②

トゥレモリ　트레머리

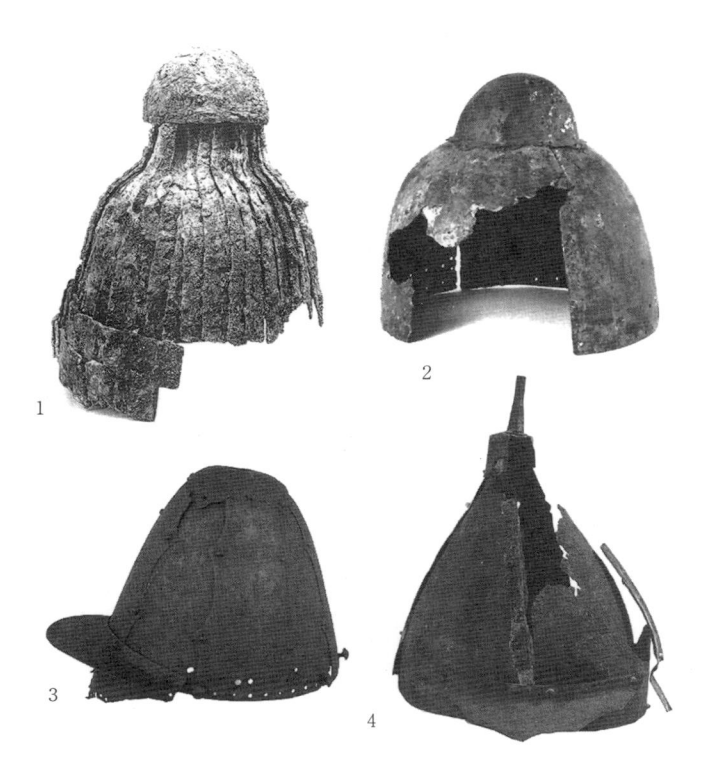

後頭部で平たく結って留める。大きく豊かに見えるよう、入れ髪で作った芯を地髪の中に入れることもあった。→㊀オンジュンモリ

トゥレモリ　《美人図》（部分）申潤福画。澗松美術館所蔵。

１：伽耶式トゥグ　伽耶。５世紀。釜山福泉洞11号墳出土。釜山大学博物館所蔵。細長い鉄札35枚を革紐でつなぎ、上の開いた部分に半球形の鉄板を被せた覆鉢型トゥグ。頂部には孔が開いており、羽根を先端に飾った木の棒を挿したものと見られる。
２：鉄製トゥグ　新羅。７世紀。慶州雁鴨池出土。国立慶州博物館所蔵。半球形頂蓋部と楕円立体形鉄板からなる。下端の小さな孔には日除けやしころが付けられていたものと見られる。
３：鉄製トゥグ　14世紀後半。高麗時代。高麗大学博物館所蔵。前後左右に火頭型鉄板を、内側には舌型の鉄板を当て、正面には日除けが付いている。
４：鉄製トゥグ　鄭公清（1563〜1643）将軍遺品。頂蓋部は円筒形で中央に幹柱を立てるようになっている。鉢部の前後左右には火頭紋筋鉄を垂らし、各々の中央を隆起させてデザインが単調になるのを避けている。

トゥグ①

てある。頭頂には金の▶頂子（チョンジャ）に紅色の▶象毛（サンモ）（房）を、側面には金雲月児（クムンウォラ）を付け、赤紫の紐を垂らした。（《▶楽学軌範（アカククェボム）》巻８定大業呈才儀物図説）

トゥヘ〔套鞋〕투혜
履き物を保護したり防寒のために重ね履きする履き物。朝鮮時代、15世紀初頭の太宗（テジョン）の代には、酷寒日に宮殿の庭で朝礼をするときや迎送行事の際、体調の優れないときや高齢の官吏のみが着用を許された（《▶朝鮮王朝実録（チョソンワンジョシルロク）》太宗６年12月己卯）。さらに次の世宗（セジョン）の代には、文武官７品以下、一般庶民の着用が禁じられたが（《▶朝鮮王朝実録》世宗11年２月）、その後成宗（ソンジョン）元年（1470）正月には、朝廷官吏の宮中での着用禁止が解除された（《朝鮮王朝実録》成宗元年１月甲申）。

トゥレモリ　트레머리
女性の髪型の一つ。髪を左右に分け、

389

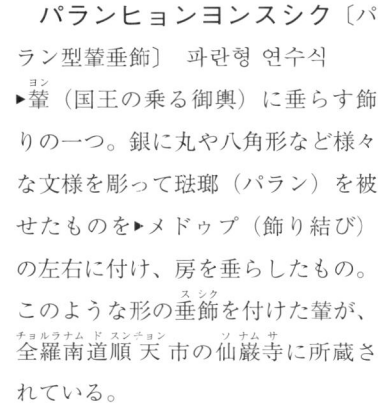

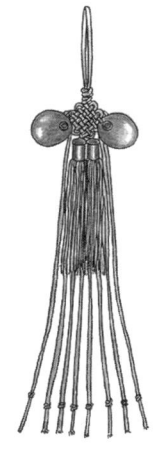

パランヒョンヨンスシク〔パラン型輦垂飾〕 파란형 연수식

パ

芭蕉扇

パラン型輦垂飾

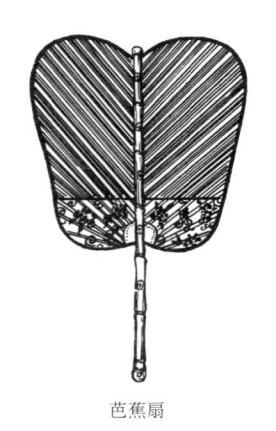

パランヒョンヨンスシク〔パラン型輦垂飾〕 파란형 연수식
▶輦（国王の乗る御輿）に垂らす飾りの一つ。銀に丸や八角形など様々な文様を彫って琺瑯（パラン）を被せたものを▶メドゥプ（飾り結び）の左右に付け、房を垂らしたもの。このような形の垂飾を付けた輦が、全羅南道順天市の仙巌寺に所蔵されている。

パチョソン〔芭蕉扇〕 파초선
芭蕉の葉をかたどった団扇。長い竹の柄の左右に、骨を芭蕉の葉の形に組み、紙や絹を張る。朝鮮時代に、政丞（大臣）が出張の際に日除けとした。→プチェ（扇）

パンテンギ 판댕기
▶テンギ（帯状の頭飾り）二つを縦につないだもの。幅10cm、長さ120cmほどの大きなテンギをつなげて金箔を施したもので、礼装用に用いられた。

パニョム〔板染〕 판염→㊀夾纈

パルギョジク〔八橋織〕 팔교직（やつはしおり〔八橋織〕）
製織法の一つ。経糸は3～4本、緯糸は6～10本を合わせて撚った糸を用いる変化綾織。またはそのように織った絹織物。目を揃えて、下着や裏地にする。

パルリャングァン〔八梁冠〕 팔량관
帽部を前後に8本の▶梁（装飾の筋）が走っている冠。→梁冠

パルリュミョン-チルッチャンボク〔八旒冕七章服〕 팔류면칠장복
朝鮮時代に王世子（皇太子）が着た大礼服。代々の国王を祀る宗廟や国土を祀る社稷で祭祀を行うときに、▶祭服として着た。▶冕旒冠・衣・裳・中単・蔽膝・佩玉・大帯・▶圭・綬・襪・▶舃で構成される。衣・裳には七章紋が入れられている。衣は玄色（黒紫）で、襟・裾・袖口に玄色の襈（縁取り）を巻き、肩に火紋、両袖に火紋二つと▶華虫紋（雉の紋）・▶宗彛紋（祭器紋）の三章紋を入れた。裳は纁色（薄い赤）の▶繒（＜絹布）で仕立て、藻紋・▶粉米紋・▶黼紋（斧の紋）・黻紋（亞字紋）の四章紋を刺繡した。中単は白の▶繒で仕立て、襟・裾・袖口に青の襈を巻き、黻紋を九つ入れた。蔽膝には、裳と同じ纁色の四章紋を刺繡した。綬は、紅花錦綬に双金環を飾り付けてある。圭は青玉で、長さは9寸である。足袋に当たる襪は翡色（青磁色）の▶緞（＜絹布）、靴の舃は表地を翡色の緞、裏地を白の▶緋緞（＜絹布）で仕立ててある。《国朝五礼儀》序例祭服図説）

パルリュチョン〔八柳青〕 팔유청
黄緑色の一つ。藍で濃い青を染めた後、黄柏（キハダ）で濃く重ね染めすると、▶軟豆色より美しい色が出る。《▶閨閤叢書》巻2染色諸法）

パルッチャ-マンゴン〔八字網巾〕 팔자망건
▶網巾の別称。《▶青荘館全書》（巻50盎葉記）に、「我が国の網巾は、前が広く両耳部分が細くなっていることから八字網巾という」とある。→網巾

パルッチ〔腕釧〕 팔찌（うでわ〔腕輪〕）
手首にはめる装身具。我が国では新石器時代からパルッチが用いられた。西浦項遺蹟・雄基松坪洞貝塚

ペレンイ　패랭이

パルッチ　(上)新羅金パルッチ。5～6世紀。慶州皇南大塚北墳出土。直径7～7.5cm。宝物第623号。国立慶州博物館所蔵。薄い金板の両脇を外側に細く巻き、金板1枚を張り合わせて鏤金細工してある。円形と水玉模様の鏤金の中には青と藍色の玉を嵌入し、金色とのバランスをとっている。(中)新羅金パルッチ。国立中央博物館・慶熙大学博物館所蔵。一つは円形の金の珠の途中に曲玉を挟み、もう一つは円形の金の珠に葉の形の装飾を施してある。(下)百済銀パルッチ。520年。公州武寧王陵出土。外径8cm。国宝160号。国立公州博物館所蔵。王妃が左腕にはめていたもので、パルッチとしては唯一刻銘があり、520年に多利という職人が作ったことがわかる。表面に2頭の竜が陽刻されている。

ペレンイ　温陽民俗博物館所蔵。

瑠璃パルッチが出土している。この他の金・銀・銅製のパルッチは、ほとんどが鋸歯状に装飾されたものである。高麗時代のパルッチとしては、赤漆塗銅パルッチと花鳥唐草紋を陰刻したメッキ銀パルッチが知られる。朝鮮時代にはほとんど用いられず、伝世品は残っていない。(参考)金基雄《韓国民族文化大百科事典》23、韓国精神文化研究院、1991

パンニプ-テンギ　팥잎댕기
宮中女官用テンギの一つ。小豆の葉(パンニプ)のように縁が巻きあがっているためについた名称である。下女や洗面所担当の女官が使用した。

ペレンイ　패랭이
太い竹ひごで丸く編んだ▶カッ(笠)の一つ。▶方笠と▶黒笠の中間段階で出現したもので、形はカッに似るが鍔が狭く、帽部が丸い。高麗時代から被られたが、朝鮮時代初期に黒笠が両班階層(文武官一族)の専有物

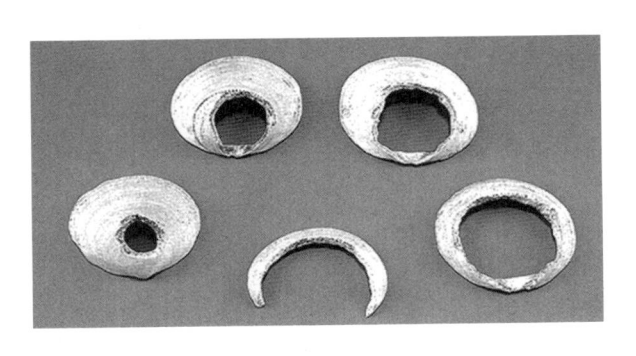

遺蹟などから貝殻製のものが出土し、西浦項遺蹟からは大理石のものも発見された。青銅器時代には青銅製・玉製など、素材が多様化した。初期鉄器時代の永川漁隠洞遺蹟からは青銅製のものが八つ出土し、馬山の城山貝塚からも発見された。三国時代には、素材・装飾ともに多様化し、伝世品も多い。高句麗のものは青銅製と銀製が知られており、百済のものは金・銀・銅製があるが、手首にはめられる程度の輪形で、表面に突起装飾のあるものが大部分である。伽耶のパルッチには玉・金・銀製があり、梁山夫婦塚の玉製パルッチは、瑪瑙珠55個をつないだものと、瑪瑙珠・瑠璃珠と銀紙にメッキした珠をつないだものである。金製パルッチには表面に楕円形の粒を飾り付けたものがあり、銀製のものには表面を鋸状にしたものもある。新羅のパルッチには玉・瑠璃・金・銀・銅製があり、玉製には曲玉・管玉・丸玉・小玉などをつないだものがある。瑞鳳塚からは、美しい光沢のある緑色の瑠璃環で作った

貝輪　新石器～三国時代。国立光州博物館所蔵。

391

となって以降、ペレンイは喪主が外出時に▶頭巾（トゥゴン）の上に被ったり、駅の使用人、行商人、屠殺業者など賤人階層が被るようになった。同平凉（ピョンニャン）子→カッ（笠子）

ペリュン〔貝輪〕 패륜
貝殻で作った▶パルッチ（腕輪）。貝殻の中央を削って丸い輪形にしたもので、先史時代の遺蹟・貝塚から出土する。→パルッチ（腕輪）

ペムル〔佩物〕 패물
▶ノリゲ（女性韓服用房飾り）・▶チュモニ（巾着）など、身に着ける装飾品。《▶宣和奉使高麗図経（ソンファボンサコリョトギョン）》（貴婦）に、高麗の貴婦人は腰帯に金鐸・金香嚢を下げていると記している。このように帯に下げていた飾りが、チョゴリの丈が短くなるにつれてオッコルム（結び紐）に付けられるようになり、朝鮮時代にノリゲになったと思われる。

ペムルソン〔佩物扇〕 패물선
装飾用▶プチェ（扇）の一つ。王女の部屋の装飾に用いられた。

ペヨン〔貝纓〕 패영
▶朱笠（チュリプ）・▶戰笠（チョルリプ）などのカッ（笠）を飾る▶カックン（笠紐）。珊瑚・琥珀・蜜花・玳瑁・水晶などで作られた。朝鮮（チョソン）時代に、3品官以上の▶戎服（ユンボク）には朱笠に貝纓を垂らすと定められたが（《▶続大典（ソクテジョン）》礼典儀章）、末期の高宗元年（1864）には、朝廷官吏の戎服に被る▶虎鬚（ホス）を挿した朱笠と貝纓をやめて、一旦漆糸笠に変更した後（《高宗実録（コジョンシルロク）》巻1）、高宗11年（1874）5月に再び朱笠・虎鬚を復活させ、これに貝纓を付けることになった。→カックン（笠紐）

ペオク〔佩玉〕 패옥
朝鮮時代に、国王・王妃や文武官が▶朝服（チョボク）（朝賀服）・▶祭服（チェボク）（祭祀服）を着たときに、両腰に垂らす装飾品。様々な形の板状の玉（ギョク）をつなげたもの。時代により、その形態はかなり異なる。《家礼集覧（カレチムナム）》（巻1図説世宗19年8月乙酉）を見ると、最上部の珩（ヒョン）に紐を3本付けて蠟珠（ピンジュ）を通し、真ん中の紐の中間に瑀（ウ）を、下端には衝牙（チュンア）を付け、両脇の紐にはそれぞれ琚（コ）と瑎（ファン）を通し、これを韋帯（ウィデ）に垂ら

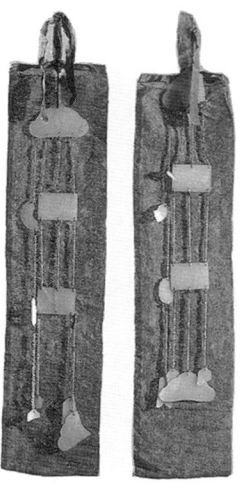

朝服用佩玉　　朝服用佩玉　　伝高宗佩玉。世宗大学博物館所蔵。

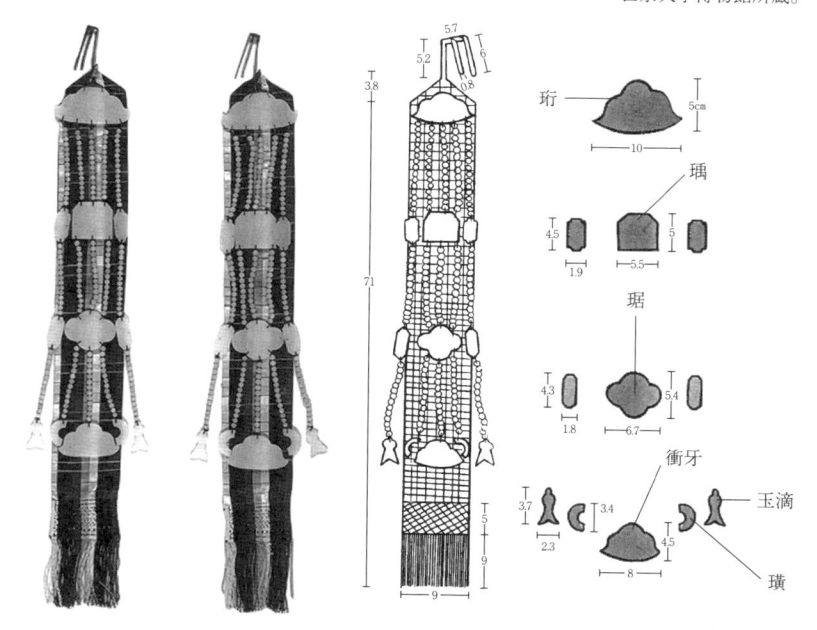

珩
瑀
琚
衝牙
玉滴
瑎

佩玉（下）英王妃翟衣用佩玉。国立古宮博物館所蔵。佩玉は、紅・白・藍・黒・緑の色縞の絹織物に網綴を付けて房を垂らした小綬の表面に載っている。最上部にメッキの輪が付いており、帯に掛けるようになっている。佩玉は、様々な形の白玉装飾を白珠でつないであり、上段の珩に瑀と琚が3本の紐でつながれている。これにさらに衝牙と二つの瑎が付き、珩につながれた二つの玉板に玉花・玉滴が付いている。この玉滴・瑎・衝牙などが互いにぶつかって、歩くたびに音が鳴る。各玉装飾は無紋である。

して歩くと衝牙と璜がぶつかって音が鳴るとある。《国朝五礼儀》には、国王の佩玉は上に珩が重なっており、真ん中に琚と瑀があり、下には双璜の間に衝牙が、衝牙と双璜の間には双滴があり、全て玉であると記されている。朝鮮時代末期の高宗皇帝十二章服の佩玉は、二つの玉佩にそれぞれ玉珩一つ、瑀一つ、琚二つ、衝牙一つ、璜二つで構成され、瑀の下には玉花が、玉花の下には玉滴が付いており、その全てに雲竜紋が刻まれていた。玉佩の上部には金具二つと6色の小綬2本が付いており、小綬は纁色（薄い赤）の地に黄・白・玄（黒紫）・縹（薄い藍）・緑の5色の糸で編まれたものである。

ペッスル〔牌ッスル〕 패술
朝鮮時代に、官吏の▶号牌（身分札）に垂らした房。堂上官（正3品以上）は紫、堂下官は青の房を付けた。→号牌

ピョンバル〔編髪〕 편발→同 弁髪

ピョンボク〔便服〕 편복→同 平常服

ピョンボンムン〔蝙蝠紋〕 편복문
蝙蝠の文様。朝鮮時代に、各種装飾品や生活用品・家具などに多用されたが、単独では用いず、硬貨や雲紋とともにデザインされた。寿・富・貴・康寧・多男の五福のうち、多男の象徴とされた。→紋様

ピョニョンサ〔片撚糸〕 편연사（かたよりいと〔片撚糸〕）
生糸を2本以上合わせ、左右いずれか一方向に撚った糸。

ピョンジャ 편자
▶網巾の下端に付ける、馬のたてがみや尾の毛で編んだ厚い縁。両端に紐を付け、中間に▶貫子をはめる。▶網巾を頭に締めるときは、左右の紐を後頭部で交差させ、反対側の貫子に通してから、もう一度後頭部に回して結び、両端を髻に掛ける。→網巾

ピョンギョン〔平絹〕 평견
経糸・緯糸ともに生糸を用いた平織の絹布。経糸の密度が粗く、多少質が落ちる。

ピョングク〔平屐〕 평극
縁のない平底の木靴。指の位置に紐で輪を作り、指を掛けて履くもので、文禄・慶長の役後、踵のついた木靴に発展した。李玄錫の《遊斎集》に、「壬辰（文禄の役）以前には社会制度が単純で、儒学者は馬に乗らず歩き、足には平屐というものを履いた。履きやすく手に入れやすいためである」とあり、戦乱前後に儒学者も履いたことがわかる。→ナマンシン

ピョンニャンジャ〔平涼子〕 평량자→同 ペレンイ

ピョンニプ〔平笠〕 평립→同 黒笠

ピョンミョン〔平冕〕 평면
前後に垂らす縄暖簾状の飾り（旒）のない▶冕旒冠。旒以外の装飾は、一般の冕旒冠と同一である。帽部の頂に付ける平天板は五旒冕や三旒冕と同じで、表が玄色（黒紫）、裏は朱色である。帽部には冠を頭に固定するための犀簪導が左右に挿されている。前には青紘、両脇には青紘と呼ばれる紐を垂らし、青紘の先には青の玉瑱が飾り付けてある。高麗時代に、堂下協律・大楽令・七祀功臣献官・調者・大官令などが祭服を着て被った。《▶高麗史》与服志）

ピョンサンボク〔平常服〕 평상복
平常時に着る服。高麗時代には、国王と官吏は平常服として▶白紵袍に黒い▶巾を被り（《▶宣和奉使高麗図経》巻7冠服）、朝鮮時代の国王は▶サントゥ冠・▶チョゴリ（上衣）・▶パジ（ズボン）・▶褡襪・▶チョルリク・▶トゥルマギなどを着た。士大夫の平常服もこれに似るが、《京都雑志》の記録によると、▶幅巾・方

蝙蝠紋（右側）蝙蝠紋枕側。蝙蝠紋と囍字を刺繍したもの。中央に囍字紋と4匹の蝙蝠を刺繍し、縁に亞字紋を連続して配置してある。

393

冠・▶程子冠・▶東坡冠などを好みによって被り、朝廷官吏は唐巾、外出時には▶カッ（笠）を被り、履き物には▶唐鞋・▶雲鞋を用いた。朝鮮時代の宮中の女性たちは、チョゴリ・▶チマ（スカート）・回装チョゴリなどを着たが、王妃は▶唐衣をまとった。また、両班家（文武官一族）の女性は、チョゴリ・チマ・▶褙子などを着た。㊂便服・燕居服

ピョンス〔平繡〕 평수（ひらぬい〔平繡い〕）

刺繡技法の一つ。斜線平繡（繡い切り）よりも広い面を繡う手法で、円形や四角形、花や葉を表現するときによく用いられる。糸と糸との間に隙間や重なりのできないよう注意が必要で、広い面に刺繡するときは、糸が浮かないように細い糸で押さえる。また、上から別の手法で装飾することもある。長く浮いた糸の撚り目を揃えるため、縫っている間に撚りが解けないよう、少しずつ糸の撚りを戻す必要がある。刺繡する面が広いので線がゆがまないよう、注意が必要である。（金惠卿）→刺繡

ピョンヨム〔平染〕 평염

単色の浸染。彩絵・捺染・夾纈（板締め）・絞纈（絞り染め）などとともに、三国時代から行われた染色技法である。

ピョンジョンゴン〔平頂巾〕 평정건

帽子の頂部を平坦に作った▶頭巾。黒の綿布を二重にして芯を入れ、張りを持たせて作る。高麗・朝鮮時代にかけて被られた。高麗時代には士大夫・儒学生などの上流階層に用いられ、朝鮮時代初期には地方官吏の官服にもされたが（《太宗実録》巻31）、後期には下級官属の書吏のみが被った。《▶経国大典》(礼典儀章)には、「三司の録事は有角平頂巾を、書吏は無角平頂巾を被る」とある。→巾

平頂巾

ピョンジク〔平織〕 평직（ひらおり〔平織〕）

織物組織の一つ。斜文織・朱子織とともに三原組織の一つに数えられる。織物組織のうち最も基本的なもので、織りやすく実用的なため非常に多用されてきた。経糸と緯糸を1本ずつ上下に交差させる織り方で、1完全組織は経糸2本・緯糸2本からなり、織物の中で最も小さい。同時に、経・緯糸の交差する組織点は最も多く、経・緯糸いずれも布の表面に出る糸が最も短い。組織点が多いため、表面はあまり滑らかではない。平織は組織が丈夫なため、これを応用した様々な実用織物が作られている。経・緯糸の種類・色・太さ・密度・撚りや、経糸の張力を変化させるなどの方法で、多様な外観・風合いの布が織られる。

平織

ピョンチョングァン〔平天冠〕

평천관→㊂冕旒冠

ピョンチョンパン〔平天板〕

평천판

国王が大礼服として被った▶冕旒冠の上部の四角い板。表は黒、内側は赤で、大きさは時代によって異なるが、世宗の代には幅8寸、長さ1尺6寸が基準とされた。㊂綖・冕板→冕旒冠

ペベク〔幣帛〕 폐백

婚礼の六礼のうちの最後の儀式である親迎の後、新婦が舅姑に初めて挨拶をするときに贈るもの。地方や家門により異なるが、舅にはナツメ、姑には干し肉を贈るのが通例である。なお、目下の者が目上を訪ねるときに、儀礼的に持参する物品も幣帛と言う。

幣帛

ペスル〔蔽膝〕 폐슬

膝を隠すために、腰から垂らす長方形の布。高麗時代末から朝鮮時代に

蔽膝 （左）祭服用蔽膝。（右）翟衣用蔽膝。
国立古宮博物館所蔵。

かけて、国王の▶冕服や遠遊冠服、文武官の▶朝服（朝賀服）・祭服（祭祀服）、王妃の▶翟衣の裳の上に垂らされた。裳と同じ色を用いる。上下に襈（縁）を付けるが、上の襈は「紕」、下の襈は「純」と呼ばれる。また、上部には帯に取り付けるための鉤を二つ付ける。素材は、当初は革を使用したが、後には布となった。高麗時代には、冕服の蔽膝は纁色（薄い赤）とし、山紋・火紋の二章紋を赤・白・蒼（青）・縹（薄い藍色）・緑の5色で刺繡し、革帯に吊り下げた。朝鮮時代には、国王の九章服には、藻紋・粉米紋・黼紋（斧の紋）・黻紋（亞字紋）を二つずつ刺繡し、翟衣には翟紋（雉の紋）を2～3列に刺繡し、玉鉤を二つ付けた。国立古宮博物館に所蔵されている皇太子妃の翟衣の蔽膝は、藍色の絹の地に翟紋を二対ずつ2列に分けて刺繡し、その間に小輪花を3列刺繡してある。周囲には紅色の襈（縁）を入れ、▶雲鳳紋が金襴で入れられている。

ポ〔袍〕 포

▶パジ（ズボン）・▶チョゴリ（上衣）の上に着る外衣。身だしなみとして、また防寒のために着た。高句麗古墳壁画の袍の形態を見ると、鎧馬塚の人物は紫の大袖袍を着ており、また角觝塚・舞踊塚では厨房から茶を運ぶ侍者までが袍を着ており、貴賎上下や男女の区別なく袍を用いたようである。袍の形は百済・新羅を含めた三国で似ており、いずれも真っ直ぐな襟（直領）で前は打ち合わせ（交衽）、衽の線は垂直（直垂）で、襟・裾・袖口には色襈（縁取り）を巻き、着丈は膝下まであった。袍はもともと袖の細い窄袖衣で、今日の洋服の外套と似たものだったが、次第に儀礼的な意味を強め、袖の広い大袖袍が出現した。新羅が三国を統一する前の真徳女王2年（648）に、後に武烈王となる金春秋が唐の太宗から授かった衣服を用いて冠服を改定したことがあるが、この中国式団領袍が以後朝鮮時代末期まで冠服の代名詞となった。

高麗時代の袍については、《▶宣和奉使高麗図経》によると、国王も平常時には一般庶民と同様に▶皁巾に白紵袍を用い、男女の袍にあまり差はなかったという。また白紵袍と白紵衣とが区別されたが、白紵袍は広めの袖、白紵衣は身分の低い者が着る細袖であったと思われる。白紵袍は直領・交衽・重裾で、古代社会と同じく帯を締めた。帯の代わりにオッコルム（結び紐）を付けるようになったのは、朝鮮時代中期以後と見られる。

朝鮮時代には儒教を国教とし、礼を第一としたため、士大夫は外出時はもちろん平常時にも冠帽を被って袍をまとい、袍は彼らの専有物に近いものであった。初期には、中国伝来の▶搭護や▶深衣を原型とするとされる▶チョルリクを普段着の袍にすることもあったが、その後、明の制度による直領袍に変わった。袖も寛袖から広袖へと、丈が長くなった。文禄・慶長の役以後には▶道袍が生まれたが、これは広袖で、裾は両脇・背縫いが明き、背縫いの明きを覆うように▶展衫が付いているのが特徴である。朝鮮時代後期には、小氅衣・大氅衣・中致莫などの▶氅衣が生まれた。小氅衣は窄袖で身丈がそれほど長くなく、脇に▶ム（襠）がなく、両脇裾が明いていた。中致莫は小氅衣と同じ形態だが、広袖で身丈が少し長く、また大氅衣は裾の両脇と背縫いが明いている。小氅衣は普段着、あるいは中致莫・大氅衣の中着として、大氅衣・中致莫は外出着として用いられた。朝鮮時代末期

ポ〔袍〕포

三室塚。貴婦人の袍

安岳3号墳。墓主。

舞踊塚。侍者。

チョルリク。1540年ごろ。順天金氏墓出土。忠北大学博物館所蔵。

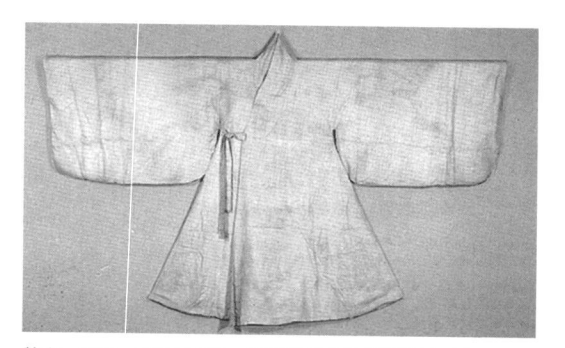

氅衣。1636〜1731年ごろ。石宙善紀念民俗博物館所蔵。

玉色スニントゥルマギ。英王遺品。国立古宮博物館所蔵。

道袍の前面と後面。朝鮮時代後期。高麗大学博物館所蔵。

袍の種類

朝鮮時代の袍の袖の変遷

袍の種類	チョルリク	直領袍	小氅衣	大氅衣・掖チュウム袍	中致莫	道袍
1400年代	短チョルリク《楽学軌範》					
1540年代	順天金氏チョルリク					
1580年代		東萊鄭氏直領袍				
1590年代	長興任氏チョルリク	伝 朴将軍直領袍	伝 朴将軍小氅衣	李彦雄掖チュウム袍		伝 朴将軍道袍
1596年	金德齡チョルリク	金德齡直領袍				
1618年	金緯チョルリク	光海君直領袍	金緯小氅衣		洪克加中致莫	洪克加道袍
1704年	金德遠チョルリク	金德遠直領袍	金德遠小氅衣	洪鎭宗大氅衣	洪鎭宗中致莫　金德遠中致莫	
1840年代	興完君チョルリク					
1900年代	朝鮮時代末期のチョルリク	朝鮮時代末期の直領袍				朝鮮時代末期の道袍

(金榮子〈朝鮮時代の袍の袖に関する研究〉《文化財》18号、1985)

には、高宗32年(1895)3月の乙未改革において、公使礼服に▶トゥルマギのみを着るよう定められた。トゥルマギは小氅衣の脇にム(襠)を付けて裾の明きをなくしたもので、もともとは普段着としたり、道袍の下に着る服であった。庶民はこれを小氅衣とともに上衣として用いた。このように、我が国の袍は朝鮮時代には男性の場合非常に儀礼的なもので、洋服の外套と異なり、四季を問わずに着られた点が特徴である。(柳喜卿)

■袍の袖

朝鮮時代の袍は、非常に多様である。高麗時代にはモンゴルの制度が導入され、これを我が国の衣服の上に重ね着したが、朝鮮時代に入って明の制度が導入されてからは、さらに複雑な様相を見せる。袍の袖は社会的要件によって長さや太さに変化があった。しかし、多用な形態を見せた袍でも、袖の形においては時代的な共通点が見られ、興味深い。これは、袍が伝統的な衣服でありながら、時代ごとに流行があったことを示すものである。①チョルリク:必要により、袖が取り外しできるようになっている。《▷楽学軌範》掲載のチョルリクの袖は非常に細く、袂がない。その後の、1540年代の順天金氏のチョルリクの袖付けは43cmと太く、袖も長い。1590年の長興任氏のチョルリクの袖は、取り外し可能なもので、筒袖型から袂のある形に変わった。袖は朝鮮時代初期から次第に太くなり、この傾向は文禄・慶長の役まで続いたが、この戦乱を前後して

ポ〔袍〕포

太い袖に対する論議が起こり、一時期若干細くなったが、後に再び太くなったことが1704年の金德遠ᴷⁱᵐᵀᵒᵏᵂᵒⁿのチョルリクを見ると確認できる。朝鮮時代末期の興完君ᴴᵘⁿᵂᵃⁿᵍᵘⁿの袖は約51cmの広袖ᴷʷᵃˢⁱⁿである。②直領袍ᶜʰⁱⁿⁿʸᵒⁿᵍᵖᵒ：ほとんどのものが、袂のない点が特徴である。1590年代の直領ᶜʰⁱⁿⁿʸᵒⁿᵍは筒袖ᵀᵒⁿᵍⁿᵉで、東萊のチョン鄭氏の直領袍も長い筒袖である。しかし光海君（1620）の直領袍は袂の丸い形で、この形は同時代の金緯ᴷⁱᵐᵂⁱの小氅衣や洪克加ᴴᵒⁿᵍᴷᵘᵏᵏᵃの中致莫と同じで、この時代に中着として用いられた袍の袖の典型であったと見られる。これに対し、蔚山二休亭ᵁˡˢᵃⁿⁱᴴʸᵘʲᵒⁿᵍ所蔵の直領袍の袖は非常に短く、裄が54cmで、袖丈は30cmの筒袖である。③氅衣ᶜʰᵃⁿʸⁱ：朝鮮時代中期から着られたものと見られる。氅衣は、袖の太さと胸周りのゆとりにより大氅衣・中致莫・小氅衣に分けられる。伝朴ᴾᵃᵏ将軍の小氅衣は、素色木綿ˢᵒˢᵉᵏᵘᵐᵐʸᵒⁿキョブ氅衣ᶜʰᵃⁿʸⁱで、袖は一般的な太さで袂は丸いが、袖口側が太くなっている。裄は95cm。その後の金緯ᴷⁱᵐᵂⁱの小氅衣は2種類があるが、今日のチョゴリの袖型と同一である。これは本人のチョルリクの袖型と同じで、中着としての性格を帯びている。しかしほぼ1世紀後の洪鎭宗ᴴᵒⁿᵍᶜʰⁱⁿʲᵒⁿᵍ（1702年）の小氅衣は、金緯のものとシルエットが全く違う。袍の脇の線がほぼ一直線の垂直であり、袖は筒袖で袂はなく、袖全体が袖口まで同じ太さである。これはこの時代の直領ᶜʰⁱⁿⁿʸᵒⁿᵍ袍の袖と同じである。これらの出土遺物の袖は、朝鮮時代初期の袖型が保たれたものである。このように変化に乏しいの

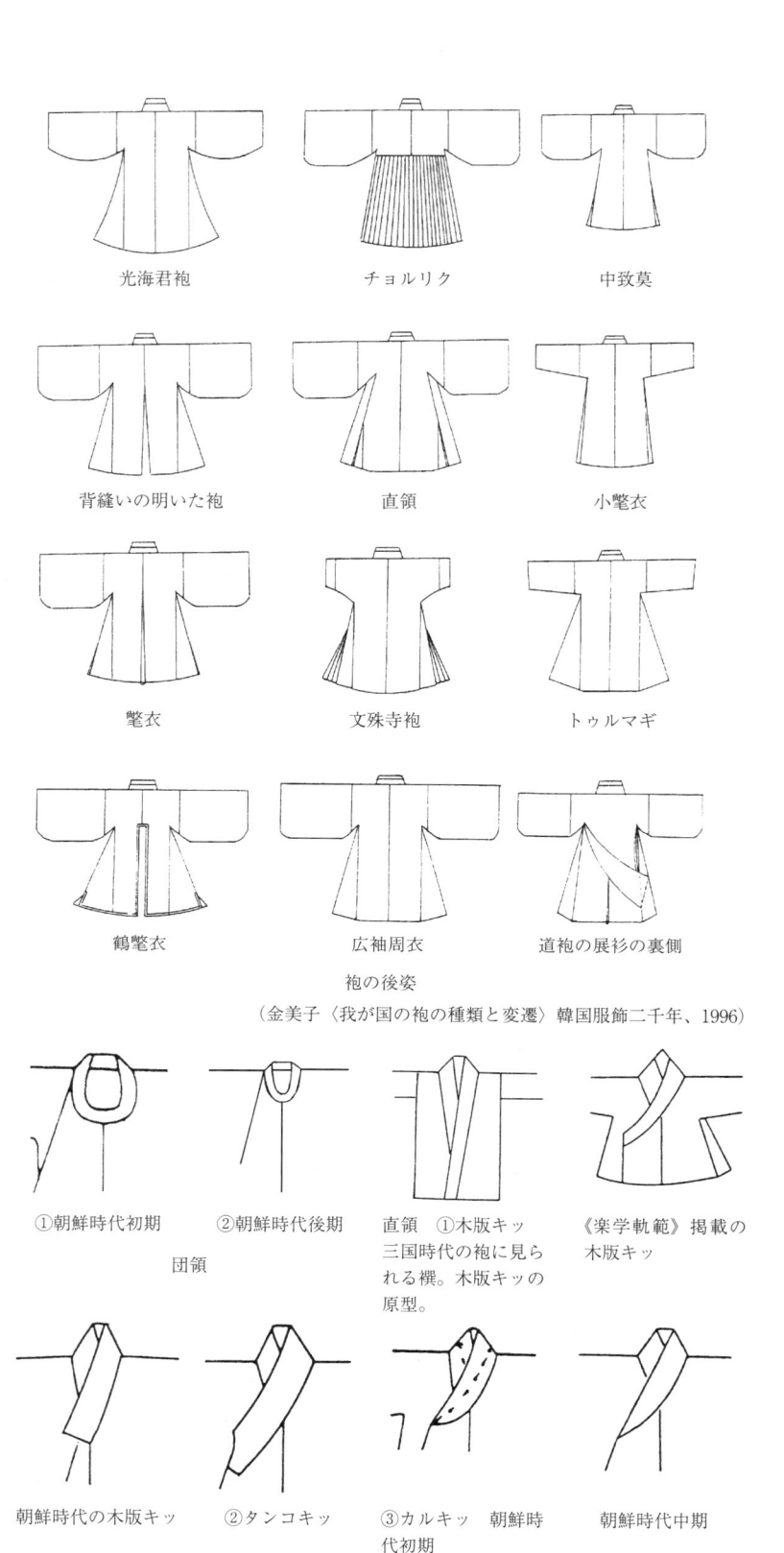

光海君袍　チョルリク　中致莫

背縫いの明いた袍　直領　小氅衣

氅衣　文殊寺袍　トゥルマギ

鶴氅衣　広袖周衣　道袍の展衫の裏側

袍の後姿

（金美子〈我が国の袍の種類と変遷〉韓国服飾二千年、1996）

①朝鮮時代初期　②朝鮮時代後期　直領　①木版キッ三国時代の袍に見られる襈。木版キッの原型。　《楽学軌範》掲載の木版キッ

団領

朝鮮時代の木版キッ　②タンコキッ　③カルキッ朝鮮時代初期　朝鮮時代中期

袍の襟

398

は、直領袍にも共通する点である。小氅衣が引き続き窄袖型を維持したのに対し、大氅衣は角の丸い広袖型を維持している。粛宗の代の洪鎮宗の大氅衣は、角の丸い広袖で袖丈は51cmと、同じ時代の金徳遠の中致莫に似た大きさである。また、洪鎮宗のこれ以外の数着の大氅衣の袖丈もやはり50cmほどである。このように大氅衣の袖は常に広袖であることがわかる。④道袍：道袍の袖は、朝鮮時代中期の他の袍の袖の大きさに似るものと推測されるが、中期に入って次第に幅が広くなった。道袍は、末期には広袖廃止により消滅した。出土遺物としては文禄・慶長の役前後のもので、伝朴将軍の道袍がある。袖付け24cm、袖口28cm、袖丈35cmで、これは当時袖が広袖化する以前の大きさで、同じ人物の直領袍や氅衣の袖とも大きな違いはない。この時代は道袍と他の袍の袖が似ていたようである。洪克加の道袍はほぼ1世紀後のもので、袖が相当太い広袖である。申潤福の風俗画に描かれた道袍も、やはり広袖である。⑤半臂：高麗時代には、素色の苧布で作った半臂（素紵半臂）があった。半臂という名称は袖の形態によるものと考えられる。朝鮮時代の半臂は、出土品に見られるように身丈が長いが、唐の女性の半臂は上腹部までで、男性の農民服の半臂は股までの長さだった。高麗時代の半臂と、17世紀の李天機の半袖直領袍、18世紀の金徳遠の半臂袍の袖は、いずれも短い筒袖である。⑥裰衣：元来甲冑の下に着る中着で、甲冑と同じように前合わせはない。伝朴将軍の素色綿裰衣と南以興将軍の裰衣がある。⑦腋注音袍：脇に▶ム（襠）がついており、襞が入れられている。モンゴルの質孫の影響と見られるこの袍の遺物は、光州李氏と順天金氏の袍の部分、及び李彦雄の袍が残るのみで、その後の変化を知る術はない。李彦雄の腋注音袍は袖付け・袖丈ともに38cm、袖口は26cmで、袂のない筒袖である。この李彦雄の腋注音袍でも袖の形の異なるものがあるが、これは別の袍の袖と同じ形に作られたものと思われる。（金榮子）

■袍の襟

朝鮮時代の袍の襟は、曲線の団領と直線の直領とに分けられる。団領が袍専用の襟であった一方で、直領のうち木版キッ・タンコキッはチョゴリの襟として、カルキッ（刀襟）は袍の襟として発達した。①団領：曲線形態の襟。団領袍は国王の礼服の一つで、一般人にとっては大礼服であり、官吏の官服としても用いられた。団領着用時には、裰襆・チョルリク・直領・深衣などの袍を中着としたが、これにより後に直領と団領の合わさった形の襟が生まれた。官服以外の団領は、朝鮮時代中期以後に深衣・直領に取って代わられ、団領は官服としてのみ残った。団領は、時代を通じて襟・身頃・袖・衽・ム（襠）・明き・コルム（結び紐）の特徴が保たれたが、襟・袖・ムの形の変化を通じて時代的変遷を把握できる。団領は、時代が下るにつれて次のように変化した。まず、丸い表襟と直線の裏襟という形は一定だが、襟ぐりが大きくなった。次に、両脇の四角形のムの縫製処理が、襞を入れる方法から後ろに送って処理する方法に変化した。また、着用者の身分に関係なく、礼服として単から袷に変化するにつれ、表襟は丸襟、裏襟は直線襟で構成されるようになった。②木版キッ：形が板のような四角の直線襟。木版キッは三国時代の袍と襦の▶襈（縁取り）から発展したものと見られるが、文献では朝鮮時代の《▶楽学軌範》の藍チョゴリの襟に見られる。これは、高麗時代の白紵袍の襟に似たもので、三国時代の襈が朝鮮時代の木版キッに変化する過渡期の形態であると考えられる。木版キッは男物・女物ともに用いられ、朝鮮時代初期には袍とチョゴリの襟として流行し、後にチョゴリの襟として発展した。この木版キッは、朝鮮時代中期以降、半木版キッとタンコキッに変化した。木版キッの袍とチョゴリは、全体が直線的構成となるのが特徴である。木版キッは絵や伝世品でその形態を確認できるが、文献にはそれとわかる名称は見当たらない。③タンコキッ：木版キッの先端が曲線化したもの。木版キッの曲線化は、陰陽のうちの陰の表現と見られ、女性のチョゴリのみに用いられる。例外的に、光海君のタンコキッ氅衣とタンコキッ道袍などがある。④カルキッ：衿の先端が刀（カル）に似ていることから名づけられたもので、「半月キッ」とも呼ばれる。直領・チョルリク・道袍・氅衣など、主に

ポゴン〔布巾〕 포건

袍の襟として用いられる。いつから用いられるようになったかは不明だが、朝鮮時代初期のものは高麗時代からの二重襟で、中期以降のものは単一襟である。(張仁又)

ポゴン〔布巾〕 포건

麻布製の▶巾。平安南北道で、既婚男性が喪中に被った。《▶牧民心書》(奉公6条宣化)に「布巾は縗と同じもの」とある。

ポグァ-イクソングァン〔布裹翼善冠〕 포과익선관

麻で包んだ▶翼善冠。朝鮮時代に、国王・王世子(皇太子)が国葬の際に▶喪服として被った。1904年純宗妃が逝去すると、皇帝は▶視事服(執務服)、皇太子は公服に布裹烏犀帯・白皮靴とともに着用し、一周忌の練祭が終わった後の公服にも白袍・白布裹烏犀帯・白皮靴姿で被った。(《▶増補文献備考》巻67礼考14 国恤3)

ポデ〔袍帯〕 포대

▶袍(＜外衣)の上に締める帯。布製で、高句麗古墳の舞踊塚壁画に使用例が見られる。

ポドムン〔葡萄紋〕 포도문(ぶどうもん〔葡萄紋〕)

葡萄の文様。写実的植物紋で、西域から中国を経て8世紀ごろに伝来したものと見られる。熟れた葡萄の房は多男(息子の多いこと)の象徴とされ、絵画やノリゲ(女性韓服用房飾り)に用いられた。→紋様

ポドゥ〔胞肚〕 포두

高麗時代に、公服の上に着た▶褙子(チョッキ)の一つ。朝鮮時代の▶胴衣襨のような、袖なしの短い服である。文宗32年(1078)6月、宋の神宗から下賜された服の中に紅花羅繡夾胞肚があった。

ポリプ〔袍笠〕 포립

カラムシ織で包んだ▶カッ(笠)。喪中の遺族が被るもので、朝鮮時代の英祖6年(1730)の大王大妃の喪に、生員・進士・儒学生徒といった科挙に合格した儒学生は、袍笠・布衣・布帯を一周忌まで着るものと定められた。

ポマンゴン〔布網巾〕 포망건

麻製の▶網巾。国葬で2年目に行う大祥の際に、童子・侍子が頭に布網巾を締めた上から白布笠を被り、白布直領を着て白布帯を締め、木靴を履いた。《▶牧民心書》(奉公6条宣化)には、国喪で地方官が都に向かって遥拝する望慰礼の際に、成服の前に五哭を行いながら斬衰裳・中衣を着て苴杖をつき、喪冠・経帯・菅屨と共に布網巾を必ず締めるものとある。

ポモ〔布帽〕 포모

表を白い麻で包んだ▶紗帽(左右に翼状の角のある帽子)。朝鮮時代の国葬の際に、文武官が▶喪服を着て被った。科挙の文武科の及第者発表の際にも被った記録があるが、このときは麻製の▶幞頭と▶也字帯を用いた。主に、逝去後3か月目の卒哭が終わった後の官吏の執務服として用いられ、光武8年(1904)には王族・文武官の公服として、布円領衣・布帯・白皮靴とともに着用した。(《▶増補文献備考》巻67礼考14 国恤3)同白袍裏紗帽

ポベクテ〔布帛帯〕 포백대

布製の帯。朝鮮時代末期に、婦人がチマの腰の上に巻いた。

ポベクチョク〔布帛尺〕 포백척

布地を測るときに用いられる定規。一般に長さは1尺3寸4分8里であるが変動が見られ、同じ時代でも用途によって差があったものと思われる。標準尺は世宗13年(1431)に商業所管庁の京市署が定めたが、同時に布帛尺は民間で慣習的に使用された尺度体系の総称でもあった。同裁尺

ポソン〔布扇〕 포선

顔を隠す道具の一つ。長方形の麻布の両脇に竹の柄を付けたもので、朝鮮時代に、喪中の遺族が外出する際にこれで顔を隠して歩いた。同喪扇・服扇

ポファ〔布貨〕 포화

貨幣として用いられた布。記録には、「正布1疋は常布2疋に当たり、常布1疋は楮貨20枚、楮貨1枚は米1升に当たる」とある。

ポッコン〔幅巾〕 폭건

幅巾(복건)の本来の発音。→同幅

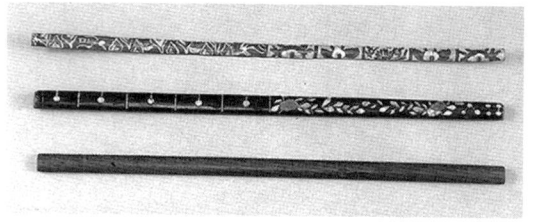

布帛尺 長さ50〜55.5cm。国立民俗博物館・崔チョンチャン所蔵。服地を測るのに用いられた定規。画角や螺鈿で飾られたものもある。朝鮮時代には絹・木綿・麻を測る定規はそれぞれ寸法が異なった。

プンサス〔プン糸繍〕 푼사수

布扇

巾・幪巾
ポッコン

ピョ〔裱〕 표
唐から新羅に伝えられた装飾用の布。両肩に掛けたり、両腕に巻いて垂らす。古代日本で女性が用いた比礼（背巾）・淤須比と系統を同じくするものと思われる。統一新羅興徳王の服飾禁制（834年）では裱に関して、真骨女（チンゴルリョ）には罽繍（ケス）の使用を禁じて金銀糸（コンジャンミ）・孔雀尾・翡翠毛（ピチュイモ）を用いるものとし、6頭品女には罽繍・錦羅（クムナ）・金銀泥（クムニ）を禁じ、5頭品女は綾を、4頭品女は絹を被るものと定められた。（《三国史記（サムグクサギ）》色服新羅）

ピョムン-テグゴ〔豹紋大口袴〕
표문대구고
楽人服飾の一つ。白い絹地の膝から下に豹の斑紋が描かれた太い▶パジ（ズボン）で、裾にはポソン（足袋）がつながれ、両腰に紐が付いている。朝鮮（チョソン）時代、世宗（セジョン）の代の会礼宴（フェレヨンア）で、雅楽（アクムム）の武舞工人（コンイン）が着た。（《楽学軌範（アカクッケボム）》巻9冠服図説）

裱 中国河南地方出土。

豹紋大口袴 《楽学軌範》掲載の図。

ピョベク〔漂白〕 표백（ひょうはく〔漂白〕）
糸や布を日に晒したり、薬品を使って白くすること。色を白くする以外に、染色で鮮やかな色を出すための事前処理として行う。朝鮮（チョソン）時代には「マジョン」と呼ばれた。漂白に用いる灰汁には、焼いた木・藁・豆殻・エゴマ藁・蕎麦殻などが用いられたが、1930年代末までは大豆・小豆・緑豆などの粉を水に溶いたものが用いられることもあった。また、絹には米のとぎ汁や豆乳などが使われた。朝鮮時代末には、1700年代末からヨーロッパで使われ始めた苛性ソーダが取り入れられ、「洋ジェンムル（ヤン）」（洋灰汁）と呼ばれて従来の灰汁に取って代わるようになった。漂白方法は、漉し布を敷いた甕に灰を入れ、水を注いで灰汁を取り、濃度はこの過程を反復することで調整するが、糸や生地によって若干異なる。木綿は、水に浸けてから灰汁に浸し、叩き洗いした後に再び灰汁で煮てすすぎ、日当たりのよい川辺の岩・砂利・草地などで天日干しにする日光漂白法が用いられた。同じ作業を数回繰り返すが、反復するほど漂白効果が高くなる。絹は精練のために1度のみ漂白するのが普通で、川辺などに釜を置いて一連の作業を済ませた。（李良燮（イヤンソプ））同マジョン

ピョウイ〔表衣〕 표의→同袍（ポ）

プセ 평새
服や布に糊付けすること。

プソ 평서
布端のほつれた部分。反飾緒（シクツ）

プンギミョン-モリ 푼기명머리
髪型の一つで、髪を三つに分け、両頬と後ろに垂らした形。高句麗古墳（コグリョ）壁画に見られ、三室塚（サムシル）第1号南壁の左壁の侍女や、竜岡（ヨンガン）第1号墳主室東壁の女人図、集安県第17号墳男人図にも見られる。→モリモヤン

プンサ-ヌルムス〔プン糸ヌルム繍〕 푼사누름수
刺繍技法の一つ。広い面を無撚糸（プン糸（サ））で刺繍すると、糸目が長くなり、糸が浮いたり左右にずれやすくなる。これを防ぐために、同じ色の細い糸で斜めに押さえる手法である。（金惠卿（キムヘギョン））→刺繍（チャス）

プンサス〔プン糸繍〕 푼사수
刺繍技法の一つ。無撚糸（プン糸（サ））を用い、緯糸の目に沿って糸が重なったり離れたりしないよう、てこ

401

プルモリ 풀머리

針で調整しながら刺繍する。（金惠卿[キムヘギョン]）

プルモリ 풀머리

結ったり櫛を入れていない乱れ髪。

のりづけときぬたうちのほうほう〔糊付けと砧打ちの方法〕 풀 먹이는 법과 다듬는 법

布を整えるために糊を付けたり砧に載せて棒で叩く場合、布によって糊の種類や叩き方を変える。19世紀初頭の《閨閤叢書[キュハプチョンソ]》の内容を整理すると表のとおりである。

プルプチョイッキ 풀 붙여 잇기

布をつなぐ方法の一つ。2枚の布の端から1 cmほど緯糸をほどき、経糸に糊を塗って重ね、コテや火のしを当てる方法。

プルソム 풀솜（まわた〔真綿〕）

糸が取れなくなった屑繭をほぐしたもの。光沢があり、木綿よりも軽く暖かい。🔁雪綿糸[ソルミョンサ]

プム 품

▶チョゴリ（上衣）の前身頃や後身頃の幅。

プムデ〔品帯〕 품대

官吏が▶官服として締める帯。官吏の品階を表すもので、色・材質が使い分けられた。最も古い品帯の記録は、百済古爾王[ペクチェコイ]27年（260）のもので、身分により色を変え、7品は紫帯、8品は皂帯（黒）、9品は赤帯、10品は青帯、11・12品は黄帯、13〜16品は白帯を締めたとされる。統一新羅興徳王の服飾禁制では、真骨大等から平民まで、階級によって研文[シルラフンドク]

糊付けと砧打ちの方法

色相	織物名	糊の種類および糊付けの方法	砧打ちの方法
藍色	緋緞	白芨糊を使用する	砧を打つと藍色がいっそう美しくなる
真紅	絹織物	白芨糊にニカワを混ぜて使用	弱めに砧を打ち、乾いた状態で綾巻に巻いて布目を整える
真紅	木綿 苧麻	紅花を浸けた濃い黄液を糊に混ぜ、五味子液に臙脂を混ぜ溶いて用いる。	緋緞と同じ方法でする
紫朱	緋緞	糊を米のとぎ汁のように溶き、ふるいで漉して均一にして用いる。	半乾きの状態で綾巻に巻き布目を整える
玉色	平絹	白芨糊を使用する	砧を打って、夜露や霜に当てると艶がでる
ポラ（紫）	緋緞	生のサトイモを摺った汁で糊付けする。	砧を打つと美しい。
鴉青（濃藍）	平絹 木綿	①平絹は卵の白身をでんぷんに混ぜて用いる。②そば粉の糊を用いる。	砧を打つと糊がきつくても柔らかく艶がある
白	苧麻	タルクやでんぷん糊を用いる	普通に砧を打つ。艶と張りが出る。

《閨閤叢書》

《経国大典》による品階別品帯

品階	朝服・祭服・常服	公服
1品	犀帯	犀帯
2品	正2品 鈒金	荔枝金
	従2品 素金	
3品	正3品 鈒銀	正3品 荔枝金
	従3品 素銀	従3品 黒角
4品	素銀	黒角
5・6品	黒角	黒角
7・8・9品	黒角	黒角

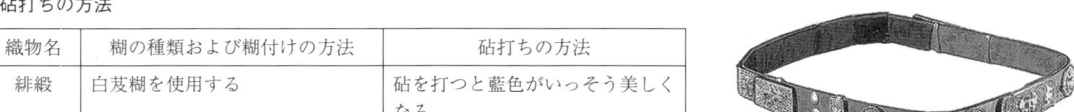

鈒金帯

犀帯

白角帯

黒角帯

黒角帯

品帯

白玉・烏犀（犀の角）・真鍮・鉄・銅・銀の帯を用いるものと定められた。高麗禑王13年（1387）には、唐の制度を受け入れて1品から9品まで▶紗帽・団領を着用し、1品は鈒花金帯、2品は素金帯、5～9品は角帯を締め、布帯も糸帯・細条纓帯・纓帯などが使い分けられた（《▷高麗史》志巻26与服）。朝鮮時代の《▷経国大典》に載っている品階別品帯は、前頁下の表のとおりである。
→ティ・角帯

プムポ〔品布〕 吾포
国王への進上品や国王からの下賜品などを扱った済用監が、確保している布が不足した時に、品級別に官吏に一定量を割り当てて徴収した布。巫女からも徴収することが多かった。（《朝鮮王朝実録》太宗7年6月丁未）

プンデンイ 풍뎅이→同ナムバウィ

プンジャム〔風簪〕 풍잠
▶網巾の前面上部に付ける装飾品。上に被った▶カッ（笠）が後ろにずれるのを防ぐ。牛の角・鼈甲・琥珀・錦貝（黄色の透明な琥珀）などを丸く削ったもの。身分によって素材が使い分けられ、両班（文武官）は琥珀・鼈甲・瑪瑙を、技術官の中人や商人階級は骨や角を用いた。

同 遠山→網巾

プンチャ〔風遮〕 풍차
朝鮮時代の防寒帽の一つ。初期には両班階級（文武官一族）で主に被られたが、次第に平民も用いるようになった。表は黒・紫・藍の▶緞（朱子織の絹布）、裏は藍色・草緑色（黄緑）の絹を当て、縁には黒や栗色の兎・狐の毛皮を巻く。形は▶ナムバウィに似て頭頂部は丸く抜けており、耳と頬・顎を隠すポルッキ（頬当て）を付け、使用しない時は跳ね上げて紐で結んだ。男性はこの上に冠や▶カッ（笠）を被り、女性は前後に房を付けて珊瑚・翡翠などで飾った。《五洲衍文長箋散稿》（巻45暖耳袹袷護項暖帽弁証説）に、「我が国では貴賤・文武を問わず、首に巻く胡耳掩・風遮があり、毛や黒緞・褐布で二重に仕上げた。年配の朝廷官吏が宮中に出入りするときに小風遮を被ったが、これは項風遮または三山巾とも呼ばれた」とある。

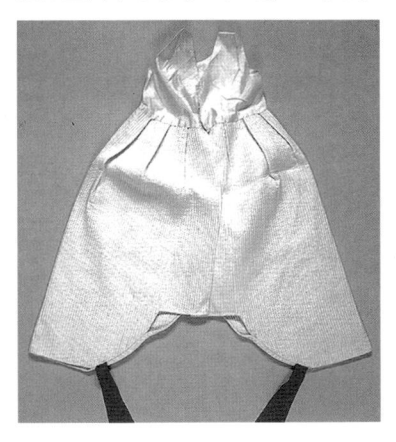

明宗8年（1553）9月には、低い身分の女性の被り物にも、職人・商人・下人と同様に山羊皮・犬皮・猫皮・モグラ皮・狸皮・兎皮などを用いるよう定められた。→暖帽

風遮

プンチャーパジ〔風遮パジ〕 풍차바지
股が明いた幼児用の▶パジ（ズボン）。まだ自分で便所に行けない2～3歳の幼い子供に着せたもので、股の明いた部分に布を当ててある。冬には綿を入れたり刺し子にして、防寒着とすることもあった。

風遮パジ　チャンヌビ風遮パジ。国立古宮博物館所蔵。表地は白の花紋絹、裏地は白色の無紋絹で、0.5cm間隔で細かく刺し子縫いしてある。チョッキの腰は白の生絹で、後ろにボタンが三つ付いている。

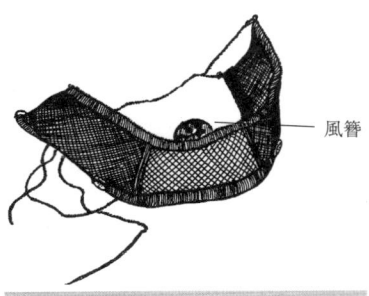

風簪　温陽民俗博物館所蔵。

ピガプ〔皮甲〕 피갑

皮甲 宝相華紋皮甲。18世紀。延世大学博物館所蔵。表地は薄黄色の綿に黒の宝相華紋を上品に施し、裏地は皮札をつないである。肩には真鍮製の簡単な肩鉄が、脇明きには真鍮の円形ボタンが付いている。

ピガプ〔皮甲〕 피갑
朝鮮時代の鎧の一つ。なめしていない猪の皮で札を作り、黒く染めた鹿皮でつないだもの。《世宗実録》五礼儀五礼軍礼序例兵器〕(李康七)
同猪皮甲→カボッ〔甲衣〕

ピギョン〔披肩〕 피견
朝鮮時代に防寒具として用いられた耳掩の別称。《清江先生鯷鯖瑣語》に、「我が国の人々は、近古には士大夫・庶人を問わず倭獺皮を買い入れて披肩を作ることを好んだが、披肩とは俗に言う耳掩のことである」とあり、《芝峰類説》にも、「今日の耳掩は昔の披肩である」とある。→同耳掩

ピリ〔皮履〕 피리
革製の縁の低い履き物。三国時代に使用した記録が見られ、高句麗では黄革履が履かれ(《北史》高句麗)、百済の国王は烏革履を(《旧唐書》百済)、舞者は皮履を履いた(《通典》)。新羅でも皮糸履・牛皮履などが用いられた(《三国史記》巻33雑志2色服)。高麗時代には、儀仗兵の仗衛、官庁の下人である皂隷、科挙に及第した進士が履くこともあった。→履

皮履 尹拯(1629～1714)遺品。

ピバク〔披膊〕 피박
鎧の肩を覆う部分。布と鉄で作られた。

ピバル〔被髪・披髪〕 피발
喪中に、死者の子や孫が▶喪服に着替える際に髪をほどくこと。大韓帝国の高宗の喪では、皇太子は▶常服を脱いで被髪で喪服をまとい、王妃と皇太子妃も被髪にして、喪服・素鞋・麤布襪(木綿の足袋)に履き替えたという。《純宗実録》附録1926年4月25日)

ピビョン〔皮弁〕 피변
朝鮮時代に、宮中宴などで舞いを披露した舞童の服飾の一つ。雅楽や俗楽の武舞工人や儀仗を持つ者が被った冠帽である。紙を貼り合わせて作り、裏には美しい布を貼り黒く塗ってある。表にはノロジカ皮の文様を描き、両脇には銅の雲月児をつけ、青の絹紐を垂らしてある。武舞は、雅楽の演奏に合わせて武を象徴する服装で踊る群舞で、孔子を祀る文廟での祭祀の亜献・終献の際に踊った。左手に盾(干)を、右手に斧(戚)を持って舞い、宗廟での定大業之舞では、刀・槍・矢を持って舞った。《国朝五礼儀》によると、楽人58名のうち武舞工人48名と儀仗の旗を手にした2名が皮弁を被り、緋鸞衫・黄画甲・豹紋大口袴を着て▶起梁帯を締め、▶白襪・▶烏革履を履くと定められている。(《楽学軌範》巻9冠服図説)

皮弁

ピボク〔被服〕 피복(ひふく〔被服〕)
体を覆ったり、体に羽織る立体状のもの。服・帽子・手袋・靴下・靴・マフラーなど、身に付けるもの全体を指す。

ピサリ〔皮糸履〕 피사리

新羅時代に用いられた皮製の縁の低い履き物。《三国史記》(巻33雑志2色服)に記されている。→履・シン

ピソン〔皮扇〕피션

顔を隠すための道具。2本の柄に黄テンの皮を巻いて節のある竹のようにし、その間に黒い絹布を張る。カワウソやノロジカの皮を用いることもあった。春・秋には埃を防ぎ、冬には防寒用としても用いられた。同 毛扇・暖扇・貂扇

ピオンヘ〔皮温鞋〕피온혜

皮製の▶雲鞋。朝鮮時代、1408年の太祖の喪には、王妃・王女などが▶褙子・▶蓋頭・布頭帽・竹釵・帯に白皮温鞋などを着用したという。(《▶朝鮮王朝実録》太宗8年5月)→雲鞋

ピチャル〔皮札〕피찰

鎧の裏面などに札として用いられた皮片。→カボッミヌル

ピチョヘ〔皮草鞋〕피초혜

皮と草で作られた履き物。靴底には皮を、縁には草や麻を用いた。主に、朝鮮時代に中国から輸入し、上流階層が履いた。世宗28年(1446)には、9品までの官吏や一部名誉職の官吏以外には唐皮草鞋を禁じ、同31年(1449)1月には身分を問わずこれを禁止したことにより、姿を消した。→鞋

ピファ〔皮靴〕피화

皮製の長靴。北方系のものと見られ、高句麗では赤皮・烏皮などを用い(《旧唐書》音楽高麗)、新羅では紫皮・烏皮などで作られた(《▶三国史記》色服)。朝鮮時代には、▶黒皮靴・白皮靴・水鞋子などがあった。→靴

ピヘ〔皮鞋〕피혜

皮製の縁が低いシン。朝鮮時代に広く用いられた。世宗11年には、贅沢を押さえるために商人・職人・下人に対する皮の履き物を禁止したが守られず、身分の高い者は鹿皮、低い者は牛皮を用いるものと定められた。(《▶新増東国輿地勝覧》巻1)→鞋

ピル〔疋〕필(ひき〔疋〕)

反物を数える単位。織物1疋の長さは、種類・用途・裁断方法などにより異なる。新羅では10尋(8尺)を1疋としたが、文武王5年(665)には丈7歩(42尺)、幅2尺を1疋とした。朝鮮時代には40尺を1疋とした。(《▶星湖僿説》巻6万物門)

ピルナン〔筆嚢〕필낭

筆を入れる袋。筆の毛が抜けたり乱れないように携帯するためのもので、様々な文様の刺繍で飾られた。→チュモニ(巾着)

筆嚢　蝉型の筆嚢。

ピルモク〔疋木〕필목

▶ムミョン・▶広木・▶唐木など、反物になった綿布の総称。

ハイカルラ 하이칼라

ㅎ

ハ

ハイカルラ 하이칼라
男性の髪型の一つ。髪の毛を下だけ切り、上の部分は残して左右に分ける。朝鮮時代末期の高宗32年（1895）11月に下された断髪令により髷が徐々に無くなり、これが成人男子の一般的な髪型になった。日本語を通して取り入れられた外来語である。

ハピ〔霞帔〕 하피
朝鮮時代に、王妃や側室が礼服の▶翟衣を着るときに、首に掛けた帯状の飾り。一続きの長い布で、背中は▶補の下まで半円状に垂らし、前には平行に垂らした。1906年の嘉礼に用いられた霞帔は、黒の▶貢緞に薄紅色の裏を当てた、幅9cm・丈5mのものであった。26羽の鳳の間ごとに雲を刺繍し、縁に2本の金線が入れてある。5mの丈の中央と、両端から1mの位置にボタンが付いている。中央にあるボタンを翟衣の背中に付けられた補の上の環に、両側のボタンを両肩の補の内側の襟脇にある環にはめると、金箔の鳳が両前肩で向かい合って上を向く姿になる。中国から下賜された霞帔は、青の絹地に圏金と翟鶏が刺繍されたものであった。《▶国朝続五礼儀補》（序礼巻1吉礼）には、王妃の翟衣に垂らす霞帔は黒の▶緞に紅絹の裏を当て、金糸で28の雲霞、26の翟紋を刺繍するものと記されている。→翟衣

霞帔　国立古宮博物館所蔵。王妃の翟衣に用いたもの。丈492cm、幅10cm。濃い赤紫の無紋緞の裏に薄桃色の三八紬を当ててある。26の鳳紋と雲紋が金箔で施されているが、鳳は外側に向いて飛び、縁には2本の金線を入れてある。

ハンムン〔鶴紋〕 학문
鶴の文様。三国時代から清雅と長寿の象徴として用いられてきた。初期には神仙思想を象徴するものであったが、のちに現実的な長寿の象徴となり、鳳凰紋とともに双鶴紋などとして用いられた。▶雲紋・松紋など他の長寿紋と併用されることが多かったが、朝鮮時代の文官の▶胸背にも単鶴・双鶴としてデザインされた。3品以上の上級官吏は、礼服や祭服を着たときに腰に巻く▶後綬にも鶴を刺繍した。→紋様

鶴紋　後綬の雲鶴紋。淑明女子大学博物館所蔵。

ハクチョン-クムデ〔鶴頂金帯〕 학정금대
朝鮮時代の太宗16年（1416）に定められた、従2品官吏の▶品帯。円形や四角形の犀の角の中央を赤く飾り、金の縁を付けて帯に貼り付けた。

鶴頂金帯

ハクチャンイ〔鶴氅衣〕 학창의
高麗時代から朝鮮時代にかけて、徳を積んだ在野の儒学者が着た▶袍（外衣）。鶴のような崇高さを形にした衣服である。広袖で襟は小さく、首周りから衽・裾周り・袖口に5～6cmの黒い▶襈（縁取り）が施されている。背縫いが襟下約20cmから明いており、両脇の裾にも20cmほどの明きがある。夏には白のカラムシや綿、冬には絹などで仕立てられた。着用時には、▶細条帯を締め、▶幅巾や臥竜冠などを被った。《海行摠載》（東槎日録3月22日）によれば、日本に渡った使臣たちも臥竜冠を被って鶴氅衣を着たとあり、《▶梅泉野録》（巻1上甲午以前）には、任憲晦が鶴氅衣を着て温陽を通りがかると、青年たちが礼服の▶四揆衫

ハンサム〔汗衫〕한삼

鶴氅衣

を着て付き従ったとある。→袍

かんだいのかんむり〔漢代の冠〕한대의 관
中国の漢代の冠には、貴人の被る▶通天冠・▶遠遊冠・方山冠、武人の被る駿䴉冠などがあった。普段はノロジカの皮などでできた山型頭巾を被り、これも含めて冠と呼んだ。生業に就いた身分の低い者はいわゆる巾幘（頭巾形冠帽）を被り、「庶人は緑幘を被る」との記録もある（《▶五洲衍文長箋散稿》古今冠巾制度弁証説）。▶幘は頭を結って額に布を巻いた上に被ったが、文帝の代には幘の頂を高くして冠幘・屋幘と呼び、文武百官をはじめ貧富貴賎を問わずにこれを被った。また、文人は▶進賢冠や角の長い幘を被り、武人は武弁や角の短い幘を被った。前漢・後漢の儒学者はふつう幘で作った襯冠や葛巾を被り、閑居する貴族はふつう冠を被らずに幘のみを被り、庶民も冠が無かったために幘を被った（《後漢書》興服志・《随書》）。

これ以外に、巾帽も用いられた。

ハルリム-タンゴン〔翰林宕巾〕한림탕건
朝鮮時代に被られた▶宕巾。馬の尾の毛や人の髪で、上段は網目に、下段は櫛目に編んである。国王に仕えた翰林学者や徳を積んだ人物の被るものとされ、翰林宕巾と呼ばれた。→宕巾

ハンボク〔韓服〕한복
朝鮮民族固有の衣服に対する総称。三国時代から近代直前までは、身分によってその形態や文様・色などが大きく異なったが、19世紀末の甲午改革以降は、衣服制度改革や近代西洋文物の流入の影響を受け、次第に簡素化された。
韓服の特徴はまず、上衣と下衣が別になった衣袴分離型だという点である。また、3世紀の中国の文献にも記されているように、庶民の衣服は白が主体で、白衣民族という言葉も生まれた。さらに、衣服全体の構成が画一的であることも一つの特徴

で、チョゴリ（上衣）やパジ（ズボン）からトゥルマギ（外衣）・マゴジャまで、形は同じで人により寸法が異なるだけである。韓服の美はその優雅な線にあり、衣服全体に流れる優しく柔らかな曲線には、朝鮮民族の精神をうかがうことができる。特に女性の韓服は、我が国独自の美しい線が調和を成す芸術品である。

ハンサン-モシ〔韓山モシ〕한산모시
忠清南道舒川郡の韓山地域で生産されるカラムシ織。昔から品質が優れ、目が細かく美しいため、カラムシ織の代名詞とされてきた。白く軽くて通気性が良く、夏用の高級生地とされ、淡い水色に染められることもある。韓山細モシは幅が28cmほどで、1200本の経糸を用いる15升のものが極上品とされた。チマ（スカート）を仕立てるときは、ふつう十二幅を縫い合わせる。同韓山紵→モシ

ハンサンジョ〔韓山紵〕한산저→同韓山モシ

ハンサム〔汗衫〕한삼
① 女性の礼服である▶円衫や▶ファロッなどの袖先に付ける長い白布。王妃や側室たちの円衫には、牡丹紋を連ねた大きな金襴を施したり、文様を織り成したものを用い、貴族階級の婚礼服であるファロッには▶十長生紋を刺繍したものを、庶民の婚礼服である緑円衫には無文の単の白い汗衫を付けるなど、身分による差があった。→ファロッ
② 宮中舞踊で、舞い手の舞童や女妓が袖先に付けた長い袖。白の白汗衫と、縞柄のセクトン汗衫がある。処

407

ハンジ〔韓紙〕 한지

容舞・佳人剪牧丹・舞鼓・春鶯囀・宝相舞など、演目によって丈や文様が異なる。→冠妓服
③▶ソクチョク衫（下着）を指す宮中用語。汗を吸う服という意味で、男女ともに用い、形は外衣と同じで寸法が若干小さい。

ハンジ〔韓紙〕 한지
コウゾなどの繊維で作る紙。我が国における紙作りの開始時期については説が分かれるが、高句麗の僧侶曇徴が嬰陽王21年（610）に日本に製紙技術を伝えたことや、百済では既に4世紀後半に史書を編纂したということから、4〜7世紀初めには中国から製紙技術が導入されていたと考えられる。高麗に入って印刷技術が発達し、韓紙の特性が生かされるようになった。中国では韓紙を鶏林紙・蛮紙・白硾紙・白麗紙と呼び、官民を問わず多用された。朝鮮時代にも韓紙の生産が奨励され、太宗15年（1415）には造紙所が設置され、紙が専門的に生産された。これは後に造紙署となり、朝鮮時代末には紙所庁となって、武官の裨将が韓紙の製造に関する業務を管掌した。

韓紙は品質により、大きく白紙・壮紙・角紙の3種類に分けられる。これを更に細かく分けると、窓戸紙・油衫紙・貢物紙・四古紙・笠帽紙・大角紙・小別紙・資文紙・山内紙や、全羅北道全州特産の外壮紙・映窓紙・篭扇紙・完山紙などがある。また染色されたものに、紅花染紙・茜根染紙・紫草染紙・監染紙・支子染紙・青苔紙（全州特産）などがある。用途別には、戸に貼る窓戸紙、族譜（家系図）・仏教経典・古書などの影印に用いられる複写紙、四君子や花鳥などを描く画仙紙、年賀状・招待状などに用いられる苔紙などがある。

ハンチュンヒャン〔漢沖香〕 한충향
朝鮮時代に、女性が▶扇錘（扇子の柄飾り）に付けたり、ノリゲ（韓服用飾り）とした。香成分を粉にして練ったものを金糸で編んだ▶チュモニ（巾着）に入れて持ち歩き、腹痛などが起きたときに救急薬として用いた。

ハリ〔割衣〕 할의 →同ファロッ

ハムニプ〔蛤笠〕 합립
朝鮮時代に、宮中舞踊の舞童女が蓮花台を舞うときに被った、鈴の付いた帽子。細い竹を編んで紙を貼り、表面を藍色の綃（生絹）で覆ってある。紅綃で頂子を作り、その下に紅綃・藍綃で花形を作り、黄紅のバラを挿した。4面の梁と縁にも金花紋を押した紅綃を付けた。中にも紅綃を貼り、左右に金の鈴を下げ、内側には金花紋を押した紅綃の紐を2本付けてある。蓮花台の前の演目は鶴の舞で、この鶴が蓮の花をついばむと、花の中から2人の童女が現れ、蓮花台の舞に移るようになっている。被った蛤笠が動くたびに鈴の音をたてる。（《▶楽学軌範》巻8蓮花台服飾図説）

ハプサ〔合糸〕 합사
数本の糸を合わせて一定の太さにすること。また、その糸。同じ方向に撚った糸を合わせ、糸がねじれるのを防ぐ。

ハビムシク〔合衽式〕 합임식
（つきあわせ〔突合せ〕）
襟を整える方式の一つ。▶褙子（チョッキ）・麻古子のように、衽を重ねず、接するように合わせる方式。

ハプチュクソン〔合竹扇〕 합죽선
扇の一つ。竹の皮で扇の骨を作り、紙や無地の絹を貼った折りたたみ式の扇。竹の内皮側で作った一般の扇に対し、竹の外皮側を用いたものを合竹扇という。絵や文字を入れて品よく仕上げ、柄の▶扇錘に房を付けたものもある。使わないときには扇入れにしまうが、この扇入れにも美しい刺繍を施した。高麗時代中期

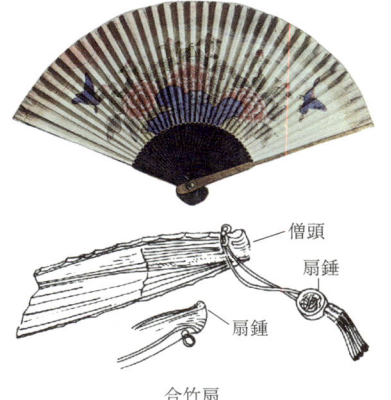

蛤笠

合竹扇

僧頭
扇錘
扇錘

から中国に贈る品目に加えられるほど、扇の製作技術は卓越していた。今日では全羅道地方の特産品である。→プチェ（扇）

ハッパジ　핫바지
綿入れの冬物▶パジ（ズボン）。男物には12両（約450ｇ）の綿を用い、端と腰には薄く入れて動きやすくする。（《閨閤叢書》巻2）→ソムパジ

ハッチョネ　핫처네
表裏ともに絹製の厚布団を指す宮中用語。

ハンナ〔亢羅〕　항라
▶甲紗のような紗織物と、唐羅のような絽織の織物。薄くて通気性が良く、夏用の生地として多く用いられる。紗織は緯糸1本ごとに、絽織は緯糸数本ごとに経糸を絡めて織ったもので、経糸同士の交差する部分に隙間がある。絽織は、緯糸3本ごとに経糸が交差する三越絽（三本絽）、5本ごとの五越絽（五本絽）、7本ごとの七越絽（七本絽）がある。また、これを縦に応用したものを縦絽（縦絽）といい、緯糸に強撚の生糸を用いたものを絽縮緬（絽縮緬）

という。絽織は、絡みと絡みの間の組織は平織か綾織である。→絽織

ハンプンチャ〔項風遮〕　항풍차
朝鮮時代の防寒帽の一つ。《五洲衍文長箋散稿》（暖耳袷護項暖帽弁証説）には、「三山巾ともいい、年配の朝臣が宮中に出入りするときに被る」とある。憲宗10年（1844）12月には▶耳掩を三山巾とし、堂上官（正3品以上）はテン皮で、堂下官は黒皮で仕立て、被るものと定めた。（《増補文献備考》巻79礼項26章服）≡三山巾→風遮

ヘナン〔亥嚢〕　해낭→≡頒嚢

ヘチムン〔獬豸紋〕　해치문
獬豸の文様。獬豸は「ヘテ」とも呼ばれる想像の動物で、善悪の判断ができ、天地調和と正義を象徴する。頭には角とたてがみがあり、尾の先にだけ長い毛が生えていて、瑞気に満ちている。女性の▶ノリゲ（韓服用房飾り）や▶チュモニ（巾着）などの装飾文様として用いられ、朝鮮時代に大司憲（風紀取締官）の▶胸

獬豸紋　獬豸胸背。朝鮮中期。高麗大学博物館所蔵。大司憲が着たもの。深い青の地に、今にも跳びかかりそうな姿の獬豸を中心に五色の雲をデザインし、岩には三つ葉の不老草が生えている。

背（官服の胸・背の標章）にも用いられた。

ヘピョピ〔海豹皮〕　해표피
アザラシの皮。防寒服に用いる。新羅では唐への謝恩品として用いるほど珍重され（《三国史記》巻8新羅本紀88聖徳王33年）、渤海でも唐との交易品の一つとされた（《渤海国志長編》巻10諸臣列伝第2）。

ヘンド〔行道〕　행도
袈裟の一つ。→袈裟

ヘンイ〔行衣〕　행의
朝鮮時代に儒学生が着た外衣。広袖の▶袍で、襟・裾・袖口に黒い布で襈（縁どり）を施した。→儒生服

ヘンジョン〔行纏〕　행전
男性が身動きをしやすくするために、▶パジ（ズボン）の上から脛に巻いたもの。朝鮮時代に、両班（文武官一族）階層は礼服を着る際や外出時には必ず行纏を巻くものとされた。木綿やカラムシで作り、布帛尺（鯨尺）で長さ3尺（約140cm）、幅は3寸余りである。上部の両側に紐を付け、脛に巻いて結ぶ。中国見聞記の《燕行録選集》（赴燕日記主見諸事衣冠）には、「両足に斜幅を巻いているが、これは我が国の行纏である」とある。また、日本の風俗を記録した《海行摠載》（奉使日

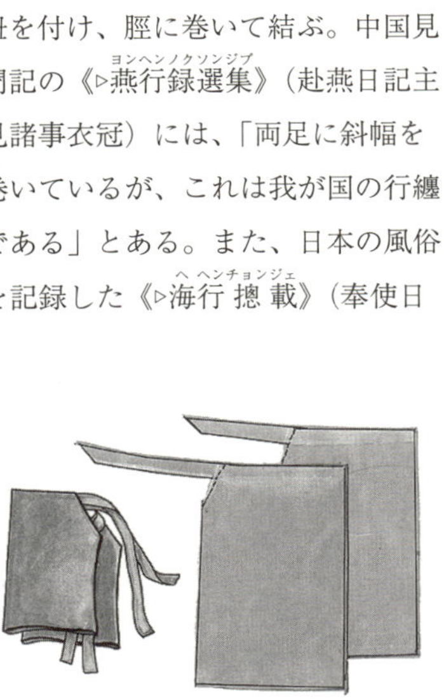

亢羅

行纏

ヘンジューチマ 행주치마

本時聞見録戊辰5月2日）には、「馬を引く従者は木綿の服を着て、行縢を巻く」とある。㊂勒帛・脚絆・行縢

ヘンジューチマ 행주치마→アプチマ

ヒャン〔香〕 향

よい香を出す物質。寺から民間に至るまで広く用いられた。寺では仏前に焚き、民間では粉末や粒にして香箱の中に入れて下げたり、美しい房を付けて▶ノリゲ（女性韓服用装飾）にした。薬用や厄除けにも用いられた。

■香の種類
①自然木：香木の根。吐き気・急性胃腸炎・胸やけ・利尿・消化不良の薬として用いられる。
②麝香：ジャコウジカなどの体から採られた香料。ジャコウジカ（雄）・ジャコウネコ（雄雌）などには、生殖腺付近の袋の中に麝香腺があり、繁殖期にだけ発達して麝香を分泌し、異性を惹きつける。重さ20～30gの卵形の塊で、これを乾燥させ麝香を作る。黒い粉で芳香がかなり強く、薬材に用いられる。
③芙蓉香：婚礼の際に焚いた香の一つ。ロウソクに似て、指ほどの太さで、長さは15～20cmほどである。邪気を追い払って周囲を浄化するため、花嫁の侍女が香立てに挿し、花嫁の前に立って削った。
④玉樞丹：端午の日に国王が臣下に分け与えた救急薬の一つ。宮中の内医院が国王に進上したもので、形は様々だが、中央に孔を開け紐を通して扇の飾りとし、腹痛などが起き

たときに砕いて水に溶かして飲んだ。また、端午の日には厄除けとして、5色の糸を通してつないだものを腰に下げた。
⑤白檀香：白檀の木は薄黄色で良い香りがし、特に根の部分は香りが強く、香料・薬品・仏像彫刻などに用いられた。性質は陽で、胸痛・腹痛・急性胃腸病などの薬にもされた。

ヒャンガプ〔香匣〕 향갑

香を入れる小さな箱。女性が▶ノリゲ（韓服用房飾り）に付けたり、部屋に下げて微かな香りを漂わせた。円形や四角形の香箱に結び目をつなぎ、装飾も施した。金・銀・翡翠・珊瑚・玉・瑪瑙・蜜花（黄色の琥珀）などの表面に各種の吉祥紋を透かし彫りにし、内側に紅色の▶甲紗（薄絹）を貼って香を入れた。→香匣

香匣・香匣ノリゲ

ヒャンガプ-ノリゲ〔香匣ノリゲ〕 향갑노리개

香匣（香箱）を中心にして作った▶ノリゲ（房飾り）。朝鮮時代に女性が韓服に付けたノリゲは、その中心

に幸福・長寿など人間の素朴な願いを込めたものや文様を彫ったものを用いるのが一般的だったが、香匣ノリゲは香を身に付けることにより微かな香りを漂わせ、女性らしさを一層引き立たせるものであった。香匣の形・材料・文様などに工夫を凝らし、個性と美を強調した。誕生日などのめでたい儀式の際に身に付け、香は薬用にも用いられた。→ノリゲ

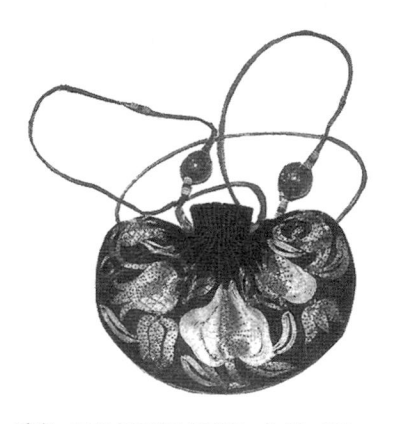

ヒャンナン〔香囊〕 향낭

香を入れる巾着。《宣和奉使高麗図経》に、高麗の貴婦人たちが錦香囊を下げていたという記述がある。朝鮮時代には、両班階級（文武官一族）の女性の装身具に用いられた。漢緞・▶貢緞・錦緞などの絹を素材に様々な形にし、表に各種文様を刺繍した。珊瑚香囊・玉香囊・翡翠香囊・馬尾香囊・繡香囊・角香・チュルヒャンなどの種類がある。香囊は宮中女官が作り始めたもので、形が多様で装飾も華々しく、貴族趣味の強いものである。金糸で

香囊　国立古宮博物館所蔵。片側に紅色、反対側には黄色の絹に石榴紋・牡丹紋が金糸で精巧に刺繍され、高貴な趣がある。

ヒョクテ〔革帯〕혁대

「明」の字を刺繍したものは国王が下げたもので、繍香嚢は装身具として服の外側に付け、甲紗香嚢はふつう上衣の中に下げた。香は主に麝香が用いられた。→チュモニ（巾着）

ヒャンニボク〔郷吏服〕향리복
地方役人の郷吏が着た服。高麗時代には、▶犀帯・象笏・玉瓔・玉環などを併用した。朝鮮時代には、太宗15年（1415）4月に郷吏・戸長（村長）などの被り物の制度が定められたが、戸長・記官は▶平頂巾を、通引・将校・駅吏は▶頭巾を被り、雨天には全員に油紙帽を被らせた。官庁に出入りする際や使臣の出迎え時以外には黒の▶竹坎頭を被るものとしたが、翌年の太宗16年（1416）正月には、各官庁の下級役人と平民の被る▶巾に差がなく綱紀が乱れるため、黒塗りの方笠を被らせ、駅吏もこれに従い黒漆方笠を被るようにした。《▶朝鮮王朝実録》（成宗4年1月壬寅）に「古くからの習わしで平安道の各郡の郷吏は草笠を用いてきたため、他の道のように方笠を被らせるわけにゆかず、そのまま草笠を被らせる」とあり、郷吏がその後も黒漆方笠を被っていたことがわかる。15世紀末、成宗の代の《▶経国大典》（礼典儀章）では郷吏服を公服と常服とに分け、公服には緑袍・▶黒角帯・幞頭に木笏を用い、常服には▶直領・▶トア・黒竹方笠を被るものと定めた。→官服

ヒャンジョチュサークリューピョンチョングァン〔香皂縐紗九旒平天冠〕향조추사구류평천관
国王が大礼服姿に被る冕旒冠の一つで、布は香皂縐紗を用い、平天板に9本の冕旒（簾状の装飾）が垂らされている。朝鮮時代の太宗3年（1403）10月に、明から下賜された国王の官服一式の中に含まれていた。表には玄色素紵糸、裏は大紅素紵糸を用いた。

ヒャンポ-チョヘ〔香蒲草鞋〕햐포초혜
蒲で編んだ草鞋の一つ。蒲はそれほど丈夫ではないが、手に入れ易いことから、朝鮮時代に草鞋の材料としてよく用いられた。→チプシン（草鞋）

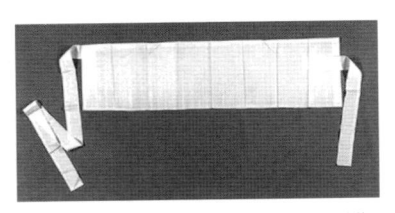

ホリーッティ 허리띠（おび〔帯〕）
腰に締める帯の総称。外衣の上に締めて身分や地位を表すためのものと、パジ（ズボン）・チマ（スカート）など下衣がずり落ちないようにする実用的なものとがある。高句麗の帯には、材料や形により布帛帯・皮革帯・糸縄帯などがあり、百済には素皮帯、新羅には絹製の▶腰帯と絹に金属装飾をした腰帯、金・銀を素材にした▶銙帯があった。高麗のの官吏は金帯・角帯・紅華銅帯をはじめ、各種の品帯・▶細条帯・▶広多絵など、身分によって材料・装飾・色を使い分けた。朝鮮時代後期には、チョゴリが短くなったことに伴い、

ホリッティ　婦人用。国立古宮博物館所蔵。

肌を隠すために素肌に締めた婦人用腰帯があった。これは白木綿・平絹などで単や袷にし、冬には防寒のため綿入れの刺し子にした。→帯・品帯

ホンゴプ-タンチュ 헝겊단추
→同メジュンタンチュ

ヒョンナン〔革嚢〕혁낭
革製の巾着や袋。→チュモニ

ヒョクタプ〔革踏〕혁답
履き物の一つ。縁が低く足首の短いもので、扶余で履かれた。馬韓では革蹋蹈を用いた。《三国志》→シン（履き物）

ヒョクテ〔革帯〕혁대（かわおび〔革帯〕）
革製の帯の総称。上古には革帯が多用されたが、次第に糸帯・布帯などを用いるようになり、単純な革帯の使用が減る一方で、金属帯の土台とされ、金・銀・玉などで華やかに飾った革帯が用いられるようになった。高句麗の帯の中では、白皮小帯や素皮帯が単純な革帯で、銀帯や金釦革帯は革帯を金銀で飾った豪華なものと思われる。《▶三国史記》（色服）や《唐書》（百済）には、百済王は高句麗の貴族と同じく素皮帯を締めたとあるが、新羅や統一新羅には革帯に関する記録や遺物が無い。高麗時代には、各種の服飾制度に従い定められた革帯を用い、その装飾などの様式によって名称も異なった。高麗末期には、服飾制度が改定されて品帯が中心になり、革帯類は徐々に消えていった。朝鮮時代の服飾制度でも品帯が中心になり、革帯は用いられなかった。軍隊では、式帯や軍

411

ヒョンモク〔玄木〕현목

隊を動員する時に用いる鹿皮製の発
兵符帯、宣伝牌を入れる袋を下げ
るための松花色(刈安色)の鹿皮で
作った宣伝牌素皮帯があった。→
ティ(帯)

ヒョンモク〔玄木〕현목
漂白していない、黄色みを帯びた綿
布。

ヒョニ〔玄衣〕현의
朝鮮時代に、国王が▶祭服(祭祀服)
として着た黒紫の外衣。紗などの絹
地に五章紋が入れられており、両肩
には▶竜紋、背中には山紋、両袖に
は火紋・▶華虫紋(雉)・▶宗彝紋(祭
器)が三つずつ施されている。また、
襟・袖・裾周りには▶襈(縁取り)
が入っている。→圖九章服

ヒョプクムファ〔夾金靴〕협
금화
真鍮と皮で作られた靴。朝鮮時代に、
堂上官(正3品以上)が▶常服姿に
履いた。圖ノッカッシン→シン(履
き物)

ヒョムナン〔狹囊〕협낭→圖
ヨム囊・トゥルチュモニ

ヒョプス〔狹袖〕협수
朝鮮時代に、武官たちが▶戦服や▶
快子の中に着た、袖幅の狭い▶袍。
御前前排(国王の駕籠の付き人)は
紅三升甲快子の中に黒木甲狹袖を着
た。《▶万機要覧》軍政編2訓練都
鑑軍器)→圖トンダリ(狹袖)

ヒョピル〔夾纈〕협힐(きょ
うけち〔夾纈〕)
文様染色法で、絞纈(絞り染め)・
纐纈(蝋纈・蝋染め)とともに、三
纈の一つ。「板締染」(板締め)とも
いう。2枚の板に同じ文様を透かし

彫りし、その間に生地を挟んで固定
し、透かし彫りの部分に染液を注入
するか、そのまま染液の中に浸けて
染める浸染法である。文様が左右対
称に染められたものが遺物の中にあ
るが、これは生地を縦・横に折って
染色したものである。

この染色法は、インドや中央アジ
アに始まり、中国・朝鮮半島・日本
に伝わったものと思われる。高句麗
古墳である双楹塚の主室北壁画の
夫婦像は、朱色の地に縦縞の入った
袍を着ているが、これは夾纈による
ものと思われる。統一新羅興徳王の
服飾禁制には、6頭品女の表裳や5
頭品女の短衣・内裳・表裳・背当に
夾纈を禁じており、夾纈が王族の血
を引いた真骨女以上にのみ許された
染色法であることがわかる。(朴京
子)圖板締染

ヘ〔鞋〕혜
足首のない履き物。▶履と似た形で
ある。素材は皮革・草・麻・布・
紙・木など多様で、素材や装飾に
よって黒皮鞋・分套鞋・套鞋・
斜皮鞋・皮草鞋・太史鞋・▶唐
鞋・雲鞋・麻鞋・チンシンなどに
分けられ、男女・身分により使い分
けられた。朝鮮時代の履き物に関す
る禁制を見ると、世宗8年(1426)・
成宗元年(1470)に套鞋・皮鞋・
草鞋が、世宗28年(1446)と同31年
には皮草鞋が、中宗14年(1519)

鞋 繡鞋。朝鮮時代後期。糸田刺繡博物館
所蔵。

には皮鞋が、定宗の代には鞋が禁
止されている。→シン(履き物)

ヘア〔鞋児〕혜아
朝鮮時代に、礼宴正殿の際に妓女
が履いた絹の履き物。主に紅色の▶
緞で作ったが、その他の様々な色の
絹が用いられた。世宗31年(1449)
正月には、両班階層(文武官一族)
の女性と妓女にのみ高級な絹の履き
物が許された。《▶朝鮮王朝実録》
世宗31年1月)

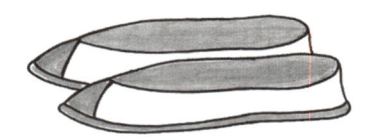

鞋児 《楽学軌範》掲載の図。

ヘヨンピ〔鞋縁皮〕혜연피
皮製の履き物の縁取りに用いられる
皮。

ホグ〔狐裘〕호구
狐の白い脇毛で仕立てた皮の服。圖
狐白裘→カドッ(皮衣)

ホグ〔虎裘〕호구
虎の文様がある皮の衣服。朝鮮時代、
第4代国王の世宗は質素を好み、内
殿では木綿で仕立てた紺の虎裘を着
たという。《▶増補文献備考》巻79
礼項26章服1衣服総論)→カド

ホドゥジャム〔胡桃簪〕호두
잠
頂部を胡桃のように作った簪。朝鮮
時代に女性の間で愛用された簪の一

胡桃簪

ホバク〔琥珀〕 호박

つで、白玉・黒角・七宝などで作られた。胡桃状の頂部に花を彫ったり、宝石類で美しく飾り立てた。

ホロビョンムン〔葫蘆瓶紋〕 호로병문
瓢箪をかたどった文様。生地や▶ノリゲ(女性韓服用房飾り)に用いられた。瓢箪の瓶は酒や薬を入れるもので、腰のくびれの部分に紐を結んで下げる。生地では、単独よりもコウモリや花の文様などとともにデザインされた。また玉を素材にして、瓢箪形の▶単作・▶三作ノリゲも作られた。

ホロビョン-チャギ〔胡蘆瓶チャギ〕 호로병차기
元旦の歳事風俗の一つ。子供たちが、木製の胡蘆瓶(瓢箪形の瓶)3個に青・黄・紅の紐を付けて持ち歩き、これを正月14日の晩に道にこっそり捨てると、その年の厄除けになるという言い伝えがある。

ホムン〔虎紋〕 호문
虎の文様。虎は中国では戦国時代から神格化されていた動物で、我が国では虎を山の神として崇め、その威厳と力、鋭い足の爪などに不浄・不吉なものを払いのける呪術的な力があると信じた。そのため、家の中や門に虎の絵を貼り付けたり、虎の足の爪を飾りにした▶ノリゲ(女性韓服用房飾り)を下げた。武官は▶虎鬚を挿した冠を被り、官服の胸や背中に虎紋を刺繍した▶胸背を付け、虎の力や勇猛さ、威厳を借りようとした。《三国誌》(魏志東夷伝濊)には、「濊(わい)では虎を神とし、これを祀る」と記されている。→紋様

ホミ-ポソン 호미버선→ホルテポソン

ホバク〔琥珀〕 호박(こはく〔琥珀〕)
松脂などが土の中に埋もれて、石のように固くなった鉱物。大部分、黄色みを帯びているが、赤・褐色・白みを帯びたものもある。七宝の一つで、曲玉・棗玉にしたり、様々なノリゲや装飾品に用いられた。朝鮮時代の睿宗元年(1469)7月には、一般人の▶カックン(笠紐)や笠の飾りに使用することが禁じられた。(《▶朝鮮王朝実録》睿宗元年7月庚寅)

虎紋
1 虎巾 朝鮮後期。国立民俗博物館所蔵。朝鮮時代末期から開化期に士大夫家の男児が被ったもので、形が幅巾に似る。頭頂の両脇に作りものの虎の耳を付け、目・鼻・髭・口などを刺繍で入れてある。虎のように雄々しく、律儀な男子に育つようにとの願いが込められている。ふつう、カチトゥルマギと戦服または四襖衫を着て被った。
2 螺鈿松虎紋枕側 朝鮮後期。国立民俗博物館所蔵。
3 虎爪ノリゲ 朝鮮後期。キム・ヨンヒョン所蔵。虎の爪2個を向かい合わせて円形にし、銀や白銅で鬼面または虎面の飾りを付けて、七宝で飾ってある。
4 洗濯棒のオモチャ 朝鮮後期。国立中央博物館所蔵。朝鮮時代の親たちは虎の邪鬼を追い払う力を信じ、子供たちの健康を祈る気持ちで洗濯棒の形のオモチャを作り与えた。

ホバッキョン〔琥珀絹〕 호박견

平織の変化組織である経畦による厚い絹織物。経糸は諸撚糸または片撚糸で目を詰め、緯糸は片撚糸を用い、文様が出るように織る。

ホバクタン〔琥珀緞〕 호박단

平織の絹織物の一つ。経糸は細い糸を目を詰めて用い、緯糸は太い糸で平織にし、緯糸方向に畝を出した織物である。糸の太さと密度により、薄物と厚物に分けられる。光沢があり文様の美しい琥珀緞は、女性のチマ（スカート）・チョゴリ（上衣）などの生地としてよく用いられる。本絹琥珀緞は表地に、人絹琥珀緞は裏地に用いられる。

琥珀緞

ホバク-プンジャム〔琥珀風簪〕 호박풍잠

琥珀製の▶風簪。朝鮮時代に、上流階級の男性が▶網巾に飾り、▶カッ（笠）が脱げないようにした。→風簪

ホベック〔狐白裘〕 호백구→狐裘

ホボク〔胡服〕 호복

北方民族の一つであるモンゴル人が着た服で、元の衣服でもある。《観堂集》（巻22胡服考）には、「胡服が中国に導入された時期は、趙の武霊王39年であった。冠は恵文冠、帯は具帯、履き物は鞾、上衣は褶、下衣は袴であった」とある。

我が国では、高麗時代に元の支配を受け、胡服やモンゴルの風習が入ってきた。中でも、弁髪・▶氈笠などが代表的である。弁髪は後頭部だけ残して剃り、残りの髪を長く伸ばして3本に編んだ髪型である。《▶星湖僿説》（巻21経史門胡服）に、「高麗忠烈王4年（1278）になると、国中の者が元の服を着るようになった。この時には、宰相から下級官吏に至るまで剃髪しない者はいなかったが、宮中にいる学官のみは従わなかった」と、胡服が一般化し始めたことが記されている。その後も元の支配期間を通じて着られたが、元滅亡後の恭愍王19年（1370）8月になって、衣服制度が改正された。《東史綱目》（巻15下庚戌恭愍王19年8月）に、「元に仕えて以来、髪を剃り弁髪をし、胡服を用いるようになり百年近くになるが、この時に至って再び華制を引き継ぎ、衣冠服飾がみごとに一新された」とあり、元の制度を廃して明の制度を手本とするようになり、事実上、胡服が無くなったことを記している。

ホス〔虎鬚〕 호수

▶朱笠の四隅に飾りとして挿した白い鳥の羽根。初期の冠の装飾としては麦穂が用いられたが、朝鮮時代の英祖の代に虎鬚に替わり、後には細竹が用いられた。竹管を利用して、虎鬚をしまう筒も作られた。→朱笠

ホアーキプキ 호아깁기

虎鬚

裁縫技法の一つ。布の弱くなったところを、同じ色の糸で細かく並縫いして補強する方法である。→串縫い

ホアーシチム 호아시침

裁縫技法の一つ。薄い絹織物などに用いられる縫い方で、仕付けした糸を抜かずに、端から約0.5cm内側を0.3cmの縫い目で並縫いする。

ホエク〔護腋〕 호액

朝鮮時代の鎧の付属品。両脇に一つずつ当て、その上に鎧を着た。《李康七》

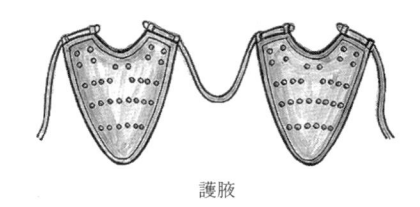

護腋

ホウイ〔号衣〕 호의

朝鮮時代の▶戦服の一つ。各軍門の兵士と馬上才軍は袖の無いものを、司諫院の喝道、義禁府の羅将（刑務官）は短い袖の号衣を着た。方位により、東は青、西は白、南は赤、北は黒、中央は黄色と、色を使い分け所属を表わした。《▶万機要覧》（軍政編2訓練都監服飾）には、「哨軍

ホルレボク〔婚礼服〕혼례복

はそれぞれの方位の号衣を、吹鼓手(チュイゴス)は黄色の号衣を着る」とある。→戦服(チョンボク)

ホジョムン〔蝴蝶紋〕호접문
蝶の文様。夫婦愛を象徴する吉祥紋で、朝鮮(チョソン)時代に好んで用いられた文様の一つである。女性婚礼服の▶ファロッ、家具の金具装飾、女性が韓服に飾る▶ノリゲなどの文様に用いられたが、ファロッには華やかな牡丹とともに羽を大きく広げた蝶を刺繍し、夫婦和合を表現した。→紋様(ムニャン)

蝴蝶紋　ファロッの蝴蝶紋。

ホペ〔号牌〕호패
朝鮮(チョソン)時代に用いられた一種の身分証明。朝鮮初期の太宗(テジョン)の代から、15歳以上の男子に携帯させた。その後一時廃止されたが、世祖(セジョ)4年（1458）に申叔舟(シンスクチュ)の建議で復活し、朝鮮末期まで続けられた。形はふつう正方形だが、身分によって材質を異にした。表には住所・姓名・職業・本貫(ポングァン)（先祖の出身地）・年齢などを記入し、裏には発行した官庁が捺印した。他人の号牌(ホペ)を携帯した者は籍から抜けたものと見なし、棍棒打ち100回および3年の懲役に処された。号牌の

朝鮮時代の身分別の号牌

	2品以上	4品以上	5品以上	7品以下	庶民以下
太宗実録	象牙または鹿角	鹿角または黄楊木	黄楊木または白樺	白樺	雑木
続大典	2品以上	3品以下雑科合格者	生員・進士	雑職・庶民・胥吏	公私賤
	牙牌	角牌	黄楊木牌	小木方牌	大木方牌

種類を身分別に整理すると表のとおりである。

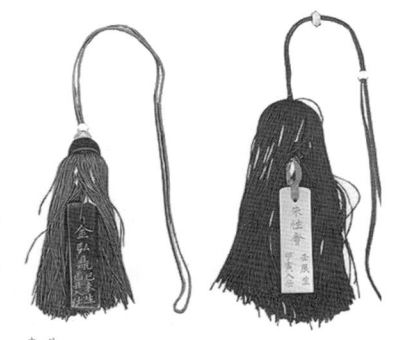

号牌(ホペ)　高麗大学博物館所蔵。材料は黒角と象牙。

ホピョムン〔虎豹紋〕호표문
虎と豹を素材にした文様。虎は百獣の王とされ、豹は虎より小さめの体に硬貨のような黒い模様がある。朝鮮(チョソン)時代に、1・2品の武官の▶胸背(ヒュンベ)に用いられた。

虎豹紋　虎豹胸背。朝鮮中期。高麗大学博物館所蔵。

ホハク〔狐貉〕호학
狐や狸の毛皮で作った服。貴人の服を指す。→カドゥ（皮衣）

ホハン〔護項〕호항→同揮項(フィハン)

ホファ〔胡靴〕호화
朝鮮(チョソン)時代の舞台衣裳の一つで、舞童(ムドン)たちが履いた靴。黒い革製で、赤い縁取りと真鍮の輪が付けられていた。

胡靴　《楽学軌範》掲載の図。

ホルレボク〔婚礼服〕혼례복
（こんれいいしょう〔婚礼衣装〕）
婚礼で着る衣服。朝鮮(チョソン)王朝は、初期から儀礼詳定所を設置して生活儀礼を法制化し、大韓帝国(テハン)末期まで数回の修正・改訂が行われた。また、民間の儀礼は《増補四礼便覧(チュンボサレビョルラム)》（1900年）にまとめられている。このように定められた四礼(サレ)（冠婚葬祭）の中で婚礼は最も喜ばしいこととされ、婚礼当日だけは一般庶民も宮中礼服を着ることが許された。新郎の場合、普段着の上に本来は官吏が着る藍色または濃い青の▶団領(タルリョン)をまとい、胸と背中に品階を表す▶胸背(ヒュンベ)を付けた。

415

ホンソン〔婚扇〕 혼선

朝鮮時代末期の高宗の代には、堂上官(正3品以上)と同じ双鶴胸背を付け、1品官が用いる▶犀帯を締め、▶紗帽を被り、▶木靴を履いた。一方新婦は、中着のスカートとして膝までの丈の▶トゥルチの上に▶ムジギを履き、その上に裾に金箔を施した紅色の▶ス襴チマや▶大襴チマを履いた。上半身には黄色の地に紫色のアクセントを付けた▶三回装チョゴリを着て、その上に▶円衫または▶ファロッをまとった。婚礼当日の髪型は▶オヨモリとし、紅色の紗に金箔を施したテンギ(帯状の頭飾り)を両胸に垂らし、後頭部には▶トトゥラクテンギを垂らした。頭には七宝で飾った▶チョクトゥリ(黒絹冠)や▶花冠を被り、つま先に雲紋を刺繍した▶唐鞋を履いた。

ホンソン〔婚扇〕 혼선
婚礼の際に、新婦が顔を隠すのに用いた丸い扇子で、木や真鍮の骨に、牡丹を刺繍した紅色の絹布を張ったもの。日除けにしたり、外出時に顔を隠す目的でも用いられた。《東国歳時記》によれば、1800年代まで民間での婚礼で用いられたものと思われる。

ホンハプ-チョジク〔混合組織〕
혼합조직(こんごうそしき〔混合組織〕)
織物組織の一つ。三原組織(平織・綾織・朱子織)とこれらの変化組織のうち二つ以上を混合したもの。生地の各部分に混合された別の組織がはっきりと表れる。紋パレス、紋タフタなどのような平織地に文様を入れて織ったものと、斜文地に文様を入れたもの、朱子地に文様を入れた紋朱子や繡緞・洋緞などがある。

ホル〔笏〕 홀(しゃく〔笏〕)
文武官が、▶朝服・▶公服・▶祭服を着て国王に謁見するときに、手に持ったもの。丈は約1尺、幅は約2

婚礼服 (左)新郎の婚礼服 (右)新婦のファロッと七宝花冠

(左)新婦用緑円衫とチョクトゥリ (右)新婦用緑円衫。1890年代。梨花女子大学博物館所蔵。

婚扇

笏　鄭元容（1783～1873）遺品。

幅3寸5分
長さ6寸

紅錦臂韝

寸で薄く、玉・象牙・エンジュなどで作った。もともと国王の教命や啓辞を記録するための実用的なものであったが、後に儀礼用として制度化された。国王の笏は▶圭で代用された。高麗(コリョ)時代には、成宗(ソンジョン)元年(982)に新羅の例に倣って百官の笏制が定められ（《高麗史節要(コリョサチョリヨ)》成宗元年）、朝鮮(チョソン)時代には太祖(テジョ)元年(1392)の公服制定時に笏の使用が定められ、4品以上は象笏(サンホル)（象牙笏）、5品以下は木笏(モコル)とし（《▶朝鮮王朝実録(チョソンワンジョシルロク)》太祖1年12月壬子）、木笏にはエンジュが用いられた（同、太宗16年5月壬辰・世宗8年2月庚申）。《小説》によると、中国では周以前から笏があったが、皇帝は球玉、諸侯は象牙、大夫は魚須文竹、儒学者は竹で作った。唐の笏は短くて厚く頑丈だったことから、これで人を叩くこともあったという。「宋の哲宗は目の病を患い、臣下たちから見られることを嫌ったため、臣下は幅広の笏を用いた」とある。（《▶芝峰類説(チボンユソル)》巻19服用部朝章）

ホルテーパジ　홀태바지

幅の狭いパジ（ズボン）。大小の邪(サ)幅(ボク)と呼ばれる布を縫いつなぎ、裁断して作ったもの。

ホルテーポソン　홀태버선

足から足首にかけて細く仕立てた▶ポソン（足袋）。普通のポソンより足首の曲線が内側に食い込んだ形をしている。㊂ホミポソン

ホムジル　흠질（なみぬい〔並縫い〕）

裁縫技法のうち、針が等間隔で布の上下に出入りしながら進む、最も基本的な縫い方。表裏の縫い目が均一になり、直線は布に皺がよらず、曲線は伸びないようにするのがコツである。用途により、縫い目に大小の差を付ける。均一に縫うために所々針で止め、縫い終わった部分は糸こきをして伸ばす。→パヌジル（裁縫）

ホングムーピグ〔紅錦臂韝〕　홍금비구

宮中舞踊の舞工(ムゴン)が、舞うときに手首に巻く帯状のもの。錞(スン)・鐲(タク)・鐃(ウン)・鐸(アク)・応(サン)・雅(ト)・相・牘など、雅楽の楽器を持つ楽人も用いた。白の平絹で作り、錦紋が描かれている。裏地は紅色の平絹を用い、中に羊毛氈を付け、四隅に紅色の絹紐が付いている。

ホンタルリョン〔紅団領〕　홍단령

朝鮮(チョソン)時代に、文武官が▶公服(コンボク)（国王謁見服）として着た、襟の丸い紅色の▶袍(ポ)（<外衣）。→㊂紅袍

ホントデ〔紅條帯〕　홍도대

朝鮮時代に、1品から3品までの官吏が私服の上に締めた紅色の帯。朝鮮末期には「細條帯(セジョデ)」「細糸帯(セサデ)」と呼ばれた。㊂紅糸帯(ホンサデ)・紅條児(ホンドア)・桃紅ッティ→ティ（帯）

ホントア〔紅條▽児〕　홍도아→㊂紅條帯

ホンドゥッケ　홍두깨（あやまき〔綾巻き〕）

生地を整えるときに用いる、丸くて長い棒。オレオレカンバのような丈夫な木を、長さ約70cm、直径約6cmに削って作る。糊付けした生地を半乾きさせてからこれに巻き付け、砧の上に置いて、横槌で光沢が出るまで叩く。これを「ホンドゥッケタドゥミ」という。→タドゥミジル（砧打ち）

ホンナ-ソグム-ポボク〔紅羅銷金布袱〕 홍라소금포복

ホンドゥッケ

ホンナ-ソグム-ポボク〔紅羅銷金布袱〕 홍라소금포복
紅色の絹に溶かした金を散りばめて装飾した布で、礼服を包むのに用いられた。朝鮮時代の端宗3年(1455)4月に、明の皇帝から下賜された官服の中に含まれていた。

ホンナ-チャクスウイ〔紅羅窄袖衣〕 홍라착수의
朝鮮時代の舞台衣装の一つで、独り舞いの舞山香を舞うときに着る細袖の上衣。袖口に花柄を金箔した藍色の生地を付け、襟は丸く、薄い藍色の絹を裏に当ててある。緑の絹で仕立てた▶戦服を羽織り、下半身には黒い縁どりをした白い▶チマ(スカート)を履く。手首に緑の絹の▶汗衫(付け袖)を垂らし、▶研光帽を被り、鶴頂也帯を締めて▶凌波履を履いた。→宮中舞服

紅竜袍と袍

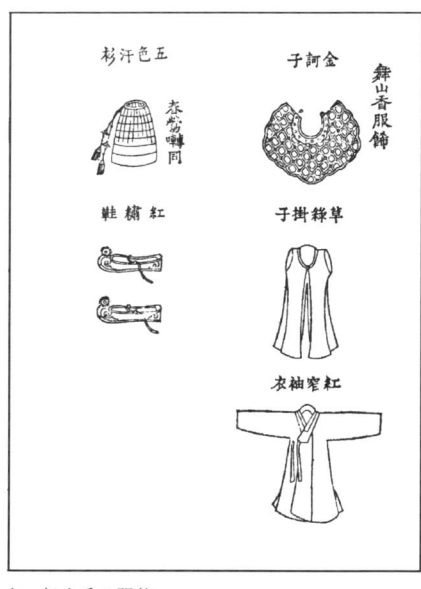

紅羅窄袖衣　舞山香の服飾

ホンニョンポ〔紅竜袍〕 홍룡포
朝鮮時代の国王・王世子(皇太子)の▶常服(執務服)。表は紅色、裏は藍色で、夏は雲宝紋紗、冬は▶緞などの絹で仕立て、襟は丸く、中のトンジョン(掛け襟)には濃い水色を用いた。両脇下に当てた布の余分は後ろに折って上の部分を縫い止め、下はそのまま明いている。胸・背・両肩に金糸で刺繍した蟠竜補が付いているが、刺繍された竜は、皇帝は爪が五つの五爪竜、国王は四爪竜、王子は三爪竜であった。紅竜袍を着るときは、▶玉帯を締め、▶翼善冠を被り、黒色鹿皮靴を履いた。初めて用いられたのは世宗26年(1444)であり、朝鮮末期の1897年に高宗が皇帝に昇格したと同時に、皇帝は黄竜袍をまとい、皇太子が紅竜袍を着るようになった。

ホンサデ〔紅糸帯〕 홍사대→同紅條帯

ホンサム〔紅衫〕 홍삼→同赤綃衣

ホンサン〔紅裳〕 홍상
女性が履く赤いチマ(スカート)。または官吏が▶朝服として腰から垂らす下衣。後者は、赤い地に黒い▶襈(縁取り)を巻いた。→裳①

ホンサンモ〔紅象毛〕홍상모
▶戦笠の頂部に付ける穂の形をした赤い羽根。→象毛

ホンセク〔紅色〕홍색(べにいろ〔紅色〕)
赤系統の色。五行説によると方位は南、季節は夏に当たる。吉色とされ、魔除けとしての呪術的意味があり、婚礼に欠かせない色であった。老人や子供は、常に紅色の▶チュモニ(巾着)を身に着けていた。

紅色の染料植物としては、クチナシ・ウコン・紅花・スオウ・ムラサキ(紫根)・アカネなどがある。紅色は明度・彩度の違いにより様々な名前があり、古代には「縓」「真紅」「纁」「朱」などが、三国時代には「紅」「緋」「絳」「赤」などが主に使用された。これ以外にも、大紅色・小紅色・緋色などがある。

朝鮮時代には、末期の第26代高宗・第27代純宗を除く歴代の国王の▶衮竜袍をはじめ、文武官の▶団領・▶金冠朝服・▶トンダリ、王妃の▶円衫・▶ス襴チマなどの色に用いられた。紅色の染料である紅花・スオウなどは高価なため、贅沢品として何度か禁止されたこともある。15世紀前半の世宗の代には、大紅染の外衣を朝廷官吏が着ることを禁じ、両班家(文武官一族)の女性の外衣と庶民・賤人の男女の衣服にも大紅色を禁じた(《▶朝鮮王朝実録》世宗3年正月)。15世紀半ばの睿宗の代には、官吏の紅色表衣の中着に紅色を用いることを禁じる一方、▶公服(国王謁見服)・▶朝服(朝賀服)・▶祭服(祭祀服)や妓生・楽人の冠帯の紅色は制度として守られた(同、睿宗元年七月庚寅)。また16世紀初めの燕山君の代には、堂下官に大紅色を禁じ(同、燕山君10年5月)、18世紀半ばの英祖の代には堂下官の茜紅の▶袍(<外衣)を禁じた(同、英祖25年10月)。また「絳」「纁」「緋」などの紅色系の色名が様々な文献に見られるが、国王の公服である▶絳紗袍、▶纁裳などは色名を衣服の名称としたものである。

ホンオクータンヘ〔紅玉唐鞋〕홍옥당혜
朝鮮時代末期の女性の履き物の一つ。赤い絹で作り、底に鹿などの皮を当てたもので、主に若い女性が履いた。

ホンウォンサム〔紅円衫〕홍원삼
朝鮮時代に、王妃が礼服として着た外衣。表を紅色の▶緞・▶紗などの絹で仕立て、藍色の縁を付けた藁色の裏地を当ててある。脇が明いており、後身頃より前身頃が短い。両肩と袖の下段、前後の身頃に▶雲鳳紋を金襴で施し、袖口には黄色・藍色の色縞を入れ、汗衫(付け袖)が付いている。胸・背中・両肩に四爪竜補を付け、藍色の▶大帯を締め、髪型を▶巨頭味にして、▶先鳳簪や▶トルジャム(揺れ簪)を飾り付けた。→円衫

ホンイ〔紅衣〕홍의
袖の細い紅色の衣服。粗い綿布で仕立てた身丈の短い単衣で、襟は直線で脇に当てる▶ムはなく、両脇が明いている。朝鮮時代に、宮中各殿の別監や、宗廟・社稷・殿宮・陵園の祭祀を執り行った▶守僕などの下級役人や下人が着た。

ホンジョン〔紅氈〕홍전
獣の毛を織った赤い布。戦笠の素材として用いられた。

ホンチョルリプ〔紅戦笠〕홍전립
罪人を見張る軍牢が、軍服を着て被った赤い戦笠。帽部の周りに糸を巻き、両脇に蜜花(黄色の琥珀)で作った蝉形の装飾品を付けてある。鍔の内側に藍色の雲紋緞を当て、顎紐が付いている。→戦笠

ホンチョンデ〔紅鞓帯〕홍정대
赤い革の帯。高麗時代に、文官4品以上、常参6品以上が▶公服の上に締めた。文官はこれに▶金魚袋、常参は▶銀魚袋を飾り付けた。(《▶高麗史》志巻26与服)

ホンチュウイ〔紅紬衣〕홍주의
朝鮮時代に、太祖などを祀る文昭殿・迎恩殿・昭慶殿の楽人が舞台衣装として着た上衣。紅色の平絹で

紅紬衣(宮中楽工)

ホンチョルリク〔紅▽帖▽裏〕 홍철릭

紅チョルリク

紅円衫　紅円衫と藍大襴チマ。国立古宮博物館所蔵。

仕立て、胸と背中に牡丹胸背(モランヒュンベ)が付いている。世宗(セジョン)16年(1434)に、宗廟(ミョ)と永寧殿(ヨンニョンジョン)の祭祀で着る楽人の冠服が制定され、堂下工人(タンハコンイン)は綿布を使うものとされた。(《▷朝鮮王朝実録(チョソンワンジョシロク)》世宗16年1月丁酉)

ホンチョルリク〔紅▽帖▽裏〕
홍철릭

朝鮮(チョソン)時代に、文武官が着た紅色の▶チョルリク(<外衣)。紅色の雲紋(ウンムン)熟庫紗(スッコサ)で仕立てたもので、広多絵(クヮンダフェ)(平組紐)を締めて▶兵符(ピョンブ)を携帯し、▶虎鬚(ホスリプ)を挿した▶朱笠を被った。→チョルリク

ホンポ〔紅袍〕
홍포

朝鮮時代に、王世子(皇太子)や3品以上の堂上官(タンサングヮン)が▶公服(コンボク)として着た紅色の▶袍(ポ)(<外衣)。丸襟で袖は太く、身丈が踵に届くほど長かった。初めは無品官の団領(タルリョン)と区別して「紅袍」と呼ばれたが、次第に「団領」と称されるようになった。また、団領は品階によって色が使い分けられたが、文禄・慶長の役以後、黒団領(フクタルリョン)に統一された。(《▷朝鮮王朝実録(チョソンワンジョシロク)》宣祖32年8月壬寅)回紅団領(ホンタルリョン)

ホッソル
홀솔

裁縫技法の一つ。接ぎ合わせる2枚の布を合わせ、完成線から0.1cmほど外側を糊で貼ったり並縫いや返し縫いで縫い合わせ、糸こきをして火のしを当てた後、2枚の布を完成線で折り、縫い代と布とが4重になった縫い目に表裏から火のしをあてて伸ばす。表から縫い目が見えない、すっきりとした接ぎ方である。▶チョゴリ・▶マゴジャ・▶トゥルマギなど上衣の肩山・背縫い・衽、▶パジ(ズボン)の▶マル幅(ポク)・▶邪幅(サポク)・ペレなど各部の布の接ぎ合わせには、大部分このホッソルを用いる。→パヌジル(裁縫)

ファ〔靴〕
화

長靴のように、足首の長い履き物。「鞾(ファ)」とも呼ばれ、防寒・防水に適

靴　(左)木靴。高麗大学博物館所蔵。(右)白靴。国立民俗博物館所蔵。

する北方系の履き物である。三国時代から靴に関する記録が見られるが、素材と形態によって名称が違う。高句麗(コグリョ)には紫皮靴(チャビファ)・烏皮靴(オビファ)(《旧唐書》志音楽高麗)・袜靴(マルファ)などがあり、新羅(シルラ)には紫皮靴(《三国史記(サムグクサギ)》色服興徳王)、烏皮靴(同、癸巳楽新羅)などがあった。朝鮮(チョソン)時代には、黒皮靴(ファ)・木靴(モクァ)・狹金靴(ヒョプクムファ)・水靴子(スファジャ)・白皮靴(ペクピファ)・草緑靴(チョロクファ)・起子靴(キジァファ)・摸皮靴(オビファ)などがあり、身分や状況により使い分けられた。素材は多様であったが、形態には大差なく、装飾部分に若干の違いがあるのみである。→シン(履き物)

ファガク〔画角・華角〕　화각
木工品に施す細工の一つ。牛の角を紙のように薄く切って裏面に彩色画を施し、木箱・筆筒などの木板の表面に貼り付けるもの。→画角工芸(ファガクコンエ)

ファガク-コンエ〔画角工芸〕　화각공예
絵画的な性格を持った、我が国固有の工芸の一つ。画角工芸(ファガクコンエ)の始まりは高麗(コリョ)時代以前と見られるが、正倉院の宝物の中に、我が国の画角張りの定規が保存されている。伝世品には17世紀以前のものはほとんどなく、18世紀のものも数えるほどである。螺鈿漆器に関しても同様で、これは寒暑・乾湿の差が大きい我が国の気候が原因である。およそ19世紀のものと見られる画角(ファガク)の意匠図紋は、十長生紋(シプチャンセンムン)・竜鳳紋(ヨンボンムン)・麒麟紋(キリンムン)・四君子紋(サグンジャムン)・花鳥紋(ファジョムン)などである。工芸品には、パンジッコリ(針箱)・物差し・シルペ(糸巻き)などの裁縫道具があり、家具としては三段箪笥・足袋入れなどがある。箱類には結納品を納める礼物函(イェムルハム)や糸箱があり、化粧道具としては鏡台やオルレピッ(粗歯櫛)・チャムピッ(細歯櫛)がある。この他に、筆のさや・硯箱・筆入れ・扇の骨・チャンド(粧刀)などもある。このような画角工芸に用いられる牛の骨には、透明度が高く質のよい韓牛の角が最適である。

ファグァン〔花冠〕　화관
①女性が礼服姿に被る、装飾性の強い冠帽。花冠(ファグァン)が用いられるようになったのは7世紀新羅(シルラ)の文武王(ムンム)の代からである。統一新羅時代には宮中で用いられるようになり、内宴で妓女(キニョ)や童妓(トンギ)・舞女(ムニョ)・女怜(ヨリョン)がそれぞれ少しずつ形の異なる花冠を被った。これには5色の珠で作った燦爛たる花形や、揺れる蝶の飾りを付けた。これが高麗(コリョ)時代に伝承され、貴族や両班(ヤンバン)(文武官)階級の女性が礼服姿に被るようになった。朝鮮(チョソン)時代に入ると、ファロッのように俗化し、形が小さくなって冠帽というよりも装

画角工芸　(上)糸巻き　梨花女子大学博物館所蔵。朝鮮時代のもので、円筒形・偏鼓形・板形で飾りのない単純なものである。細めの筆で黄色地に赤、赤地に黄色と黄緑色で雲鶴・雲竜・花鳥・菊蝶などを描いている。
(下)櫛箱　縦24cm、横24cm、高さ20.5cm。18世紀。国立中央博物館所蔵。天板の縁を面取りして格式を持たせ、天板と前面は大きな白い牛骨で縁取りして竹製の釘を打ち、他の面は細い牛骨で面を分けている。十長生紋を中心に動物紋や草花など、あらゆる吉祥の民話的素材を赤地に緑や黄色で施紋してある。引き出しは上段・下段は一段で、中段は二つに分かれている。取っ手の輪は錫で、全体が鈍重だが、足は画角を施さずしっかり仕上げてある。鏡のない、独特な女性用櫛箱である。

ファグァン-クェゲ〔花冠髻〕 화관계계

花冠 光州市立民俗博物館所蔵。八角形の接頭部の上に、黄緑の絹を張った堅い紙で冠型を作り、燦爛たる五色の珠の花と揺れる蝶の飾りを付けてある。四方には細い針金を挿し、先に青・紅・黄色の房を長く垂らしてある。

花冠（左）と花冠函（右） 李トゥクソン所蔵。高宗の代の吏曹参判、退湖李貞烈（1865～1948）の宗家に保存されてきたもの。花冠は六角形で、上が広がった形である。布貼りの紙の板に五色の珠を縫い付け、揺れる蝶の飾りを付けてある。両側面には孔が開いており、簪を挿すようになっている。花冠函は桐箱に紙を貼ったもので、前面には赤地に黄緑で縁取りをし、四隅には黄色の花紋を入れ、正面中央に寿の字を入れてある。蓋と本体の連結部には、図案化した金具が付いている。

花冠② 《楽学軌範》掲載の宮中舞妓の花冠。

之舞など、宮中舞踊で舞妓たちが被った冠帽の一つ。18世紀末、正祖の代の奉寿堂進饌の際に女怜が被り、また純祖29年（1829）の進饌で一般の舞妓が被った記録があり、以後は多少簡素化された。中央に童子の姿を刻み、簪と花など様々な装飾品で華やかに飾り立てた。

ファグァン-クェゲ〔花冠髻〕 화관계계

黄海道の開城地方の新婦が被った▶花冠の一つ。針金で大きな枠を作り、髪や綿を入れて黒い絹で包んだ後、層を成すように様々な種類の花

花冠①

飾に近い形態になった。18世紀の英祖の代には加髢禁止令が下され、▶チョクトゥリ（黒絹冠）同様に入れ髪の代わりに用いられるようになって一般化した。正祖12年（1788）10月の▶加髢申禁節目ではチョクトゥリと花冠が勧奨され、庶民にも婚礼時の使用が許されるようになった。礼冠として使用するときは蝶の飾りを付け、5色の珠の花と七宝で飾った。朝鮮時代末期には、正装時にはチョクトゥリを被り、より華やかに着飾るときには花冠を被ったが、ふつうファロッや唐衣とともに用いた。

②朝鮮時代に、夢金尺・長生宝宴

花冠髻

を挿して飾ってある。新婦の髪を両側にとき髻を結って簪で固定し、頭頂部には入れ髪で髻を結って小さな補助簪で固定し、花冠䭱簪（ファグァンケゲ）を載せて、簪を挿して装飾する。(《▷青荘館全書（チョンジャングァンチョンソ）》巻30士小節第6婦儀1服飾)

ファデ〔靴帯〕 화대
靴の足首に巻く帯。新羅（シルラ）では、靴帯（ファデ）の環飾りには身分による区別があり、王族の血を引く官吏である真骨（チンゴル）大等には隠文白玉が禁じられた一方で、6頭品はサイの角・真鍮・鉄・銅を用いることができ、5頭品は真鍮・鉄・銅、4頭品と平民は鉄・銅の使用が許された。(《▷三国史記（サムグクサギ）》巻33雑志第2色服)

ファムン-カプサ〔花紋甲紗〕 화문갑사
花の文様を織り成した▶甲紗（カプサ）（質のよい紗織絹）。宮中で王妃や側室が、金襴などで美しい花紋を織り込んだものを▶円衫（ウォンサム）・▶チマ（スカート）・▶チョゴリ（上衣）などに用いた。主に使用された花紋は、牡丹・唐草や、梅花・蘭草・菊花・竹の▶四君子紋（サグンジャムン）、蓮花・仏手柑・桃榴紋などの吉祥紋である。

花紋甲紗

ファムンソク〔花紋席〕 화문석
花の文様を入れて編んだ莫蓙。「コットッチャリ」とも呼ばれる。高麗（コリョ）時代初期から我が国の特産品として中国などで脚光を浴び、朝鮮（チョソン）時代にも中国・日本などに贈られ、その優良さを認められた。《本草綱目》や《林園十六志（イムォンシムニュクチ）》《海東繹史（ヘドンヨクサ）》などの文献によると、昔の高級な花紋席（ファムンソク）は竜鬚草（イグサ）で編み、その文様によって黄花席（ファンファソク）・雑彩花席（チャプチェファソク）・竜文簾席（ヨンムンヨムソク）・五爪竜席（オジョリョンソク）・細花席（セファソク）・別文席（ビョルムンソク）・彩花席（チェファソク）・簾席（ヨムソク）・菊花席（ククァソク）・竜鬚草之席（ヨンスチョジソク）・五彩竜紋席（オチェョンムンソク）など、様々な種類があった。→席子（ソクチャ）

ファバンジュ〔和方紬〕 화방주
絹織物の一つで、一般の明紬（ミョンジュ）（平絹）より糸の細い高級品である。

ファサジュ〔花紗紬〕 화사주
絹織物の一つで、財貨の文様が入った平絹。▶三八紬（サムパルジュ）に似る。17世紀初めの朝鮮仁祖（チョソンインジョ）の代に、堂下官（タンハグァン）（従3品以下）に方糸紬（バンサジュ）・花紗紬（ファサジュ）・綿紬（ミョンジュ）で仕立てた外衣の着用を禁じた。(《朝鮮王朝実録（チョソンワンジョシルロク）》仁祖15年5月己卯)

ファセンソ〔花生素〕 화생소
有文の紗織物の一つ。経糸には生糸、緯糸には練糸を用い、地組織には斜紋織で不規則な文様を入れてある。

ファウォルジャム〔花月簪〕 화월잠
頂部に花と月を飾った簪。主に梅の花を彫刻し、月を象徴する赤い珊瑚と青い翡翠を埋め込んである。細いバネの先に付けられた▶纓珞（ヨンナク）が、動くたびに揺れて美しい。本体は細い

花月簪

銅製で、すらりとしている。→ピニョ（簪）

ファウイ〔華衣〕 화의 →同ファロッ

ファジャ〔靴子〕 화자
朝鮮（チョソン）時代末期に、文武官が官服を着るときに履いた半長靴。足首部分は黒い布製で、毛氈・革・起毛織物・絹を表に被せ、縫い目には色布で襈（ソン）（縁取り）を入れてある。堂上官（タンサングァン）（正3品以上）は足首部分に白い布を当て、足首の前面に白い線を1本入れたものもあった。靴子（ファジャ）は、朝鮮時代初期には「水鞋子（スヘジャ）」「水靴子（スファジャ）」と呼ばれ、武官が▶戎服（ユンボク）を着て履く靴だったが、末期に名称が変わったようである。→同木靴①（モクァ）

ファジャム〔花簪〕 화잠
新妻が用いた簪の一つ。細かい彫刻を施した玉板の上に、金・銀・玉などをはめ込んで、▶トルセ（揺れ飾り）を付けてある。同華鈿（ファジョン）・花釵（ファチェ）→ピニョ（簪）

ファジャン 화장（ゆきたけ〔桁丈〕）
上衣の背縫いから袖口までの長さ。

ファジャン〔化粧〕 화장（けしょう〔化粧〕）
女性が顔におしろい・臙脂（ヨンジ）（紅）などを塗って、美しく装うこと。我が国の化粧の歴史を見ると、古代に朝鮮半島東北部に居住した部族の挹婁（ウムル）は、冬に豚の脂を塗って寒さに耐

423

ファジャンハプ〔化粧盒〕 화장합

たと記されている。新羅時代には仏教の影響で香が神聖視され、斎戒沐浴が重視された。小豆・緑豆・米糠などで作った澡豆を洗剤として用い、椿・唐胡麻・呉茱萸の実から頭髪油を採った。また百済人は施粉無朱、すなわちおしろいは塗るが紅は差さないと記されており、薄くさりげない化粧が好まれたことがわかる。高麗時代にもおしろいのみで、香油や紅はあまり用いられなかったが、一部では服に香りを付けたり、宝石など装身具を身に着けて、各種化粧品を濃く塗ることもあった。おしろいの材料は、鉛の粉以外にオシロイバナや穀物の粉末、白土などを用いた。朝鮮時代には、内面の美と外面の美が同一視され、眉毛を描いておしろいを塗り紅も差したが、本来の顔を損なわないように装うのが普通だった。上流家庭では蜜・油などを配合して塗ったり、紅花をすり潰して臙脂を作ったり、様々な頭髪油を用意して化粧に使用した。庶民は糠を挽いた石鹸を使い、端午には菖蒲湯で頭を洗う風習もあったが、臙脂は一生に1度、婚礼時にのみ使用した。

ファジャンハプ〔化粧盒〕 화장합

化粧品を入れておく容器。油・臙脂（紅）・おしろいなどを入れたものと思われる各種容器が出土している。現存する伝世品は、楽浪・伽耶・高麗・朝鮮のもので、土製・陶磁器・木漆製などがあり、形や文様も多様で、芸術的価値のあるものである。

ファジョン〔華鈿〕 화전→同

花簪

ファジョムムン-カプサ〔花蝶紋甲紗〕 화접문갑사

花と蝶の文様が入った▶甲紗（上質の紗織絹）。《宮中衣襨撥記》に、高宗の誕生日に袷の▶トゥルマギに用いたことが記されている。→甲紗

ファジョッポ〔花蝶袍〕 화접포

朝鮮時代の舞台衣装の一つで、璞蝶舞の舞い手が着た上衣。襟は直線で、黄緑の地に蝶の文様が描かれている。黒地に藍色の襈（縁取り）を入れた▶チマ（スカート）を履き、白地に黒い襈を入れた▶中単の上に花蝶袍をまとい、赤い▶戦帯を締めて、▶ムウリを履いた。

花蝶袍

ファチェ〔花釵〕 화채→同 花簪

ファチョムン〔花草紋〕 화초문

草花の文様。最も多用されたのは牡丹と唐草である。綾織絹綃や錦緞織繡緞綢、四季の生地などに見られる文様で、主に女物の衣服に用いられた。富貴の象徴とされる牡丹紋は、布に織りこまれたり、織金・金箔などで衣服や装身具に入れられた。多産を意味する葡萄紋、瓢箪紋、桃榴紋もあり、蓮花・クチナシ・薔薇・梅などは全て吉祥紋とされた。→紋様

花草紋　桃榴唐草紋緞。英王のマゴジャの文様。国立古宮博物館所蔵。

ファチュンムン〔華虫紋〕 화충문

キジの文様。羽の美しいキジは節義と夫婦の偕老同穴の象徴とされ、刺繡の文様にも多用されてきた。中国では、いち早く夏・殷・周の時代に皇后の服に用いられ、我が国でも国王の▶冕服の▶玄衣と王妃の▶翟衣・▶蔽膝などに用いられた。冕服は左右の袖口に華虫紋が三つずつ描か

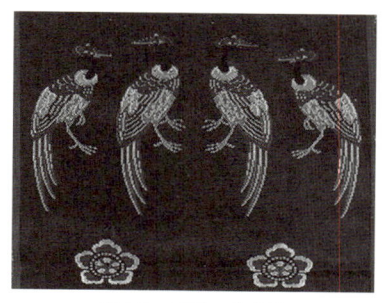

華虫紋　蔽膝の華虫紋

土器化粧盒　伽耶時代。慶尚北道星州出土。高さ4cm、幅11.3cm、奥行11cm。太平洋博物館所蔵。4等分して仕切りを付け、蓋は分離型である。蓋には四角の線紋が刻まれ、つまみが付いている。初期の化粧品は葛粉・白土・黄土・赤土・カオリンなどを加工したり、オシロイバナの種や胡粉を用いた。これらは付着力が弱かったため、7世紀以前にこれを補完するために鉛成分を加えた鉛粉が発明された。

青磁化粧盒　高麗時代。直径5.5cm、高さ7.5cm。太平洋博物館所蔵。山形紋・唐草紋などを陰刻し、底には「真丁」という銘が刻まれている。

青磁油瓶　高麗時代。11世紀末。直径8.2cm、高さ7.1cm。太平洋博物館所蔵。化粧用油を入れておいたもので、首の部分に蓮花の葉、中央に花紋が陰刻されている。化粧用油としては、新羅でチョウセンゴシュユ・椿・唐胡麻の油が頭髪油として用いられた。胡麻・杏の種・綿の種、米・麦の油は、様々な化粧品の製造に使用された。

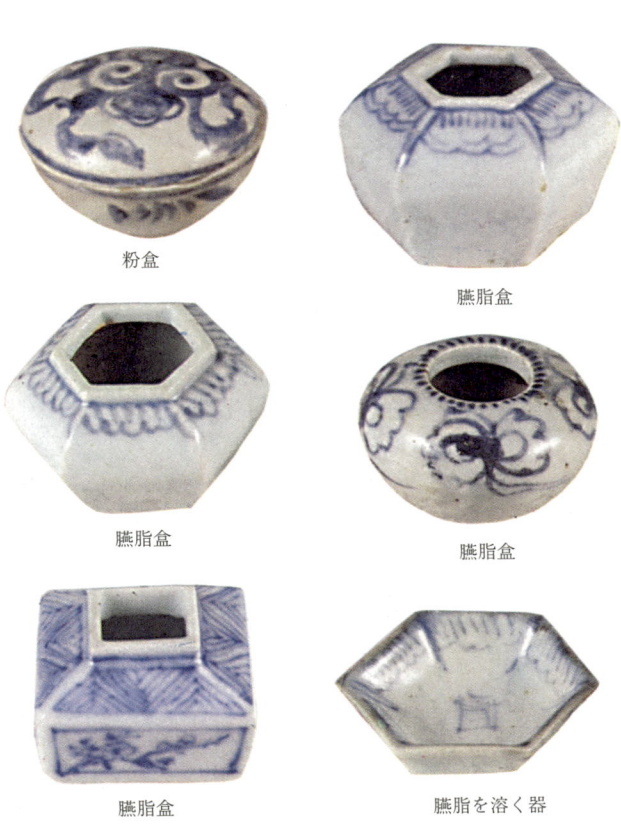

粉盒

臙脂盒

臙脂盒

臙脂盒

臙脂盒

臙脂を溶く器

淑慎公主白磁化粧容器　1650年頃。国立中央博物館所蔵。

各種化粧盒　温陽民俗博物館所蔵。様々な細かい文様を描いた青華白磁。

青華白磁化粧容器　国立古宮博物館所蔵。英王妃が使用した粉盒と頭髪油を入れる盒。粉盒には白粉と白粉はたきを収め、頭髪油盒には椿油を入れた。蓋と容器の側面に三つの唐草紋と一つの寿字をデザインし、辰砂が美しい。

化粧盒

れ、翟衣には十二等・九等の翟紋（キジの文様）が織り込まれた。大韓帝国時代の純宗の妃尹皇后と英王妃の翟衣には、▶繡緞に6色の翟紋が織り込まれた。同翬紋・雉紋・翟紋

ファポ〔花布〕 화포

濃い藍色の地に白い花柄を施した綿布。インドや西域から伝えられたもので、新婚夫婦の敷布としてよく用いられた。

ファピ-クァンモ〔樺皮冠帽〕 화피관모

白樺の樹皮で作った帽子。同白樺樹皮冠帽

ファファ-ポクトゥ〔花画幞頭〕 화화복두

朝鮮時代に、楽人や舞童が被った▶幞頭の一つ。前面に花紋を付け、左右に角が出ている。実相舞・演百福之舞・牙拍舞・無㝵舞・催花舞などを舞う舞童が被った。→幞頭

花画幞頭

ファングム〔環金〕 환금→トリグム（トリ金）

ファンソン〔紈扇〕 환선

薄絹を貼った丸い扇。朝鮮時代の太宗11年（1411）8月に、中国の使臣が紈扇を進上し、カラムシ織・麻布4疋を授かったという記録がある。→プチェ（扇）

ファノク〔環玉〕 환옥→トリオク（トリ玉）

ファンジル〔環絰〕 환질

麻の茎を撚って作った環。葬儀で、遺体を布で包む小殮の際に、死者の子や孫が四角巾の上に重ねて被った。《▶星湖僿説》（巻16人事門）には、小殮の際の環絰は、師に対しては必ず2筋とし、絰は喪服を着る成服の前に被り、一周忌の小祥が終わると脱ぐもので、喪服の衰服に付属するものではないとある。

ファルロ-タギ 활로 타기（わたうち〔綿打ち〕）

綿花から種を除いて綿を作る工程。綿花を日に当ててよく乾かし、▶シア（綿繰り車）にかけると、綿は後ろ側に吐き出され、種は前に落ちる。種を除いた綿は、竹を曲げて弓のようにした綿打ち弓で打つと、弦の振動により綿が膨らむ。これをキビの茎や竹に巻きつけると▶コチ（綿筒）になる。→羅州セッコルナイ

ファルス〔濶袖〕 활수

太い袖。→同広袖

ファロッ 활옷

高麗時代・朝鮮時代の王女の大礼服。上流階級で婚礼服としても用いられた。最も美しく華やかな女性の礼服の一つで、今日では婚礼時に幣帛服として用いられ、伝統が継承されている。「ファロッ」は「華衣」「花衣」が「豁衣」に転訛し、のちに「ファロッ」と呼ばれるようになったものと思われる。▶ム（脇布）が無く脇が明いており、身頃は前二つ、後ろ一つである。後身頃が前身頃より20cmほど長い。襟はつけず、後ろ部分のみ縫って白い▶トンジョン（掛け襟）を付けてある。深紅の地全体に長寿や吉福の意味を持つ▶十長生紋を刺繡し、背中には「二姓之合」「万福之源」「寿如山」「富如海」などの文字を、両前肩には童子を刺繡する。裏地は藍色とし、袖口には黄・紅・藍色の▶セクトン（色縞）を付け、さらに刺繡を入れた白い汗衫（付け袖）を付け、脇の下は明いている。広袖・セクトン・汗衫の袍である点は▶円衫と同じである。婚礼には、金箔を施した藍色と紅色の▶ス欄チマを重ねて履き、▶三回装チョゴリを着た上にファロッをまとい、紅色の絹で作った鳳帯を上腹部に締め、後ろに結んで垂らす。髪型は▶トヤモリにして▶竜簪を挿し、▶トトゥラクテンギや▶トゥリムテンギといった装飾帯を垂らし、七宝花冠を被る。同華衣・割衣

ファン〔璜〕 황

国王や文武官が▶朝服（朝賀服）などを着るときに両腰に垂らした▶佩玉の下段につける玉。丸い環を半分に割った形をしている。→佩玉

ファングァンピ〔黄獷皮〕 황광피

黄色みを帯びたイタチの皮。朝鮮時代に両班（文武官）階層が防寒服に用いた。防寒用毛皮には羊皮・黄獷皮・赤狐皮などがあったが、庶民には禁じられた。

ファンナン〔黄囊〕 황낭

▶チュモニ（巾着）の一つ。婚姻の際に、新郎が服の内側に携帯した黄色の▶ヨム囊で、紫色の組紐を通し、息子9人と娘1人を授かるようにという意味で、小豆9粒と種入りの綿花1房を入れた。→チュモニ

ファンセク〔黄色〕 황색

ファロッ 高麗大学博物館所蔵。紅糸の貢緞と藍色の模本緞で仕立てたもの。身頃と袖を別に縫製し、袖付けと衽を外から縫い付けてあり、袖には振りがある。袖の色縞は藍・黄・紅色の絹朱子で、前裾・肩・後身頃・袖・汗衫の下半部などに様々な文様が刺繍されている。これは吉祥万意紋を組み合わせたもので、後身頃の文様は波状紋から飛び出した蓮花と蓮の実、双鶴とその上に牡丹・蝶・双吉鳥をデザインし、両袖には鳳凰をあしらい、前裾には波状紋の上に子連れの鳳凰が向かい合い、牡丹も刺繍されている。また、掛け襟の両横に蓮花を手にした童子と「二姓之合」「百福之源」、後襟にも各色の糸で同じ文字を入れてある。寿・富貴多男・和合を象徴する各種紋と吉祥語紋を入れ、婚姻を祝っている。比較的簡略に仕立てられており、民間のものと思われる。

ファンドン-トゥジョンガプ
〔黄銅頭釘甲〕황동두정갑
朝鮮時代に用いられた▶カボッ(鎧)の一つ。革を長方形に切って二重・三重に重ね、表には頭の丸い黄銅頭釘(トゥジョン)を打ち、つないで作る。(李康七)→頭釘甲

ファンニョンポ〔黄竜袍〕황룡포
朝鮮時代末期に、皇帝が着た▶常服(執務服)(サンボク)。夏には雲紋紗、冬には雲紋緞(ムンダン)に紅色の裏地を当てて仕立てた黄色の▶袍(<外衣)(ポ)である。両脇のムの余った部分を後ろに折込み、上部を身頃に縫い付け、下は明いたままにしてある。丸い襟(団領)(タルリョン)は右肩で止め、長い▶オッコルム(結び紐)は下のオッコルムとともに輪を作って結ぶ。金糸で刺繍した▶五爪竜補(オジョリョンボ)を胸・両肩に付け、皇帝の印とした。黄竜袍を着る時には、▶翼善冠(イクソングァン)・▶玉帯(オクテ)・鹿皮靴(ノクピファ)を併用する。黄色は昔から生まれながらの徳を意味し、五行説では方位の中央・季節の中立として最も尊ばれた色である。我が国では、中国に対して事大の礼を尽くす意味で、国王は黄竜袍を避けて▶紅竜袍(ホンニョンボ)を着た。光武元年(1897)に高宗(コジョン)が称号を皇帝に変更するとともに、《大明会典》を基に新たに制定した服制改革で、初めて黄竜袍を着るようになった。同黄袍(ファンポ)

ファンマサ〔黄麻糸〕황마사
黄麻の繊維を紡いだ糸。細い糸はカーテン・絨毯・テーブルクロス・室内装飾用織物に使われ、太い糸は袋などに使われる。

ファンマポ〔黄麻布〕황마포
麻織物の一つ。経糸・緯糸ともに黄麻糸を使用した織物。黄麻は慶尚北道安東(キョンサンブクトアンドン)地方の特産品で、「黄紵布」(ファンジョポ)とも呼ばれる。麻の靱皮繊維を紡いだ糸で織った布だが、耐久性が不足し、湿気や紫外線に弱いので、衣服の生地には適さない。同黄紵布(ファンジョポ)・ケチュリ→麻織(マジク)

ファンセク〔黄色〕황색(きいろ〔黄色〕)
黄色は▶五方色(オバンセク)の一つである。五行説によると、方位は中央に当たり、季節は中立である。地球から見た太陽の軌道も黄道と名付けられ、黄色

ファンウォンサム〔黄円衫〕 황원삼

黄竜袍 （上）純宗遺品。（左下）黄竜袍を着た高宗。

たこともあった（《▷宣和奉使高麗図経》巻20）。朝鮮時代には、中国の皇帝の服が黄色であるという理由から着用が禁止された。具体的には、開祖太祖の代には男女ともに黄色の服を禁じ（《▷朝鮮王朝実録》太祖5年6月）、第3代の太宗の代は国王と一般人の黄色を禁じ（同、太宗元年4月）、次の世宗の代には黄色に近い橙色も禁じられた（同、世宗元年正月）。このような黄色の禁制は、19世紀末に高宗が皇帝に昇格して黄竜袍を着るようになるまで守られた。

ファンウォンサム〔黄円衫〕
황원삼→皇后大礼服・円衫

は光明と生気の精華と考えられた。黄色の染料植物としてはクチナシ・キハダ・ウコン・オウレン・キランソウ・エンジュなどがあり、たとえばクチナシは種を水に浸けて黄色成分を採る。黄色は、宇宙空間にある五方帝王の中で最高の色で、新羅の4頭品は黄衣を着、高麗の国王は黄色袍をまとい（《▷高麗史》志巻26輿服）、貴婦人が秋冬に黄色の絹で仕立てたチマ（スカート）を履い

黄円衫

428

ファンユ-ホンサン〔黄襦紅裳〕황류홍상

黄色いチョゴリ（上衣）に紅色のチマ（スカート）。婚礼で、新婦が盛装として用いた。

ファンジョポ〔黄紵布〕황저포→⑤黄麻布

ファンチョサム〔黄綃衫〕황초삼

朝鮮時代に、舞台衣装として女伶（女性の舞い手）が着た上衣。夢金尺・長生宝宴之舞・抛球楽・舞鼓・喬鈸・蓮花舞を舞うときに着た。両脇と前後が明いて裾は四つに分かれ、前合わせは蜜花（黄色の琥珀）ボタンで止める。広袖に5色の▶汗衫（付け袖）が付けられている。藍色のチマ（スカート）と赤い絹のチマを履いて黄綃衫を着、腰に紅色の帯を巻いて、花冠を被った。

ファンポ〔黄袍〕황포→⑤黄竜袍

ファンホン-チャンミ〔黄紅薔薇〕황홍장미

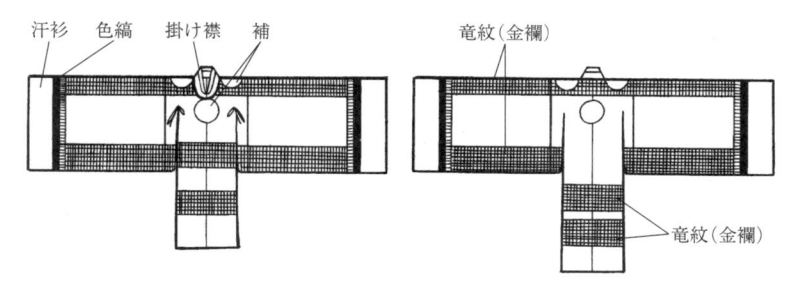

朝鮮時代に、舞童女が蓮花台を舞うときに被った▶蛤笠の頂部に挿す薔薇の花。土台に車輪の骨状の花びらを施し、その上に羅で作った黄色や紅色の花を載せてある。(《楽学軌範》巻8 蓮花台服飾図説)→蛤笠

黄紅薔薇

ファンファガプ〔黄画甲〕황화갑

朝鮮時代の世宗の代に、会礼宴で雅楽の武舞工人が着た▶カボッ（鎧）。表は黄色の生絹で、紅色の平絹の裏を当て、胸には紫の平絹5幅を当てて鎧の形を描き、両脇には雲紋を描いてある。世宗12年（1430）12月に、会礼宴に用いるため、宋の様式に従って新たに仕立てられた。(《▶朝鮮王朝実録》世宗12年12月15日辛巳)

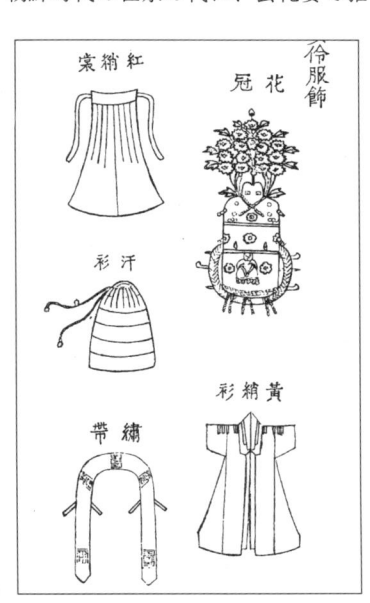

ファンフ-テレボク〔皇后大礼服〕황후대례복

朝鮮時代末期に、皇后が嘉礼などの大きな儀式に着た黄色の▶円衫。光武元年（1897）に高宗が自らを皇帝と称するとともに、王妃も皇后に昇格し、黄円衫を大礼服として着るようになった。胸・背中・両肩に皇后の位を表す五爪金竜補を付け、金襴の▶竜紋が2本入っている藍色・紅色の▶大襴チマや▶チョンヘンウッチマを履き、チョゴリを着た上にまとって、紅色の絹の鳳帯を締めた。髪型は▶オヨモリとするが、まず土台の▶オヨムチョクトゥリを載せ、その上に入れ髪7本を束ねたものを載せて、中央に▶先鳳簪、左右に▶トルジャムを挿した。履き物には、絹の▶烏を用いた。→円衫

皇后大礼服

フェッテ 횃대

両端の紐で壁に取り付けた、服を掛けるための棒。箪笥などのない庶民

黄綃衫（右側）《楽学軌範》掲載の女伶の服飾。

429

フェ〔絵〕 회

の家で、オンドルの炊き口に近い壁に取り付けて、▶トゥルマギや▶チャンオッなどの外出着を掛けた。材料には、折れにくく表面の滑らかなトネリコの木などが最適だが、南部地方では竹がよく用いられた。

フェ〔絵〕 회

薄く柔らかい無文・平織の絹織物に、手書き染めを施したもの。《三国志》(夫余伝)に「夫余の人々は、外国に出るときに絵・繍・錦・罽などで仕立てた服を好んで着る」とあり、《旧唐書》にも「百済の官吏は服に緋色の絵を描いて着る」と記されていることから、三国時代以前から存在したことがわかる。

フェリョム〔回斂〕 회렴

宮中舞踊の舞い手が脛に巻くもの。▶行纏と同じ作りで、表地は黒の綿布で、裏に白い麻布を当ててある。纛祭と呼ばれる儀式で、槍舞・剣舞・弓矢舞・干戚舞を舞う舞い手が着た。(《▶楽学軌範》巻9纛祭服)

フェレヨン〔会礼宴〕 회례연

元旦の朝賀の後に、国王が臣下の労苦をねぎらうために開いた宴会。国王が王世子(皇太子)や文武官に料理・酒・花を振舞うとともに、王妃も女官たちのための会礼宴を開くものとされていた(《▶国朝五礼儀》嘉礼)。世宗6年(1424)には、宮内庁にあたる礼曹が冬至の日にも会礼宴を開くことを建議したが、受け入れられなかった(《増補文献備考》巻76礼考23燕礼)。15世紀後半の成宗の代からは、まともに挙行されなくなった。(《▶朝鮮王朝実録》成宗13年2月丙戌)

フェセク〔灰色〕 회색(はいいろ〔灰色〕)

灰の色。▶僧服の代表的な色である。《閨閤叢書》に「中国の良い墨をすり、水で薄めて酢を少量たらした液で白い絹を染めると、濃い灰色が赤みや青みを帯びて美しく品があり、香りも独特である」とある。世宗の代に、「開国以来、文武朝官がみな灰色の▶団領を着てきたが、東方は(五行説の)木に属するのでよろしくない」としてこれを禁じ(《朝鮮王朝実録》世宗27年8月丁未)、主に▶喪服や僧服に用いられるようになった。朝鮮時代末期には、東宮妃が▶嘉礼の際に大礼服として着る▶翟衣の中着に灰色を用い、また男性の韓服のパジ(ズボン)の色ともされた。

フェスグムゲ〔絵繍錦罽〕 회수금계

紀元前後に中国東北部にあった扶余の人々が外国に出るときに、衣服の素材にしたとされる織物の総称。絵は手書き染めの平織の絹、繍は金・銀の糸で刺繍した絢爛豪華な絹、錦はあでやかな文様を織り成した絹、罽は毛織物を指す。→扶余の服飾

フェジャン〔回装〕 회장

女性の▶チョゴリ(上衣)の襟・袖口・脇・▶オッコルム(結び紐)に用いる別色の布。→回装チョゴリ

フェジャン-チョゴリ〔回装チョゴリ〕 회장저고리

回装と呼ばれる別色の布でアクセントをつけた女性の▶チョゴリ(上衣)。半回装と三回装とがあり、半回装は襟・袖口・オッコルム(結び紐)に、三回装はさらに脇にも別色の布を用いたものである。朝鮮時代中期から存在し、黄色や▶軟豆色(黄緑)の地に紫や藍色の布で美しい色のコントラストを出した。主に、既婚の若い女性が普段着として着たが、子供のいる老夫婦は70歳を過ぎても回装チョゴリを着ることができた。

フェンサ〔横糸〕 횡사

織物を織るときの横方向の糸。同シシル→同緯糸

ヒョゴン〔孝巾〕 효건

▶喪服を着たときに被る頭巾。→同頭巾

フグンビンボク〔後宮嬪服〕 후궁빈복

側室の最高位に当たる▶内命婦正1品の嬪の服飾。▶翟衣などの礼服を除き、常服などは王妃より1等級低いものを用い、▶円衫には紫赤円衫を用いた。高宗の側室であった光華堂の円衫は赤紫の生絹で仕立てたが、王妃とは異なり文様を一切入れないものであった。青・黄の色縞と白い▶汗衫(付け袖)を付け、帯には鳳紋が金箔で施してあった。

フス〔後綬〕 후수

文武官が、礼服である▶朝服(朝賀服)・▶祭服(祭祀服)を着たときに、腰の後ろに垂らした帯状のもの。後綬は品階によって文様と環を使い分け、1・2品は黄・緑・赤・紫の色糸で雲鶴紋を入れて二つの金環を付け、3品は同じ4色の糸で盤鵰紋(鷹紋)を入れて二つの銀環を付けた。4品は黄・緑・赤の3色の糸で練鵲紋(百舌鳥紋)を入れて二つの

銀環、5・6品は4品と同じ3色の糸の練鵲紋(ﾗﾝｼﾞｬｸﾓﾝ)で二つの銅環、7〜9品は黄・緑の2色の糸で鸂鶒紋(ｹｲﾁﾝﾓﾝ)(鴨紋)を入れて二つの銅環を付けた。いずれも、下段に青糸網を垂らした。→㊜綬(ｽ)

後綬

フンサン〔繡裳〕 훈상

朝鮮(ﾁｮｿﾝ)時代に、国王が大礼服の▶冕服(ﾐｮﾝﾎﾞｸ)を着て腰から垂らした飾り。花文様の入った絹で仕立てる。前3幅・後4幅の2枚で構成され、前幅には▶藻・▶粉米(ﾌﾞﾝﾐ)・▶黼紋(ﾎﾟﾑﾝ)(斧紋)・▶黻紋(ﾌﾟﾙﾑﾝ)(亞字紋)の四章紋が入っている。→裳①

フンセク〔暈色〕 훈색(うんしょく〔暈色〕)

鉱物の内部や表面に見える、虹のような輪郭のはっきりしない色。

フンセク〔纁色〕 훈색(そいいろ〔纁色〕)

薄い赤。紅花染による紅色。国王が大礼服の▶冕服(ﾐｮﾝﾎﾞｸ)を着たときに腰から垂らした▶裳(ｻﾝ)・▶蔽膝(ﾍﾟｽﾙ)などの色に用いられた。

フィガムチギ 휘감치기(かがりぬい〔かがり縫い〕)

裁縫技法の一つ。生地の裁ち目がほぐれないようにかがる縫い方。生地によって異なるが、おおむね1〜1.5cmの間隔でかがり、針を抜かずに一針で数回かがると早く仕上がる。布端が皺にならないよう、糸を引き過ぎないようにするのがコツである。→パヌジル(裁縫)

フィゴン〔揮巾〕 휘건

食事の際に前掛けとする布。朝鮮(ﾁｮｿﾝ)時代後期に、宮中の食事の慣習が次第に外に広がり、一部の両班(ﾔﾝﾊﾞﾝ)(文武官)家でも用いられた。国王の前に水刺床(ｽﾗｻﾝ)(食膳)が出されると、気味尚宮(ｷﾐｻﾝｸﾞﾝ)が毒見をし、国王に水刺揮巾(ｽﾗﾌｨｺﾞﾝ)を当てて狭子(ﾋｮﾌﾞﾁｬ)と呼ばれるピンで止める。揮巾は▶甲紗(ｶﾌﾟｻ)や平絹、綿布で作り、幅や長さに決まりはない。(参考)姜仁姫(ｶﾝｲﾝﾋ)・李慶馥(ｲｷｮﾝﾎﾞｸ)《韓国食生活風俗》三英社、1984

フィムン〔翬紋〕 휘문→㊜華虫紋(ﾁｭﾝﾑﾝ)

フィヤン〔揮陽〕 휘양→㊜揮項(ﾌｨﾊﾝ)

フィハン〔揮項〕 휘항

朝鮮(ﾁｮｿﾝ)時代に、男性が被った防寒帽の一つ。上部が開いており、丈が長い。小さなものは後頭部から首に巻き、大きなものは肩や背中まで覆うことができる。ポルッキ(頬当て)に紐が付いており、顎の前で結ぶ。貴人はテン皮、賤人はイタチ皮を用いた。《雅言覚非(ｱｵﾝｶｸﾋ)》には、「護項(ﾎﾊﾝ)とは額を巻く毛の頭巾のようなもので、中国の音では「護」を「揮」と読む。我が国ではこの音を取り入れて揮項(ﾌｨﾊﾝ)となった。すでに長い歳月が過ぎたが、本来は護項であり揮項ではない」とある。主に上流階層の老人が愛用したが、素材を替えて兵士なども被った。㊜護項(ﾎﾊﾝ)・揮陽(ﾌｨﾔﾝ)・風領(ﾌﾟﾝﾆｮﾝ)→暖帽(ﾅﾝﾓ)

揮項(左)石宙善紀念民俗博物館所蔵。(右)温陽民俗博物館所蔵。

ヒュンベ〔胸背〕 흉배

朝鮮(ﾁｮｿﾝ)時代に王族と文武官の▶常服(ｻﾝﾎﾞｸ)(執務服)に付けた、刺繡を入れた布の標章。胸背は朝鮮時代にのみ用いられたもので、品階によって文様を異にし、王族のものは特に▶補(ﾎﾟ)と呼ばれる。国王と王世子(皇太子)は竜を刺繡した円形の補を▶袞竜袍(ｺﾙﾘｮﾝﾎﾟ)の胸・背中・両肩の4か所に付け、文武官の常服である▶団領(ﾀﾙﾘｮﾝ)には四角い胸背を胸と背中の2か所に付けた。胸背は服と同じ色の絹に多様な文様を刺繡し、装飾であるとともに、階級を表示するものであった。鶴・虎など階級を表示する図案を中心に、雲・如意珠・波・岩・不老草・水玉・花・魚・仏手柑・サイの角・山・霊芝・長生紋などがデザインされた。

《▶朝鮮王朝実録(ﾁｮｿﾝﾜﾝｼﾞｮｼﾙﾛｸ)》に記された胸背制度の変遷をまとめると、次のとおり(434頁の表参照)である。世宗(ｾｼﾞｮﾝ)28年(1446)正月に胸背制定に関し

ヒュンベ〔胸背〕 喜排

1　亀胸背　興宣大院君（1820〜1898）遺品。温陽民俗博物館所蔵。
2　金糸双鶴胸背　興完君（1815〜1848）遺品。淑明女子大学博物館所蔵。
3　麒麟胸背　国立中央博物館所蔵。朝鮮時代の端宗の代から、大君の胸背に麒麟の文様を刺繍した。これは興宣大院君が身に付けた麒麟胸背で、青の雲紋緞の地に金糸で麒麟が刺繍されている。麒麟は二つの角を突き出し、体を包む瑞気紋が背中に描かれ、首に蛇紋、体全体に鱗紋が施されている。麒麟胸背は大君のものであるため、興宣大院君は高宗32年（1895）から亀胸背を用いた。
4　熊羆胸背　高麗大学博物館所蔵。三品の武官が着た、熊を刺繍した胸背。紺青色の花葉緞に、獰猛に口を開いた熊が尾を伸ばして戯れる姿を銀糸でかけとじ繍いし、枠を墨色の糸で処理してある。太い輪郭線の中の様々な形の雲紋と、細く長い尾が動きを感じさせる。下段に長生紋のないのが特徴である。《経国大典》に、三品の武官は常服に熊羆を刺繍するとある。

ヒュンベ〔胸背〕 喜배

5
6
7
8

5　錦繡鳳凰胸背　梨花女子大学博物館所蔵。王妃・王世子嬪の胸背。如意珠を中心に上下に配置した鳳凰は、薄い金色の糸でかけとじ繡いし、その上にさらに太い糸で刺繡し、鶏冠・羽・尾の先に環型が刺繡されている。如意珠から伸びる瑞気は珊瑚色で刺繡し、太い金糸で輪郭を取っている。
6　鷺鷥胸背　高麗大学博物館所蔵。1550～1600年。六品文官の胸背で、9片の雲と岩、荒波の上の岩に片脚を下ろし羽を広げた鷺の姿は構図が美しい上に、清楚で学徳を備えた文官の気性を表している。
7　双虎胸背　武官の堂上官が付けた胸背。
8　単鶴胸背　文官の堂下官が付けた胸背。中央官庁の六曹や地方官のうち位の低い者にも用いられた。伝世品の中で最も多く、ほとんどのものが青地の上に頭を右に向け羽を広げて悠々と飛ぶ鶴が刺繡されている。口には不老草が咥えられ、周囲には雲、足もとには山・波などの十長生紋が広がっている。

433

て初めて論議されたが、その素材となる緞(タン)や紗羅(サラ)の入手が困難で、制度化は見送られた。その後、端宗(タンジョン)2年（1454）6月に再び胸背制定問題が論議され、同12月にその制度が決められて、3品以上の文武官の常服(サンボク)に胸背を付けることとなった。世祖2年（1456）2月には、明の使臣と区別するため、品階ごとに胸背を仕立てて配布するよう王命が下されたが、実施された記録は見当たらない。燕山君(ヨンサングン)11年（1505）11月には胸背の使用範囲を広げ、従前の3品以上を9品までとし、文様も明とは全く異なる猪・鹿・鷲鳥・雁などとする王命が下されたが、これも実施された記録は見当たらない。その後、16世紀末からの文禄・慶長の役と丙子(ビョンジャ)胡乱(ホラン)によって文武官が▶戎服を着るようになり、胸背の制度は中断された。粛宗(スクチョン)17年（1691）には、武官の胸背に文官が用いる鳥の図柄の使用を禁じ、翌年にも胸背は旧制度に従うよう繰り返し戒められた。しかし、以後英祖10年（1734）12月には、堂上官(タンサングァン)・堂下官(タンハグァン)など品階制度の混乱により胸背の区別が困難になり、堂上文官(タンサン)は▶雲鶴(ウンハクヒュンベ)胸背、堂下文官(タンハ)は▶白鷳(ペクハンヒュンベ)胸背を用いるものとし、武官の鶴胸背を厳禁した。この制度はそのまま施行され、高宗(コジョン)初期に変更されるまで続いた。高宗8年（1871）2月の制度では、文官の堂上官(タンサングァン)は双鶴(サンハク)、堂下官は単鶴(タンハ)、武官の堂上官は双虎(サンホ)、堂下官は単虎(タンホ)とし、その内容を《五礼便攷(オレピョンゴ)》（儀章）に収録した。世宗(セジョン)8年（1426）2月には、胸背や絹の反物を宮中から提供して、使臣の接待で雑技を披露する者の衣服を作るよう王命が下され、中宗(チュンジョン)11年（1516）10月には奢侈禁止のために高級絹の紗羅綾緞(サラヌンダン)を厳禁としたが、胸背のみは綾緞(ヌンダン)が認められた。

フッカク〔黒角〕 흑각

黒いサイの角。朝鮮時代(チョソン)に、官吏の品階を表す▶品帯(ブムデ)の素材として用いられた。

フッカク-ケグリ-チョプチ
〔黒角ケグリチョプチ〕 흑각개구리첩지

黒いサイの角に、蛙の形を彫刻した▶チョプチ。両班(ヤンバン)（文武官）家で、女性が父母や夫の喪中に前頭部に付けた。→チョプチ

フッカクテ〔黒角帯〕 흑각대

黒いサイの角で飾った帯。朝鮮時代(チョソン)に文武官の▶品帯(ブムデ)として用いられ、喪中には烏紗帽と併用された。太宗(テジョン)9年（1409）2月、神徳王后(シンドク)の墓の移葬に当たった侍者の衣服は白衣・烏紗帽・黒角帯(フッカクテ)姿で、また、世宗(セジョン)2年（1420）7月の元敬(ウォンギョン)王后の喪には、文武官が喪服を脱いだ後は▶白(ペン)

朝鮮時代の胸背制度の変遷

年代	典拠	変遷事項
世宗26年3月（1444）	朝鮮王朝実録	明の国から冕服、常服3襲を下賜される（大紅色）
世宗28年1月（1446）	朝鮮王朝実録	胸背着衣の可否を論議するも、黄喜政丞の反対により挫折。
端宗2年12月（1454）	朝鮮王朝実録	胸背制度完成。大君：麒麟、都統使：獅子、諸君：白澤、文官1品：孔雀、2品：雲雁、3品：白鷳、武官1・2品：虎豹、3品：熊豹、大司憲：獬豸
世祖2年2月（1456）	朝鮮王朝実録	承政院に命じ、胸背制度を定めさせる
燕山君11月11日（1505）	朝鮮王朝実録	1品から9品まで胸背を着用し、猪・鹿・鵝・雁の図柄を用いる。
仁祖23年（1645）	増補文献備考	王世孫冊封時、黒色袞竜袍、方形の竜補を用いるものとする。
英祖10年12月（1734）	朝鮮王朝実録	文臣は飛禽、武臣は獣と定めて胸背が作られたが、武臣が鶴の胸背を着用したため、以降特に控えるようにと通達された。
正祖5年（1781）	増補文献備考	嬪・王女・翁主の衣章を肩鳳とする。
高宗29年（1892）	増補文献備考	皇帝：大紅緞袞竜袍、金糸五爪円形補、皇后：蟠竜補、皇太子妃：金繡四爪竜補、世子：金繡四爪竜補、世孫および世孫嬪：金繡三爪竜補
光武元年（1897）	増補文献備考	皇太子：金繡端竜補、皇后：蟠竜補、皇帝：金繡五爪竜補（長生紋なし）
1899年	官報	胸背制度廃止

笠・白衣・黒角帯で執務に就き、前王の太宗は喪帯を解き、白笠・白衣・黒角帯で十三日を終えた。《経国大典》(巻3礼服儀章)は、従3品と4品官の▶公服や、5品から9品までの▶朝服・▶祭服・公服・▶常服、地方官吏の公服に黒角帯を締めるよう定めている。同烏角帯→品帯

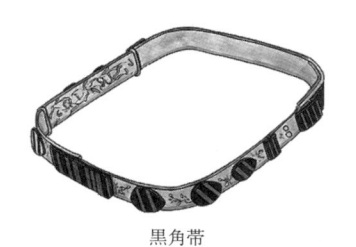

黒角帯

フッカクーソクテ〔黒角束帯〕
흑각속대

高麗時代に民長が締めた帯。民長は▶文羅頭巾を被り、黒絹の外衣に黒角束帯を締め、▶烏革履を履いた。(《▶宣和奉使高麗図経》巻19民長)

フッカクチャム〔黒角簪〕흑각잠

黒いサイの角で作った簪で、頂部に様々な形が彫刻されている。他の簪に比べて質素で、喪中の女性が用い

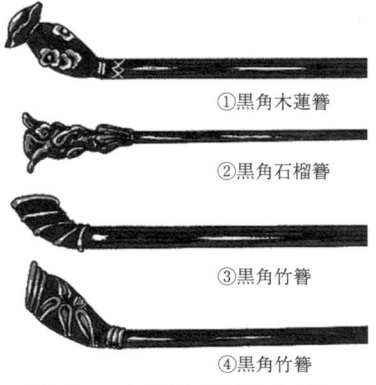

①黒角木蓮簪
②黒角石榴簪
③黒角竹簪
④黒角竹簪

黒角簪　石宙善紀念民俗博物館所蔵。

た。→ピニョ(簪)

フッケチェク〔黒介幘〕흑개책

帽部に▶梁(畝)が入った▶幘。唐で士大夫が被った。梁のあるものが黒介幘で、ないものは空頂黒介幘である。高さ6尺4寸、幅4寸で、3品以上は三梁、以下5品までは二梁、9品までは一梁であった(《唐書》車服志)。朝鮮時代、顕宗8年(1667)の王世子(皇太子)▶冠礼の際に、中国の黒介幘を参考にして空頂黒介幘を用いたことがある。→空頂黒介幘

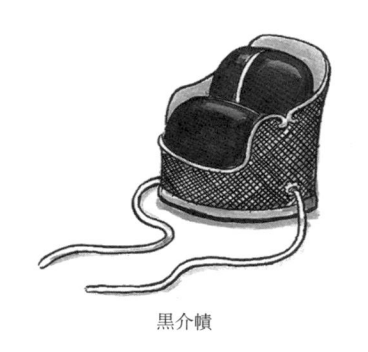

黒介幘

フッコン〔黒巾〕흑건

黒の▶頭巾。漢の人々は冠を被るとき中に襯巾を被ったが、巾とは呼ばず幘と呼び、色はふつう黒であった。新羅や高句麗でも、このような黒巾の使用例が見られる。《新唐書》(巻220列伝第145東夷新羅)に「男は髪を切って黒巾を被る」とあり、高句麗の舞踊塚壁画の騎馬人物と、水山里古墳壁画の少年が被っており、朝鮮時代の幅巾の原型になったと考えられる。一方、高麗恭愍王の代に、于必興の建議により僧侶が黒巾を被るものと定められたが(《高麗史》巻40恭愍11年8月)、形は

三国時代のものとは異なっていたものと思われる。朝鮮時代末期の伝世品を見ると、黒の麻布や絹で多様な形に仕上げられている。儒学者が普段被り、また喪中の卒哭の後に被られることもあった。→巾

黒巾　水山里古墳。

フッカン〔黒冠〕흑관

黒い冠。帽部に▶梁(筋)があり、両脇は明いている。儒学者が平常時に被ったが、髻を結った姿がそのまま見える独特な冠帽である。

フンノクチャピファ〔黒鹿子

黒冠　独立紀念館所蔵。独立運動家の儒学者心山金昌淑(1879～1962)遺品。左側は一重の麻で三つの梁があり、右側は絹製で梁は五つである。

フクタルリョン〔黒団領〕 흑단령

皮靴〕흑녹자피화
鹿皮製の黒い履き物。《▷増補文献備考》（巻76礼考26章服1衣服総論）には、「殿下の執務服の靴は黒鹿子皮靴とし、夏には黒斜皮（黒テン皮）とする」とある。

フクタルリョン〔黒団領〕 흑단령

黒の▶団領。朝鮮時代の一時期に文武官が▶公服（国王謁見服）として着用し、19世紀末の開化期には大礼服・小礼服として用いられた。生地は、堂上官（正3品以上）は有文の、堂下官は無文の黒い紗を用いた。世宗20年（1438）2月に、科挙で進士の及第発表をするときに黒団領を着させた記録があるが、文武官の公服とされたのは宣祖の代以後である。文禄・慶長の役以前までは有品官は紅団領を着たが、紅色が国王の服と同じだったため、宣祖32年（1599）に有品官の公服は黒団領とし、初めて黒団領が制度化された。高宗21年（1884）閏5月には官服が簡素化されて黒団領に統一され、同31年（1894）には小礼服として黒団領窄袖袍を着るようになった。また、光武2年（1898）に外交官・領事官以下の服装を定め、大礼服は有揚黒盤領窄袖袍を、小礼服は無揚黒盤領窄袖袍を用いるものとされた。さらに同3年6月には、朝廷官吏は朝観・参班・陪従の際に黒団領に胸背を付けた大礼服を着るようにした。このように、黒団領は朝鮮時代中期から文武官の官服とされ、開化期には官服が黒団領に統一された。

黒団領　（右側）朝鮮時代後期。高麗大学博物館所蔵。

フクタンピーサペ〔黒唐皮靸鞋〕 흑당피삽혜

文様の入った黒い皮製の靴。《万機要覧》（財用編1供上）に記されている国王の衣服の中に黒唐皮靸鞋が含まれており、一足の価格が4両5銭9分であった。

フンニョンポ〔黒領袍〕 흑령포

黒色の▶袞竜袍。朝鮮時代に、王世子（皇太子）が成人を向かえた後に▶常服（執務服）として着た。黒い絹に黒い裏地を当てた袷で、襟は団領（丸襟）である。広袖で、両脇が明いている。黒い毛羅（薄絹）で作った▶翼善冠を被り、▶玉帯を締め、▶玉の▶圭を手にし、脛には▶行纏を巻きつけ、▶白襪に木靴を履いた。

フンニプ〔黒笠〕 흑립

朝鮮時代に被られた笠の一つ。細い竹ひごや馬のたてがみ・尾の毛で凉太（鍔）と帽部を作り、布などで包み、黒く漆を塗って仕上げる。帽部は上のすぼまった円筒形で、帽頂は平坦だが、凉太の上面は若干ふくらみがある。型に被せるものにより、真糸笠・陰陽糸笠・陰陽笠・布笠・竹猪毛笠・馬尾笠などに分けられる。黒笠は▶ペレンイ・▶草笠などの段階を経て生み出された朝鮮時代の代表的な▶カッ（笠）で、朝鮮時代末期まで最も広く被られた。高麗時代末期の恭愍王16年（1367）7月、それまでの元の制度を捨てて文武官から庶民までの衣冠が定められ、正3品以下の地方官吏が品階によって▶頂子を異にする黒笠を被った。さらに9月には、朝廷官吏が公服姿で▶襆頭の代わりにカッ（笠）を被って国王に謁見しているが（《高麗史》志巻26）、朝廷官吏が黒笠を被ったのはこれが初めてであろう。朝鮮時代初めにも、一時期官吏の朝服として被られたことがあるが（《▷朝鮮

436

フクセク〔黒色〕 흑색

黒竜袍 （左）朝鮮王朝五百年服飾展。（右）世宗大学博物館所蔵の黒竜袍。

《王朝実録》太宗17年12月）、主に被ったのは両班（文武官）階層であった。庶民の間でも被られたが、高宗32年（1895）以後は白丁（屠殺業者）にも許可されて貴賎の区別がなくなり、後には「カッ」「笠子」と言えば黒笠を指すほどになった。→笠子（カッ）

フンマポ〔黒麻布〕 흑마포
朝鮮時代に、国内で生産された黒い麻布。経糸には白糸を、緯糸にはカラムシ糸を用いた（《▷燃藜室記述》別集巻5 事大典故貢献）。国王が明の使臣に下賜したことがあり（《▷朝鮮王朝実録》世祖2年6月・成宗7年2月）、世宗3年7月には大妃の大祥後に身分の上下を問わず淡青色や灰色を用いたが、準備できない者は黒麻布で仕立てた淡土紅色の服を着た。

フクサピファ〔黒斜皮靴〕 흑사피화
黒いテンの毛皮で作った長靴。朝鮮時代の世祖2年（1456）2月に、右承旨韓明澮に命じて開城に行かせ、明への使節の兵曹判書申叔舟と吏曹判書権擥に鍛花金帯1本と黒斜皮靴1足を下賜したことがあり、成宗5年（1494）8月には工曹と尚衣院に命じて、やはり明への使節の金礩と李継孫に黒斜皮靴を下賜したことがある。

フクセク〔黒色〕 흑색（くろ

黒笠 ①朝鮮時代初期の黒笠。帽頂が丸く鍔が広い。②朝鮮時代中期の黒笠。安東雲章閣所蔵。鶴峯金誠一（1538〜1593）遺品。竹ひごを編んだ上に黒布を被せてある。鍔の非常に大きい、朝鮮時代中期の一般的な笠の形態である。③朝鮮時代後期の黒笠。温陽民俗博物館所蔵。正祖の代に兵曹参判を務めた李益馝が被ったもの。④朝鮮時代末期の黒笠。独立紀念館所蔵。イ・テガプ遺品。高宗の代に大院君が鍔の広い大笠を小笠に改良したが、これもそのようないわゆる開化カッである。

フクソク〔黒舃〕 흑석

〔黒〕）

黒は五行説では「水」に当たり、方位は北、季節は冬に該当する。黒の系列色としては玄色・烏色・玄青色・鳩色・皁色・緇色・香皁色・墨色などがある。クロツバラの樹皮、マンシュウグルミの実、ツツジの根や枝の灰、トネリコの炭、ザクロの皮、ハゼノキとヤマモモ、藍と五倍子などで染色する。

　黒はチョソン時代の衣服に広く使われ、烏紗帽・▶黒角帯などの▶喪服にも使用された。▶戦服・▶幅巾・▶黒笠・▶木靴などが黒で、▶深衣・鶴氅衣などの白い服に黒の▶縇（縁取り）を巻いたものもある。文禄・慶長の役以降、朝廷官吏の官服にも黒団領を用いるようになった。文献には黒系統の色として「緇」「皁」「皂」などの名称が見られる。緇色に関しては《釈名》に「緇は滓というもので、泥の黒いものを滓と言う」とある。また皁色については同書に「皁とは朝のことを言う。日が昇る前には全ての物が黒く見えるが、その黒い色を指すようである」とある。一方《説文》には、この皁という字を「草」と表記し、「草は草斗を指し、シンジュの実である。または象斗ともいう」とある。

フクソク〔黒舃〕 흑석

国王や世子嬪が履いた黒い靴。高麗時代末期、恭愍王19年（1370）に明の太祖高皇帝から下賜された遠遊冠服の中に含まれていたが、君臣の朝賀を受けるときに履くものとされた。《国朝続五礼儀補》に、世子嬪の礼服に履く靴は黒で、黒の▶緞で表を、白の▶羅で裏を当て、つま先を糸花で装飾するとある。→舃

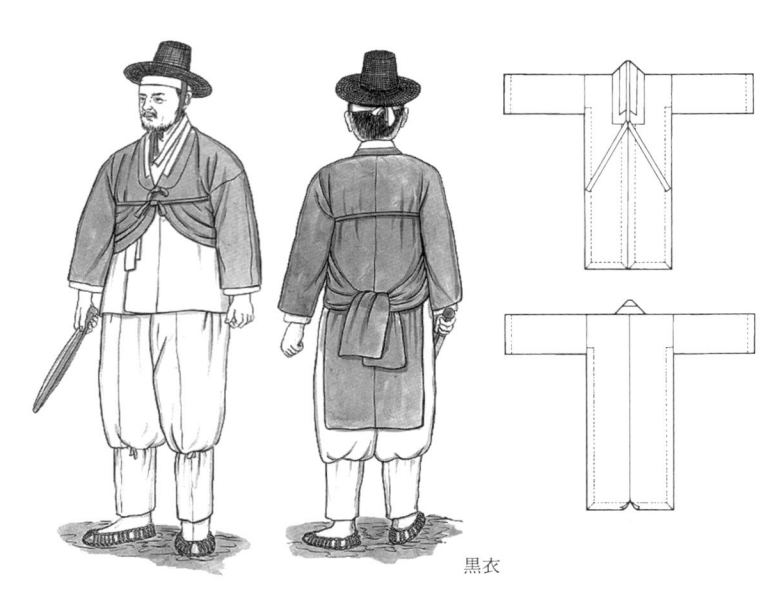

フギ〔黒衣〕 흑의

朝鮮時代に、宮中や両班（文武官）家の下男が着た黒い上衣。黒い綿布で仕立てたもので、▶ム（脇布）と衽は無く、両脇が明いた服である。着るときは両前裾を腰に回して縛り、後裾はそのまま垂らし、胸とパジ（ズボン）の膝下を紐でくくり、動きやすくした。パジ・チョゴリ（上衣）を着た上に黒衣を着て、鍔の狭い▶黒笠を被った。同トグレ

フクチャンサム〔黒長衫〕 흑장삼

朝鮮時代の舞台衣装の一つで、女妓が着た上衣。黒の羅または紗で仕立て、袖口に藍色の絹（生絹）の▶クットン（別布）を当て、袖先をたくりあげる。倡妓が、黒の長衫を着ずに灰色の長衫を着たために、楽人が義禁府に監禁されたこともある。（《朝鮮王朝実録》世宗28年1月辛未）

フクチュクーパンニプ〔黒竹方笠〕 흑죽방립

黒い竹製の▶カッ（笠）の一つ。朝鮮時代に地方官の郷吏が被ったもので、大きさと形は▶方笠と同じである。郷吏は、高麗時代末期には白方笠・平頂頭巾を被り、朝鮮時代の太宗の代には笠制度が整備されて、当初は▶平頂巾・▶頭巾・黒竹坎頭を被ったが、じきに平頂巾・黒竹方笠に替わった。（《朝鮮王朝実録》太宗16年1月乙巳）→方笠

フクチョパンニプ〔黒草方笠〕 흑초방립

カヤツリグサを▶方笠の形や四角錘に編んだ黒い▶カッ（笠）。新羅などで被られた▶羅済笠の名残で、恭愍王21年（1372）5月に王命伝達官の代言、軍帥の班主以上が被るものと定められた。→方笠

フクチョウイ〔黒綃衣〕 흑초의

朝鮮時代末期の高宗の代に、文武官が祭祀で着た▶祭服の上衣。朝鮮時代初期の《▶経国大典》では▶青綃

黒絹衣　朝鮮時代末期。高麗大学博物館所蔵。一部ミシンを使用しており、開化期以後のものと思われる。大帯をしつけ縫いで黒絹衣に縫い付け、襟には白い生地を用い、掛け襟はなく方心曲領を付けるなど、簡素化志向が表れている。

衣を着るものと定められたが、高宗の代に黒絹衣に変更された。黒の▶純仁（絹）で仕立て、襟・裾周り・袖口に同じ黒で▶襈（縁取り）を巻き、境目に白い線を入れてある。襟の上には白の方心曲領を重ね、胸には紅色の▶蔽膝が垂らされている。⑥黒衫→祭服

フクピヘ〔黒皮鞋〕 흑피혜
黒い革を側面に当て、つま先に赤い▶襈（縁取り）を巻いた平靴。朝鮮時代に1品から9品までの文武官が▶朝服（朝賀服）・▶祭服（祭祀服）を着て履き、喪中には女性も用いた。

→黒鞋①

フクピファ〔黒皮靴〕 흑피화
朝鮮時代に、俗楽の楽人や歌童が履いた黒革製の長靴。世宗8年（1426）1月と12年（1430）5月に舞工や7品以下の楽人には、これ以外の靴を禁じた。《世宗実録》巻31）⑥烏皮靴

フケ〔黒鞋〕 흑혜
①朝鮮時代に上流階層が履いた黒い革靴。→シン
②→⑥僧鞋

フンウィーチュアウーチヌィ

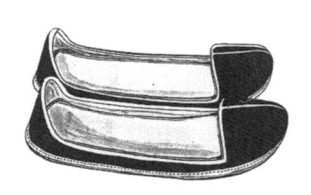

黒皮鞋

黒鞋①

ヒン–モシ　흰모시

グンボク〔興威左右親衛軍服〕
흥위좌우친위군복
高麗時代に、王城を守る興威左右親衛軍が着た服。赤い文様の入った絹の▶袍（紅紋羅袍）を着て、黒いサイの角製の帯を締め（黒犀束帯）、▶金花大帽を被った。国王の御輿に随行するときは、竜紋と花紋の入った大きな扇と曲蓋（傘）を持って御輿の左右に立つが、普段は金装飾のない紫の帽子を被った。《▷宣和奉使高麗図経》巻11）

ヒジャムン〔囍字紋〕 희자문
「囍」の字は幸福と吉兆を象徴する吉祥紋で、家具・生地・室内装飾などに多用された。竜虎相喜を表すもので、古くは夫婦和合の意味に解釈されたが、天地陰陽和合の意味に拡大解釈されることもある。⑥双喜字紋→紋様

囍字紋　刺繍枕側。梨花女子大学博物館所蔵。

ヒン–モシ　흰모시→⑥白紵布

〈付録〉

伝統染色
主要文献解題
服飾関連社会用語
服飾史年表
項目索引

黄土と鉱物に
よる染色

藍染めの綿布

各種染色織物　左から、スオウ・五倍子染め（鉄媒染）、紅花染め、オウレン染め、スオウ染め、紅花染め、紫根染め。
（次ページ写真）朝鮮時代後期の平絹のチョゴリ　（上）藍染め、（左）スオウ染め、（右）クチナシ染め

伝統染色

染色一般　染料別染色法　色別染色法

金芝希

〈凡例〉
- 我が国の古文献に記されている伝統染色法と染料に限定して記述した。
- 伝統染色法の名称は、我が国の文献のうち染色に関してもっとも記載の多い《▷閨閤叢書》《林園経済志》《山林経済志》《▷尚方定例》などに従った。
- まず染色一般について紹介した後で、具体的な染色法について染料別と色別とに分けて記述した。
- 関連項目は「→」で示した。
- 重量の単位は、昔の貨幣や重量の単位である「両」を用いた。1両は37.5g、1ドンはその10分の1で3.75gである。
- 古文献の内容を引用する際は、主たる文献名のみを記した。

染料植物

タチアオイ

ズミ

ナツメ

馬藍（琉球藍）

菘藍（タイセイ）

朝鮮半島特産の蓼藍は葉が卵型で、葉脈の起伏が深い。

蓼藍の花が今にも咲こうとしているところ

藍草

イチイ 　　　　　　　　　　　　　クチナシの木と花

ツユクサ 　　　　　　タデ 　　　　　　　ハンノキ

紅花

各種染色材料

アカネ	ズミの実	スオウ
ヤマハンノキの果穂	五味子（ごみし）	ウコン
紫根	チンダルレ（カラムラサキツツジ）の根	クチナシ
紅花	紅餅（紅花の発酵乾燥塊）	干した紅花の花びら
オウレン	キハダ	黄土

藍染めの過程

藍を水に浸ける。藍草の薹が立つ前に、朝早く葉を刈り取り、甕に漬ける。

藍から緑の浸出液が出た状態。1〜3日間浸けて液が緑になったら、藍葉をすくい出す。

手桶に浸出液を汲み取り、石灰を溶き入れる。石灰と浸出液の比率は1：10。

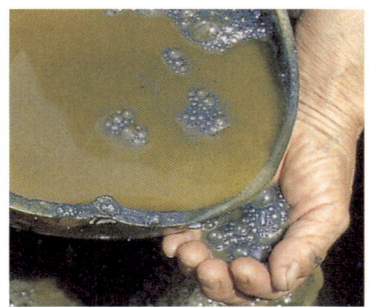

石灰の溶けた浸出液を、甕の浸出液と合わせる。

灰汁を作る。豆殻、藍の茎、餅稲の藁、ヨモギのいずれかを用いる。

布の精練。染色する布を灰汁で煮ておく。

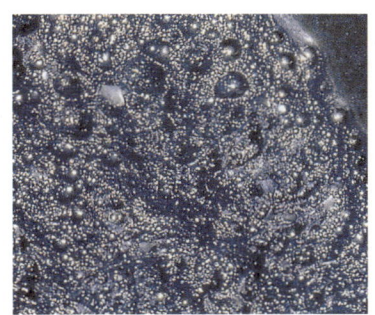

棒で撹拌し、泡がナツメの実ぐらいの大きさになり、液が青紫になった状態。

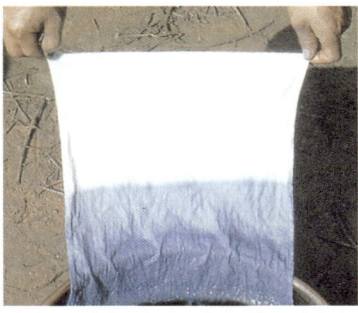

藍染め。染液に浸けた布を最初に取り出したときは緑色を帯びているが、空気に触れて酸化し、青くなる。

竹の棒で支えながら、布を繰ってゆく。

数回重ね染めをして好みの色になったら、流水で洗い灰汁成分を除去する。

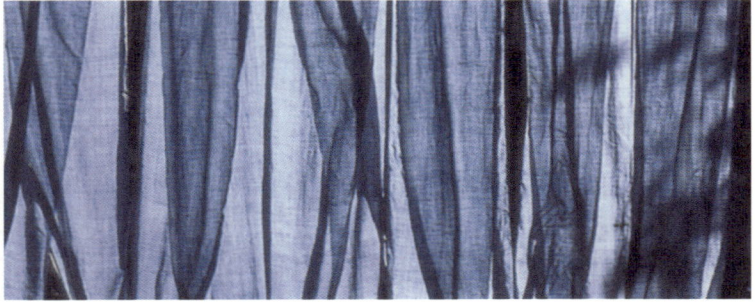

物干しに掛け、酸化させながら乾かす。

紅花染めの過程

アカザ、紅花の茎、豆殻などの灰汁を漉す。

乾燥させた紅花に水を注いで揉む。

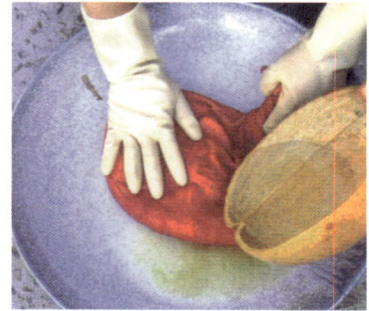

紅花を袋に入れて水をかけて揉みながら、黄色素を取る。

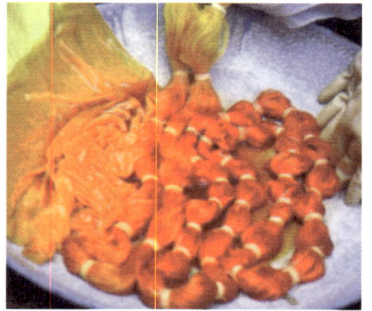

黄色の抽出液で絹糸や絹布を染める。

火に掛けて温めた染液で絹を染めているところ。

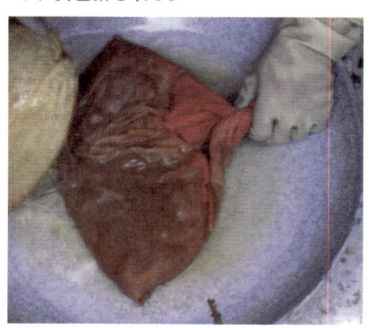

黄色素を完全に除去し、紅色になった袋に灰汁を加える。

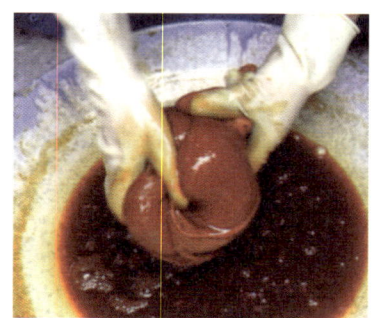

灰汁を加え、紅色素をよく揉み出す。

五味子を水に浸けた酸性液を加えると、沸騰するように泡立つ。

この液を漉して得られる沈殿物が、化粧に用いられる臙脂である。

絹・カラムシ織・麻布などを、温めた染液にひっくり返して浸けながら染める。

食酢を1滴加えた水で洗い、半日陰で乾かす。

■染色一般■

1 染色の起源と発展

　染色は、エジプトのナイル川下流や中近東のチグリス・ユーフラテス川下流域、紅花の原産地であるエチオピアで始まり、インドなど古代文明社会を中心に発展してきた。B.C.3000年ごろのエジプトのミイラの着衣から淡黄色、濃い黄褐色、黄褐色に黒褐色の縞模様の紅花染めや藍染めが発見され、インドのモヘンジョダロの遺跡からはアカネ染めの綿布の断片が出土している。中国ではB.C.2600年ごろ、黄帝の正室であった西陵氏螺祖により養蚕が始められ、絹織物と染色技術が発達した。

　文献によると、我が国では弁韓や辰韓で広幅細布が織られ、人々は青の衣服をまとい、青・赤・紫の色糸で文様を入れた錦織も用いられていたようである（《三国志》巻30魏志東夷伝弁辰）。

　三国時代の高句麗古墳壁画には、点文・円文とともに三纈の染色技法が見られるが、これは新羅の工芸品にも見られ、両国の影響関係が窺える。また、国王は五采と呼ばれる衣服をまとい、大臣は青い服を着て鳥の羽根を頭の両脇に挿し、革靴を履いた。庶民は褐衣を着用し、女性は頭に手ぬぐいを被っていた（《唐書》巻220東夷列伝）。

　百済は、古爾王27年（260）に品官別服色制度を定めて身分を区別したが、当時、赤・青・黄・赤紫・翡色（青磁色）などの色彩が存在していたことがわかる。この時期の遺物としては、忠清南道公州市宋山里古墳壁画（6号墳）の四神図・日月図や、扶余郡陵山里古墳壁画の四神図・蓮花紋・雲紋などにも朱・黄・青・黒といった色彩が見られ、優れた染色技術の存在が確認できる。

　新羅の染色技術に関しては、法興王元年（514）に六部人色尊卑制度が定められ、その職位により紫・緋色・青・黄の衣服を着分けており、ムラサキ・アカネ・藍・キハダ・ウコンなどの植物染料が用いられていたことがわかる。染色関係の部署としては、染宮に11名、紅典に6名、蘇芳典に6名、その他攢染典などを置き、専門的に染色をするようになっていた。

　高麗時代には、私営の工場と官営の工場で染織を生産していた。特に、製織・手染を管掌する官営の都染署などに染料工と染色工を置き、染色をさせた。中でも、紫根染めは中国にまで知れ渡るほどの技術を持っていたことから、良質のムラサキが採れたものと思われる。

　朝鮮時代には、家内手工業と農村手工業以外に、中央官庁の職人である京工匠が交易品と貴族用の染め物を生産していた。染色匠は青染匠30名、紅染匠20名、黄染匠20名と分業化されていた。色は青と紅が中心で、青は藍、紅は輸入のスオウと紅花で染められた。1800年代末に化学染料が入ってくるまでは、おもにクチナシ・ウコン・キハダ・スオウ・ムラサキ・藍などの植物性染料が用いられ、媒染剤としては灰汁・石灰・ミョウバン・鉄漿などが使われた。

2 染料

　天然繊維・合成繊維などの被染物に色を染着させることのできる有色物質を染料という。光線を選択的に吸収・反射して物質の固有色を生むのが色素であり、この色素のうち、日光・薬品・洗濯・摩擦・ガスなどに対しある程度の耐久性があり、繊維との結合力のあるものが染料である。繊維に対して親和性のある染料で染色したものは、高い堅牢度を持つ。

　我が国の自然染料は大部分が植物染料だが、動物染料や鉱物染料も多少用いられてきた。一般に植物染料は、植物の葉・花・実・樹皮・芯材・根などに含まれる色素を抽出したもので、動物染料は動物の血などの体液、紫貝、ヌルデの木に寄生する五倍子、サボテンに寄生するコチニール虫、樹木に寄生するラック虫・ケルメスなどが用いられる。その他、木や岩に生える茸類を利用して染色することもある。鉱物染料としては、文献には代赭石・赤土・黄土などが登場する。これ以外にも昆布・ヒジキ・ワカメ・アオノリなどの海藻類からも色素が抽出され、筆者の研究室での染色例がある。

　我が国で使用されてきた染料は50種余りであるが、1種類の染料で1色のみ染色可能な単色性染料と、1種類の染料と各種媒染剤との組み合わせにより多くの色を染め分けられる多色性染料とがあり、色の数は105以上にもなる。単色性染料は、さらに直接染料・塩基性染料・建染め染料・特殊染料に分けられる。

また、植物は部分により色素の性質が異なるため、使用する部分別に分類することもある。根を用いる染料には、ムラサキ・オウレン・アカネ・ウコン・チンダルレ（カラムラサキツツジ）などがあり、樹皮・芯材染料としては、キハダ・スオウ・アズキナシ・ネムノキ・ヌルデ・ハゼノキ・イブキ・チョウセントネリコ・赤松・ズミ・ハンノキ・ヤマアンズ・チョウセンクロツバラなどがあり、果皮・樹皮染料には、クルミ・ドングリ・ザクロ・クリなどがある。葉を用いるものには、藍・コブナクサ・ヨモギ・アオギリ・ヒトツバハギなどが、花を用いるものには、紅花・キンセンカ・ヒマワリ・エンジュ・ツユクサ・タチアオイ・ホウセンカなどがあり、果実を用いるものには、クチナシ・ザクロ・ハスの実・ブドウ・黒豆・カリン・オオバコなどがある。これらの植物染料は、染色条件や方法、媒染剤により色相・明度・彩度などが変わるため、色素抽出・染色・発色の工程をきちんと守らねばならない。また重ね染めの場合には、一次染色（下染め）と二次染色（上染め）の順序を守る必要がある。

3　媒染剤

染料を布や糸によく馴染ませるための薬品を媒染剤という。媒染剤は繊維に対する親和性のない染料を繊維に染着させて、染色の堅牢度を高めると同時に、染め色に変化をもたらす。また、直接水に溶けない染料を抽出したり還元させる助剤の役割もする。このような媒染剤を必要とする染料を媒染染料といい、植物染料は一部を除いてほとんどが媒染染料である。

我が国で伝統的に用いられてきた媒染剤には、ミョウバン・鉄漿・石灰・灰類（灰汁）・酸類がある。ミョウバンは無色透明の結晶体で、明るい色を出す媒染剤である。成分は硫酸アルミニウムと硫酸カリウムの化合物で、古代にはアカネやスオウなどの染色に用いられた。鉄漿は酢酸に鉄片を入れて作ったもので、酢酸鉄ともいう。主成分は酢酸第1鉄で、古代より黒・皂・黒茶・灰色・褐色など濃い色になくてはならない媒染剤であった。石灰や胡粉は、朝鮮時代まで藍染めに使われた。アカザの灰は、おもに藍染めと紅花染めに用いられた最も高価な灰で、1斗の価格が上米の京畿米5斗分に相当した。サワフタギの灰は、最も広く用いられた灰で、紫根染めの媒染剤とされた。《尚方定例チョンネ》には、赤紫の吐紬トジュ（平絹の一種）1疋の染色に紫根8斤、サワフタギの灰20斤、梅の実1斤を要すると記されている。山丹灰は山百合を燃やして作った灰で、高麗時代から用いられてきた。布の精練に用いられる藁灰は、我々の生活の中で最も古くから用いられてきたものである。その他、ヒサカキ、豆のさや、藍の茎、紅花の茎、椿、ソバ、ヨモギの灰などがあった。酸類の中には、青梅で作った梅酢や、青梅を黒く燻した烏梅で作った烏梅水、玄米で作った玄米酢、五味子で作った五味子酢があった。《尚方定例》には、世子宮（皇太子宮）の大紅色の絹1疋の染色に紅花17斤と梅の実13斤を要したと記されている。五味子は、酸類のなかでもっとも多用された媒染剤で、紅色の染色に用いられた。染料と同量を染色の数日前から水に浸けておき、酸が真っ赤に出るのを待って使う。この他に、文献に登場する媒染剤としては緑礬・青礬・早礬サンバンがあるが、これらは硫酸第1鉄のことで、早礬は精製されていないものを指す。他にも、重湯・もち米粉・膠・濁酒酢・清酒・甘酒などが媒染剤として用いられているが、これらはそれぞれの性質によって温度や比率など処理方法が異なる。

4　一般的な染色方法

染料や顔料などの有色物質や薬品を利用して、繊維・皮革・フィルム・木・金属などの被染物に色を定着させることを染色（dyeing）という。染色は単に生地を染めるにとどまらず、より均一に、様々な物理的・化学的作用に耐えられるよう処理を施すことも求められる。染色には、染料を水に溶かし被染物に色素を吸収させる方法と、顔料に固着剤を混ぜて着色する方法との2種類がある。また、色素の種類によって自然染料染色法と合成染料染色法とがある。

伝統的な天然染色のなかで、藍・紅花・紫根・エンジュ・アカネ・チンダルレ（カラムラサキツツジ）などによる染色は、煮出すことで染液を抽出する一般的な方法とは異なる染色法をとる。藍染めの場合、不溶性の色素を還元剤で抽出して染色した後、再び酸化させるという複雑な方法が必要である。このように染料の性質によって特別な方法を用いる場合もあるが、伝統染色の一般的な方法は可溶性色素を抽出し、その染液に繊維を浸し染色するものである。染料は、植物の花・葉・根・樹皮・芯材・実などを

細かく潰したり搗いたり石臼などで挽いたものを、煎じたり煮たりして色素を抽出するものが大部分である。植物染色には、ただ水に浸けて媒染剤により染色するものも一部あるが、大部分の染料は熱煎して抽出する方法がとられている。

自然染色法の概要は、次のとおりである。
(1) 染色材料の量
　花類は被染物の約3倍、枝葉は約2倍、実や樹皮・芯材は同量とする。
(2) 染液の抽出
　沸騰後20分間熱煎し、最低2回、普通3～7回抽出する。
(3) 染色時間
　沸騰後20～30分。最低2回。繰り返すほど堅牢度が高まる。
(4) 染液の温度
　普通60～90℃。特殊染色は30℃または常温。
(5) 媒染液
　2・3・5・10％で、時間は15～30分。

染料別染色法

チョウセンクロツバラ〔朝鮮黒つ薔薇〕　갈매나무
クロウメモドキ科に属する落葉広葉樹で、朝鮮時代に染色によく利用された。樹高は2m内外で、枝先に棘が生え、葉には鋸歯がある。5月ごろに花が咲き、果実は9月ごろに黒く熟れる。慶尚北道・忠清南道以外の朝鮮半島各地に分布する。樹皮を鼠李皮、果実をカルメまたは鼠李子といい、染料または薬材とする。《林園経済志》には「チョウセンクロツバラの樹皮を煎じた液で染色した後、灰汁で後媒染すると、鴨頭緑色に染まる」とある。また、口伝によっても深緑に染まるとされる。「鼠李子」と呼ばれる実では黒が得られる。

チョウセンクロツバラ〔朝鮮黒つ薔薇〕・**アズキナシ**〔小豆梨〕　갈매나무・감당목
チョウセンクロツバラとアズキナシの樹皮で重ね染めすると、鴨頭緑色になる。鴨頭緑色とは、鴨の頭の毛のような黒みがかった緑色をいう。チョウセンクロツバラの老木の樹皮を濃く煮出した染液で被染物を染め、ソバの茎の灰で媒染したあと、アズキナシの樹皮を煮出した染液にミョウバンを加えて重ね染めする。

アズキナシはバラ科に属する落葉広葉高木で、黒褐色の樹皮に灰白色の斑点があり、葉は広卵形または楕円形で深い鋸歯がある。4～5月に白い花が咲き、果実は10月に熟す。朝鮮半島および日本・中国東北部の山地に分布する。

ヒトツバハギ〔一葉萩〕　광대싸리
ヒトツバハギの葉を用いて褐色を染める。ヒトツバハギの葉は「荊葉」とも呼ばれ、その染め色を「荊褐色」という。焼きミョウバンの媒染では淡い褐色を呈するが、早礬（未精製のミョウバン）を使用した場合は、その量により褐色の濃さが変わる。布10両（375g）に対し、ヒトツバハギの葉5両（187.5g）、焼きミョウバン2両（75g）、早礬若干が必要である。ヒトツバハギの葉を煎じて濃い染液を作り、ミョウバンで先媒染した布を染色するが、このとき混ぜる早礬の量により染め色の濃度を調節する。

エンジュ〔槐〕　괴화나무・회화나무
エンジュは中国北部原産のマメ科の落葉広葉樹で、《山林経済志》には「槐鵝」とある。樹高15～25m、樹径は

70cm以上になる。6月ごろに枝先に薄黄色の花を咲かせ、莢に入った数珠状の実がなる。

エンジュのつぼみを利用した染色法について、《閨閤叢書(キュハプチョンソ)》には「藍で薄く染めた後にエンジュを染めると豆緑色(薄い黄色)が得られる」とあり、《林園経済志(イムォンキョンジェジ)》には「濃い藍染めの後にエンジュを染めると官緑色(クァルロクセク)が得られる」とある。

つぼみや散った花を干して加熱したものや、紅餅のように摘んだ花を蒸して餅状にしたものから染液を抽出して染めた後、灰汁媒染をすると濃い黄色、ミョウバンや錫媒染で鮮黄色、鉄媒染で鴨頭緑色(アプトゥロクセク)(深緑)、タンニン媒染で褐色を帯びた緑色が得られる。

アカネ〔茜〕 꼭두서니

つる性の多年草である。アカネの橙色の根は、古くから用いられてきた染色材料で、橙色や紅色を染める。《三国史記(サムグクサギ)》や《本草綱目》に見られる緋色はアカネ染めの紅色で、新羅(シルラ)の服色制度では紫色に次ぐ色であったと記されている。堅牢度は高いが染色法が複雑であり、溶解度が低く、必ず媒染剤を用いなければならない代表的な媒染染料に挙げられる。媒染剤にはミョウバンを用いる。木綿に染色するときは灰汁で媒染したあと、ミョウバンで処理する。まず冷たい灰汁に浸けておいたあと、50〜60℃程度のアカネの抽出液に浸してしばらく置くと、鮮明で綺麗な橙色に染まる。鉄媒染にすると褐色が得られる。

アイ〔藍〕 남 (등)

藍はその種類が300を超えるが、我が国で藍染めに用いられる藍は、在来種とインド・中国原産の外来種である。文献には「チョク」「唐(タン)ッチョク」「藍草(ナムチョ)」「靛(チョン)」などと記され、種類としては蓼藍・大青・山藍・琉球藍(タイセイ)などがあるが、現在もっとも多く用いられているのは蓼藍である。朝鮮半島在来の蓼藍は花が桃色で、葉は卵型である。琉球藍は中国から伝来した藍草で、蓼藍より葉の大きい多年草である。→タイセイ〔大青〕・ヤマアイ〔山藍〕

藍染めによる藍色は、家庭で一般的に行われる生葉染めや泥藍染めの初期段階で得られる色で、民間で最も愛用されてきた。伝統的な色名の一つでもあり、朝鮮時代の記録によれば、15世紀前半の世宗(セジョン)の代に、すでに儒学者たちが青い服を着ていたことが知られている。主に木綿・麻・カラムシの染色に用いられてきた。藍染めは最初から最後までアルカリ液の中で処理するため、絹を染める場合は時間を短縮しないと布地が傷むおそれがある。19世紀半ばに安価で便利な化学染料が登場したため、藍染めは次第に姿を消していったが、1970年代からの自然回帰・環境保護志向の中で、見直されている。

藍染めは、回数や重ね染めにより様々な色を得ることができる。水色・翡色(ビセク)(青磁色)・翠藍色(チュイラムセク)(青緑)・淡青色・天青色(チョンチョンセク)・青碧色(チョンビョクセク)・碧色(ビョクセク)・碧青色(ビョクチョンセク)・碧藍色(ビョンナムセク)・青色・洋藍色(ヤンナムセク)(藤紫)・軟藍色(ヨンナムセク)・藍色・パンムル色(マルボク)(濃い藍色)・群青色・三青色(サムチョンセク)(かきつばた色)・紺色・青玄色(チョンヒョンセク)(明るい紺色)・黒青色・磊緑色(ヌェノクセク)(黒緑)など、実に多様である。

■藍の生葉染め

藍の生葉染めにより、玉色(オクセク)(水色)・藍色・翠藍色(青緑)が得られる。色の濃度を調整すると、様々な色みの薄い翠色になる。文献には、6・7月ごろに厚い葉を摘み、清潔な容器に入れ揉みだして染液をとり、末伏(マルボク)(立秋後最初の庚の日)には葉の色が変わらないよう、氷のそばに置かねばならないとある。また、涼しい朝のうちに藍葉を採取し、氷を入れて石で搗いた後、すぐに布を浸けて染色する方法も記されている。

《閨閤叢書(キュハプチョンソ)》には、その工程が次のように詳細に説明されている。

「藍葉は丸く厚みのあるものが良質で、薄くて形の崩れたものはよくない。暑さの厳しい日は傷みやすく色が赤みを帯びるため、涼しい日を選んで染色する。藍葉を水に浸け、甕には水をたっぷり汲んで絹布を浸けておき、大きなヒョウタンの器に藍葉を搗く石を入れて立て、水を注ぎながら力を込めて搗き、氷を入れた他の器に搗いた藍葉の染液を漉して入れ、布を浸し染める。淡い藍色は、水を少し混ぜるとともに氷を十分に入れ、手で素早く繰って染めると色が褪せない。染液の濁りのために染まり具合がわかりにくいので、氷を布の上に載せて氷越しに色合いを見る。濃い藍色は、水を加えない染液で染めた後、水に氷を入れて数回素早くすすぎ、しばらく氷水に浸けておくと鮮やかな色になる。手の動きがゆっくりだと色が褪せやすくなり、また叩き洗いをすると色にむらが出るので、必ず絞ってから竿に通して力をこめて引き伸ばし、日陰で水が垂れない程度に乾かしたら、紐に掛けてしばらく団扇で風を送って乾かすと、きれいな色が得られる」

団扇で風を送るというのは、生葉染めの鮮やかな色が出るように、染料を酸化させるということである。

■藍の灰汁染色

石灰を使って色素を沈殿させることなく、灰汁のみを用

いて染色するもので、《閨閤叢書》には、「磻青」「パンムル」と記されている染色法である。この方法で得られる磻青色（パンチョンセク）は、藍葉を丸1日浸けてすぐに取り出して使うため、3日以上浸けておく鵝青（アチョン）や石灰を用いる沈殿法より澄んだ色である。濃い色を得るには、25回から50回も繰り返して染める。磻青色は深い藍色で、《閨閤叢書》には、次のように記されている。「(磻青色をきれいに染め出すには)傷みのない葉を選んで甕に入れて水を注ぎ、洗った藍の茎で上を覆い、重石をしておく。翌日水が若干青くなっているので、アカザの灰汁を漉して藍の抽出液に入れ、麻の茎を左手に持ってかき混ぜると、すぐに大きな青い泡（藍の華）が立つので、これにカラムシや木綿を浸けると、青黛（せいたい）よりもよく染まる。ただし、この液は一晩のみ寝かせるもので、長期間の保存は不可能なため、藍の生葉がある時期にのみ行う」

このような藍の染液に灰汁のみを加える方法は、古来より主に慶尚道（キョンサンド）で行われており、技能保持者たちの間で口伝されている。色に透明感があり堅牢度が高いが、濃い色を得るには時間がかかる。

現在、慶尚道の技能保有者たちが行っている染色法は、次のとおりである。甕に藍葉と水を入れ、天気や気温により1日から1週間発酵させ、この浸出液に灰汁を注ぎ（浸出液5：灰汁5）、竹の棒や麻の茎で泡が立つまで撹拌する。ナツメ大の泡が細長い雲のようになり、竹の棒を抜いたときに泡の中に抜いた棒の穴が残るようになれば十分である。その後1週間置き、発酵させて染色をする。浮遊物を取り除き、下の染液が緑みを帯びていたら染色の適期である。

■藍の沈殿染色（泥藍染め）

①泥藍作り：藍葉は朝露の降りる早朝（4時〜7時）に摘み取って甕に入れ、水をいっぱいに注ぐ。途中で1度上下を返し、磻青（パンチョン）染色の場合は丸1日、鵝青（アチョン）染色の場合は3日ほど置いてから、藍葉をすべて掬い取る。藍の生育状態が良いほど色素が多く含まれ、良い藍色を得ることができる。次に、牡蠣殻を薪火で焼き、冷めきる前に空気を遮断して2〜3日放置すると、石灰（牡蠣灰）になる。これを篩で漉し、甕の藍浸出液に入れて撹拌棒で上下によく混ぜ、石灰のアルカリ成分で藍の色素を抽出する。撹拌によって酸素が混ざり青い泡が立つが、初め白かった泡が徐々に青くなり、さらに濃い青紫になった後は、石灰が藍の色素を包んで沈殿を始めるため、液が透明になってくる。かき混ぜてから1〜2時間が経つと完全に沈殿し、上澄みは赤みがかった色になる。上澄みを捨ててから、篩に布を敷いて沈殿物を受け、水分を除くと泥藍となる。②染色法：まず、大豆のさやや茎、もち稲藁などを燃やして灰を作り、甕に入れて水を注ぐ。上澄みと沈殿物とに分かれたら、上に浮かんだ炭のようなものは篩で漉して捨て、きれいな灰汁を得る。灰汁の濃度は、指先で触ってみてぬるぬるしている程度がよい。泥藍の4倍の灰汁を体温ほど（35〜40℃）に温め、手で泥藍と混ぜ合わせ、30℃くらいの温度を維持できるよう温かい部屋に置くか地面に埋める。1週間ほど経過し、液の表面に水煙のようなものが出始めたら、撹拌棒で青くなるまでかき混ぜる。このとき、群青色の泡が立つが、その下の液が緑がかっていれば、染色を始められる。藍建ての状態がよくないときは、液温と石灰の分量を調節し、それでも改善がみられない場合は、甘酒や酒酢を小鉢1杯ほど足す。発酵が完全でないと、長く浸けても布に染着しない。染液の状態が良ければ、布を一旦水に浸けてから染色すると染めムラはできにくいが、伝統的には濡らさないで染液に入れ、染色後に乾燥・酸化させる方法をとる。この工程を1日に2回ずつ10回ほど反復した後、5〜6時間ほど水に浸け、灰汁を完全に取り除いてから乾かす。濃い色に染める場合は、50回近く染め重ねる。

このような泥藍染めは、おもに全羅道（チョルラド）地方を中心に行われてきた方法であるが、慶尚道（キョンサンド）でも、馬山（マサン）・昌原（チャンウォン）・晋州（ジュ）・釜山（プサン）などの川や海辺に近い地域では、貝や牡蠣などの石灰が簡単に入手できるため、泥藍染めが行われた。特に全羅南道（チョルラナムド）の羅州（ナジュ）では、栄山江（ヨンサンガン）流域での昔ながらの方法が口伝および技能保有者によって伝えられている。泥藍染めに用いられる石灰の量は、《林園経済志（イムォンキョンジェジ）》によれば1.5斗、《天工開物》では半斗とあり、《山林経済志（サルリムキョンジェジ）》には、「青い砒灰（クァンフェ）（胡粉）をざっと計って入れ、また藍50斤当たり石灰1斤を用い、水を入れて撹拌しながら泡を立てる」と記されている。その後、藍浸出液は石灰の粉末を混ぜて沈殿させ、この沈殿物に灰汁を注ぎ、発酵させて染色する。

■藍の複合染色

我が国の染色は複合染色、すなわち2種類以上の染液を混ぜて染めたり、2種類以上の染色材料で重ね染めをすることが多いが、中でも藍と他の染色材との組み合わせがもっとも多い。これまで我が国の藍染めは生葉染めや泥藍染めが知られてきたが、文献には加熱して重ね染めする方法が記されており、インドの加熱染色法が伝えられていた

ことが分かる。この染色法は陰暦7月（陽暦の8月ごろ）に行うもので、藍を早期に植えて用いる。また複合染色の場合、染液が濃すぎたりアルカリが強い場合は絹には適さないため、加熱抽出した染液を用い、望む色を出す。①熟藍（ナムラン）（藍葉の煮汁）と生藍（センナム）（生藍葉の染液）の複合染色：《▷林園経済志》には次のように記されている。「7月に藍を刈り取り、藍一背負い分に水一汲みを用意し、葉と茎を細かく切り、釜でいっしょに煮出し、残りかすがないようにする。その液を甕に入れる割合は熟藍3停（チョン）に生藍1停である。葉を研ぎ石の上に載せて手で3回ほど揉み、熟藍の液を注いでそれぞれがよく混ざるようにし、清潔な甕に入れる」このときの染め色は黄緑系の色で、濃淡により緑色や柳青色（ユチョンセク）（萌黄色）を得ることができる。②熟藍とエンジュとの複合染色：藍葉を煮出すと黄緑系の色素が出て、これに還元剤を加えると淡い藍色の色素が抽出されるが、《▷閨閤叢書》（キュハプチョンソ）には、この染液で一次染色をした後、エンジュで二次染色をすると、草緑色（チョロクセク）（黄緑）が得られると記されている。（→草緑色）また、《天工開物》には、キハダで一次染色をしたあと、熟藍で二次染色をすると豆緑色（トゥロクセク）（薄黄色）や草豆緑色（チョドゥロクセク）（緑みを帯びた薄黄色）が得られると記されている。③泥藍と生藍（センナム）（生藍葉）の複合染色（《山林経済志》と技能保有者の口伝）：前もって作っておいた泥藍を新たに作った生藍の染液に混ぜ、石灰と灰汁を加える複合染色法である。染め色は黒か青玄色（チョンヒョンセク）（明るい紺色）になり、8回ほどの浸染でも濃い色が染まる手軽な染色方法である。

ハゼノキ〔櫨の木〕 노몽

ハゼノキはウルシ科に属する落葉高木で、樹高が10mにもなり、樹皮は暗赤色で、幹に傷をつけると乳白液が出る。5～6月に黄緑色の小さな花をつけ、秋には赤く紅葉する。果皮の繊維には鉛成分が含まれる。葉が緑のうちに採取してもよいが、切り口から白い液が出て染みになることがあるため、紅葉期に採取して、乾燥保存する。おもに鉄媒染による黒染めに利用する。藍染めの上にハゼノキで重ね染めをすることで、純黒色が得られる。灰汁やアルミニウム・錫媒染で金黄色（クムファンセク）を染め、銅媒染で黄茶を、鉄媒染で黒紫を染める。鉄と石灰を併用した複合染色では、海老茶色が得られる。

ズミ〔梓・棠梨〕 당리나무

ズミは「棠梨」（タンニ）と呼ばれ、その赤みを帯びた肌色の染色を「棠梨黄色」（タンニファンセク）という。ズミの樹皮を煮出し、ニカワ液を混ぜるか、米の粉を混ぜて染色する。ズミはバラ科に属する樹高3mほどの落葉広葉高木で、葉は楕円形で鋭い鋸歯がある。5月ごろに淡紅色の花を咲かせ、9月ごろには直径6～7mmの黄色または紅色の球形の果実が実るが、時間が経つと黒く変色する。朝鮮半島の中部以南の山すそに分布する。灰汁染色で赤褐色、銅媒染で緑色を帯びた褐色、鉄媒染で灰緑色を帯びた褐色が染まる。

ナツメ〔棗〕 대추나무

ヨーロッパ南部や南西アジアが原産のクロウメモドキ科の高木である。小さな緑色の花が咲いた後に付く実は楕円形で、干すと赤褐色になり食用とされる。この実や生葉を染料とし、ミョウバン媒染で黄色、銅媒染で黄緑、鉄媒染で暗いオリーブ色が得られる。

カシワ〔柏・槲〕 떡갈나무

カシワの葉で染色すると、栗色が得られる。カシワの木はブナ科に属する落葉高木で、樹皮は厚く灰褐色で、深い亀裂がある。5月に花が咲き、実は球形である。伝統染色では媒染剤を用いず、葉を煮出した染液に絹布を浸けるだけで栗色に染めるが、現代的な方法で媒染をすると、多様な色を得ることができる。樹皮を細かく刻んで30分ほど煎じると、褐色の色素が抽出される。布を浸して20分ほど染めた後に後媒染をするが、ミョウバン媒染で黄褐色、銅媒染で中間色の褐色が、鉄漿で先媒染してから染めると緑みを帯びた灰褐色が得られる。緑葉を用いると、ミョウバン媒染で淡黄色、銅媒染で灰黄色、鉄媒染で褐色や黒が得られる。

クリ〔栗〕 밤나무

栗の花・枝葉・樹皮・イガ・果皮などを利用して染める。7月ごろの花を染料とする場合は被染物重量の約3倍、葉や小枝は約2倍、干した果皮は同量の染料を用いる。樹皮・葉・落花を染料にすると、ミョウバン媒染で芥子色、銅媒染で緑豆色（ノクトゥセク）（鶯色）、鉄媒染で灰色が得られる。イガを用いる場合、ミョウバン媒染で薄茶色、酢酸銅媒染で金茶色、鉄媒染で濃褐色が得られ、カラムシを染めると灰褐色になる。果皮では、ミョウバン媒染で薄茶色、灰汁媒染で茶色、鉄媒染で紫みの灰色、食酢媒染で生絹を染めると橙みの褐色が染まり、灰汁媒染で橙みの芥子色、鉄漿媒染でチョコレート色や黒が得られ、絹の場合は灰色みのよもぎ色が得られる。

クワ〔桑〕 뽕나무

文献によると、クワの老木の根で染色すると沈香色（チムヒャンセク）に

染まるという。沈香色は、香を作るのに用いる沈香の色に似た黄褐色で、媒染剤に黔金(コムグム)(硫酸第１鉄)を用いる。クワはクワ科に属する落葉高木で、山にも自生するが、多くは養蚕用に栽培されている。染色には、根や幹材を乾燥させて細かく刻み、煮出して染液とする。枝や生葉から抽出した染液では、ミョウバン媒染で薄いベージュ、石灰媒染で中間のベージュ、銅媒染で黄緑、鉄媒染で灰緑色、チタン媒染で橙色が染まる。幹や根から抽出した染液では、灰汁媒染で薄い黄茶、鉄媒染で褐色が染まる。また、暗い紫色の果実では紫が染まるが、堅牢度は低い。

ヤマアイ〔山藍〕 산람

山藍は昔から我が国に自生している高さ30～40cm程度の多年草で、森林の日陰に生育する。根は白で、乾燥すると青くなる。3～4月ごろ、花軸に黄緑色の花が咲く。古代の摺り染め衣服である挿衣に利用され、「青挿」とも呼ばれた。葉を臼で搗いたり乳鉢で擦ったり、また最近は粉砕機で砕いて布で漉し、その液に布を20～30分間浸して酢酸銅で後媒染する。伝統的な青挿染めでは、砕いておいた葉を布で包み、さらに布で包んでタンポとし、あらかじめ染めておいた布を板などに貼り付け、拓本の要領で質感を出しながら叩き染めをしたり、大きな文様の型紙の上から叩き染める。2～3日天日干しすると伝統的な青挿豆緑色の単色染や文様染ができあがる。→アイ〔藍〕

ヤマアンズ〔山杏木〕 산행목→丁紅色(チョンホンセク)

クヌギ〔櫟〕・ドングリ〔団栗〕 상수리・도토리

クヌギの染色では多様な色が得られるが、伝統的に多く染められてきたのは栗色や黒である。クヌギの樹皮や実(ドングリ)の皮を水に浸けておくと、栗色の染液が抽出される。これに布を数日間浸けたり、あるいは数日間浸けたのち泥に浸けると、土中の成分によって媒染され、黒に染まる。これを洗うと、より美しい黒が得られる。

クヌギはブナ科に属する高木で、樹高は15mにもなり、樹皮は灰黒色で縦に深く切れ目が入っている。実のドングリは古くから染色に用いられ、特に写経料紙の染料とされてきた。もっとも古い染色材料で、樹皮・緑葉・殻斗を用いる。葉を染料とする場合には、炭酸ナトリウム１％を加えて熱煎すると染液がよく抽出される。絹は酢酸銅媒染を行う。また、カラムシはヨモギ色に染まる。ドングリは主成分がタンニンで、古くからムク(粉の煮固め)・餅・粥・麺の材料として盛んに利用された。特に、朝鮮時代の世宗(セジョン)の代(15世紀前半)には救荒食品に指定され、飢饉に備えて全国にクヌギの木が植えられた記録がある。ドングリを半分ほど包んでいる殻斗の部分を用いるとよく染まり、ミョウバン媒染で芥子色、灰汁染色で赤みを帯びた黄土色、銅媒染で金茶色、鉄媒染で黒褐色、鉄媒染の後に酢酸を加えると、銀色みを帯びた灰色、クローム媒染では黄土色に染まる。

ザクロ〔石榴〕 석류→軟茶色(ヨンチャセク)・芥子色(キョジャセク)

ヤマモモ〔楊梅〕 소귀나무

ヤマモモ科の常緑高木で、朝鮮半島南部・中国・日本に広く分布する。葉は柳葉状で、皮のように厚い。染色には樹皮を用い、黄色・褐色・暗緑色・磊綠色(ヌェロクセク)(黒緑)を染める。梅の木、スオウなど他の染色材料と重ね染めをすると褐色系統が得られる。

アカマツのすす〔赤松の煤〕 소나무 숯

アカマツの幹・枝を燃やした際に釜の底や煙突にできる煤をかき集め、膠(にかわ)に混ぜて松煙墨を作る。この松煙墨を擦ると高品質の墨汁が得られるが、これに米酢を加えて染色したり、一旦藍で染めた布に重ね染めをすると青みを帯びた黒が得られる。墨で染める場合は、墨を細かく挽いて木綿の袋に入れ、水に浸して黒い色素を抽出し、これに重湯を加えて墨汁とし、布に擦りつけるようにする。綿布の場合は、固着材10ccを入れた後、90℃で熱染する。

スオウ〔蘇芳〕 소방목

スオウはマメ科に属する常緑高木で、我が国には自生しない南方の植物である。橙色の芯材は紅色系染料、根は黄色の染料とされる。我が国に渡来した三国時代には「蘇方木(ソバンモク)」、朝鮮時代には「蘇木(ソモク)」と呼ばれた。《朝鮮王朝実録(チョソンワンジョシルロク)》に「南蛮国所産」とあるように元来熱帯地方の樹木であり、新羅(シルラ)時代から輸入され蘇芳典(ソバンジョン)で染色に用いられた。紅色系統が多用された朝鮮時代には輸入量が増加し、輸入制限や使用禁止の上奏が頻繁にあり、議論の対象になった染色材料である。芯材が赤いことから「丹木(タンモク)」とも呼ばれ、絳色(カンセク)(赤の一種)や木紅色(モコンセク)(茶色みを帯びた赤)染色の材料として使われた。

■絳色染色

絳色は赤の一種で、「縹色(チョンセク)」ともいう。明の《本草綱目》(1590年)に、スオウは絳色を染めるのに用いるとあり、《古史》はスオウで一回染めたものを絳色とし、その注に「縹紅(チョンホン)」とある(《高麗史節要(コリョサチョリョ)》巻５文宗人孝大王12年)。重ね染めの回数により明度・彩度を異にする赤のうちの一名称である。スオウを煮出して抽出した液で染め、銅媒染

または酢酸アルミニウムで媒染すると縹色が得られる。

■木紅色染色

　木紅色は、スオウで染めた茶色みを帯びた赤を指す。スオウを煮出した液で染色し、ミョウバンで後媒染したあと五倍子液に浸すと、木紅色が得られる。白の平絹に米の糊を多めに付け、砧を打つことで美しい仕上がりになる。スオウは細かく砕いて2〜3時間煮出し、色が濃くなったらミョウバンを入れてよく混ぜ、染液とする。濃く染めると暗い赤紫に、薄く染めると金茶になる。

タイセイ〔大青〕숭람

　《山林経済補》(18世紀初頭)には、「靛」と記されている。葉は一般の蓼藍と異なり白菜のようであり、黄色い花をつける。学名は Isatis indigotica で、中国から渡来した品種であり、同じアブラナ科のヨーロッパタイセイとは形が少し異なり、藍色素も少ない。花が咲く前に葉を摘み、鉢や石臼でついて汁を出し、これを木綿の袋に入れて絞り、染液とする。これに布を浸けて揉み絞ったあと、風を当てて酸化させ、これを繰り返して青を得る。最後に食酢に浸け、水洗いし半日陰で乾かす。銅媒染では青磁色が染まる。
→アイ〔藍〕

カキ〔柿〕시염・감

　渋柿で染色すると、美しい赤褐色が得られる。8月の青柿から採った汁に水を加えた染液を、服に十分に吸収させては直射日光に干すことを10回以上繰り返すと濃い赤褐色に染まり、糊付けした服のように張りがでる。この服を済州島地方では「カロッ」という。我が国の在来種の柿のなかで染色に使われる渋柿は、京畿道以南で果樹として栽培されている。落葉高木で樹高は15mにも達し、5〜6月に黄白色の花をつける。染色に用いる渋柿にはシブオールというタンニンが含まれている。タンニンがもっとも多く含まれているのは、済州島産と全羅南道霊岩産である。

タデ〔蓼〕・**イヌタデ**〔犬蓼〕여뀌・개여뀌

　タデ科の一年草。形は藍に似ているが青には染まらず、銅媒染では黄緑に、鉄漿媒染では黒に染まり、「ケッチョク(犬藍)」との卑称で呼ばれた。全国の湿地・川べり・丘陵などに自生し、花は白・紅・赤紫など様々である。染色は8月から9月にかけて穂が出始めるころに、根を除く全草を収穫して染色する。

ハスのみ〔蓮の実〕연자각

　ハスの実は蓮子殻とも呼ばれる黒い実で、楕円形の蜂の巣状の穴の中に実る。古くよりハスの実で茶褐色が染められてきた。ハスの実を細かく砕いた粉を水に浸し約20分沸かした後にかすを捨て、鉄漿液で先媒染した綿布を浸けると黄褐色に染まる。鉄で後媒染すると、灰色が染まる。

ハンノキ〔榛の木〕・**ヤマハンノキ**〔山榛の木〕오리나무・산오리나무

　晩秋から冬にかけて水辺に育つハンノキの皮を採集して2〜3日乾燥させたあと、煮出して染液を作る。これを冷やし、生石灰を少量入れ、15分程度染色して水洗いしてから干すが、これを数回繰り返すと赤褐色が得られる。ヤマモモの樹皮を3分の1程度混ぜることもある。ヤマハンノキは山地で生育するカバノキ科の落葉高木で、長い松かさ状の実をつける。ハンノキ同様、樹皮・枝・葉・乾材・実を利用して染色する。色合いはどの部分を用いてもほぼ同じであるが、季節により差が出る。樹皮は細かく砕いて水に浸し、沸騰させてから20分煎じると染液が抽出されるが、ミョウバンの先媒染により黄褐色、鉄漿媒染で黒が得られる。また、実を用いると、ミョウバン媒染で暗い緑豆色(鶯色)、灰汁媒染で赤レンガ色、銅媒染で黄茶、チタン媒染で桃色みのレンガ色、鉄漿媒染で黒が、木綿の場合は藍色が得られる。

ゴミシ〔五味子〕오미자

　ぬるま湯に五味子を浸け、赤い色素が抽出されたら食酢を若干加え、絹布を浸けると赤みを帯びた桃色に染まる。五味子の分量と浸ける時間により、色の濃度を調節することができる。五味子はこのように染色材料とすることも可能だが、多くは紅花染めをする際の媒染剤として用いられる。五味子を3日ほど水に浸して赤い酸液を作り、これを事前に灰汁で抽出しておいた紅花の赤色素(カルタミン)に加えて中和させ、紅花の染液が鮮やかな赤に発色すると、染色可能になる。

ゴバイシ〔五倍子〕오배자

　五倍子はヌルデの木に寄生する虫のこぶで、山で採取したものや漢方薬剤店で購入したものを強火で煮出して染液を採り、暗い灰色を染めるのに用いる。染液の温度により、仕上がりの色に若干の差が出る。主に鉄媒染をするが、無媒染では茶色になる。タンニン成分を含むため、堅牢度の低いスオウなどの染料との重ね染めに用いて、堅牢度を高めることもできる。また紅葉のころのヌルデの葉でも褐色系統の色が得られる。ヌルデはウルシ科に属する落葉高木で、我が国各地で生育する。秋分前後の3〜7日間、黄茶や珊瑚色の紅葉をみるが、この頃が五倍子の採取期で、日

が経つと内部の虫は成虫になり、こぶを破って飛び立つ。

ウコン〔鬱金〕 울금

ウコンはショウガ科の多年草で、「深黄(シムファン)」「蔚金(ウルグム)」「乙金(ウルグム)」「乞金(コルグム)」「川乙金(チョヌルグム)」「玉金(オククム)」「黄染草(ファンヨムチョ)」などとも呼ばれる。熱帯アジア原産で、東南アジア・中国・朝鮮半島で栽培され、9月に白い花が咲く。ウコンには防虫・殺菌成分が含まれており、古くから写経料紙や楮紙、書画・衣服を包む布の染色に用いられ、またタンスに入れることもあった。《▷尚方定例(サンバンチョンネ)》に染色法が記されている。朝鮮時代にはウコンが国内で栽培されて値が安く、酸性溶液で媒染すると鮮やかな黄色に染まるので多用された。絹布の染色では、鼎紬(チョンジュ)1疋に対し、丹木(スオウ)8両・ウコン2両から色素を抽出し、媒染剤には白礬(天然のミョウバン)2両を用いて発色させた。基本的に濃い黄色を染めるが、紅花との重ね染めで下染めにすると、赤寄りの黄赤である紅緋色(ホンビセク)を得ることができ、石灰媒染では琥珀色に染まる。一般に、細かく切ったウコンの根を水に浸けてふやかし、おろし金で下ろし、臼で搗いて漉して用いるか、ウコンの根を粉末にし水に浸けて染色し、酸で発色させる。最近ではメタノールに溶かして色素を抽出し、鉄媒染で褐色を、石灰では琥珀色を染める。鉄媒染および鉄と石灰の複合媒染では濃い金茶を染める。

フジモドキ〔藤擬き〕 원화

フジモドキはジンチョウゲ科に属する低木で、樹高は1m内外、葉は対生で披針形である。4月に淡紫の花をつけ、実は秋に熟す。このつぼみを干したものを芫花(げんか)というが、これで染色すると薄い赤土色になる。芫花は薬剤として、むくみ・腹部膨満感・咳・痰などに用いられるが、毒が多少含まれており、茹でたものを川に流すと魚が死ぬと言われる。伝統的に染色にも用いられてきた。

ムラサキ〔紫〕 자초

ムラサキの根で染色するもので、紫・赤紫を染める。ムラサキは根が太く紫色を帯びた多年草で、根は紫系の多色性染料であり、高麗時代(コリョ)や朝鮮時代(チョソン)には赤紫を染める染料として多用された。宋の《鶏林志》には、高麗の人々は赤と紫の染色が巧みであり、赤紫は中国よりはるかに優ると記されている。ムラサキの根にサワフタギの灰汁で染色すると紫になり、酸を加えると赤紫になる。《尚方定例(サンバンチョンネ)》には、平絹の一種である吐紬(トジュ)1疋当たりの染色に必要な量は、ムラサキ8斤、サワフタギ20斤、梅の実(梅酢は最終処理に使用)1斤と記されている。糸の染色には、1疋当たりムラサキ13斤、サワフタギ1團(タン)(一抱え)を要する。

■ムラサキとスオウの重ね染め

《▷閨閤叢書(キュハプチョンソ)》には、次のような記述がある。

「ムラサキは、白く梅花状の点のあるものが良質で、(忠清道(チュンチョンド)の)清風(チョンプン)で採れるものが最上である。臼で挽いて最初に出る粉と、後でできる細かい粉をそれぞれ取り分けて、ふるいにかけて蒸し餅をこねる程度に水を加えよくこね、軟水で溶いて一晩寝かせる。良質の水を洗顔の湯ほどに温めて、器に入れたムラサキをひしゃくで1杯ずつ混ぜて染める。臼で挽いたとき最初に出る粉の染液は、古着や目の粗い平絹を染めるのに用い、後でできる細かい粉の染液は、朱子地の絹など上質の布を染めるのに用いる。5回重ね染めをして灰汁媒染をするが、サワフタギの1番灰汁は取りおいて2度目の染色に用い、2番灰汁を最初に使う。灰汁媒染する場合は、布を広げ2回ぐらい万辺なく揉んだ後、莫蓙を広げてかすを完全に払いおとして絞り、灰汁媒染の前に最後の抽出液に入れて洗い流し、さらに5～6回染めた後、灰汁で媒染することを繰り返し、媒染作業を10回程度すれば十分である(すなわち灰汁媒染を10回もしなければならないとの意)。朱子地の絹は、平絹や吐紬(トジュ)よりも灰汁媒染の回数を増やさねばならず、重ね染めも10回ほど必要である。さらに、スオウ染液に白礬を加え、湯染して乾かす。ムラサキ半斤で十分に染めようと思えば、5～6尺が限度である。平絹1疋にムラサキ6斤を要する。ムラサキが減りやすいからと絹の袋に入れて染める者がいるが、染液を袋がすべて吸収してしまうため、かえって効率が悪い」

■チチョポラ

朝鮮時代(チョソン)に入ると、高麗時代(コリョ)によく染められた赤紫より、温染ですばやく紫に染めるのが好まれた。この色は「チチョ(紫草)ポラ(紫色)」と呼ばれた。《▷閨閤叢書(キュハプチョンソ)》には、次のように染色法が記されている。

「チチョポラを珍重する者が多い。ムラサキの根の芯の粉を水に浸して一晩寝かせ、袋に入れて湯で抽出し、朱子地の絹や服の表地にする布を染めるのに用い、根の外皮は古着や粗い平絹を染めるのに用いる。染色の濃淡は好みによる。熱湯ですすぐと青が得られる。灰汁で処理すると黒味がかった青になり、媒染に白礬を使うと黄味を帯びるため、熱湯で洗うのがよい。キキョウの花の色に染まるのがよく、赤味を帯びたナスの色は美しくない」

■紫色の染色

スオウとムラサキの重ね染めで紫色を染める。《山林経済志》(サルリムキョンジェジ)によれば、スオウで染めた後に、青礬液に浸ける。まずスオウを煮出して染色し、ムラサキは長時間水に浸けて、かすを取り除き布を染めた後、サワフタギの灰汁で媒染する。明の《天工開物》には、「紫の染色は、スオウで染めて青礬液に浸ける」と簡略に記述されており、ムラサキの根で染めることもできるが、価格が高いためスオウも利用された。青礬液に浸けて媒染すると、暗い紫色が得られる。

チョウジ〔丁子〕 정향나무

チョウジはフトモモ科に属する落葉広葉高木である。樹高は10m程度、葉は楕円形または卵形で鋸歯はない。5月に赤紫や薄紫の花をつけ、果実は9月に熟す。山すそに生育し、樹皮を利用して染色するが、媒染剤により色が異なる。ミョウバン媒染では芥子色を染め、鉄漿液では黒を染める。また花を乾燥させたものでは、鉄媒染で濃い黒が得られる。

コブナクサ〔小鮒草〕 조개풀

コブナクサによる染色で黄色が染まる。コブナクサはイネ科に属する一年草で、8月に枝先と葉脈に紫みを帯びた緑の花をつける。ほぼ全国に分布し、野原や土手に生育する。枝・葉などが黄色の染料に用いられ、秋に花穂が出始めるころ刈り取って日陰で乾かした後、10cm程度に短く切って保存する。強火で煮出し、色素が十分に抽出されたら加温染色し、ミョウバン媒染をする。

イチイ〔一位〕 주목

イチイの芯材を用い、灰汁と錫で媒染して赤橙色を染めるほか、媒染剤により異なる色を得ることができる。イチイはイチイ科に属する常緑高木で、樹高は20mに及ぶ。深山に自生するが、庭木としても栽培される。樹皮は赤褐色で、花は4〜5月ごろに咲き、「赤木」(チョンモク)「山蘇枋」(サンソバン)「ノガンジュナム」などとも呼ばれる。

イチイを用いた赤系の染色法は、次のとおりである。イチイの芯の赤い部分を細かく砕いて煮出し、得られる赤い染液で加温染色し、水洗いし乾かした後、媒染する。灰汁または石灰で媒染すると赤橙色を、ミョウバン・錫では薄い橙色を、銅では赤茶色を、鉄媒染では紫を帯びた褐色を染めることができる。色素が少ないため、濃い色に染めるときは染色と媒染を何度も繰り返す。また、イチイの芯材を白礬(天然のミョウバン)媒染で染色し、濃い桃色を得ることができる。

あかつち〔赤土〕 주토

赤土の粉を水に沈殿させたものを用い、朱紅色(チュホンセク)(赤みを帯びた桃色)を染める。朱は硫化水銀を主成分とする赤色系の顔料で、寺院の装飾、絵画、古墳の屍保存用に使用されてきた。天然の辰砂から得られるものと、人工的に作られるものがあり、後者は硫黄に水銀を反応させて硫化水銀を生成し、再び高濃度の水銀化カリウムを添加し、50℃程度で製造する。

カラムラサキツツジのすみ〔唐紫躑躅の炭〕 진달래 숯

チンダルレ(カラムラサキツツジ)の根や枝を焼いた炭を用いる染色法で、灰色や紫みを帯びた灰色が得られる。チンダルレはツツジ科に属する落葉広葉低木で、4月に淡い紅色の花を咲かせる。葉が出る前に花が咲き、実は10月に熟す。朝鮮半島・日本・中国などに分布し、山の日当たりのよいところに生育する。花は「チャムッコッ」「杜鵑花」(トゥギョンファ)などとも呼ばれる。

染色はチンダルレの幹・枝・根を採取し、10日間乾燥させた後、燃やして炭にする。この炭を水に3日間浸けて灰汁を取り除いたあと、天日干しにして、細かい粉になるよう搗く。この粉を目の細かい布袋に入れ、水に浸けて染液を抽出し、米糊を入れ染色した後、日に当てて乾かすと濃い灰色になる。墨液で染色するよりも美しい灰色が得られる。

クロフネツツジ〔黒船躑躅〕・チョウセンヤマツツジ〔朝鮮山躑躅〕 철쭉・산철쭉

クロフネツツジは、伝統的に灰色を染めるのに用いられてきた。チョウセンヤマツツジは「山躑躅」(サンチョクチョク)などと呼ばれ、山に自生する半落葉低木である。初夏まで桃色の花を咲かせるが、花びらの表面上部に濃い紅色の斑点がある。最近では8月から11月にかけて緑色の幹と葉で染色するが、灰汁媒染で柿渋染めに似た黄茶を、鉄媒染で灰色を帯びた濃い茶色を染める。

タチアオイ〔立葵〕 촉규화(キュホンセク)→葵紅色

クチナシ〔梔子〕 치자나무

伝統染色では、一般に黄色を染める染料である。染め上がると、濃い黄色に若干赤みを帯びる。クチナシの木はアカネ科に属する常緑低木で、樹高は2m内外、葉は長楕円形で光沢がある。夏に花びら6枚の6〜7cmほどの白い花を咲かせ、実は卵形で、熟すと黄赤になる。染色すると赤みを帯びた黄色が得られ、鉄漿媒染で黄緑色になる。

クルミ〔胡桃〕호도

《▷林園経済志》には、クルミの実の黄緑の皮と樹皮を剥がして染色するとある。クルミの実の黄緑の生皮を剥がして臼で搗き、その汁で染めると芥子色が得られる。10月に実を干して剥いだ皮と樹皮を用いて加熱染色すると、ミョウバン媒染で黄褐色、灰汁媒染で赤褐色、銅媒染で褐色、鉄漿媒染で黒褐色が得られる。

イタドリ〔虎杖〕호장근

イタドリは、6〜8月に赤紫の斑点のある穂状の白い花を咲かせる。若い茎は食用とされ、花穂が出るころの根を染色材料や薬用とする。《▷林園経済志》には「虎杖根(イタドリの根)で赤く染めることができる」とある。伝統的にイタドリの根を用い、白礬(天然ミョウバン)媒染で赤褐色を染めてきたが、最近では根だけではなく茎や葉も利用して、大量に同じ色を染める。ミョウバン媒染で黄色、灰汁媒染で黄褐色、銅媒染で緑豆色(鴬色)、鉄媒染で濃い褐色や黒褐色が得られる。

ベニバナ〔紅花〕홍화

伝統的に紅花で染められる色は、「紅」「多紅」「真紅」「鮮紅」「臙脂」「粉紅」「蓮紅」「桃紅」「銀紅」「水紅」などと呼ばれてきた。我が国では昔から紅花を「イッコッ」と呼び、紅花染めの布は商品価値があり高価だったため、「利布」と呼ばれた。紅花はエチオピア原産で、中国の漢の時代に張騫がエジプトから初めて種子を持ち帰った。我が国には呉の国から伝来し、「呉藍」と呼ばれていた。昔は、染色のなかでは藍染めがもっとも盛んだったため、「藍」という語が染色に共通で用いられ、紅花染めを「黄藍」「呉藍」と呼んだものと推測される。

《閨閤叢書》には、真紅色の染色法が以下のように記されている。

「紅花が満開となり柿色に色づいたころ、器に入れて搗いてからオナモミの葉で覆っておき、ウジがわくほど長く発酵させ、しっかり乾いたものがよく、市場で売られている紅餅を購入するときには酸味のないものを求めねばならず、中国産が最上とされる(実際には、ウジがわくほど発酵させると紅色素が抜けてしまうため、新鮮な紅花を搗いて、すぐに紅餅にするとよい。そして、乾燥した花から紅色を染めるよりも、紅餅を作ってから染色したほうがより濃い紅色が得られる:筆者注)。紅花を大きな甕に入れ、良質の軟水を注ぎ、長く置くほどよいため、半月ほど放置してもよい。急いで染める場合は、4〜5日後に中まで十分にふやけたら、木綿の厚袋に入れて何度も水を替えながら揉み洗いし、黄色素がほとんど出なくなったら、沸騰した湯に浸けると黄色素が完全に抜ける。この液は木綿の下染めやケオギに利用する(冬には半月ほど置いても腐敗することはないが、夏は一日で黄色素を抜く作業から染色まで終えなければ、美しい紅色にはならない。また「ケオギ」とは、木綿の古布や晒し布に一旦紅色素を含ませておき、紅花染料がないときに再抽出して利用する方法で、今日ではセルロースパウダーを用いる)。

灰は豆のさやを燃やしたものが最上で、藍や紅花の茎もよい。灰は時間の経過とともに質が落ちるため、染色の直前に燃やして火が消える前にこしきに入れて水をかけると、最初に冷めた灰と熱い灰とが適度な温度で水に混ざり合う。この灰汁をさらに加熱し、紅花の入った袋に注いで最初の抽出液を採り、さらに沸騰した湯をかけて抽出するのだが、灰汁と湯で抽出したものをそれぞれ容器に入れ、まず冷水を注ぎ、次に五味子液を注いで木綿の下染めとケオギに用いる。再び灰汁を2〜3回注ぐと、美しい花の液が得られる。何度も続けて灰汁を注ぎ、化粧紅にする液を一気に抽出し、再び沸騰湯を2回ほど注いでさらに灰汁をかけてとった液に、まず冷水を注ぎ、次に酸液(五味子液や食酢)を加える。すると最初と最後は(中和作用により)黄色だが、中間は鮮やかな赤になる。紅花の染液はたとえ黄色の液でもケオギに用い、少しも捨ててはならず、不純物が混ざらないようにすべきである」

《尚方定例》には紅花の伝統染色法として、大紅熟綃染色には、1疋当たり紅花17斤、梅の実13斤を用い、大紅吐紬染色には1疋当たり紅花12斤、アカザの灰汁3斗、梅の実12斤、大紅綿布染色には1疋当たり紅花9斤、アカザの灰汁3斗、梅の実10斤、大紅糸染色には、1疋当たり紅花13斤、アカザの灰汁4斗、梅の実10斤を用いるとあり、布の種類と大紅色(鮮やかな赤)の染色材料の重さが詳細に記されている。紅花の黄色素は水溶性のため、最初に黄色染めをした後は黄色素を繰り返し除去し、次にアルカリで溶ける紅色素を灰汁で揉みだして抽出し、五味子液や梅酢で中和させて化粧紅にするとともに、「真紅」「大紅」「鮮紅」「臙脂色」など赤系の染め色を得る。灰汁は、豆殻やアカザの灰が最上である。

オウダン〔黄檀〕황단

白檀の芯材や根の黄色い部分を黄檀といい、香や黄色の染料として多用されてきた。

オウレン〔黄連〕 황련

オウレンは高価な単色性染料で、媒染をしても色にはほとんど影響がない。緑・碧・紅・紫・硫黄の五間色のうちの硫黄色(ユファンセク)（卵色）が染まる。ミョウバン媒染をすると、少し澄んだ色になる。

ヤマハゼ〔山櫨〕 황로

ヤマハゼは「黄櫨(ファンノ)」「櫨木(ノモク)」「山櫨(サンノ)」「山櫨木(サンノモク)」「黄木(ファンモク)」などとも呼ばれる。中国にヤマハゼの芯材を煮て皇帝の服を染めたという記録があるように、古代より芯材を用いて黄色を染めてきた。葉にはタンニンであるコリラギン（Corilagin）が含まれており、灰汁媒染で黄色、鉄媒染で黒が染まる。→象牙色(サンアセク)

キハダ〔黄檗〕 황백

伝統的に多用されてきた染色材料で、キハダだけで澄んだ淡黄色を染める一方、藍との重ね染めで緑色が得られる。

キハダは、「黄柏(ファンベク)」「黄檗(ファンビョク)」「檗木(ビョンモク)」などと呼ばれる、内側の樹皮が塩基性の黄色染料である。5～6月に厚くてうろこ状の模様のある深山の大きな木を選んで伐採し、皮を剥いて天日でよく乾かす。金属を当てないようにし、表面の汚い部分だけをこそげ取り、きれいに洗って冷水に浸ける。水がぬるぬるするまで色素を抽出して染液とし、布を一晩浸して染める。また染色材料を加熱・濾過して用いたり、色を鮮やかにするために灰汁を加えることもある。緑色を染めるには、藍染めをした上に、黄染めをする。→豆緑色(トゥノクセク)

■色別染色法■

カンセク〔絳色〕 강색 → スオウ〔蘇芳〕

キュホンセク〔葵紅色〕 규홍색

葵紅色はタチアオイで染められる紫みを帯びた赤で、紫のタチアオイをすり潰して出た液にミョウバンを混ぜて染める。

タチアオイ（蜀葵花(チョッキュファ)）の花には紫と黄色があり、後者は「黄蜀葵(ファンチョッキュ)」「タクプルッコッ」とも呼ばれる。一年草で丈が1～2m程度、葉は厚く長い掌形で、5～9個の深い鋸歯がある。夏から秋にかけて花を咲かせるが、花の中心は暗い紅色を帯びている。茎や葉も染料とし、アルミニウムまたは錫媒染で黄色を、銅媒染で黄茶を、鉄媒染で鶯色を染める。

クムファンセク〔金黄色〕 금황색

金黄色(クムファンセク)は、茶色みを帯びた黄色である。ハゼノキを煮出して染色し、麻藁灰（麻やカラムシの茎の灰汁）(マゴフェ)で媒染したあと、水色を染める程度の淡い藍染めをすると、若干緑みを帯びた金黄色が得られる。

ネヒョンセク〔内玄色〕 내현색

内玄色(ネヒョンセク)は若干茶色みを帯びた黒である。明の《天工開物》を根拠にした《▷林園経済志(イムォンキョンジェジ)》によれば、「玄色(ヒョンセク)」は黒のことで、藍染めで濃い青を染めた後、ハゼノキとヤマモモの樹皮を同量ずつ煮出して染色すると記されている。ハゼノキ・ヤマモモの樹皮の量が多いと、茶色みを強く帯びるようになる。

ノクセク〔緑色〕 녹색（みどり〔緑〕）

藍の煎液で一次染色（加熱染色）をしたあと、エンジュで重ね染めをすることで、黄緑が得られる。また、藍で濃く染めた後、キハダで濃い目に重ね染めをすると、明るい黄緑が染まる。

タガルセク〔茶褐色〕 다갈색（ちゃかっしょく〔茶褐色〕）

茶葉の煎液で染まる色で、ミョウバン媒染では明るい茶色、鉄漿媒染をすると暗い茶色になる。

タハルセク〔茶割色〕 다할색

茶割色(タハルセク)は、茶色の一種である。緑茶染色の場合は金茶のような色になるため、チョウジ・柿の木・栗の木・クヌギ、

キビの茎や葉を一定比率で用い重ね染めすることで、重みのある優雅な茶色を得ることができる。

タホンセク〔茶紅色〕 다홍색

焼酎の酒粕で茶色を染めた上に紅花の紅色素で重ね染めすると、茶色がかった紅色になる。《林園経済志》に記されている染色法は、阿郎吾皮(アランオピ)（焼酎の酒粕）を煮出した液に白礬（天然ミョウバン）を入れ、熱いうちに黄色に染めた上に、紅花液に白礬を入れて重ね染めをする。

タムファンセク〔淡黄色〕 담황색（たんおうしょく〔淡黄色〕）

キハダ・エンジュ・クチナシで染められる明るい黄色ではなく、スオウの根で染められる薄い黄色である。

トゥロクセク〔豆緑色〕 두록색

豆緑色(トゥロクセク)は大豆の色で、薄い黄色を指す。《閨閤叢書(キュハプチョンソ)》は、次のように染色法を説明している。

「日本産のオウレンの染液が最高であるが、貴重なもので大量に使うのには無理があるため、山奥の大きなキハダの樹皮を採取するが、厚くてうろこ状の模様のあるものが良質である。金属を嫌うため、手で小さくちぎるようにする。刃物を用いると染液の色がきれいに出ない。樹皮は1度だけきれいに洗い、水に浸けるが、寒い季節には数日放置して液がどろっとなれば、染色可能である。布を浸し、一晩置くと色が悪くなるので即座に染める。年配者が服を仕立てるときは、濃い玉色(オクセク)（水色）の布を染めると美しい銀杏の色になる。豆緑色の黄色みが強くなると美しくないため、孵化したばかりのガチョウの雛のような色がよく、または橙色系のアンズ色を望むならウコンを小さく刻んで水にふやかしたものを下ろし金などで下ろし、屑は石臼で搗き水を注いで目の細かなふるいで漉し、キハダで染めた上に濃く重ね染めすると柳青色(ユチョンセク)（濃い黄緑）になる」

つまり、オウレンで淡く染めたり、大きなキハダの木の皮を数日水に浸けて抽出した液で染めたり、または藍で淡く染めた濃い玉色（水色）にキハダで重ね染めをすると、銀杏色になる。またアンズ色を出すには、ウコンを下ろし金で下ろして液を採り、キハダで染めた後に濃く染色すると、柳の葉色のような濃い黄緑が得られる。

モコンセク〔木紅色〕 목홍색→スオウ〔蘇芳〕

パンムルセク〔パンムル色〕 반물색

藍の葉を丸一日水に浸け、灰汁で還元し濃く染色したものがパンムルセクである。このように染められた藍色は黒味がかった藍色ではなく、深みと透明感のある藍色で、鴉青(アチョン)色よりも青く、赤みのない色である。《閨閤叢書(キュハプチョンソ)》には、青黛(チョンデ)より美しい染め色と記されている。青黛とは、リュウキュウアイ・蓼藍・タイセイの沈殿藍を濾過して乾燥させた粉末や、孔の開いた固体形態の青黒い顔料を指すが、一般には薬用の藍粉末を指す。藍の沈殿法により生成された色を「パンムル」「青黛色(チョンデセク)」「野青(ヤチョン)」「鴉青(アチョン)」と呼ぶ。→アイ〔藍〕

パンホンセク〔磻紅色〕 반홍색

磻紅色(パンホンセク)は、橙色と金茶の中間色で、エンジュ・スオウ・アンズの重ね染めで得られる。《林園経済志(イムォンキョンジェジ)》には、エンジュ3両（約110g）、スオウ5両（約190g）、アンズ2両（75g）をそれぞれ煮出し、別々の器に入れておき、エンジュ・スオウ・アンズの順に重ね染めをすると、磻紅色(パンホンセク)になるとある。

ピョクセク〔碧色〕 벽색

碧色(ピョクセク)は、明るい青である青碧色に対し、濃い色調である。朝鮮時代の宣祖(ソンジョ)の代に、儒学生の冠服(チョングム)である青衿(チョンダム)を碧色にしたことがある《朝鮮王朝実録(チョソンワンジョシルロク)》宣祖39年2月辛亥）。藍染めにより碧色を出したり、ツユクサの花を利用して青黛(チョンデ)（泥藍の粉末）のような色を出すと記されている。ツユクサの花を摘み取り、しべを取り除いてビンなどに集めたもので染色するが、大量に集めるのが難しいので、碧色を染めるときには、ふつう藍で生葉染めをする。

ピセク〔緋色〕 비색

《本草綱目》に「これは赤を染めるアカネであり、緋色を染め、葉はナツメの葉に似る（此即今染絳茜草也 染緋草葉似棗葉）」と記されているように、緋色(ピセク)はアカネ染めによる橙色系統の赤い色である。緋色には、深緋(シムビ)・唐緋(タンビ)・浅緋(チョンビ)などがあるが、深緋はアカネとムラサキの根で重ね染めをした橙色を帯びた赤紫系であり、唐緋はウコンで一次染色をし、紅花で二次染色をした鮮明な橙色であり、浅緋はアカネのみで染色した淡い橙色である。→アカネ〔茜〕

ピセク〔翡色〕 비색

翡色(ピセク)は藍と青の中間の色調で、かすかに黄緑がかった翡翠色である。藍の生葉染めに氷を用いることで得られ、玉色(オクセク)（水色）より濃い神秘的な色感をもっている。

サンアセク〔象牙色〕 상아색（ぞうげいろ〔象牙色〕）

象牙色は美しい淡黄色である。象牙色の染色には、黄色を染めるヤマハゼを用いて淡く染めるか、黄土を使用する。ヤマハゼは山地に自生するウルシ科の落葉高木で、樹高は3～6m、樹皮は暗褐色である。5～6月に花が咲き、実

461

はハゼノキより小さく、灰色みを帯びた黄色である。ハゼノキ同様に秋には紅葉する。昔から芯材で黄色を染めたため、「黄木(ファンモク)」「黄櫨(ファンノ)」とも呼ばれる。象牙色を染めるには、芯材を煮出した染液を薄くして用い、媒染に用いる灰汁も薄くする。また、黄土を濾して重湯とニカワ液を入れて、淡く染めることもある。→ヤマハゼ〔山櫨〕

ソンホンセク〔鮮紅色〕 선홍색（せんこうしょく〔鮮紅色〕）

鮮紅色(ソンホンセク)に関しては、《▷林園経済志(イムォンキョンジェジ)》に紅餅で染色し鮮明な紅色を得ると記されている。紅餅は、水に浸した花弁をすくって布袋に入れ、きれいな水の中で揉みだして黄色の液を除去したものである。これを何度も繰り返し黄色の色素が完全に抜けたら、豆のさやを燃やした灰汁に布袋を浸して手が痛くなるほど揉み絞ると、鮮紅色が出てくる。これを4～5回繰り返し、清潔な容器に入れ、量に合わせて五味子液を混ぜて染色するが、染め色の濃度は布を浸す時間により異なる。→ベニバナ〔紅花〕

ソンファンセク〔鮮黄色〕 선황색（せんおうしょく〔鮮黄色〕）

エンジュを煮出した染液に布を入れ、アルミニウム・白礬（天然ミョウバン）・錫媒染で煮染めすると、鮮黄色が得られる。

エンジュは、中国では昔から黄色を染める代表的な染料であったが、日本では古くは染料とはされず、近年になり用いられるようになった。数十年経ってやっと淡黄色の花と実をつけるが、開花直前のつぼみを「槐渋(クェサプ)」という。花の色は黄色であるが、花を保存する場合は石灰を少し入れて天日で褪色させ、よく混ぜて貯蔵する。→エンジュ〔槐〕

ソホンセク〔小紅色〕 소홍색

灰汁で煮て精練した絹布10両（375g）に対し、スオウ4両（150g）と黄檀（ビャクダンの心材などの黄色い部分）1両（37.5g）で染色すると、小紅色に染まる。また、香りが立つくらいに煎ったエンジュの花1両（37.5g）に、細かく砕いたミョウバン1両で染める場合もある。

エンジュを用いる場合は、花を香りが立つほどに煎って細かく挽き、澄んだ水2斗に溶き、半量になるまで煮出してかすを濾し取り、白礬（天然ミョウバン）の粉を少し入れ、よく混ぜた後、熱湯を丼1杯分注ぎ、白礬の粉が溶けたら黄色みを帯びた絹布を30分ほど浸染する。

スオウを用いる場合は、丼2杯分の水を注ぎ、半量になるまで煮出して染液を濾し取り、1番液として容器に取り置き、再び水を丼1.5杯分ほど注ぎ、80％ほどになるまで煮出し、かすを濾して2番液とし、これに1番液を混ぜる。これに黄檀を入れて均一になるよう混ぜ、黄色みを帯びた絹布を浸して、布をよく動かす。少しして液が熱くなったら、絹布を手ですばやく泳がせ30分程度浸しておくが、その間5～6回かき混ぜるように布を動かすと美しい鮮紅色になる。風に当てて乾かすと褪色するので注意が必要である。黄檀は黄色を染める染料であり、まずこれで黄色を染め、二次染色でスオウを重ねると美しい小紅色(ソホンセク)になる。また、エンジュとスオウを一緒に煮出して染色すると、妙な色相いになる。

アチョンナム〔鴉青藍〕 아청람

藍染めの代表的な色で、若干赤みを帯びた藍色である。深みのある色で、高い品格を感じさせる。3日間水に浸けた藍葉とヨモギの灰で、この色が得られる。《山林経済補(サルリムキョンジェボ)》を根拠にした《▷林園経済志(イムォンキョンジェジ)》には、鴉青色(アチョンセク)の染色法が次のとおり記されている。

「柔らかい藍葉をきれいに洗って甕に入れ、水を注いで3日間浸けておく。3日後の朝、屑を取り除いて再度水を注ぎ、3日後に同じことを繰り返す。広口の水汲み甕に浸出液を分けて注ぎ、甕ごとにヨモギの灰汁を丼3杯ずつ混ぜ、3日間休みなく交代しながらかき混ぜ続ける。1日後に濃い青が赤みを帯びるようになったら染められるが、8回から20回くらい染め重ねると非常に美しい」

《閨閤叢書(キュハプチョンソ)》には、1日後に藍葉を掬い出す染色法が記されているが、これは色が薄すぎて鴉青色とはいえず、《山林経済補》に記されている青黛染色法(チョンデ)も鴉青藍(アチョンナム)より濁った色である。→アイ〔藍〕

アチョンセク〔鴉青色〕 아청색

ツユクサで染める優雅な青を「鴉青(アチョン)」「繁縷(ポルル)」と呼ぶ。《▷閨閤叢書(キュハプチョンソ)》は、繁縷（ツユクサ）に関して次のように記している。

「別名、鶏腸草(ケジャンチョ)・タゲシガビといい、花は7月に咲くが、長く日差しに当たるとしぼむため、早朝咲いたばかりの花をたくさん摘み取り、小さな陶磁器のビンに黄色の花のしべを取り除いたものを入れ、しっかり蓋をしておくと、一晩で液体になる。これをカラムシ織に染めると鴉青色(アチョンセク)になり、神秘的である。この液で書物に批点を入れると青花墨よりはるかによく、白い花が半分だけ咲いたとき注いで染めるとすべて青色になる」

アファンセク〔鴉黄色〕 아황색

鴉黄色（アファンセク）は優雅な美しい黄色のことで、レモンイエローを指す。《林園経済志（イムォンキョンジェジ）》には、キハダを煮出した染液で染め、その上に藍で重ね染めをすると記されている。錫媒染で山吹色を、銅媒染で黄茶を、鉄媒染で灰色がかった紫や黒を染める。イヌタデを用いると、錫媒染で黄色を、銅媒染では黄茶や緑豆色（ノクトゥセク）（鶯色）を、鉄媒染で黒が得られる。

ヨンチャセク〔軟茶色〕・キョジャセク〔芥子色〕
연차색・겨자색（うすちゃいろ〔薄茶色〕・からしいろ〔芥子色〕）

ザクロの樹皮を煮出した染液に濃い食酢とミョウバンを入れて染めると、薄茶色や芥子色が得られる。

ザクロはザクロ科に属し、生薬としては「石榴皮（せきりゅうひ）」と呼ばれ、果皮を干したものを「石榴果皮（せきりゅうかひ）」、根皮・樹皮を干したものを「石榴根皮（せきりゅうこんぴ）」という。ザクロの果皮を集めて乾燥させた後、細かく刻んで貯蔵しておいたものを濃く煮出した液で染色する。灰汁またはミョウバン媒染で発色させると、黄色・芥子色・薄茶色・黄褐色などになり、鉄漿を用いるとヤマモモ染めと同じ茶褐色になる。また錫媒染液に浸けると、紫を帯びた茶色に染まる。葉もすべて染色に利用でき、同様の色調が出せる。灰汁媒染で薄茶色（芥子色）を、アルミニウムまたは錫媒染で黄色を、銅媒染で緑みを帯びた薄茶色を、鉄媒染または鉄と石灰との複合作用で茶葉を焙じたような栗色に染まる。

ヨンホンセク〔蓮紅色〕연홍색
紅花染めによる薄い4色である蓮紅（ヨンホン）・桃紅（トホン）・銀紅（ウンホン）・水紅（スホン）のうちの一つで、蓮の花のピンクを蓮紅色という。《林園経済志（イムォンキョンジェジ）》に「これらはすべて紅餅のみで染色するが、染め色の濃淡は紅餅の量で決まる。この4色はいずれも黄色い絹布には染まらないので、必ず白絹を用いるべし」と記されている。→ベニバナ〔紅花〕

ウガルセク〔藕褐色〕우갈색
藕褐色（ウガルセク）は暗褐色で、スオウで薄く染めた上に、蓮の種の皮と青礬液に浸けて染色する。スオウは赤のみならず紫を染めるのにも用い、また他の染色材料と重ね染めをして茶色系統の様々な色を出す。芯材を細かく切って煮出すが、玄米酢を少量入れるとよく抽出される。椿の灰汁やアルミニウム媒染で蘇芳色（紫みを帯びた赤）を、錫媒染で赤紫を、鉄とアルミニウムの複合媒染で紫を、酸媒染で赤みを帯びた黄色や退紅色を染めることができる。

ウォルベク-チョベク-イセク-ヨムセク〔月白草白二色染色〕월백・초백 이색 염색
月の青白い光と、草の葉色を帯びた白との2色を染めるもので、いずれも藍染液で淡く染めるか、藍の生葉染めによる。《天工開物》を根拠にした《林園経済志（イムォンキョンジェジ）》に、莧藍（ヒョルラム）をさっと煮出して染めると記されている。莧藍とは、ヒユと藍を指す。ヒユはヒユ科に属するヒユ・イヌビユ・ハゲイトウ・アオゲイトウなどの一年草の総称で、茎には毛がなく、長い葉の表面には緑・紅・紫などの模様がある。インド原産で朝鮮半島・中国・台湾・日本に分布し、畑や道端に生えるが栽培もされ、若い葉を和え物にして食する。染色はイヌビユと藍の乾燥したもので加熱染色する方法と、蓼藍で淡く染める生葉染めがある。

ユロクセク〔柳緑色〕유록색
柳緑色とは、シダレヤナギの葉のような緑色を指す。あまり樹齢の高くない栗の木になる実の渋皮をヨモギの灰汁で煮出し、望む色の濃さにより3～5回染める。柳緑色に染めるには、外皮ではなく渋皮を用い、ヨモギの灰汁を媒染剤に用いることが肝要である。→クリ〔栗〕

ウンホンセク〔銀紅色〕은홍색
紅花染色による4色の薄紅色（蓮紅・桃紅・銀紅・水紅（ホン））のうちの一つで、紅花に含まれる白金成分により銀色を帯びた色になる。紅花染色の紅色素はアルカリで抽出されるカルタミンで、紅花の種や紅花自体に白金成分があり、ピンクの中にほのかに銀色みが加わる。→ベニバナ〔紅花〕

チャセク〔紫色〕자색（むらさきいろ〔紫色〕）→ムラサキ〔紫〕

チャホンセク〔赭紅色〕자홍색
クチナシの実で染めるもので、赭紅色（チャホンセク）は赤い土色のような黄色である（《本草綱目》）。クチナシの実を用い濃く染めるが、軽く灰汁媒染をすると黄土色になる。

チャファンセク〔赭黄色〕자황색
赤土色や薄黄色を指す。赤みを帯びた黄土や、黄色い黄土を木綿の袋に入れて揉み出した染液に、重湯やニカワ液を入れて染色する。

チョンホンセク〔丁紅色〕정홍색
丁紅色（チョンホンセク）は茶色みを帯びた紅色で、ヤマアンズとハンノキで重ね染めする。ヤマアンズの古木の芯材をきれいに削り出し、水甕3杯分の水に入れ、3分の1の量になるまで煮出す。ハンノキの樹皮（内皮）を天日干しにして粉にしたものを袋に入れて水に浸し、貝殻の灰2～3杯を入れて染液とする。ヤマアンズはバラ科の落葉樹で、枝は保存しておいて染色に利用する。切った枝の生皮は、赤みの強い

濃い赤褐色を染める。枝の材も細かく切って、ともに染色に用いる。

チョガルセク〔棗褐色〕 조갈색
棗褐色はナツメのような赤みの色で、スオウの緑礬媒染で染め出す。絹布10両（375g）を基準として、スオウ4両（150g）・ミョウバン1両（37.5g）を用い、同様の方法で染めるが、1番液を入れるときに液を熱くし、また緑礬を入れすぎないようにする。染めの濃淡は、緑礬が多ければ黒く、少なければ赤くなるため、気をつけて観察する必要がある。緑礬は硫酸第1鉄の俗称で、青礬・早礬ともいう。ミョウバンは「礬」とも呼び、炒ったものを焼きミョウバンという。

チョンチョンセク〔天青色〕 천청색
天青色とは、空のような青を指す。明の《天工開物》には、淡い藍染めの上にスオウで濃く重ね染めをすることで、褐色を帯びた暗い青を得るとある。雲がかかった夕方の空の色を見て、つけた色名と思われる。

チョンビョクセク〔青碧色〕 청벽색
青碧色とは、明るい青を指す。ツユクサの花の汁を採り、青黛のように明るい青を染める。ツユクサは「鶏腸草」「タゲジャンプル」「タゲシガビ」などとも呼ばれ、鶏のトサカのような花を採ってビンに集め、染み出した青い液で染める。

チョンジョセク〔青皂色〕 청조색
青皂色は、夜明けに闇が明むときのような黒みを帯びた青で、藍で染め出す。明の《天工開物》に「五倍子・緑礬・百薬煎と秦皮を粉にし、煮出して染色する」と記されている。百薬煎は五倍子と茶の葉、麹を調合して発酵させた薬剤で、咳・痰病・脱肛に用いる。秦皮はトネリコの樹皮で、薬剤にもされるが、黒を染める染料として用いられる。文献にみられる青皂色の染色法は、五倍子染色に緑礬媒染をし、百薬煎の煎液と秦皮を粉にしたものを一緒に煮出して重ね染めし、青を帯びた黒を得るものである。

チョンヒョンセク〔青玄色〕 청현색
藍染めで深い青を染めた上に、ハゼノキとヤマモモの樹皮を同量煮出して染色すると、青みを帯びた黒である青玄色が得られる。その上に五倍子で重ね染めをし、鉄漿媒染をすると、玄色（黒紫）が得られる。→アイ〔藍〕

チョガルセク〔椒褐色〕 초갈색
《林園経済志》によると、椒褐色の「椒」は粉山椒の色で、黒褐色に近い色である。褐色は、おもにドングリ（ク

ヌギの実）とスオウとの重ね染めで得られる。ドングリは薄茶色から黒までを染め、スオウは黄茶から赤・紫・黒までを染める。染色には絹10両（375g）の場合、スオウ4両（150g）を細かく砕き、ドングリ1両（37.5g）も細かく挽いて用いるが、白礬（天然ミョウバン）2両（75g）と緑礬（硫酸第1鉄）が必要である。染色したものを乾かしたあと、別に水に溶いた緑礬液に浸けるが、染め色の濃淡は緑礬の量に左右されるので、適量を用いねばならない。

チョドゥロクセク〔草豆緑色〕 초두록색
キハダで染めたあと、藍で淡く染め重ねる。葉の小さな藍を煮出して用いると、美しい草豆緑色に染まる。非常に鮮明で明るい緑である。

チョロクセク〔草緑色〕 초록색（みどり〔緑〕）
藍とエンジュや、藍とコブナクサの重ね染めで草緑色が得られる。またコブナクサを煮出して一次染色をしたのち、加熱した熟藍で二次染色してもよい。さらに、藍の生葉をつぶした濃い染液を用いて、柳の葉の色である柳緑色を得る。

《閨閤叢書》の草緑色染色法は、次のとおりである。6月に半分ほど咲いたエンジュを摘み、蒸して乾燥させておき、染色する際にかまどで炒って、濃く煮出して冷ます。サワフタギに火をつけ、燃え上がったらふるいに入れて水を注ぎ、火が水の中で音を立てて落ちるようにする。5回ほど濾し、匂いが強くつるつるした感じになったら、エンジュで濃く一次染色をした布を浸すと、すぐに黄色くなる。コブナグサを煮出し、この方法で染めると一層美しい色になる。染色して乾燥させたあと、唐藍の根と花だけを採取し、きれいに洗い、半分は釜に水をたっぷり注ぎ、藍の茎ごと濃く煮出す。冷えたあと、氷をたくさん入れておく。残りの半分の柔らかい茎と葉は、氷で凍らせて石で挽く。二つの液をふるいにかけ、半々に混ぜて黄色く一次染めをし、濃い草緑は2度染めし、淡いものは1度のみ染める。染色は非常に暑い時期に行われるため、液が傷みやすい。草緑染色は、染液の色が変化したら元に戻らないので、氷を多量に使い、手を素早く動かして布を繰り、ピンと張って日陰で乾かすと、艶が出てすっきりした色になる。非常に濃い草緑は、釜に入れて煮出した熟藍を混ぜ、また若者の用いる春の柳色のような淡い草緑は、熟藍は薄くきれいでないため、下染めを濃くし、藍の生葉をつぶした濃い液で染める。（《▷閨閤叢書》巻1染色諸法）→アイ〔藍〕

チュイラム〔翠藍〕・**チョルラム**〔天藍〕 취람・

천람

この二つの色はいずれも藍で染めるもので、色の濃さのみが異なる。翠藍(チュイラム)は翡翠色を帯びた藍色で、氷を用いて通常の藍の生葉染めをする。天藍(チョルラム)は空色に近い藍色で、沈殿藍による染色を4回重ねて得られる。→アイ〔藍〕

チュィセク〔翠色〕 취색

翠色は藍色と青の中間色である。氷を用いて藍染めをすることで、淡い翠色が得られる。また、藍の生葉染めにより、若干黄緑みを帯びた藍色である翠藍(チュイラム)が得られる。
→アイ〔藍〕

タセク〔駝色〕 타색（らくだいろ〔駱駝色〕）

赤みのある黄褐色で、駱駝の毛の色に似ているため駝色(タセク)と呼ばれてきた。《林園経済志(イムォンキョンジェジ)》に記述があり、また《▷朝鮮王朝実録(チョソンワンジョシルロク)》には駱駝を飼育した記録もあり、この色を駱駝の色にたとえたことがわかる。

桑の老木の芯材の赤い部分を細く割って煮出し、濃い染液を作り、ミョウバンを入れて染める。2〜3回程度では満足する色にならず、すすぎ・乾燥・染色を10回以上繰り返すと駝色になる。一般に桑染めは、樹皮・芯材の両方を用い、1回の染色でベージュになる。桑の老木を樹皮ごと煮出すと、中間程度の茶色を染められる。これを10回ほど繰り返すと、駱駝の毛色のような赤茶色や駝色に染まる。
→クワ〔桑〕

ポドチョンセク〔葡萄青色〕 포도청색

濃い葡萄のような青で、《天工開物》を根拠とした《▷林園経済志(イムォンキョンジェジ)》には「藍甕に入れて淡く染め、その上からスオウで濃く染める」と記されている。天青色(チョンチョンセク)を染める方法と同じである

ポドゥフクセク〔包頭黒色〕 포두흑색

褐色がかった黒で、栗の皮と蓮の種の皮を1日かけて煮出して漉したあと、鉄粉と早礬（硫酸第1鉄）を入れた釜で一晩寝かせると、濃い黒が得られる（《林園経済志(イムォンキョンジェジ)》）。

ヒョンセク〔玄色〕 현색

玄色とは、藍染液とハゼノキおよびヤマモモの樹皮で染めた黒を指す。泥藍で8回以上重ね染めをして濃い青に染め、さらにハゼノキとヤマモモの樹皮を同分量煮出して重ね染めする。あるいは、藍の茎・葉を浸けた水に青礬と五倍子を入れ、布を一緒に浸ける。五倍子の動物性成分が多く入ると布は傷みやすいため、目の細かな布で漉した透明な液で染めると、動物性成分の浸透を抑えることができる。青礬とは硫酸第1鉄のことで、五倍子の褐色調を玄色にする鉄媒染剤である。→アイ〔藍〕

ホバクセク〔琥珀色〕 호박색

ウコン染めに石灰（貝殻の灰）媒染をすると、琥珀色(ホバクセク)と呼ばれる透明な黄色に染まる。

フェセク〔灰色〕 회색（はいいろ〔灰色〕）

薄めた墨液に布を浸けて揉むと、濃い灰色に染まる。またチンダルレ（カラムラサキツツジ）の幹・枝の炭を布袋に入れて、染液を浸出させたあと、重湯を加えて染めると鮮明な灰色が得られ、おもに僧衣に利用される。あるいは、ザクロの皮を金属に触れないように気をつけながら重湯に一晩浸けておき、取り出すと黒い染液が得られる。麻や絹を染色するなら、まず蓼藍で染め、ザクロの皮と五倍子を煮出した液で重ね染めし、さらに水道水に一晩浸けておくと灰色になる（《▷林園経済志(イムォンキョンジェジ)》）。

フンセク〔纁色〕 훈색（そひいろ〔纁色〕）

「纁(フン)」とは、字典に「3回染めの纁」「桃色の纁」とあり、3回染めの紅花染めのような橙色を若干帯びた桃色を指す。国王が▷冕服(ミョンボク)（大礼服）として着る▷裳(ペスル)・▷蔽膝などの色とされた。

紅花による紅色染色で、灰汁をかけて紅色色素を抽出した染液で染めるが、紅色染液で最初に3回重ね染めした大紅色(テホンセク)ではなく、大紅色を染めたあとの染液で染めた色合いである。

フクセク〔黒色〕 흑색（くろ〔黒〕）

黒系統の色には、黒・玄色(ヒョンセク)・烏色(オセク)・玄青色(ヒョンチョンセク)・鳩色(クセク)・皂色(チョセク)・緇色(チセク)・香皂色(ヒャンジョセク)・墨色(ムクセク)などがある。

チョウセンクロツバラの樹皮、マンシュウグルミの実、チンダルレ（カラムラサキツツジ）の根や枝を燃やした灰、トネリコを燃やした炭の粉を袋に入れて抽出した黒い染液を漉したものなどに、重湯やニカワ液を入れて染色する。また、栗の皮、蓮の実の皮、ザクロの皮、五倍子などを染料とした鉄漿媒染で、栗色を帯びた黒を染める。一方、ハゼノキとヤマモモで染めて鉄漿媒染をすると、赤褐色を帯びた黒が得られる。これ以外にも、藍染めと五倍子などを使用した重ね染めに鉄漿媒染で濃い黒が染まるが、五倍子の動物性成分が多く入ると布が傷みやすい。

主要文献解題

かれい〔家礼〕 가례
宋の朱子が、孔孟の礼論を参考に家庭での礼儀作法を集め編纂したとされる書物。我が国では、朝鮮時代の英祖35年(1759)に8巻3冊の木版本として刊行された。巻頭の20枚の家礼図に始まり、巻1は通礼で祠堂と深衣に関するもの、巻2は冠礼、巻3は婚礼、巻4は喪礼、巻5は葬礼、巻6は大・小祥、巻7は書式、巻8は祭礼である。実施に当たり、中国の風俗・観念との差から問題もあったが、礼を守り儀式をきちんと執り行うことが士大夫の名誉と体面を保つと考えられたため、広く読まれた。実施に当たって必要な細部事項を取り決めた書籍や増補・解説書が次々と著され、《家礼》の注釈書は《▷家礼輯覧》など、現在伝わるものだけでも12種96巻に上る。

カレートガム-ウイグェ〔嘉礼都監儀軌〕 가례도감의궤
朝鮮時代の国婚の手順を記した書物。国王や世子(太子)・世孫の婚姻にあたり、嘉礼都監を設置して手順を管理し、その記録を書籍の形で残したものである。国婚の挙行に伴う伝教・啓辞・文牒や経費の収支、物品の納入などあらゆる手順が遺漏なく記され、彩色の行列図も添えられており、宮中の婚姻風俗を調べるのに重要な資料となる。特に尚衣院で服を作り進上した記録は、服の種類や生地の内訳を詳細に記しており、当時の服飾研究の貴重な資料である。現存する《嘉礼都監儀軌》の中で最も古いものは、17世紀初めの昭顕世子の嘉礼のときのもので、服を大幅に減らした記録が種類別に記されており、嘉礼の直前に施行された「奢侈禁令(1627)」の影響がうかがえる。(参考)李京子《韓国民族文化大百科事典1》、韓国精神文化研究院、1991

カレ-チムナム〔家礼輯覧〕 가례집람
朝鮮時代中期に、学者金長生が朱子の《家礼》を増補・解説した書物。10巻6冊。粛宗11年(1685)に宋時烈ら弟子たちの努力により刊行された。《家礼》の内容が現実と乖離している場合があることと、礼節の来歴と後世の解釈に一貫性を持たせる必要性から著された。《家礼》の本文を中心に、古典礼書と様々な学者の説を注釈として付してある。巻1は通礼、巻2は冠礼、巻3は婚礼、巻4～9は喪礼、巻10は祭礼で構成されており、図説を加えた点が特色である。家礼の研究はもちろん、四礼の実践において常に参考にすべき基本礼書の一つである。

キョングク-テジョン〔経国大典〕 경국대전
朝鮮時代の政治の基準となった法典の一つ。6巻6冊。高麗時代末から朝鮮時代の成宗15年(1484)まで約100年間の各種法令・教旨・条例・慣例などを網羅した法典で、朝鮮王朝の根幹をなす大法典である。世祖の代に崔恒、盧思慎らに命じて編纂が始まり、睿宗元年(1469)に完結したが、成宗即位後に再び修正・改修を加え、同15年に完成した。吏・戸・礼・兵・刑・工の6典から構成され、礼典では科挙・事大・冠婚・葬祭などの儀礼を扱っており、冠員の品別服飾規定、親疏による喪服制、士大夫・庶民の衣服規定が収録されており、刑典・禁制に服飾禁制が含まれている。

キョンド-チャプチ〔京都雑志〕 경도잡지
朝鮮時代後期の実学者柳得恭が、漢城(ソウル)の文物制度や風俗などを記述した書物。2巻1冊。年代は不詳だが、18世紀後半の正祖の代に書かれたものと思われる。記録の少ない朝鮮時代の歳時風俗を理解する助けになる資料であり、特に我が国の民俗学研究において貴重な文献である。巻1風俗では当時の文物制度を巾服・酒食・茶煙・文房・詩文・書画・婚議など19項目に分けて略述している。内容は主に士大夫の生活文化を対象にしており、一般庶民の生活に関する記録はない。巻2歳時では、漢城の歳時風俗を元日・立春・寒食・端午・伏・中秋・冬至・除夕など19項目に分類して略述している。

コリョ-トギョン〔高麗図経〕 고려도경 →《宣和奉使高麗図経》

コリョサ〔高麗史〕 고려사

高麗時代の歴史・文化などを紀伝体で記した歴史書。世宗31年（1449）に編纂が始まり、文宗元年（1451）に完成した。世家46巻、志39巻、年表2巻、列伝50巻、目録2巻の計139巻で構成されている。金宗瑞、鄭麟趾、李先齊・鄭昌孫らが編纂した。このうち志は、天文志3巻、暦志3巻、五行志3巻、礼志11巻、楽志2巻、与服志1巻などで構成されており、特に与服志を通して当時の衣服制度を知ることができる。

ククチョーソクオレウイ〔国朝続五礼儀〕 국조속오례의

《ククチョオレウイ》を修正・補完した書物。それまで《国朝五礼儀》を基に五礼が執り行われてきたが、儀礼が乱れ、制度として通俗化したり時代に合わなくなった部分が生まれたため、英祖の命によって時代に合わせた修正・補完をし、同20年（1744）に刊行された。《▷国朝五礼儀》を引用したものは「原書」と表記され、増補されたもの、道具・服飾を改めたものには図説を序例に加えた。

ククチョーソクオレウイボ〔国朝続五礼儀補〕 국조속오례의보

《続五礼儀補》とも称される。《国朝続五礼儀》を補完した書物。2巻1冊。英祖27年（1751）に申晚らにより編纂された。《▷国朝五礼儀》や《国朝続五礼儀》の施行に当たって不備な点を補完したもので、3点の書物を合わせると完全な国家礼書となる。巻1に吉礼11編、巻2に嘉礼10編などを補充したが、主に王世子（皇太子）と王世孫に関する儀式手順を規定している。

ククチョーオレウイ〔国朝五礼儀〕 국조오례의

国家の基本儀礼である五礼、即ち吉礼・嘉礼・賓礼・軍礼・凶礼の儀式手順に関して記述した儀礼書。世宗が許稠らに命じて編纂に着手させ、明の《洪武礼制》をはじめとした各種書籍を参考に、60年後の成宗5年（1474）に申叔舟・鄭陟らによって完成された。

ククチョーオレウイーソレ〔国朝五礼儀序例〕 국조오례의서례

五礼の手順を踏むのに必要な参考事項を順序どおりに説明し、図を加えた書物。《▷国朝五礼儀》は儀式の手順のみを説明したものであったため、実際の施行には論議の余地があった。これを補完するために編纂されたもので、申叔舟・姜希孟・鄭陟らが成宗の命を受けて、《国朝五礼儀》と同じ年に完成させた。

クコン－チョンネ〔国婚定例〕 국혼정례

朝鮮時代の王室婚礼に関する規定を記した書物。7巻2冊。18世紀前半には婚姻風俗が贅沢に流れ、国庫の浪費も激しかったことから、英祖25年（1749）に朴文秀らに命じて王室の各宮殿や中央各官庁の財政用途を定めた《度支定例》を作らせ、その趣旨に基づいて婚礼用品を制限しつつ国婚に関する定例を定めた。冊1乾（巻1〜3）では王妃・王世子・淑儀（従2品の女官）の嘉礼、冊2坤（巻4〜7）では王子・王女の嘉礼について記されている。王妃嘉礼の場合、儀礼手順による礼物と器物の用途、宴会膳の内容を全て列挙してその数量を限定し、王妃や随行する宮人の服装と数量、必要な生地の種類と分量を一つ一つ明示している。婚礼手順の一部始終を記録した歴代《▷嘉礼都監儀軌》の各種器物の製作記録である《▷宮中撥記》などと合わせて考察することで、当時の婚礼を再構成することができる。

クンジューンパルギ〔宮中撥記〕 궁중발기

国家の宴会・祭祀・儀式など、吉凶に関する大きな行事と、誕生日や季節の節目の行事、王子・王女の慶事の際に必要な物品と数量を記した一種の見積書。宮体と呼ばれる書体のハングルで筆写されており、冒頭に日時・物品・対象などが記されている。現存するのは、純祖19年（1819）の世子嘉礼から国権喪失直後までの約100年間のもので、揀擇・嘉礼・吉礼など国婚に関するもの、冠礼、大王大妃・王大妃の尊号、茶礼などの祭祀に関するもの、平常時の衣服や賀辞に関するものなど700点が残っている。国王・王世子・王妃・王世子嬪らの衣服を記した《衣襨撥記》をはじめ、佩物撥記・プチム撥記・染色撥記など多様である。服飾・飲食・巫俗などを概観できる宮中風俗資料であるのみならず、中国との貿易による宝石・生地・器・真珠扇・オルガン・金銀糸まで、朝鮮時代後期の経済史的側面を知る上でも貴重な資料となっている。（金用淑）

キュハプーチョンソ〔閨閤叢書〕 규합총서

朝鮮時代の純祖9年（1809）に憑虚閣李氏が著した女性のための生活指南書。酒食議・裁衣・織造・修繕・染色・文房・器用・養蚕などがハングルで記されている。書名は《閨閤叢書巻之一》で、複数巻が計画されたようだが、この1巻も綿密に編集されていないことから、下巻は刊行されなかったものと思われる。この種の筆写本の中では最も多く読まれ、我が国の家庭生活に大きな影響を与えた。

ヌルジェジプ〔訥齋集〕 눌재집

朝鮮時代前期の学者、訥齋梁誠之の詩文集。本集6巻、続

集4巻の4冊。正祖15年（1791）に奎章閣に命じて奏議・雑著・古今詩などを採集・編纂させた。奏議は、梁誠之が世宗から成宗までの6代に渡って記した330余りの上奏文で、主に文物制度の創製・整備に関連した資料である。著者の思想が込められているだけでなく、当時の政治・経済・歴史・道徳・文化・地理・文教・国防・戦略・農蚕・牧畜・医療などを研究するための貴重な資料といえる。

テドン－ヤスン〔大東野乗〕 대동야승
野史・逸話・笑話・随筆・漫録などを集めた朝鮮時代の書物。編者・年代不詳。72巻72冊。《大東野乗》は叢書の題名で、《慵齋叢話》《稗官雑記》《海東野言》《清江鎖語》など、朝鮮時代初期から仁祖の代までの約250年間の著述53種を採集し、著述時代順に収録している。当時の風俗と人情を知るのに必要な資料であり、特に党争と関係の深い士禍・獄事に対する記録や、文禄・慶長の役、丙子胡乱に関する多くの記録は、歴史研究に役立つものである。

テジョン－ソンノク〔大典続録〕 대전속록
《▷経国大典》施行後、成宗22年（1491）までの現行法令を収集・編纂した法令集。6巻1冊。王命により李克増らが編纂し、成宗23年に完成、翌年5月に公布・施行された。《経国大典》施行後に多くの新たな法令が制定されたが、互いに抵触して施行に支障をきたすことがあったため、永久に施行できる法令を選んで整理したものである。吏典・戸典・礼典・兵典・刑典・工典の六典からなり、礼典は儀章・朝儀・待使客・祭礼・婚礼・取才・奨勧・恵恤・社寺・雑令の10項目で構成されている。《▷大典後続録》が編纂された後には、《大典前続録》とも呼ばれた。

テジョン－トンピョン〔大典通編〕 대전통편
正祖9年（1785）に、《▷経国大典》《▷続大典》をはじめとするその後の法令を統合して編纂された法典。6巻5冊。朝鮮時代の法典は《経国大典》《続大典》であったが、その他にも《国朝五礼儀》など法典と同じ効力のあるものが配布されて法制運営に支障をきたしたため、当時の法典を統合して編纂したものである。六典の条文は《経国大典》を冒頭に《続大典》が続き、後は法令順に収録したが、計723の条文が以前の法典に追加された。《大典通編》の編纂により、《経国大典》以後300年ぶりに新しい統一法典が作られた。朝鮮時代最後の法典である《大典会通》は、この《大典通編》を若干増補したものに過ぎない。

テジョン－フェトン〔大典会通〕 대전회통
《▷大典通編》を底本にし、以後80年間の王命・各種条例などを補完・追加して整理した朝鮮時代最後の法典。6巻5冊。朝鮮時代末期に政治の綱紀が乱れて社会が混乱し、この収拾のための改革の前提となる法典整備が求められたため、高宗2年（1865）に王命によって編纂されたもので、朝鮮時代に施行された全ての法規が集大成されている。《大典通編》と同じ六典体系で構成され、総228の条目に分けられるが、各種儀礼に関する規定は62項目構成の礼典に収録されている。

テジョン－フソンノク〔大典後続録〕 대전후속록
中宗38年（1543）に、領議政尹殷輔に命じて《▷大典続録》以後52年間の法令・王命を集めて編纂させた法典。《大典続録》と同じく《▷経国大典》を補完したもので、《経国大典後続録》とも呼ばれる。

トングク－ヨジ－スンナム〔東国輿地勝覧〕 동국여지승람
朝鮮時代の成宗12年（1481）に、政府により編纂された地理書。50巻。成宗8年（1477）に編纂された《八道地理志》に、《東文選》に収録された詩文を付け加えたものである。成宗16年（1485）の1次修正、燕山君5年（1499）の2次修正を経て、中宗23年（1528）に増補のための3次修正に着手し、中宗25年（1530）に続編5巻を合わせて全55巻25冊が完成し、《新増東国輿地勝覧》という題名で刊行された。朝鮮時代前期の地理書の集大成で、掲載された地図とともに、朝鮮時代末期まで大きな影響を与えた。15世紀半ばの世宗の代の地理書の特長である土地面積・租税・人口など経済・軍事・行政面の記述が少なく、人物・礼俗・詩文などが強化されている。地理のみならず、当時の社会を総合的に理解するのに不可欠な古典である。

マンギ－ヨラム〔万機要覧〕 만기요람
朝鮮時代の純祖8年（1808）に、戸曹判書徐栄輔、副提学沈象圭が王命を受けて編纂した書物。財用編6巻、軍政編5巻から構成され、18世紀後半から19世紀初めにかけての朝鮮王朝の財政と軍政に関する内容が集約されている。財用編には宮中の年間所要経費、各種税制、財政政策などの経済制度とその運営について、軍政編には軍事機関・軍営などの軍事態勢と国防関係の主要事実について記述されている。国家の機構・制度を一度に把握できるよう編纂したもので、19世紀初頭を中心とした朝鮮時代後期の経済史のみならず、軍事制度・政策、関連服飾を研究するための非

常に重要な資料である。

メチョン-ヤロク〔梅泉野録〕매천야록
梅泉 黄 玹が、高宗1年（1864）から隆熙4年（1910）の韓国併合までの47年間の歴史を編年体で記した史書。6巻7冊。甲午更張のあった高宗31年（1894）から隆熙4年までの記録が5冊半を占めている。朝鮮時代末期の為政者の非理や日本の悪政などが詳細に記録されており、日本の統治下で極秘裏に伝えられてきたが、1955年に国史編纂委員会から刊行された。他書には見られない貴重な記録が網羅されており、独自の部分も多く、開国から合併までの国内社会を理解するための必須資料である。

モンミン-シムソ〔牧民心書〕목민심서
朝鮮後期の学者丁若鏞が牧民官、すなわち守令（地方官吏）が守るべき指針を示し、官吏の悪政を批判した著書。48巻16冊。純祖18年（1818）に完成した。腐敗の極みに達した朝鮮時代後期の地方の社会・政治状況を、《▷経国大典》の六典と民生問題や守令の任務とを結びつけて、事例を挙げながら詳述した名著である。赴任・律己・奉公・愛民・吏典・戸展・礼典など12編に分け、各編をさらに6条に分類しており、朝鮮時代後期の社会・政治状況を垣間見ることができる。（金成 俊）

パンゲ-スロク〔磻渓隧録〕반계수록
朝鮮時代後期の実学者磻渓柳馨源が、自らの制度改革案を著述した書物。26巻13冊。英祖49年（1769）に慶尚監司李瀰が王命に従って刊行した。「隧録」とは書物を読みながら随時書き写したものという意味だが、題名とは異なり、全体が体系化され、整然とした記述となっている。当時の基本問題である田制をはじめ、教選・任官・職官・録制・兵制の6部門に分けて本人の見解を詳述するとともに、該当制度の韓・中両国での歴史的変遷過程を考察し、続編では儀礼・風俗についても言及している。土地制度の根本的な改革と教育・官僚任用制度改革を根幹に据えているが、それまでの部分的な改革論とは大きく異なるものであった。彼の改革案は実現されなかったものの、学者が現実問題の解決のために生涯を捧げた研究は後世の学者にも影響を与え、実学という学風を起こすのに決定的な契機となった。（鄭 求福）

ピョンワジプ〔瓶窩集〕병와집
朝鮮時代後期の文臣・学者であった李衡祥の詩文集。18巻9冊。英祖50年（1774）に孫の李晩松が編集・刊行した。収録された文章は彼の膨大な著述の一部に過ぎないが、巻1～4に載せられた詩391首、楽譜72編をはじめ、様々な種類のものが収められている。彼は当時の党派争いが礼にのみ傾いたためだと判断し、礼と楽の調和を強調した。ここに収められた《答尹進士孝彦斗緒》は服飾制度に関する内容で、その他祭祀や風物に関する記録も多くある。

ほんぞうこうもく〔本草綱目〕본초강목
中国の明の代に李時珍が著述した薬学書。52巻37冊。我が国には、16世紀末からの宣祖の代以後に伝えられたものと思われる。巻1・2は序例、巻3・4は百病主治薬として100余種の疾病の常用薬物を列挙し、巻5～52は薬品各論として計1892種の薬物を掲載しており、16世紀以前の本草学について網羅したものといえる。また植物に関する描写は非常に詳細かつ正確で、薬物の鑑別と植物学研究にも大きな意義を持つ。《本草綱目》の影響を受けた本としては《林園経済志》などがある。（安徳均）

サリャク〔史略〕사략
高麗時代の恭愍王6年（1357）に、李齊賢が編纂した歴史書。現存しないため詳細を知ることはできないが、編年体の高麗通史と推定される。高麗第15代粛宗までの歴史を記述したものと考えられる。

サレ-ピョルラム〔四礼便覧〕사례편람
朝鮮時代後期の学者・政治家である李縡が編纂した四礼（冠婚葬祭）に関する総合的な参考書。8巻4冊。李縡の曾孫李光正が憲宗10年（1844）に刊行した。当時儀礼の根拠とされた朱子の《▷家礼》には四礼の原則のみ記されていたため、実践において多くの問題点があった。この書は《家礼》の欠点を補完しながら、現実的に使いやすく編集された。その後、この書に従い四礼が執り行われたことから、我が国の冠婚葬祭制度に多大な影響を与えた。後に著された多くの四礼関係の儀礼書はほぼこの書に準拠したものであり、その後光武4年（1900）に黄泌秀・池松旭らにより《▷増補四礼便覧》が刊行された。（黄 元九）

サジョル-ポクセク-チャジャン-ヨラム〔四節服色自蔵要覧〕사절복색자장요람
朝鮮時代の王妃・側室などの四季の服飾に関する指針書。筆写本。順和宮帖草の一つとして《国忌服飾》とともに色縞の絹で包んだ箱の中に一緒に納められていた。帖草とは書物のように折って作った目録の一種で、順和宮は憲宗の後宮である慶嬪金氏の宮号である。宮体と呼ばれる書体のハングルで記されており、内容は女性最高の身分である王妃と嬪（最高位の側室と世子・世孫の夫人）の正月・

冬至・国王誕生日と四季の服の色について、生地から簪・指輪・香囊・▶ノリゲ（房飾り）に至るまで詳細に記録したものである。（金用淑）

サムグク-サギ〔三国史記〕삼국사기
高麗時代の仁宗23年（1145）ごろ、金富軾ら11人の編史官が王命を受けて編纂した三国時代の正史。中国の正史体である紀伝体の歴史書で、本記28巻、志9巻、年表3巻、列伝10巻で構成されている。内容は編纂者の独断的な記述ではなく、《古記》《旧三国史》、崔致遠の《帝王年代暦》などの国内文献と、《三国史》《後漢書》《晋書》《魏書》《新唐書》《旧唐書》などの中国文献を参考に再構成したものである。最も大きな比重を占める本記は、高句麗10巻、百済6巻、新羅・統一新羅12巻で構成され、政治・天変地異・戦争・外交に関する記事に分けられる。志は雑志と呼ばれ、巻1は祭祀と楽、巻2は色服・車騎・器用・屋舎、巻3〜6は地理志、巻7〜9は職官志である。巻1の祭祀志は五廟・三祀に関する説明が中心であり、楽志は楽器・歌楽・舞・楽工の順になっている。巻2の色服・器用・屋舎に示された禁止条項は、全国民を一つの法規のもとに管理しようとするものである。《三国史記》には、臣下の見解を表した史論が31編含まれている点が注目に値する。政府主導のもとで官撰という史書編纂の模範を定着させ、朝鮮時代初めの歴史書、特に《高麗》編纂に寄与することで、伝統史学を大きく発展させた。（林相国）

サムグク-ユサ〔三国遺事〕삼국유사
高麗時代後期の高僧一然が忠烈王7年（1281）ごろに編纂した史書。5巻。1310年代に弟子の無極が刊行したが、これが初刊なのか重刊なのかは明らかでない。内容は王暦（年表）・紀異・興法・塔像・義解・神呪・感通・避隠・孝善の9編目144項目から構成されている。紀異編では古朝鮮から後三国までの断片的な歴史を、興法編では三国の仏教受容と隆盛について、塔像編では塔と仏像について、義解編では新羅の高僧の伝記を、神呪編では新羅の密教や僧に関する事項などを収録している。正史の《▶三国史記》や仏教史書の《海東高僧伝》とは異なり、著者の関心を引いた資料を選択して収集・分類した自由な形式の歴史書である。この書の内容に関しては、《▶東国興地勝覧》から《東西綱目》に至るまで、荒唐無稽で信ずるに値しないという否定的な評価で一貫しているが、朝鮮時代初期以降多くの歴史書に引用され、影響を与えた。今日では、古代の歴史・地理・文学・宗教・言語・民俗・思想・美術・考古学など、総体的な基礎資料として評価されている。（金相鉉）

サンネ-ピヨ〔喪礼備要〕상례비요
朝鮮時代中期の学者申義慶による、喪礼に関する初歩的な指針書。2巻1冊。朱子の《▶家礼》で最も重視される喪礼と祭礼を軸に、先代の儒学者の説を参照してその要点を整理した書である。当初は誤りもあったものを、学者で文臣の金長生が訂正・補足し、息子の金集が仁祖26年（1648）に木版本として刊行した。初喪から葬制に関するまであらゆる儀礼を簡潔に記述し、祠堂・神主・衣衾・衰経・五服制・喪具・発靷・成墳・立碑・受弔・進饌などの図説を冒頭に載せている。分量は多くないものの、喪礼の要点を説明し、様々な学者の説から合理的な解説を抜粋して整理したため、後の四礼関連書物の重要な底本となった。

サンバン-チョンネ〔尚方定例〕상방정례
朝鮮時代の英祖28年（1752）に王命によって編纂された、尚方院（尚衣院）の業務に関する規定を記した書物。3巻3冊。尚方院は王室・宮殿の衣装を担当した部門で、誕生日、季節の節目の行事、年例進上以外にも何かにつけ国王らに物品を進上することが多かったため、英祖が命を下して業務規定を定めさせたものである。恒例1巻、別例2巻で、当時宮中で用いられた各種衣服や装身具を知るための重要な資料である。

サンジョン-コグムネ〔詳定古今礼〕상정고금례
高麗時代の仁宗の代に、崔允儀ら17名が王命を受けて、古今の礼儀を収集・考証して編纂した儀礼書。50巻。現存はしないが、《海東文献総録》の解説によると、歴代国王の憲章を集めて我が国の古今礼儀や唐の礼儀を考察し、上は王室の▶冕服・与輅（駕籠・車）・鹵簿（儀仗）などから下は文武官の制服に至るまで扱ったことがわかる。

ソンファ-ポンサ-コリョ-トギョン〔宣和奉使高麗図経〕선화봉사고려도경
仁宗1年（1123）に、宋の徽宗の使節として高麗に来た徐兢が著した書物。全40巻。徐兢が高麗の首都開城に1か月ほど滞在した間に記したもので、高麗の実情を図版と文で説明したため「図経」と題されたが、図版は現存しない。他の高麗史関係資料では見ることのできない貴重な記事が多く、資料的価値が非常に高い。特に高麗文化の特色を中国と比較して理解するのに重要であり、服飾研究の貴重な資料となっている。

ソンホサソル〔星湖僿説〕성호사설

星湖李瀷(1681〜1763)が編纂した類書(分類事典)。30巻30冊。李瀷が40歳前後から「関心のある物事を書きとめてそのままにしたもの」を晩年に彼の甥が整理したものである。時務・経史・礼数・歴算・地理・官制・経済・軍制・西学・詩文など、彼の学問的素養と広範な知識・批評が収められている。定本は存在せず、何種かの写本が伝えられる。内容は、天地門・万物門・人事門・経史門・詩文門に分類され、計5門3007側である。この中で万物門は生活に関わる様々な事物について考察・弁証したもので、服飾に関する内容が最も多い。

ソクテジョン〔続大典〕 속대전
《▷経国大典》施行後に公布された法令のうちから、以後施行する法令のみを選んで編纂した法典。6巻4冊。《経国大典》以後《大典続録》《大典後続録》が刊行され、その後続けて法令が増加したが、互いに矛盾するものが多く、法適用に混乱を招いた。そこで、英祖22年(1744)に《経国大典》に続く第2の法典の編纂を領議政金在魯に命じ、あらゆる法令を収集・検討して草案を作り、英祖自身が法令の取捨選択を決めた。《経国大典》の計213項目のうち、137項目を改正・増補し、主に戸典・刑典などに18項目が追加された。

ソクオレウイボ〔続五礼儀補〕 속오례의보→《国朝続五礼儀補》

シンジュン-トングク-ヨジ-スンナム〔新増東国輿地勝覧〕 신증동국여지승람→《東国輿地勝覧》

アオン-カクビ〔雅言覚非〕 아언각비
朝鮮時代の実学者茶山丁若鏞が著した語源研究書。純祖19年(1819)に刊行された。3巻1冊。我が国の俗語の中で転訛したり、語源や使い方のよくわからない言葉を考証した書物で、当時の漢字使用の間違いを正すために書かれた。衣冠名・樹木名・薬性名・植物名・楽器名・建築物名・魚類名など約200項目について考証している。

アカク-クェボム〔楽学軌範〕 악학궤범
朝鮮時代の成宗24年(1493)に、成俔らが王命によって編纂した楽規集。9巻3冊。宮中儀式において演奏された雅楽・唐楽・郷楽に関する様々な事項を図版で説明し、楽器・衣裳・舞台装置などの制度、舞踊の方法、音楽理論などを詳細に記している。伝統音楽の理論と制度および方式を研究する上で貴重な資料である。巻9の冠服図説は楽士と楽工の冠服、世宗の代の会礼宴で雅楽が演奏されたときの武舞工人・女妓の服飾を描き、寸法を記して詳細に説明している。

ヨルリョシル-キスル〔燃藜室記述〕 연려실기술
実学を提唱した考証学派の李肯翊が著した朝鮮時代の歴史書。刊行年代は確実ではないが、英祖52年(1776)以前に一旦完成したものと見られる。朝鮮王朝の重要事件について、野史・随録・日記・文集などから抜粋したものを、自身の見解や批評を加えずに収録して典拠を明らかにした、紀事本末体の代表的な野史である。原集・続集・別集の3編からなり、原集・続集は政治編、別集は文化編とされる。客観性を第一に記述されたこの書は、野史の体系を成立させ、我が国の野史の中で最も内容豊富な資料の一つである。(李存熙)

ヨヌォン-チクチ〔燕轅直指〕 연원직지
朝鮮時代の純祖の代に、清への使臣として派遣された金景善の紀行文。6巻6冊。純祖32年(1832)6月末から9か月余りの記録で、一般の旅行記に比べ膨大な分量である。巻1・2は《出彊録》で、北京の客舎に到着するまでの日記、巻3〜5は《留館録》で、客舎に滞在している間と北京を発って帰国するまでの記録である。巻6は《留館別録》で、中国の地理・文物・制度・風俗などから基本的な事項を選んで簡略に叙述している。

ヨンヘンノク-ソンジプ〔燕行録選集〕 연행록선집
明・清に派遣された使臣たちの紀行文(燕行録)20余編を集めて、1960年に成均館大学大東文化研究院が刊行した選集。朝鮮時代、粛宗の代の使臣崔徳中の《燕行録》、正祖の代の使臣李甲の《燕行記事》、徐浩修の《燕行記》、金正中の《燕行録》、徐有聞の《戊午燕行録》、純祖の代の使臣柳得恭の《燕台再遊録》、徐長輔の《薊山紀程》、著者不詳の《赴燕日記》、金景善の《燕轅直指》、哲宗の代の使臣徐慶淳の《夢経堂日史》などの文献から抜粋したものである。当時の中国の対外関係・文化的側面を理解するのに重要な資料であり、中国の儀礼・服飾に関する記録も多い。

オジュ-ヨンムン-チャンジョン-サンゴ〔五洲衍文長箋散稿〕 오주연문장전산고
朝鮮時代、17世紀後半の顕宗の代に、実学者五洲李圭景が著した書物。写本が伝えられている。60巻60冊。我が国や中国をはじめとする外国の古今の事物に関して批評した内容で、天文・暦・歴史・地理・文学・音韻・宗教・風俗・冶金・草木・魚鳥などを漏れなく記した百科事典的な性格を帯び、計1400余項目に及ぶ。「東国婦女首飾弁

証説」「道袍弁証説」をはじめ、各種服飾に関する弁証説は我が国の服飾研究に大きく寄与している。六堂崔南善所蔵の筆写本を再び筆写したものが奎章閣に所蔵されているが、崔南善の原本は焼失した。

ヨンジェ-チョンファ〔慵斉叢話〕 용재총화
朝鮮時代の15世紀半ば、世祖の代の学者成俔の随筆集。10巻。中宗20年（1525）に刊行された。高麗時代から朝鮮時代の成宗の代にかけて、歴史・地理・風俗・人物評論まで公平な視点で記述しており、正史の裏面を窺うことができる。婚礼・祭祀の風習、処容舞の手順などを説明しており、民俗学の貴重な資料である。

ユヌォン-ピルビ〔戎垣必備〕 융원필비
朝鮮時代の純祖13年（1813）に、訓練都監で編集・刊行された軍事技術に関する書物。1巻1冊。朴宗慶が編纂したもので、説明には図版が添えられている。火砲の鋳造法と火薬使用法を記録した朝鮮時代初期の《銃筒謄録》を継承した書で、朝鮮時代特有の火器の形式と規格、文禄・慶長の役以後、朝鮮時代後期までの火器の発達過程を知ることができる。

ウイデ-パルギ〔衣襨撥記〕 의대발기→宮中撥記

イモォン-キョンジェジ〔林園経済志〕 임원경제지
朝鮮時代後期に、実学者徐有榘が著した博物学書。113巻52冊。著者が序文に記しているとおり、田園生活をする儒学者に必要な知識と技術、技芸と趣味を養う百科全書で、生活科学書の性格を帯びた書物である。巻28～32の展功志は、桑の栽培をはじめ生地・製織・染色など、被服材料学に関する文章が収められている。

イムハ-ピルギ〔林下筆記〕 임하필기
朝鮮時代末期の高宗の代に領議政を務めた李裕元の文集。39巻33冊。写本。我が国と中国の事物に関する内容で、経・史・子・集をはじめ、典故・歴史・地理・産物・書画など、各分野にわたって著者の該博な知識を基に考証している。1961年に成均館大学大東文化研究院から影印本が刊行された。

チャアムジプ〔紫巌集〕 자암집
朝鮮時代中期の文臣李民寏の詩文集。7巻2冊。英祖17年（1741）に曾孫の李秀泰が刊行した。詩・日記・書など様々な種類の文で構成されている。《博約集説序》の中に四大礼楽に関する内容があり、建州満州族の動態を記録した《建州見聞録》などが収められている。

チェムルボ〔才物譜〕 재물보
朝鮮時代後期の学者李晩永が正祖22年（1798）に編纂した三才（天・地・人）と万物に関する書物。8巻4冊。別名万物譜。百科事典ないし博物学事典のような性格の書である。巻1は太極・天譜・地譜、巻2～5は人譜、巻6～8は物譜の構成である。天譜は自然現象、地譜は地理・行政区域、人譜は人体の構造や人倫関係、士・農・工・賈・礼・楽・兵・刑など、庶民生活に関するものである。物譜は、物・宮室・衣服・飲食物・財貨・動植物に関するものである。

チョソン-ヨソッコ〔朝鮮女俗考〕 조선여속고
朝鮮時代末期の三大国学者の一人、李能和の著書。1927年に東洋書院から出版された。上代から朝鮮時代末期までの女性風俗と関連事項を記している。第18章「朝鮮女子服装制度」には、四季の女性の服装と高句麗・百済・新羅・高麗・朝鮮の各時代の女性の服装を説明している。

チョソンワンジョシルロク〔朝鮮王朝実録〕 조선왕조실록
朝鮮時代、太祖から哲宗まで25代472年間の歴史的事実を記録した編年体の史書。国宝第151号。189巻188冊。国王によって名称は違うが、国王が死去した後に実録庁を設置して編纂するのが通例であった。編纂の資料は主に史草と時政記を基本とし、その他に《承政院日記》《議政府日記》や、後世には《備辺司謄録》《日省録》などを資料にした。朝鮮王朝史研究の基本資料であり、政治・法律・経済・社会・風俗・美術・文化・外交・軍事・産業・交通・宗教などの研究に絶対的な根拠となる。

チュンボ-ムンホンピゴ〔増補文献備考〕 증보문헌비고
上古から大韓帝国末期までの我が国の文物制度を分類・整理した本。250巻50冊。英祖46年（1770）に、洪鳳漢らが王命を受けて象緯・与地・礼・楽・兵・刑・田賦・財用・戸口・市羅・選挙・学校・職官の13考に分類・編纂したもので、《東国文献備考》と称された。欠落した部分も多く、時代とともに変わった部分もあり、正祖6年（1782）に李万運らが20考に補完したが、刊行はされなかった。100年余り後の光武7年（1903）に再び撰集庁を設置して増補を開始し、16考250巻とし、隆熙2年（1908）に《増補文献備考》として刊行した。我が国の制度・文物研究の重要な資料であり、服飾に関係する資料は巻67礼考14・巻79礼考26に収録されている。

チュンボ-サレ-ピョルラム〔増補四礼便覧〕 증보

사례편람→四礼便覧

チボン-ユソル〔芝峯類説〕 지봉유설
芝峯李睟光が著した、我が国最初の百科事典的書物。20巻10冊。3度にわたる中国への旅で得た見聞を土台に、1614年に刊行された。天文・地理・君道・官職・儒道・人物・服用等25部門にわたり、計3435項目が収録されている。実学思想の開拓に大きな影響を与えた。巻19服用部では冠巾・衣服・綵幣・朝章など各種服飾に関する文献と事実を元に考察している。

チンチャン-ウイグェ〔進饌儀軌〕 진찬의궤
朝鮮時代後期の、国王・王妃・王大妃らに対する進饌(宮中宴会)の記録。朝鮮時代の進饌儀軌は7種類がある。①純祖28年(1828)11月から翌年2月までの純祖への進饌の記録②憲宗14年(1848)の大王大妃純元王后金氏の60歳の誕生日③高宗5年(1868)大王大妃神貞王后趙氏の還暦④1877年の神貞王后趙氏の70歳の誕生日⑤1887年神貞王后趙氏の80歳の誕生日⑥1892年の高宗の41歳の誕生日⑦1901年の明憲太后洪氏の71歳の誕生日のもので、内容は大同小異である。呈才図・楽器図・服飾図・綵花図・儀仗図などの図版があり、服飾・器物・楽器・舞踊など、当時の多様な宮中衣服制度を知ることができる資料である。

チョンジャングァン-チョンソ〔青荘館全書〕 청장관전서
朝鮮時代の英祖の代の実学者・文章家である李德懋の著述全書。青荘館は著者の号である。息子の李光葵が正祖19年(1795)に集大成した。詩文・経史子集・人文・社会・歴史など広い分野にわたって実証的方法を加えながら説明している。儒学者・婦女・児童の日常礼節と修身に関する規範を記した《士小節》、黄海道の紀行文である《西海旅言》、清への紀行文である《燕行録》などが収録されている。

チュグァンジ〔秋官志〕 추관지
朝鮮時代の制度・王命、名臣の議論、律令・禁条の沿革などを収録した書物。3巻3冊の写本。正祖5年(1781)に刑曹判書金魯鎮が朴一源に委嘱して編纂した。翌年、王命により増補して刊行され、1791年に再び補完された。官制・掌覆部・考律部・掌禁部・掌隷部に分けて収録し、掌覆部・考律部に重点が置かれた。考律部の加髢申禁事目をはじめとする各種禁制が収録されている。

トェゲジプ〔退渓集〕 퇴계집
朝鮮時代、明宗の代の文臣・学者である退渓李滉の詩文集。宣祖32年(1599)に刊行された。詩・教・疏・箚・経筵講義・書・雑著・言行録などが収録されている。

ヘヘン-チョンジェ〔海行摠載〕 해행총재
高麗・朝鮮時代に通信使の使臣や、捕虜・漂流などで日本に行き来した者の紀行録を集めた書物。広い意味では日本の紀行録を総称して《海行摠載》と称することもある。冊1の鄭夢周の《奉使時作》、申叔舟の《奉使時作》《海東諸国記》をはじめ、全28冊から成る。文禄・慶長の役以後のものが大部分を占めており、16世紀末から19世紀初めまでの朝鮮人の日本観、日本の文物制度、日本人の朝鮮観などを知ることができる書である。(金聖恒)

服飾関連社会用語

・伝統服飾に関連する機関や、衣料に関する生産活動を直接担当した階層などを中心に項目を選定した。
・選定項目中、関連事項などは「→」で表示してある。

カッコンゲ〔各貢契〕 각공계
王室や官庁に品物を進上する契（相互扶助組織）。貢物を納品する者がその種類によって各々契を組織し、戸曹や宮中に納品する一方、国家から払い下げを受けた物品は契員に分配して利益を上げた。豹皮契・虎皮契・郷糸契・綿花契・錦契などがあった。

カプチャン〔甲匠〕 갑장
朝鮮時代、▶カボッ（鎧）を専門に作った職人。《経国大典》によると、兵器を作る仕事をする軍器寺に京工匠35名を置き、地方の外工匠としては京畿道3名、忠清道6名、慶尚道11名、全羅道10名、江原道3名、黄海道3名、咸鏡道5名、平安道9名の計50名を置くようにした。

ケボクチョン〔改服庁〕 개복청
朝鮮時代に政丞（領議政・左議政・右議政）や春秋館の監司などに面会する前にまず服を着替える場所。礼を尊重した当時は、大官に面会する時にはまず衣冠を整えなければならなかった。特に上官が下官に会うときには双方が服を着替える必要があったが、官庁の建物の中で特定の場所を決めて改服庁とした。

キョンゴンジャン〔京工匠〕 경공장
朝鮮時代に王室や官庁で必要な各種物品を製作した専業的手工業者。各官庁に所属する工匠と官・私奴婢で構成されていたが、次第に良人に交代した。《経国大典》によると、中央官庁に所属した工匠は129職種2795名であった。その中で国王の衣服と宮中の財貨を管掌する尚衣院に68職種597名、軍器製造を管掌する軍器寺に16職種644名が属しており、京工匠全体の半分を占めていた。これは当時京工匠の手工業活動が宮中需要品と武器製作に重きを置いていたためである。私工匠が作った製品の品質の方が優るようになると、燕山君の代からは私工匠を起用したため、官の手工業は没落の道を辿ることになった。（柳承宙）

キョンジャムグァ〔耕蚕科〕 경잠과
朝鮮時代の英祖43年（1767）に実施された科挙の雑科。1767年に王妃が直接養蚕する儀式である親蚕礼を行ったが、これを記念するために科挙の分科として設置され、1度のみ実施された。

ケジャン〔罽匠〕 계장
高麗時代に、製織の仕事を担当した雑職署に属して毛織物を織った職人。

クァンボクセク〔冠服色〕 관복색
朝鮮時代に、臣下の▶朝服（朝賀服）と▶祭服（祭祀服）を準備するために臨時に設置された機関。太宗16年（1416）1月13日に設置され、5月11日に廃止された。ここで準備された朝服と祭服は、中国の明の太祖年間である洪武26年（1393）に定めた《洪武礼制》に基づいて制定されたが、中国よりも我が国を2等級低くする二等遞降の原則に従ったもので、我が国の1等級は中国の3等級に該当した。太宗16年（1416）11月25日の冬至に、国王が臣下を率いて賀礼を行った際に臣下が初めて朝服を着たが、これは▶梁冠・▶中単・▶裙・▶蔽膝・繍佩・襪・履などであった。

クンギシ〔軍器寺〕 군기시
朝鮮時代に兵器製造を担当した官庁。兵曹に属した。兵曹判書や兵曹参判から1名、武将から1名を選抜して監督させた。軍器寺に属した職人としては、漆匠12名、生皮匠4名、▶カボッ（鎧）を作る甲匠35名、弓を作る弓人90名、矢を作る矢人150名、鉄を鋳造する冶匠130名、鉄を精錬する錬匠160名など、16職種644名がいた。15世紀半ばの世祖の代以後、長い期間戦争が起こらなかったため、軍器寺の綱紀は次第に緩み、本来の機能を発揮することができなかった。高宗21年（1894）に廃止され、職務は機器局に移された。（李章熙）

クィイン〔貴人〕 귀인
▷内命婦に属した従1品の女官。正1品の嬪とともに王妃を助け、婦人の礼を論じる仕事を担当した。（李朝初期妃嬪考）→内命婦

クムバクチャン〔金箔匠〕 금박장

朝鮮時代に、工曹に属した金箔を作る職人。金箔を作る工程としては、まず純金の塊を金7釐ずつに分ける。槌で叩いて金7釐ごとに四方1寸の大きさの金1000片を作る。その後、漆塗りをした紙に金片を挟んでこれを何重にも重ねて白紙で包む。その塊を錫の槌で3日間叩いて金片が箔になるようにする。最後に金箔を手の平の倍ほどの大きさの白紙に貼り付ける。(《林園経済志》贍用志4工制総纂)

ネミョンブ〔内命婦〕 내명부

朝鮮時代に宮中で奉職した嬪・貴人・昭儀・淑儀などの女官の総称。▷外命婦と対になる名称である。世宗10年(1428)3月に吏曹の建議により唐の制度と歴代沿革を参照し、女官の品階・名称・人員・所管業務などを具体的に規定した制度が整えられ、これが朝鮮時代の女官制の根幹となった。この制度では、嬪(正1品)以下淑媛(正4品)までの国王に仕える内官と、尚宮(正5品)以下典正(正7品)までの宮中の仕事を処理する宮官に分けた点が注目される(《朝鮮王朝実録》世宗10年3月庚寅)。嬪以下淑媛までの内官は事実上側室であり、国王の寵愛を受けるにともない品階が上がり、実際に昭儀が貴人に昇進し(同、世宗21年1月乙巳)、淑儀が王妃に冊封された例がある(同、成宗7年8月己卯)。尚宮以下の宮官はそれぞれの称号で表される職責を担当する者として、世宗10年に定められた。各々の職分は、表のとおりである。

ネイン〔内人〕 내인

高麗・朝鮮時代の内命婦の女官の総称。入宮年数により10等級の品階があり、勤務部署によって貴賤が分けられた。従9品から正5品までの間には尚宮・尚儀を頂点に、品階により多様な名称があったが、普通は尚宮・内人・見習内人に大別される。見習内人は

世宗の代の内官制度

	名称	品階	人員	所轄業務
内官	嬪	正一品	各1人	王妃を助け女性の礼を論ずる
	貴人			
	昭儀	正二品	各1人	王妃の礼を手助けし議論する
	淑儀			
	昭容	正三品	各1人	祭祀を執り行うことおよび客人の接待を担当
	淑容			
	昭媛	正四品	各1人	王が平常時起居している宮殿を管掌し、毎年、平絹と苧麻を織り捧げること。
	淑媛			
宮官	尚宮	正五品	1人	王妃を引導し、正六品の司記と正七品の典言を統率する
	尚儀		1人	日常生活でのすべての礼儀と手続きを担当し、正六品の司嬪と正七品の典賛を統率する
	尚服		1人	衣服と刺繍で模様を入れる采章を供給し、正六品の司衣と正七品典縫を統率する
	尚食		1人	食糧と副菜を準備し、正六品司膳と正七品の典薬統率
	尚寝		1人	平常時、国王に謁見する際と、国王の衣食に関する手順を担当し、正六品司設と正七品典燈を統率する
	尚功		1人	機織りの工程を担当し、正六品司製と正七品典綵を統率する
	宮正		1人	宮女の品行と職務を取り締まり、罪を罰する
	司記	正六品	1人	宮内の文書と帳簿の出入りを担当する
	司嬪		1人	客人の接待と臣下が王に謁見する際の接待、宴会を管掌し褒美を与えることを担当する
	司衣		1人	衣服と髪型装飾品を担当する
	司膳		1人	調理、副菜の調味を担当する
	司設		1人	幕とカヤツリグサで作った莫蓙の管理、水をまいて埃を掃く仕事、物品の出し入れを担当する
	司製		1人	衣服を製作する
	典言	正七品	1人	庶民に広く知らせ、国王に伝える中継の役割を果たす
	典賛		1人	客人接待と臣下が国王に謁見する際の接待と宴会、政丞を助け引導すること
	典飾		1人	洗髪・化粧・洗顔および髪を梳かすことを担当
	典薬		1人	薬を処方する
	典燈		1人	ランプと蝋燭を担当
	典綵		1人	緋緞や苧麻などの織物を担当
	典正		1人	宮廷の仕事を補佐する
		計	28人	

(《朝鮮王朝実録》世宗10年3月庚寅)

《経国大典》の内命婦制度

	名称	品階	人員
内官	嬪	正一品	1人
	貴人	従一品	1人
	昭儀	正二品	1人
	淑儀	従二品	1人
	昭容	正三品	1人
	淑容	従三品	1人
	昭媛	正四品	1人
	淑媛	従四品	1人
宮官	尚宮・尚儀	正五品	各1人
	尚服・尚食	従五品	各1人
	尚寝・尚功	正六品	各1人
	尚正・尚記	従六品	各1人
	典賓・典衣・典膳	正七品	各1人
	典設・典製・典言	従七品	各1人
	典賛・典飾・典薬	正八品	各1人
	典燈・典綵・典正	従八品	各1人
	奏官・奏商・奏角	正九品	各1人
	奏変徴・奏徴	従九品	各1人
	喪羽・奏変官	従九品	各1人
	計		35人

(《経国大典》巻1吏典内命婦)

冠礼前の少女内人で、冠礼は入宮後15年まで行うことができず、冠礼後内人に昇格した後、尚宮に昇格するまでさらに15年かかる。

ヌンナジャン〔綾羅匠〕 능라장
綾羅（各種絹織物）を織る職人。朝鮮時代の世宗4年（1422）以後、国王の衣服と宮中の財貨を担当する尚衣院に転属させた（《▷朝鮮王朝実録》世宗4年10月乙未）。燕山君の代には北京の使者に綾羅匠を随行させ、大紅や草緑など様々な色の染色方法と製織技術を習わせ、各々4～5尺ずつを持ち帰らせた（同、燕山君8年1月乙酉）。

トチムジャン〔擣砧匠〕 도침장
反物や紙などを砧の上で叩いて滑らかにする職人。

トゥソクジャン〔豆錫匠〕 두석장
各種金属装飾の製作技術者。《▷経国大典》によると、元々工曹尚衣院に所属する▷京工匠で、銅と亜鉛の合金で各種金具を作る職人であった。豆錫に対する解釈は様々で、柳僖の《物名考》では豆錫を黄銅・錫とみなし、黄銅は赤銅と亜鉛の合金で、よく豆錫と斗錫（亜鉛）が混同されるとしている。《顕宗実録》によるとハムソクを混ぜて豆錫を作ったとあるが、李圭景の《五洲書種》には「日本の亜鉛と我が国のはハムソクは同じもの」とある。このことから、豆錫匠は真鍮を扱って各種金具を作る職人と考えられる。

マゴン〔麻貢〕 마공
高麗時代の税制の一つ。高麗時代の貢物・税の種類としては、常貢・別貢・雑貢などがあった。麻貢は雑貢の一つで、麻畑に対する現物税である。税額は麻畑1結（1万平方尺）に対して生麻と漂白した白麻とを合わせて1斤（16両）3目2刀を徴集した。

マミサジャン〔馬尾篩匠〕 마미사장
馬のたてがみや尾の毛で篩を作る職人。

メドゥプチャン〔毎▷緝匠〕 매듭장
朝鮮時代に▷メドゥプ（飾り結び）を作った職人。工曹に属する尚衣院に4名を置いた。

ミョンジュジョン〔綿紬廛〕 면주전 →㊂明紬廛

ミョンポジョン〔綿布廛〕 명포전
朝鮮時代の六注比廛（特権商店）の一つで、綿布を売った店舗。王室や官庁に必要な物品を納める国役負担の高い店舗で、10等級のうち上から2番目の9分廛であった。綿布廛で扱われた商品は、唐津木・海南木・高陽木・江ナイ・商賈木・軍布木・貢物木・巫女布・天銀・丁銀・西洋木・西洋紬などであった。㊂白木廛・銀木廛 →六注比廛

ミョンジュジョン〔明紬廛〕 명주전
朝鮮時代の六注比廛の一つで、▷明紬（絹布）を売った店舗。国役義務を担う店舗として国役8分を負担し、それに見合う専売特権を得た。㊂綿紬廛・羽紬廛 →六注比廛

モゴン〔帽工〕 모공
冠帽を作る職人。

モグァンジャン〔毛冠匠〕 모관장
朝鮮時代に、王室や官庁で必要な物品を製作した京工匠に属した毛冠職人。

モシジョン〔モシ廛〕 모시전
朝鮮時代に▷モシ（カラムシ織り）類を売った店舗で、六注比廛の一つである。当時は宮中をはじめ各建物の修理用に税金を現物で納めさせたが、税10等級中6等級で6分の国役を負担した。→六注比廛

モウイジャン〔毛衣匠〕 모의장
朝鮮時代に毛皮の衣服や毛の防寒具を作った職人。

モジャジャン〔帽子匠〕 모자장
朝鮮時代に工曹に属して帽子を作った職人。▷京工匠として6人を置いた（《▷経国大典》工典）。帽子とは▷カッ（笠）の鉢に当たる部分で、涼太（鍔）とともにカッを構成する。ふつう帽子は円筒形で上に行くほど細くなり、上部は平らである。

モジョンジャン〔毛氈匠〕 모전장
毛を材料に毛布や絨緞を織る職人。

モクソジャン〔木梳匠〕 목소장
朝鮮時代に工曹に属した、▷オルレピッ（粗歯櫛）を作る職人。京工匠として2人を置いた（《▷経国大典》工典）。済州島の山柚子の木で作った櫛が美しいとされた。（《林園経済志》贍用志3盥櫛之具）

モギョンジャン〔木纓匠〕 목영장
朝鮮時代に木製の珠をつないだ▷カックン（笠紐）を作った職人。工曹に属する京工匠であった。

サグムジャン〔糸金匠〕 사금장
金糸を作る職人。

サボクシ〔司僕寺〕 사복시
高麗・朝鮮時代に、官庁・宮中の駕籠・馬を管掌した部署。高麗時代初期に泰封（弓裔が建てた後三国の一つ）の制度を継承して太僕寺としたが、後に司僕寺となった。官員としては正（正3品）1名、副正（従3品）1名、僉正（従

4品）1名、判官（従5品）1名、主簿（従6品）2名、雑職として馬医10名、安驥1名、調驥1名、理驥1名、備驥1名、牽馬陪10名を置いた。

サピジャン〔斜皮匠〕 사피장
朝鮮時代に工曹に属して斜皮（テンの皮）を扱った職人。特に黄テン皮を扱う職人を指すこともある。京工匠として4人を置いた。斜皮は皮靴や鞍・矢筒などに用いられた。

サペジャン〔鞍鞋匠〕 삽혜장
朝鮮時代に工曹に属して▶鞍鞋（上流階層の履いた皮靴）を作った職人。京工匠として本曹に6名、尚衣院に6名が属していた。

サンゴン〔尚功〕 상공
機織を総轄する正6品の女官。→内命婦

サングン〔尚宮〕 상궁
朝鮮時代の宮官の一つ。▶内命婦に属する正5品の女官で、4品以上の品階に上がることはできなかった。所属は国王・王妃の居室や寝殿を中心に、衣・食・住に関連する至密・針房・繍房・洗手間・生果房・焼厨房・洗踏房に分けられる。この七つの部署は、国王殿以外の大王大妃殿・王大妃殿にも共通する。この配属先の順位は、そのまま所属する女官の格を表した。最も格の高いのは至密で、次が針房・繍房である。これは、民間でも主婦の隣の部屋に寝起きするアンジャムジェギが下女の中で最も格が高く、その次が裁縫を担当するチムモ、食事担当のチャンジギ・食母の順であったことと類似している。

■尚宮の任務
七つの部署に分かれた尚宮の任務は次の通りである。①至密：国王と王妃の身辺保護および起居・寝・食・衣に関わる一切の世話と内殿の物品管理、内侍府・内医院・典膳司などとの重要な交渉を担当した。②針房：国王と王妃の衣服をはじめ、宮中の衣服を仕立てる。③繍房：宮中の服飾や装飾品に用いられる刺繍を担当する部署である。対象は、竜金チと称される竜袍につける竜補から、ペゲ（枕）・チュモニ（巾着）・屏風まで幅広い。④洗手間：国王・王妃などの朝晩の洗顔や入浴に使う湯水を準備する。手ぬぐいなどの洗濯や器物の洗浄を担当し、内殿の蔵にも出入りした。王妃が宮中で後苑などに出向く際に、駕籠を担いだりお供をする。平常時には来賓の接待も担当し、内殿の清掃も行う。⑤生果房：国王の食事（水刺）以外の飲料や菓子を作る。⑥焼厨房：外焼厨房では宴会の飲食を調理し、内焼厨房は平常時の飲食を担当した。⑦洗踏房：洗踏は洗濯を意味するが、洗い物の仕上げまでを担当した。国王と王妃の衣服の洗濯・砧打ち・火熨斗当て・染色などを担当した。

■尚宮の身分別名称
宮中の身分はその品階と所属部署によって定められ、提調尚宮・副提調尚宮・待令尚宮・保姆尚宮・侍女尚宮と一般尚宮・内人・センガクシなどに分けられる。このうち副提調尚宮は提調尚宮の次席で、阿里庫尚宮とも言う。阿里庫とは内殿の空間を意味するが、この中での衣・食・住関連の各種貴重品は全て阿里庫尚宮の手を経て出納された。→内命婦

サンバンサ〔尚房司〕 상방사
大韓帝国の官庁。宮内部の隷属機関で、宮中で使われる衣類に関する仕事を担当した。尚房司は朝鮮時代の太祖の代に設置した尚衣院を高宗32年（1895）甲午更張の際に尚衣司として改編し、光武9年（1905）に再び改称したものである。官員としては、提調（勅任官）1名、長（勅任官）1名、主事（判任官）4名を置いたが、隆熙元年（1907）に廃止された。→尚衣院

サンボク〔尚服〕 상복
朝鮮時代に宮中で衣服を担当した正5品の女官。衣服と頭の装飾品を担当する正6品の司衣と、化粧を担当した正7品の典飾を統率した。（《▶朝鮮王朝実録》世宗10年3月庚寅）→内命婦

サンイ〔尚儀〕 상의
正5品の女官。日常生活の礼儀と手順に関して総責任を負った。客の接待と宴会を管掌する正6品司賓と正7品典賛を統率した。（《▶朝鮮王朝実録》世宗10年3月庚寅）→内命婦

サンイグク〔尚衣局〕 상의국
高麗時代に、国王の衣服に関する仕事を担当した官庁。忠宣王2年（1310）に掌服署と名称を変更したが、恭愍王5年（1356）に再び尚衣局に変更したため、その後は両方の名称で呼ばれた。朝鮮時代には尚衣院と改称してその役割を引き継いだ。

サンイウォン〔尚衣院〕 상의원
朝鮮時代に工曹に属した官庁。国王の衣服と宮城内の財貨を管理し、供給する仕事を担当した。高麗時代の掌服署制度を引き継いで太祖元年（1392）に供造署を置いたものが、後に尚衣院と名前を変えた。《▶経国大典》によると、尚衣院には綾羅匠105名、練糸匠40名、針線匠40名、紡織

匠20名をはじめ、草笠匠・毛衣匠・金箔匠・銀匠など68職種597名の職人が属していた。高宗32年には尚衣司、光武9年（1905）には尚方司としたが、隆熙元年（1907）11月に廃止し、事務全体を内蔵院に移管した。内衣院と恵民署の医女たちが歌舞も兼業したように、尚衣院の針線婢は御衣帯を仕立てて献上する仕事をしながら、妓業を兼ねた。

サンジョン〔尚正〕　상정
朝鮮時代に内命婦に属した従6品の女官。世宗の代の宮正で、《▷経国大典》では称号のみが変わり、職分上の変化はなかったと見られる。女官の品行と職務を取り締まり、懲罰を科す役割をした。→内命婦

ソヌォンジョン〔璿源殿〕　선원전
朝鮮時代に、始祖の太祖以下歴代の国王の御真（肖像画）・金宝（尊号印）・玉冊（功績書）などが納められた宮殿。
同眞殿

ソンジョン〔縇廛〕　선전
朝鮮時代の六注比廛の一つ。線廛・立廛とも呼ばれた。六注比廛の中で最初にできた店舗で、緋緞（絹）を扱った。国家から禁乱廛権を与えられ、宮中と官庁の所要品、特に中国に贈られた進献品の調達を担い、国役10分を負担する大規模店舗であった。中国から緋緞を輸入して独占販売し、また綿紬廛で取り扱う明紬（平絹）を職人と結託して横流しし、闇取引として告発され制裁を受けたこともある。縇廛で取り扱った商品には、貢緞・大緞・紗緞・宮綢・生綢・雪寒綢・雲紋大緞・日光緞・月光緞・竜紋甲紗・想思緞・通海紬・羽緞・阿竜緞・紫地常緞などがあった。→六注比廛

ソンジャン〔筬匠〕　성장
機織に用いられる筬を作る職人。（《林園経済志》展功志五紡織図譜）

ソソンジャン〔梳省匠〕　소성장
ピッソル（櫛歯の汚れをとる刷毛）を作る職人。省は刷毛の意味である。ピッソルは骨の本体に馬のたてがみや尾の毛を付けた道具で、梳刷と呼ばれる細長いものもあった。柄は骨・角・木で、彩色馬毛を用いることもあった。（《林園経済志》贍用志3盥櫛之具）

スクピジャン〔熟皮匠〕　숙피장
衣服や装飾に用いるために生皮をなめす職人。熟皮とは皮をなめすという意味である。（《方言類解》）

シンゴン〔身貢〕　신공
奴婢から徴収した穀物。労役の代わりに納めるものだが、公賤から独立して家庭を持った外居奴婢のうち、奴は毎年布1疋・楮貨20枚、婢は布1疋・楮貨10枚を納め、私賤のうち独立した家庭を持つ私奴は綿布2疋、私婢は1.5疋を納めた。

ヤンテジャン〔涼太匠〕　양태장
朝鮮時代に尚衣院に属し、黒笠の▷涼太（鍔）を作った職人。

ウェゴンジャン〔外工匠〕　외공장
朝鮮時代に地方官庁に所属し、物品製作を担当した地方手工業者。工匠は高麗時代から存在したが、これを京工匠・外工匠と明確に区別したのは朝鮮時代からである。彼らの身分は、原則として良人に編入される。公賤（官庁の下人）や、時には私賤（民間の下人）も工匠になる場合が多かった。京工匠が専業的性格を帯びるのに対し、外工匠は鉄を打つ冶匠など一部を除いては大部分が兼農であった。各官庁に登録され、必要に応じて無償で公役に従事したり、工匠税を払って自由に手工業に従事した。しかし次第に技術が衰えて文禄・慶長の役以後にはほとんど農民化し、英祖の代には外工匠登録制度が廃止された。《▷経国大典》に規定された外工匠の数は、八道合わせて甲匠50名、冶匠38名、木匠323名、皮匠297名、漆匠294名、席匠387名、梳省匠7名など26職種3511名であった。

ウェミョンブ〔外命婦〕　외명부
大殿の乳母、国王の娘、王世子の娘、王族の妻、文武官の妻で爵位を受けた者を外命婦と称する。内命婦と対になる概念である。夫人に爵位を授けることには、人の祖を尊び、配偶者を大切にする意味があった。外命婦制度は、世宗13年に整備された。（《▷朝鮮王朝実録》世宗13年11月壬戌）

ウジュジョン〔羽紬廛〕　우주전→同明紬廛

ユクサン〔六尚〕　육상
宮中の各仕事を担当した内命婦所属の正5品宮官6人。即ち、王妃を補助する尚宮、礼儀と日常生活を担当する尚儀、衣服の着替えを担当する尚服、飲食物を担当する尚食、平常時に国王の衣服と食事を担当する尚寝、機織を担当する尚功を指す。→内命婦

ユギジョン〔六矣廛〕　육의전→同六注比廛

ユクチュビジョン〔六注比廛〕　육주비전
朝鮮時代初期から漢城（ソウル）に設置され、専売特権を持ち、大きな国役負担義務を負った6種の店舗。官庁への臨時負担金、宮中の修理のための物品・経費負担、王室の冠婚忌祭、中国に派遣される使節の需要品調達など、国役

を負担する店舗を有分各廛(ユブンカクチョン)としたが、その中でも国役負担率の高い六つの店舗を六注比廛(ユクチュビジョン)と呼んだ。有分各廛の中で最大の国役を負担する代わりに特定商品の専売特権を保証されるなど、商業上の特権を付与された。六注比廛の内容は時代により少しずつ異なるが、文献に記された内容は表のとおりである。(劉元東(ユウォンドン))　同六矣廛(ユギジョン)・六分廛(ユクブンジョン)・六主夫廛(ユクチュブジョン)・六長廛(ユクチャンジョン)・六部廛(ユクブジョン)

六注比廛

文献	名称
万機要覧	1. 縇廛（緋緞商店） 2. 綿布廛（木綿商店） 3. 明紬廛（平絹商店） 4. 紙廛（紙商店） 5. 苧布廛（苧麻・麻商店） 6. 内外魚物廛（魚商店）
青丘示掌	1. 縇廛　2. 綿布廛　3. 明紬廛 4. 内魚物廛　5. 紙廛 6. 苧布廛
増補文献備考	1. 縇廛　2. 綿布廛　3. 明紬廛 4. 内魚物廛・青布廛　5. 紙廛 6. 苧布廛

イルレ-ヨグァン〔引礼女官〕 일례여관
儀式の際に、王妃や側室の脇添えをする女官。

チャプチクソ〔雑織署〕 잡직서
機織に関する業務を担当した高麗(コリョ)時代の官庁。11代文宗(ムンジョン)の代に設置され、25代忠烈王(チュンニョルワン)34年(1308)に都染署と合併して雑染局(チャビョムグク)となったが、31代恭愍王(コンミンワン)の代に再び雑織署(チャプチクソ)となった。

チャンボン〔掌縫〕 장봉
朝鮮(チョソン)時代に、従8品の女官として世子宮で裁縫に関する仕事を担当した内命婦(ネミョンブ)。

チェグムジャン〔裁金匠〕 재금장
朝鮮(チョソン)時代に尚衣院(サンイウォン)に属して織物に金糸を織り込む仕事を担当した京工匠(キョンゴンジャン)の一つ。

チェジャクチャン〔裁作匠〕 재작장
朝鮮(チョソン)時代に、尚衣院(サンイウォン)に属して服地を裁断する仕事をした京工匠(キョンゴンジャン)の一種。

チョポジョン〔紵布廛〕 저포전
朝鮮(チョソン)時代にカラムシ織を売った市廛(シジョン)の一つ。国役の6分役を担当したが、六注比廛(ユクチュビジョン)の資格を得るために布廛(ポジョン)と合わせて11分役を担当した。→六注比廛(ユクチュビジョン)

チョニ〔典衣〕 전의
朝鮮時代に内命婦に属した宮官(クングァン)の一つ。正7品の女官で、当初司衣(サウィ)と呼ばれたものが典衣(チョニ)となった。衣服と頭髪装飾品に関する仕事を担当した。→内命婦(ネミョンブ)

チョンジャン〔氈匠〕 전장
獣毛の無文織物である氈(チョン)(フェルト)を作る職人。

チョンチェ〔典綵〕 전채
朝鮮時代に緋緞(ビダン)(絹布)やカラムシ織など、織物に関する仕事を担当した従8品の女官。→内命婦(ネミョンブ)

チェセクジャン〔諸色匠〕 제색장
様々な手工芸品を作る職人。「諸色(チェセク)」とは、各種工芸を意味する。

チェヨンガム〔済用監〕 제용감
朝鮮時代の官庁の一つ。宮中で使うカラムシ織・皮革・麻布・朝鮮人参の進献、衣服と沙羅綾緞(サラヌンダン)の賜与、布貨(ポファ)、織物染色を担当した。朝鮮時代初期には高麗恭譲王(コリョコンヤンワン)の代の済用庫(チェヨンゴ)を踏襲したが、太宗(テジョン)9年(1409)の官制改革の際に済用監(チェヨンガム)と改称し、1904年まで存続した。

チュクソジャン〔竹梳匠〕 죽소장
朝鮮時代に竹櫛を作った職人。高麗(コリョ)時代には供造署(コンジョソ)に梳匠(ソジャン)を置き、朝鮮時代には京工匠(キョンゴンジャン)として木梳匠(モクソジャン)4戸、外工匠(ウェゴンジャン)として梳省匠(ソソンジャン)4戸を置いた。

チミルレネイン〔至密内人〕 지밀내인
国王と王妃の日常生活を管掌する女官職。至密(チミル)とは国王と王妃が居住する区域を指し、宮中の奥深い場所という意味である。→尚宮(サングン)

チンシン-ケグプ〔縉紳階級〕 진신계급
官吏の総称。縉(チン)は百官が▶祭服(チェボク)・▶朝服(チョボク)着用時に▶笏(ホル)を腰帯に差すという意味で、紳(シン)は丈の長い腰帯を意味する。

チンホン-ソクチャン〔進献席匠〕 진헌석장
国王に進献する莫蓙を作る職人。

チェジョン〔采典〕 채전
新羅(シルラ)で、図画に関する仕事を担当した官庁。景徳王(キョンドクワン)の代に典彩署(チョンチェソ)と改称したが、後に元に戻した。官員としては監(カム)(11等官の奈麻(ナマ)または10等官の大奈麻(テナマ))1名、主書(チュソ)(13等官の舎知(サジ)～奈麻(ナマ))2名、史3名を置いた。

チョンポジョン〔青布廛〕 청포전
朝鮮(チョソン)時代の六注比廛(ユクチュビジョン)の一つ。花布(ファポ)・青布(チョンポ)・紅布(ホンポ)・氈(チョン)・毛布(モポ)・毯帽子(タムモジャ)などを専売した店であった。この市廛(シジョン)は内魚物廛(ネオムルジョン)と合わせて一つの注比(チュビ)となり、有分廛(ユブンジョン)として国役の3分を分担した。純祖(スンジョ)の代に刊行された《▷万機要覧(マンギヨラム)》など

では、内魚物廛と青布廛が一つの注比として六注比廛に含まれている。→六注比廛

チョヨムジャン〔草染匠〕 초염장
朝鮮時代の京工匠の一つ。工曹に6名、尚衣院に4名がいた。彼らは草を黄色に染めて草笠を作る仕事を担当した。

チョジャン〔絁匠〕 초장
精練しない絹糸（絁）を扱う職人。

チムモ〔針母〕 침모
民家に雇われて裁縫を受け持つ女性。同じ雇用人でも、饌母より位は高かった。裁縫のみならず刺繍のできる者も多く、身分は大部分良人以上で、長いチマを履いた。官庁の場合、裁縫を受け持つ針線婢は尚衣院所属であり、主に国王の衣服を縫う仕事を担当した。一方、自宅で裁縫をして報酬を得る者は針線家と呼び、針母とは呼ばれなかった。朝鮮時代の官吏の着る官服や祭服は限られた者しか仕立てられなかったので、針線家に任せることが多かった。針線家は男性の上衣だけでなく、婚礼衣装や子供の幅巾・トンダリ・クルレなども縫った。宮中の裁縫を担当する部署は針房と呼ばれた。

チムバン〔針房〕 침방
宮中の衣服の裁縫を担当する機関。事務職の女子16名が所属していた。仕事の性格上、針房の尚宮内人は国王の寝殿の至密内人に次ぐ待遇を受けた。→尚宮

チムソンジャン〔針線匠〕 침선장
朝鮮時代に衣服を仕立てた職人。朝鮮時代、京工匠には10名の針線匠が工曹に所属しており、外工匠にも2か所に64名が所属していた。衣服の製作に当たっては裁縫技術はもちろん、糸を作る制糸匠、糸や布を染色する青染匠・紅染匠、服地を織る織造匠・綾羅匠、布を叩いて手入れをする擣練匠、服地を裁断する裁作匠、金箔や刺繍などで文様を入れる金箔匠・刺繍匠との共同作業が行われた。宮中では、王室服飾の調達を担当する尚衣院に京工匠の中から8名を分属させ、各種宮中服飾を作らせた。

チムジャン〔針匠〕 침장
針を作る職人。針は裁縫など日常生活に不可欠なもので、「製造法がわからず中国から輸入して使用した」（《▷林園経済志》贍用志3服飾之具）との記述もあるが、朝鮮時代後期には針匠を置いたことから、針を独自に生産していたものと思われる。

ポジョン〔布廛〕 포전
朝鮮時代の六注比廛の一つとして、麻布を扱った店舗。主な取扱品目は、農布・細布・中山布・咸興五升布・安東布・ケチュリ・センケチュリ・海南布・倭布・唐布・門布・造布・永春布・吉州明川などであった。→六注比廛

ハプサジャン〔合糸匠〕 합사장
朝鮮時代に工曹に属し、糸の合糸・撚糸を担当した職人。

ファアジャン〔花児匠〕 화아장
朝鮮時代の京工匠の一つ。工曹に属し、莫産に色糸で花を刺繍したり、靴のつま先に花模様の刺繍をした。⇨起花匠

ファヘジャン〔靴鞋匠〕 화혜장
朝鮮時代に両班（文武官一族）が履いた木靴や太史鞋・雲鞋・唐鞋・鹿皮鞋・黒鞋・油鞋などを専門に作った職人。皮・布を切り貼り合わせて型を作り、その上に文様を入れる複雑な工程のため、熟練した技術が求められた。⇨靴匠

服飾史年表

年代	王朝				事項	中国		日本
147	新羅	逸聖王	14年	2月	庶民の金・銀・珠玉使用を禁じる	後漢		弥生文化・古墳時代
261	百済	古爾王	27年	2月	品官別服色制定	三国		
504	新羅	智證王	5年	4月	喪服法制定	南北朝		
520	新羅	法興王	7年	5月	百官の公服制定			
	百済	武寧王	20年	-	多利が武寧王妃の銀製腕輪を製作	隋(〜619)		飛鳥時代(〜645)
649	新羅	真徳女王	3年	-	唐の衣服制度を受け容れる	唐(〜907)		白鳳時代(〜710)
660	百済	義慈王	20年	-	百済滅亡			
664	新羅	文武王	4年	1月	女性は中国の衣服を着用			
665			5年	8月	1疋の寸法を長さ7歩、幅2尺と定める			
668	高句麗	宝蔵王	27年	-	高句麗滅亡			
699	渤海	高王	1年	-	渤海の始祖大祚栄、震の国を興す			奈良時代(〜794)
834	統一新羅	興徳王	9年	-	服飾禁制発布			平安時代(〜1192)
926	渤海	哀王	26年	-	渤海滅亡	五代	契丹(遼)(〜1125)	
935	統一新羅	敬順王	9年	-	統一新羅滅亡			
960	高麗	光宗	11年	3月	百官の公服制定	宋(〜1279)		
982		成宗	元年	4月	10歳以上の男子冠帽着用			
984			3年	-	軍服色制定			
985			4年	-	五服(5種類の喪服)による服喪休暇を新たに定める			
995			14年	5月	冠制改定			
1043		靖宗	9年	4月	官・民男女の錦繍・竜鳳紋・綾羅衣着用を禁ずる			
				11月	契丹から冠服を賜与される			
1058		文宗	12年	4月	時服・朝服制定(紅色)			
1068			22年	10月	再婚した母親の喪服を定める			
1072			26年	2月	章服制度改定			
1075			32年	12月	宋の制度に従い官吏・庶民の黄色・淡黄色着用を禁ずる			
1084		宣宗	元年	-	正袍都監設置			
1089			6年	12月	再婚した母親の喪服訂正			
1108		睿宗	3年	8月	守令服飾の序列を定める			
1116			11年	4月	冠制改定			
1131		仁宗	9年	5月	庶民の羅衣・絹袴着用を禁ずる。奴隷の革帯着用を禁ずる	金(〜1234)		
1140			18年	4月	大祭に着る国王の祭礼服を九旒冕・七章服と定める			
1145			23年	12月	金富軾が《三国史記》50巻を撰上			
1198		神宗	元年	5月	防戍中郎将 有角幞頭を着用			鎌倉時代(〜1333)
1199			2年	2月	工匠の幞頭着用を禁ずる			
1232		高宗	19年	5月	衣服・食物・器物の奢侈を禁ずる			
1234			21年	5月	《詳定古今礼》50巻を印刷			
1275		忠烈	元年	6月	白衣を禁ずる	元(〜1367)		
				8月	朝官の服装改定 宰樞以上は玉帯、六品以上は犀帯、七品以下は黒帯とする			
1278			4年	2月	農夫と奴隷の妻は露衣・笠の着用を禁ずる			
1299			25年	9月	官・民の白衣・白笠着用を禁ずる			
1304			30年	2月	黄袍・黄笠を再び使用			
1307			33年	-	僧侶の雪笠着用を禁ずる			
1315		忠粛王	2年	1月	元から貴賎の服色の指定を受ける			
1352		恭愍王	元年	1月	国王、弁髪をやめる			室町時代(〜1568)
1361			10年	6月	白衣・白笠を禁ずる			
1363			12年	-	文益漸が元から木綿を持ち帰る			

481

年代	王朝			事項	中国	日本
1370		19年	8月	服色改定（衣冠は中国の制度に従う）	明（〜1636）	
1374		23年	5月	モンゴル式弁髪を禁止		
1375	禑王	元年	2月	刺繍した絹布（錦繍）の使用を禁ずる		
1377		3年	3月	平民・匠人・商人・賤民・奴隷に紗羅綾緞の衣服と金・銀・珠玉製の装飾を禁ずる		
1382		8年	9月	胡服廃止　明の制度に依拠し百官服制定		
1388		14年	5月	胡服を禁ずる		
1391	恭譲王	3年	5月	服飾制度改定		
1392	朝鮮 太祖	元年	12月	職品別冠服規定		
1395		4年	7月	祭服制度制定		
1396		5年	6月	黄色衣を禁ずる		
1398		7年	6月	白衣を禁ずる		
1400	太宗	元年	5月	白衣を禁ずる		
1401		1年	4月	白衣及び黄色衣を禁ずる		
1402		2年	4月	唐衣・草笠制度論議		
1406		6年	7月	黄色禁止　閏7月軍士に青色防衣を着用させる		
1408		8年	4月	世子の朝服・祭服に関して論議		（室町）
1411		11年	4月	灰色・水色を禁ずる		
			6月	儒学生が青衿団領を着始める		
1412		12年	11月	長官の朝服着用を禁ずる		
1416		16年	1月	朝官の官服制度制定		
1417		17年	5月	黄色使用を禁ずる		
1418		18年	1月	百官に紗帽を被らせる　黄色衣・庶民の団領衣を禁ずる		
1427	世宗	9年	2月	赤染の衣服を禁ずる		
1430		12年	4月	平民の革靴など革の使用に関する禁制		
			5月	靴・鞋に関して規定		
			8月	婦女子の毛冠着用を禁ずる		
1432		14年	3月	舞隊と楽工人の服飾制度議論		
1433		15年	3月	祭楽の官服制度決定		
1435		17年	2月	1品から庶民までの婚礼服を定める		
1442		24年	9月	冠服の装飾物に関する禁制		
1444		26年	閏7月	黄色の衣服を禁ずる		
1446		28年	1月	朝服制度改定		
1447		29年	3月	大祥後の服飾決定		
1448		30年	10月	官員の団領着用決定		
1450	文宗	即位年	3月	殯殮時の冕服使用を禁ずる		
1451		元年	4月	女性に彩色緋緞の服を禁ずる		
1454	端宗	2年	5月	工商賤隷の服飾令改定		
			12月	文武官の平常服胸背文様決定		
1456	世祖	2年	3月	身分による服飾制度制定		
1456		2年	7月	冊封前の王世子の冠服に関して論議		
1461		7年	2月	笠の装飾を禁ずる		
1471	成宗	2年	12月	女性の男物着用を禁ずる		
1474		5年	−	《国朝五礼儀》完成		
1475		6年	4月	永安・平安・黄海道にて綿花栽培		
1477		8年	2月	親蚕儀礼を定める		
1478		9年	5月	品階による冠帯改定		
1484		15年	−	《経国大典》完成		
1485		16年	11月	袍の服色制定		
1488		19年	3月	王世子と百官の服飾制定		
1493		24年	8月	《楽学軌範》完成		
1499	燕山君	5年	4月	処容紗帽および処容帯製造		

年代	王朝			事項	中国	日本
1500		6年	3月	甲冑を製造		
			10月	王大妃喪制決定		
1502		8年	1月	明に人を遣わし染織を習得させる		
1504		10年	5月	朝官の紅衣を禁ずる		
1506		12年	5月	忌服者の水色着用を禁ずる		
1507	中宗	2年	4月	士大夫・庶民の紗羅綾緞を禁ずる		
1508		3年	11月	彩緞禁止　宰相の紅衣着用を禁ずる		
1510		5年	10月	儒学者の奢侈を禁ずる	（明）	（室町）
1512		7年	2月	紅色を禁ずる		
1515		10年	閏4月	喪礼の笠制改定		
1516		11年	10月	紗羅綾緞の着用禁止を論議		
1519		14年	6月	服色改定		
1522		17年	8月	身分による各種服飾を禁ずる		
1525		20年	5月	笠制の改定		
1530		25年	4月	尚衣院に西洋細帛糸布の貿易を許可		
1534		29年	11月	朝官服の衣・裳の制度を改定		
1536		31年	12月	衣服制度改定		
1541		36年	12月	婚姻奢侈禁止条項を定める		
1544	仁宗	元年	1月	卒哭後の白草笠着用を禁ずる		
1545	明宗	元年	9月	大喪後の祭服決定		
1551		6年	9月	木綿の3升の布を廃止し、5・6升に変更		
1566		21年	4月	練祭後の服色改定		
1596	宣祖	29年	3月	文禄の役後服色整備	女真(〜1616)	安土桃山時代(〜1603)
			4月	世子冠服決定		
1599		32年	8月	衣冠制度を回復し黒団領の着用開始		
1601		34年	6月	文禄・慶長の役後に服色制定		
1602		35年	3月	宗廟で執り行う四時祭享の祭物を文禄・慶長の役前のとおりに戻す		
1610	光海君	2年	閏3月	朝官服色改定不許可		
1619		11年	11月	朝官の黄色の衣服着用を禁ずる	後金(〜1636)	江戸時代(〜1868)
1621		13年	2月	楽工服・舞童服の改造を命ず		
1623	仁祖	元年	9月	婚姻の奢侈を禁ずる		
1628		6年	11月	冕服に玉帯の着用を決定		
1648		26年	10月	白帽冠の着用を禁ずる	清	
1651	孝宗	2年	7月	衣服の奢侈を禁ずる		
1657		8年	1月	衣冠制度改定		
1659		10年	5月	孝宗喪に孝宗の母親慈懿大妃趙氏の喪服を朞年服と定める		
1660	顕宗	1年	3月	慈懿大妃の喪服を3年服とすることを論議		
			5月	国王が朞年服制を行うことを決定		
1664		5年	1月	咸境監司の徐必遠、木綿の種を求め栽培する		
1667		7年	3月	慶尚道の儒学者千余名《喪服考証》を出し、慈懿大妃の朞年服が誤りであることを提起		
1670		11年	5月	白色を禁ずる		
1671		12年	1月	朝官士人の白衣を禁じ黒色衣の着用となる		
1674		15年	7月	大王大妃の服制を論議　朞年制施行		
1676	粛宗	2年	11月	白衣を禁ずる		
1680		6年	3月	号牌を佩用		
			11月	服制決定		
1691		17年	3月	白衣の禁止を命ずる		

年代	王朝			事項	中国	日本
1714		40年	9月	軍臣の心喪3年制を定める		
1718		44年	2月	視事服の色を定める		
1721	景宗	1年	6月	練服条項定める		
1726	英祖	2年	10月	六曹判書など9卿と3政丞の吉服はすべて青を用いる		
1730		6年	10月	喪中の各司の下級官員と下人に青衣着用を禁ずる		
1734		10年	9月	御前の巡令旗を紅色に変更		
1738		14年	8月	白衣を禁じ青色着用		
1740		16年	4月	世宗の代に制定した布帛尺を頒布		
1743		19年	3月	武臣の直領着用を禁ずる		
			4月	冕服制改定		
1746		22年	4月	綾羅の輸入を禁ずる		
			9月	生員・進士及第者発表時の幞頭・襴衫着用制度を定める		
1749		25年	10月	女性の髪飾りの奢侈を禁ずる		
1752		28年	7月	紋緞の使用禁止を命ずる		
1756		32年	1月	士族の婦女の加髢を禁じ、チョクトゥリを被らせる	（清）	（江戸）
1757		33年	12月	堂上官緑袍を着用		
1758		34年	1月	燕京での青布購入を禁じ、青染めの綿布で代用		
1761		37年	10月	輦と輿の金の装飾を真鍮で代用するようになる		
1763		39年	11月	髢髻制度を復活させ加髢のみ禁ずる		
1768		44年	8月	扇装飾の真鍮使用を禁ずる		
1769		45年	2月	国婚に綿布を使用し紬緞を禁ずる		
1778	正祖	2年	2月	大喪後の服飾決定		
			5月	妃嬪の翟衣服飾決定		
1779		3年	2月	剃髪と奢侈を禁ずる		
1785		9年	9月	《大典通編》完成　220部印刷		
1787		11年	9月	紋緞の禁止を命ずる		
1788		12年	10月	女性の加髢を禁ずる		
1793		17年	10月	白靴を禁ずる		
			11月	青衣を着せる		
1796		20年	3月	軍装の奢侈を禁ずる		
1810	純祖	10年	7月	司憲府・司諫院官吏の平服での外出を禁ずる		
1830		30年	4月	広袖のトゥルマギを着て草轎に乗ることを禁ずる		
1834		34年	2月	綾緞の輸入を厳禁		
1855	哲宗	6年	4月	各司堂郎が私服で衙門を出入りした場合、処罰を受ける		
1860		11年	2月	行幸の際の服飾を軍服と定める		
1865	高宗	2年	-	《大典会通》編纂を命ずる		
1867		4年	7月	庶民の衣服に平絹類を禁ずる		
1884		21年	閏5月	甲申衣服改革令　私服に細袖トゥルマギを着用させる		明治時代
1895		32年	3月	公私服を改定		
			4月	陸軍服装規則（勅令第78号）頒布		
			11月	断髪令		
1899	大韓帝国 光武	3年	8月	朝臣の服装を改定		
1903		7年	2月	水色の衣服禁止		
1907		11年	6月	官吏の衣冠を廃止		

項目索引（五十音順）

＊本書に掲載の見出し語を、ハングルと日本語をまとめて五十音順にした。

【ア行】

アイ〔藍〕남（쪽）452
あいいろ〔藍色〕ナムセク 106
あお〔青〕チョンセク 369
アオン-カクビ〔雅言覚非〕아언각비 471
アカク-クェボム〔楽学軌範〕악학궤범 471
あかつち〔赤土〕주토 458
アカネ〔茜〕꼭두서니 452
アカマツのすす〔赤松の煤〕소나무 矣 455
アギンボク〔楽人服〕악인복 280
アグァンモ〔研光帽〕아광모 279
アグィ 아귀 279
アクス〔握手〕악수 280
あさぬの〔麻布〕サムベ 236
アサリ-テドクポク〔阿闍梨大徳服〕아사리대덕복 279
アズキナシ〔小豆梨〕감당목 451
あぜいと〔綜糸〕インア 318
アダゲ〔阿多介〕아다개 279
あたまかざり〔頭飾り〕スシク① 258
アチョン-オホ-クムダン〔鴉青五壺金緞〕아청오호금단 280
アチョンセク〔鴉青色〕아청색 280
アチョンセク〔鴉青色〕아청색 462
アチョン-タンジャ-チョピ〔鴉青緞子貂皮〕아청단자초피 279
アチョン-チェダン-ホウイ〔鴉青綵緞胡衣〕아청채단호의 280
アチョン-チョサ-カムトゥ〔鴉青紵糸坎頭〕아청저사감투 280
アチョンナム〔鴉青藍〕아청람→同アチョンセク 280
アチョンナム〔鴉青藍〕아청람 462
アノルリム-ポンゴジ 안올림벙거지 281
アファンセク〔鴉黄色〕아황색 462
アプチマ 앞치마（まえかけ〔前掛け〕・エプロン）282
アプチュル-テンギ 앞줄댕기→同トゥリム-テンギ 282
アプトゥロクセク〔鴨頭緑色〕압두록색 281
アペ〔牙牌〕아패 280
アホル〔牙笏〕아홀（げしゃく〔牙笏〕）280
あまいと〔亜麻糸〕アマサ 279
あまおりもの〔亜麻織物〕アマ-チンムル 279
アマサ〔亜麻糸〕아마사（あまいと〔亜麻糸〕）279
アマ-チンムル〔亜麻織物〕아마직물（あまおりもの〔亜麻織物〕）279
アムセファ-エンガロク〔暗細花鴬哥緑〕암세화앵가록 281
アムファ-コルタ-ウンガム-パルボロク〔暗花骨朶雲嵌八宝緑〕암화골타운감팔보록 281
アムファ-パルボ-チョンファ-ウンミョンノク〔暗花八宝天花雲明緑〕암화팔보천화운명록 281
あやおり〔綾織〕ヌンジク 117
あやぼう〔綾棒〕サチムッテ 233
あやまき〔綾巻き〕ホンドゥッケ 417
アヤム〔額掩〕아얌 279
アヤム-テンギ〔▽額▽掩▽唐▽只〕아얌댕기 279
アヤム-トゥリム〔▽額▽掩トゥリム〕아얌드림→同アヤム-テンギ 279
アランジュ〔アラン紬〕아랑주 279
あわせ〔袷〕キョプ-オッ 41
アンギョンジプ〔眼鏡ジプ〕안경집（めがねいれ〔眼鏡入れ〕）280
アンシ〔雁翅〕안시 281
アンジュ-ハンナ〔安州亢羅〕안주항라 281
アンジュルケ 앉을깨 281
アンタッケビ 안타깨비 281
アンタフェ〔▽安▽陀▽会〕안타회 281
アンドンポ〔安東布〕안동포 281
イ〔履〕이 316
イウムス 이음수（まつりぬい〔纏り繍い〕）317
イェジャンボク〔礼装服〕예장복 291
イェダン〔礼緞〕예단 291
イェボク〔礼服〕예복（らいふく・れいふく〔礼服〕）291
イオム〔耳掩〕이엄 317
イクソングァン〔翼善冠・翼蟬冠〕익선관 317
イシク〔履飾〕이식 316
イジクボク〔吏職服〕이직복 317
イジニ〔離塵衣〕이진의→同袈裟 317
イジュン-タンジャ〔二重緞子〕이중단자 317
いしょうねんし〔意匠撚糸〕チャンシクサ 326
イソボク〔吏胥服〕이서복 316
イタドリ〔虎杖〕호장근 459
イダン〔耳璫〕이당 316
イチイ〔一位〕주목 458
いと〔糸〕シル 272
いとぐるま〔糸車〕ムルレ 176
いとまき〔糸巻き〕シルペ 272
イヌタデ〔犬蓼〕개여뀌 456
イビョン〔笠纓〕입영 318
イファン〔耳環〕이환 317
いふく〔衣服〕ウイボク 316
イプシク〔笠飾〕입식 318
イプチャ〔笠子〕입자→同カッ（笠）318

485

イプチュン-ソルポビ〔入衆説法衣〕입중설법의 318
イプチョム〔笠簷〕입첨→同凉太(ヤンテ) 318
イプチョン〔笠頂〕입정 318
イムォン-キョンジェジ〔林園経済志〕임원경제지 472
イムハ-ピルギ〔林下筆記〕임하필기 472
イリャングァン〔二梁冠〕이량관 316
イルリボク〔人吏服〕인리복 318
イルレ-ヨグァン〔引礼女官〕일례여관 479
イルロボク〔引路服〕인로복 318
インア 잉아（あぜいと〔綜糸〕） 318
インアッテ 잉앗대 318
インギョンチュク〔人絹縮〕인견축 317
インス〔印綬〕인수 318
インドゥ 인두（のし） 318
インドンムン〔忍冬紋〕인동문（にんどうもん〔忍冬紋〕） 317
インファムン〔鱗花紋〕인화문 318
インファムン-サムパル〔鱗花紋三八〕인화문삼팔 318
ウィウィ〔緯衣〕위의 310
ウイグァンゲク〔衣冠客〕의관객 316
ウィサ〔緯糸〕위사（よこいと〔緯糸〕） 310
ウィジャン〔儀仗〕의장（ぎじょう〔儀仗〕） 316
ウィジャン〔衣欌〕의장 316
ウイデ〔衣襨〕의대 316
ウイデ-パルギ〔衣襨撥記〕의대발기→宮中(クンジュン)撥記(パルギ) 472
ウイボク〔衣服〕의복（いふく〔衣服〕） 316
ウイマサ〔擬麻糸〕의마사（ぎまし〔擬麻糸〕） 316
ウイム〔右衽〕우임（みぎまえ〔右前〕） 303
ウイウィ〔羽衣〕우의 303
ウェオル-タンゴン〔ウェオル宕巾〕외올탕건 301

ウェオル-マンゴン〔ウェオル網巾〕외올망건 301
ウェゴンジャン〔外工匠〕외공장 478
ウェサ〔倭紗〕왜사 301
ウェジュルム-ソルギ 외주름솔기 301
ウェジュン〔倭繒〕왜증→同甲(カプチュン)繒 301
ウェッシ-ポソン 외씨버선 301
ウェナンモク 왜난목同内供木(ネゴンモク) 301
ウェミョンブ〔外命婦〕외명부 478
ウォナンジャム〔鴛鴦簪〕원앙잠 309
ウォナンムン〔鴛鴦紋〕원앙문（おしどりもん・えんおうもん〔鴛鴦紋〕） 309
ウォニュグァン〔遠遊冠〕원유관 309
ウォニュグァンボク〔遠遊冠服〕원유관복 310
ウォルソ〔月梳〕월소→同オルテビッ 310
ウォルベク-チョベク-イセク-ヨムセク〔月白草白二色染色〕월백・초백이색 염색 463
ウォンサム〔円衫〕원삼 307
ウォンサム-タンチュ〔円衫タンチュ〕원삼단추 309
ウォンサモ〔円紗帽〕원사모 307
ウォンソン〔円扇〕원선 309
ウォンダフェ〔円多絵〕원다회（まるぐみひも〔丸組紐〕） 306
ウガルセク〔藕褐色〕우갈색 463
ウコン〔鬱金〕울금 457
ウジュジョン〔羽紬廛〕우주전→同(ミョン)紬(ジュジョン)廛 478
うしろみごろ〔後身頃〕トゥィッ-キル 144
うすちゃいろ〔薄茶色〕ヨンチャセク 463
うつたらそう〔鬱多羅僧〕ウルダラスン 306
うでわ〔腕輪〕パルッチ 390
ウナン-ヒュンベ〔雲雁胸背〕운안흉배 305
ウナンムン〔雲雁紋〕운안문 305

ウミャンソ〔陰陽梳〕음양소 315
ウミャンニプ〔陰陽笠〕음양립 315
ウルサ〔ウル紗〕을사 315
ウルダラスン〔▽鬱▽多▽羅▽僧〕울다라승（うつたらそう〔鬱多羅僧〕） 306
ウンケグリ-チョプチ 은개구리첩지 314
ウンサ〔銀糸〕은사→金銀糸(クムンサ) 315
ウンジク〔銀織〕은직 315
うんしょく〔暈色〕フンセク 431
ウンソピ〔銀鼠皮〕은서피 315
ウン-チャンド〔銀粧刀〕은장도 315
ウンデ〔銀帯〕은대 315
ウンハク-クムファンス〔雲鶴金環綬〕운학금환수 305
ウンハク-ヒュンベ〔雲鶴胸背〕운학흉배 306
ウン-パラン-ククァ-タンチュ〔銀玻瑯菊花タンチュ〕은파랑국화단추 315
ウン-パラン-ヨン-スシク〔銀玻瑯輦垂飾〕은파랑연수식 315
ウン-ピニョ 은비녀 315
ウンファンス〔銀環綬〕은환수 315
ウンヘ〔雲鞋〕운혜 306
ウンポグム〔雲布錦〕운포금 305
ウンボムン〔雲宝紋〕운보문 304
ウンホンセク〔銀紅色〕은홍색 463
ウンボンムン〔雲鳳紋〕운봉문 304
ウンムン〔雲紋〕운문（うんもん〔雲紋〕） 303
ウンムン-ハンダン〔雲紋漢緞〕운문한단 304
うんもん〔雲紋〕ウンムン 303
エクチュウイ〔腋皺衣〕액추의 282
エクチュウムポ〔腋▽注▽音袍〕액주음포 282
エプロン アプチマ 282
えり〔襟〕オッ-キッ 297
えり〔襟・衿〕キッ 96
えりこし〔衿腰〕キッ-ウンドゥ 97
えりまき〔襟巻き〕モクトリ 168
えんおうもん〔鴛鴦紋〕ウォナンムン 309

項目索引

エンサム〔鶯衫〕앵삼　282
エンジュ〔槐〕괴화나무・회화나무　451
エンマジ〔腋亇只〕액마지→同肩亇只　282
えんりょう〔円領〕パルリョン　185
オイギ　어이기　285
オウイ〔御衣〕어의　285
オウィリ〔烏韋履〕오위리　294
おうせいしのふくしょく〔王世子の服飾〕ワンセジャ-ポクシク　299
オウダン〔黄檀〕황단　459
オウレン〔黄連〕황련　460
おおぎ〔扇〕プチェ　218
オガクデ〔烏角帯〕오각대→同黒角帯　291
オギャンモク〔玉洋木〕옥양목　296
オグァン〔烏冠〕오관　291
オク-クァンジャ〔玉貫子〕옥관자　295
オクサ〔玉糸〕옥사　296
オクセギ〔玉色衣〕옥색의　296
オクセク〔玉色〕옥색（みずいろ〔水色〕）　296
オクセク-コンダン-チュンジョンマク〔玉色貢緞中赤莫〕옥색공단중적막　296
オクソブクチャム〔玉西北簪〕옥서북잠　296
オク-チファン〔玉指環〕옥지환　296
オクチュンシク〔玉虫飾〕옥충식　296
オク-チョンジャ〔玉頂子〕옥정자　296
オクチルボ〔玉七宝〕옥칠보　297
オクテ〔玉帯〕옥대　295
オクパン〔玉板〕옥판　297
オク-ヒャン〔玉香〕옥향　297
オク-ヒョクテ〔玉革帯〕옥혁대　297
おくまつり〔奥纏り〕ソク-カムチム　254
おくみ〔衽〕ソプ　251
オグン〔襖裙〕오군　291
おさ〔筬〕パディ　182
オサゴモ〔烏紗高帽〕오사고모　293

おさのは〔筬の羽〕パディ-サル　184
オサファ〔御賜花〕어사화　284
オサヨンモ〔烏紗軟帽〕오사연모　293
おさわく〔筬枠〕クグァン　70
おさわく〔筬枠〕パディ-チプ　184
オジ-スウイ〔五指手衣〕오지수의　294
おしどりもん〔鴛鴦紋〕ウォナンムン　309
オシプチュク-チョリプ〔五十竹草笠〕오십죽초립　294
オジュギョン〔烏竹纓〕오죽영　294
オジュ-ヨンムン-チャンジョン-サンゴ〔五洲衍文長箋散稿〕오주연문장전산고　471
オジョク-ハンナ〔五足亢羅〕오족항라　294
オジョリョン-ポ〔五爪竜補〕오조룡보　294
オジョンデ〔烏鞓帯〕오정대　294
オジラプ　오지랖　294
オスンポ〔五升布〕오승포　294
オセク-タンガプ〔五色緞甲〕오색단갑　293
オセク-ハンサム〔五色汗衫〕오색한삼　294
オセックム〔五色錦〕오색금　293
オンデ〔烏犀帯〕오서대　294
オチェボク〔五采服〕오채복　294
オッ-キッ　옷깃（えり〔襟〕）　297
オッキュ〔玉圭〕옥규　295
オック〔玉鉤〕옥구　295
オッケ-ソルギ　어깨솔기　284
オッケバデ　어깨바대　284
オッケホリ　어깨허리　284
オッ-コルム　옷고름　297
オッタン　옷단　297
オデ〔魚袋〕어대　284
オドゥジャム〔魚頭簪〕어두잠　284
オドゥジャム〔烏頭簪〕오두잠　292
オドン-サンジャン〔梧桐喪杖〕오동상장　292
オナン〔五囊〕오낭　292
オハプ-ムジギ〔五合ムジギ〕오합무지

기　295
オバンセク〔五方色〕오방색　293
オバンセク-ポクセク〔五方色服色〕오방색 복색　293
オバン-チェワン〔五方帝王〕오방제왕　293
オバン-ナンジャ〔五方囊子〕오방낭자　292
おび〔帯〕ティ　147
おび〔帯〕ホリ-ッティ　411
オピファ〔烏皮靴〕오피화→同黒皮靴　294
オヒョンニ〔烏革履〕오혁리　295
オピリ〔烏皮履〕오피리　294
オボク〔五服〕오복　293
オボク-スナン〔五福繡囊〕오복수낭　293
おまき〔緒巻き・男巻き〕トトゥマリ　137
オミチュムン-チャピファ〔烏麋皺文紫皮靴〕오미추문자피화　292
オムシムガプ〔掩心甲〕엄심갑　286
オム-チプシン　엄짚신　286
オモク-タリ　오목다리→同タレ-ポソン　292
オモク-ヌビ　오목누비　292
オモク-ポソン　오목버선→同タレ-ポソン　292
オユミ〔於由味〕어유미→同オヨモリ　285
オヨミ〔於汝美〕어여미　285
オヨム-チョクトゥリ〔オヨム簇頭里〕어염족두리　285
オヨモリ　어여머리　285
オラギ　오라기　292
おりき〔織機〕チッキ　355
おりふせぬい〔折り伏せ縫い〕サムソル　275
おりものそしき〔織物組織〕チンムル-チョジク　355
オリャングァン〔五梁冠〕오량관→梁冠　292
オリュミョン-オジャンボク〔五旒冕五

487

項目索引

章服〕오류면오장복　292
オリュミョン-サムジャンボク〔五旒冕三章服〕오류면삼장복　292
オルス〔オル繡〕올수　297
オルセ　올새　297
オルレーピッ　얼레빗　286
オレイ〔五礼儀〕오례의　292
オング-ソメ　옹구소매　297
オング-パジ　옹구바지　297
オンジュン-モリ　얹은머리　285
オンノ-チョンジャ〔玉鷺頂子〕옥로정자　295
オンノリプ〔玉鷺笠〕옥로립　295
オンパグムジル　온박음질（ほんがえしぬい〔本返し縫い〕）297
オンヘ〔温鞋〕온혜→同雲鞋　297

【カ行】

カウィ　가위（はさみ〔鋏〕）19
かえしぬい〔返し縫い〕パグムジル　185
かがみ〔鏡〕コウル　37
かがりぬい〔かがり縫い〕フィガムチギ　431
カキ〔柿〕시염・감　456
カギョ〔駕轎〕가교　13
カク〔格〕각　22
カクチャ〔角尺〕각자（かねじゃく〔曲尺〕）23
カクチャム〔角簪〕각잠　23
カクテ〔角帯〕각대　22
カク-トゥゴン〔角頭巾〕각두건　22
カクパン〔脚絆〕각반（きゃはん〔脚絆〕）23
カクペ〔角牌〕각패　23
カグヮン〔加冠〕가관　13
カゲ〔加笄〕가계　13
カゲ〔加髻〕가계　13
かけいと〔掛け糸〕ヌンッソプ-チュル　116
かけいとつるし〔掛け糸吊し〕ヌンッソプテ　116
かけえり〔掛け襟〕トンジョン　141

かご〔駕籠〕カマ　16
カサ〔袈裟〕가사（けさ〔袈裟〕）18
かざりいと〔飾り糸〕チャンシクサ　326
かざりむすび〔飾り結び〕メドゥプ　153
カシ〔加翅〕가시　19
カジク〔加織〕가직　21
かじつもん〔果実紋〕クァシルムン　59
カジ-パンソク-メドゥプ〔カジ方席メドゥプ〕가지방석매듭　21
カジュク　가죽（かわ〔皮・革〕）19
カジュク-カムテ　가죽감태　19
カジュク-シン　가죽신（かわぐつ〔革靴〕）20
カジュク-ポソン　가죽버선　19
カシワ〔柏・槲〕떡갈나무　454
カス〔加首〕가수　19
カソン〔加襈〕가선　19
かたよりいと〔片撚糸〕ピョニョンサ　393
カチ-トゥルマギ　까치두루마기　97
カチ-トゥンゴリ　까치등거리　98
カチェ〔加髢〕가체　21
カチェ-シングム-チョルモク〔加髢申禁節目〕가체신금절목　21
カチソン〔カチ扇〕까치선　98
カチュエ-ピョンニョン〔加衰辟領〕가최벽령　22
カッ　갓　29
カックン　갓끈　31
カッコル　갓골　31
カッコン〔角巾〕각건　22
カッコンゲ〔各貢契〕각공계　474
カッ-サゲ　갓싸개　32
カッ-チプ　갓집　32
かっちゅう〔甲冑〕カプチュ　29
カッチョゴリ　갓저고리　34
カットゥルマギ　갓두루마기　34
カットゥンゴリ　갓등거리　34
かつら〔鬘〕カバル　18
カッ-モジャ〔カッ帽子〕갓모자　32
カッ-ヤンテ〔カッ凉太〕갓양태→

同凉太　32
カドク-タンゴン〔加徳宕巾〕가덕탕건　13
カドッ　갓옷　34
かねじゃく〔曲尺〕カクチャ　23
カバル〔仮髪〕가발（かつら〔鬘〕）18
カバン〔▽柯▽半〕가반　17
カビョプ〔甲葉〕갑엽→同カボッミヌル　26
カファ〔仮花〕가화　22
カプサ〔甲紗〕감사　26
カプサムジ　갑쌈지　26
カプサムパル〔甲三八〕갑삼팔　26
カプシン-ウイボク-ケヒョンニョン〔甲申衣服改革令〕갑신의복개혁령　26
カプセンチョ〔甲生綃〕갑생초　26
カプチャン〔甲匠〕갑장　474
カプチュ〔甲冑〕갑주（かっちゅう〔甲冑〕）29
カプチュン〔甲繒〕갑증　29
カプチョゴリ〔甲チョゴリ〕갑저고리〔甲▽赤古里〕29
かぶと〔兜〕トゥグ　388
かぶりもの〔被り物〕スゲ　277
カポ〔価布〕가포　22
カボ-キョンジャン〔甲午更張〕갑오경장　26
カボッ〔甲オッ〕갑옷（よろい〔鎧〕）27
カボッ-ミヌル〔甲オッミヌル〕갑옷미늘（さね〔札〕）29
カマ　가마（みこし〔御輿〕・かご〔駕籠〕）16
カマ〔加麻〕가마　17
カマク-クァンジャ〔カマク貫子〕까막관자　97
カマ-メドゥプ　가마매듭　17
かみがた〔髪型〕モリ-モヤン　156
カミサントゥ　감이상투　25
カム-オッ　감옷　25
カムゲ〔減髻〕감계　25
カムゲス〔カムゲ繡〕감개수　25

488

カムダガルセク〔紺茶褐色〕감다갈색 25
カムダハル-ミョンポ-ユサン〔紺茶割綿布襦裳〕감다할면포유상 25
カムチギ 감치기（まつりぬい〔纏り縫い〕）25
カムトゥ 감투 25
カムナム-ヌクコン〔橄欖勒巾〕감람늑건 25
かやのふくしょく〔伽耶の服飾〕가야의 복식 19
カラ〔加羅〕가라 13
カラク 가락（つむ〔紡錘〕）13
カラク-コドン 가락고동（つむわ〔紡錘輪〕）13
カラク-コリ 가락고리（つむわ〔紡錘輪〕）同→カラク-コドン 13
からくさもん〔唐草紋〕タンチョムン 127
カラクチ〔▽加▽絡▽指〕가락지 14
カラクチッ-ポル〔▽加▽絡▽指ポル〕가락짓별 14
カラクチ-メドゥプ〔▽加▽絡▽指メドゥプ〕가락지매듭 14
カラク-トリ 가락토리 14
カラク-パクィ 가락바퀴（ぼうすいしゃ〔紡錘車〕）13
からしいろ〔芥子色〕キョジャセク 463
カラムシ モシ-プル 165
カラムシ〔苧麻〕チョマ 331
からむしおり〔カラムシ織〕モシ 164
カラムラサキツツジのすみ〔唐紫躑躅の炭〕진달래 숯 458
カランジャム〔加蘭簪〕가란잠 14
カラン-ファジャム〔加蘭花簪〕가란화잠→同加蘭簪 14
カリ 가리 16
カリ〔褐衣〕갈의 24
カリマ〔▽加▽里▽亇〕가리마 16
カリョン〔加領〕가령 15
カル〔褐〕갈 23
カルギッ-モリ 갈깃머리 24

カルゴ〔褐袴〕갈고 24
カルゴリ-タンチュ 갈고리 단추 24
カルゴン〔褐巾〕갈건 24
カルサッカッ 갈삿갓 24
カルジル〔葛絰〕갈질 24
カルテギ-チョンゴン〔カルテギ戦巾〕깔대기 전건 98
カルヒル〔葛纈〕갈힐 25
カルファン〔葛環〕갈환→同葛絰 25
カルポ〔葛布〕갈포 24
カルムス〔カルム繡〕가름수（わりぬい〔割り繡い〕）16
カルムソル 가름솔（わりぬい〔割り縫い〕）16
カルモ〔葛帽〕갈모 24
カルモ-テ〔葛帽テ〕갈모테 24
カレ〔嘉礼〕가례 15
カレ〔家礼〕가례 15
かれい〔家礼〕가례 466
カレ-タンソクコッ 가래단속곳〔가래단속곳〕14
カレ-チムナム〔家礼輯覧〕가례집람 466
カレ-トガム-ウイグェ〔嘉礼都監儀軌〕가례도감의궤 466
カレパデ 가래바대 15
カレ-ヒュンベ〔嘉礼胸背〕가례흉배 16
カロッ 갈옷→同カム-オッ 24
かわ〔皮・革〕カジュク 19
かわおび〔革帯〕ヒョクテ 411
かわぐつ〔革靴〕カジュク-シン 20
カンゴンボク〔絳公服〕강공복 33
カンサ〔絳紗〕강사 33
かんざし〔簪〕ピニョ 223
カンサポ〔絳紗袍〕강사포 33
カンセク〔間色〕간색 23
カンセク〔絳色〕강색 34
カンセク〔絳色〕강색→スオウ〔蘇芳〕460
かんだいのかんむり〔漢代の冠〕한대의 관 407
カンテク-ポクシク〔揀択服飾〕간택복

식 23
カンナ〔絳羅〕강라 33
カンナン〔角囊〕각낭→同クィ-チュモニ 22
カン-ニル 갓일 32
カンポ〔江布〕강포 34
カンボク〔降服〕강복 33
カンモ-テ 갓모테→葛帽テ 32
カンヨンサ〔強撚糸〕강연사（きょうねんし〔強撚糸〕）34
かんれい〔冠礼〕クァルレ 60
かんれいふく〔冠礼服〕クァルレボク 60
キ〔綺〕기 91
きいと〔生糸〕センサ 245
きいろ〔黄色〕ファンセク 427
きかもんよう〔幾何文様〕キハムン 93
きぎぬ〔生絹〕センギョン 244
きぎぬ〔生絹〕センチョ 245
キゴン-カングンジチン〔朞功強近之親〕기공강근지친 92
キゴンチン〔朞年親〕기공친→同朞功強近之親 92
ぎじょう〔儀仗〕ウイジャン 316
キスゴン〔旗手巾〕기수건 93
キセンボク〔妓生服〕기생복 93
キッ 깃（えり〔襟・衿〕）96
キッ-ウンドゥ 깃운두（えりこし〔襟腰〕）97
キッカンモク〔キッ広木〕깃광목 97
きっこうもん〔亀甲紋〕クィガムムン 81
キッコデ 깃고대→同コデ 97
きっしょうもん〔吉祥紋〕キルサンムン 94
キッタンモク〔キッ唐木〕깃당목 97
キッ-チョゴリ 깃저고리→同ペネッチョゴリ 97
キドッ 깃옷 97
キニョンボク〔朞年服〕기공복 92
きぬ〔絹〕キョン 40
きぬいと〔絹糸〕キョンサ 40
キハダ〔黄檗〕황백 460

項目索引

キハムン〔幾何紋〕기하문（きかもんよう〔幾何文様〕）93
キヘ〔妓鞋〕기혜 93
キボク〔碁服〕기복→同碁年服 93
キボク〔起復〕기복 93
ぎまし〔擬麻糸〕ウイマサ 316
キマボク〔騎馬服〕기마복 92
きめんもん〔鬼面紋〕クィミョンムン 81
キャク〔屬〕갹 36
キャクタプ〔蹋蹋〕갹답 36
きゃはん〔脚絆〕カクパン 23
キュ〔圭〕규 83
きゅうちゅうぶよう〔宮中舞踊〕クンジュン-ムヨン 79
キュハプ-チョンソ〔閨閣叢書〕규합총서 467
キュホンセク〔葵紅色〕규홍색 460
きょうかたびら〔経帷子〕キョンユウイ 43
きょうけち〔夾纈〕ヒョピル 412
きょうだい〔鏡台〕キョンデ 42
きょうちつ〔経帙〕キョンジル 43
きょうねんし〔強撚糸〕カンヨンサ 34
キョガク-ポクトゥ〔交脚幞頭〕교각복두 69
キョギチョジャ〔交綺紬子〕교기초자 69
キョクチ 격지→同ナマクシン 40
キョクチャ〔格子〕격자 39
キョクチャス〔格子繡〕격자수 39
キョクチャムン〔格子紋〕격자문（こうしもん〔格子紋〕）39
キョグンボク〔轎軍服〕교군복 69
キョゴ〔撟車〕교거→同シア 69
キョサガク〔絞紗角〕교사각 70
キョジク〔交織〕교직（まぜおり〔交ぜ織り〕）70
キョジク-チンムル〔交織織物〕교직직물 70
キョジクポ〔交織布〕교직포 70
キョジャセク〔芥子色〕겨자색（からしいろ〔芥子色〕）463

キョダプ〔蹋蹋〕교답→キャクタプ 蹋蹋 70
キョチョリプ〔膠草笠〕교초립 70
キョッパデ 곁-바대 44
キョデ〔絞帶〕교대 70
キョヒル〔絞纈〕교힐（しぼりぞめ〔絞り染め〕）70
キョプ〔▽袷〕겹 41
キョプ-オッ〔▽袷オッ〕겹옷（あわせ〔袷〕）41
キョプ-カドッ〔▽袷カドッ〕겹갓옷 41
キョプコ〔▽袷袴〕겹고→キョプパジ 41
キョプ-コッカル〔▽袷コッカル〕겹고깔 41
キョプ-チャンサム〔▽袷長衫〕겹장삼 41
キョプ-チュイ〔▽袷周衣〕겹주의 41
キョプ-チョゴリ〔▽袷チョゴリ〕겹저고리 41
キョプチョ-ホア-イッキ 겹쳐호아잇기 41
キョプパジ〔▽袷パジ〕겹바지 41
キョプ-ファリ〔▽袷ファリ〕겹활의 42
キョプ-ポソン〔▽袷ポソン〕겹버선 41
キョポ〔絞布〕교포 70
キョムポ〔縑布〕겸포 41
キョヨム〔絞染〕교염→同絞纈 キョヒル 70
キョルグァサム〔缺骻衫〕결과삼→四褉衫 サギュサム 41
キョルチェ〔結綵〕결채 41
キョン〔絹〕견（きぬ〔絹〕）40
キョンガプ〔脛甲〕경갑 42
キョンガプ〔頸甲〕경갑 42
キョンガプサ〔絹甲紗〕견갑사→同甲紗 カプサ 40
キョンガムボク〔卿監服〕경감복 42
キョングァンジュ〔瓊光紬〕경광주 42
キョングク-テジョン〔経国大典〕경국대전 466
キョンゴンジャン〔京工匠〕경공장 474
キョンサ〔更紗〕경사（さらさ〔更紗〕）43

キョンサ〔経糸〕경사（たていと〔経糸・縦糸〕）43
キョンサ〔絹糸〕견사（きぬいと〔絹糸〕）40
キョンサジュ〔絹糸紬〕견사주→同繭紬 キョンジュ 41
キョンサンポ〔絹上布〕견상포 41
キョンシク〔頸飾〕경식→同モッコリ 43
キョンジク〔絹織〕견직→絹 キョン 41
キョンジャムグァ〔耕蚕科〕경잠과 474
キョンジュ〔繭紬〕견주 41
キョンジル〔経帙〕경질（きょうちつ〔経帙〕）43
キョンジル-ソミュ〔硬質繊維〕경질섬유（こうしつせんい〔硬質繊維〕）43
キョンダンファ〔絹緞靴〕견단화 40
キョンデ〔鏡台〕경대（きょうだい〔鏡台〕）42
キョンデミ 견대미 40
キョンド-チャプチ〔京都雑志〕경도잡지 466
キョンバンサ〔絹紡糸〕견방사（けんぼうし〔絹紡糸〕）40
キョンヒュジク〔絹畦織〕견휴직 41
キョンポ〔茎布〕경포 44
キョンボク〔経服〕경복 43
キョンボン〔絹本〕견본（けんぽん〔絹本〕）40
キョンボンガプ〔鏡幡甲〕경번갑 43
キョンマ〔絹麻〕견마 40
キョンマギ 겹마기 44
キョンマジ〔▽肩ケ只〕견마지 40
キョンミョン〔繭綿〕견면→同コップルソム 40
キョンムグァン-ポクチャン〔警務官服装〕경무관복장（けいむかんのふくそう〔警務官の服装〕）42
キョンユウイ〔経帷衣〕경유의（きょうかたびら〔経帷子〕）43
キリャンデ〔起梁帯〕기량대 92

490

項目索引

キリンムン〔麒麟紋〕기린문（きりんもん〔麒麟紋〕）92
きりんもん〔麒麟紋〕キリンムン 92
キル 길（みごろ〔身頃〕）94
キルギョン〔吉慶〕길경 94
キルサム 길쌈 95
キルサンオムン〔吉祥語紋〕길상어문 95
キルサンサ〔吉祥紗〕길상사 95
キルサンムン〔吉祥紋〕길상문（きっしょうもん〔吉祥紋〕）94
キルチャン〔吉杖〕길장 96
キルチョンチュンムン〔吉丁虫紋〕길정충문 96
キルボク〔吉服〕길복 94
キルレ〔吉礼〕길례 94
きわた〔木綿〕モクァ-ソム 169
きんかん〔金冠〕クムグァン 84
きんぎょく〔金玉〕クモク 89
きんぎんでい〔金銀泥〕クムンニ 89
キンサ〔緊紗〕긴사 94
きんぞくせんい〔金属繊維〕クムソク-ソミュ 88
キン-チマ 긴치마 94
きんちゃく〔巾着〕チュモニ 350
キン-チョゴリ 긴저고리 94
きんでい〔金泥〕クムニ 87
きんぱく〔金箔〕クムバク 87
きんらん〔金襴〕クムジク 90
きんらん〔金襴〕クムナン 87
ク〔履〕구 70
ク〔裹〕구→同カドゥ 70
ク〔鉤〕구 70
クァシルムン〔果実紋〕과실문（かじつもん〔果実紋〕）59
クァデ〔銙帯〕과대 58
クァドゥ〔科頭〕과두 58
クァドゥ〔裹肚〕과두 59
クァニョン〔冠纓〕관영 66
クァノク〔冠玉〕관옥 66
クァパン〔銙板〕과판 59
クァルバル〔括髪〕괄발 67
クァルレ〔冠礼〕관례（かんれい〔冠礼〕）60
クァルレウイ〔冠礼衣〕관례의 61
クァルレボク〔冠礼服〕관례복（かんれいふく〔冠礼服〕）60
クァンギボク〔官妓服〕관기복 60
クァンギョン〔広絹〕광견 67
クァング〔管屨〕관구 59
クァンゴ〔寛袴〕관고 59
クァンゴ〔広袴〕광고 67
クァンゴン〔冠巾〕관건→同冠帽 59
クァンサ〔官紗〕관사 66
クァンサ〔広紗〕광사 68
クァンジャ〔貫子〕관자 66
クァンス〔広袖〕광수 68
クァンスーチュウイ〔広袖周衣〕광수주의 68
クァンソ〔冠緒〕관서 66
クァンセンチョ〔広生綃〕광생초 68
クァンダフェ〔広多絵〕광다회 67
クァンダフェデ〔広多絵帯〕광다회대 67
クァンダンポ〔広唐布〕광당포→同広東布 67
クァンデ〔冠帯〕관대 60
クァンデ〔広帯〕광대 67
クァンディ-ポッキム 관디 벗김 60
クァンドンホ〔広東縞〕광동호 67
クァンドンポ〔広東布〕광동포 67
クァンニプ〔広笠〕광립 68
クァンビ〔菅屝〕관비→管屨 66
クァンブムヌィギョウィボク〔官府門衛校尉服〕관부문위교위복 66
クァンボク〔官服〕관복 62
クァンボクセク〔冠服色〕관복색 474
クァンモ〔冠帽〕관모 61
クァンモク〔広木〕광목 68
クァンユ〔冠綾〕관유 66
クィ 귀 81
クィイゲ 귀이개 82
クィイン〔貴人〕귀인 474
クィガプク〔亀甲裘〕귀갑구 81
クィガムムン〔亀甲紋〕귀갑문（きっこうもん〔亀甲紋〕）81
クィク〔幗〕귀→幗 83
クィゴリ 귀고리（みみかざり〔耳飾り〕）81
クィーチュモニ 귀주머니 82
クィミッ-モリ 귀밑머리 82
クィミョンムン〔鬼面紋〕귀면문（きめんもん〔鬼面紋〕）81
クィムン〔亀紋〕귀문→同亀甲紋 82
クィン-モリ 귓머리 83
クゥベムン〔亀背紋〕귀배문→同亀甲紋 82
クェ〔櫃〕궤 80
クェガプ〔挂甲〕괘갑 68
クェギョン〔挂絹〕괘견 68
クェク〔幗〕괵 69
クェゲ〔簂髻〕궤계 80
クェジャ〔快子〕쾌자→同戦服 382
クェセク〔壊色〕괴색 69
クェッカル 괴깔 68
クェドゥ〔魁頭〕괴두→同科頭 68
クェドゥ-ノゲ〔魁頭露紒〕괴두노계 68
クェブル 괴불 68
クェベ〔掛背〕괘배 68
クェン〔紘〕광 69
クェンダム〔紘紞〕굉담 69
クォルチョク〔闕翟〕궐적 79
クォンジャ〔圏子〕권자→同貫子 79
クォンポウイ〔捲布衣〕권포의（まきい〔巻衣〕）79
クガプク〔亀甲裘〕구갑구 70
クギ〔鞠衣〕국의 75
ククァジャム〔菊花簪〕국화잠 75
ククァ-ペゲ〔菊花-〕국화베개 75
ククァ-メドゥプ〔菊花メドゥプ〕국화매듭 75
クグァン〔蔲框〕구광（おさわく〔筬枠〕）70
ククサボク〔国師服〕국사복 74
ククサンボク〔国相服〕국상복 74
ククチョ-オレウイ〔国朝五礼儀〕국조오례의 467
ククチョ-オレウイ-ソレ〔国朝五礼儀序礼〕국조오례의서례 467

項目索引

ククチョ-ソクオレウイ〔国朝続五礼儀〕국조속오례의 467

ククチョ-ソクオレウイボ〔国朝続五礼儀補〕국조속오례의보 467

クグンボク〔具軍服〕구군복 70

クコン-チョンネ〔国婚定例〕국혼정례 467

クサボク〔駆使服〕구사복 72

くし〔櫛〕빗 227

くじゃくいし〔孔雀石〕コンジャクソク 57

くじゃくもん〔孔雀紋〕コンジャンムン 57

クジャン〔九章〕구장→同九章紋 73

クジャンボク〔九章服〕구장복 73

クジャン-ミョンボク〔九章冕服〕구장면복→同九章服 73

クジャンムン〔九章紋〕구장문 73

クジョックァン〔九翟冠〕구적관 73

クシンゲ 끄싱개 99

くずせんい〔葛繊維〕チク-ソミュ 381

クスンポ〔九升布〕구승포 72

クセク〔鳩色〕구색 72

くだらのふくしょく〔百済の服飾〕백제의 복식 197

クチナシ〔梔子〕치자나무 458

クットン 끝동 100

クッ-メドゥプ 끝매듭（たまどめ〔玉留め〕）100

クニュ〔裙襦〕군유 76

クニョクポ〔軍役布〕군역포 76

クヌギ〔櫟〕상수리 455

クピ〔狗皮〕구피 74

くびかざり〔首飾り〕モク-コリ 166

クビョン〔鉤辺〕구변 72

クフィ-サボングァン〔九翬四鳳冠〕구휘사봉관 74

クベムン〔亀背紋〕구배문→亀甲紋 71

クボンチム〔九鳳枕〕구봉침 72

クボンムン〔九鳳紋〕구봉문 72

くみひも〔組み紐〕クンモク 100

くみひも〔組み紐〕タフェ 119

クミョク〔衾褥〕금욕 89

492

クミン-チョクトゥリ 꾸민 족두리 99

クム〔錦〕금（にしき〔錦〕）83

クムガンソク〔金剛石〕금강석（こんごうせき〔金剛石〕・ダイアモンド）84

クムグ-ヒョクテ〔金鉤革帯〕금구혁대 87

クムグァン〔金冠〕금관（きんかん〔金冠〕）84

クムグァン〔錦冠〕금관 86

クムグァンジャ〔金貫子〕금관자 86

クムグァン-チョボク〔金冠朝服〕금관조복 86

クムサ〔金糸〕금사→金銀糸 88

クムサグァン〔金糸冠〕금사관 88

クムサ-チュンミョン〔錦紗縮緬〕금사축면 88

クムサヒャン〔金糸香〕금사향 88

クムジク〔金織〕금직（きんらん〔金襴〕）90

クムジク-カサ〔金織袈裟〕금직가사 90

クムジュモ〔クムジュ帽〕금주모 90

クムジョン〔金鈿〕금전→同金ビニョ 89

クムス〔錦繡〕금수 89

クムスイ〔錦繡衣〕금수의 89

クムセク〔禁色〕금색 88

クムソクサ〔金属糸〕금속사 88

クムソク-ソミュ〔金属繊維〕금속섬유（きんぞくせんい〔金属繊維〕）88

クムソニ〔金線衣〕금선의 88

クムソボクチャム〔金鏤玉簪〕금섭옥잠 88

クムソンヘ〔金線鞋〕금선혜 88

クムダンファ〔金緞靴〕금단화 87

クムチェ〔錦采〕금채 91

クムチュジャ〔金墜子〕금추자 91

クムチョグァン〔金綃冠〕금초관 91

クムデ〔金帯〕금대 87

クムテジャ〔金朶子〕금태자 91

クムドングァン〔金銅冠〕금동관→金冠 87

クムドン-ノクヒョクテ〔金銅緑革帯〕금동녹혁대 87

クムナン〔金襴〕금란（きんらん〔金襴〕）87

クムニ〔金泥〕금니（きんでい・こんでい〔金泥〕）87

クムニャングァン〔金梁冠〕금량관 87

クムバク〔金箔〕금박（きんぱく〔金箔〕）87

クムバクサン〔金博山〕금박산 87

クムバクチャン〔金箔匠〕금박장 474

クムバク-テンギ〔金箔テンギ〕금박댕기 87

クムバルチャ〔金跋遮〕금발차 88

クムハルリンジョムムンサ〔錦漢鱗蝶紋紗〕금한린접문사 91

クム-ピニョ〔金ビニョ〕금비녀 88

クムヒャンナン〔錦香囊〕금향낭 91

クムファ-イプシク〔金花立飾〕금화입식 91

クムファシク-チョラグァン〔金花飾鳥羅冠〕금화식 조라관 91

クムファ-チョルプンニプ〔金花折風笠〕금화절풍립 91

クムファ-チルリプ〔金花漆笠〕금화칠립 91

クムファ-テモ〔金花大帽〕금화대모 91

クムファン〔金環〕금환 91

クムファンス〔金環綬〕금환수 91

クムファンセク〔金黄色〕금황색 460

クムペ〔錦貝〕금패 91

クムボンチャ〔金鳳釵〕금봉차 88

クムモ〔錦冒〕금모 87

クムン-クムデ〔毬文金帯〕구문금대 71

クムンサ〔金銀糸〕금은사 89

クムンサ-チングムス〔金銀糸チングム繡〕금은사 징금수 89

クムンニ〔金銀泥〕금은니（きんぎんでい〔金銀泥〕）89

クモク〔金玉〕금옥（きんぎょく〔金

玉〕）89
クモクチャ〔金玉釵〕금옥차 89
クモジャンウィグンボク〔金吾仗衛軍服〕금오장위군복 89
クモデ〔金魚袋〕금어대 89
クユ〔甌甈〕구유 73
クヨンジャ〔鉤纓子〕구영자 72
クリ〔栗〕밤나무 454
くりいと〔繰り糸〕シルッソギ 272
クリュグァン〔九旒冠〕구류관 71
クリョン-サボングァン〔九竜四鳳冠〕구룡사봉관 71
くりわた〔繰り綿〕コヘク 38
クルグァン〔屈冠〕굴관 77
クルゴン〔屈巾〕굴건 76
クルゴン-チェボク〔屈巾祭服〕굴건제복 76
クルシン 끌신→同ペトゥルシン 100
クルミ〔胡桃〕호도 459
クルリプ〔屈笠〕굴립 77
クルルェボク〔軍牢服〕군뢰복 75
クルルェボク-タギ〔軍牢服タギ〕군뢰복다기 75
クルルェボク-タリ〔軍牢服タリ〕군뢰복다리→同クルルェボク〔軍牢服タギ 76
クルレ 굴레 77
くろ〔黒〕フクセク 437, 465
クロフネツツジ〔黒船躑躅〕철쭉 458
クワ〔桑〕뽕나무 454
クン〔裙〕군 75
クンギシ〔軍器寺〕군기시 474
クンゴ〔窮袴〕궁고 77
クンゴン〔弓鞬〕궁건→同弓袋 77
クンシボク〔近侍服〕근시복 83
クンジュン-コムムボク〔宮中剣舞服〕궁중검무복 78
クンジュン-パルギ〔宮中撥記〕궁중발기 467
クンジュンムボク〔宮中舞服〕궁중무복 79
クンジュン-ムヨン〔宮中舞踊〕궁중무용（きゅうちゅうぶよう〔宮中舞踊〕）79

クンス〔宮繡〕궁수 78
クン-スル 끈술 100
クンデ〔弓袋〕궁대 78
クンテンギ 큰댕기→同トトゥラク-テンギ 382
クンナン〔宮嚢〕궁낭 78
クンニョ-テス〔宮女大袖〕궁녀대수 78
クンニョボク〔宮女服〕궁녀복 78
クンノボク〔宮奴服〕궁노복 75
ぐんぷく〔軍服〕クンボク 76
クンボク〔軍服〕군복（ぐんぷく〔軍服〕）76
クンボポ〔軍保布〕군보포 76
クンモク 끈목（くみひも〔組み紐〕）100
クンモリ 큰머리→同コドゥミ・トグジ 382
ケ〔笄〕계 44
ケ〔罽〕계 44
ケ〔蓋〕개 35
ケ〔髻〕계 44
ケアマ〔ケ亜麻〕개아마（まつばにんじん〔松葉人参〕）35
ケアル-タンゴン〔ケアル宕巾〕계알탕건 39
けいと〔毛糸〕モサ 164
けいむかんのふくそう〔警務官の服装〕キョンムグァン-ポクチャン 42
ケガプ〔鎧甲〕개갑 35
けがわ〔毛皮〕モピ 166
ケグ〔罽毬〕계구 45
ケグモン-パジ 개구멍바지 35
ケグリ-チョプチ 개구리첩지 35
けさ〔袈裟〕カサ 18
ケジ〔戒指〕계지→同カラクチ 45
けしぬい〔芥子繡い〕チョムス 339
げしゃく〔牙笏〕アホル 280
げしゃく〔牙笏〕サンアホル 243
ケジャン〔罽匠〕계장 474
ケジュ〔介冑〕개주 35
けしょう〔化粧〕ファジャン 423
ケス〔蓋首〕개수 35

ケチェックァン〔介幘冠〕개책관 36
ケチェ-ピョンバル〔開剃弁髪〕개체변발 36
ケチク-トンファンス〔鸂鶒銅環綬〕계칙동환수 45
ケチュリ 게추리→同黃麻布 45
ケチンムン〔鸂鶒紋〕계칙문 45
ケッキ 깨끼 98
ケッキ-オッ 깨끼옷 98
ケドゥ〔蓋頭〕개두 35
けば〔毛羽〕コップルソム 39
ケバダ 개바다 45
ケファーチプシン〔開化チプシン〕개화짚신 36
けぼうし〔毛帽子〕モグァン 162
ケボクチョン〔改服庁〕개복청 474
ケミッ-タンチュ 개밀단추 35
ケレ〔筓礼〕계례 45
ケンサ〔更紗〕갱사 36
けんぽうし〔絹紡糸〕キョンバンサ 40
けんぽん〔絹本〕キョンボン 40
コ〔袪〕거 36
コ〔袴〕고 45
コ〔鉅〕거（しころ〔錏〕）36
コ 고（わなむすび〔罠結び〕）45
コア-イッキ 꼬아잇기 98
コイ 고이→袴衣 53
コイテンギ 고이댕기 53
コウイ〔袴衣〕고의 53
コウイ-チョクサム〔袴衣▽赤衫〕고의적삼 53
こうくりのふくしょく〔高句麗の服飾〕고구려의 복식 46
こうしつせんい〔硬質繊維〕キョンジル-ソミュ 43
こうしもん〔格子紋〕キョクチャムン 39
こうらいのふくしょく〔高麗の服飾〕고려의 복식 50
コウル 거울（かがみ〔鏡〕）37
コウンゲ〔高雲髻〕고운계 52
コウン-チプシン 고운 짚신 52
コク〔穀〕곡 54

493

項目索引

コグ〔羔裘〕고구 46
コグィジク〔高貴織〕고귀직 49
こくおうのスビ〔国王の襲衣〕왕의 습의 301
コクセンチョ〔曲生綃〕곡생초 54
コクトゥギ 꺽두기 98
コクトゥソン〔コクトゥ扇〕꼭두선→同 コプチャンプチェ 98
コクトゥソン〔曲頭扇〕곡두선→同 コプチャンプチェ 54
コゲ〔袴係〕고계 45
コゲ〔高髻〕고계 45
コゴ〔姑姑・顧姑〕고고→同 古古里 45
コゴク〔曲玉〕곡옥（まがたま〔曲玉・勾玉〕）54
コゴリ〔▽古▽古里〕고고리 45
コサ〔庫紗〕고사 52
ござ〔莫蓙〕ソクチャ 249
こしあて〔腰当て〕プティ 221
コジェ-ポクシク〔居斉服飾〕거재복식 37
コジェンイ 고쟁이 53
コジョンニプ〔高頂笠〕고정립 53
こだいにほんのふくしょくとのかんけい〔古代日本の服飾との関係〕고대일본복식과의 관계 49
コダン〔庫緞〕고단 49
コチ 고치 53
コチ-マルギ 고치말기 54
コッカル 고깔 49
コッカル〔曲葛〕곡갈→同 コッカル（고깔）54
コッカル 곳갈→同 コッカル（고깔）56
コックム-ソル 꺾음솔 98
コッタンヘ〔コッ唐鞋〕꽃당혜 99
コッチュル-チャンシク〔コッチュル装飾〕꽃줄장식 99
コップルソム 겉풀솜（けば〔毛羽〕・まゆわた〔繭綿〕）39
コッ-ミトゥリ 꽃미투리 99
コッ-ミョンジュ〔コッ明紬〕꽃명주 99

コデ 고대 49
コドゥスェ 고두쇠 49
コドゥチョゴリ 고두저고리 49
コドゥミ〔巨頭味〕거두미 36
コドゥルジ 거들지 36
コドゥル-チマ 거들치마 36
コドゥルモク-ポソン 고들목버선 49
コドゥン-ポソン 곧은버선 55
コド-チョルリク〔固道▽帖▽裏〕고도철릭 49
コニ〔袞衣〕곤의→十二章服 55
コニ〔褌衣〕곤의 55
コニュ〔扣紐〕고뉴 49
ゴバイシ〔五倍子〕오배자 456
こはく〔琥珀〕ホバク 413
コブ〔車枎〕거부 37
コファヤン〔苽花様〕고화양 54
コブク-ヒュンベ〔コブク胸背〕거북흉배 37
コプソル 곱솔 56
コプチャンソン〔コプチャン扇〕꼽장선→コプチャンプチェ 99
コプチャン-プチェ 꼽장부채 98
コブナクサ〔小鮒草〕조개풀 458
コベ 거베 37
コヘク〔去核〕거핵（くりわた〔繰り綿〕）38
こまにしき〔高麗錦〕コリョグム 50
ゴミシ〔五味子〕오미자 456
コムギ-チョルリプ〔剣器戦笠〕검기전립 39
コムム〔剣舞〕검무 39
コムレ 고무래 52
コモリ 코머리 382
コヤンサ〔古洋紗〕고양사 52
コヨン〔庫英〕고영 52
コヨンチョ〔庫英綃〕고영초→庫英 52
コリジャム〔コリ簪〕고리잠 52
コリ-チマ 꼬리치마 98
コリョギョン〔高麗鏡〕고려경 50
コリョグム〔高麗錦〕고려금（こまにしき〔高麗錦〕）50
コリョサ〔高麗史〕고려사 466

コリョ-トギョン〔高麗図経〕고려도경→《宣和奉使高麗図経》466
コルム 고름→オッコルム 52
コルム 골무（ゆびぬき〔指貫〕）55
コルリョン-アムファ-コルタ-ウンポ〔衮竜暗花骨朵雲袍〕곤룡암화골타운포 54
コルリョンポ〔衮竜袍〕곤룡포 54
コン〔巾〕건 38
コンギボク〔工技服〕공기복 56
コングィク〔巾幗〕건귁 38
コングルギ 공그르기 56
こんごうせき〔金剛石〕クムガンソク 84
こんごうそしき〔混合組織〕ホンハプ-チョジク 416
コンサ〔コン糸〕끈사→同 撚糸 98
コンジェボク〔公除服〕공제복 58
コンジャグ〔孔雀羽〕공작우 57
コンジャクソク〔孔雀石〕공작석（くじゃくいし〔孔雀石〕）57
コンジャクソン〔孔雀扇〕공작선 57
コンジャクチェク〔孔雀幘〕공작책 57
コンジャク-ヒュンベ〔孔雀胸背〕공작흉배 57
コンジャンムン〔孔雀紋〕공작문（くじゃくもん〔孔雀紋〕）57
コンジョンチェク〔空頂幘〕공작책→同 空頂黒介幘 58
コンジョン-フッケチェク〔空頂黒介幘〕공적흑개책 58
コンシンポ〔貢身布〕공신포→貢布 57
コンダン〔貢緞〕공단 56
コンテ 공태 58
コンデ〔巾帯〕건대 39
こんでい〔金泥〕クムニ 87
コンドゥ〔髢頭〕곤두 54
コンドギ〔功徳衣〕공덕의→同 袈裟 56
コンニョン〔曲領〕곡령→キッ 54
コンハックンボク〔控鶴軍服〕공학군복 58
コンヘ〔乾鞋〕건혜 39
コンポ〔功布〕공포 58

494

コンポ〔貢布〕공포 58
コンボク〔公服〕공복 56
コンボク〔功服〕공복 57
コンマンムボク〔公莫舞服〕공막무복 56
コンミョン〔袞冕〕곤면 55
コンミョンボク〔袞冕服〕곤면복 55
こんれいいしょう〔婚礼衣装〕ホルレボク 415

【サ行】

サ〔紗〕사 229
さいきんざいく〔細金細工〕セグム-セゴン 252
さいほう〔裁縫〕パヌジル 182
さいほうばこ〔裁縫箱〕パンジッコリ 187
サイル-ソンボク〔四日成服〕사일성복 232
サインギョ〔四人轎〕사인교 232
サインボク〔士人服〕사인복 232
サガク〔犀角〕사각 246
サガクス〔四角繡〕사각수 229
さがらぬい〔相良繡い〕メドゥプス 154
サガル 사갈 229
サギュサム〔四䘼衫〕사규삼 229
サクパル-ヨミ〔削髪染衣〕사발염의 233
サクポク〔削幅〕삭폭 233
サグムジャン〔糸金匠〕사금장 476
ザクロ〔石榴〕석류→軟茶色・芥子色 455
ざくろもん〔石榴紋〕ソンニュムン 248
サグンジャムン〔四君子紋〕사군자문 229
サゴサム〔四袴衫〕사고삼→四䘼衫 229
ササ〔四糸〕사사 232
さしぬい〔刺し縫い〕ヌビ 115
サジャ-ヒュンベ〔獅子胸背〕사자흉배 233

サジュボ〔四柱褓〕사주보 233
サジョル-ポクセク-チャジャン-ヨラム〔四節服色自蔵要覧〕사절복색자장요람 469
サジンジク〔写真織〕사진직（しゃしんおり〔写真織〕）233
サスルス〔サスル繡〕사슬수 232
サセク-コンボクジェ〔四色公服制〕사색공복제 232
サソン〔紗扇〕사선 232
サダンジュソク〔紗緞紬属〕사단주속→同紗羅綾緞 230
サチミ 사치미→同サチムッテ 233
サチムッテ 사침대（あやぼう〔綾棒〕）233
サチュンミョン〔紗縮緬〕사축면 233
サッカッ 삿갓 238
サットゥギ 사뜨기 230
サットゥギス〔サットゥギ繡〕사뜨기수 230
サナンムン〔山岳紋〕산악문 233
サヌォンボク〔散員服〕산원복 234
さね〔札〕カボッ-ミヌル 29
サバッキ 싸박기 275
サハプタン〔四合緞〕사합단 233
サバングァン〔四方冠〕사방관 232
サバンコン〔四方巾〕사방건 232
サバンチム〔四方枕〕사방침 232
サピ〔斜皮〕사피 233
サピジャン〔斜皮匠〕사피장 477
サブ〔挿羽〕삽우 238
サプァ-ウンデ〔鈒花銀帯〕삽화은대 238
サプァ-クムデ〔鈒花金帯〕삽화금대 238
サプクムデ〔鈒金帯〕삽금대 238
サプトゥンジャ〔鈒燈子〕삽등자 238
サブンデ〔鈒銀帯〕삽은대 238
サペ〔靸鞋〕삽혜 238
サペジャン〔靸鞋匠〕삽혜장 477
サボク〔私服〕사복 232
サポク〔斜幅〕사폭 233
サボクシ〔司僕寺〕사복시 476

サマチ 사마치 230
サミ〔三衣〕삼의（さんえ・さんね〔三衣〕）236
サミ-ピグボク〔沙弥比丘服〕사미비구복 232
サム〔衫〕삼 234
サム 삼→同大麻 234
サムォン-チョジク〔三原組織〕삼원조직（さんげんそしき〔三原組織〕）→織物組織 236
サムガクス〔三角繡〕삼각수 234
サムガボク〔三加服〕삼가복 234
サムグク-サギ〔三国史記〕삼국사기 470
サムグク-ユサ〔三国遺事〕삼국유사 470
サムサンゴン〔三山巾〕삼산건→同項風遮 236
サムジ 쌈지 275
サムジャ〔衫子〕삼자 236
サムジャク-ノリゲ〔三作ノリゲ〕삼작노리개 236
サムシン 삼신→同ミトゥリ（麻草履）236
サムスンポ〔三升布〕삼승포 236
サムソル 쌈솔（おりふせぬい〔折り伏せ縫い〕）275
サムテギ-チマ 삼태기치마 237
サムニュミョン〔三旒冕〕삼류면 235
サムニュミョン-イルッチャンボク〔三旒冕一章服〕삼류면일장복 236
サムニュミョン-サムジャンボク〔三旒冕三章服〕삼류면삼장복 236
サムパルジュ〔三八紬〕삼팔주 237
サムフェジャン-チョゴリ〔三回装チョゴリ〕삼회장저고리 237
サムベ 삼베（あさぬの〔麻布〕）236
サムンジク〔斜紋織〕사문직→同綾織 232
サモ〔紗帽〕사모 230
サモ-クァンデ〔紗帽冠帯〕사모관대 231
サモ-プムデ〔紗帽品帯〕사모품대 231

項目索引

サヤンゲ〔糸陽髻〕사양계→同センモリ　232
さらさ〔更紗〕キョンサ　43
サラヌンダン〔紗羅綾緞〕사라능단　230
サリ〔糸履〕사리→同糸鞋　230
サリプ〔簑笠〕사립　230
サリャク〔史略〕사략　469
サリャングァン〔四梁冠〕사량관→梁冠　230
サリョンボク〔使令服〕사령복　230
サルチャン-コジェンイ〔サル窓コジェンイ〕살창고쟁이　234
サルッチョンミリ 살쩍밀이　234
サレ〔四礼〕사례　230
サレ-ピョルラム〔四礼便覧〕사례편람　469
サン〔裳〕상　238
サンアセク〔象牙色〕상아색（ぞうげいろ〔象牙色〕）　461
サンアホル〔象牙笏〕상아홀（げしゃく〔牙笏〕）　243
サンアヨン〔象牙纓〕상아영　242
サンイ〔尚儀〕상의　477
サンイウォン〔尚衣院〕상의원　477
サンイグク〔尚衣局〕상의국　477
サンイジャン〔上衣欌〕상의장　243
さんえ〔三衣〕サミ　236
サンガプ〔裳甲〕상갑　239
さんかんのふくしょく〔三韓の服飾〕삼한의 복식　237
サングン〔尚宮〕상궁　477
サングンボク〔尚宮服〕상궁복　240
サンゲ〔双紒〕쌍계　275
さんげんそしき〔三原組織〕サムォン-チョジク　236
さんご〔珊瑚〕サンホ　234
さんごくじだいのせんしょく〔三国時代の染色〕삼국시대의 염채　235
さんごくじだいのにほんへのかしひん〔三国時代の日本への下賜品〕삼국시대 일본에 전해 준 하사품　235
サンゴン〔尚功〕상공　477

サンジャン〔喪杖〕상장　243
サンジャン-チェド〔喪葬制度〕（そうそうせいど〔葬喪制度〕）상장제도　243
サンジョジャム〔双鳥簪〕쌍조잠　277
サンジョン〔尚正〕상정　478
サンジョン-コグムネ〔詳定古今礼〕상정고금례　470
サンスナン〔山水嚢〕산수낭　233
サンスル〔山述〕산술　233
サンソ〔縓素〕상소　242
サンチム〔上針〕상침　243
サントゥ 상투（まげ〔髷〕）　243
サントゥグァン〔サントゥ冠〕상투관　243
サントゥ-ピッ 상투빗　244
サンドンゲ〔双童髻〕쌍동계→双紒　277
サンニプ〔喪笠〕상립　240
さんね〔三衣〕サミ　236
サンネ-ピヨ〔喪礼備要〕상례비요　470
サンバングォン〔双蟠圏〕쌍반권　277
サンバンサ〔尚房司〕상방사　477
サンバン-チョンネ〔尚方定例〕상방정례　470
サンヒジャ-チョムムンサ〔双囍字蝶紋紗〕쌍희자접문사　277
サンホ〔珊瑚〕산호（さんご〔珊瑚〕）　234
サンポ〔上布〕상포　244
サンポ〔常布〕상포　244
サンポ〔縓袍〕상포　244
サンボク〔常服〕상복　240
サンボク〔喪服〕상복　241
サンボク〔殤服〕상복　242
サンボク〔象服〕상복　242
サンボク〔尚服〕상복　477
サンボクチェ〔喪服制〕상복제　242
サンホ-ヒュンベ〔双虎胸背〕쌍호흉배　277
サンモ〔象毛〕상모　240
サンユックン-チュァウィジャングンボク〔上六軍左右衛将軍服〕상육군좌우위장군복　243

シア 씨아（わたくりぐるま〔綿繰り車〕）　278
シクソ〔飾緒〕식서（へんぷく〔辺幅〕）　266
シゴク〔飾玉〕식옥　266
しころ〔錏〕コ　36
シサボク〔視事服〕시사복　266
ししゅう〔刺繍〕チャス　321
ししゅういと〔刺繍糸〕チャスサ　322
シジョプ 시접（ぬいしろ〔縫い代〕）　266
したぎ〔下着〕ソゴッ　255
しちほう〔七宝〕チルボ　380
しちほうもん〔七宝紋〕チルボムン　380
シチムジル 시침질（しつけぬい〔仕付け縫い〕）　266
しつけぬい〔仕付け縫い〕シチムジル　266
シビジャンボク〔十二章服〕십이장복　274
シビジャンムン〔十二章紋〕십이장문　274
シプチャンセンムン〔十長生紋〕십장생문　275
シボク〔時服〕시복　266
しぼりぞめ〔絞り染め〕キョヒル　70
シマ〔枲麻〕시마　266
シマイサンチン〔緦麻以上親〕시마이상친　266
シマボク〔緦麻服〕시마복　266
シミ〔深衣〕심의　272
シムジャム〔蕈簪〕심잠　274
しゃく〔笏〕ホル　416
しゃしんおり〔写真織〕サジンジク　233
じゅい〔寿衣〕スウイ　259
しゅすおり〔朱子織・繻子織〕スジャジク　260
しゅすおり〔朱子織〕チュジャチク　351
しゅちん〔繻珍〕スジン　261

しゅつどふくしょく〔出土服飾〕출토복식 374

じょうこのふくしょく〔上古の服飾〕상고 복식 239

しょくぶつもん〔植物紋〕シンムルムン 266

しょっき〔織機〕チッキ 355

しょっき〔織機〕ペトゥル 205

しょっこうにしき〔蜀紅錦〕チョコングム 374

しょみんのふくしょく〔庶民の服飾〕서민복 248

しらぎのふくしょく〔新羅の服飾〕신라의 복식 268

シル 실 (いと〔糸〕) 272

シル-イッキ 실잇기 272

シルッソギ 실써기 (くりいと〔繰り糸〕) 272

シルペ 실패 (いとまき〔糸巻き〕) 272

しろ〔白〕ペクセク 195

しろきぬ〔白衣〕ペギ 196

シン 신 (はきもの〔履き物〕) 266

シンギグンボク〔神旗軍服〕신기군복 268

シンコル 신골 268

シンゴン〔身貢〕신공 478

しんし〔伸子〕チュェファル 374

シンジュドギョン〔神舟図鏡〕신주도경 269

シンジュン-トングク-ヨジ-スンナム〔新増東国輿地勝覧〕신증동국여지승람→《東国輿地勝覧》 471

シンセポ〔神税布〕신세포 269

シンチャンニプ〔新着笠〕신착립 269

シンナル 신날 268

シンポ〔身布〕신포 269

シンホ-チュアウ-チヌィグンボク〔神虎左右親衛軍服〕신호좌우친위군복 272

シンムルムン〔植物紋〕식물문 (しょくぶつもん〔植物紋〕) 266

ス〔綬〕수 256

ス〔繡〕수→同刺繡 257

スア〔垂児〕수아 259

スウ〔秀羽〕수우 259

スウイ〔寿衣〕수의 (じゅい〔寿衣〕) 259

スウンガプ〔水銀甲〕수은갑 259

スェコ-チャムバンイ 쇠코잠방이→同犢鼻褌 256

スェジャガプ〔鎖子甲〕쇄자갑 256

スオウ〔蘇芳〕소방목 455

スクソ〔熟素〕숙소 263

スクソ-カプサ〔熟素甲紗〕숙소갑사→同熟甲紗 263

スクピジャン〔熟皮匠〕숙피장 478

スゲ 쓰개 (かぶりもの〔被り物〕) 277

スゲ-スゴン〔スゲ手巾〕쓰개수건 278

スゲ-チマ 쓰개치마 278

スサジ〔首沙只〕수사지→同流蘇2 258

スシク〔首飾〕수식 (1 あたまかざり〔頭飾り〕) 258

スジャジク〔繻子織〕수자직 (しゅすおり〔朱子織・繻子織〕) 260

スジャムン-ヒュンベ〔寿字紋胸背〕수자문흉배 260

スジャムン-ペゲンモ〔寿字紋ペゲンモ〕수자문베갯모 260

スジャン〔袖章〕수장 260

スジュ〔水紬〕수주→水禾紬 261

スジョジプ 수저집 261

スジョニ〔水田衣〕수전의→同袈裟 261

スジョン-チョンジャ〔水晶頂子〕서정정자 261

スジル〔首経〕수질 261

スジン〔繻珍〕수진 (しゅちん〔繻珍〕) 261

スシンサ〔修信使〕수신사 259

スダン〔繡緞〕수단 257

スチェ〔首髢〕수체→同タリ (入れ髪) 262

スッカプサ〔熟甲紗〕숙갑사 262

スッコサ〔熟庫紗〕숙고사 262

スデ〔繡帯〕수대 257

スニャンゴン〔純陽巾〕순양건 263

スニン〔純仁〕순인 263

スヌク 수눅 257

スパ〔首帕〕수파 262

スバクタン〔繡珀緞〕수박단 257

スパムン〔水波紋〕수파문→同渦紋 262

スパルリョン-ファンジャ〔鍍八蓮環子〕수팔련환자 262

スバン〔繡房〕수방 257

スバンサ〔手紡糸〕수방사 (てつむぎいと〔手紡ぎ糸〕) 258

スビ〔襲衣〕습의→寿衣・国王の襲衣 264

スヒャンナン〔繡香嚢〕수향낭 262

スプ〔褶〕습 264

スファ〔首花〕수화 262

スファジャ〔水靴子〕수화자→同水鞋子 262

スファジュ〔水禾紬〕수화주 262

スプシン〔襲シン〕습신 264

スヘ〔繡鞋〕수혜 262

スヘジャ〔水鞋子〕수혜자 262

スボグァニ〔繡襴棺衣〕수보관의 258

スボロ〔繡甫老〕수보로 258

ズボン パジ 184

スマノ〔水瑪瑙〕수마노 257

ズミ〔樝・棠梨〕당리나무 454

スモ〔手母〕수모 257

スモク 수목 257

スヨン〔鐩延〕수연 259

スランダン〔▽膝襴段〕스란단 264

スランチマ〔膝襴チマ〕스란치마 264

スル 술 263

スルガプ〔膝甲〕슬갑 264

スルスル〔瑟瑟〕슬슬 264

スルスルジョン〔瑟瑟鈿〕슬슬전 264

スルリョン〔純領〕순령 263

スン〔升〕승 264

スンイ〔僧衣〕승의→同僧服 266

項目索引

スンガリ〔▽僧▽伽▽梨〕승가리 264
スンギョルリプ〔縄結笠〕승결립 264
スンチョンクァン〔承天冠〕승천관→同通天冠 トンチョンクァン 266
スンニョモ〔僧侶帽〕승려모 264
スンヘ〔僧鞋〕승혜 266
スンヘ〔縄鞋〕승혜→同ミトゥリ〔麻鞋〕266
スンボク〔僧服〕승복 265
スンマ〔熟麻〕숙마 262
スンマファ〔熟麻靴〕숙마화 263
スンヨン〔縄纓〕승영 265
スンリン〔純鱗〕순린 263
セ 새→同升 スン 244
セアンモリ 새앙머리→同センモリ 244
せいかつししゅう〔生活刺繍〕センファル-チャス 245
せいきんせき〔青金石〕チョングムソク 369
せいけい〔整経〕ペーナルギ 204
せきおう〔石黄〕ソグンファン 249
セクス〔色袖〕색수 244
セクトン〔色トン〕색동 244
セクトン-チョゴリ〔色トンチョゴリ〕색동저고리 244
セグム-セゴン〔細金細工〕세금세공（さいきんざいく〔細金細工〕）252
セゴ〔細袴〕세고→同窮袴 クンゴ 252
セジョデ〔細條帯〕세조대 252
セチュェサン〔繐衰裳〕세최상 252
せぬい〔背縫い〕トゥン-ソルギ 146
セバルットゥギ 새발뜨기（ちどりがけ〔千鳥掛け〕）244
セポ〔細布〕세포 252
セラ〔繐羅〕세라 252
せんおうしょく〔鮮黄色〕ソンファンセク 462
センギョン〔生絹〕생견（きぎぬ〔生絹〕）244
センギョン-チンムル〔生絹織物〕생견직물→同生絹 センギョン 244
せんこうしょく〔鮮紅色〕ソンホンセク

462
センゴサ〔生庫紗〕생고사 244
センサ〔生糸〕생사（きいと〔生糸〕）245
せんしじだいのふくしょく〔先史時代の服飾〕선사시대의 복식 250
センジョ〔生苧〕생저→同センモシ 245
センス〔生繻〕생수 245
センソガプサ〔生素甲紗〕생소갑사 245
センダンモク〔生唐木〕생당목 245
センチョ〔生綃〕생초（きぎぬ〔生絹〕）245
センノバン〔生老紡〕생로방 245
センハプジュ〔生合紬〕생합주 245
センハンラ〔生亢羅〕생항라→同タンハンラ（唐亢羅）245
センピョン〔生平〕생평 245
センファル-チャス〔生活刺繍〕생활자수 245
センモク〔生木〕생목→同ソヤンモク〔西洋木〕245
センモシ〔生モシ〕생모시 245
センモリ 생머리 245
ソウイ〔絮衣〕서의 248
ぞうげいろ〔象牙色〕サンアセク 461
そうしんぐ〔装身具〕チャンシング 326
そうそうせいど〔葬喪制度〕サンジャン-チェド 243
ソウンデ〔素銀帯〕소은대 254
ソク〔舄〕석 248
ソグァンボク〔庶官服〕서관복 246
ソクオレウイボ〔続五礼儀補〕속오례의보→《国朝続五礼儀補》 ククチョソクオレウイボ 471
ソク-カムチム 속감침（おくまつり〔奥纏り〕）254
ソクス〔ソク繡〕속수 255
ソクセ-サムベ 석새삼베 249
ソク-ソッコッ 속속곳 254
ソク-チマ 속치마 255
ソクチャ〔席子〕석자（ござ〔茣蓙〕）

249
ソク-チャムバンイ 속잠방이 255
ソク-チョクサム〔ソク▽赤衫〕속적삼 255
ソクテジョン〔続大典〕속대전 471
ソク-パジ 속바지 254
ソグムデ〔素金帯〕소금대 252
ソグンファン〔石雄黄〕석웅황（せきおう〔石黄〕）249
ソゴ〔繰車〕소거→同ムルレ〔糸車〕252
ソゴウイ〔小古衣〕소고의 252
ソゴッ 속옷（したぎ〔下着〕）255
ソゴル〔蘇骨〕소골 252
ソゴンチン〔小功親〕소공친 252
ソゴンボク〔小功服〕소공복 252
ソサゴ〔繰糸車〕소사거 253
ソジャムド〔犀簪導〕서잠도 248
ソソンジャン〔梳省匠〕소성장 478
ソチャンイ〔小氅衣〕소창의 254
ソチャンジク〔小氅織〕소창직 254
ソチンシボク〔小親侍服〕소친시복 254
ソッカルジチョ〔釈褐之初〕석갈지초 248
ソッコッ 속곳 254
ソデ〔犀帯〕서대 246
そで〔袖〕ソメ 253
そでつけ〔袖付け〕チンドン 355
ソニュランムボク〔船遊楽舞服〕선유락무복 250
ソヌォンジョン〔璿源殿〕선원전 478
そひいろ〔縹色〕フンセク 431, 465
ソピデ〔素皮帯〕소피대 254
ソプ 섶（おくみ〔衽〕）251
ソプジャ〔鑷子〕섭자 251
ソボクチャム〔鑷玉簪〕섭옥잠 251
ソホンセク〔小紅色〕소홍색 462
ソボン-ユソ〔小鳳流蘇〕소봉유수 253
ソム 솜（わた〔綿〕）255
ソム-チョゴリ 솜저고리 255
ソム-パジ 솜바지 255

498

ソム−ポソン 솜버선 255
ソメ 소매（そで〔袖〕）253
そもうし〔梳毛糸〕ソモサ 253
ソモサ〔梳毛糸 소모사〕（そもうし〔梳毛糸〕）253
ソモジャ〔小帽子〕소모자 253
ソヤンモク〔西洋木〕서양목 248
ソヨゴン〔逍遙巾〕소요건 254
ソヨボク〔逍遙服〕소요복→同袈裟 254
ソヨンボク〔書筵服〕서연복 248
ソリ〔褻衣〕설의 251
ソリプ〔素笠〕소립 253
ソリプ−ポンジャム〔小立鳳簪〕소립봉잠→同先鳳簪 ソンボンジャム 253
ソリボク〔書吏服〕서리복 246
ソリョム〔小殮〕소렴 252
ソリョムグム〔小殮衾〕소렴금 253
ソルギ 솔기 255
ソルダプ〔雪沓〕설답 251
ソルボク〔褻服〕설복 251
ソルミョンサ〔雪綿糸〕설면사→同プルソム 251
ソルラ〔線羅〕선라 250
ソルリュンチャ〔施輪車〕선륜차→同ムルレ（糸車）250
ソレボク〔小礼服〕소례복 253
ソン〔洗〕선 249
ソン〔襈〕선 249
ソングァン〔成冠〕성관 251
ソングァン〔筬框〕성관→同パディジプ 251
ソングン〔施裙〕선군 249
ソンジャ〔扇子〕선자→同プチェ（扇）250
ソンジャムジェ〔先蚕祭〕선잠제 250
ソンジャン〔筬匠〕성장 478
ソンジョン〔縇廛〕선전 478
ソンシンムン〔星辰紋〕성신문 251
ソンダン 선단 249
ソンチュ〔扇錘〕선추 251
ソンチュ−スル〔扇錘スル〕선추술 251

ソンチョ〔扇貂〕선초→同扇錘 ソンチュ 251
ソンドゥルム〔襈ドゥルム〕선두름 250
ソンナク〔松蘿〕송락 256
ソンナリプ〔松蘿笠〕송라립→同ソンナク〔松蘿〕256
ソンニュジャム〔石榴簪〕석류잠 249
ソンニュムン〔石榴紋〕석류문（ざくろもん〔石榴紋〕）248
ソンファセク〔松花色〕송화색 256
ソンファ−ポンサ−コリョ−トギョン〔宣和奉使高麗図経〕선화봉사고려도경 470
ソンファンセク〔鮮黄色〕선황색（せんおうしょく〔鮮黄色〕）462
ソンボク〔成服〕성복 251
ソンホサソル〔星湖僿説〕성호사설 470
ソンボンジャム〔先鳳簪〕선봉잠 250
ソンホンセク〔鮮紅色〕선홍색（せんこうしょく〔鮮紅色〕）462
ソンムン〔松紋〕송문 256
ソンムン〔蟬紋〕선문 250

【夕行】

ダイアモンド クムガンソク 84
たいしゃいろ〔代赭色〕トホン 384
タイセイ〔大青〕숭람 456
たいま〔大麻〕テマ 130
たいまい〔玳瑁〕テモ 130
たいまし〔大麻糸〕テマサ 130
タウン−モリ 땋은머리 146
タガルセク〔茶褐色〕다갈색（ちゃかっしょく〔茶褐色〕）118, 460
たけくだ〔竹管〕プデ 217
たけこうげい〔竹工芸〕チュクコンエ 352
タセク〔駝色〕타색（らくだいろ〔駱駝色〕）465
タチアオイ〔立葵〕촉규화→葵紅色 キュホンセク 458
タデ〔蓼〕여뀌 456
たていと〔経糸・縦糸〕キョンサ 43

タドゥミジル 다듬이질 118
タドゥミットル 다듬잇돌 118
タニ〔丹衣〕단의 123
タニ〔褖衣〕단의 123
タニ〔襌衣・単衣〕단의（ひとえ〔単衣〕）124
タノ〔端午〕단오（たんご〔端午〕）123
タノジャン〔端午粧〕단오장→同タノピウム 123
タノ−ピウム〔端午ピウム〕단오비움 123
タハルセク〔茶割色〕다할색 119, 460
たび〔足袋〕ポソン 201
タフェ〔多絵〕다회（くみひも〔組紐〕）119
タプコルチ 탑골치 382
タポ〔褡複〕답호 125
タホンセク〔茶紅色〕다홍색 461
たまどめ〔玉留め〕クッ−メドゥプ 100
タム〔紞〕담 124
タム〔毯〕담 125
タム 땀 146
タムジェ〔禫祭〕담제 125
タム−トゥンゴリ 땀등거리→同タムパジ 146
タム−パジ 땀받이 146
タムビ 담비（てん〔貂〕）125
タムファンセク〔淡黄色〕담황색（たんおうしょく〔淡黄色〕）125, 461
タムボク〔禫服〕담복 125
タムホンポ〔淡紅袍〕담홍포 125
たもと〔袂〕ペレギ 192
タリ〔▽月▽子〕다리 118
タリミ 다리미（ひのし〔火熨斗〕）118
タルギ−スル 딸기술 146
タルリョン〔団領〕단령 121
タレ−ポソン 타래버선 382
タロギ（▽月▽吾▽其）다로기 118
タン〔段・端〕단 119
タン〔緞〕단 119
タン 당 125
タン〔襠〕당→同ム 125

項目索引

タンイ〔唐衣〕당의　125
たんおうしょく〔淡黄色〕タムファンセク　125, 461
タンガプ〔短甲〕단갑　120
タンガル〔短褐〕단갈　119
タンコ　당코　127
タンゴ〔短袴〕단고　121
たんご〔端午〕タノ　123
タンコギッ-チョゴリ　당코깃저고리　127
タンゴン〔宕巾〕탕건　382
タンゴンチプ〔宕巾チプ〕탕건집　382
タンサ〔単糸〕단사（たんし〔単糸〕）　122
タンサガク〔単紗角〕단사각　122
タンサ-ポヨグァン〔禪𧘔歩搖冠〕단사보요관　123
タンサム〔丹衫〕단삼　123
タンサム〔団衫〕단삼　123
タンサン〔短裳〕단상→同トランチマ　123
たんし〔単糸〕タンサ　122
タンジ〔唐只〕당지　127
タンジャク-ノリゲ〔単作ノリゲ〕단작노리개　124
タンジュル　당줄　127
タンス-ピョンサム〔短袖偏衫〕단수편삼　123
タンソッコッ〔単ソッコッ〕단속곳　123
タンソン〔団扇〕단선　123
タンチェ〔単髢〕단체　124
タンチェリョン　당채련　127
タンチュ　단추（ぼたん〔釦〕）　124
タンチュクミョン〔唐縮緬〕당축면（モスリン・とうちりめん〔唐縮緬〕）　127
タンチュー-メドゥプ　단추매듭→メジュンタンチュ　124
タンチョムボロ〔段䩞甫老〕단첨보로　124
タンチョモン〔唐草紋〕당초문（からくさもん〔唐草紋〕）　127

タンチョルリク〔単▽帖▽裏〕단철릭　124
タンデ〔単帯〕단대　121
だんぱつれい〔断髪令〕タンバルリョン　122
タンバル〔断髪〕단발　122
タンバルリョン〔断髪令〕단발령（だんぱつれい〔断髪令〕）　122
タンハンナ〔唐亢羅〕당항라　127
タンヒュン〔盪胸〕탕흉　382
タンヘ〔唐鞋〕당혜　127
タンベジャ〔短褙子〕단배자　122
タンムンチン〔祖免親〕단문친　122
タンムンボク〔祖免服〕단문복　122
タンモク〔唐木〕당목→同西洋木　125
タンモンミョン〔唐木綿〕당목면→同西洋木　125
チアトン〔歯牙筒〕치아통　379
チウイ〔紙衣〕지의　354
チウイ〔緇衣〕치의　379
チュェ〔衰〕최　374
チュェイ〔衰衣〕최의　374
チュェファル　최활（しんし〔伸子〕・はたばり〔機張り〕）　374
チウサム〔紙雨衫〕지우삼　354
チウサン〔紙雨傘〕지우산　354
チェ〔釵〕채　361
チェ〔髢〕체→同加髢　372
チェガ-ファサンボク〔在家和尚服〕재가화상복　327
チェガボク〔再加服〕재가복　327
チェク〔幘〕책　362
チェグァン〔祭冠〕제관　340
チェグク〔彩屐〕채극　361
チェグムジャン〔裁金匠〕재금장　479
チェゲ-クムジリョン〔髢髻禁止令〕체계금지령　372
チェサン〔彩箱〕채상　362
チェシクボク〔祭式服〕제식복　342
チェジャクチャン〔裁作匠〕재작장　479
チェジョン〔采典〕채전　479
チェセクジャン〔諸色匠〕제색장　479

チェダン〔彩緞〕채단　361
チェチュェ-オウォル〔斎衰五月〕재최오월　328
チェチュェ-チャンギ〔斎衰杖朞〕재최장기　328
チェチュェ-プジャンギ〔斎衰不杖朞〕재최부장기　328
チェチュェボク〔斎衰服〕재최복　327
チェッコン〔幘巾〕책건→同幘　362
チェドゥ〔剃頭〕체두→同剃髪　372
チェバル〔剃髪〕체발　372
チェビブリ-テンギ　제비부리댕기　342
チェファ-ポクトゥ〔綵画幞頭〕채화복두　362
チェヘ〔祭鞋〕제혜　342
チェボク〔祭服〕제복　340
チェボン〔綵棚〕채봉　362
チェボンシル〔裁縫シル〕재봉실（ぬいいと〔縫い糸〕）　327
チェムルボ〔才物譜〕재물보　472
チェムンソク〔綵紋席〕채문석　362
チェモリ　채머리　361
チェヨンガム〔済用監〕제용감　479
チェン　쟁　328
チェンモリ　쟁머리　362
チガプ〔紙甲〕지갑　354
チク-ソミュ〔チク繊維〕（くずせんい〔葛繊維〕）　칡섬유　381
チサッカッ〔紙サッカッ〕지삿갓　354
チチャル〔緇撮〕치찰→同緇布冠　379
チチョムン〔芝草紋〕지초문→同霊芝紋　355
チチョン-ミトゥリ〔紙チョンミトゥリ〕지총미투리→同紙鞋　355
チッキ〔織機〕직기（しょっき・おりき〔織機〕）　355
チッコ-タニ〔直裾襌衣〕직거단의　355
チデギ　지대기　354
ちどりがけ〔千鳥掛け〕セバルットゥギ　244
チドリプ〔紙塗笠〕지도립　354
チニ〔襯衣〕친의　380

項目索引

チニョン〔親迎〕친영　380
チファン〔指環〕지환→同カラクチ（双指輪）　355
チプシン　짚신　357
チヘ〔紙鞋〕지혜　355
チポ〔緇布〕치포　379
チポグァン〔緇布冠〕치포관　379
チポゴン〔緇布巾〕치포건→同緇布冠　379
チボン-ユソル〔芝峯類説〕지봉유설　473
チマ　치마　379
チマ-ホリ　치마허리　379
チマモリ　치마머리　379
チミ〔寝衣〕침의　381
チミルネイン〔至密内人〕지밀내인　479
チムジャン〔針匠〕침장　480
チムソク〔砧石〕침석→同タドゥミットル　381
チムソンジャン〔針線匠〕침선장　480
チムチョク〔針尺〕침척　381
チムトン〔針筒〕침통　381
チムナン〔針嚢〕침낭→同パヌルジプ　381
チムニッ〔枕ニッ〕침닛　381
チムバン〔針房〕침방　480
チムモ〔針母〕침모　480
チムン〔雉紋〕치문　379
チャアムジプ〔紫巌集〕자암집　472
チャイル〔遮日〕차일　359
チャウイ〔紫衣〕자의　322
チャエク〔遮額〕차액→同カリマ①　359
ちゃかっしょく〔茶褐色〕タガルセク　118, 460
チャギ〔鵲衣〕작의　323
チャギョン〔煮繭〕자견　319
チャギル〔借吉〕차길　359
チャグ〔雀羽〕작우　323
チャクス〔窄袖〕착수　359
チャクチャ〔綽子〕작자→同戰服　323
チャクチャムサ〔柞蚕糸〕작삼사→同野蚕糸

繭糸　323
チャクホルレ〔酌献礼〕작헌례　323
チャゴン〔紫巾〕자건　319
チャサピースンヘ〔紫斜皮僧鞋〕자사피승혜　320
チャジ-ヒルムングム〔紫地纈文錦〕자지힐문금　322
チャジューテンギ〔紫朱▽唐▽只〕자주댕기　322
チャジョク-ウォンサム〔紫的円衫〕자적원삼　322
チャジョク-ヨンポ〔紫的竜袍〕자적용포　322
チャス〔刺繍〕자수　321
チャス〔紫綬〕자수　322
チャスサ〔刺繍糸〕자수사（ししゅういと〔刺繍糸〕）　322
チャセ　자새　320
チャセク〔紫色〕자색（むらさきいろ〔紫色〕）→ムラサキ〔紫〕　320, 463
チャソン〔遮扇〕차선　359
チャソンスダン〔子孫寿緞〕자손수단　321
チャッーペゲ　잣베개　324
チャデ〔紫帯〕자대　319
チャデスポ〔紫大袖袍〕자대수포　319
チャナン〔子嚢〕자낭→同頷嚢　319
チャバンサン〔紫方傘〕자방산　320
チャピファ〔紫皮靴〕자피화　323
チャファンセク〔赭黄色〕자황색　323, 463
チャファン-チョプサン-ポクチョン-カサ〔紫黄貼廂福田袈裟〕자황첩상복전가사　323
チャファン-ポ〔赭黄袍〕자황포　323
チャプセクポク〔雑色服〕잡색복　324
チャプチクソ〔雑織署〕잡직서　479
チャホンセク〔赭紅色〕자홍색　463
チャマノ〔紫瑪瑙〕자마노　320
チャム〔簪〕잠→ピニョ　324
チャムィボク〔参尉服〕참위복　360
チャムサ〔蚕糸〕잠사→同コチシル（繭糸）　324

チャムチュェ〔斬衰〕참최→斬衰服　360
チャムチュェボク〔斬衰服〕참최복　360
チャムド〔簪導〕잠도　324
チャムドゥ〔簪頭〕잠두　324
チャムトプテ　참톱대　360
チャムバンイ　잠방이　324
チャムピッ　참빗　359
チャムポ〔鬖袍〕참포　360
チャムポデ〔鬖袍帯〕참포대　360
チャムルラゴン〔紫文羅巾〕자문라건　320
チャラグァン〔紫羅冠〕자라관　319
チャラ-チャギ〔紫羅窄衣〕자라착의　319
チャラ-チュムチ　자라줌치　319
チャラ-トゥゴン〔紫羅頭巾〕자라두건　319
チャランティ〔紫襴ティ〕자란띠　319
チャリオッ　자리옷→同寝衣　319
チャリッス〔チャリッ繍〕자릿수　319
チャリプ〔紫笠〕자립　319
チャリョプ　차렵　359
チャリョンス〔刺蓮繍〕자련수　319
チャル〔札〕찰→同カボッミヌル　359
チャルガプ〔札甲〕찰갑　359
チャンイ〔氅衣〕창의　361
チャンオッ　장옷　326
チャンオッ　창옷→同小氅衣　361
チャンギボク〔倡妓服〕창기복　360
チャングモン　창구멍　360
チャンゴ〔長袴〕장고　324
チャンサム〔長衫〕장삼　325
チャンシクサ〔装飾糸〕장식사（いしょうねんし〔意匠撚糸〕・かざりいと〔飾り糸〕）　326
チャンジャン-ヌビ　잔잔누비　323
チャンシング〔装身具〕장신구（そうしんぐ〔装身具〕）　326
チャンス-ピョンサム〔長袖編衫〕장수편삼　326
チャンスル　잔술　323

項目索引

チャンチム〔長枕〕장침　327
チャンチャン-ウイボク〔燦燦衣服〕찬찬의복　359
チャンド〔粧刀〕장도　324
チャンドッキョ〔帳独轎〕장독교　325
チャンドックン〔粧刀ックン〕장도끈　325
チャンベジャ〔長褙子〕장배자　325
チャンポ-ピニョ〔菖蒲ピニョ〕창포비녀　361
チャンボク〔章服〕장복　325
チャンボグァン〔章甫冠〕장보관　325
チャンボン〔掌縫〕장봉　479
チャンムン〔章紋〕장문　325
チャンユ〔長襦〕장유　326
チャンユ-クァンゴ〔長襦広袴〕장유광고　327
チャンユ-セゴ〔長襦細袴〕장유세고　327
チュ〔紬〕주　349
チュアイム〔左衽〕좌임（ひだりまえ〔左前〕）349
チュィジャゴ〔取子車〕취자거→同ムルレ　378
チュィセク〔翠色〕취색　465
チュィタスボク〔吹打手服〕취타수복　378
チュィラム〔翠藍〕취람　464
チュイルッテ 쥘대　354
チュインボク〔舟人服〕주인복　351
チュウイ〔周衣〕주의→同トゥルマギ　351
チュギョル〔椎結〕추결→同椎紒・椎髻　374
チュギョン〔竹纓〕죽영　352
チュグァン〔韉纊〕주광　349
チュグァンジ〔秋官志〕추관지　473
チュグェン〔朱紘〕주굉　349
チュクカムトゥ〔竹坎頭〕죽감투　351
チュクコンエ〔竹工芸〕죽공예（たけこうげい〔竹工芸〕）352
チュクサリプ〔竹糸笠〕죽사립　352

チュクソジャン〔竹梳匠〕죽소장　479
チュクチェク〔竹冊〕죽책　352
チュクチャン〔竹杖〕죽장　352
チュクチョモリプ〔竹猪毛笠〕죽저모립　352
チュクチョル-カックン〔竹節カックン〕죽절갓끈　352
チュクチョルリプ〔竹戦笠〕죽전립　352
チュクプイン〔竹夫人〕죽부인　352
チュゲ〔椎紒・椎髻〕추계　374
チュサ〔縐紗〕추사　374
チュサリプ〔朱糸笠〕주사립→朱笠　351
チュジャチク〔朱子織〕주자직（しゅすおり〔朱子織〕）351
チュジョルリプ〔朱氈笠〕주전립　351
チュセク〔緅色〕추색→鴉青色　374
チュチャウイ〔周遮衣〕주차의→同トゥルマギ　351
チュチュイグムグァン〔朱翠金冠〕주취금관　351
チュチュイチルチョククァン〔珠翠七翟冠〕주취칠적관　351
チュックァン〔竹冠〕죽관　352
チュトセク〔朱土色〕주토색→同朱紅色　351
チュニ〔純衣〕준의→同袡衣　352
チュポ〔麤布〕추포　374
チュホンセク〔朱紅色〕주홍색　351
チュホンチル-ポプポッカプ〔朱紅漆法服匣〕주홍칠법복갑　351
チュマギ〔周莫衣〕주막의　350
チュムチ 줌치→同クィジュモニ　353
チュモニ 주머니（きんちゃく〔巾着〕）350
チュモボク〔酒母服〕주모복　350
チュヨン〔珠纓〕주영　351
チュラ〔縐羅〕추라　379
チュラバル〔周羅髪〕주라발　349
チュランサ 주란사　349
チュリッテ-チマ 주릿대 치마　349
チュリプ〔朱笠〕주립　349

チュル-ヌビ 줄누비　352
チュル-ヒャン〔チュル香〕줄향　353
チュルビョンジャ 줄변자　353
チュン〔純〕준　352
チュン〔繒〕증　354
チュンイ〔中衣〕중의　353
チュングンボク〔中宮服〕중궁복　353
チュンサ〔春紗〕춘사　374
チュンジャ〔鏳子〕증자→頂子　354
チュンジョングァン〔冲正冠〕충정관　378
チュンダン〔中単〕중단　353
チュンチマク〔中到莫〕중치막　353
チュンドゥリ 중두리　353
チュンドン-パジ 중동바지　353
チュンニプ〔竹笠〕죽립　352
チュンポ 춘포　374
チュンボ-サレ-ピョルラム〔増補四礼便覧〕증보사례편람→四礼便覧　472
チュンボク〔重服〕중복　353
チュンボ-ムンホン-ピゴ〔増補文献備考〕증보문헌비고　472
チュンミョヌィ〔縮緬緯〕축면위（ちりめんよこ〔縮緬緯〕）374
チュンモ〔驄帽〕준모　352
チョ〔条〕조　343
チョ〔綃〕초　372
チョ〔苧〕저→同モシ（カラムシ）328
チョ〔藻〕조　343
チョウイ〔皂衣〕조의　346
チョウイ〔紵衣〕저의　332
ちょうが〔朝賀〕チョハ　347
チョウグァン〔鳥羽冠〕조우관　346
チョウジ〔丁子〕정향나무　458
チョウセンクロツバラ〔朝鮮黒つ薔薇〕갈매나무　451
ちょうせんつうしんしのふくしょく〔朝鮮通信使の服飾〕통신사 복식　384
ちょうせんのふくしょく〔朝鮮の服飾〕조선의 복식　344
チョウセンヤマツツジ〔朝鮮山躑躅〕산

502

철쭉 458
チョオク〔棗玉〕조옥 346
チョガ〔初加〕초가 372
チョガクポ 조각보 343
チョガボク〔初加服〕초가복 372
チョガル〔蕉葛〕초갈→同蕉布 372
チョガルセク〔棗褐色〕조갈색 464
チョガルセク〔椒褐色〕초갈색 464
チョギ〔翟衣〕적의 333
チョク 쪽 358
チョク〔尺〕척 365
チョク〔適〕적→同辟領 332
チョグ〔皁履〕조구 343
チョグ〔貂裘〕초구 372
チョグァン〔朝冠〕조관 343
チョグァンゴ〔赤黄袴〕적황고 335
チョグァンボク〔朝官服〕조관복 343
チョククァン〔族冠〕족관→同チョクトゥリ 347
チョクコン 족건 347
チョクサム〔赤衫〕적삼 332
チョクサン〔赤裳〕적상 332
チョクソク〔赤舃〕적석 332
チョクチョウイ〔赤綃衣〕적초의 335
チョクチョサン〔赤綃裳〕적초상 335
チョクチン-モリ 쪽찐머리 358
チョクテ〔赤帯〕적대 332
チョクテンギ 쪽댕기→同メゲテンギ ② 358
チョクトゥリ〔簇▽頭▽里・足▽頭▽里〕족두리 347
チョゴリ〔▽赤▽古▽里〕저고리 328
チョゴリ-サムジャク〔▽赤▽古▽里三作〕저고리삼작 331
チョゴン〔皁巾〕조건 343
チョコングム〔蜀紅錦〕촉홍금(しょっこうにしき〔蜀紅錦〕) 374
チョサン〔紵裳〕저상 332
チョジムモリ 조짐머리 346
チョジャジョクボク〔照刺赤服〕조자적복 346
チョジャン〔紵匠〕초장 480
チョジュ〔紵紬〕저주 332

チョジュグ〔皁紬裘〕조주구 346
チョジュルケ 젖을개 340
チョソン-ヨソッコ〔朝鮮女俗考〕조선여속고 472
チョソンワンジョシルロク〔朝鮮王朝実録〕조선왕조실록 472
チョチ〔紵絺〕저치 332
チョッキ 조끼 343
チョッキ-チョクサム 조끼적삼〔조끼▽赤衫〕 343
チョッキ-ホリ 조끼허리 343
チョックァン〔翟冠〕적관 332
チョッコ〔赤袴〕적고 332
チョデ〔条帯〕조대 343
チョドゥロクセク〔草豆緑色〕초두록색 464
チョナルレ〔奠雁礼〕전안례 337
チョニ〔展衣〕전의 338
チョニ〔天衣〕천의 366
チョニ〔典衣〕전의 479
チョニ〔薦衣〕천의→同チョネ 366
チョニョボク〔処女服〕처녀복 362
チョヌ〔転羽〕전우 337
チョヌ-チュァウ-チャンウィグンボク〔千牛左右仗衛軍服〕천우좌우장위군복 366
チョネ〔薦衣〕처네 362
チョネンウッチマ 전행웃치마 338
チョハ〔朝賀〕조하(ちょうが〔朝賀〕) 347
チョバウィ 조바위 344
チョハグム〔朝霞錦〕조하금 347
チョハジュ〔朝霞紬〕조하주 347
チョピ〔貂皮〕초피→タムビ(テン) 374
チョピ-ホヒュン〔貂皮虚胸〕초비호흉 374
チョファ〔造花〕조화 347
チョプクム〔貼金〕첩금 367
チョプケ〔貼介〕첩개 367
チョプチ 첩지 367
チョプチ-モリ 첩지머리 368
チョプチャム〔蝶簪〕접잠 339

チョヘ〔草鞋〕초혜→同チプシン 374
チョポ〔紵布〕저포→同モシ(カラムシ) 332
チョポ〔蕉布〕초포 374
チョポ〔造布〕조포 347
チョボク〔朝服〕조복 344
チョポジョン〔紵布廛〕저포전 479
チョポ-チルチョ〔紵布七処〕저포칠처 332
チョホン〔軺軒〕초헌 374
チョマ〔紵麻〕저마(カラムシ・ちょま〔苧麻〕) 331
ちょま〔苧麻〕チョマ 331
チョマ〔苴麻〕저마→有子麻 331
チョマ-キョジクポ〔紵麻交織布〕저마교직포 331
チョマサ〔紵麻糸〕저마사 331
チョマポ〔紵麻布〕저마포→同モシ(カラムシ) 331
チョム〔籤〕첨 367
チョムス〔点繡〕점수(けしぬい〔芥子繡い〕) 339
チョムニプ〔簷笠〕첨립 367
チョムモ-チンムル〔添毛織物〕첨모직물 367
チョムル〔組物〕조물 344
チョモリプ〔猪毛笠〕저모립 331
チョヨムジャン〔草染匠〕초염장 480
チョヨン〔組纓〕조영 346
チョヨンイ〔処容衣〕처용의 365
チョヨングン〔処容裙〕처용군 363
チョヨン-サモ〔処容紗帽〕처용사모 363
チョヨンサン〔処容裳〕처용상 363
チョヨンデ〔処容帯〕처용대 363
チョヨンヘ〔処容鞋〕처용혜 365
チョヨンムボク〔処容舞服〕처용무복 363
チョラ-モンス〔皁羅蒙首〕조라몽수 343
チョリ〔草鞋〕초리→同チプシン 373
チョリプ〔草笠〕초립 373
チョリプトン〔草笠童〕초립동 373

503

項目索引

チョルチ 절치 339
チョルチョプクァン〔折畳冠〕절첩관 338
チョルッチュ〔鉄冑〕철주 367
チョルプンゴン〔折風巾〕절풍건→同 折風帽 339
チョルプンモ〔折風帽〕절풍모 339
チョルラム〔天藍〕천람 464
チョルリク〔帖裏〕철릭 366
チョルリプ〔戦笠・氈笠〕전립 336
チョルリョンボク〔伝令服〕전령복 336
チョレ〔醮礼〕초례 372
チョロク〔草緑〕초록 373
チョロク-ウォンサム〔草緑円衫〕초록원삼→同 緑円衫 373
チョロクセク〔草緑色〕초록색（みどり〔緑〕）464
チョロク-タルリョン〔草緑団領〕초록단령 373
チョン〔氈〕전 335
チョン〔塡〕전 335
チョン〔縱〕종→唐只 348
チョンアムセク〔青暗色〕청암색 371
チョンイムン〔宗彝紋〕종이문 348
チョンオク-タンヘ〔青玉唐鞋〕청옥당혜 371
チョンガク-ポクトゥ〔展脚幞頭〕전각복두 336
チョンギ〔請期〕청기 369
チョンギョムン〔宗教紋〕종교문 348
チョング〔氈裘〕전구 336
チョングァンボク〔従官服〕종관복 348
チョングェン〔青紘〕청굉 369
チョングム〔天衾〕천금 365
チョングムゴ〔青錦袴〕청금고 369
チョングムソク〔青金石〕청금석（せいきんせき〔青金石〕・ラズライト）369
チョングム-タルリョン〔青衿団領〕청금단령 369
チョンゲ〔青蓋〕청개 369

チョンサポ〔転写布〕전사포 337
チョンサマン〔青糸網〕청사망 369
チョンサム〔展衫〕전삼 337
チョンジウンギムン〔天地雲気紋〕천디운기문 366
チョンジッタリ 전짓다리 338
チョンジプ〔穿執〕천집 366
チョンジ-ポサンファ-タンバン-クムホン〔纏枝宝相花丹礬錦紅〕전지보상화단반금홍 338
チョンジャ〔頂子〕정자 340
チョンジャグァン〔程子冠〕정자관 340
チョンジャン〔氈匠〕전장 479
チョンジャングァン-チョンソ〔青荘館全書〕청장관전서 473
チョンジョセク〔青皁色〕청조색 464
チョンジョヌ〔青転羽〕청전우 371
チョンジョントゥヘ〔氈精套鞋〕전정투혜 338
チョンジョンモリ 종종머리 348
チョンセク〔青色〕청색（あお〔青〕）369
チョンソク〔青鳥〕청석 370
チョンダム〔青紞〕청담 369
チョンダムボク〔浅淡服〕천담복 365
チョンタルリョン〔青団領〕청단령 369
チョンダンボルリプ 정당벌립 339
チョンチェ〔典綵〕전채 479
チョンチョウイ〔青綃衣〕청초의 371
チョンチョ-チュンダン〔青綃中単〕청초중간 371
チョンチョルリク〔青帖裏〕청철릭 371
チョンチョンセク〔天青色〕천청색 464
チョンチンニョボク〔宗親女服〕종친여복 348
チョンデ〔戦帯・纏帯〕전대 336
チョンテウ 총대우 374
チョンデオプ〔定大業〕정대업 339
チョンデオムムボク〔定大業舞服〕정대

업무복 339
チョンテンギ 종댕기 348
チョントゥゴン〔青頭巾〕청두건 369
チョンドンボルリプ 정동벌업→同 チョンダンボルリプ 340
チョンナウイ〔赤羅衣〕적라의 332
チョンナ-チェトゥ-クォンクム-チョッケ-ハピ〔青羅綵繡圈金翟鶏霞帔〕청라채투권금적계하피 369
チョンニプ〔鬃笠〕종립 348
チョンニボク〔丁吏服〕정리복 340
チョンハソク〔天河石〕천하석（てんがせき〔天河石〕）366
チョンパンビウイ〔青半臂衣〕청반비의 369
チョンビョクセク〔青碧色〕청벽색 464
チョンヒョン〔葱珩〕초형 374
チョンヒョン〔青絢〕청현 371
チョンヒョンセク〔青玄色〕청현색 371, 464
チョンポ〔戦袍〕전포 338
チョンポ〔正布〕정포 340
チョンポ〔青袍〕청포 371
チョンボク〔戦服〕전복 337
チョンポジョン〔青布廛〕청포전 479
チョンホンサ〔青紅糸〕청홍사 371
チョンホンセク〔丁紅色〕정홍색 463
チョンミョ-テジェ〔宗廟大祭〕종묘대제 348
チョンモ〔氈帽〕전모 336
チョンモ〔青帽〕청모 369
チョンモジャ 총모자→同 カンモジャ 374
ちりめんよこ〔縮緬緯〕チュンミョヌイ 374
チルセク-ポプタン〔七色法緞〕칠색법단 381
チルチン〔七珍〕칠진→同 七宝 381
チルハプームジョクサン〔七合無足裳〕칠합무족상 381
チルフィ-イボングァン〔七翬二鳳冠〕칠휘이봉관 381

504

項目索引

チルボ〔七宝〕칠보（しちほう〔七宝〕）380
チルボジャム〔七宝簪〕칠보잠 381
チルボムン〔七宝紋〕칠보문（しちほうもん〔七宝紋〕）380
チルボムンダン〔七宝紋緞〕칠보문단 380
チルボムン-ワンデ〔七宝紋腕帯〕칠보문완대 381
チングムジル 징금질 357
チンサダフェチェラン〔進糸多絵綵囊〕진사다회채랑 355
チンサボク〔進士服〕진사복 355
チンサリプ〔真糸笠〕진사립→同竹糸笠 355
チンジャム〔親蚕〕친잠 380
チンジュサ〔真珠紗〕진주사 356
チンジュジャム〔真珠簪〕진주잠 356
チンジュソン〔真珠扇〕진주선 356
チンジュ-テンギ〔真珠▽唐▽只〕진주댕기 356
チンジュナン〔真珠囊〕진주낭 356
チンシン 진신 356
チンシン-ケグプ〔縉紳階級〕진신계급 479
チンソ〔真梳〕진소→チャムビッ 356
チンチャン-ウイグェ〔進饌儀軌〕진찬의궤 473
チンドン 진동（そでつけ〔袖付け〕）355
チンニョン〔直領〕직령 355
チンニョン-キョイムシク〔直領交衽式〕직령교임식 355
チンヒョングァン〔進賢冠〕진현관 356
チンヒョンボク〔進見服〕진현복 357
チンホン-ソクチャン〔進献席匠〕진헌석장 479
チンムル-チョジク〔織物組織〕직물조직（おりものそしき〔織物組織〕）355
つきあわせ〔突合せ〕ハビムシク 408
つきあわせはぎ〔突き合わせ接ぎ〕マッ

テーパッキ 153
つば〔鍔〕ヤンテ 284
つむ〔紡錘〕カラク 13
つむわ〔紡錘輪〕カラク-コドン 13
テ〔帯〕대→同品帯・ティ（帯）128
ティ 띠（おび〔帯〕）147
ティーコリ 띠고리 148
ティドン 띠돈 148
テウイ〔大衣〕대의同袈裟 131
テガクジウイ〔大格之衣〕대각지의 128
テグクソン〔太極扇〕태극선 383
テグゴ〔大口袴〕대구고 128
てぐす〔天蚕糸〕ヤギョンサ 282
テグム〔対襟〕대금 128
テグム〔帯金〕대금→ティドン① 128
テグンムン〔太極紋〕태극문 382
テゴン-クウォルボク〔大功九月服〕대공구월복→同大功服 128
テゴンチン〔大功親〕대공친 128
テゴンボク〔大功服〕대공복 128
テサッカッ 대삿갓→同竹笠 130
テサヘ〔太史鞋〕태사혜 383
テサム〔大衫〕대삼 130
テサムン〔太史紋〕태사문 383
テジャッティ〔帯子ッティ〕대자띠 131
テジャンボク〔大将服〕대장복 131
テシュムチマ 대슘치마 131
テジョムムン〔テジョム紋〕대접문 133
テジョン-ソンノク〔大典続録〕대전속록 468
テジョン-トンピョン〔大典通編〕대전통편 468
テジョン-フェトン〔大典会通〕대전회통 468
テジョン-フソンノク〔大典後続録〕대전후속록 468
テス〔大首〕대수 130
テス-チャングン〔大袖長裙〕대수장군 130
テソファオアグム〔大小花漁牙錦〕대소

화어아금 130
テダリ 대다리 128
テチャンイ〔大氅衣〕대창의 133
テッテオッ 때때옷 146
てつむぎいと〔手紡ぎ糸〕スバンサ 258
テデ〔大帯〕대대 128
テドン-ヤスン〔大東野乗〕대동야승 468
テニム〔▽単▽袵〕대님 128
テハチョクポグン〔帯下尺布裙〕대하척포군 133
テファダン〔大花緞〕대화단 134
テペレンイ 대패랭이 133
テホン-チックムギョン-ヘダン-サゲファータンサム〔大紅織金肩海棠四季花団衫〕대홍직금견해당사계화단삼 134
テホン-ポサンファーサ〔大紅宝相華紗〕대홍보상화사 134
テマ〔大麻〕대마（たいま〔大麻〕）130
テマサ〔大麻糸〕대마사（たいまし〔大麻糸〕）130
テモ〔玳帽〕대모（たいまい〔玳帽〕）130
テモシ-マンドゥルギ 태모시만들기 383
テヨ〔台腰〕대요 131
テラン-チマ〔大襴チマ〕대란치마 129
テリュンソン〔大輪扇〕대륜선 130
テリョムグム〔大殮衾〕대렴금 129
テレボク〔大礼服〕대례복 129
テロリプ〔大蘆笠〕대로립 130
てん〔貂〕タムビ 125
てんがせき〔天河石〕チョンハソク 366
テンギ〔▽唐▽只〕댕기 134
てんじゅこくまんだらしゅうちょう〔天寿国曼荼羅繡帳〕천수국만다라수장 365
トア〔絛▽児〕도아 136
トウイ〔擣衣〕도의→同タドゥミジル（砧打ち）136

505

項目索引

トウイジョ〔擣衣杵〕도의저 136
トゥィッ-キル 뒷길 (うしろみごろ〔後身頃〕) 144
トゥィッコジ 뒤꽂이 144
トゥィ-トゥギ 뒤트기 144
トゥェグン〔腿裙〕퇴군 388
トゥェチム〔退枕〕퇴침 388
トゥク〔纛〕둑 143
トゥグ 투구 (かぶと〔兜〕) 388
トゥゴン〔頭巾〕두건 142
トゥジョンガプ〔頭釘甲〕두정갑 143
トゥス〔頭𩠹〕두수 143
トゥソクジャン〔豆錫匠〕두석장 476
トゥソクペ〔豆錫牌〕두석패 143
トゥソンニンガプ〔豆錫鱗甲〕두석린갑 143
とうちりめん〔唐縮緬〕タンチュクミョン 127
トゥドゥミガプ〔豆豆味甲〕두두미갑 142
トゥヘ〔套鞋〕투혜 389
トゥリム-テンギ 드림댕기 144
トゥルチ 두루치 143
トゥル-チュモニ 두루주머니 143
トゥルマギ 두루마기 142
トゥルメーックン 들매끈 145
トゥルレ-モリ 둘레머리 143
トゥレモリ 트레머리 389
トゥロクセク〔豆緑色〕두록색 461
トゥロンイ 두렁이 142
トゥロンチマ 두렁치마→同トゥロンイ 142
トゥングル-プチェ 둥글부채→〔団扇〕143
トゥンゴリ 등거리 145
トゥンサ〔縢糸〕등사 146
トゥン-ソルギ 등솔기 (せぬい〔背縫い〕) 146
トゥン-チェ〔藤チェ〕등채 146
トゥン-トシ〔藤▽吐▽手〕등토시 146
トゥン-パデ 등바대 145
トゥンピョン〔藤鞭〕등편 146
トゥン-ペジャ〔藤褙子〕등배자 145

トゥンボル 든벌 145
トェゲジプ〔退渓集〕퇴계집 473
トグジ 따구지 146
トグジ-テンギ 따구지댕기 146
トクピゴン〔犢鼻褌〕독비곤 138
トグレ 더그레 135
トゲンイ 도갱이 135
トサ〔兎糸〕토사→同命糸 384
トサ〔絢糸〕도사 136
トサボク〔道士服〕도사복 136
トシ〔▽吐▽手〕토시 384
トジャ〔刀子〕도자 136
トジュ〔吐紬〕토주 384
トス〔吐手〕토수 384
トダイク〔都多益〕도다익→トトゥラクテンギ 135
トチム〔陶枕〕도침 136
トチムジャン〔擣砧匠〕도침장 476
トチャ〔陶車〕도차→同ムルレ 136
トチョプ〔度牒〕도첩 136
トックッ 토끝 (へんぷく〔辺幅〕) 383
トッシル 톳실→同命糸 384
トッタン 덧단 135
トッチュゴリ 덧저거리 135
トッチョゴリ 덧저고리 135
トトゥマリ 도투마리 (おまき〔緒巻き・男巻き〕) 137
トトゥラク-テンギ〔▽道▽吐▽楽▽唐▽只〕도투락댕기 136
トピョグ〔土豹裘〕토표구 384
トポ〔道袍〕도포 137
トホン〔土紅〕토홍 (たいしゃいろ〔代赭色〕) 384
トホンセク〔桃紅色〕도홍색 138
トホン-ティ〔桃紅ティ〕도홍띠 138
トヤ-モリ 또야머리 147
トラン-チマ 도란치마 135
トリ〔土履〕토리 383
トリオク〔トリ玉〕도리옥 136
トリクム〔トリ金〕도리금 136
トリサ〔トリ紗〕도리사 136
トリシル 토리실 384

トリュムンダン〔桃榴紋緞〕도류문단 136
トリョン 도련 135
トルジャム〔トル簪〕떨잠 147
トルシル-ナイ 돌실나이 139
トルセ 떨새 147
トル-チュモニ 돌주머니 139
トル-ッティ 돌띠 138
トル-トシ 털토시 383
トル-ペゲ 돌베개 138
トル-ペジャ 털배자〔털背子・털褙子〕383
トルボク〔トル服〕돌복 138
トル-ポルリプ 털벌립 383
トルモ〔トル帽〕돌모 138
トレ-メドゥプ 도래매듭 135
トロンイ 도롱이 (みの〔蓑・簑〕) 135
トンア〔荁児〕동아→同荁箇 141
トンイ〔胴衣〕동의→同襦衣 141
トンイデ〔胴衣襨〕동의대 141
トンインボク〔通引服〕통인복 386
トングク-ヨジ-スンナム〔東国輿地勝覧〕동국여지승람 468
ドングリ〔団栗〕도토리 455
トングレ-チョゴリ 동그래저고리 139
トンゲ〔荁箇〕통개 139
トンジサボク〔冬至使服〕동지사복 141
トンジャン〔桐杖〕동장 141
トンジョ〔童条〕동조 141
トンジョン 동정 (かけえり〔掛け襟〕) 141
トンスウイ〔筒袖衣〕통수의 384
トン-ソルギ 통솔기 (ふくろぬい〔袋縫い〕) 384
トンダフェ〔童多絵〕동다회 139
トンダリ 동달이 140
トン-チマ 통치마 388
トンチョンクァン〔通天冠〕통천관 388
トンニョンファグァン〔銅蓮花冠〕동련

506

화관 141
トンパグァン〔東坡冠〕동파관 141
トンバン〔東方〕동방 141
トンピ〔獤皮〕돈피 138
トンファンス〔銅環綬〕동환수 142
トンプンジク〔通風織〕통풍직（ふうつうおり〔風通織〕）388

【ナ行】

ナ〔羅〕나（ら〔羅〕）101
ナイ 나이→ムミョン 102
なかづつ〔中筒〕ピギョンイ 223
ナグァリプ〔羅裏笠〕나과립 101
ナクチバル-スル 낙지발술 104
ナサム〔羅衫〕나삼 102
ナジェリプ〔羅済笠〕나제립 103
ナジャンボク〔羅将服〕나장복 102
ナジューセッコル-ナイ〔羅州セッコルナイ〕나주샛골나이 103
ナジョッテ 나좃대 103
ナジョン〔螺鈿〕나전（らでん〔螺鈿〕）102
ナジョン-チャンチム〔螺鈿長枕〕나전장침 103
ナジョン-チルキ〔螺鈿漆器〕나전칠기（らでんしっき〔螺鈿漆器〕）103
ナダン〔羅緞〕나단 101
ナッペ〔納幣〕납폐 107
ナツメ〔棗〕대추나무 454
ナ-テホン-チックム-コルリョンポ〔羅大紅織金袞竜袍〕나대홍직금곤룡포 101
ナニ〔暖耳〕난이 104
ナビ〔衲衣〕납의 107
ナビチュムボク〔ナビチュム服〕나비춤복 101
ナビムン 나비문→同蝴蝶紋 101
ナビ-メドゥプ 나비매듭 101
ナビル〔蠟纈〕납힐（ろうけつ〔蠟纈〕）107
ナファリプ〔羅火笠〕나화립 104
ナプカサ〔衲袈裟〕납가사 107
ナプキル〔納吉〕납길 107

ナプグク〔蠟屐〕납극 107
ナブサンデ 나부산대→同ヌンソプテ 101
ナプチェ〔納采〕납채 107
ナプチャク-ヌビ 납작누비 107
ナプチャク-メドゥプ〔ナプチャク▽毎▽緝〕납작매듭 107
ナプチン〔納徴〕납징→同納幣 107
ナマクシン 나막신（ぼくり〔木履〕）101
なみぬい〔並縫い〕ホムジル 417
ナミョ〔藍輿〕남여 107
ナムシン 남신 106
ナムスラン-チマ〔藍▽膝襴チマ〕남스란치마 106
ナムセク〔藍色〕남색（あいいろ〔藍色〕）106
ナムチュウイ〔藍紬衣〕남주의 107
ナムチョゴリ〔藍チョゴリ〕남저고리 107
ナムチョルリク〔藍▽帖▽裏〕남철릭 107
ナムチョンデ〔藍纏帯〕남전대 107
ナムバウィ 남바위 106
ナル 날→同経糸 106
ナルサンイ 날상이 106
ナルサントゥ 날상투→同髢頭露紒 106
ナルトゥル 날틀→同ナルサンイ 106
ナレ〔儺礼〕나례 101
ナン〔囊〕낭→同チュモニ 108
ナンサム〔襴衫〕난삼 104
ナンジャ〔囊子〕낭자→同チュモニ 108
ナンジャモリ〔娘子モリ〕낭자머리 108
ナンモ〔暖帽〕난모（ぼうかんぼう〔防寒帽〕）104
にしき〔錦〕クム 83
にんどうもん〔忍冬紋〕インドンムン 317
ぬいいと〔縫い糸〕チェボンシル 327
ぬいしろ〔縫い代〕シジョプ 266

ヌイン-ポソン 누인버선 116
ヌエ-コチ 누에고치→同コチ① 116
ヌェムン〔雷紋〕뇌문 115
ヌクペク〔勒帛〕늑백 116
ヌグム-セゴン〔鏤金細工〕누금세공 115
ヌダン〔累緞〕누단 115
ヌッコン〔勒巾〕늑건 116
ヌビ 누비（さしぬい〔刺し縫い〕）115
ヌビ-パジ 누비바지 116
ヌビ-ポソン 누비버선 116
ヌルサッカッ 늘삿갓 116
ヌルジェジプ〔訥齋集〕눌재집 467
ヌルリムデ 눌림대 116
ヌン〔綾〕능 117
ヌンサ〔綾紗〕능사 117
ヌンジク〔綾織〕능직（あやおり〔綾織〕）117
ヌンッソプ-チュル 눈썹줄（かけいと〔掛け糸〕）116
ヌンッソプテ 눈썹대（かけいとつるし〔掛け糸吊し〕）116
ヌンッソプ-ノリ 눈썹노리 116
ヌンナグムス〔綾羅錦繡〕능라금수 117
ヌンナジャン〔綾羅匠〕능라장 476
ヌンパリ 능파리 117
ヌン-モシ 눈모시 116
ネイン〔内人〕내인 475
ネガビ〔内甲衣〕내갑의 108
ネゴンモク〔内供木〕내공목 108
ネジュ〔内紬〕내주 108
ネデジャ〔褀襁子〕내대자 108
ネヒョンセク〔内玄色〕내현색 108, 460
ネミョンブ〔内命婦〕내명부 475
ねんし〔撚糸〕ヨンサ 288
ノイン-ピョンボク〔老人平服〕노인평복 112
ノウイ〔露衣〕노의 112
ノウイデ〔露衣帯〕노의대 112
のうみんのふくそう〔農民の服装〕ノン

507

項目索引

ブボク 115
ノウル〔▽羅▽兀〕너울 108
ノカムトゥ 노감투 108
ノギ〔鹿耳〕녹이 114
ノギ-ホンサン〔綠衣紅裳〕녹의홍상 114
ノグォンサム〔綠円衫〕녹원삼 114
ノクサウイ〔綠蓑衣〕녹사의→トロンイ 113
ノクサボク〔錄事服〕녹사복 113
ノクサム〔綠衫〕녹삼 113
ノクセク〔綠色〕녹색（みどり〔綠〕）113, 460
ノクセ-ペ 넉새베 108
ノクチョサム〔綠綃衫〕녹초삼 114
ノクピ〔鹿皮〕녹비（녹피）113
ノクポ〔綠袍〕녹포 114
のし インドゥ 318
ノッシン 矢신→同鍮鞋 114
ノパリ 노파리 112
ノバンジュ〔老紡紬〕노방주 109
ノビボク〔奴婢服〕노비복 109
ノリゲ 노리개 109
のりづけときぬうちのほうほう〔糊付けと砧打ちの方法〕풀 먹이는 법과 다듬는 법 402
ノリプ〔蘆笠〕노립→同カルサッカッ 109
ノルン-パジ 너른바지 108
ノンゴン〔籠巾〕농건 114
ノンナ-トゥゴン〔綠羅頭巾〕녹라두건 112
ノンニプ〔農笠〕농립 114
ノンブボク〔農夫服〕농부복（のうみんのふくそう〔農民の服装〕）115
ノンムン〔鹿紋〕녹문 112

【ハ行】

はいいろ〔灰色〕フェセク 430, 465
ハイカルラ 하이칼라 406
パギ-キョプチョゴリ〔パギ▽袷チョゴリ〕박이 겹저고리 185
はきもの〔履き物〕シン 266

ハクチャンイ〔鶴氅衣〕학창의 406
ハクチョン-クムデ〔鶴頂金帶〕학정금대 406
パグムジル 박음질（かえしぬい〔返し縫い〕）185
はさみ〔鋏〕カウィ 19
パジ 바지（ズボン）184
ハスのみ〔蓮の実〕연자각 456
ハゼノキ〔櫨の木〕노목 454
はたおり〔機織り〕ペ-チャギ 204
はたくさ〔機草〕ペプテンイ 201
はたばり〔機張り〕チュェファル 374
パチョソン〔芭蕉扇〕파초선 390
ハッチョネ 핫처네 409
ハッパジ 핫바지 409
パデ 바대 182
パディ 바디（おさ〔筬〕）182
パディ-サル 바디살（〈おさの〉は〔〈筬の〉羽〕）184
パディ-チプ 바디집（おさわく〔筬枠〕）184
パディ-チプ-ピニョ 바디집 비녀 184
パドゥクパン-ムニ〔パドゥク板ムニ〕바둑판무늬 182
パドゥクパン-モリ〔パドゥク板モリ〕바둑판머리 182
パニョム〔板染〕판염→同夾纈 390
パヌジル 바느질（さいほう〔裁縫〕）182
パヌジル-コリ 바느질고리→同パンジッコリ 182
パヌル-チプ 바늘집（はりいれ〔針入れ〕）182
パノクァンジュン〔反玉環中〕반옥환중 186
ハピ〔霞帔〕하피 406
ハピムシク〔合袵式〕합임식（つきあわせ〔突合せ〕）408
ハプサ〔合糸〕합사 408
ハプサジャン〔合糸匠〕합사장 480
ハプチュクソン〔合竹扇〕합죽선 408
ハムニプ〔蛤笠〕합립 408

はやいと〔早糸〕ムルレ-チュル 180
パランヒョンヨンスシク〔パラン型䥖垂飾〕파란형 연수식 390
ハリ〔割衣〕할의→同ファロッ 408
パリ-アン-ペ 바리안 베→同鉢内布 184
はりいれ〔針入れ〕パヌル-チプ 182
パルギョジク〔八橋織〕팔교직（やつはしおり〔八橋織〕）390
パルシク〔髪飾〕발식 188
パルッチ〔腕釧〕팔찌（うでわ〔腕輪〕）390
パルッチャ-マンゴン〔八字網巾〕팔자망건 390
パル-テンギ 발댕기 188
パルヒャン〔バル香〕발향 188
パルマク 발막→同パルマクシン 188
パルマクシン 발막신 188
ハルリム-タンゴン〔翰林宕巾〕한림탕건 407
パルリャングァン〔八梁冠〕팔량관 390
パルリュチョン〔八柳青〕팔유청 390
パルリュミョン-チルッチャンボク〔八旒冕七章服〕팔류면칠장복 390
パルリョン〔半練〕반련 185
パルリョン〔盤領〕반령（ばんりょう〔盤領〕・えんりょう〔円領〕）185
パルリョン-チャクス〔盤領窄袖〕반령착수 185
パルリョンムン〔蟠竜紋〕반령문 185
パルレポ〔鉢内布〕발내포 188
パンイ〔防衣〕방의 191
パンウ〔傍羽〕방우 191
パンウィセギ〔方位色衣〕방위색의 191
パンウル-スル 방울술 191
パンガッ 방갓→同方笠 188
パングムグォン〔蟠金圈〕반금권→同双蟠圈 185
パンゲ-スロク〔磻溪隨錄〕반계수록 469
パンゴン〔方巾〕방건 188

項目索引

パンサジュ〔紡紗紬〕방사주　190
ハンサム〔汗衫〕한삼　407
ハンサンジョ〔韓山紵〕한산저→同韓山モシ　407
ハンサン-モシ〔韓山モシ〕한산모시　407
ハンジ〔韓紙〕한지　408
パンジ〔斑指・半指〕반지（ゆびわ〔指輪〕）　186
パンジク〔紡織〕방직（ぼうしょく〔紡織〕）　191
パンジッコリ　반짇고리（さいほうばこ〔裁縫箱〕）　187
パンシム-コンニョン〔方心曲領〕방심곡령　190
パンジャボク〔房子服〕방자복　191
パンジュ〔斑紬〕반주　186
パンジュク-カックン　방죽갓끈　191
パンジョ-ウンファンス〔盤雕銀環綬〕반조은환수　186
パンジョク〔紡績〕방적（ぼうせき〔紡績〕）　191
パンダジ〔半ダジ〕반닫이　185
パンチム〔方枕〕방침　191
パンチャ〔紡車〕방차→同ムルレ　191
パンチュ〔紡錘〕방추→同プク　191
パンチュギョン〔防築纓〕방축영→同蓮子纓　191
パンチュチャ〔紡錘車〕방추차→同カラクパクィ　191
パンチュットル〔紡錘ットル〕방춧돌→同タドゥミットル　191
ハンチュンヒャン〔漢沖香〕한충향　408
パンテンギ　판댕기　390
パンドク　방독→タドゥミットル　189
ハンナ〔亢羅〕항라　409
パンナン〔頒囊〕반낭　185
パンニプ〔方笠〕방립　189
パンニプ-テンギ　팥잎댕기　391
パンニョンムン〔旁竜紋〕방룡문　189
ハンノキ〔榛の木〕오리나무　456
パンハンモ〔防寒帽〕방한모→同暖帽

191
パンビ〔半臂〕반비　185
パンビウイ〔半臂衣〕반비의→同半臂　186
パンフェジャン-チョゴリ〔半回装赤古里〕반회장저고리　187
パンプンサ〔半分糸〕반푼사　187
ハンプンチャ〔項風遮〕항풍차　409
パンベ　반베　185
パンポ〔斑布〕반포→同パンベ　187
ハンボク〔韓服〕한복　407
パンホンセク〔磻紅色〕반홍색　461
パンマンイ-スル　방망이술　190
パンムル　방물　190
パンムルセク〔パンムル色〕반물색　461
ハンムン〔鶴紋〕학문　406
パンモサ〔紡毛糸〕방모사（ぼうもうし〔紡毛糸〕）　190
ばんりょう〔盤領〕パルリョン　185
ひ〔柄〕プク　221
ピイ〔緋衣〕비의　226
ピオク〔緋玉〕비옥　225
ピオンヘ〔皮温鞋〕피온혜　405
ピガプ〔皮甲〕피갑　404
ひき〔疋〕ピル　405
ピギョン〔披肩〕피견　404
ピギョンイ　비경이（なかづつ〔中筒〕）　223
ピグ〔臂韝〕비구　223
ピガン〔緋冠〕비관　223
ひぐち〔柄口〕プッキル　222
ピサリ〔皮糸履〕피사리　404
ヒジャムン〔囍字紋〕희자문　439
ピジャンボク〔神将服〕비장복　226
ひすい〔翡翠〕ピチュィ　226
ピセク〔緋色〕비색　461
ピセク〔翡色〕비색　461
ピソン〔皮扇〕피선　405
ひだりまえ〔左前〕チュァイム　349
ピダン〔緋緞〕비단　225
ピダンシル　비단실→絹糸　225
ピチャル〔皮札〕피찰　405

ピチュィ〔翡翠〕비취（ひすい〔翡翠〕）　226
ピチョプボク〔婢妾服〕비첩복　226
ピチョヘ〔皮草鞋〕피초혜　405
ピッ　빗（くし〔櫛〕）　227
ピッケ　빗치개　228
ピッチョプ　빗접　227
ピッチョプコビ　빗접고비　228
ピドゥリ　비두리　225
ひとえ〔単衣〕タニ　124
ヒトツバハギ〔一葉萩〕광대싸리　451
ピニョ〔簪〕비녀（かんざし〔簪〕）　223
ひのし〔火熨斗〕タリミ　118
ピバク〔披膊〕피박　404
ピバル〔被髪・披髪〕피발　404
ピビョン〔皮弁〕피변　404
ピビン-ムナンボク〔妃嬪問安服〕비빈문안복　225
ピファ〔皮靴〕피화　405
ひふく〔被服〕ピボク　404
ピヘ〔皮鞋〕피혜　405
ピベク-テデ〔緋白大帯〕비백대대　225
ピボク〔被服〕피복（ひふく〔被服〕）　404
ヒャン〔香〕향　410
ヒャンガプ〔香匣〕향갑　410
ヒャンガプ-ノリゲ〔香匣ノリゲ〕향갑노리개　410
ヒャンジョチュサ-クリュ-ピョンチョングァン〔香皂皺紗九旒平天冠〕향조추사구류평천관　411
ヒャンナン〔香囊〕향낭　410
ヒャンニボク〔郷吏服〕향리복　411
ヒャンポ-チョヘ〔香蒲草鞋〕향포초혜　411
ヒュンベ〔胸背〕흉배　431
ピョ〔裱〕표　401
ピョウイ〔表衣〕표의→同袍　401
ひょうはく〔漂白〕ピョベク　401
ピョク〔甓〕벽　207
ピョクサ-ヒュンベ〔辟邪胸背〕벽사흉배　208
ピョクサム〔辟邪舞〕벽사무　208

509

項目索引

ピョクセク〔碧色〕벽색　208, 461
ヒョクタプ〔革踏〕혁답　411
ヒョクテ〔革帯〕혁대（かわおび〔革帯〕）　411
ピョゴク〔碧玉〕벽옥　208
ヒョゴン〔孝巾〕효건　430
ヒョニ〔玄衣〕현의　412
ピョニョンサ〔片撚糸〕편연사（かたよりいと〔片撚糸〕）　393
ヒョピル〔夾纈〕협힐（きょうけち〔夾纈〕）　412
ヒョプクムファ〔夾金靴〕협금화　412
ヒョプス〔狭袖〕협수　412
ピョベク〔漂白〕표백（ひょうはく〔漂白〕）　401
ヒョムナン〔狭囊〕협낭→同ヨム囊・トゥルチュモニ　412
ピョムン-テグゴ〔豹紋大口袴〕표문대구고　401
ピョルガムボク〔別監服〕별감복　209
ピョンギョン〔平絹〕평견　393
ピョンギョンサ〔辺経糸〕변경사　208
ピョングク〔平履〕평극　393
ピョンサンボク〔平常服〕평상복　393
ピョンジク〔平織〕평직（ひらおり〔平織〕）　394
ピョンジャ 편자　393
ピョンジョンゴン〔平頂巾〕평정건　394
ピョンジル〔弁経〕변질　208
ピョンス〔平繡〕평수（ひらぬい〔平繡い〕）　394
ヒョンセク〔玄色〕현색　465
ピョンチョングァン〔平天冠〕평천관→同冕旒冠　394
ピョンチョンパン〔平天板〕평천판　394
ヒョンナン〔革囊〕혁낭　411
ピョンニプ〔平笠〕평립→同黒笠　393
ピョンニャンジャ〔平涼子〕평량자→同ペレンイ　393
ピョンニョン〔辟領〕벽령　207
ピョンバル〔弁髪〕변발（べんぱつ〔弁髪〕）　208

ピョンバル〔編髪〕편발→同弁髪　393
ピョンブ〔兵符〕병부　209
ピョンファ-チョジク〔変化組織〕변화조직（へんかそしき〔変化組織〕）　208
ピョンボク〔便服〕편복→同平常服　393
ピョンボンムン〔蝙蝠紋〕편복문　393
ピョンミョン〔平冕〕평면　393
ヒョンモク〔玄木〕현목　412
ピョンヨム〔平染〕평염　394
ピョンワジプ〔瓶窩集〕병와집　469
ピラ〔緋羅〕비라　225
ひらおり〔平織〕ピョンジク　394
ひらぎぬ〔平絹〕ミョンジュ　161
ひらぬい〔平繡い〕ピョンス　394
ひらろ〔平絽〕ヨジク　287
ピランサム〔緋鸞衫〕비란삼　225
ピリ〔皮履〕피리　404
ピル〔疋〕필（ひき〔疋〕）　405
ピルナン〔筆囊〕필낭　405
ピルモク〔疋木〕필목　405
ピログァン〔毘盧冠〕비로관　225
ピングスル 빈구슬　226
ピンサ〔氷紗〕빙사→同純鱗　228
ヒン-モシ 흰모시→同白綃布　439
ファ〔靴〕화　420
ファアジャン〔花児匠〕화아장　480
ファウイ〔華衣〕화의→同ファロッ　423
ファウォルジャム〔花月簪〕화월잠　423
ファガク〔画角・華角〕화각　421
ファガク-コンエ〔画角工芸〕화각공예　421
ファグァン〔花冠〕화관　421
ファグァン-クェゲ〔花冠簂髻〕화관궤계　422
ファサジュ〔花紗紬〕화사주　423
ファジャ〔靴子〕화자　423
ファジャム〔花簪〕화잠　423
ファジャン〔化粧〕화장（けしょう〔化粧〕）　423

ファジャン 화장（ゆきたけ〔裄丈〕）　423
ファジャンハプ〔化粧盒〕화장합　424
ファジョッポ〔花蝶袍〕화접포　424
ファジョムムン-カプサ〔花蝶紋甲紗〕화접문갑사　424
ファジョン〔華鈿〕화전→同花簪　424
ファセンソ〔花生素〕화생소　423
ファチェ〔花釵〕화채→同花簪　424
ファチュンムン〔華虫紋〕화충문　424
ファチョムン〔花草紋〕화초문　424
ファデ〔靴帯〕화대　423
ファノク〔環玉〕환옥→トリオク（トリ玉）　426
ファバンジュ〔和方紬〕화방주　423
ファピ-クァンモ〔樺皮冠帽〕화피관모　426
ファファ-ポクトゥ〔花画幞頭〕화화복두　426
ファヘジャン〔靴鞋匠〕화혜장　480
ファポ〔花布〕화포　426
ファムン-カプサ〔花紋甲紗〕화문갑사　423
ファムンソク〔花紋席〕화문석　423
ファルス〔闊袖〕활수　426
ファルロ-タギ 활로 타기（わたうち〔綿打ち〕）　426
ファロッ 활옷　426
ファン〔璜〕황　426
ファンウォンサム〔黄円衫〕황원삼→皇后大礼服・円衫　428
ファングァンピ〔黄壙皮〕황광피　426
ファングム〔環金〕환금→トリグム（トリ金）　426
ファンジョッポ〔黄紵布〕황저포→同黄麻布　429
ファンジル〔環経〕환질　426
ファンセク〔黄色〕황색（きいろ〔黄色〕）　427
ファンソン〔紈扇〕환선　426
ファンチョサム〔黄綃衫〕황초삼　429
ファンドン-トゥジョンガプ〔黄銅頭釘

510

甲〕황동두정갑　427
ファンナン〔黄囊〕황낭　426
ファンニョンポ〔黄竜袍〕황룡포　427
ファンファガプ〔黄画甲〕황화갑　429
ファンフ-テレボク〔皇后大礼服〕황후대례복　429
ファンポ〔黄袍〕황포→同 ファンニョンポ 黄竜袍　429
ファンホン-チャンミ〔黄紅薔薇〕황홍장미　429
ファンマサ〔黄麻糸〕황마사　427
ファンマポ〔黄麻布〕황마포　427
ファンユ-ホンサン〔黄襦紅裳〕황류홍상　429
フィガムチギ　휘감치기（かがりぬい〔かがり縫い〕）　431
フィゴン〔揮巾〕휘건　431
フィハン〔揮項〕휘항　431
フィムン〔揮紋〕휘문→同 ファチュンムン 華虫紋　431
フィヤン〔揮陽〕휘양→同 フィハン 揮項　431
ブインボク〔婦人服〕부인복（ふじんふく〔婦人服〕）　218
ふうつうおり〔風通織〕トンプンジク　388
フェ〔絵〕회　430
フェジャン〔回装〕회장　430
フェジャン-チョゴリ〔回装チョゴリ〕회장저고리　430
フェスグムゲ〔絵繍錦罽〕회수금계　430
フェセク〔灰色〕회색（はいいろ〔灰色〕）　430, 465
フェッテ　횃대　429
フェリョム〔回斂〕회렴　430
フェレヨン〔会礼宴〕회례연　430
フェンサ〔横糸〕횡사　430
フギ〔黒衣〕흑의　438
ブギョニ〔覆肩衣〕부견위　217
ブク　북（ひ〔杼〕）　221
ブクケ〔北髻〕북계　221
フクサピファ〔黒斜皮靴〕흑사피화　437
ふくしょくせいどのかくりつ〔服飾制度の確立〕복식제도의 정립　214

フクセク〔黒色〕흑색（くろ〔黒〕）　437, 465
フクソク〔黒舃〕흑석　438
フクタルリョン〔黒団領〕흑단령　436
フクタンピ-サペ〔黒唐皮靸鞋〕흑당피삽혜　436
フクチャンサム〔黒長衫〕흑장삼　438
フクチュク-パンニプ〔黒竹方笠〕흑죽방립　438
フクチョウイ〔黒綃衣〕흑초의　438
フクチョパンニプ〔黒草方笠〕흑초방립　438
プクパヌル　북바늘　222
フクピファ〔黒皮靴〕흑피화　439
フクピヘ〔黒皮鞋〕흑피혜　439
プクポ〔北布〕북포　222
ふくろぬい〔袋縫い〕トン-ソルギ　384
フグンビンボク〔後宮嬪服〕후궁빈복　430
フケ〔黒鞋〕흑혜　439
プサギョン〔富士絹〕부사견（ふじぎぬ〔富士絹〕）　217
ふじぎぬ〔富士絹〕プサギョン　217
フジモドキ〔藤擬き〕원화　457
プジュンニプ〔付竹笠〕부죽립　218
ふじんふく〔婦人服〕ブインボク　218
フス〔後綬〕후수　430
プセ　푸새　401
プソ　푸서　401
プチェ〔扇〕부채（おおぎ〔扇〕）　218
フッカク〔黒角〕흑각　434
フッカク-ケグリ-チョプチ〔黒角ケグリチョプチ〕흑각개구리첩지　434
フッカク-ソクテ〔黒角束帯〕흑각속대　435
フッカクチャム〔黒角簪〕흑각잠　435
フッカクテ〔黒角帯〕흑각대　434
プッキル　북길（ひぐち〔杼口〕）　222
フッカン〔黒冠〕흑관　435
フッケチェク〔黒介幘〕흑개책　435
フッコン〔黒巾〕흑건　435
ぶつぞうないのうにゅうおりもの〔仏像内納入織物〕プルボクチャン-チ

ンムル　222
プデ　부대（たけくだ〔竹管〕）　217
プティ　부티（こしあて〔腰当て〕）　221
プティクン　부티끈　221
ぶどうもん〔葡萄紋〕ポドムン　400
プドゥル-サンモ　부들상모　217
プニョ-サッカッ〔婦女サッカッ〕부녀삿갓　217
プパン〔負版〕부판　221
プピョンチャ〔副編次〕부편차　221
プム　품　402
プムデ〔品帯〕품대　402
プムポ〔品布〕품포　403
ふよのふくしょく〔扶余の服飾〕부여의복식　218
プヨングァン〔芙蓉冠〕부용관　218
プルサ〔戴翠〕불사　222
プルソム　풀솜（まわた〔真綿〕）　402
プルトゥジャム〔仏頭簪〕불두잠　222
プルプチョイッキ　풀 붙여 잇기　402
プルボクチャン-チンムル〔仏腹蔵織物〕불복장직물（ぶつぞうないのうにゅうおりもの〔仏像内納入織物〕）　222
プルムン〔戴紋〕불문　222
プルモリ　풀머리　402
プルリョン〔戴領〕불령　222
プルロチム〔不老枕〕불로침　222
フンウィ-チュアウ-チヌィグンボク〔興威左右親衛軍服〕흥위좌우친위군복　439
プンギミョン-モリ　푼기명머리　401
プンサス〔プン糸繡〕푼사수　401
プンサ-ヌルムス〔プン糸ヌルム繡〕푼사누름수　401
フンサン〔繡裳〕훈상　431
プンジャム〔風簪〕풍잠　403
フンセク〔暈色〕훈색（うんしょく〔暈色〕）　431
フンセク〔纁色〕훈색（そひいろ〔纁色〕）　431, 465
プンチャ〔風遮〕풍차　403

項目索引

プンチャ−パジ〔風遮パジ〕풍차바지　403

プンデンイ　풍뎅이→同ナムバウィ　403

プントゥヘ〔分套鞋〕분투혜　222

フンニプ〔黒笠〕흑립　436

フンニョンポ〔黒領袍〕흑룡포　436

フンノクチャピファ〔黒鹿子皮靴〕흑녹자피화　435

プンポ〔粉袍〕분포　222

フンマポ〔黒麻布〕흑마포　437

プンミ〔粉米〕분미　222

ヘ〔鞋〕혜　412

ヘア〔鞋▽児〕혜아　412

ペオク〔佩玉〕패옥　392

ペカン−ヒュンベ〔白鷳胸背〕백한흉배　201

ペギ〔白衣〕백의（しろきぬ〔白衣〕）　196

ペギ−クムジリョン〔白衣禁止令〕백의금지령　196

ペギャンモク〔白洋木〕백양목　195

ペギョンポリ〔白練布履〕백연포리　195

ペク〔帛〕백　193

ペクァ〔白靴〕백화　201

ペクァ−スピークァンモ〔白樺樹皮冠帽〕백화수피관모→同樺皮冠帽　201

ペギデ〔白緯帯〕백위대　196

ペククァンボク〔百官服〕백관복　193

ペクサ−チュンダン〔白紗中単〕백사중단　195

ペクサム〔白衫〕백삼→同白紬中単　195

ペクサモ〔白紗帽〕백사모　195

ペクスンヘ〔白縄鞋〕백승혜　195

ペクセク〔白色〕백색（しろ〔白〕）　195

ペクタルリョン〔白団領〕백단령　194

ペクチャンサム〔白長衫〕백장삼　197

ペクチュゴ〔白紬袴〕백주고　198

ペクチュ−チュンダン〔白紬中単〕백주중단　198

ペクチョ〔白紵〕백저→白紵布　197

ペクチョ−チャギ〔白紵窄衣〕백저착의　197

ペクチョ−チュンダン〔白綃中単〕백초중단　199

ペクチョッポ〔白畳布〕백첩포　199

ペクチョプポ〔白氎布〕백첩포　199

ペクチョ−ポ〔白紵袍〕백저포　197

ペクチョポ〔白紵布〕백저포　197

ペクチョボンチェグムダン〔白鳥鳳采金緞〕백조봉채금단　198

ペクチョルリプ〔白氈笠〕백전립　197

ペクチンニョン〔白直領〕백직령　198

ペクテ〔白帯〕백대　194

ペクテク−ヒュンベ〔白沢胸背〕백택흉배　199

ペクハンサム〔白汗衫〕백한삼　201

ペクパンニプ〔白方笠〕백방립　195

ペクピファ〔白皮靴〕백피화→同白靴　201

ペクピヘ〔白皮鞋〕백피혜　200

ペクフク−チョマポ〔白黒苧麻布〕백흑저마포　201

ペクポイ〔白布衣〕백포의　200

ペクポ−ウォルリョンイ〔白布円領衣〕백포원령의　200

ペクポグ〔白布裘〕백포구　200

ペクポグァ−イクソングァン〔白布裏翼善冠〕백포과익선관　199

ペクポグァ−オソデ〔白布裏烏犀帯〕백포과오서대　199

ペクポグァ−カクテ〔白布裏角帯〕백포과각대　199

ペクポグァ−サモ〔白布裏紗帽〕백포과사모→同布帽　199

ペクポグァ−ピョンジョンゴン〔白布裏平頂巾〕백포과평정건　200

ペクポクームンダン〔百福紋緞〕백복문단　195

ペクポ−ケドゥゴン〔白布蓋頭巾〕백포개두건　199

ペクポサム〔白布衫〕백포삼　200

ペクポ−タルリョン〔白布団領〕백포단령　200

ペクポ−チョルサンゴン〔白布折上巾〕백포절상건　200

ペクポ−チンニョイ〔白布直領衣〕백포직령의　200

ペクポ−テスイ〔白布大袖衣〕백포대수의　200

ペクポ−テスジャングン〔白布大袖長裙〕백포대수장군　200

ペクポ−ペジャ〔白布褙子〕백포배자　200

ペクポマル〔白布襪〕백포말→同白襪　200

ペクポモ〔白布帽〕백포모　200

ペクポリプ〔白布笠〕백포립→同白笠　200

ペグンヘ〔白雲鞋〕백운혜　195

ペゲ　배개（まくら〔枕〕）　203

ペゲンモ　베갯모　203

ペゴクチャム〔白玉簪〕백옥잠　195

ペゴッキュ〔白玉圭〕백옥규　195

ペシム〔背心〕배심　192

ペジャ〔背子・褙子〕배자　192

ペジャウイ〔褙子衣〕배자의→同背子　193

ペシル　베실→同大麻糸　204

ペスル〔蔽膝〕폐슬　394

ペダプ〔背褡〕배답→同背心　192

ペダン〔褙襠〕배당　192

ヘチムン〔獬豸紋〕해치문　409

ペ−チャギ　베짜기（はたおり〔機織り〕）　204

ペッカクテ〔白角帯〕백각대　193

ペッカルゴン〔白葛巾〕백갈건　193

ペッシ−テンギ　배씨댕기　192

ペッスル〔牌ッスル〕팻술　393

ペトゥル　베틀（しょっき〔織機〕）　205

ペトゥルシン　베틀신　207

ペトゥルシンクン　베틀신끈　207

ペトゥルシンデ　베틀신대　207

ペドゥロンイ　배두렁이→同トゥロンイ　192

ペ−ナルギ　베날기（せいけい〔整経〕）

512

204
ヘナン〔亥囊〕해낭→同頷囊　409
べにいろ〔紅色〕ホンセク　419
ベニバナ〔紅花〕홍화（잇꽃）　459
ペネッチョゴリ　배냇저고리　191
ヘピョピ〔海豹皮〕해표피　409
ペプテンイ　뱁댕이（はたくさ〔機草〕）　201
ペベク〔幣帛〕폐백　394
ヘヘン-チョンジェ〔海行摠載〕해행총재　473
ペムル〔佩物〕패물　392
ペムルソン〔佩物扇〕패물선　392
ペーメギ　베매기　204
ペヨン〔貝纓〕패영　392
ヘヨンピ〔鞋縁皮〕혜연피　412
ペリュン〔貝輪〕패륜　392
ペレ　배래→同ペレギ　192
ペレギ　배래기（たもと〔袂〕）　192
ペレンイ　패랭이　391
ヘンイ〔行衣〕행의　409
へんかそしき〔変化組織〕ピョンファ-チョジク　208
ヘンジューチマ　행주치마→アプチマ　410
ヘンジョン〔行纏〕행전　409
ヘンド〔行道〕행도　409
ペンナ-チュンダン〔白羅中単〕백라중단　194
ペンニ〔白履〕백리　194
ペンニプ〔白笠〕백립　194
ペンノクピ〔白鹿皮〕백록피　194
べんぱつ〔弁髪〕ピョンバル　208
へんぷく〔辺幅〕シクソ　266
へんぷく〔辺幅〕トックッ　383
ペンマル〔白襪〕백말　194
ペンマンゴン〔白網巾〕백망건　194
ペンミョンポ〔白綿布〕백면포　194
ペンモク〔白木〕백목→同綿布　194
ペンモクァ〔白木靴〕백목화→白靴　194
ペンモグァン〔白毛冠〕백모관　194
ポ〔補〕보　209

ポ〔褓〕보　209
ポ〔袍〕포　395
ホアーキプキ　호아집기　414
ホアーシチム　호아시침　414
ホウイ〔号衣〕호의　414
ほうおうもん〔鳳凰紋〕ポンファンムン　217
ぼうかんぼう〔防寒帽〕ナンモ　104
ぽうしょく〔紡織〕パンジク　191
ぼうすいしゃ〔紡錘車〕カラク-パクィ　13
ぽうせき〔紡績〕パンジョク　191
ほうそうげもん〔宝相華紋〕ポサンファムン　211
ぼうもうし〔紡毛糸〕パンモサ　190
ホエク〔護腋〕호액　414
ポオクシク〔宝玉飾〕보옥식　212
ホグ〔狐裘〕호구　412
ホグ〔虎裘〕호구　412
ポグ〔黼裘〕보구　210
ポグァ-イクソングァン〔布裹翼善冠〕포과익선관　400
ポクサム〔幞衫〕복삼　213
ポクシク-クムジェ〔服飾禁制〕복식금제　213
ポクチェ〔服制〕복제→喪服制　215
ポクチェ-ケヒョク〔服制改革〕복제개혁→甲申衣服改革令　215
ポクチューカムトゥ〔服主坎頭〕복주감투　215
ポクチョニ〔福田衣〕복전의→僧伽梨　215
ポクチョムムボク〔撲蝶舞服〕복접무복　215
ポクチョン-カサ〔福田袈裟〕복전가사　215
ポクトゥ〔幞頭〕복두　213
ぼくり〔木履〕ナマクシン　101
ポゴン〔布巾〕포건　400
ポサム〔步衫〕보삼　211
ポサンファムン〔宝相華紋〕보상화문（ほうそうげもん〔宝相華紋〕）　211
ポジョ-ピニョ〔補助ピニョ〕보조비녀

　　　212
ホジョムン〔蝴蝶紋〕호접문　415
ポジョン〔布廛〕포전　480
ポジョンファギョルジャジャム〔宝鈿花結子簪〕보전화결자잠　212
ホス〔虎鬚〕호수　414
ポソン　버선（たび〔足袋〕）　201
ポソン〔布扇〕포선　400
ポソンコ　버선코　202
ポソンボル　버선볼　201
ぼたん〔鈕〕タンチュ　124
ぽっかいのふくしょく〔渤海の服飾〕발해의 복식　188
ポッコン〔幅巾〕폭건　400
ポッコン〔幅巾・幞巾〕복건　212
ホッソル　홀솔　420
ポッティチャンオッ　봇디창옷　216
ポッポク〔法服〕법복　203
ポデ〔袍帯〕포대　400
ポドゥ〔胞肚〕포두　400
ホドゥジャム〔胡桃簪〕호두잠　412
ポドゥフクセク〔包頭黒色〕포두흑색　465
ポドチョンセク〔葡萄青色〕포도청색　465
ポドムン〔葡萄紋〕포도문（ぶどうもん〔葡萄紋〕）　400
ホハク〔狐貉〕호학　415
ホバク〔琥珀〕호박（こはく〔琥珀〕）　413
ホバクセク〔琥珀色〕호박색　465
ホバクタン〔琥珀緞〕호박단　414
ホバク-プンジャム〔琥珀風簪〕호박풍잠　414
ホバッキョン〔琥珀絹〕호박견　414
ホハン〔護項〕호항→同揮項　415
ポビ〔法衣〕법의　203
ホピョムン〔虎豹紋〕호표문　415
ホファ〔胡靴〕호화　415
ポファ〔布貨〕포화　400
ポプコチュムボク〔法鼓チュム服〕법고춤복　202
ポブサンボク〔褓負商服〕보부상복

項目索引

211
ポプタン〔法緞〕법단　202
ホペ〔号牌〕호패　415
ポペクチョク〔布帛尺〕포백척　400
ポペクテ〔布帛帯〕포백대　400
ホベック〔狐白裘〕호백구→同狐裘　414
ホボク〔胡服〕호복　414
ポボク〔報服〕보복　211
ポマンゴン〔布網巾〕포망건　400
ホミ-ポソン 호미버선→ホルテポソン　413
ホムジル 홈질（なみぬい〔並縫い〕）　417
ポムナンジャム〔琺瑯簪〕법랑잠　202
ポムボク〔梵服〕범복　202
ホムン〔虎紋〕호문　413
ポムン〔黼紋〕보문　211
ポモ〔布帽〕포모　400
ポモンユソンボポクカプ〔凡紅油盛法服匣〕범홍유성법복갑　202
ポヨ〔歩揺〕보요　212
ホリーッティ 허리띠（おび〔帯〕）　411
ポリプ〔袍笠〕포립　400
ポリョ 보료　210
ホル〔笏〕홀（しゃく〔笏〕）　416
ポルッキ 볼끼　216
ホルテ-パジ 홀태바지　417
ホルテ-ポソン 홀태버선　417
ポルムセ 보름새　210
ホルレボク〔婚礼服〕혼례복（こんれいいしょう〔婚礼衣装〕）　415
ホロビョン-チャギ〔胡蘆瓶チャギ〕호로병차기　413
ホロビョンムン〔葫蘆瓶紋〕호로병문　413
ホンイ〔紅衣〕홍의　419
ホンウォンサム〔紅円衫〕홍원삼　419
ポンエク〔縫掖〕봉액　217
ホンオク-タンヘ〔紅玉唐鞋〕홍옥당혜　419
ほんがえしぬい〔本返し縫い〕オンパグムジル　297
ホングム-ピグ〔紅錦臂韝〕홍금비구　514

417
ポンゴジ 병거지　203
ホンゴプ-タンチュ 헝겊단추→同メジュンタンチュ　411
ホンサデ〔紅糸帯〕홍사대→同紅絛帯　418
ホンサム〔紅衫〕홍삼→同赤綃衣チョクチョウイ　418
ホンサン〔紅裳〕홍상　418
ホンサンモ〔紅象毛〕홍상모　419
ポンジャム〔鳳簪〕봉잠　217
ホンジョン〔紅氈〕홍전　419
ポンスル 봉술　217
ホンセク〔紅色〕홍색（べにいろ〔紅色〕）　419
ほんぞうこうもく〔本草綱目〕본초강목　469
ホンソン〔婚扇〕혼선　416
ポンソン〔鳳扇〕봉선　216
ホンタルリョン〔紅団領〕홍단령　417
ポンダン〔本緞〕본단　215
ホンチュウイ〔紅紬衣〕홍주의　419
ポン-チョプチ〔鳳チョプチ〕봉첩지　217
ホンチョルリク〔紅▽帖▽裏〕홍철릭　420
ホンチョルリプ〔紅戦笠〕홍전립　419
ポンチョンオク〔燔青玉〕번청옥　202
ホンチョンデ〔紅鞓帯〕홍정대　419
ポンディ 봉디　216
ポンテギ 병테기→同ポンゴジ　203
ホントア〔紅絛▽児〕홍도아→同紅絛帯　417
ホンドゥッケ 홍두깨（あやまき〔綾巻き〕）　417
ホントデ〔紅絛帯〕홍도대　417
ホンナ-ソグム-ポボク〔紅羅銷金布袱〕홍라소금포복　418
ホンナ-チャクスウイ〔紅羅窄袖衣〕홍라착수의　418
ホンニョンポ〔紅竜袍〕홍룡포　418
ホンハプ-チョジク〔混合組織〕혼합조직（こんごうそしき〔混合組織〕）　416

ポンファンムン〔鳳凰紋〕봉황문（ほうおうもん〔鳳凰紋〕）　217
ポンベ-クィサド〔奉盃帰社図〕봉배귀사도　216
ポンベゴク〔燔白玉〕번백옥　202
ホンポ〔紅袍〕홍포　420
ポンポ〔番布〕번포　202
ポンボク〔本服〕본복　215

【マ行】

まえかけ〔前掛け〕アプチマ　282
まがたま〔曲玉・勾玉〕コゴク　54
まきい〔巻衣〕クォンポウイ　79
マギョジク〔麻交織〕마교직　149
マグ〔麻屨〕마구→同ミトゥリ　149
まくら〔枕〕ペゲ　203
まげ〔髻〕サントゥ　243
マゴジャ〔▽麻▽古▽子〕마고자　149
マゴジャ タンチュ〔▽麻▽古▽子タンチュ〕마고자 단추　149
マゴン〔麻貢〕마공　476
マサン-ユサム〔馬上油衫〕마상유삼　150
マジェ-クプトシ〔馬蹄クプトシ〕마제굽토시　150
マジク〔麻織〕마직　150
マジョン 마전　150
マジョンニプ〔麻鬃笠〕마종립→同鬃笠ジョンニプ　150
マジルテ〔麻絰帯〕마질대　151
まぜおり〔交ぜ織り〕キョジク　70
まち〔襠〕ム　170
マチュク〔麻縮〕마축　151
マッチュルム-ソルギ 맞주름솔기　153
マッテ-パッキ 맞대박기（つきあわせはぎ〔突き合わせ接ぎ〕）　153
マッパグムジル 맞박음질　153
まつばにんじん〔松葉人参〕ケアマ　35
まつりぬい〔纏り縫い〕カムチギ　25
まつりぬい〔纏り繍い〕イウムス　317
マドゥ-ナプチェ〔馬頭納采〕마두납채　149

項目索引

マドゥルガリ 마들가리 150
マニ-カサ〔マニ袈裟〕마니가사 149
マノ〔瑪瑙〕마노（めのう〔瑪瑙〕）149
マノ-チファン〔瑪瑙指環〕마노지환 149
マピ-ヒョプクム-ユファ〔馬皮狹金油靴〕마피협금유화 151
マヘ〔麻鞋〕마혜同ミトゥリ（麻鞋）151
マポ-テスウイ〔麻布大袖衣〕마포대수의 151
マミサジャン〔馬尾篩匠〕마미사장 476
マミダン〔馬尾緞〕마미단 150
マミリプ〔馬尾笠〕마미립 150
まゆわた〔繭綿〕コップルソム 39
マリサギ 마리사기 150
マリョ〔襪袎〕말요 152
マル〔襪〕말同ポソン 151
マルギ 말기 152
まるぐみひも〔丸組紐〕ウォンダフェ 306
マルグン〔襪裙〕말군 151
マルッテ〔抹帯〕말대 152
マルトゥクチャム〔マルトゥク簪〕말뚝잠 152
マルトゥク-テンギ 말뚝댕기 152
マルトゥク-ポンゴジ 말뚝벙거지 152
マルヘ〔襪鞋〕말혜 152
マルポク 마루폭 150
マルン-シン 마른신 150
マレギ〔▽抹▽額〕마래기 150
マレギ 마래기 150
マレク-アヤム〔▽抹▽額▽兒▽掩〕말액아얌 152
まわた〔真綿〕プルソム 402
マンイ〔蟒衣〕망의 153
マンギャク〔芒屐〕망갹 153
マンギ-ヨラム〔万機要覧〕만기요람 468
マンゴン〔網巾〕망건 153
マンゴントン〔網巾筒〕망건통 153

まんじもん〔卍紋〕マンジャムン 151
マンジャムン〔卍字紋〕만자문（まんじもん〔卍紋〕）151
マンス〔網綬〕망수 153
マンソンドゥリ〔▽満䯻▽頭▽里〕만선두리 151
マンニョイ〔蟒竜衣〕망룡의 153
みぎまえ〔右前〕ウイム 303
みこし〔御輿〕カマ 16
みごろ〔身頃〕キル 94
ミサリ 미사리 180
みずいろ〔水色〕オクセク 296
ミソン〔尾扇〕미선 180
ミチェ〔美髢〕미체 180
ミツ 밀 181
ミツ-パデ 밀바대 181
ミトゥリ 미투리 180
みどり〔緑〕チョロクセク 464
みどり〔緑〕ノクセク 113, 460
みの〔蓑・簑〕トロニイ 135
みみかざり〔耳飾り〕クィゴリ 81
ミョクサル 멱살 157
ミョニ〔面衣〕면의 160
ミョニュン〔綿絨〕면융 160
ミョノク〔面玉〕면옥→クァノク同冠玉 160
ミョピ〔猫皮〕묘피 170
ミョルリュグァン〔冕旒冠〕면류관 157
ミョンイ〔冥衣〕명의 161
ミョンイ〔明衣〕명의 160
ミョンギュ〔冕圭〕면규 157
ミョングァン〔冕冠〕면관→ミョルリュグァン同冕旒冠 157
ミョンサ〔命糸〕명사 160
ミョンサ〔綿糸〕면사（めんし〔綿糸〕）159
ミョンサ〔面紗〕면사 159
ミョンジュ〔明紬〕명주（ひらぎぬ〔平絹〕）161
ミョンジュ〔綿紬〕면주 160
ミョンジュジョン〔明紬廛〕명주전 476
ミョンジュジョン〔綿紬廛〕면주전→ミョンジュジョン同

明紬廛 476
ミョンジョン〔銘旌〕명정 161
ミョン-スジャ〔綿繻子〕면수자 159
ミョン-スジン〔綿繻珍〕면수진 159
ミョンソン〔銘仙〕명선 160
ミョンチュク〔綿縮〕면축 160
ミョンチョナ-ユン〔綿天鵞絨〕면천아융（めんびろーど〔綿ビロード〕）160
ミョンニ〔冪羅〕멱리 157
ミョンバク〔明珀〕명박 160
ミョンパン〔冕板〕면판→ピョンチョンパン同平天板 160
ミョン-ピッ〔面ピッ〕면빗 159
ミョンポ〔綿布〕면포（めんぷ〔綿布〕）160
ミョンボク〔冕服〕면복 158
ミョンボク〔緬服〕면복 159
ミョンボク〔命服〕명복 160
ミョンポジョン〔綿布廛〕명포전 476
ミョンモ〔冪冒〕멱모同冪目 157
ミョンモ〔面帽〕면모同冪目 158
ミョンモク〔冪目〕멱목 157
ミリョダン〔美麗緞〕미려단 180
ミルチプ-モジャ 밀짚모자→メッコモジャ同麦藁帽子 181
ミルテ 밀대 181
ミルファヨン〔蜜花纓〕밀화영 181
ミンガンス〔民間繡〕민간수 181
ミンジャゴン〔民字巾〕민자건→ユゴン同儒巾 181
ミンジャム〔ミン簪〕민잠 181
ミンジャンボク〔民長服〕민장복 181
ミン-チョクトリ 민족두리 181
ミンモリ 민머리→チョクチンモリ同 181
ム 무（まち〔襠〕）170
ムウリ 무우리 174
ムガク-ピョンジョンゴン〔無角平頂巾〕무각평정건 170
むぎわらぼうし〔麦藁帽子〕メッコ-モジャ 155
ムグ〔巫具〕무구 171

515

項目索引

ムグァンボク〔武官服〕무관복　170

ムグウイ〔無垢衣〕무구의→同袈裟(カサ)　171

ムクテ〔墨帯〕묵대　174

ムジギ 무지기　174

ムジニ〔無塵衣〕무진의→同袈裟　174

ムスリ-モリ 무수리 머리　174

ムソン〔巫扇〕무선→同巫(ム)堂(ダン)プチェ　174

ムダン-プチェ〔巫堂プチェ〕무당부채　171

ムチンシンドゥンイ〔務襯身等衣〕무친신등의　174

ムックン-チュンバル-モリ 묶은중발머리　174

ムドンイ〔舞童衣〕무동의　171

ムドンボク〔舞童服〕무동복　171

ムニャン〔紋様〕문양（もんよう〔文様〕）　176

ムニョボク〔巫女服〕무녀복　171

ムビョン〔武弁〕무변　173

ムポ〔巫布〕무포　174

ムボク〔巫服〕무복→巫(ムニョボク)女服　173

ムボク〔舞服〕무복　173

ムミョン 무명（めんぷ〔綿布〕）　173

ムミョン-シル 무명실（もめんいと〔木綿糸〕）→綿糸(ミョンサ)　173

ムヤン-チョクセク-フギ〔無揚赤色黒衣〕무양적색흑의　174

ムラサキ〔紫〕자초　457

むらさきいろ〔紫色〕チャセク　320, 463

ムル-オッ 물옷　180

ムルギョプ-チョゴリ 물겹저고리　176

ムル-チョクサム〔ムルチョク衫〕물적삼　180

ムルプ-チギ 무릎치기　173

ムルラグァン〔文羅冠〕문라관　175

ムルラ-トゥゴン〔文羅頭巾〕문라두건　175

ムルルン〔紋綾〕문릉　176

ムルレ 물레（いとぐるま〔糸車〕）　176

ムルレジル 물레질　180

ムルレ-チュル 물레줄（はやいと〔早糸〕）　180

ムルレ-パクィ 물레바퀴　180

ムルロバン〔紋老紡〕문로방　175

ムン-イクチョム-ミョンファ-シベジ〔文益漸綿花始培地〕문익점 면화시배지　176

ムングァンサ〔紋官紗〕문관사　175

ムングァン-ポクチャン-キュチク〔文官服装規則〕문관복장규칙　175

ムングム〔紋禁〕문금→同紋(ムンダンクムジ)段禁止　175

ムンサ〔紋紗〕문사　176

ムンサガク〔紋紗角〕문사각　176

ムンジャムン〔文字紋〕문자문　176

ムンジンムル〔紋織物〕문직물　176

ムンダン〔紋緞〕문단　175

ムンダン-クムジ〔紋緞禁止〕문단금지　175

ムンニプ〔墨笠〕묵립　174

ムンハンナ〔紋亢羅〕문항라　176

ムンモン〔墨幪〕묵몽　174

メ〔袂〕메→袪　162

めがねいれ〔眼鏡入れ〕アンギョンジプ　280

メクシン 맥신　155

メクス〔麦穂〕맥수　155

メゲ-テンギ 매개댕기　153

メジュクチャム〔梅竹簪〕매죽잠　155

メジュン-タンチュ 맺은단추　155

メジョジャム〔梅鳥簪〕매조잠　155

メチョン-ヤロク〔梅泉野録〕매천야록　469

メッコジャ〔麦藁子〕맥고자→同麦(メッコ)藁(モジャ)帽子　155

メッコモ〔麦藁帽〕맥고모→同麦藁帽子　155

メッコ-モジャ〔麦藁帽子〕맥고모자（むぎわらぼうし〔麦藁帽子〕）　155

メドゥプ〔▽毎▽緝〕매듭（かざりむすび〔飾り結び〕）　153

メドゥプス〔▽毎▽緝繡〕매듭수（さがらぬい〔相良繡い〕）　154

メドゥプチャン〔▽毎▽緝匠〕매듭장　476

メドゥプヒョン ヨンスシク〔▽毎▽緝型 輦垂飾〕매듭형 연수식　154

めのう〔瑪瑙〕マノ　149

めんい〔綿衣〕モンミョニ　168

めんし〔綿糸〕ミョンサ　159

めんびろーど〔綿ビロード〕ミョンチョナ-ユン　160

めんぷ〔綿布〕ミョンポ　160

めんぷ〔綿布〕ムミョン　173

モウイジャン〔毛衣匠〕모의장　476

モウイ-トットシ〔毛衣トットシ〕모의 덧토시　166

もうせん〔毛氈〕モジョン　166

モガン〔木雁〕목안→同モッキロギ　168

モギョン〔木櫻〕목영　168

モギョンジャン〔木櫻匠〕목영장　476

モグ〔毛裘〕모구　162

モクァ〔木靴〕목화　169

モクァ-ソム〔木花舎〕목화솜（きわた〔木綿〕）　169

モグァン〔毛冠〕모관（けぼうし〔毛帽子〕）　162

モグァンジャン〔毛冠匠〕모관장　476

もくいと〔杢糸〕ヨニャクサ　288

モクィハン〔木揮項〕목휘항　169

モク-キロギ〔木キロギ〕목기러기　167

モク-コリ 목걸이（くびかざり〔首飾り〕）　166

モクソジャン〔木梳匠〕목소장　476

モクチム〔木枕〕목침　168

モクチャム〔木簪〕목잠　168

モク-チャンサム〔モク長衫〕먹장삼　157

モク-トリ 목도리（えりまき〔襟巻き〕）　168

モグン〔帽裙〕모군　163

モケ〔木鞋〕목혜　168

モコル〔木笏〕목홀　168

516

モゴン〔帽工〕모공 476
モコンセク〔木紅色〕목홍색→スオウ〔蘇芳〕169, 461
モサ〔毛糸〕모사（けいと〔毛糸〕）164
モシ 모시（からむしおり〔カラムシ織〕）164
モシジョン〔モシ廛〕모시전 476
モシープル 모시풀（カラムシ）165
モシーポ〔モシ布〕모시포→モシ・白苧布 165
モジャジャン〔帽子匠〕모자장 476
モジャーハプ〔母子盒〕모자합 166
モジョン〔毛氈〕모전（もうせん〔毛氈〕）166
モジョンジャン〔毛氈匠〕모전장 476
モジョンニプ〔毛氈笠〕모전립 166
モスリン タンチュクミョン 127
モソン〔毛扇〕모선 164
モダン〔帽緞〕모단 163
モチョ〔毛綃〕모초 166
モチョダン〔毛綃緞〕모초단→同毛綃 166
モチョム〔帽簷〕모첨 166
モック〔木屐〕목극→同ナマクシン（木履）167
モッコンダン〔木貢緞〕목공단 167
モテ 모테→同カルモテ 166
モドゥーモリ 모두머리 163
モピ〔毛皮〕모피（けがわ〔毛皮〕）166
モホリプ〔毛胡笠〕모호립 166
モボンダン〔模本緞〕모본단 164
もめんいと〔木綿糸〕ムミョン-シル 173
モラ〔毛羅・冒羅〕모라 163
モラーイクソンガァン〔毛羅翼善冠・冒羅翼善冠〕모라익선관 163
モラーポクトゥ〔毛羅幞頭・冒羅幞頭〕모라복두 163
モラリプ〔毛羅笠・冒羅笠〕모라립 163
モランムン〔牡丹紋〕모란문 163
モリッースゴン 머릿수건 157
モリッーチャン〔モリッ欌〕머릿장 157

モリプ〔毛笠〕모립 163
モリーモヤン 머리모양（かみがた〔髪型〕）156
モルン〔帽綾〕모릉 163
モンゴプン〔蒙古風〕몽고풍 169
モンス〔蒙首〕몽수 170
モンドゥリ〔蒙頭里〕몽두리 169
モンニ〔木履〕목리同ナマクシン（木履）168
モンニョンジャム〔木蓮簪〕목련잠 168
モンマ〔木馬〕목마→カマ 374
モンミョニ〔木綿衣〕목면의（めんい〔綿衣〕）168
モンミョン〔木綿〕목면→同ムミョン（木綿）168
モンミョンゴン〔木綿公〕목면공 168
モンミョン-チンムル〔木綿織物〕목면직물→同ミョンポ 168
モンミン-シムソ〔牧民心書〕목민심서 469
もんよう〔文様〕ムニャン 176

【ヤ行】

ヤギョンサ〔野繭糸〕야견사（てぐす〔天蚕糸〕）282
ヤジャデ〔也字帯〕야자대 283
やつはしおり〔八橋織〕パルギョジク 390
ヤマアイ〔山藍〕산람 455
ヤマアンズ〔山杏木〕산행목→丁紅色 455
ヤマハゼ〔山櫨〕황로 460
ヤマハンノキ〔山榛の木〕산오리나무 456
ヤマモモ〔楊梅〕소귀나무 455
ヤン〔梁〕양 283
ヤングァン〔梁冠〕양관 283
ヤンジャム〔養蚕〕양잠（ようさん〔養蚕〕）283
ヤンセクタン〔両色緞〕양색단 283
ヤンダン〔洋緞〕양단 283
ヤンテ〔涼太〕양태（つば〔鍔〕）284

ヤンテジャン〔涼太匠〕양태장 478
ヤンモク〔洋木〕양목→同唐木 283
ユ〔襦〕유 310
ユアボク〔幼児服〕유아복（ようじふく〔幼児服〕）312
ユウイ〔油衣〕유의→同油衫 313
ユウイ〔襦衣〕유의 313
ユガクーピョンジョンゴン〔有角平頂巾〕유각평정건 310
ユギジョン〔六矣廛〕육의전→同六注比廛 478
ゆきたけ〔裄丈〕ファジャン 423
ユギョビ〔襦袷衣〕유겹의 310
ユクァデムボク〔六花隊舞服〕육화대무복 314
ユクサン〔六尚〕육상 478
ユクチャボク〔六字服〕육자복→浅淡服 314
ユクチュビジョン〔六注比廛〕육주비전 478
ユクチンポ〔六鎮布〕육진포 314
ユクポク〔六服〕육복（ろっぷく〔六服〕）314
ユゴ〔油袴〕유고 311
ユゴン〔儒巾〕유건 310
ユサグムジョク〔鸁糸金翟〕유사금적 311
ユサム〔油衫〕유삼 311
ユジウイ〔襦紙衣〕유지의 313
ユシムジャム〔鍮蕈簪〕유심잠 312
ユジャマ〔有子麻〕유자마 313
ユジャム〔油蚕〕유잠 313
ユジョク〔揄翟〕유적 313
ユセンボク〔儒生服〕유생복 311
ユソ〔遊蘇〕유소 312
ユソンギ〔流星旗〕유성기 312
ユッカク-ヨンゴン〔六角軟巾〕육각연건 313
ユックン-サヌォン-キドゥボク〔六軍散員旗頭服〕육군산원기두복 313
ユデ〔襦帯〕유대 311
ユドゥン〔油芚〕유둔 311
ゆびぬき〔指貫〕コルム 55

項目索引

ゆびわ〔指輪〕パンジ　186
ユヘ〔油鞋〕유혜　313
ユヘ〔鍮鞋〕유혜　313
ユボク〔儒服〕유복→同儒生服　311
ユボクチン〔有服親〕유복친　311
ユボクチンニョ〔有服親女〕유복친녀　311
ユムンソンチョダン〔有紋線綢緞〕유문선초단　311
ユモクァ〔油木靴〕유목화　311
ユヨプカプ〔柳葉甲〕유엽갑　313
ユリ〔律衣〕율의　314
ユリヨン〔瑠璃纓〕유리영　311
ユロクセク〔柳綠色〕유록색　463
ユロクセク〔黝綠色〕유록색　311
ユン〔絨〕융　314
ユンイ〔戎衣〕융의→同戎服　314
ユンウォン-ピルビ〔戎垣必備〕융원필비　472
ユンニャングァン〔六梁冠〕육량관　313
ユンネ〔六礼〕육례　313
ユンボク〔戎服〕융복　314
ユンボク-ペヨン〔戎服貝纓〕융복패영　314
ヨウイ-キュファ-チュイラムグム〔如意葵花翠藍錦〕여의규화취람금　287
ヨウィサ〔如意紗〕여의사　287
ようさん〔養蚕〕ヤンジャム　283
ようじふく〔幼児服〕ユアボク　312
ようらく〔瓔珞〕ヨンナク　290
ヨクポク〔易服〕역복　287
よこいと〔緯糸〕ウィサ　310
ヨジク〔絽織〕여직（ろおり〔絽織〕・ひらら〔平絽〕）　287
ヨジ-クムデ〔荔枝金帯〕여지금대　287
ヨデ〔腰帯〕요대　302
ヨニ〔縁衣〕연의→褖衣　288
ヨニャクサ〔撚搦糸〕연역사（もくいと〔杢糸〕）　288
ヨヌォン-チクチ〔燕轅直指〕연원직지　471

ヨバン〔裸襻〕요반　302
ヨプトゥギ 옆트기（わきあけ〔脇明け〕）　291
ヨヘ〔女鞋〕여혜　287
ヨペ〔腰佩〕요패　302
ヨミ〔染衣〕염의→同袈裟　290
ヨミ〔袡衣〕염의　290
ヨミムソン 여밈선　286
ヨムジュヒョン-ヨンスシク〔念珠形繸垂飾〕염주형 연수식　290
ヨムナン〔ヨム囊〕염낭　289
よりいと〔撚り糸〕ヨンサ　288
ヨリンモ〔女笠帽〕여립모→同蓋頭〔2〕　286
ヨルム-ヌエ 여름누에　286
ヨルリョシル-キスル〔燃藜室記述〕연려실기술　471
よろい〔鎧〕カボッ　27
ヨン〔縱〕연→同平天板　287
ヨン〔縁〕연　287
ヨン〔輦〕연　287
ヨンウ〔嶺羽〕영우　290
ヨンガク〔軟脚〕연각　288
ヨングァンボク〔令官服〕영관복　290
ヨングン-ナンジャン-キビョンボク〔領軍郎将騎兵服〕영군랑장기병복　290
ヨンゴボク〔燕居服〕연거복　288
ヨンサ〔撚糸〕연사（よりいと〔撚り糸〕・ねんし〔撚糸〕）　288
ヨンジ〔臙脂〕연지　289
ヨンジェ-チョンファ〔慵斉叢話〕용재총화　472
ヨンジェボク〔練祭服〕연제복→練服　288
ヨンジムン〔霊芝紋〕영지문　290
ヨンジャ〔纓子〕영자→カックン　290
ヨンジャク-トンファン-ス〔練鵲銅環綬〕연작동환수　288
ヨンジャム〔竜簪〕용잠　303
ヨンジャヨン〔蓮子纓〕연자영　288
ヨンジャンムン〔練鵲紋〕연작문　288
ヨンシル-カックン〔蓮実カックン〕연

실갓끈→蓮子纓　288
ヨンソン〔竜扇〕용선　303
ヨンチャセク〔軟茶色〕연차색（うすちゃいろ〔薄茶色〕）　463
ヨンチョ〔英綃〕영초　291
ヨン-チョプチ〔竜チョプチ〕용첩지　303
ヨンッポン-ムジギ〔蓮ッポンムジギ〕연봉무지기　288
ヨンッポン-メドゥプ〔蓮ッポンメドゥプ〕연봉매듭　288
ヨンドゥセク〔軟豆色〕연두색　288
ヨンドゥモリ 용두머리　302
ヨンナク〔瓔珞〕영락（ようらく〔瓔珞〕）　290
ヨンナクチャム〔瓔珞簪〕영락잠　290
ヨンニンガプ〔竜鱗甲〕용린갑　302
ヨンパン〔蓮板〕연판　289
ヨンファグァン〔蓮花冠〕연화관　289
ヨンファムン〔蓮花紋〕연화문（れんげもん〔蓮花紋〕）　289
ヨンヘンノク-ソンジプ〔燕行録選集〕연행록선집　471
ヨンポ〔竜袍〕용포→同袞竜袍　303
ヨンボク〔練服〕연복　288
ヨンホ-サンチョグンボク〔竜虎上超軍服〕용호상초군복　303
ヨンホ-チュアウ-チヌィ-クンジャンボク〔竜虎左右親衛軍将服〕용호좌우친위군장복　303
ヨンホ-チュンメングンボク〔竜虎中猛軍服〕용호중맹군복　303
ヨンホ-ハヘグンボク〔竜虎下海軍服〕용호하해군복　303
ヨンホンセク〔蓮紅色〕연홍색　463
ヨンムン〔竜紋〕용문　302

【ラ行】

ら〔羅〕ナ　101
らいふく〔礼服〕イェボク　291
らくだいろ〔駱駝色〕タセク　465
らくろうじだいのおりもの〔楽浪時代の織物〕낙랑시대 직물　104

518

ラズライト チョングムソク 369
らでん〔螺鈿〕ナジョン 102
らでんしっき〔螺鈿漆器〕ナジョン‐チルキ 102
れいふく〔礼服〕イェボク 291
れんげもん〔蓮花紋〕ヨンファムン 289
ろうけつ〔蝋纈〕ナピル 107
ろおり〔絽織〕ヨジク 287
ろっぷく〔六服〕ユクポク 314

【ワ行】

わきあけ〔脇明け〕ヨプトゥギ 291
ワササ〔瓦斯紗〕와사사 298
わた〔綿〕ソム 255
わたうち〔綿打ち〕ファロ‐タギ 426
わたくりぐるま〔綿繰り車〕シア 278
わなむすび〔罠結び〕コ 45
ワムン〔渦紋〕와문 298
わりぬい〔割り縫い〕カルムソル 16
わりぬい〔割り繡い〕カルムス 16

ワリョングァン〔臥竜冠〕와룡관 297
ワングァン〔王冠〕왕관 298
ワンジャムン〔卍字紋〕완자문→卍字紋（マンジャムン） 298
ワンセジャ‐ポクシク〔王世子服飾〕왕세자복식（おうせいしのふくしょく〔王世子の服飾〕） 299
ワンチョ〔莞草〕완초 298
ワンデ〔腕帯〕완대 298
ワンドゥジャム〔豌豆簪〕완두잠 298
ワンボク〔王服〕왕복 298

한국복식문화사전

초판발행 · 1998년 9월 8일
초판 3쇄 · 2004년 4월 20일

글쓴이 · 김영숙

펴낸이 · 지미정
펴낸곳 · 도서출판 미술문화
서울시 마포구 합정동 355-2
전화 (02) 335-2964 팩시밀리 (02) 335-2965
등록번호 제 10-956호 등록일 1994. 3. 30

교정 · 강삼혜 이성미
편집 · 우은영 윤은주

원색분해 · 명성출력
필름출력 · 명성출력
인쇄 · 이화정밀인쇄
제본 · 성림제책

ⓒ Young Suk Kim 1998

韓国服飾文化事典

2008年5月30日　初版第1刷発行

編著者──金英淑
訳　者──中村克哉
発行者──今東成人
発行所──東方出版㈱
　　　　〒543-0052　大阪市天王寺区大道1-8-15
　　　　TEL06-6779-9571　FAX06-6779-9573
印刷所──亜細亜印刷㈱

ISBN978-4-86249-098-8　　乱丁・落丁はおとりかえいたします。